A Bhagavad-gītā

Úgy, ahogy van

Ő ISTENI KEGYELME
A. C. BHAKTIVEDANTA SWAMI
PRABHUPĀDA MŰVEI

A Bhagavad-gītā úgy, ahogy van

Śrīmad-Bhāgavatam (12 kötet)

Śrī Caitanya-caritāmṛta

Az odaadás nektárja

Śrī Caitanya tanítása

Kṛṣṇa, az Istenség Legfelsőbb Személyisége

A tökéletes jóga

Śrī Īśopaniṣad

Tökéletes kérdések, tökéletes válaszok

Az önmegvalósítás tudománya

A tanítások nektárja

Könnyű utazás más bolygókra

Születésen és halálon túl

Úton Kṛṣṇa felé

Rāja-vidyā: a bölcsesség királya

A tökéletesség útja

Bhakti: a szeretet és odaadás jógája

Úton önmagunk felé

Vissza Istenhez magazin

A BHAGAVAD-GĪTĀ

ÚGY, AHOGY VAN

Teljes, javított és bővített kiadás

a szanszkrit eredetivel, annak latin betűs átírásával, a szavak magyar megfelelőivel, fordítással és részletes magyarázattal

Ő Isteni Kegyelme
A. C. Bhaktivedanta Swami Prabhupāda
a Krisna-tudatú Hívők Nemzetközi Közösségének alapító ācāryája

THE BHAKTIVEDANTA BOOK TRUST

A könyv témája iránt érdeklődők
az alábbi címekre írhatnak:

Magyarországi Krisna-tudatú Hívők Közössége
Központi Iroda, 1301 Budapest, Postafiók 46
tel.: +36 (1) 212-6270, info@krisna.hu

Bhaktivedanta Hittudományi Főiskola
1039 Budapest, Attila u. 8.
tel.: +36 (1) 321-7787, info@bhf.hu

Budapesti Hare Krisna Oktatási és Kulturális Központ
1039 Budapest (Csillaghegy), Lehel u. 15–17.
tel.: +36 (30) 381 0504, lelekpalotaja@krisna.hu

Krisna-völgy Indiai Kulturális Központ és Biofarm
8699 Somogyvámos, Fő u. 38.
tel.: +36 (30) 377-1530, +36 (85) 540-002
info@krisnavolgy.hu

krisna.hu

MIX
Felelős forrásból származó papír
FSC® C083411
www.fsc.org

HU-BG-MEDIUM-2020-TEXT-R3

Bhagavad-gītā As It Is (Hungarian)

bbt.se
bbt.org
bbtmedia.com
krishna.com

ISBN 978-91-7769-236-2

Utánnyomás 2020

A könyvből készített e-book ingyen hozzáférhető
a www.bbtmedia.com oldalon.
Kód: **EB16HU88354P**

Śrīla Baladeva Vidyābhūṣaṇának,
aki olyan szépen elmagyarázta a
vedānta filozófiát *Govinda-bhāṣya*
című művében

Tartalom

Prológus 11

Előszó 15

Bevezetés **19**

ELSŐ FEJEZET

Hadiszemle a kurukṣetrai csatamezőn **47**

Az ellenséges seregek felsorakoztak. Arjuna, a hős vitéz kedves rokonait, tanítóit, barátait pillantja meg mindkét oldalon, harci vágyban égve, készen arra, hogy életüket áldozzák a csatában. Együttérzés és bánat önti el, ereje elhagyja, elméjén zavar lesz úrrá, s nem akar többé harcolni.

MÁSODIK FEJEZET

A Bhagavad-gītā tartalmának összefoglalása **79**

Arjuna meghódol az Úr Kṛṣṇa előtt, és a tanítványa lesz. Kṛṣṇa az átmeneti anyagi test és az örök lélek közötti alapvető különbségről tanítja őt. Beszél a lélekvándorlásról, a Legfelsőbb önzetlen szolgálatának természetéről és az önmegvalósítást elért ember jellemzőiről.

HARMADIK FEJEZET

Karma-yoga **157**

Ebben az anyagi világban mindenkinek cselekednie kell. A tettek vagy az anyagi világhoz kötik az embert, vagy kiszabadítják onnan. A Legfelsőbb örömére, önzetlenül cselekedve bárki felszabadulhat a *karma* (a tett és visszahatás) törvénye alól, és elsajátíthatja az önvalóról és a Legfelsőbbről szóló transzcendentális tudást.

NEGYEDIK FEJEZET
Transzcendentális tudás 201

A transzcendentális tudás – a lélekre, Istenre és kettőjük kapcsolatára vonatkozó lelki tudás – megtisztít és felszabadít. Ez a tudás az önzetlen odaadó cselekedetek (*karma-yoga*) gyümölcse. Az Úr feltárja a *Gītā* ősidőkbe visszanyúló történetét, beszél annak céljáról és jelentőségéről, elmondja, hogy időről időre alászáll az anyagi világba, valamint azt, hogy milyen fontos, hogy egy *guruhoz,* egy lelki megvalósítást elért tanítóhoz forduljunk.

ÖTÖDIK FEJEZET
Karma-yoga – cselekvés Kṛṣṇa-tudatban 251

Minden tettét végrehajtva, ám bensőjében azok gyümölcséről lemondva a transzcendentális tudás tüzében megtisztult bölcs eléri a békét, megszabadul a ragaszkodástól, lelki látásmódra tesz szert és boldog lesz.

HATODIK FEJEZET
Dhyāna-yoga 281

Az *aṣṭāṅga-yoga* mechanikus meditációjának gyakorlásával az ember képes uralkodni elméje és érzékei fölött, figyelmét pedig a Paramātmāra (a Felsőlélekre, az Úr szívben lakozó formájára) összpontosíthatja. Ez a *yoga*-folyamat a *samādhiban* tetőzik, amikor az ember tudata teljesen a Legfelsőbbe merül.

HETEDIK FEJEZET
Az Abszolútról szóló tudás 329

Az Úr Kṛṣṇa a Legfelsőbb Igazság, a legfelsőbb ok, valamint minden anyagi és lelki dolog fenntartó ereje. Az emelkedett lelkek odaadóan meghódolnak Neki, míg az istentagadók elméjét másféle imádat köti le.

NYOLCADIK FEJEZET

A Legfelsőbb elérése 371

Ha valaki élete során, különösen pedig a halál pillanatában nagy odaadással az Úr Kṛṣṇára emlékezik, eljuthat az Ő legfelsőbb hajlékára, mely túl van az anyagi világon.

KILENCEDIK FEJEZET

A legbizalmasabb tudás 401

Az Úr Kṛṣṇa a Legfelsőbb Isten, az imádat legfelsőbb középpontja. A lélek a transzcendentális odaadó szolgálaton (a *bhaktin*) keresztül örök kapcsolatban áll Vele. Tiszta odaadását felébresztve visszatérhet Hozzá a lelki világba.

TIZEDIK FEJEZET

Az Abszolút fensége 447

Az anyagi és a lelki világban minden csodálatos megnyilvánulás, erő, szépség, nagyság és fenség csupán Kṛṣṇa isteni energiáinak és fenségének a töredéke. Mint minden ok legfelsőbb oka, minden létező fenntartója és lényege, Kṛṣṇa minden teremtett lény számára a legfelsőbb imádandó személy.

TIZENEGYEDIK FEJEZET

A kozmikus forma 489

Az Úr Kṛṣṇa isteni szemekkel ajándékozza meg Arjunát, s megmutatja neki lenyűgöző, végtelen formáját, a kozmikus univerzumot. Ezzel végleg bizonyságot tesz isteni mivoltáról. Elmondja, hogy szépséges emberi formája az Istenség eredeti formája, melyet csakis az odaadó szolgálat által lehet megpillantani.

TIZENKETTEDIK FEJEZET

Az odaadó szolgálat 539

A *bhakti-yoga,* az Úr Kṛṣṇa tiszta odaadó szolgálata a legmagasabb rendű és legmegfelelőbb eszköz a Kṛṣṇa iránti tiszta szeretet eléréséhez, ami a lelki élet végső célja. Akik ezt a magasztos utat járják, isteni természetre tesznek szert.

TIZENHARMADIK FEJEZET
A természet, az élvező és a tudat 561
Aki megérti a test, a lélek és a fölöttük álló Felsőlélek közötti különbséget, kiszabadul ebből az anyagi világból.

TIZENNEGYEDIK FEJEZET
Az anyagi természet három kötőereje 599
Minden testet öltött lélek az anyagi természet három kötőerejének, a jóság, a szenvedély és a tudatlanság kötőerejének az irányítása alatt áll. Az Úr Kṛṣṇa elmagyarázza, mik ezek a kötőerők, hogyan hatnak ránk, hogyan lehet legyőzni őket, valamint elmondja, mi jellemzi azt az embert, aki elérte a transzcendentális állapotot.

TIZENÖTÖDIK FEJEZET
A Legfelsőbb Személy elérésének yogája 625
A védikus tudás végső célja, hogy megszabaduljunk a kötelékektől, melyek az anyagi világhoz fűznek bennünket, s megértsük, hogy az Úr Kṛṣṇa az Istenség Legfelsőbb Személyisége. Aki megérti, kicsoda Ő, az meghódol Előtte, s odaadó szolgálatához lát.

TIZENHATODIK FEJEZET
Az isteni és a démoni természet 649
Akik démonikus tulajdonságokkal rendelkeznek, és a szentírások parancsait figyelmen kívül hagyva, saját szeszélyeiket követve élnek, alacsonyabb rendű fajokban születnek újjá, és létük az anyag börtönében tovább folytatódik. Akik azonban isteni tulajdonságok birtokában vannak, és a szentírások szabályainak engedelmeskedve élnek, lassanként lelki tökéletességre tesznek szert.

TIZENHETEDIK FEJEZET

A hit fajtái 675

Az anyagi természet három kötőerejének megfelelően háromféle hit van, amely e kötőerőkből származik. Azoknak a tettei, akiknek hitét a szenvedély és a tudatlanság jellemzi, csupán átmeneti, anyagi eredményekkel járnak, míg a jóságban, a szentírások parancsolatait követve végrehajtott tettek megtisztítják a szívet, és az Úr Kṛṣṇába vetett tiszta hithez, valamint az Iránta érzett odaadáshoz vezetnek.

TIZENNYOLCADIK FEJEZET

Végkövetkeztetés – a tökéletes lemondás 699

Kṛṣṇa elmagyarázza a lemondás jelentését, és arról beszél, milyen hatással vannak a természet kötőerői az ember tudatára és tetteire. Elmondja, mi a Brahman-tudatosság, beszél a *Bhagavad-gītā* dicsőségéről és végkövetkeztetéséről: a vallás legmagasabb rendű formája az Úr Kṛṣṇa előtti abszolút, feltétlen, szeretetteljes meghódolás, ami megszabadítja az embert minden bűntől, teljes megvilágosodással áldja meg, és képessé teszi arra, hogy visszatérjen Kṛṣṇa örök lelki hajlékára.

Függelék

Megjegyzés a második angol kiadáshoz 760

Az íróról 761

Az idézett irodalom jegyzéke 763

Szójegyzék 764

Szanszkrit kiejtési útmutató 771

A szanszkrit versek jegyzéke 774

A magyarázatok versmutatója 787

Tárgy- és névmutató 793

Prológus

Noha a *Bhagavad-gītā* számtalan kiadást megért már, és rendkívül széles körben olvassák önálló könyvként, eredetileg a *Mahābhārata,* az ősi szanszkrit történelmi eposz egyik fejezete. A *Mahābhārata* egészen a jelenlegi Kali-korszakig felöleli az eseményeket. E kor kezdetén, mintegy öt évezreddel ezelőtt történt, hogy az Úr Kṛṣṇa elbeszélte a *Bhagavad-gītāt* barátjának és hívének, Arjunának.

Párbeszédük – minden idők legnagyszerűbb filozófiai és vallási dialógusa – egy csata, egy hatalmas testvérháború kezdete előtt hangzott el. Az ütközetben Dhṛtarāṣṭra száz fia és ellenfeleik, unokatestvéreik, a Pāṇḍavák, azaz Pāṇḍu fiai álltak szemben egymással.

Dhṛtarāṣṭra és Pāṇḍu fivérek voltak, a Kuru-dinasztia sarjai. A dinasztia Bharata királytól szállt alá, a Föld hajdani uralkodójától, akinek nevéből a *Mahābhārata* elnevezés is származik. Dhṛtarāṣṭra, az idősebb testvér vakon született, ezért a trón, mely egyébként őt illette volna, öccsére, Pāṇḍura szállt.

Pāṇḍu fiatalon meghalt, s öt gyermekét – Yudhiṣṭhirát, Bhīmát, Arjunát, Nakulát és Sahadevát – Dhṛtarāṣṭra vette gondjaiba, akit ideiglenesen a trónra ültettek. Így aztán Dhṛtarāṣṭra és Pāṇḍu fiai együtt nőttek fel a királyi palotában. Mindannyiukat a kiváló Droṇa tanította a hadászat tudományára, s a dinasztia rendkívüli tiszteletnek örvendő „nagyatyja", Bhīṣma látta el őket tanácsokkal.

Dhṛtarāṣṭra fiai azonban (különösen a legidősebb, Duryodhana) gyűlölték a Pāṇḍavákat, és irigykedtek rájuk, s a vak és befolyásolható Dhṛtarāṣṭra azt akarta, hogy ne Pāṇḍu gyermekei, hanem saját fiai örököljék a királyságot.

Duryodhana Dhṛtarāṣṭra jóváhagyásával kitervelte, hogy megöli Pāṇḍu ifjú fiait, akik csakis nagybátyjuk, Vidura és unokatestvérük, az Úr Kṛṣṇa körültekintő gondoskodásának köszönhetően élték túl az őket ért megannyi támadást.

Az Úr Kṛṣṇa nem közönséges ember volt, hanem maga a Legfelsőbb Istenség, aki alászállt a Földre, s egy virágzó dinasztia hercegének szerepét játszotta. Ebben a szerepben Pāṇḍu feleségének, Kuntīnak, vagyis Pṛthānak, a Pāṇḍavák anyjának unokaöccse is volt. Rokonukként és a vallás örök fenntartójaként kegyében részesítette és megvédelmezte Pāṇḍu jámbor fiait.

A ravasz Duryodhana azonban végül szerencsejátékra hívta ki a Pāṇḍavákat. A végzetes viadal során Duryodhana és fivérei megkaparintották Draupadīt, a Pāṇḍavák erényes és odaadó feleségét, és aljas módon megpróbálták levetkőztetni őt a hercegek és királyok gyülekezetének szeme láttára. Kṛṣṇa isteni beavatkozása megmentette Draupadīt, de a szerencsejáték során, amely előre kitervelt gonosztett volt, a Pāṇḍavákat megfosztották királyságuktól, és tizenhárom évre száműzték őket.

Száműzetésükből visszatérve a Pāṇḍavák az őket jogosan megillető királyságot követelték Duryodhanától, aki nyíltan visszautasította a kérést. Mivel hercegek lévén kötelességük volt a nép vezetése, az öt Pāṇḍava ekkor csupán öt falut kért. Az öntelt Duryodhana azonban kijelentette: még annyi földet sem ad nekik, amennyi egy tű hegye alatt elfér.

A Pāṇḍavák mindvégig türelmesek és béketűrőek voltak; most azonban úgy tűnt, a háború elkerülhetetlen.

A világ királyai két csoportra oszlottak: voltak, akik Dhṛtarāṣṭra fiainak oldalára álltak, míg mások a Pāṇḍavákat támogatták. Kṛṣṇa Pāṇḍu fiai hírnökének szerepében még elment Dhṛtarāṣṭra udvarába, hogy megpróbáljon békét kötni. Kérését megtagadták, s így a háború bizonyossá vált.

A jámbor Pāṇḍavák az Istenség Legfelsőbb Személyiségének fogadták el Kṛṣṇát, ám Dhṛtarāṣṭra istentelen fiai nem így tekintettek Rá. Kṛṣṇa mégis felajánlotta, hogy a szembenálló felek kívánsága szerint vesz részt a harcban. Mint Isten, személyesen nem akart harcolni, de az egyik fél – kívánságának megfelelően – megkaphatta Kṛṣṇa hadseregét, a másik pedig magát Kṛṣṇát mint tanácsadót és segítőt. Duryodhana, aki kiváló politikus volt, azon nyomban lecsapott Kṛṣṇa hadseregére, míg a Pāṇḍavák ugyanennyire vágytak arra, hogy maga Kṛṣṇa álljon az oldalukon.

Kṛṣṇából így Arjuna kocsihajtója lett, vállalva, hogy vezeti a híres íjász harci szekerét. Elérkeztünk hát ahhoz a pillanathoz, ahol a *Bhagavad-gītā* elkezdődik: a két sereg harcra készen felsorakozott, s Dhṛtarāṣṭra türelmetlenül kérdezi tanácsosától, Sañjayától: „Mi történik?"

Minden díszlet a helyén – most már csak a fordításhoz és a magyarázathoz szeretnénk néhány szót fűzni.

A *Bhagavad-gītā* korábbi fordítói általában arra használták a művet, hogy Kṛṣṇa személyét félretolva saját elképzeléseiket és filozófiájukat mutassák be. A *Mahābhārata* történetét különös mítosznak tekintették, Kṛṣṇát pedig puszta költői eszköznek, egy névtelen géniusz szócsövének, vagy a legjobb esetben is egy nem túlságosan figyelemre méltó történelmi személyiségnek.

A *Bhagavad-gītā* célja és lényege azonban Kṛṣṇa személye, ahogyan azt a *Gītā* maga is számos ízben kijelenti.

Ennek a fordításnak és a hozzá fűzött magyarázatnak az a célja, hogy az olvasót Kṛṣṇa *felé* vezesse, nem pedig az, hogy eltávolítsa Tőle, s ezáltal a mű ellentmondásoktól mentessé és érthetővé válik. A *Gītā* elbeszélője és végső célja Kṛṣṇa, ezért *A Bhagavad-gītā úgy, ahogy van* e csodálatos szentírás valódi mondanivalóját tárja fel.

A Kiadók

Előszó

A Bhagavad-gītā úgy, ahogy van-t eredetileg olyan formában írtam meg, ahogyan azt most látják. Sajnos azonban az első kiadás alkalmával az eredeti kéziratot kevesebb mint négyszáz oldalasra kellett rövidítenünk. Nem voltak illusztrációk hozzá, és a legtöbb eredeti verset nem követték magyarázatok. Valamennyi könyvem – a *Śrīmad-Bhāgavatam,* a *Śrī Īśopaniṣad* stb. – hasonló rendszer szerint épül fel: először az eredeti verset olvashatják, azután annak latin betűs átírását, szavankénti fordítását, majd a vers teljes fordítását és a magyarázatokat. Mindez rendkívül hitelessé és tudományossá teszi a könyvet és magától értetődővé a jelentést, ezért nem örültem neki, amikor le kellett rövidítenem az eredeti kéziratot. Később azonban, amikor a *Bhagavad-gītā* iránti érdeklődés jelentősen megnövekedett, számos tudós és gyakorló hívő arra kért, hogy eredeti formájában tegyem közzé fordításomat. Jelenlegi próbálkozásunk célja az, hogy a tudás e nagy könyvének eredeti kéziratát a teljes *paramparā*-magyarázattal adjuk közzé, hogy a Kṛṣṇa-tudat mozgalmát még szilárdabb alapokra helyezzük, s elősegítsük fejlődését.

Mozgalmunk, a Kṛṣṇa-tudat mozgalma valódi, történelmileg hiteles, természetes és transzcendentális, mert az igazi *Bhagavad-gītān* alapszik. Lassanként a legnépszerűbb mozgalommá válik a világon, különösen a fiatalok körében, de az idősebb generáció is egyre nagyobb érdeklődéssel fordul felé. Koros úriemberek kezdenek el érdeklődni iránta, olyannyira, hogy tanítványaim apái és nagyapái nagyszerű közösségünk, a Krisnatudatú Hívők Nemzetközi Közössége támogató tagjai lesznek, így lelkesítve bennünket. Los Angelesben számtalan szülő felkeresett már, hogy kifejezze háláját amiatt, hogy szerte a világon irányítom a Kṛṣṇa-tudat mozgalmát. Voltak, akik azt mondták, hogy az amerikaiak nagyon szerencsések, amiért hazájukban kezdtem el a prédikálást. A mozgalom alapító atyja azonban valójában az Úr Kṛṣṇa, hiszen a Kṛṣṇa-tudat eredete igen ősi időkre nyúlik vissza, s az emberi társadalomba a tanítványi láncolaton keresztül száll alá. Mindezért az elismerés azonban nem az én személyemnek, hanem örök lelki tanítómesteremnek, Ő Isteni Kegyelmének, Oṁ Viṣṇupāda Paramahaṁsa Parivrājakācārya 108 Śrī Śrīmad Bhaktisiddhānta Sarasvatī Gosvāmī Mahārāja Prabhupādának jár.

Az én érdemem mindebben csupán annyi, hogy eredetiben, torzítás nélkül igyekeztem bemutatni a *Bhagavad-gītāt. A Bhagavad-gītā úgy, ahogy van* megjelenése előtt szinte minden angol kiadás valakinek a személyes érdekeit szolgálta. A mi célunk *A Bhagavad-gītā úgy, ahogy van* bemutatása során az, hogy Kṛṣṇa, az Istenség Legfelsőbb Személyisége misszióját ismertessük. Feladatunk tehát Kṛṣṇa akaratának, s nem valamiféle világi spekuláló – politikus, filozófus vagy tudós – véleményének az ismertetése, akik nagy tudásuk ellenére oly keveset tudnak Kṛṣṇáról. Amikor Kṛṣṇa kijelenti, hogy *man-manā bhava mad-bhakto mad-yājī māṁ namaskuru,* mi – ezekkel az állítólagos tudósokkal ellentétben – nem azt mondjuk, hogy Kṛṣṇa különbözik a Benne lévő lélektől. Kṛṣṇa abszolút, ezért neve, formája, tulajdonságai, kedvtelései stb. között nincs különbség. Abszolút helyzetét azok, akik nem Kṛṣṇa *bhaktái,* s nem tartoznak a *paramparāhoz* (a tanítványi láncolathoz), nehezen érthetik meg. Az úgynevezett tudósok, politikusok, filozófusok és *svāmīk* nem rendelkeznek tökéletes tudással Kṛṣṇáról, s megpróbálják száműzni vagy megölni Őt, amikor magyarázatot írnak a *Bhagavad-gītāhoz.* A *Bhagavad-gītā* efféle nem hiteles magyarázatait *māyāvāda-bhāṣyának* nevezik. Az Úr Caitanya óvott bennünket az ilyen emberektől, akik nem követik a hiteles forrásokat. Félreérthetetlenül kijelentette: legyen az bárki, ha a *māyāvādī* filozófia alapján próbálja megérteni a *Bhagavad-gītāt,* nagy hibát követ el. A *Bhagavad-gītā* félrevezetett tanulmányozója minden bizonnyal eltéved a lelki parancsok ösvényén, s így nem fog tudni hazatérni, vissza Istenhez.

Az egyetlen szándékunk *A Bhagavad-gītā úgy, ahogy van* kiadásával az, hogy a feltételekhez kötött, tanulni vágyó embert ugyanazon cél felé tereljük, mint amiért Kṛṣṇa száll alá e bolygóra Brahmā minden napjában, azaz minden 8 600 000 000 évben egyszer. Erről a célról maga a *Bhagavad-gītā* beszél, amit úgy kell elfogadnunk, ahogyan van, másképp semmi értelme azzal próbálkoznunk, hogy megértsük a *Bhagavad-gītāt* és elbeszélőjét, az Úr Kṛṣṇát. Az Úr Kṛṣṇa a *Bhagavad-gītāt* először a napistennek mondta el sok millió évvel ezelőtt. Kṛṣṇában, a hiteles forrásban bízva kell elfogadnunk ezt a tényt, s így kell megértenünk a *Bhagavad-gītā* történelmi jelentőségét, anélkül hogy félremagyaráznánk azt. Ha valaki Kṛṣṇa akaratát figyelmen kívül hagyva értelmezi a *Bhagavad-gītāt,* a legnagyobb sértést követi el. Hogy ezt elkerüljük, az Urat az Istenség Legfelsőbb Személyiségének kell elfogadnunk, ahogyan azt Arjuna, az Úr Kṛṣṇa első tanítványa tette. A *Bhagavad-gītāt* ilyen szellemben való olvasása valóban hiteles, és segít az emberi társadalomnak abban, hogy beteljesítse emberi küldetését.

A Kṛṣṇa-tudat mozgalma nélkülözhetetlen az emberi társadalomban, mert az élet legteljesebb tökéletességét teszi elérhetővé. Hogy ez miként történik, arról a *Bhagavad-gītā* részletes magyarázattal szolgál. Az örökké vitázó materialisták sajnos saját démonikus céljaikra használták fel a *Bhagavad-gītāt,* hogy félrevezessék az embereket az élet legegyszerűbb elveit illetően. Mindenkinek tudnia kell, hogy Isten, Kṛṣṇa milyen hatalmas, és ismernie kell az élőlények valódi helyzetét. Mindenkinek tisztában kell lennie azzal, hogy az élőlény örökké szolga, s ha nem Kṛṣṇát, akkor az illúziót szolgálja az anyagi természet három kötőerejének különböző megnyilvánulásaiban, állandó vándorlásra ítéltetve a születés és halál körforgásában. Még a magukat felszabadultnak tekintő *māyāvādī* spekulálókra is ez a sors vár. Hatalmas tudomány ez, melyről minden élőlénynek saját érdekében hallania kell.

Az embereket – különösen ebben a Kali-korban – Kṛṣṇa külső energiája bűvöli el, s azt gondolják, hogy az anyagi kényelem fokozásával mindenki boldog lehet. Nem tudják, hogy a külső, anyagi természet rendkívül erős, hiszen szigorú törvényei mindenkit erősen megkötöznek. Az élőlény az Úr boldog szerves része, így természetes feladata az, hogy közvetlen szolgálatot végezzen Neki. Az illúzió hatására az ember úgy akar boldog lenni, hogy a legkülönfélébb módokon saját érzékkielégítésére törekszik. Ez azonban sohasem teheti boldoggá. Saját anyagi érzékeinek kielégítése helyett az Úr érzékeit kell elégedetté tennie. Ez az élet legmagasabb rendű tökéletessége. Az Úr erre vágyik, s ezt kéri tőlünk. Meg kell értenünk, hogy ez a *Bhagavad-gītā* központi gondolata. Ezt a legfőbb mondanivalót tanítja a Kṛṣṇa-tudat mozgalma is az egész világnak. Aki valóban lelki áldáshoz szeretne jutni e könyv tanulmányozásával, annak ahhoz, hogy az Úr közvetlen irányításával a gyakorlatban is megértse a *Bhagavad-gītāt,* a Kṛṣṇa-tudat mozgalmától kell segítséget kérnie, mert mi nem szennyezzük be a *Bhagavad-gītā* témáját. Reméljük, mindenkinek nagy hasznára válik majd az általunk közreadott *A Bhagavad-gītā úgy, ahogy van* tanulmányozása, s ha csak egyvalaki is az Úr tiszta *bhaktájává* válik, próbálkozásunkat már sikeresnek könyvelhetjük el.

A. C. Bhaktivedanta Swami

Sydney, Ausztrália
1971. május 12.

Bevezetés

oṁ ajñāna-timirāndhasya jñānāñjana-śalākayā
cakṣur unmīlitaṁ yena tasmai śrī-gurave namaḥ

śrī-caitanya-mano 'bhīṣṭam sthāpitaṁ yena bhū-tale
svayaṁ rūpaḥ kadā mahyaṁ dadāti sva-padāntikam

A legsötétebb tudatlanságban születtem, ám lelki tanítómesterem a tudás fáklyalángjával felnyitotta szememet. Tiszteletteljes hódolatomat ajánlom neki!

Vajon mikor fog Śrīla Rūpa Gosvāmī Prabhupāda – az Úr Caitanya kívánságát ebben az anyagi világban valóra váltó misszió alapítója – menedéket nyújtani lótuszlábánál?

vande 'haṁ śrī-guroḥ śrī-yuta-pada-kamalaṁ śrī-gurūn vaiṣṇavāṁś ca
śrī-rūpaṁ sāgrajātaṁ saha-gaṇa-raghunāthānvitaṁ taṁ sa-jīvam
sādvaitaṁ sāvadhūtaṁ parijana-sahitaṁ kṛṣṇa-caitanya-devaṁ
śrī-rādhā-kṛṣṇa-pādān saha-gaṇa-lalitā-śrī-viśākhānvitāṁś ca

Tisztelettel borulok le tanítómesterem lótuszlábánál s minden *vaiṣṇava* lábánál! Tisztelettel borulok le Śrīla Rūpa Gosvāmī és idősebb fivére, Sanātana Gosvāmī, valamint Raghunātha Dāsa, Raghunātha Bhaṭṭa, Gopāla Bhaṭṭa és Śrīla Jīva Gosvāmī lótuszlábánál! Tisztelettel borulok le az Úr Kṛṣṇa Caitanya és az Úr Nityānanda, valamint Advaita Ācārya, Gadādhara, Śrīvāsa és többi társuk előtt! Tisztelettel borulok le Śrīmatī Rādhārāṇī, Śrī Kṛṣṇa és társaik, Śrī Lalitā és Viśākhā előtt is!

he kṛṣṇa karuṇā-sindho dīna-bandho jagat-pate
gopeśa gopikā-kānta rādhā-kānta namo 'stu te

Ó, drága Kṛṣṇám! Te vagy a boldogtalanok barátja s a teremtés eredete! Te vagy a *gopīk* Ura és Rādhārāṇī kedvese! Tisztelettel leborulok Előtted!

tapta-kāñcana-gaurāṅgi rādhe vṛndāvaneśvari
vṛṣabhānu-sute devi praṇamāmi hari-priye

Hódolattal borulok le Rādhārāṇī, Vṛndāvana királynője előtt, akinek testszíne olyan, akár az olvadt arany! Te vagy Vṛṣabhānu király leánya, aki oly kedves az Úr Kṛṣṇának.

vāñchā-kalpatarubhyaś ca kṛpā-sindhubhya eva ca
patitānāṁ pāvanebhyo vaiṣṇavebhyo namo namaḥ

Tisztelettel borulok le az Úr összes *vaiṣṇava* híve előtt, akik mindenki óhaját teljesíteni tudják, akár a kívánságteljesítő fák, s végtelenül könyörületesek a bűnös lelkekhez.

śrī-kṛṣṇa-caitanya prabhu-nityānanda
śrī-advaita gadādhara śrīvāsādi-gaura-bhakta-vṛnda

Hódolattal borulok le Śrī Kṛṣṇa Caitanya, Nityānanda Prabhu, Śrī Advaita, Gadādhara, Śrīvāsa és mindenki más előtt, aki az odaadás útján halad!

hare kṛṣṇa hare kṛṣṇa kṛṣṇa kṛṣṇa hare hare
hare rāma hare rāma rāma rāma hare hare

A *Bhagavad-gītāt Gītopaniṣadnak* is nevezik. A *Gītā* a védikus tudás lényege, s a védikus irodalom *upaniṣadjai* közül az egyik legfontosabb, így természetes, hogy számos angol nyelvű magyarázata létezik. Joggal kérdezhetnénk tehát, hogy miért van szükség egy újabbra. A jelenlegi kiadás magyarázata a következő: Nemrégiben egy amerikai hölgy arra kért, ajánljak számára egy angol nyelvű *Gītā*-fordítást. Amerikában nagyon sok angol nyelvű *Bhagavad-gītā*-kiadás jelent meg, de megítélésem szerint nemcsak ott, de még Indiában sincs egyetlen olyan fordítása sem, melyet szigorú értelemben hitelesnek nevezhetnénk, mert a magyarázók szinte mindegyikben a saját véleményüket igyekeznek kifejteni, anélkül hogy tiszteletben tartanák a *Bhagavad-gītā* valódi szellemét.

A *Bhagavad-gītā* szellemét maga a *Bhagavad-gītā* határozza meg. Olyan ez, mint amikor egy orvosságot akarunk bevenni: követnünk kell a dobozán feltüntetett utasításokat. Nem szabad saját szeszélyeink vagy egy barátunk tanácsai alapján szedni; vagy a dobozon feltüntetett előírást, vagy az orvos utasításait kell követnünk. Így van ez a *Bhagavad-gītā* esetében is: úgy kell elfogadnunk, ahogyan azt maga az elbeszélő tanácsolja. A *Bhagavad-gītāt* az Úr Śrī Kṛṣṇa mondta el, akit a könyv minden oldalon az Istenség Legfelsőbb Személyiségének, Bhagavānnak nevez. Természetesen a *bhagavān* szó olykor bármilyen kiváló személyiségre vagy félistenre is vonatkozhat, és itt is kétségkívül az Úr Śrī Kṛṣṇa személyiségének kiválóságára utal, ugyanakkor azonban tudnunk kell, hogy az

Úr Śrī Kṛṣṇa az Istenség Legfelsőbb Személyisége, ahogyan azt valamennyi kiváló *ācārya* (lelki tanítómester), köztük Śaṅkarācārya, Rāmānujācārya, Madhvācārya, Nimbārka Svāmī, Śrī Caitanya Mahāprabhu és India sok más hiteles, a védikus tudásban jártas tekintélye is alátámasztja. A *Bhagavad-gītāban* maga az Úr is megerősíti, hogy Ő az Istenség Legfelsőbb Személyisége. A *Brahma-saṁhitā* és a *purāṇák* mindegyike is így tekint Rá, különösen a *Śrīmad-Bhāgavatam* (*kṛṣṇas tu bhagavān svayam*), melyet *Bhāgavata-purāṇának* is neveznek. A *Bhagavad-gītāt* éppen ezért úgy kell elfogadnunk, ahogyan azt maga az Istenség Legfelsőbb Személyisége megparancsolja nekünk.

A *Gītā* negyedik fejezetében (4.1–3) az Úr így szól:

imaṁ vivasvate yogaṁ proktavān aham avyayam
vivasvān manave prāha manur ikṣvākave 'bravīt

evaṁ paramparā-prāptam imaṁ rājarṣayo viduḥ
sa kāleneha mahatā yogo naṣṭaḥ parantapa

sa evāyaṁ mayā te 'dya yogaḥ proktaḥ purātanaḥ
bhakto 'si me sakhā ceti rahasyaṁ hy etad uttamam

Az Úr ezekben a versekben elmondja Arjunának, hogy ezt a *yoga*-rendszert, a *Bhagavad-gītāt* először a napistennek magyarázta el, a napisten átadta azt Manunak, Manu pedig Ikṣvākunak. Ily módon, a tanítványi láncon keresztül, az egyik elbeszélőtől a másikig szállt alá ez a *yoga*-rendszer. Idővel azonban a tanítás feledésbe merült, ezért az Úrnak újra el kellett mondania – ez alkalommal Arjunának, a kurukṣetrai csatamezőn.

Śrī Kṛṣṇa elmondja neki, hogy e legmagasztosabb titkot azért tárja fel előtte, mert Arjuna a *bhaktája* és a barátja. Ez azt jelenti, hogy a *Bhagavad-gītā* olyan mű, ami legfőképpen az Úr híveinek szól. A transzcendentalistákat három csoportba sorolhatjuk: a *jñānīk,* a *yogīk* és a *bhakták,* vagyis az imperszonalisták, a meditálók és az Úr hívei. Az Úr itt világosan értésére adja Arjunának, hogy őt teszi az új *paramparā* (tanítványi lánc) első tagjává, mivel a korábbi láncolat megszakadt. Az Úr kívánsága volt tehát, hogy egy újabb *paramparā* jöjjön létre, amely magáénak vallja a hajdanán a napistentől alászálló tanítványi lánc eszméit, s az Ő vágya volt az is, hogy Arjuna terjessze el újra ezeket a tanításokat. Azt akarta, hogy Arjuna váljék szaktekintéllyé a *Bhagavad-gītā* értő ismerete terén. Láthatjuk tehát, hogy a *Bhagavad-gītāt* az Úr leginkább azért tanította Arjunának, mert Arjuna az Úr híve, közvetlen tanítványa és bensőséges barátja volt. A *Bhagavad-gītāt* az érti meg a legjobban, akinek jelleme Arjunáéhoz hasonló. Úgy is mondhatnánk, hogy az Úr hívének kell lennie, aki közvetlen kapcsolatban áll az Úrral. Amint valaki az Úr *bhaktája* lesz, azonnal közvetlen kapcsolatba kerül Vele. Ez egy rendkívül összetett téma, röviden azonban annyit elmondhatunk, hogy a *bhakta* a következő öt viszony egyikében állhat kapcsolatban az Istenség Legfelsőbb Személyiségével: 1. passzív, 2. aktív, 3. baráti, 4. szülői és 5. szerelmi kapcsolat.

Arjunát baráti viszony fűzte az Úrhoz. Természetesen e barátság és az anyagi világban tapasztalt barátság között nagy különbség van. Ez a barátság transzcendentális, melyre nem tehet szert bárki. Mindenki sajátos kapcsolatban áll az Úrral, melyet újra visszaállíthat a tökéletes odaadó szolgálat révén. Jelenlegi helyzetünkben azonban nemcsak a Legfelsőbb Úrról feledkeztünk meg, de arról az örök kapcsolatról is, ami Hozzá fűz bennünket. Sok-sok milliárdnyi és billiónyi élőlény létezik, s mindegyiküknek sajátos, örök kapcsolata van az Úrral. Ezt nevezik *svarūpának.* Az odaadó szolgálat segítségével e *svarūpát* újra életre lehet kelteni. Ezt a szintet *svarūpa-siddhinek,* eredeti helyzetünk tökéletességének hívják. Arjuna tehát *bhakta* volt, s baráti kapcsolatban állt a Legfelsőbb Úrral.

Érdemes megjegyeznünk, hogyan fogadta el Arjuna a *Bhagavad-gītāt.* Erről a tizedik fejezetben (10.12–14) olvashatunk:

arjuna uvāca
paraṁ brahma paraṁ dhāma pavitraṁ paramaṁ bhavān
puruṣaṁ śāśvataṁ divyam ādi-devam ajaṁ vibhum

āhus tvām ṛṣayaḥ sarve devarṣir nāradas tathā
asito devalo vyāsaḥ svayaṁ caiva bravīṣi me

sarvam etad ṛtaṁ manye yan māṁ vadasi keśava
na hi te bhagavan vyaktiṁ vidur devā na dānavāḥ

„Arjuna így szólt: Te vagy az Istenség Legfelsőbb Személyisége, a legvégső hajlék, a legtisztább, az Abszolút Igazság! Te vagy az örök, transzcendentális és eredeti személy, a megszületetlen, a leghatalmasabb! Nārada, Asita, Devala, Vyāsa és minden más nagy bölcs megerősíti ezt Rólad, és most Te magad is ezt mondod nekem. Ó, Kṛṣṇa, teljes igazságként fogadom el mindazt, amit elmondtál! Sem a félistenek, sem a démonok nem érthetik meg személyiségedet, ó, Uram!"

Miután Arjuna végighallgatta a *Bhagavad-gītāt* Kṛṣṇától, az Istenség Legfelsőbb Személyiségétől, belátta, hogy Kṛṣṇa *paraṁ brahma,* a Legfelsőbb Brahman. Minden élőlény Brahman, de a legfelsőbb élőlény, az Istenség Legfelsőbb Személyisége a Legfelsőbb Brahman. A *paraṁ dhāma* kifejezés azt jelenti, hogy Ő a legfelsőbb menedéke vagy hajléka mindennek, a *pavitram* pedig azt, hogy tiszta, mentes az anyagi szennyezettségtől. A *puruṣam* szó arra utal, hogy Ő a legfelsőbb élvező. Ő *śāśvatam,* az eredeti; *divyam,* transzcendentális; *ādi-devam,* az Istenség Legfelsőbb Személyisége; *ajam,* megszületetlen; valamint *vibhum,* a leghatalmasabb.

Azt hihetnénk ezek után, hogy Arjuna csupán hízelgésből mondta mindezt Kṛṣṇának, mert a barátja volt. Ám hogy eloszlassa az efféle kételyeket a *Bhagavad-gītā* olvasóinak elméjében, Arjuna megerősíti magasztalását a következő versben, amikor azt mondja: Kṛṣṇát nemcsak ő tekinti az Istenség Legfelsőbb Személyiségének, hanem minden hiteles szaktekintély, így Nārada, Asita, Devala és Vyāsadeva is. Mindannyian kiváló személyiségek, akik a védikus tudást olyan módon terjesztik, ahogyan azt valamennyi *ācārya* elfogadja. Arjuna éppen ezért azt mondja Kṛṣṇának, hogy teljesen tökéletesnek tekinti mindazt, amit Kṛṣṇa mond. *Sarvam etad ṛtaṁ manye:* „Igaznak fogadom el minden szavad." Arjuna elmondja azt is, hogy az Úr személyiségét megérteni rendkívül nehéz, s hogy még a hatalmas félistenek sem ismerhetik meg Őt. Ez annyit jelent, hogy az Urat még azok sem érthetik meg, akik az embereknél magasabb szinten állnak. Hogyan érthetné meg akkor egy emberi lény az Úr Śrī Kṛṣṇát anélkül, hogy az Ő híve lenne?

A *Bhagavad-gītāt* az odaadás szellemében kell tanulmányoznunk. Az ember ne higgye, hogy egyenlő Kṛṣṇával, s azt se gondolja, hogy Kṛṣṇa egy közönséges ember. Nagyhatalmú személyiségnek sem szabad tekintenie Őt. Az Úr Śrī Kṛṣṇa nem más, mint az Istenség Legfelsőbb Személyisége. A *Bhagavad-gītā,* illetve a *Bhagavad-gītāt* megérteni próbáló Arjuna kijelentései alapján Śrī Kṛṣṇát legalább elméletben az Istenség Legfelsőbb Személyiségének kell tekintenünk. Ebben az alázatos szellemben megérthetjük majd a *Bhagavad-gītāt.* Ez a mű nagy rejtély, ezért mindaddig, amíg nem alázatos szellemben olvassuk, rendkívül nehéz lesz megérteni.

Mi is valójában a *Bhagavad-gītā?* A *Gītā* célja az, hogy kiszabadítsa az emberiséget az anyagi lét tudatlanságából. Az embereknek számtalan megpróbáltatással kell szembenézniük, éppen úgy, ahogy Arjuna is nehéz helyzetbe került, amikor meg kellett vívnia a kurukṣetrai csatát. Ám meghódolt Śrī Kṛṣṇa előtt, az Úr pedig elmondta neki a *Bhagavad-gītāt.* Nemcsak Arjunát gyötörte aggodalom az anyagi lét miatt – mi is mindannyian hasonló helyzetben vagyunk. Egész létünket a nemlét hangulata hatja át, mi azonban nem arra teremtődtünk, hogy szüntelenül a nemlét gondolata tartson minket rettegésben. Létünk örök, ám valamiképpen az *asatba* kerültünk. *Asat* az, ami nem létezik.

A számtalan szenvedő ember közül csupán néhányat érdekli valódi helyzete, az, hogy ki ő, miért kényszerült ilyen kellemetlen feltételek közé stb. Senki sem nevezhető tökéletes embernek addig, amíg el nem jut odáig, hogy megkérdezze, miért szenved, s amíg rá nem ébred, hogy nem akar szenvedni, hanem véget akar vetni minden szenvedésnek. Csak akkortól beszélhetünk emberi létről, amikor elménkben felébred ez az érdeklődés. A *Brahma-sūtra* ezt az érdeklődést *brahma-jijñāsānak* nevezi. *Athāto brahma-jijñāsā*. Mindaddig, amíg az ember nem tesz fel kérdéseket az Abszolút természetéről, valamennyi tette kudarcnak számít. A *Bhagavad-gītāt* tehát azok érthetik meg, akik megkérdezik, hogy miért szenvednek, honnan jöttek, s hogy hová kell menniük a halál után. Az őszinte tanítványnak ezenkívül rendíthetetlen tisztelettel kell tekintenie az Istenség Legfelsőbb Személyiségére. Ilyen tanítvány volt Arjuna.

Az Úr Kṛṣṇa legfőképpen azért száll alá, hogy az embereket figyelmeztesse az élet valódi céljára, amikor azok megfeledkeznek róla. A soksok feleszmélt ember közül jó, ha egy akad, aki valóban elsajátítja azt a szellemet, amelyben megértheti helyzetét. Neki szól a *Bhagavad-gītā*. A valóság az, hogy mindannyiunkat lenyelt a tudatlanság nősténytigrise, ám az Úr végtelenül kegyes az élőlényekhez, különösen pedig az emberekhez. Emiatt beszélte el a *Bhagavad-gītāt,* barátját, Arjunát téve meg tanítványának.

Arjuna az Úr társa volt, ezért nem lehetett tudatlan, ám a kurukṣetrai csatamezőn mégis hatalmába kerítette a tudatlanság, de csak azért, hogy az Úr Kṛṣṇát az élet problémáiról kérdezhesse, s hogy az Úr az emberiség eljövendő nemzedékei érdekében választ adhasson e kérdésekre, és kijelölhesse az élet célját. Az emberek így ennek megfelelően cselekedhetnek, és tökéletesen beteljesíthetik az emberi lét küldetését.

A *Bhagavad-gītāt* olvasva az ember megértheti az öt alapigazságot. A könyv először az Istenről szóló tudományt magyarázza el, majd az élőlények, a *jīvák* örök helyzetét. Létezik egy *īśvara,* egy irányító, s vannak a *jīvák,* az élőlények, akiket irányít. Ha egy élőlény azt állítja magáról, hogy őt nem irányítja senki, s hogy szabad, akkor őrült. Az élőlény minden tekintetben irányítás alatt áll, legalábbis feltételekhez kötött élete során. A *Bhagavad-gītā* témája tehát az *īśvara,* a legfelsőbb irányító, valamint a *jīvák,* az irányított élőlények. A *prakṛtiről* (az anyagi természetről), az időről (az egész univerzum létezésének, vagyis az anyagi természet megnyilvánult állapotának időtartamáról) és a *karmáról* (a tettekről) szintén beszél. A kozmikus megnyilvánulásban számtalan tevékenység zajlik. Minden élőlény más-más tett végzésébe merül. A *Bhagavad-gītāból* meg kell tanulnunk, hogy ki Isten, kik az élőlények, mi a *prakṛti,* mi a kozmikus megnyilvánulás, miképpen irányítja azt az idő, és milyen tetteket végeznek az élőlények.

A *Bhagavad-gītā* kijelenti, hogy az öt alapigazság közül, amelyek fő témáit alkotják, a Legfelsőbb Istenség, azaz Kṛṣṇa, a Brahman, a legfelsőbb irányító vagy a Paramātmā – ki-ki szólítsa úgy, ahogy neki tetszik – a leghatalmasabb. Az élőlények lényegi minőségüket tekintve éppen olyanok, mint a legfelsőbb irányító. Az Úr irányít mindent az anyagi természet univerzumaiban, ahogyan azt majd a *Bhagavad-gītā* későbbi fejezetei elmondják. Az anyagi természet nem független; a Legfelsőbb Úr felügyeletével működik. *Mayādhyakṣeṇa prakṛtiḥ sūyate sa-carācaram,* mondja az Úr Kṛṣṇa. „Ez az anyagi természet az Én irányításom alatt működik." Ha csodálatos jelenségek tanúi vagyunk a kozmikus természetben, mindig jusson eszünkbe, hogy a kozmikus megnyilvánulás mögött egy irányító áll. Semmi sem nyilvánulhat meg irányítás nélkül. Gyerekes dolog, ha nem veszünk tudomást az irányítóról. Csak egy gyermek gondolkozhat úgy, hogy milyen csodálatos dolog is az autó, hiszen megy anélkül is, hogy ló vagy más állat húzná. A józan ember tudja, hogyan működik az autó motorja, s azzal is tisztában van, hogy a gépezet mögött egy ember áll, a vezető. Ehhez hasonlóan a Legfelsőbb Úr az a vezető, akinek irányítása alatt minden működik. Ahogyan azt a későbbi fejezetekben olvashatjuk, az Úr saját szerves részeinek tekinti a *jīvákat,* az élőlényeket. A kis aranyrög szintén arany, és az óceán egy csöppje is sós. Ugyanígy amiatt, hogy a legfelsőbb irányító, az *īśvara,* vagyis Bhagavān, az Úr Śrī Kṛṣṇa szerves részei vagyunk, parányi mennyiségben bennünk, élőlényekben is megtalálható a Legfelsőbb Úr valamennyi tulajdonsága, mert parányi, alárendelt *īśvarák* vagyunk. Megpróbáljuk uralmunk alá hajtani a természetet, ahogyan manapság a világűrt vagy a bolygókat akarjuk meghódítani. Ez az uralkodásra való hajlam azért van meg bennünk, mert Kṛṣṇában is jelen van. Annak ellenére azonban, hogy megvan bennünk a vágy, hogy uralkodjunk az anyagi természet fölött, tudnunk kell, hogy nem mi vagyunk a legfelsőbb irányító. Erről beszél a *Bhagavad-gītā*.

Mi az anyagi természet? A *Gītā* ezt is elmagyarázza, s alsóbbrendű *prakṛtinek,* alsóbbrendű természetnek nevezi, míg az élőlényt felsőbbrendű *prakṛtiként* határozza meg. A *prakṛti* mindig irányítás alatt áll, legyen akár alsóbb-, akár felsőbbrendű. A *prakṛti* nőnemű, s az Úr irányítása alatt áll, ahogyan a feleség tetteit is a férj irányítja. A *prakṛti* mindig alárendelt, s az Úr uralkodik felette, aki az uralkodó. Az élőlényeken és az anyagi természeten egyaránt a Legfelsőbb Úr uralkodik, Ő irányítja őket. A *Gītā* szerint az élőlényeket, annak ellenére, hogy a Legfelsőbb Úr szerves részei, *prakṛtinek* kell tekinteni. Ezt a *Bhagavad-gītā* hetedik fejezete egyértelműen kijelenti. *Apareyam itas tv anyāṁ prakṛtiṁ viddhi me parām / jīva-bhūtām:* „Ez az anyagi természet az Én alacsonyabb rendű *prakṛtim,* ám ezen fölül van egy másik *prakṛti* is: a *jīva-bhūtām,* az élőlény."

Magát az anyagi természetet három kötőerő alkotja: a jóság, a szenvedély és a tudatlanság. Fölöttük az örök idő áll, s a természet e kötőerőinek kombinációja révén, valamint az örök idő irányítása alatt és hatáskörén belül létrejönnek a tettek, amiket *karmának* nevezünk. Időtlen idők óta tartanak ezek a tettek, mi pedig vagy élvezzük tetteink gyümölcseit, vagy szenvedünk tőlük. Tegyük fel, hogy valaki üzletember, s fáradságos munkával nagyon okosan tekintélyes bankbetétre tett szert. Ekkor élvező. De ha később a vállalkozásaiban minden pénzét elveszíti, akkor szenved. Így élvezzük mi is tetteink eredményeit az élet minden területén, vagy így szenvedünk azok következményeitől. Ezt nevezik *karmának.*

A *Bhagavad-gītā* az *īśvaráról* (a Legfelsőbb Úrról), a *jīváról* (az élőlényről), a *prakṛtiről* (a természetről), a *kāláról* (az örök időről) és a *karmáról* (a tettekről) egyaránt beszél. Az öt közül az Úr, az élőlények, az anyagi természet és az idő örökek. A *prakṛti* megnyilvánulása ideiglenes, ám attól még létező valóság. Egyes filozófusok azt állítják, hogy az anyagi természet megnyilvánulása nem valóságos, ám a *Bhagavad-gītā* és a *vaiṣṇavák* filozófiája szerint ez nem így van. A világ megnyilvánulását ők nem tekintik hamisnak, hanem valóságosnak, jóllehet ideiglenesnek. Az égen vonuló felhőhöz vagy a gabonát tápláló esős évszak beköszöntéhez hasonlítják. Amint véget ér az esős évszak, s amint eltűnnek a felhők, a termés, melyet az eső táplált, elszárad. Ez az anyagi megnyilvánulás szintén létrejön bizonyos időközönként, egy darabig fennmarad, majd eltűnik. Így működik a *prakṛti.* Ez a körforgás azonban örökké tart, ezért a *prakṛti* örök, s nem hamis. Az Úr úgy beszél róla, hogy „az Én *prakṛtim*". Ez az anyagi természet a Legfelsőbb Úr különálló energiája, s az élőlények szintén a Legfelsőbb Úr energiáját alkotják, de nem különállóak, hanem örök kapcsolatban állnak Vele. Az Úr, az élőlény, az anyagi természet és az idő tehát mind kapcsolatban állnak egymással, s mindegyikük örök. Az ötödik tényező, a *karma* azonban nem örök. A *karma* visszahatásai valójában nagyon régóta érvényesülnek. Időtlen idők óta élvezzük tetteink eredményeit vagy szenvedünk azoktól, de tetteink, azaz *karmánk* következményein változtathatunk, s ez mindössze tudásunk tökéletességén múlik. Számtalanféle cselekedetet végrehajtunk, de azt sajnos nem tudjuk, mit kell tennünk ahhoz, hogy megszabaduljunk e tettek okaitól és következményeitől. A *Bhagavad-gītā* ezt is elmagyarázza.

Az *īśvara*, a Legfelsőbb Úr helyzetét a legfelsőbb tudat jellemzi. A *jīvák,* vagyis az élőlények a Legfelsőbb Úr szerves részei, ezért szintén rendelkeznek tudattal. Az élőlényről és az anyagi természetről egyaránt azt tartják, hogy *prakṛti,* vagyis a Legfelsőbb Úr energiája, ám a kettő közül az egyiknek, a *jīvának* van tudata, míg a másiknak nincs. Ez a különbség közöttük. A *jīva-prakṛtit* éppen ezért felsőbbrendűnek nevezik, mert a *jīva* az Úréhoz hasonló tudattal rendelkezik. Az Úr tudata azonban a legfelsőbb rendű tudat, és senkinek sem szabad azt állítania, hogy a *jīva,* az élőlény szintén ilyen legfelsőbb rendű tudatot mondhat a magáénak. Tökéletessége egyetlen szintjén sem rendelkezhet e legfelsőbb rendű tudattal, s az az elmélet, mely szerint rendelkezhet vele, nagyon félrevezető. Van tudata, de az nem tökéletes és nem a legfelsőbb rendű.

A *jīva* és az *īśvara* közötti különbséget a *Bhagavad-gītā* tizenharmadik fejezete tárgyalja. Az Úr *kṣetra-jña,* azaz van tudata, akárcsak az élőlénynek, de míg az élőlény tudata csak a saját testén belül működik, addig az Úr tudata valamennyi testre kiterjed. Mivel minden élőlény szívében jelen van, ismeri minden egyes élőlény pszichikai állapotát. Ezt sohase felejtsük el. A *Bhagavad-gītā* azt is kifejti, hogy a Paramātmā, az Istenség Legfelsőbb Személyisége *īśvaraként,* vagyis irányítóként ott van minden élőlény szívében, s vágyainak megfelelően irányítja őt tetteiben. Az élőlény elfelejti, mit kell tennie. Először eldönti, hogyan akar cselekedni, majd belebonyolódik saját *karmájának* okaiba és következményeibe. Miután egyik testét elhagyja, egy másikba kerül, éppúgy, ahogyan ruhánkat vesszük le és fel. Miközben a lélek ekképpen vándorol, korábbi cselekedeteinek hatásaitól és visszahatásaitól szenved. E tetteken akkor lehet változtatni, amikor az élőlény a jóság kötőerejének hatása alatt áll, amikor józan, s megérti, hogyan kell cselekednie. Ha így tesz, megváltoztathatja valamennyi előző tettének hatását és visszahatását. A *karma* tehát nem örök. Ezért mondtuk, hogy az öt tényező (az *īśvara,* a *jīva,* a *prakṛti,* az idő és a *karma*) közül a négy első örök, míg a *karma* nem az.

A legfelsőbb rendű tudattal rendelkező *īśvara* hasonló az élőlényhez abban az értelemben, hogy Neki és az élőlénynek egyaránt transzcendentális tudata van. A tudat nem az anyagi elemek kombinációjának következtében jön létre. Ez egy téves elképzelés. Azt az elméletet, miszerint a tudatot az anyagi elemek bizonyosfajta vegyülése által teremtett feltételek hozzák létre, a *Bhagavad-gītā* elveti. Az anyagi burkolat talán torzítva tükrözi a tudatot, mint ahogyan a színes üvegen át érkezett fény tükörképe is színesnek látszik, az Úr tudatára azonban nincs hatással az anyag. Az Úr Kṛṣṇa azt mondja: *mayādhyakṣeṇa prakṛtiḥ.* Amikor alászáll az anyagi világba, tudatát az anyag nem befolyásolja. Ha az anyag hatással lenne Rá, nem lenne alkalmas arra, hogy transzcendentális témákról beszéljen, ahogyan azt a *Bhagavad-gītāban* teszi. Akinek tudatát az anyag beszennyezi, az nem képes a transzcendentális világról beszélni. Egyszóval az Urat nem szennyezi be az anyag. A mi tudatunk azonban jelen pillanatban valóban anyaggal fertőzött. A *Bhagavad-gītā* arra tanít, hogy meg kell tisztítanunk anyaggal fertőzött tudatunkat. Tiszta tudatban az *īśvara* vágyával összhangban fogunk cselekedni, s ez boldoggá tesz majd bennünket. Nem arról van szó, hogy abba kell hagynunk minden cselekvést, hanem arról, hogy meg kell tisztítanunk tetteinket. A megtisztított cselekedeteket *bhaktinak* nevezik, s bár egyszerű, hétköznapi tetteknek tűnnek, mégis mentesek a szennyeződéstől. A tudatlan talán úgy látja, hogy a *bhakta* ugyanúgy cselekszik, mint bármelyik közönséges halandó, ám az ilyen csekély értelmű ember nem tudja, hogy az ő tetteit – és az Úréit – nem szennyezi be a tisztátalan tudat vagy az anyag. Mindketten transzcendentálisan a természet három kötőereje fölött állnak. Tisztában kell azonban lennünk azzal, hogy a mi tudatunk jelenleg szennyezett tudat.

Amikor az anyag beszennyez bennünket, létünk feltételekhez van kötve. A hamis tudat akkor nyilvánul meg, amikor azt hisszük, hogy az anyagi természettől származunk. Ezt nevezik hamis én-tudatnak. Aki a testi felfogásban merül el, nem értheti valódi helyzetét. A *Bhagavad-gītāt* az Úr azért beszélte el, hogy megszabadítsa az embereket a testi életfelfogástól. Arjuna belehelyezkedett ebbe az állapotba, hogy meghallgathassa az Úr tanítását. Meg kell válnunk a testi életfelfogástól – ez a transzcendentalisták első feladata. Aki szabad akar lenni, aki fel akar szabadulni, annak legelőször azt kell megtanulnia, hogy nem azonos az anyagi testével. A *mukti,* a felszabadulás azt jelenti, hogy megválunk az anyagi tudattól. A *Śrīmad-Bhāgavatam* szintén meghatározza, mi a felszabadulás: *muktir hitvānyathā-rūpaṁ svarūpeṇa vyavasthitiḥ.* A *mukti* nem más, mint megtisztulni ennek az anyagi világnak a szennyes tudatától és szert tenni a tiszta tudatra. A *Bhagavad-gītā* minden utasításának az a célja, hogy felébressze ezt a tiszta tudatot. Éppen ezért a *Gītā* tanításának végén azt olvashatjuk, hogy Kṛṣṇa arról kérdezi Arjunát, tiszta-e már a tudata. A megtisztult tudat azt jelenti, hogy az ember az Úr utasításai alapján cselekszik. Ez a tiszta tudat lényege. Mint az Úr szerves részei, tudattal mindig rendelkezünk, ám nagyon könnyen az alacsonyabb rendű kötőerők befolyása alá kerülünk. Ez azonban az Úrral, aki a Legfelsőbb, sohasem történhet meg. Ez a különbség a Legfelsőbb Úr és a parányi egyéni lelkek között.

Mi is ez a tudat? Annak a tudata, hogy „vagyok". S ki vagyok? A fertőzött tudat állapotában a „vagyok" azt jelenti: „Én vagyok az ura mindannak, amit látok. Én vagyok az élvező." Ezt a világot az tartja mozgásban, hogy minden élőlény azt hiszi, ő az anyagi világ ura és teremtője. Az anyagi tudat lélektanilag két részből áll. Az egyik az „én vagyok a teremtő", a másik az „én vagyok az élvező" gondolkodás. A valóságban azonban a Legfelsőbb Úr a teremtő és az élvező, s az élőlény, mivel a Legfelsőbb Úr szerves része, nem a teremtő és nem az élvező, csupán együttműködik az Úrral; ő a teremtett és ő az élvezet tárgya. A gépalkatrészek például együttműködnek a géppel, a testrészek pedig a testtel. A kar, a láb, a szem mind részei a testnek, de valójában nem ők az élvezők. Az élvező a gyomor. A láb viszi a testet, a kéz beszerzi az ételt, a fogak megrágják, s ily módon minden testrész a gyomor kielégítésén fáradozik, mert az látja el legfőképpen energiával az egész szervezetet. Mindent a gyomor kap tehát. A fát a gyökér öntözésével tápláljuk, a testet pedig azzal, hogy enni adunk a gyomornak, mert ha meg akarjuk őrizni a test egészségét, a testrészeknek együtt kell működniük a gyomor táplálásában. Ehhez hasonlóan a Legfelsőbb Úr a teremtő és az élvező, s nekünk, alárendelt élőlényeknek az a feladatunk, hogy közös erővel örömet szerezzünk Neki. Ez az együttműködés valójában segíteni fog rajtunk, mint ahogyan a gyomorba juttatott étel is segíti a többi testrészt. Ha az ujjak elhatároznák, hogy többé nem adják az ételt a gyomornak, hanem megtartják maguknak, végül nagyon csalódnának. A teremtés és az élvezet középpontjában a Legfelsőbb Úr áll, az élőlények pedig együttműködnek Vele, s ez okoz nekik élvezetet. Kapcsolatuk az úr és szolgája viszonyához is hasonlít: ha az úr teljesen elégedett, szolgája is örül. A hajlam, hogy teremtővé váljon és élvezze az anyagi világot, jelen van az élőlényben, mert jelen van a Legfelsőbb Úrban, a megnyilvánult kozmikus világ teremtőjében is, de akkor is a Legfelsőbb Úr az, akinek örömet kell szereznünk.

A *Bhagavad-gītában* azt olvashatjuk, hogy a teljes egész a legfelsőbb irányítóból, az Általa irányított élőlényekből, a kozmikus megnyilvánulásból, az örök időből és a *karmából,* a cselekedetekből áll. A *Gītā* mindezt sorra elmagyarázza majd. E tényezők összessége alkotja a teljes egészet, melyet a Legfelsőbb Abszolút Igazságnak neveznek. A teljes egész és a teljes Abszolút Igazság nem más, mint Isten Személyének a teljessége, Śrī Kṛṣṇa. Minden megnyilvánulás az Ő különféle energiáinak köszönhető. Ő valóban a teljes egész.

A *Gītā* azt is elmondja, hogy a személytelen Brahman szintén alárendelt helyzetben van a teljes Legfelsőbb Személlyel szemben (*brahmaṇo hi pratiṣṭhāham*). A *Brahma-sūtra* a Brahmant érzékletesen a nap sugaraihoz hasonlítja. A személytelen Brahman nem más, mint az Istenség Legfelsőbb Személyiségének ragyogó sugárzása. A személytelen Brahmanban nem lehet teljes tudatosságot nyerni az abszolút egészről, s ugyanez mondható el a Paramātmā felismeréséről is. A tizenötödik fejezetben láthatjuk majd, hogy az Istenség Legfelsőbb Személyisége, Puruṣottama felette áll mind a személytelen Brahmanról, mind a Paramātmāról való részleges tudatosságnak. Az Istenség Legfelsőbb Személyiségét *sac-cid-ānanda-vigrahának* nevezik. A *Brahma-saṁhitā* a következő szavakkal kezdődik: *īśvaraḥ paramaḥ kṛṣṇaḥ sac-cid-ānanda-vigrahaḥ / anādir ādir govindaḥ sarva-kāraṇa-kāraṇam.* „Govinda, Kṛṣṇa minden ok oka. Ő az elsődleges ok, és teste maga az öröklét, a tudás és a gyönyör." A személytelen Brahmanról való tudatossággal az Ő *sat* (öröklét), a Paramātmāról való tudatossággal pedig *sat-cit* (örök tudás) arculatáról válunk tudatossá. Amikor azonban Kṛṣṇáról, az Istenség Legfelsőbb Személyiségéről vagyunk tudatossá, akkor valamennyi transzcendentális aspektusa – *sat, cit* és *ānanda* (öröklét, tudás és gyönyör) – tudatosul bennünk egyetlen teljes *vigrahában* (formában).

A csekély értelmű emberek személytelennek vélik a Legfelsőbb Igazságot, holott Ő egy transzcendentális személy. Ezt minden védikus írás megerősíti. *Nityo nityānāṁ cetanaś cetanānām* (*Kaṭha-upaniṣad* 2.2.13). Ahogyan mi mindannyian különálló élőlények vagyunk, s rendelkezünk egyéniséggel, úgy végső soron a Legfelsőbb Abszolút Igazság is egy személy. Az Istenség Személyiségéről való teljes tudatosság valamennyi transzcendentális arculatának megismerését jelenti az Ő teljes formájában. A teljes egész nem forma nélküli. Ha az lenne, vagyis ha kevesebb lenne, mint bármi más, akkor nem lehetne a teljes egész. A teljes egésznek rendelkeznie kell mindazzal, ami tapasztalatainkon belül és azokon túl létezik, másképp nem lehet teljes.

A teljes egésznek, az Istenség Személyiségének számtalan energiája van (*parāsya śaktir vividhaiva śrūyate*). A *Bhagavad-gītā* azt is elmagyarázza, hogyan cselekszik Kṛṣṇa különféle energiáin keresztül. Ez a jelenségvilág, vagy más néven anyagi világ, amelyben élünk, szintén önmagában teljes, mert a huszonnégy elem – amelynek ideiglenes megnyilvánulása a *sāṅkhya* filozófia szerint nem más, mint ez az anyagi univerzum – tökéletesen biztosítani tudja mindazt, amire az univerzum fennmaradásához és létezéséhez szükség van. Semmi sem fölösleges, és semmiben sincs hiány. E megnyilvánulás csupán adott ideig létezik, amit a legfelsőbb egész energiája határoz meg, s amikor ez az idő lejár, a teljes egész tökéletes elrendezéséből ezek az ideiglenes megnyilvánulások mind megsemmisülnek. A parányi teljes egységeknek, az élőlényeknek megadatott a teljes lehetőség, hogy megértsék és megtapasztalják a teljességet, s csupán amiatt tapasztalnak mindenféle nem-teljességet, mert nem rendelkeznek tökéletes tudással a teljességről. A *Bhagavad-gītā* a védikus bölcselet teljes ismeretanyagát tartalmazza.

A védikus tudás teljes mértékben tévedhetetlen, s a hinduk tökéletesnek és kétségbevonhatatlannak tekintik. A tehéntrágya például egy állat ürüléke, és a *smṛti,* azaz a védikus parancsolatok szerint ha valaki állati ürülékhez ér, meg kell fürödnie, hogy megtisztuljon. Ám a védikus írások a tehéntrágyáról azt tartják, hogy tisztító hatása van. Ez ellentmondásosnak tűnhet, mégis elfogadjuk, mert védikus parancsolat, melyet követve nem hibázhatunk. A modern tudomány azóta bebizonyította, hogy a tehéntrágya számos fertőtlenítő tulajdonsággal rendelkezik. A védikus tudomány tehát teljes, mert minden kétség és hiba fölött áll, a *Bhagavad-gītā* pedig nem más, mint a teljes védikus tudomány lényege.

A védikus tudás nem kutatómunka eredménye. Kutatásunk tökéletlen, hiszen tökéletlen érzékekkel vizsgáljuk a dolgokat. Azt a tökéletes tudást kell elfogadnunk, amely – ahogyan azt a *Bhagavad-gītā* elmondja – a *paramparān* (a tanítványi láncon) keresztül száll alá. Tudásra a megfelelő forrásból, a tanítványi láncolattól kell szert tennünk, amely a legfőbb lelki tanítómesterrel, magával az Úrral kezdődik, s lelki tanítómesterek során át jut el hozzánk. Arjuna, az Úr Śrī Kṛṣṇa tanítványa az Úr minden szavát ellentmondás nélkül elfogadja. Nem szabad, hogy az ember a *Bhagavad-gītának* csupán egyes részeit fogadja el, a többit meg elutasítsa. Ez nem helyes. A *Bhagavad-gītāt* minden belemagyarázás és kihagyás nélkül, saját önkényes véleményünket mellőzve kell elfogadnunk, a védikus tudomány legtökéletesebb leírásaként. A védikus tudás transzcendentális forrásból érkezik hozzánk, s az első szavakat maga az Úr ejtette ki. Az Úr szavait *apauruṣeyának* nevezik, ami azt jelenti, hogy nem a négy tökéletlenség megfertőzte e világi emberektől származnak. Egy materialista ember 1. biztos, hogy hibákat követ el, 2. számtalan illuzórikus elképzelés hatása alatt áll, 3. hajlamos arra, hogy másokat becsapjon, és 4. tökéletlen érzékei korlátokhoz kötik. Akire e négy hiányosság jellemző, az nem adhat tökéletes felvilágosítást a mindent átfogó tudásról.

A védikus tudás nem ilyen tökéletlen élőlényektől származik. Ezt a tudományt az Úr az első teremtett élőlény, Brahmā szívébe juttatta, aki úgy adta azt tovább fiainak és tanítványainak, amikor rá került a sor, ahogyan eredetileg az Úr átadta neki. Az Úr *pūrṇam,* teljesen tökéletes, s lehetetlen, hogy az anyagi világ törvényeinek hatása alá kerüljön. Az embernek kellőképpen okosnak kell lennie ahhoz, hogy megértse: a világegyetemben az Úr a kizárólagos tulajdonosa mindennek, s Ő az eredeti teremtő, aki Brahmāt megteremtette. A tizenegyedik fejezetben Arjuna *prapitāmahának* szólítja az Urat, mert Brahmāt *pitāmahának,* nagyatyának szokták nevezni, s az Úr a nagyatya teremtője. Senki se állítsa tehát, hogy bárminek is a tulajdonosa. Csak azokat a dolgokat szabad elfogadnunk, melyeket az Úr a létfenntartásunk érdekében biztosít számunkra.

Számtalan példa van arra, hogyan használhatjuk fel mindazt, amit az Úr nekünk szánt. A *Bhagavad-gītā* erről is beszél. Arjuna kezdetben úgy határozott, hogy nem fog harcolni a kurukṣetrai csatában – ez saját döntése volt. Elmondta az Úrnak, hogy nem tudná élvezni a királyságot rokonai megölése után. Arjuna a testi én-tudat alapján döntött így, mert azt hitte, azonos a testével, s hogy a testi rokonai valóban a testvérei, unokatestvérei, sógorai, nagyatyái és így tovább; egyszóval teste követeléseinek akart eleget tenni. Az Úr azért mondta el neki a *Bhagavad-gītāt,* hogy megváltoztassa a szemléletét, s végül Arjuna valóban elszánta magát arra, hogy utasításait követve fegyvert fogjon. *Kariṣye vacanaṁ tava:* „Szavaid szerint fogok cselekedni" – mondta.

Ebben a világban az embereknek nem az a feladatuk, hogy marakodjanak, mint a kutyák és a macskák. Intelligenseknek kell lenniük, hogy felfogják az emberi élet jelentőségét, s hogy elutasítsák a közönséges állatokra jellemző viselkedést. Az emberi lénynek el kell érnie élete célját. Ehhez ad útmutatást minden védikus írás, a lényeget pedig a *Bhagavad-gītāban* találjuk meg. A védikus irodalom az embereknek szól, s nem az állatoknak. Ha egy állat megöl egy másikat, nem terheli érte bűn, ám ha egy ember pusztít el egy állatot pusztán azért, hogy féktelen nyelvének kielégülést szerezzen, akkor felelnie kell a természet törvényeinek megszegéséért. A *Bhagavad-gītā* világosan elmagyarázza, hogy a természet különféle kötőerőinek megfelelően a tetteket három csoportba sorolhatjuk: 1. a jóság, 2. a szenvedély és 3. a tudatlanság kötőereje alatt álló cselekedetek. Ehhez hasonlóan a táplálék is háromféle lehet: állhat a jóság, a szenvedély vagy a tudatlanság kötőerejének hatása alatt. Minderről a *Bhagavad-gītā* részletes leírást ad, s ha helyesen alkalmazzuk tanítását, létünk teljesen megtisztul, és végül eljutunk a végső célhoz, amely túl van ezen az anyagi világon (*yad gatvā na nivartante tad dhāma paramaṁ mama*).

Ezt a végső célt *sanātana* égnek, örök lelki égnek nevezik. Azt látjuk, hogy ebben az anyagi világban minden ideiglenes. Minden létrejön, fennmarad egy ideig, melléktermékeket hoz létre, sorvadni kezd, majd megsemmisül. Ez az anyagi világ törvénye, akár a testet, akár egy gyümölcsöt, akár bármi mást vizsgálunk meg. Ezen az ideiglenes világon túl azonban egy másik világ létezéséről is tudunk, amelyre egy másik, örök, azaz *sanātana* természet jellemző. A *jīva* szintén *sanātana,* vagyis örökkévaló, s a tizenegyedik fejezet az Urat is *sanātanának* nevezi. Bensőséges kapcsolatunk van az Úrral, s mivel minőség tekintetében mindannyian – a *sanātana-dhāma,* vagyis az örök ég, a *sanātana* Legfelsőbb Személyiség és a *sanātana* élőlények – egyek vagyunk, a *Bhagavad-gītā* célja az, hogy felújítsa *sanātana* kötelességünket, a *sanātana-dharmát,* amely az élőlény örök hivatása. Ideiglenesen oly sok tevékenységet végzünk, ám ha ezekkel felhagyunk, s a Legfelsőbb Úr által előírt módon cselekszünk, minden tettünk megtisztul. Ezt nevezik tiszta életnek.

A Legfelsőbb Úr és transzcendentális hajléka egyaránt *sanātana,* akárcsak az élőlények, s a Legfelsőbb Úr és az élőlények kölcsönös kapcsolata a *sanātana* birodalomban az emberi élet tökéletességét jelenti. Az Úr nagyon kegyes az élőlényekhez, hiszen a fiai ők. A *Bhagavad-gītāban* kijelenti: *sarva-yoniṣu… ahaṁ bīja-pradaḥ pitā.* „Én vagyok mindenki Atyja." Eltérő *karmájuknak* köszönhetően természetesen az élőlények mind mások és mások, az Úr azonban kijelenti, hogy Ő valamennyiük atyja. Alászáll tehát, hogy hazahívjon minden bűnös, feltételekhez kötött lelket, haza a *sanātana,* örök világba, ahol a *sanātana* élőlények az Úr örök társaiként visszakerülhetnek örök, *sanātana* helyzetükbe. Az Úr vagy maga jön el különböző inkarnációiban, vagy bizalmas szolgáit küldi el fiaiként, társaiként vagy *ācāryákként,* hogy hazahívják a feltételekhez kötött lelkeket.

A *sanātana-dharma* tehát nem valamiféle elvakult vallási folyamatot jelent, hanem az örök élőlény örök feladatára utal az örök Legfelsőbb Úrral való kapcsolatában. A *sanātana-dharma* kifejezés, ahogy azt korábban említettük, az élőlény örök kötelességét jelenti. Śrīpāda Rāmānujācārya a következőképpen határozta meg a *sanātana* szó jelentését: „Az, aminek nincs kezdete és nincs vége.” Amikor tehát *sanātana-dharmáról* beszélünk, Śrīpāda Rāmānujācārya hiteles véleménye alapján biztosra vehetjük, hogy ennek a *dharmának* nincs sem kezdete, sem vége.

A magyar *vallás* szó kicsit mást jelent, mint a *sanātana-dharma*. A *vallás* szón általában hitet értünk, a hit azonban változhat. Az ember hisz egy bizonyos útban, ám hitét megváltoztathatja, s egy másik útra léphet. A *sanātana-dharma* azonban arra a tevékenységre utal, amit nem lehet megváltoztatni. Ahogyan a folyékony halmazállapot nem választható el a víztől, sem a hő a tűztől, úgy az örök élőlény is elválaszthatatlan örök elfoglaltságától. A *sanātana-dharma* mindörökre szervesen hozzátartozik az élőlényhez. Amikor tehát a *sanātana-dharmáról* beszélünk, Śrīpāda Rāmānujācārya hiteles véleményére támaszkodva biztosra kell vennünk, hogy ez egy olyan valami, aminek nincs sem kezdete, sem pedig vége. Aminek nincs kezdete és nincs vége, az nem lehet elvakult dolog, hiszen semmilyen határ nem korlátozhatja. Azok, akik valamiféle elvakult hit hívei, helytelenül a *sanātana-dharmát* is elvakultnak tekintik. Ha azonban alaposan elmélyedünk e téma tanulmányozásában, s a modern tudomány fényében vizsgáljuk meg, akkor rá fogunk jönni, hogy a *sanātana-dharma* a világ valamennyi emberének, sőt az univerzum minden élőlényének tevékenységét jelenti.

Annak a vallásos hitnek a kialakulásáról, amely nem *sanātana* vallás, az emberiség történelmének krónikáiban olvashatunk, a *sanātana-dharmának* azonban nincsen kezdete, mert örökre elválaszthatatlan az élőlényektől. Ami az élőlényeket illeti, a hiteles *śāstrák* szerint számukra nincs születés és nincs halál. A *Gītā* kijelenti, hogy az élőlény soha nem születik meg és soha nem hal meg; örök, elpusztíthatatlan, s ideiglenes anyagi testének megsemmisülése után is folytatja létét. A *sanātana-dharma* fogalmával kapcsolatban próbáljuk meg most megérteni a vallás tartalmát a szó eredeti szanszkrit jelentésének vizsgálatával. *Dharma* az, ami elválaszthatatlan egy bizonyos dologtól. A hő és a fény együtt jár a tűzzel; ezek nélkül nincs értelme a tűz szónak. Éppen így rá kell jönnünk, mi az a leglényegesebb dolog, ami örökké együtt jár az élőlénnyel. Ez az örök társ az élőlény örök jellemzője, ez az örök jellemző pedig örök vallása.

Amikor Sanātana Gosvāmī az élőlények *svarūpájáról* kérdezte Śrī Caitanya Mahāprabhut, az Úr azt válaszolta, hogy az élőlények *svarūpája*, azaz eredeti helyzete nem más, mint az, hogy az Istenség Legfelsőbb Személyiségét szolgálják. Ha elemezzük az Úr Caitanyának ezt a kijelentését, könnyen beláthatjuk, hogy az élőlények valamennyien szüntelenül másokat szolgálnak, különféle képességeiknek megfelelően, s így próbálják élvezni az életet. Az alacsonyabb rendű állatok úgy szolgálják az embereket, mint szolga az urát. A szolgálja B-t, B szolgálja C-t, C szolgálja D-t és így tovább. A barát a barátot szolgálja, az anya a fiát, a feleség a férjét, a férj a feleségét stb. Ha ilyen szellemben folytatjuk a kutatást, észrevehetjük, hogy az élőlények társadalmában kivétel nélkül mindenki szolgálatot végez. A politikus a programjával arról próbálja meggyőzni az embereket, hogy alkalmas a szolgálatra, s a választók ezért értékes szavazatukat rá adják, abban a reményben, hogy nagy szolgálatot tesz majd a társadalomnak. A bolttulajdonos a vevőket, az iparos a tőkést, a tőkés a családot, a család pedig az államot szolgálja az örök élőlény örök természete miatt. Láthatjuk tehát, hogy nincs egyetlen olyan élőlény sem, aki ne szolgálná a többieket, ezért nyugodtan levonhatjuk a következtetést, hogy a szolgálat örökké elkíséri az élőlényt, a szolgálatvégzés tehát az élőlény örök vallása.

Az emberek ennek ellenére azt vallják magukról, hogy az idő és a körülmények által meghatározott bizonyos hithez tartoznak, s így hindunak, mohamedánnak, kereszténynek, buddhistának vagy valami más felekezet hívének vallják magukat. Az efféle elnevezések nem jellemzők a *sanātana-dharmára*. A hindu változtathat a hitén, és mohamedánná válhat, a mohamedán áttérhet a hindu hitre, a keresztény is megváltoztathatja a hitét stb. A vallásos hit megváltoztatása azonban semmilyen körülmények között nem befolyásolja az ember örök feladatát, hogy másokat szolgáljon. A hindu, a mohamedán és a keresztény mindig, minden körülmények között valakinek a szolgája. Az tehát, hogy az ember egy bizonyos hitet vall, nem *sanātana-dharmájának* vallását jelenti. A *sanātana-dharma* a szolgálatvégzés.

Valójában a szolgálaton keresztül állunk kapcsolatban a Legfelsőbb Úrral. Ő a legfelsőbb élvező, mi pedig, élőlények, a szolgái vagyunk. Az élvezetére teremtett bennünket, s ha részt veszünk az Istenség Legfelsőbb Személyiségével együtt ebben az örök élvezetben, akkor boldogok leszünk. Másként ez nem lehetséges. Függetlenül lehetetlen elérni a boldogságot, ahogyan egyetlen testrész sem válhat elégedetté, ha nem működik együtt a gyomorral. Az élőlény tehát nem lehet boldog, ha nem a Legfelsőbb Személy transzcendentális szerető szolgálatát végzi.

A *Bhagavad-gītā* nem helyesli a különféle félistenek imádatát vagy szolgálatát. A hetedik fejezet huszadik verse kijelenti:

kāmais tais tair hṛta-jñānāḥ prapadyante 'nya-devatāḥ
taṁ taṁ niyamam āsthāya prakṛtyā niyatāḥ svayā

„Akiket az anyagi vágyak megfosztottak értelmüktől, meghódolnak a félistenek előtt, és követik a saját természetük szerint kiszabott imádatszabályokat." Ez a vers egyértelműen kimondja, hogy akik az anyagi vágyak irányítása alatt állnak, azok nem a Legfelsőbb Urat, Kṛṣṇát, hanem a félisteneket imádják. Amikor a „Kṛṣṇa" névről beszélünk, nem egy adott vallás szűk keretein belül használt névre utalunk. A *kṛṣṇa* szó a legmagasabb rendű gyönyört jelenti, s bizonyított tény, hogy a Legfelsőbb Úr a forrása és a tárháza minden gyönyörnek. Mindannyian boldogságra vágyunk. *Ānanda-mayo 'bhyāsāt* (*Vedānta-sūtra* 1.1.12). Az élőlényeket az Úrhoz hasonlóan tudat hatja át, s ők is a gyönyört keresik. Az Úr szüntelenül boldog, s ha az élőlények csatlakoznak Hozzá és együttműködnek Vele, valamint *bhaktái* társaságát keresik, akkor ők is boldogok lehetnek.

Az Úr azért száll alá e mulandó világba, hogy feltárja vṛndāvanai kedvteléseit, melyeket teljes boldogság jellemez. Amikor az Úr Śrī Kṛṣṇa Vṛndāvanában tartózkodott, a tehénpásztorfiúkkal, barátnőivel, Vṛndāvana többi lakójával és a tehenekkel teljes boldogságban élvezte kedvteléseit. Vṛndāvana népe számára egyedül Kṛṣṇa létezett. Az Úr Kṛṣṇa azonban még apját, Nanda Mahārāját is lebeszélte arról, hogy imádja Indra félistent, mert be akarta bizonyítani, hogy az embernek fölösleges a félisteneket imádnia. Egyedül a Legfelsőbb Urat kell imádnunk, mert az élet végső célja az, hogy visszatérjünk az Ő hajlékára.

Az Úr Śrī Kṛṣṇa hajlékát a *Bhagavad-gītā* tizenötödik fejezetének hatodik verse a következőképpen jellemzi:

na tad bhāsayate sūryo na śaśāṅko na pāvakaḥ
yad gatvā na nivartante tad dhāma paramaṁ mama

„Az Én legfelsőbb hajlékomat nem nap vagy hold, tűz vagy elektromosság ragyogja be. Aki egyszer eljut oda, többé már nem tér vissza az anyagi világba."

Ez a vers az örök eget írja le. Ha az égre gondolunk, anyagi felfogásunk miatt rögtön a nap, a hold és a csillagok jutnak eszünkbe, ám az Úr itt azt mondja, hogy az örök égben nincs szükség sem napra, sem holdra, sem elektromosságra vagy bármilyen tűzre, mert a lelki világot a *brahmajyoti,* a Legfelsőbb Úrból áradó sugarak ragyogják be. Más bolygókra akarunk eljutni, s ennek érdekében mindenféle megpróbáltatást vállalunk, pedig a Legfelsőbb Úr hajlékát nagyon könnyen megismerhetnénk. Az Úr lakhelyének neve Goloka. A *Brahma-saṁhitā* (5.37) nagyon szépen így ír róla: *goloka eva nivasaty akhilātma-bhūtaḥ*. Az Úr örökké hajlékán, Golokán él, ám az anyagi világ lakói is eljuthatnak Hozzá. Ennek érdekében alászáll, hogy láthatóvá tegye valódi formáját, a *sac-cid-ānanda-vigrahát*. Ha megmutatja önmagát, nincs szükség arra, hogy kitaláljuk, milyen is Ő. Alászáll, hogy véget vessen képzelgéseinknek, s megmutatja magát eredeti alakjában, Śyāmasundaraként. Sajnálatos módon az ostobák kigúnyolják Őt, mert úgy jön, mintha közülünk való lenne, s emberként játszik velünk. Ettől azonban még nem szabad azt hinnünk, hogy olyan, mint mi vagyunk.

Mindenhatósága révén feltárja magát előttünk eredeti alakjában, s bemutatja kedvteléseit, amelyek saját hajlékán játszódó kedvteléseinek másai.

A lelki ég ragyogó sugaraiban végtelen sok lelki bolygó lebeg. A *brahmajyoti* a legfelsőbb hajlékból, a Kṛṣṇalokából árad, s az *ānanda-maya, cin-maya* bolygók, melyek nem anyagiak, ebben a sugárzásban lebegnek. Az Úr kijelenti: *na tad bhāsayate sūryo na śaśāṅko na pāvakaḥ / yad gatvā na nivartante tad dhāma paramaṁ mama.* Aki egyszer eljut a lelki égbe, annak nem kell többé visszatérnie az anyagi világba. Még ha az anyagi világ legfelsőbb bolygójára, Brahmalokára jutnánk el – a Holdról nem is beszélve –, ott is ugyanezekkel az életkörülményekkel találkoznánk: születéssel és halállal, betegséggel és öregséggel. Az anyagi univerzum egyetlen bolygója sem mentes az anyagi lét e négy alapvető velejárójától.

Az élőlények az egyik égitestről a másikra vándorolnak, ám pusztán mechanikus úton nem juthatunk el oda, ahová csak akarunk. Ha el szeretnénk menni egy másik bolygóra, annak megvan a maga módja. Erről szintén olvashatunk: *yānti deva-vratā devān pitṝn yānti pitṛ-vratāḥ.* A bolygóközi utazáshoz nincs szükség mechanikai módszerekre. *Yānti deva-vratā devān,* tanítja a *Gītā*. A Holdat, a Napot és a felsőbb bolygókat Svargalokának nevezik. A bolygók három szintet alkotnak, a felső, a középső és az alsó bolygórendszereket. A Föld a középső bolygórendszerhez tartozik. A *Bhagavad-gītā* elmondja, hogyan juthatunk el egy nagyon egyszerű módszer segítségével a felsőbb bolygórendszerbe (Devalokára): *yānti deva-vratā devān.* Csak imádnunk kell a bolygó félistenét, s ily módon eljuthatunk a Holdra, a Napra vagy a felsőbb bolygórendszerek bármelyikébe.

A *Bhagavad-gītā* azonban mégsem tanácsolja, hogy az anyagi világ bolygóira utazzunk, mert még ha Brahmalokára, a legfelsőbb égitestre mennénk – mechanikus úton, amellyel körülbelül 40 000 évig tartana az utazás; s vajon ki él addig? –, ott is találkoznánk az anyagi élet nyomorúságaival, azaz a születéssel, a halállal, a betegséggel és az öregséggel. Ám aki a legfelsőbb bolygóra, Kṛṣṇalokára vagy a lelki ég más bolygóira akar jutni, az nem fog ezekkel az anyagi gyötrelmekkel szembekerülni. A lelki ég bolygói közül a legfelsőbbet Goloka-Vṛndāvanának nevezik. Ez Śrī Kṛṣṇa, az eredeti Istenség Személyisége birodalmában az eredeti bolygó. Minderről a *Bhagavad-gītā* számol be, s tanításából megtudhatjuk, hogyan hagyhatjuk magunk mögött ezt az anyagi világot, és hogyan kezdhetünk el egy valóban boldog életet a lelki világban.

A *Bhagavad-gītā* tizenötödik fejezete valós képet fest az anyagi világról:

ūrdhva-mūlam adhaḥ-śākham aśvatthaṁ prāhur avyayam
chandāṁsi yasya parṇāni yas taṁ veda sa veda-vit

Ez a vers az anyagi világot egy fához hasonlítja, melynek gyökerei felfelé, ágai pedig lefelé néznek. Mindannyian láttunk már olyan fát, melynek gyökerei felfelé nőnek: ha egy folyó vagy egy tó partján állunk, a vízben tükröződő fa fejjel lefelé áll. Az ágak lefelé nyúlnak, a gyökerek pedig felfelé. Ez az anyagi világ szintén tükörkép, a lelki világ tükröződése. Az anyagi világ nem más, mint a valóság árnyéka. Az árnyék nem valóságos, nem kézzelfogható, azt azonban megérthetjük belőle, hogy a valóság létezik. A sivatagban nincs víz, de a délibáb arra utal, hogy a víz létező dolog. Az anyagi világban nincs víz, nincs boldogság, a lelki világban azonban a valódi boldogság valóságos vizével találkozunk.

Az Úr a *Gītāban* tanácsot ad, hogyan juthat el az ember a lelki világba (15.5):

nirmāna-mohā jita-saṅga-doṣā
adhyātma-nityā vinivṛtta-kāmāḥ
dvandvair vimuktāḥ sukha-duḥkha-saṁjñair
gacchanty amūḍhāḥ padam avyayaṁ tat

E *padam avyayamba,* örök birodalomba csakis az juthat el, aki *nirmāna-moha*. Mit jelent ez? Mindannyian valamilyen címre vágyunk. Van, aki „úr" akar lenni, van, aki „méltóságos úr", mások elnökké, gazdag emberré, királlyá vagy valami mássá szeretnének válni. Amíg ragaszkodunk ezekhez a címkékhez, addig ragaszkodunk a testhez is, mivel a címkék a testre vonatkoznak. Mi azonban nem az anyagi test vagyunk. Ennek megértése jelenti a lelki megvilágosodás első lépcsőfokát. Össze vagyunk kapcsolva az anyagi természet három kötőerejével, de az Úr odaadó szolgálatán keresztül meg kell tőlük szabadulnunk. Mindaddig nem távolodhatunk el az anyagi természet kötőerőitől, amíg nem alakul ki bennünk ragaszkodás az Úr odaadó szolgálatához. A megkülönböztető címkék és vonzódások kéjes anyagi vágyainknak köszönhetők, annak, hogy az anyagi természet urai akarunk lenni. Amíg le nem mondunk arról a vágyról, hogy uralkodjunk az anyagi természeten, addig nincs esélyünk arra, hogy visszatérjünk a Legfelsőbb birodalmába, a *sanātana-dhāmába.* A soha meg nem semmisülő örök világba az juthat el, akit nem téveszt meg a hamis anyagi élvezetek vonzereje, s aki a Legfelsőbb Úr szolgálatának él. Az ilyen ember könnyen eljuthat a legfelsőbb hajlékra.

Egy másik helyen a *Gītāban* (8.21) ezt olvashatjuk:

avyakto 'kṣara ity uktas tam āhuḥ paramāṁ gatim
yaṁ prāpya na nivartante tad dhāma paramaṁ mama

Az *avyakta* szó megnyilvánulatlant jelent. Szemünk előtt még az anyagi világ sem nyilvánul meg teljesen. Érzékeink olyannyira tökéletlenek, hogy még az összes csillagot sem láthatjuk ebben anyagi univerzumban. A védikus irodalomból sok mindent megtudhatunk a különféle égitestekről, s rajtunk áll, hogy elhisszük-e az ott leírtakat. A védikus irodalom (különösen a *Śrīmad-Bhāgavatam*) az anyagi világ valamennyi fontos bolygójáról felvilágosítást ad, s az anyagi világon túl létező lelki világról is ír, amit *avyaktának,* megnyilvánulatlannak nevez. E legfelsőbb birodalomba kell vágyakoznia az embernek, mert ha egyszer eljut oda, többé nem kell visszatérnie ebbe az anyagi világba.

Ezek után felvetődhet a kérdés, mit kell tennünk ahhoz, hogy eljussunk a Legfelsőbb Úr hajlékára. Ezt a nyolcadik fejezet ötödik verséből tudhatjuk meg:

anta-kāle ca mām eva smaran muktvā kalevaram
yaḥ prayāti sa mad-bhāvaṁ yāti nāsty atra saṁśayaḥ

„Bárki legyen is az, ha élete végén egyedül Rám emlékezve hagyja el testét, minden kétséget kizárva azonnal eléri az Én természetemet." Aki a halál pillanatában Kṛṣṇára gondol, az eljut Hozzá. Az embernek Kṛṣṇa formájára kell emlékeznie. Ha úgy hagyja el a testét, hogy az Ő formájára gondol, nem férhet hozzá kétség, hogy eljut a lelki birodalomba. A *mad-bhāvam* szó a Legfelsőbb Lény legfelsőbb természetére utal. A Legfelsőbb Lény *sac-cid-ānanda-vigraha,* azaz formája örök, tudással és gyönyörrel teljes. A mi jelenlegi testünk nem *sac-cid-ānanda.* Nem *sat,* hanem *asat,* azaz nem örök, hanem mulandó, és nem *cit,* vagyis nem tudással teli, hanem teljesen tudatlan. Nemcsak a lelki világot nem ismerjük, de nincs tökéletes tudásunk még erről az anyagi világról sem, ahol oly sok minden ismeretlen a számunkra. A test *nirānanda* is, ami azt jelenti, hogy nem gyönyörrel, hanem szenvedéssel teli. Az anyagi világban tapasztalt valamennyi gyötrelem a testnek köszönhető, ám aki az Úr Kṛṣṇára, az Istenség Legfelsőbb Személyiségére gondol teste elhagyásakor, az azonnal *sac-cid-ānanda* testet kap.

Az anyagi világban a test elhagyása és az új testbe költözés folyamata szintén meghatározott terv szerint történik. Az ember csak akkor hal meg, ha már eldőlt, milyen testet kap a következő életben. Ezt a döntést nem az élőlény, hanem egy felsőbb hatalom hozza. Az életünk során végrehajtott tettektől függően vagy felemelkedünk, vagy lesüllyedünk. Jelenlegi életünk a következőt készíti elő, éppen ezért ha már ebben az életben arra készülünk, hogy eljussunk Isten országába, akkor az anyagi test elhagyása után kétségtelenül az Úréhoz hasonló lelki testet kapunk.

Ahogy azt korábban elmondtuk, a transzcendentalistáknak több csoportja van: a *brahma-vādīk,* a *paramātma-vādīk* és a *bhakták.* Arról is említést tettünk, hogy a *brahmajyotiban* (a lelki égben) megszámlálhatatlan lelki bolygó van, melyeknek száma sokkal-sokkal nagyobb, mint az anyagi világ valamennyi bolygójáé együttesen. Az anyagi világról azt mondják, hogy a teremtésnek megközelítőleg csupán egynegyed részét képezi (*ekāṁśena sthito jagat*). Ebben az anyagi régióban millió és millió univerzum van, mindegyikben millió és millió bolygó és nap, csillag és hold, az anyagi teremtés mégis csupán töredéke a teljes teremtésnek. A teremtés nagy részét a lelki ég alkotja. Aki a Legfelsőbb Brahman létébe akar olvadni, az rögtön a Legfelsőbb Úr *brahmajyotijába* kerül, s így eljut a lelki égbe. A *bhakták,* akik az Úr társaságát akarják élvezni, a megszámlálhatatlan Vaikuṇṭha-bolygó egyikére kerülnek, ahol a Legfelsőbb Úr társaságát élvezhetik teljes kiterjedése, a négykarú Nārāyaṇa formájában, akit különféle nevekkel illetnek, mint például Pradyumna, Aniruddha és Govinda. A transzcendentalisták tehát a halál pillanatában vagy a *brahmajyotira,* vagy a Paramātmāra, vagy pedig az Istenség Legfelsőbb Személyiségére, Śrī Kṛṣṇára gondolnak, s így minden esetben a lelki világba jutnak, ám egyedül a *bhakták* – vagyis akik személyes kapcsolatban állnak a Legfelsőbb Úrral – léphetnek a Vaikuṇṭha-bolygók vagy Goloka-Vṛndāvana területére. Az Úr azt is hozzáteszi, hogy „ehhez nem fér kétség". Szilárdan kell hinnünk ebben, s nem szabad elutasítanunk azt, ami nem egyezik az elképzelésünkkel. Hozzáállásunk olyan legyen, mint Arjunáé: „Mindent elhiszek, amit mondtál." Ha tehát az Úr azt mondja, hogy aki a halál pillanatában Rá gondol – vagy mint Brahmanra, vagy mint Paramātmāra, vagy mint az Istenség Személyiségére –, az biztosan eljut a lelki világba, akkor ehhez semmi kétség nem férhet. Ebben nem szabad kételkednünk.

A *Bhagavad-gītā* (8.6) azt is elmagyarázza, hogyan juthat el az ember a lelki világba pusztán azáltal, hogy a halál pillanatában a Legfelsőbbre gondol:

yaṁ yaṁ vāpi smaran bhāvaṁ tyajaty ante kalevaram
taṁ tam evaiti kaunteya sadā tad-bhāva-bhāvitaḥ

„Amilyen létállapotra emlékezik az ember teste elhagyásakor, azt éri majd el kétségtelenül." Ezek után először azt kell megértenünk, hogy az anyagi természet a Legfelsőbb Úr egyik energiájának megnyilvánulása. A *Viṣṇu-purāṇa* (6.7.61) így ír a Legfelsőbb Úr teljes energiájáról:

viṣṇu-śaktiḥ parā proktā kṣetra-jñākhyā tathā parā
avidyā-karma-saṁjñānyā tṛtīyā śaktir iṣyate

A Legfelsőbb Úr megszámlálhatatlanul sok és változatos energiával rendelkezik, melyeknek érzékelése meghaladja felfogóképességünket. A kiváló, művelt bölcsek, a felszabadult lelkek azonban tanulmányozták ezeket az energiákat, s három főbb kategóriába osztották őket. Minden energia *viṣṇu-śakti,* vagyis az Úr Viṣṇu energiája. Az első energia *parā,* azaz transzcendentális. Az élőlények szintén a felsőbbrendű energiához tartoznak, ahogyan azt már elmagyaráztuk. A többi energia, vagyis az anyagi energiák a tudatlanság kötőerejének hatása alatt állnak. A halál pillanatában eldől, hogy itt maradunk-e az anyagi világ alsóbbrendű energiájában, vagy a lelki világ energiájába kerülünk. Ahogy a *Bhagavad-gītā* (8.6) mondja:

yaṁ yaṁ vāpi smaran bhāvaṁ tyajaty ante kalevaram
taṁ tam evaiti kaunteya sadā tad-bhāva-bhāvitaḥ

„Amilyen létállapotra emlékezik az ember teste elhagyásakor, azt éri majd el kétségtelenül."

Életünk során hozzászoktunk ahhoz, hogy vagy az anyagi energiára, vagy a lelki energiára gondolunk. De hogyan lehetséges gondolatainkat az anyagi energiáról a lelki energiára irányítani? Oly sok írás van – újságok, folyóiratok, regények stb. –, ami az anyagi energiával tölti meg gondolatainkat. Az efféle irodalomban elmerülő elménket a védikus irodalomra kell irányítanunk. A nagy bölcsek számtalan védikus írást megalkottak ennek érdekében, köztük például a *purāṇákat.* A *purāṇák* nem kitalált mesék, hanem történelmi feljegyzések. A *Caitanya-caritāmṛtában* (*Madhya-līlā* 20.122) olvashatjuk az alábbi verset:

māyā-mugdha jīvera nāhi svataḥ kṛṣṇa-jñāna
jīvere kṛpāya kailā kṛṣṇa veda-purāṇa

A feledékeny élőlények, a feltételekhez kötött lelkek megfeledkeztek arról a kapcsolatról, amely a Legfelsőbb Úrhoz fűzi őket, és gondolataik az anyagi cselekedetekbe merülnek. Hogy gondolkodásukat a lelki égre irányítsa, Kṛṣṇa-dvaipāyana Vyāsa számtalan védikus írást hagyott hátra számukra. Először négy részre osztotta a Védákat, majd megmagyarázta őket a *purāṇákban,* azután a kevésbé értelmes emberek számára megírta a *Mahābhāratát.* A *Bhagavad-gītāt* a *Mahābhāratában* találjuk meg. A védikus irodalmat a *Vedānta-sūtrában* összegezte, s jövőbeni útmutatóként megírta a *Vedānta-sūtra* természetes magyarázatát is, a *Śrīmad-Bhāgavatamot.* Elménket mindig e védikus írások olvasásával kell elfoglalnunk. Ahogyan a materialisták fejét az újságok, a folyóiratok és a tengernyi materialista irodalom tölti meg, nekünk Vyāsadeva írásaiban kell elmerülnünk, s így képesek leszünk arra, hogy a halál idején a Legfelsőbb Úrra emlékezzünk. Az Úr egyedül ezt az utat ajánlja, s biztosít bennünket a sikerről: „Ehhez nem fér kétség.”

tasmāt sarveṣu kāleṣu mām anusmara yudhya ca
mayy arpita-mano-buddhir mām evaiṣyasy asaṁśayaḥ

„Ezért, Arjuna, gondolj mindig Rám Kṛṣṇa-formámban, s ezzel egy időben hajtsd végre előírt kötelességed, s harcolj! Tetteid Nekem ajánlva, elméd és értelmed Rám függesztve kétségtelenül elérsz majd Engem” (8.7).

Kṛṣṇa tehát nem azt tanácsolja, hogy jelenlegi kötelességének hátat fordítva Arjuna csak gondoljon Őrá. Nem, az Úr sohasem ad megvalósíthatatlan tanácsot. Ebben az anyagi világban az embernek létfenntartása érdekében dolgoznia kell. Az emberi társadalom az emberek elfoglaltsága alapján négy társadalmi rendre oszlik: *brāhmaṇákra, kṣatriyákra, vaiśyákra* és *śūdrákra.* A *brāhmaṇák,* vagyis az értelmiségi réteg egy bizonyos fajta munkát végez, a *kṣatriyák,* a vezető tisztséget betöltők egy másfélét, s a kereskedők és a kétkezi munkások is mind saját kötelességüket végzik. Az emberi társadalomban a létfenntartása végett mindenkinek végeznie kell valamilyen munkát, legyen akár munkás, akár kereskedő, vezető tisztviselő vagy földműves, s így van ez még azok esetében is, akik a legfelsőbb rétegekhez tartoznak – írók, tudósok vagy épp teológusok. Az Úr azt mondja Arjunának, hogy nem kell felhagynia hivatásával, hanem a munkáját végezve Kṛṣṇára kell emlékeznie (*mām anusmara*). Ha a létért folytatott küzdelem során nem gondol szüntelenül Kṛṣṇára, akkor nem lesz képes erre a halál pillanatában sem. Az Úr Caitanya is ugyanezt tanácsolja. *Kīrtanīyaḥ sadā hariḥ,* mondja: mindig énekeljük az Úr neveit. Az Úr és nevei nem különböznek egymástól. Kṛṣṇa Arjunának adott utasítása („emlékezz Rám”) és az Úr Caitanya utasítása („mindig énekeld az Úr Kṛṣṇa neveit”) egy és ugyanaz. Nincs különbség közöttük, mert Kṛṣṇa és Kṛṣṇa neve azonosak. Az abszolút szintjén az, amit mondunk, és az, amiről mondjuk, nem különbözik egymástól. Örökké az Úrra kell tehát emlékeznünk, a nap huszonnégy órájában, azáltal, hogy neveit énekeljük, s életünk során cselekedeteinket úgy kell alakítanunk, hogy mindig tudjunk gondolni Rá.

Hogyan lehetséges ez? Az *ācāryák* ezt a következő példával szemléltetik: ha egy férjes asszony vonzódik egy másik férfihoz, vagy ha egy nős ember nem a feleségét, hanem egy másik nőt szeret, az efféle vonzódás nagyon erős. Az ekképpen ragaszkodó ember mindig szíve választottjára gondol. A feleségnek állandóan, még háziasszonyi teendői közben is azon jár az esze, hogyan találkozhatna szerelmével, és sokkal figyelmesebben végzi a házimunkát, mint azelőtt, nehogy férje gyanakodni kezdjen. Hasonlóan kell nekünk is szüntelenül emlékeznünk legfelsőbb szerelmünkre, Śrī Kṛṣṇára, ugyanakkor nagyon szépen kell végeznünk az anyagi életben ránk háruló feladatokat. Ehhez nagyon erős szeretetre van szükség. Ha mély szeretetet érzünk a Legfelsőbb Úr iránt, akkor képesek leszünk arra, hogy kötelességünk végzésével egy időben Rá is emlékezzünk. Ezt a szeretetet azonban ki kell fejlesztenünk magunkban. Arjuna például mindig Kṛṣṇára gondolt. Állandó társa volt, de egyben harcos is. Kṛṣṇa nem azt tanácsolta neki, hogy mondjon le a harcról és vonuljon az erdőbe meditálni. Amikor Kṛṣṇa felvázolta előtte a *yoga*-rendszert, Arjuna azt felelte, hogy nem képes ezt az utat járni (6.33).

arjuna uvāca
yo 'yaṁ yogas tvayā proktaḥ sāmyena madhusūdana
etasyāhaṁ na paśyāmi cañcalatvāt sthitiṁ sthirām

„Arjuna így szólt: Ó, Madhusūdana! Az Általad ismertetett *yoga* megvalósíthatatlannak, sőt elviselhetetlennek tűnik számomra, hiszen az elme csapongó és nyugtalan."

Az Úr azonban azt mondja (6.47):

yoginām api sarveṣāṁ mad-gatenāntarātmanā
śraddhāvān bhajate yo māṁ sa me yuktatamo mataḥ

„Aki nagy hittel mindig Bennem lakozik, magában Énrám gondol, és transzcendentális szerető szolgálatot végez Nekem, az a legmeghittebben egyesül Velem a *yogában,* s minden *yogī* közül ő a legkiválóbb. Ez az Én véleményem." Aki szüntelenül a Legfelsőbb Úrra gondol, az a legnagyobb *yogī,* a legkiválóbb *jñānī,* s ugyanakkor a *bhakták* közül is ő a legjobb. Az Úr később azt mondja Arjunának, hogy *kṣatriya* lévén nem hagyhatja abba a harcot, de ha közben szakadatlanul Kṛṣṇára emlékezik, akkor képes lesz a halál pillanatában is Rá gondolni. Ehhez azonban az embernek teljesen át kell adnia magát az Úr transzcendentális szerető szolgálatának.

Tulajdonképpen nem a testünkkel, hanem az elménkkel és az értelmünkkel cselekszünk. Ha tehát értelmünk és elménk mindig a Legfelsőbb Úrral kapcsolatos gondolatokba merül, akkor ebből következően érzékeink is az Urat szolgálják. Az érzékek tevékenysége látszólag nem változik meg, a tudat azonban igen. A *Bhagavad-gītā* megtanítja, hogyan merítsük elménket és értelmünket az Úrról szóló gondolatokba. Ez az elmélyedés teszi majd lehetővé számunkra, hogy eljussunk az Úr birodalmába. Ha az elme Kṛṣṇa szolgálatában áll, automatikusan az érzékek is Őt szolgálják. Ez az a művészet és ez az a titok, melyet a *Bhagavad-gītā* elénk tár: teljesen elmerülni a Śrī Kṛṣṇáról szóló gondolatokban.

Napjaink embere fáradságot nem kímélve azzal kísérletezik, hogy eljusson a Holdra, lelki felemelkedéséért azonban semmit sem tesz. Akinek még van ötven év hátra az életéből, annak ezt a rövid időt arra kell használnia, hogy az Istenség Legfelsőbb Személyiségére emlékezzen. Ennek gyakorlása jelenti az odaadás folyamatát.

śravaṇaṁ kīrtanaṁ viṣṇoḥ smaraṇaṁ pāda-sevanam
arcanaṁ vandanaṁ dāsyaṁ sakhyam ātma-nivedanam
(*Śrīmad-Bhāgavatam* 7.5.23)

A kilenc folyamat végzése – melyek közül a legegyszerűbb a *śravaṇam,* a *Bhagavad-gītā* hallgatása egy önmegvalósított személy ajkairól – gondolatainkat a Legfelsőbb Lényre fogja terelni. Így emlékezni fogunk a Legfelsőbb Úrra, és testünk elhagyása után lelki testet kaphatunk, amely alkalmas arra, hogy a Legfelsőbb Úr társaságát élvezhessük.

Az Úr aztán így szól a *Gītāban* (8.8):

abhyāsa-yoga-yuktena cetasā nānya-gāminā
paramaṁ puruṣaṁ divyaṁ yāti pārthānucintayan

„Ó, Pārtha, aki Rajtam mint az Istenség Legfelsőbb Személyiségén meditál, elméjében mindig Rám emlékezik, s nem tér le az útról, az biztosan elér Engem."

Ez nem nehéz módszer, ám olyasvalakitől kell elsajátítanunk, aki tapasztalt ebben a témában. *Tad-vijñānārthaṁ sa gurum evābhigacchet:* egy olyan emberhez kell fordulnunk, aki gyakorolja e folyamatot. Az elme örökké ide-oda csapong, de meg kell tanulnunk, hogyan rögzítsük örökké a Legfelsőbb Úr, Śrī Kṛṣṇa formájára vagy nevének hangjaira. Az elme természete az, hogy nyugtalan, ide-oda röppen, ám Kṛṣṇa nevének hangvibrációjától megnyugszik. A lelki birodalomban, a lelki világban lakozó *parama-puruṣán,* az Istenség Legfelsőbb Személyiségén kell tehát meditálnunk, s így elérhetjük Őt. A végső megvalósítás, a végső cél elérésének útjáról a *Bhagavad-gītā* ír, s e tudás kapuja mindenki előtt nyitva áll. Senki sincs kizárva. Az emberek minden rétege elindulhat az Úr Kṛṣṇa felé azzal, hogy Őrá gondol, hiszen mindenki hallhat Róla és gondolhat Rá.

Az Úr ezek után kijelenti (9.32–33):

māṁ hi pārtha vyapāśritya ye 'pi syuḥ pāpa-yonayaḥ
striyo vaiśyās tathā śūdrās te 'pi yānti parāṁ gatim

kiṁ punar brāhmaṇāḥ puṇyā bhaktā rājarṣayas tathā
anityam asukhaṁ lokam imaṁ prāpya bhajasva mām

Még egy kereskedő, egy bűnös nő, egy kétkezi munkás, sőt egy még náluk is alacsonyabb rendű ember is elérheti a Legfelsőbbet, mondja az Úr. Nincs szükség hozzá átlagon felüli intelligenciára. Bárki, aki elfogadja a *bhakti-yoga* elvét, s aki a Legfelsőbb Urat a legfőbb jóként, az élet végső és legfelsőbb céljaként fogadja el, az eljuthat az Úrhoz a lelki világba. Ha valaki elfogadja a *Bhagavad-gītāban* kinyilatkoztatott elveket, tökéletessé teheti életét, s végső megoldást találhat az élet valamennyi problémájára. Ez az egész *Bhagavad-gītā* lényege.

Összefoglalásképpen elmondhatjuk, hogy a *Bhagavad-gītā* egy transzcendentális írás, amelyet nagyon figyelmesen kell tanulmányoznunk. *Gītā-śāstram idaṁ puṇyaṁ yaḥ paṭhet prayataḥ pumān:* ha valaki pontosan betartja a *Bhagavad-gītā* utasításait, az élet minden nyomorúságától és aggodalmától megszabadulhat. *Bhaya-śokādi-varjitaḥ:* még ebben az életben megszabadul minden félelemtől, a következő élete pedig már lelki lesz (*Gītā-māhātmya* 1).

Van egy másik előnye is:

gītādhyāyana-śīlasya prāṇāyāma-parasya ca
naiva santi hi pāpāni pūrva-janma-kṛtāni ca

„Ha valaki nagyon őszintén és teljes komolysággal tanulmányozza a *Bhagavad-gītāt,* múltban elkövetett bűneinek következményei az Úr kegyéből nem lesznek hatással rá" (*Gītā-māhātmya* 2). Az Úr nagy nyomatékkal mondja a *Bhagavad-gītā* utolsó részében (18.66):

sarva-dharmān parityajya mām ekaṁ śaraṇaṁ vraja
ahaṁ tvāṁ sarva-pāpebhyo mokṣayiṣyāmi mā śucaḥ

„Hagyj fel a vallás minden változatával, s hódolj meg egyedül Énelőttem! Én megszabadítalak minden bűnös visszahatástól, ne félj!" Az Úr ezzel teljes felelősséget vállal azokért, akik átadják magukat Neki, s megvédi őket a bűn valamennyi visszahatásától.

mala-nirmocanaṁ puṁsāṁ jala-snānaṁ dine dine
sakṛd gītāmṛta-snānaṁ saṁsāra-mala-nāśanam

„Az ember naponta megfürdik, hogy megtisztuljon, de ha valaki csak egyszer is megfürdik a *Bhagavad-gītā* szent Gangesz-vizében, az anyagi élet minden szennyétől megtisztul" (*Gītā-māhātmya* 3).

gītā su-gītā kartavyā kim anyaiḥ śāstra-vistaraiḥ
yā svayaṁ padmanābhasya mukha padmād viniḥsṛtā

Mivel a *Bhagavad-gītāt* az Istenség Legfelsőbb Személyisége beszélte el, szükségtelen más védikus írásokat olvasnunk. Az embernek csupán arra van szüksége, hogy figyelmesen és rendszeresen hallgassa és olvassa a *Bhagavad-gītāt*. A jelen korszakban az emberek annyira elmerülnek a világi tettekben, hogy nem képesek valamennyi védikus írást elolvasni. Erre azonban nincs is szükség. Ez az egyetlen könyv, a *Bhagavad-gītā* elegendő, mert ez az egész védikus irodalom lényege, és mert – s ez a legfontosabb – az Istenség Legfelsőbb Személyisége beszélte el (*Gītā-māhātmya* 4).

A *Gītā-māhātmya* (5) így ír:

bhāratāmṛta-sarvasvaṁ viṣṇu-vaktrād viniḥsṛtam
gītā-gaṅgodakaṁ pītvā punar janma na vidyate

„Aki a Gangesz vizéből iszik, felszabadul. Még inkább igaz ez arra, aki a *Bhagavad-gītā* nektárját issza. A *Bhagavad-gītā* a *Mahābhārata* legsűrűbb nektárja, s maga az Úr Kṛṣṇa, az eredeti Viṣṇu beszélte el." A *Bhagavad-gītā* az Istenség Legfelsőbb Személyiségének ajkairól származik, a Gangeszről pedig azt mondják, hogy az Úr lótuszlábától ered. A Legfelsőbb Úr ajka és lába között természetesen nincsen különbség, ám a *Bhagavad-gītā* egy semleges nézőpontból ítélve még nagyobb jelentőségű, mint a Gangesz vize.

sarvopaniṣado gāvo dogdhā gopāla-nandanaḥ
pārtho-vatsaḥ su-dhīr bhoktā dugdhaṁ gītāmṛtaṁ mahat

„Ez a *Gītopaniṣad,* a *Bhagavad-gītā,* minden *upaniṣad* lényege olyan, mint egy tehén, az Úr Kṛṣṇa pedig, aki tehénpásztorfiúként híres, megfeji e tehenet. Arjuna olyan, akár a borjú, a bölcs tudósok és a tiszta *bhakták* pedig a *Bhagavad-gītā* nektári tejét isszák" (*Gītā-māhātmya* 6).

ekaṁ śāstraṁ devakī-putra gītam
eko devo devakī-putra eva
eko mantras tasya nāmāni yāni
karmāpy ekaṁ tasya devasya sevā
(*Gītā-māhātmya* 7)

Manapság az emberek egy szentírásra, egy Istenre, egy vallásra és egy hivatásra vágynak. Ezért *ekaṁ śāstraṁ devakī-putra-gītam:* legyen csak egyetlen szentírás, egy közös írás az egész világ számára – a *Bhagavad-gītā. Eko devo devakī-putra eva:* legyen az egész világnak egy Istene – Śrī Kṛṣṇa. *Eko mantras tasya nāmāni:* legyen csak egy himnusz, egy *mantra,* egy ima – az Ő nevének éneklése: Hare Kṛṣṇa, Hare Kṛṣṇa, Kṛṣṇa Kṛṣṇa, Hare Hare, Hare Rāma, Hare Rāma, Rāma Rāma, Hare Hare. *Karmāpy ekaṁ tasya devasya sevā:* és hadd legyen csak egyetlen hivatás – az Istenség Legfelsőbb Személyiségének szolgálata.

A TANÍTVÁNYI LÁNC

evaṁ paramparā-prāptam imaṁ rājarṣayo viduḥ

„E legfelsőbb tudomány ily módon, a tanítványi láncon keresztül szállt alá" (*Bhagavad-gītā* 4.2).

1. Kṛṣṇa
2. Brahmā
3. Nārada
4. Vyāsa
5. Madhva
6. Padmanābha
7. Nṛhari
8. Mādhava
9. Akṣobhya
10. Jaya Tīrtha
11. Jñānasindhu
12. Dayānidhi
13. Vidyānidhi
14. Rājendra
15. Jayadharma
16. Puruṣottama
17. Brahmaṇya Tīrtha
18. Vyāsa Tīrtha
19. Lakṣmīpati
20. Mādhavendra Puri
21. Īśvara Puri (Nityānanda, Advaita)
22. Śrī Caitanya
23. Rūpa (Svarūpa, Sanātana)
24. Raghunātha, Jīva
25. Kṛṣṇadāsa
26. Narottama
27. Viśvanātha
28. (Baladeva) Jagannātha
29. Bhaktivinoda
30. Gaurakiśora
31. Bhaktisiddhānta Sarasvatī
32. A. C. Bhaktivedanta Swami Prabhupāda

ELSŐ FEJEZET

Hadiszemle a kurukṣetrai csatamezőn

1. VERS

धृतराष्ट्र उवाच
धर्मक्षेत्रे कुरुक्षेत्रे समवेता युयुत्सवः ।
मामकाः पाण्डवाश्चैव किमकुर्वत सञ्जय ॥ १ ॥

dhṛtarāṣṭra uvāca
dharma-kṣetre kuru-kṣetre samavetā yuyutsavaḥ
māmakāḥ pāṇḍavāś caiva kim akurvata sañjaya

dhṛtarāṣṭraḥ uvāca – Dhṛtarāṣṭra király mondta; *dharma-kṣetre* – a zarándokhelyen; *kuru-kṣetre* – a Kurukṣetra nevű vidéken; *samavetāḥ* – összegyűltek; *yuyutsavaḥ* – harcra vágyva; *māmakāḥ* – az enyéim (a fiaim); *pāṇḍavāḥ* – Pāṇḍu fiai; *ca* – és; *eva* – bizony; *kim* – mit; *akurvata* – tettek; *sañjaya* – ó, Sañjaya.

Dhṛtarāṣṭra így szólt: Ó, Sañjaya, mit tettek fiaim és Pāṇḍu fiai, miután harcra vágyva összegyűltek a kurukṣetrai zarándokhelyen?

MAGYARÁZAT: A *Bhagavad-gītā* széles körben olvasott teista tudomány. Összefoglalása a *Gītā-māhātmya* (A *Gītā* dicsőítése), amely kijelenti, hogy a *Bhagavad-gītāt* nagyon alaposan, egy olyan ember segítségével kell tanulmányoznunk, aki Śrī Kṛṣṇa híve, s emellett minden önös célú értelmezés nélkül kell törekednünk a megértésére. A világos megértésre, arra, hogyan kell e tudást elsajátítanunk, magában a *Bhagavad-gītāban* találunk példát Arjuna személyében, aki közvetlenül az Úrtól hallotta ezt a tanítást. Aki olyan szerencsés, hogy a *Bhagavad-gītāt* e tanítványi láncon, s nem egy személyes indítékoktól vezérelt magyarázaton keresztül értette meg, arról elmondhatjuk, hogy már a teljes védikus tudományt és a világ minden szentírását tanulmányozta. A *Bhagavad-gītāban* az olvasó megtalálja mindazt, amit valamennyi egyéb szentírás tartalmaz, s ezenkívül olyan dolgokkal is találkozhat, amelyekről sehol máshol nem olvashat. Ez a *Bhagavad-gītā* különleges jellemzője. A tökéletes teista tudományt tartalmazza, hiszen maga az Istenség Legfelsőbb Személyisége, az Úr Śrī Kṛṣṇa beszéli el.

Dhṛtarāṣṭra és Sañjaya párbeszéde – amit a *Mahābhāratában* olvashatunk – alkotja e nagyszerű bölcsesség alapját. Köztudott, hogy ez a filozófia a kurukṣetrai csatamezőn keletkezett, amely időtlen idők óta, a védikus időktől kezdve szent zarándokhely. Maga az Úr beszélte el, amikor személyesen jelen volt ezen a bolygón, hogy útmutatással lássa el az emberiséget.

A *dharma-kṣetra* (vallási rítusok helye) szónak nagy jelentősége van, mert a kurukṣetrai csatamezőn az Istenség Legfelsőbb Személyisége is jelen volt, Arjuna oldalán. Dhṛtarāṣṭra, a Kuruk atyja erősen kételkedett fiai végső győzelmében. Bizonytalanságában Sañjayától, tanácsosától érdeklődött: „Mi történt?” Abban biztos volt, hogy fiai, valamint öccse, Pāṇḍu fiai azért gyűltek össze a kurukṣetrai harctéren, hogy döntő csatát vívjanak egymással. Kérdése mégis jelentős. Nem akart egyezkedést az unokatestvérek között, s tudni akarta, mi vár a csatamezőn felsorakozott fiaira. A csata helyszínéül Kurukṣetrát választották – amiről a Védák azt írják, e helyen Istent kell imádniuk még a mennyek félisteneinek is –, ezért Dhṛtarāṣṭra attól tartott, hogy a szent hely befolyásolhatja a csata kimenetelét. Nagyon jól tudta, hogy ez Arjunának és Pāṇḍu többi fiának kedvez majd, akik természetüknél fogva mind nagyon erényesek voltak. Sañjaya Vyāsa tanítványa volt, és Vyāsa kegyéből képes volt arra, hogy lássa a kurukṣetrai csatateret, annak ellenére, hogy Dhṛtarāṣṭra szobájában tartózkodott. Dhṛtarāṣṭra tehát őt kérdezte a csatamezőn történtekről.

A Pāṇḍavák és Dhṛtarāṣṭra fiai ugyanahhoz a családhoz tartoztak. Ez a vers azonban felfedi előttünk Dhṛtarāṣṭra elméjét, aki szándékosan csak saját fiait volt hajlandó Kurukként elismerni, míg Pāṇḍu fiait kizárta a családi örökségből. Ennek alapján megérthetjük Dhṛtarāṣṭrának az unokaöccseihez, Pāṇḍu fiaihoz fűződő viszonyát. A történet kezdetétől fogva sejthetjük, hogy ahogyan a rizsföldön a nem odavaló gyomokat távolítják el, úgy fogja Kurukṣetra szent mezején Śrī Kṛṣṇa, a vallás atyja kiirtani a nemkívánatos gazt, Dhṛtarāṣṭra fiát, Duryodhanát és társait, hogy helyükbe a valóban vallásosakat állítsa, akiket Yudhiṣṭhira vezetett. Ez tehát a *dharma-kṣetre* és a *kuru-kṣetre* szavak jelentése történelmi és védikus jelentéstartalmuk mellett.

2. VERS

सञ्जय उवाच

दृष्ट्वा तु पाण्डवानीकं व्यूढं दुर्योधनस्तदा ।
आचार्यमुपसङ्गम्य राजा वचनमब्रवीत् ॥ २ ॥

sañjaya uvāca
dṛṣṭvā tu pāṇḍavānīkaṁ vyūḍhaṁ duryodhanas tadā
ācāryam upasaṅgamya rājā vacanam abravīt

sañjayaḥ uvāca – Sañjaya mondta; *dṛṣṭvā* – miután megtekintette; *tu* – de; *pāṇḍava-anīkam* – a Pāṇḍavák seregét; *vyūḍham* – hadi falanxot alkotva; *duryodhanaḥ* – Duryodhana király; *tadā* – akkor; *ācāryam* – a tanítóhoz; *upasaṅgamya* – fordulva; *rājā* – a király; *vacanam* – szavakat; *abravīt* – szólta.

Sañjaya így szólt: Ó, uralkodó! Duryodhana király megtekintette a Pāṇḍu fiai által hadrendbe állított sereget, majd tanárához lépett, s a következő szavakat intézte hozzá:

MAGYARÁZAT: Dhṛtarāṣṭra vakon született, és sajnos lelki látóképességgel sem rendelkezett. Jól tudta, hogy a vallás tekintetében fiai éppoly vakok, mint ő maga, s abban is biztos volt, hogy sohasem lennének képesek megegyezni a Pāṇḍavákkal, akik születésük óta mindannyian jámbor hívők voltak. Mindazonáltal a zarándokhely befolyása miatt kétségek gyötörték. Sañjaya megértette, miért kérdezi őt Dhṛtarāṣṭra a csata alakulásáról, ezért bátorítani akarta az elcsüggedt királyt, s megnyugtatta, hogy fiai nem fognak megalkudni a szent hely befolyása ellenére sem. Sañjaya elmondta a királynak, hogy fia, Duryodhana megtekintette a Pāṇḍavák haderejét, majd azonnal a legfőbb hadvezérhez, Droṇācāryához sietett, hogy tájékoztassa őt a valós helyzetről. Habár Duryodhanát a vers királynak nevezi, a helyzet komolyságára való tekintettel mégis a fő hadvezérhez kellett fordulnia. Nagyon ügyes politikus volt, ám még diplomatikus viselkedésével sem tudta leplezni azt a félelmet, amit a Pāṇḍavák alakulatainak láttán érzett.

3. VERS

पश्यैतां पाण्डुपुत्राणामाचार्य महतीं चमूम् ।
व्यूढां द्रुपदपुत्रेण तव शिष्येण धीमता ॥ ३ ॥

paśyaitāṁ pāṇḍu-putrāṇām ācārya mahatīṁ camūm
vyūḍhāṁ drupada-putreṇa tava śiṣyeṇa dhīmatā

paśya – nézd; *etām* – ezt; *pāṇḍu-putrāṇām* – Pāṇḍu fiainak; *ācārya* – ó, tanító; *mahatīm* – hatalmas; *camūm* – hadseregét; *vyūḍhām* – elrendezve; *drupada-putreṇa* – Drupada fia által; *tava* – a te; *śiṣyeṇa* – tanítványod által; *dhī-matā* – nagyon okos.

Ó, tanárom, nézd Pāṇḍu fiainak hatalmas seregét, amelyet eszes tanítványod, Drupada fia állított fel igen ügyesen!

MAGYARÁZAT: Duryodhana, a kiváló diplomata rá akart mutatni Droṇācārya, a nagy *brāhmaṇa* hadvezér hibáira. Droṇācārya és Drupada király között – aki Draupadīnak, Arjuna feleségének az apja volt – egyszer politikai viszály támadt. E pörlekedés oda vezetett, hogy Drupada egy hatalmas áldozat bemutatása árán megkapta azt az áldást, hogy olyan fia szülessen, aki képes lesz megölni Droṇācāryát. Droṇācārya jól tudta ezt, ám nemes lelkű *brāhmaṇa* lévén később minden további nélkül átadta Dhṛṣṭadyumnának, Drupada fiának a hadtudomány titkait, amikor Dhṛṣṭadyumnát rábízták, hogy a harcászatra tanítsa. Most, a kurukṣetrai csatamezőn Dhṛṣṭadyumna a Pāṇḍavák oldalára állt, s ő állította fel hadi falanxaikat, miután annak művészetét Droṇācāryától megtanulta. Duryodhana felhívta Droṇācārya figyelmét erre a hibára, hogy legyen éber és rendíthetetlen a harc során. Egyúttal azt is értésére akarta adni, hogy nem szabad hasonlóan elnézőnek lennie a Pāṇḍavákkal, akik szintén kedves tanítványai voltak. Főleg Arjuna állt közel hozzá, aki kiváló tanítványa volt. Duryodhana arra is figyelmeztette, hogy az efféle lágyszívűség a harc során a csata elvesztéséhez vezethet.

4. VERS

अत्र शूरा महेष्वासा भीमार्जुनसमा युधि ।
युयुधानो विराटश्च द्रुपदश्च महारथः ॥ ४ ॥

atra śūrā maheṣv-āsā bhīmārjuna-samā yudhi
yuyudhāno virāṭaś ca drupadaś ca mahā-rathaḥ

atra – itt; *śūrāḥ* – hősök; *mahā-iṣu-āsāḥ* – rettentő íjászok; *bhīma-arjuna* – Bhīmával és Arjunával; *samāḥ* – egyenlőek; *yudhi* – a harcban; *yuyudhānaḥ* – Yuyudhāna; *virāṭaḥ* – Virāṭa; *ca* – is; *drupadaḥ* – Drupada; *ca* – szintén; *mahā-rathaḥ* – nagy harcos.

Hadseregükben számos hősi íjász sorakozott fel, akik küzdelemben egyenlőek Bhīmával és Arjunával: Yuyudhāna, Virāṭa, Drupada és mások, valamennyien rettentő harcosok.

MAGYARÁZAT: Ha Dhṛṣṭadyumna nem is jelentett különösebb veszélyt a kiváló hadászati képességekkel rendelkező Droṇācārya számára, voltak sokan mások, akiktől joggal tarthatott. Duryodhana a győzelem útját gátló nagy akadályokként említi őket, mert mindegyikük olyan félelmetes harcos volt, mint Bhīma és Arjuna. Duryodhana tisztában volt Bhīma és Arjuna erejével, ezért hasonlította hozzájuk a többieket.

5. VERS

धृष्टकेतुश्चेकितानः काशिराजश्च वीर्यवान् ।
पुरुजित्कुन्तिभोजश्च शैब्यश्च नरपुङ्गवः ॥ ५ ॥

dhṛṣṭaketuś cekitānaḥ kāśirājaś ca vīryavān
purujit kuntibhojaś ca śaibyaś ca nara-puṅgavaḥ

dhṛṣṭaketuḥ – Dhṛṣṭaketu; *cekitānaḥ* – Cekitāna; *kāśirājaḥ* – Kāśirāja; *ca* – szintén; *vīrya-vān* – nagyon erős; *purujit* – Purujit; *kuntibhojaḥ* – Kuntibhoja; *ca* – és; *śaibyaḥ* – Śaibya; *ca* – és; *nara-puṅgavaḥ* – az emberi társadalom hőse.

Mellettük ott van Dhṛṣṭaketu, Cekitāna, Kāśirāja, Purujit, Kuntibhoja és Śaibya is, mindannyian nagy hősök, kiváló harcosok.

6. VERS

युधामन्युश्च विक्रान्त उत्तमौजाश्च वीर्यवान् ।
सौभद्रो द्रौपदेयाश्च सर्व एव महारथाः ॥ ६ ॥

yudhāmanyuś ca vikrānta uttamaujāś ca vīryavān
saubhadro draupadeyāś ca sarva eva mahā-rathāḥ

yudhāmanyuḥ – Yudhāmanyu; *ca* – és; *vikrāntaḥ* – hatalmas; *uttamaujāḥ* – Uttamaujā; *ca* – és; *vīrya-vān* – nagy erejű; *saubhadraḥ* – Subhadrā fia; *draupadeyāḥ* – Draupadī fiai; *ca* – és; *sarve* – mindegyikük; *eva* – bizony; *mahā-rathāḥ* – kiváló szekérharcosok.

Ott a hatalmas Yudhāmanyu, a rettentő erejű Uttamaujā, valamint Subhadrā fia és Draupadī fiai. Valamennyi vitéz rendkívüli szekérharcos.

7. VERS

अस्माकं तु विशिष्टा ये तान्निबोध द्विजोत्तम ।
नायका मम सैन्यस्य संज्ञार्थं तान् ब्रवीमि ते ॥ ७ ॥

asmākaṁ tu viśiṣṭā ye tān nibodha dvijottama
nāyakā mama sainyasya saṁjñārthaṁ tān bravīmi te

asmākam – miénk; *tu* – de; *viśiṣṭāḥ* – különösen erősek; *ye* – akik; *tān* – őket; *nibodha* – csak hogy tudd s megjegyezd; *dvija-uttama* – ó, legkiválóbb *brāhmaṇa; nāyakāḥ* – vezérek; *mama* – az enyéim; *sainyasya* – a katonáké; *saṁjñā-artham* – tájékoztatásul; *tān* – őket; *bravīmi* – elsorolom; *te* – neked.

Ám hogy tudj róluk, ó, brāhmaṇák legkiválóbbja, hadd szóljak most azokról a tábornokokról is, akik az én seregeimet vezénylik rendkívüli hozzáértéssel!

8. VERS

भवान् भीष्मश्च कर्णश्च कृपश्च समितिंजयः ।
अश्वत्थामा विकर्णश्च सौमदत्तिस्तथैव च ॥ ८ ॥

bhavān bhīṣmaś ca karṇaś ca kṛpaś ca samitiṁ-jayaḥ
aśvatthāmā vikarṇaś ca saumadattis tathaiva ca

bhavān – jómagad; *bhīṣmaḥ* – Bhīṣma nagyatya; *ca* – és; *karṇaḥ* – Karṇa; *ca* – és; *kṛpaḥ* – Kṛpa; *ca* – és; *samitim-jayaḥ* – mindig győzedelmesek a csatában; *aśvatthāmā* – Aśvatthāmā; *vikarṇaḥ* – Vikarṇa; *ca* – valamint; *saumadattiḥ* – Somadatta fia; *tathā* – úgyszintén; *eva* – bizony; *ca* – is.

Itt vagy te magad, valamint a csatában mindig győzedelmes Bhīṣma, Karṇa, Kṛpa, Aśvatthāmā, Vikarṇa, valamint Somadatta fia, Bhūriśravā.

MAGYARÁZAT: Duryodhana serege rendkívüli hőseit sorolja fel, akik közül még senki sem vesztett csatát. Vikarṇa Duryodhana fivére volt, Aśvatthāmā Dronācārya fia, míg Saumadatti, más néven Bhūriśravā a *bāhlīkák* királyának a fia. Karṇa Arjuna féltestvére volt, mivel Kuntītól született, mielőtt Kuntī feleségül ment Pāṇḍu királyhoz. Kṛpācārya ikerhúga Droṇācārya felesége volt.

9. VERS

अन्ये च बहवः शूरा मदर्थे त्यक्तजीविताः ।
नानाशस्त्रप्रहरणाः सर्वे युद्धविशारदाः ॥ ९ ॥

anye ca bahavaḥ śūrā mad-arthe tyakta-jīvitāḥ
nānā-śastra-praharaṇāḥ sarve yuddha-viśāradāḥ

anye – mások; *ca* – is; *bahavaḥ* – nagy számban; *śūrāḥ* – hősök; *mat-arthe* – az én kedvemért; *tyakta-jīvitāḥ* – az életüket feláldozni készen; *nānā* – sok; *śastra* – fegyverrel; *praharaṇāḥ* – felszerelve; *sarve* – mindegyikük; *yuddha-viśāradāḥ* – tapasztalt a hadtudományban.

Sok más hős is velük van, akik készek az életüket áldozni az én ügyemért. Mindannyian a legkülönfélébb fegyvereket viselik, s jártasak a hadtudományban.

MAGYARÁZAT: Ami a többieket illeti – Jayadrathát, Kṛtavarmāt, Śālyát és másokat –, mindannyian készek voltak az életüket áldozni Duryodhanaért. Más szóval tehát már eldőlt, hogy valamennyien ott vesznek a kurukṣetrai csatamezőn, mert a bűnös Duryodhana oldalára álltak. Duryodhana természetesen biztos volt győzelmében, mert hitt barátai egyesített erejében, amelyről most olvashattunk.

10. VERS

अपर्याप्तं तदस्माकं बलं भीष्माभिरक्षितम् ।
पर्याप्तं त्विदमेतेषां बलं भीमाभिरक्षितम् ॥१०॥

aparyāptaṁ tad asmākaṁ balaṁ bhīṣmābhirakṣitam
paryāptaṁ tv idam eteṣāṁ balaṁ bhīmābhirakṣitam

aparyāptam – felmérhetetlen; *tat* – az; *asmākam* – a miénknek; *balam* – ereje; *bhīṣma* – Bhīṣma nagyatya által; *abhirakṣitam* – tökéletesen védelmezve; *paryāptam* – korlátozott; *tu* – de; *idam* – mindez; *eteṣām* – a Pāṇḍaváké; *balam* – erő; *bhīma* – Bhīma által; *abhirakṣitam* – gondosan megvédve.

Erőnk felmérhetetlen, s Bhīṣma nagyatya tökéletes védelmet nyújt számunkra, míg a Pāṇḍavák hadereje, amit Bhīma védelmez gondosan, korlátozott.

MAGYARÁZAT: Duryodhana itt a két haderőt hasonlítja össze. Azt gondolja, hogy saját hadseregének ereje határtalan, mert a legtapasztaltabb tábornok, Bhīṣma nagyatya védelmezi, míg a Pāṇḍavák ereje korlátozott, mert seregüket a kevésbé tapasztalt hadvezér, Bhīma védi, aki szinte eltörpül Bhīṣma mellett. Duryodhana mindig nagyon irigykedett Bhīmára, mert jól tudta, hogy ha valamikor meg kell halnia, csak az ő kezétől eshet el. Ugyanakkor azonban Bhīṣma, a sokkal kiválóbb tábornok jelenlétében bízva mégis biztos volt a győzelemben. Joggal hihette, hogy ő kerül ki győztesen a csatából.

11. VERS

अयनेषु च सर्वेषु यथाभागमवस्थिताः ।
भीष्ममेवाभिरक्षन्तु भवन्तः सर्व एव हि ॥११॥

ayaneṣu ca sarveṣu yathā-bhāgam avasthitāḥ
bhīṣmam evābhirakṣantu bhavantaḥ sarva eva hi

ayaneṣu – a stratégiai fontosságú helyeken; *ca* – is; *sarveṣu* – mindenütt; *yathā-bhāgam* – különféle elrendezések szerint; *avasthitāḥ* – elhelyezkedve; *bhīṣmam* – Bhīṣma nagyatyát; *eva* – bizony; *abhirakṣantu* – támogassátok; *bhavantaḥ* – ti; *sarve* – mindannyian külön-külön; *eva hi* – bizonyosan.

Most a sereg falanxának kijelölt stratégiai pontjain mindenkinek teljes támogatást kell nyújtania Bhīṣma nagyatyának.

MAGYARÁZAT: Duryodhana Bhīṣma erejének dicsérete után úgy vélte, a többiek talán azt hiszik, nem tekinti őket igazán fontosnak, ezért szokásos diplomatikus módján ezzel a kijelentéssel próbálta kiköszörülni a csorbát. Kihangsúlyozta, hogy Bhīṣmadeva, noha kétségtelenül a legnagyobb hős, már öreg, ezért mindenkinek őt kell védelmeznie minden irányból. Megtörténhet, hogy Bhīṣmát leköti a harc, s az ellenség él a lehetőséggel, hogy egy másik oldalról támadjon. Fontos volt tehát, hogy a vitézek stratégiai helyükön maradjanak, s ne engedjék, hogy az ellenség megtörje a falanxot. Duryodhana biztosan érezte, hogy a Kuruk győzelme Bhīṣmadeva jelenlétén múlik. Abban egészen biztos volt, hogy Bhīṣma és Droṇācārya teljes támogatást nyújtanak neki a csatában, mert jól tudta, hogy egy árva szót sem szóltak, amikor Arjuna felesége, Draupadī hozzájuk fordult segítségért kétségbeesett helyzetében, miközben egy tanácskozás alkalmával az összes kiváló tábornok színe előtt erővel meztelenre akarták vetkőztetni. Tudta ugyan, hogy a két tábornok szeretetteljes érzéseket táplál a Pāṇḍavák iránt, ám azt remélte, hogy ahogyan a szerencsejáték alkalmával, úgy most is elfelejtkeznek ilyetén érzelmeikről.

12. VERS

तस्य सञ्जनयन् हर्षं कुरुवृद्धः पितामहः ।
सिंहनादं विनद्योच्चैः शङ्खं दध्मौ प्रतापवान् ॥१२॥

tasya sañjanayan harṣaṁ kuru-vṛddhaḥ pitāmahaḥ
siṁha-nādaṁ vinadyoccaiḥ śaṅkhaṁ dadhmau pratāpavān

tasya – neki; *sañjanayan* – fokozódó; *harṣam* – derűt; *kuru-vṛddhaḥ* – a Kuru-dinasztia nagyatyja (Bhīṣma); *pitāmahaḥ* – a nagyatya; *siṁha-nādam* – az oroszlán üvöltéséhez hasonló hangot; *vinadya* – rezegve; *uccaiḥ* – nagyon hangosan; *śaṅkham* – kagylókürtöt; *dadhmau* – megfújta; *pratāpa-vān* – a hős.

Ekkor Bhīṣma, a Kuru-dinasztia hatalmas és vitéz ősatyja, a harcosok nagyatyja hangosan kagylókürtjébe fújt. Az oroszlánbőgésre emlékeztető hang megörvendeztette Duryodhanát.

MAGYARÁZAT: A Kuru-dinasztia nagyatyja megértette, mi megy végbe unokája, Duryodhana szívében, és természetes együttérzésből megpróbálta felvidítani azzal, hogy helyzetéhez méltóan – Bhīṣma olyan volt, akár egy oroszlán – rettentő hangú kagylókürtjébe fújt. A kagylókürt jelképes megfúvásával közvetve azt adta csüggedő unokája, Duryodhana tudtára, hogy nincs esélye a csata megnyerésére, mert a Legfelsőbb Úr, Kṛṣṇa a másik oldalon áll. Ennek ellenére fáradságot nem kímélve kötelessége volt vezényelni a harcot.

13. VERS

ततः शङ्खाश्च भेर्यश्च पणवानकगोमुखाः ।
सहसैवाभ्यहन्यन्त स शब्दस्तुमुलोऽभवत् ॥१३॥

tataḥ śaṅkhāś ca bheryaś ca paṇavānaka-gomukhāḥ
sahasaivābhyahanyanta sa śabdas tumulo 'bhavat

tataḥ – ezután; *śaṅkhāḥ* – kagylókürtök; *ca* – is; *bheryaḥ* – nagy dobok; *ca* – és; *paṇava-ānaka* – kis dobok és üstdobok; *go-mukhāḥ* – kürtök; *sahasā* – hirtelen; *eva* – bizony; *abhyahanyanta* – egyszerre megszólaltak; *saḥ* – az; *śabdaḥ* – egyesült hangjuk; *tumulaḥ* – kavargóvá; *abhavat* – vált.

Ezután hirtelen felharsantak a kagylókürtök, harsonák, trombiták és kürtök, megperdültek a dobok, s egyesült hangjuk rettentő hangzavart keltett.

14. VERS

ततः श्वेतैर्हयैर्युक्ते महति स्यन्दने स्थितौ ।
माधवः पाण्डवश्चैव दिव्यौ शङ्खौ प्रदध्मतुः ॥१४॥

tataḥ śvetair hayair yukte mahati syandane sthitau
mādhavaḥ pāṇḍavaś caiva divyau śaṅkhau pradadhmatuḥ

tataḥ – azután; *śvetaiḥ* – fehér; *hayaiḥ* – lovakkal; *yukte* – befogott; *mahati* – nagy; *syandane* – harci szekéren; *sthitau* – állva; *mādhavah* – Kṛṣṇa (a szerencse istennőjének férje); *pāṇḍavaḥ* – Arjuna (Pāṇḍu fia); *ca* – és; *eva* – bizony; *divyau* – transzcendentális; *śaṅkhau* – kagylókürtöket; *pradadhmatuḥ* – megszólaltatták.

A másik oldalon, a fehér ménektől vont nagy harci szekéren az Úr Kṛṣṇa és Arjuna is megszólaltatták transzcendentális kagylókürtjüket.

MAGYARÁZAT: Bhīṣmadeva kagylókürtjével ellentétben a Kṛṣṇa és Arjuna kezében lévő kagylókürtök transzcendentálisak voltak. Hangjuk azt adta hírül, hogy az ellenség nem remélhet győzelmet, mert Kṛṣṇa a Pāṇḍavák mellé állt. *Jayas tu pāṇḍu-putrāṇāṁ yeṣāṁ pakṣe janārdanaḥ.* A győzelem mindig azoké, akik olyanok, mint a Pāṇḍu-fiak, mert az Úr Kṛṣṇa az ő társuk, s bármikor, bárhol legyen jelen az Úr, a szerencse istennője is ott van, mert sohasem marad férje nélkül. Arjunára tehát győzelem és szerencse várt, ahogy ezt Viṣṇu, azaz az Úr Kṛṣṇa kagylókürtjének transzcendentális búgása jelezte. Ezenkívül a két barát harci szekerét Agni (a tűz istene) ajándékozta Arjunának, s ez azt jelentette, hogy bárhová hajtották a három világban, mindenhol győzelem kísérte.

15. VERS

पाञ्चजन्यं हृषीकेशो देवदत्तं धनञ्जयः ।
पौण्ड्रं दध्मौ महाशङ्खं भीमकर्मा वृकोदरः ॥१५॥

pāñcajanyaṁ hṛṣīkeśo devadattaṁ dhanañjayaḥ
pauṇḍraṁ dadhmau mahā-śaṅkhaṁ bhīma-karmā vṛkodaraḥ

pāñcajanyam – a Pāñcajanya nevű kagylókürtöt; *hṛṣīka-īśaḥ* – Hṛṣīkeśa (Kṛṣṇa, az Úr, aki *bhaktái* érzékszerveit irányítja); *devadattam* – a Devadatta nevű kagylókürtöt; *dhanam-jayaḥ* – Dhanañjaya (Arjuna, a gazdagság elnyerője); *pauṇḍram* – a Pauṇḍra nevű kagylókürtöt; *dadhmau* – megfújta; *mahā-śaṅkham* – a rettenetes kagylókürtöt; *bhīma-karmā* – aki hatalmas erőt igénylő tetteket hajt végre; *vṛka-udaraḥ* – a farkasétvágyú (Bhīma).

Az Úr Kṛṣṇa a Pāñcajanyát, Arjuna a Devadattát, a farkasétvágyú, hőstetteit hatalmas erővel véghezvivő Bhīma pedig rettentő kagylókürtjét, a Pauṇḍrát szólaltatta meg.

MAGYARÁZAT: Ez a vers Hṛṣīkeśának nevezi Kṛṣṇát, mert Ő a birtokosa valamennyi érzékszervnek. Az élőlények az Ő szerves részei, ezért érzékeik is részei az Övéinek. Az imperszonalisták nem tudnak magyarázatot adni az élőlények érzékeire, ezért minden élőlényt érzékek nélkülinek, személytelennek tekintenek. Az élőlények érzékeit a valamennyiük szívében jelen lévő Úr irányítja, ez azonban annak megfelelően történik, hogy az élőlény milyen mértékben hódol meg Neki. Tiszta *bhaktájának* érzékszerveit közvetlenül irányítja az Úr. Itt a kurukṣetrai csatamezőn közvetlenül uralkodik Arjuna transzcendentális érzékei fölött, s ezért nevezik Őt Hṛṣīkeśának. Az Úrnak különféle tettei alapján számtalan neve van. Madhu démon megölése miatt például Madhusūdanának hívják. A Govinda név azt jelenti, hogy Ő ad gyönyört az érzékszerveknek és a teheneknek, Vāsudevának pedig azért nevezik, mert Vasudeva fiaként jelent meg. Devakī-nandanának is hívják, mert Devakīt választotta anyjául, a Yaśodā-nandana nevet azért kapta, mert Vṛndāvanában Yaśodā anyát tüntette ki gyermekkori kedvteléseivel, míg Pārtha-sārathinak amiatt hívják, mert barátja, Arjuna szekerét hajtotta. Ehhez hasonlóan Hṛṣīkeśának azért nevezik, mert a kurukṣetrai csatában Ő vezérelte Arjunát.

Ez a vers Dhanañjayának nevezi Arjunát, mert ő segített bátyjának összegyűjteni azt a vagyont, amire a királynak a különféle költséges áldozatok bemutatásához szüksége volt. Bhīmát Vṛkodarának is hívják, mert épp olyan hihetetlen falánkság jellemezte, mint amilyen hihetetlen erejű tettekre – például Hiḍimba démon megölésére – volt képes. A harcosokat bizakodással töltötte el, amikor a Pāṇḍavák kiválóságai az Úrral az élen kagylókürtjükbe fújtak. Az ellenségnek a másik oldalon nem voltak ilyen érdemei, s a legfőbb irányító, az Úr Kṛṣṇa, valamint a szerencse istennője sem volt jelen közöttük. Sorsuk tehát az volt, hogy elveszítsék a csatát, s ezt adta hírül a kagylókürtök búgása.

16–18. VERS

अनन्तविजयं राजा कुन्तीपुत्रो युधिष्ठिरः ।
नकुलः सहदेवश्च सुघोषमणिपुष्पकौ ॥१६॥

काश्यश्च परमेष्वासः शिखण्डी च महारथः ।
धृष्टद्युम्नो विराटश्च सात्यकिश्चापराजितः ॥१७॥

द्रुपदो द्रौपदेयाश्च सर्वशः पृथिवीपते ।
सौभद्रश्च महाबाहुः शङ्खान्दध्मुः पृथक्पृथक् ॥१८॥

anantavijayaṁ rājā kuntī-putro yudhiṣṭhiraḥ
nakulaḥ sahadevaś ca sughoṣa-maṇipuṣpakau

kāśyaś ca parameṣv-āsaḥ śikhaṇḍī ca mahā-rathaḥ
dhṛṣṭadyumno virāṭaś ca sātyakiś cāparājitaḥ

drupado draupadeyāś ca sarvaśaḥ pṛthivī-pate
saubhadraś ca mahā-bāhuḥ śaṅkhān dadhmuḥ pṛthak pṛthak

ananta-vijayam – az Anantavijaya nevű kagylót; *rājā* – a király; *kuntī-putraḥ* – Kuntī fia; *yudhiṣṭhiraḥ* – Yudhiṣṭhira; *nakulaḥ* – Nakula; *sahadevaḥ* – Sahadeva; *ca* – és; *sughoṣa-maṇipuṣpakau* – a Sughoṣa és Maṇipuṣpaka nevű kagylókat; *kāśyaḥ* – Kāśī (Vārāṇasī) királya; *ca* – és; *parama-iṣu-āsaḥ* – a kiváló íjász; *śikhaṇḍī* – Śikhaṇḍī; *ca* – szintén; *mahā-rathaḥ* – aki egymagában ezrekkel képes megküzdeni; *dhṛṣṭadyumnaḥ* – Dhṛṣṭadyumna (Drupada király fia); *virāṭaḥ* – Virāṭa (az álruhában rejtőzködő Pāṇḍaváknak menedéket adó herceg); *ca* – szintén; *sātyakiḥ* –

Sātyaki (vagyis Yuyudhāna, az Úr Kṛṣṇa kocsihajtója); *ca* – és; *aparājitaḥ* – akiket még sohasem győztek le; *drupadaḥ* – Drupada, Pāñcāla királya; *draupadeyāḥ* – Draupadī fiai; *ca* – is; *sarvaśaḥ* – mind; *pṛthivīpate* – ó, királyom; *saubhadraḥ* – Abhimanyu, Subhadrā fia; *ca* – szintén; *mahā-bāhuḥ* – erős karú; *śaṅkhān* – kagylókürtöket; *dadhmuḥ* – megfújták; *pṛthak pṛthak* – külön-külön.

Ó, uralkodó! Yudhiṣṭhira király, Kuntī fia az Anantavijayát, Nakula és Sahadeva pedig a Sughoṣát és a Maṇipuṣpakát szólaltatta meg. A kiváló íjász, Kāśī királya, a nagy harcos, Śikhaṇḍī, valamint Dhṛṣṭadyumna, Virāṭa, a legyőzhetetlen Sātyaki, Drupada, Draupadī fiai, Subhadrā erős karú fia és a többiek is mind megfújták kagylókürtjüket.

MAGYARÁZAT: Sañjaya nagyon tapintatosan értésére adta Dhṛtarāṣṭra királynak, milyen szégyenletes volt ostoba politikája, mellyel a Pāṇḍu-fiakat kijátszva saját fiait próbálta trónra juttatni. A jelek egyértelműen arra utaltak, hogy e nagy csatában az egész Kuru-dinasztia el fog veszni. A hatalmas Bhīṣma nagyatyától kezdve az unokákig, Abhimanyuig és másokig, a világ számtalan birodalmának királyával együtt mindenki részt vett ebben a csatában – s mindannyian halálra voltak ítélve. Ennek a katasztrófának teljes egészében a fiai politikáját támogató Dhṛtarāṣṭra király volt az oka.

19. VERS

स घोषो धार्तराष्ट्राणां हृदयानि व्यदारयत् ।
नभश्च पृथिवीं चैव तुमुलोऽभ्यनुनादयन् ॥१९॥

sa ghoṣo dhārtarāṣṭrāṇāṁ hṛdayāni vyadārayat
nabhaś ca pṛthivīṁ caiva tumulo 'bhyanunādayan

saḥ – az; *ghoṣaḥ* – hang; *dhārtarāṣṭrāṇām* – Dhṛtarāṣṭra fiainak; *hṛdayāni* – szíveit; *vyadārayat* – megremegtette; *nabhaḥ* – az ég; *ca* – szintén; *pṛthivīm* – a föld felszíne; *ca* – is; *eva* – bizony; *tumulaḥ* – rettentő hangú; *abhyanunādayan* – visszhangozva.

A különböző kagylókürtök rettentő hangja betöltötte az eget és a földet, s megremegtette Dhṛtarāṣṭra fiainak szívét.

MAGYARÁZAT: Amikor Bhīṣma és a többiek Duryodhana oldalán megfújták kagylókürtjeiket, a Pāṇḍavák szívét ez egyáltalán nem rendítette meg – sehol sem olvashatunk arról, hogy így történt volna. Ebben a versben viszont az áll, hogy a Pāṇḍavák kagylókürtjeinek hangja megremegtette Dhṛtarāṣṭra fiainak szívét. Ez annak volt köszönhető, hogy a Pāṇḍavák az Úr Kṛṣṇába vetették minden bizalmukat. Aki a Legfelsőbb Úrnál keres oltalmat, annak még a legnagyobb veszély közepette sincs oka a félelemre.

20. VERS

अथ व्यवस्थितान्दृष्ट्वा धार्तराष्ट्रान् कपिध्वजः ।
प्रवृत्ते शस्त्रसम्पाते धनुरुद्यम्य पाण्डवः ।
हृषीकेशं तदा वाक्यमिदमाह महीपते ॥२०॥

atha vyavasthitān dṛṣṭvā dhārtarāṣṭrān kapi-dhvajaḥ
pravṛtte śastra-sampāte dhanur udyamya pāṇḍavaḥ
hṛṣīkeśaṁ tadā vākyam idam āha mahī-pate

atha – azután; *vyavasthitān* – elhelyezkedve; *dṛṣṭvā* – ránézve; *dhārtarāṣṭrān* – Dhṛtarāṣṭra fiaira; *kapi-dhvajaḥ* – akinek Hanumān jelölte a zászlaját; *pravṛtte* – mielőtt elkezdte volna; *śastra-sampāte* – nyilai kilövését; *dhanuḥ* – íjat; *udyamya* – felvette; *pāṇḍavaḥ* – Pāṇḍu fia (Arjuna); *hṛṣīkeśam* – az Úr Kṛṣṇához; *tadā* – akkor; *vākyam* – szavakat; *idam* – ezeket; *āha* – mondta; *mahī-pate* – ó, király.

Ekkor Arjuna, Pāṇḍu fia a harci szekéren ülve, melynek Hanumān díszlett a zászlaján, felvette íját, s felkészült, hogy kilője nyilait. Ó, király! Dhṛtarāṣṭra fiainak felsorakozott hada láttán e szavakkal fordult az Úr Kṛṣṇához:

MAGYARÁZAT: A csata még nem kezdődött el. Az előző versekből megtudhattuk, hogy Dhṛtarāṣṭra fiain mondhatni elkeseredés lett úrrá, amikor a csatamezőn meglátták az Úr Kṛṣṇa közvetlen irányítása alatt álló Pāṇḍavák haderejének nem várt elrendezését. Az Arjuna zászlaját díszítő Hanumān-jel szintén győzelmükre utalt, hiszen Hanumān az Úr Rāma mellett harcolt a Rāvaṇa elleni csatában, amelyből az Úr Rāma került ki győztesen. Arjuna harci szekerén most Rāma és Hanumān egyaránt jelen voltak, hogy segítsék őt. Az Úr Kṛṣṇa azonos Rāmával, s bárhol legyen Rāma, ott örök szolgája, Hanumān, és örök hitvese, Sītā, a szerencse istennője is jelen van. Arjunának éppen ezért nem kellett félnie semmiféle ellenségtől. De ami a legfontosabb, az érzékszervek Ura, az Úr Kṛṣṇa állt mellette személyesen, hogy útmutatást adjon neki, így aztán Arjuna a legjobb tanácsokat kapta ahhoz, hogy megvívja a csatát. Ezek a kedvező körülmények – melyeket az Úr rendezett el örök híve számára – a biztos győzelem előjelei voltak.

21–22. VERS

अर्जुन उवाच
सेनयोरुभयोर्मध्ये रथं स्थापय मेऽच्युत ।
यावदेतान्निरीक्षेऽहं योद्धुकामानवस्थितान् ॥२१॥
कैर्मया सह योद्धव्यमस्मिन् रणसमुद्यमे ॥२२॥

arjuna uvāca
senayor ubhayor madhye rathaṁ sthāpaya me 'cyuta
yāvad etān nirīkṣe 'haṁ yoddhu-kāmān avasthitān
kair mayā saha yoddhavyam asmin raṇa-samudyame

arjunaḥ uvāca – Arjuna mondta; *senayoḥ* – a seregek; *ubhayoḥ* – mindkettő; *madhye* – között; *ratham* – a szekeret; *sthāpaya* – kérlek, tartsd; *me* – az enyémet; *acyuta* – ó, tévedhetetlen; *yāvat* – amíg; *etān* – mindezeket; *nirīkṣe* – megtekinthetem; *aham* – én; *yoddhu-kāmān* – harcra vágyókat; *avasthitān* – felsorakozva a csatamezőn; *kaiḥ* – kikkel; *mayā* – általam; *saha* – együtt; *yoddhavyam* – harcolni kell; *asmin* – ebben; *raṇa* – küzdelemben; *samudyame* – próbálkozásban.

Arjuna így szólt: Ó, tévedhetetlen, kérlek, hajtsd harci szekeremet a két sereg közé, hogy láthassam, kik vannak jelen, kik vágynak a harcra, s kikkel kell majd megküzdenem e nagy összecsapásban!

MAGYARÁZAT: Bár az Úr Kṛṣṇa nem más, mint az Istenség Legfelsőbb Személyisége, indokolatlan kegyéből mégis barátja szolgálatába állt. *Bhaktái* iránt érzett szeretete sohasem szűnik meg, ezért itt csalhatatlannak szólítják. A szekér hajtójaként Arjuna utasításait kellett követnie, s mivel egy percig sem tétovázott, hogy így cselekedjen, Arjuna csalhatatlannak nevezi. *Bhaktája* kedvéért vállalta a kocsihajtó szerepét, ám ez nem ütött csorbát felsőbbrendűségén. Ő minden körülmények között az Istenség Legfelsőbb Személyisége, Hṛṣīkeśa, valamennyi érzék Ura. Az Úr és szolgái közötti kapcsolat rendkívül kellemes és transzcendentális. A szolga mindig kész szolgálni az Urat, s az Úr ugyanígy mindig keresi az alkalmat, hogy szolgálhassa *bhaktáját*. Az Úr nagyobb örömét leli abban, ha nem Ő adja az utasításokat, hanem tiszta *bhaktája* játssza ezt a felsőbbrendű szerepet. Mivel Ő az Úr, mindenkinek az Ő parancsait kell követnie, és senki sem áll felette, hogy utasítsa Őt. Amikor azonban tiszta *bhaktája* rendelkezik Vele, transzcendentális gyönyört érez, noha Ő minden körülmények között a tévedhetetlen Úr.

Arjuna tiszta *bhakta* volt, s ezért nem akart harcolni unokatestvérei ellen, Duryodhana konoksága azonban – aki sohasem volt hajlandó semmiféle békekötésre – erre kényszerítette. Ezért aztán nagyon szerette volna látni a csatamezőn felsorakozó vezéreket. Habár a csatatéren nem lehetett szó arról, hogy békés megoldást találjanak, újra látni akarta őket, látni, mennyire égnek a vágytól, hogy megvívják e nem kívánt csatát.

23. VERS

योत्स्यमानानवेक्षेऽहं य एतेऽत्र समागताः ।
धार्तराष्ट्रस्य दुर्बुद्धेर्युद्धे प्रियचिकीर्षवः ॥२३॥

yotsyamānān avekṣe 'haṁ ya ete 'tra samāgatāḥ
dhārtarāṣṭrasya durbuddher yuddhe priya-cikīrṣavaḥ

yotsyamānān – azokat, akik harcolni fognak; *avekṣe* – hadd lássam; *aham* – én; *ye* – akik; *ete* – azok; *atra* – itt; *samāgatāḥ* – összegyűltek; *dhārtarāṣṭrasya* – Dhṛtarāṣṭra fiának; *durbuddheḥ* – a gonosz szívűnek; *yuddhe* – a harcban; *priya* – jót; *cikīrṣavaḥ* – kívánva.

Hadd lássam, kik jöttek el harcolni, hogy Dhṛtarāṣṭra gonosz szívű fiának örömet szerezzenek!

MAGYARÁZAT: Nyílt titok volt, hogy Duryodhana apjával, Dhṛtarāṣṭrával szövetkezve gonosz terveket sző, hogy megkaparintsa a Pāṇḍavák királyságát. Éppen ezért nem lehettek különbek azok sem, akik Duryodhana oldalára álltak. Arjuna látni akarta őket a csatatéren, mielőtt a harc megkezdődött, hogy megtudja, kikkel áll szemben, de nem akart békekötésről tárgyalni velük. Tény az is, hogy fel akarta becsülni az erőt, mellyel meg kellett küzdenie, habár biztos volt a győzelemben, hiszen Kṛṣṇa ült mellette.

24. VERS

सञ्जय उवाच
एवमुक्तो हृषीकेशो गुडाकेशेन भारत ।
सेनयोरुभयोर्मध्ये स्थापयित्वा रथोत्तमम् ॥२४॥

sañjaya uvāca
evam ukto hṛṣīkeśo guḍākeśena bhārata
senayor ubhayor madhye sthāpayitvā rathottamam

sañjayaḥ uvāca – Sañjaya mondta; *evam* – így; *uktaḥ* – szólítva; *hṛṣīkeśaḥ* – az Úr Kṛṣṇa; *guḍākeśena* – Arjuna által; *bhārata* – ó, Bharata leszármazottja; *senayoḥ* – a seregek; *ubhayoḥ* – mindkettő; *madhye* – közé; *sthāpayitvā* – helyezve; *ratha-uttamam* – a legjobb harci szekeret.

Sañjaya így szólt: Ó, Bharata sarja! Arjuna kérésére az Úr Kṛṣṇa a két sereg közé hajtotta a pompás harci szekeret.

MAGYARÁZAT: Ebben a versben Arjunát Guḍākeśának nevezik. A *guḍākā* alvást, álmot jelent, az álom legyőzőjét pedig *guḍākeśának* hívják. Az alvás egyben tudatlanság is. Arjuna az álmot és a tudatlanságot egyaránt legyőzte, mert Kṛṣṇa barátja volt. Kṛṣṇa hűséges *bhaktájaként* egyetlen pillanatra sem tudta elfelejteni Őt – ilyen a *bhakták* természete. Egy *bhakta* akár ébren van, akár alszik, örökké az Úr nevére, alakjára, tulajdonságaira és kedvteléseire gondol. Így győzi le az álmot és a tudatlanságot is, pusztán azzal, hogy szünet nélkül Kṛṣṇa jár a fejében. Ezt nevezik Kṛṣṇa-tudatnak, *samādhinak*. Kṛṣṇa Hṛṣīkeśa, vagyis minden élőlény érzékeinek és elméjének irányítója, ezért megértette Arjuna szándékát, amikor Arjuna a seregek közé kívánta hajtani szekerét. Teljesítette hát kérését, s így szólt:

25. VERS

भीष्मद्रोणप्रमुखतः सर्वेषां च महीक्षिताम् ।
उवाच पार्थ पश्यैतान् समवेतान् कुरूनिति ॥२५॥

bhīṣma-droṇa-pramukhataḥ sarveṣāṁ ca mahī-kṣitām
uvāca pārtha paśyaitān samavetān kurūn iti

bhīṣma – Bhīṣma nagyatya; *droṇa* – Droṇa, a tanítómester; *pramukhataḥ* – előtte; *sarveṣām* – mindenkit; *ca* – is; *mahī-kṣitām* – a világ vezéreit; *uvāca* – mondta; *pārtha* – ó, Pṛthā fia; *paśya* – lásd; *etān* – mindegyiküket; *samavetān* – összegyűlteket; *kurūn* – a Kuru-dinasztia tagjait; *iti* – így.

Bhīṣma, Droṇa és a világ többi vezére jelenlétében így szólt az Úr: „Lásd, Pārtha, az itt összesereglett Kurukat!”

MAGYARÁZAT: Az Úr Kṛṣṇa a Felsőlélek minden élőlényben, ezért hát megértette, mi játszódott le Arjuna elméjében. A Hṛṣīkeśa szó használata ezzel kapcsolatban arra utal, hogy Ő tudott mindenről. A Pārtha (Kuntī, Pṛthā fia) névnek, amely Arjunára vonatkozik, szintén jelentősége van. Kṛṣṇa barátian tudatni akarta Arjunával, hogy azért vállalta el kocsihajtójának szerepét, mert Arjuna az Ő apja, Vasudeva nővérének, Pṛthānak a fia volt. Mire gondolt Kṛṣṇa, amikor így szólt Arjunához: „Lásd a Kurukat!”? Talán arra, hogy Arjuna meghátrált, és nem akar harcolni?

Kṛṣṇa sohasem feltételezte volna ezt nagynénje, Pṛthā fiáról. Az Úr tehát baráti tréfájával megjövendölte Arjuna szándékát.

26. VERS

तत्रापश्यत्स्थितान् पार्थः पितॄनथ पितामहान् ।
आचार्यान्मातुलान् भ्रातॄन् पुत्रान् पौत्रान् सखींस्तथा ।
श्वशुरान् सुहृदश्चैव सेनयोरुभयोरपि ॥२६॥

tatrāpaśyat sthitān pārthaḥ pitṝn atha pitāmahān
ācāryān mātulān bhrātṝn putrān pautrān sakhīṁs tathā
śvaśurān suhṛdaś caiva senayor ubhayor api

tatra – ott; *apaśyat* – látott; *sthitān* – állva; *pārthaḥ* – Arjuna; *pitṝn* – apákat; *atha* – is; *pitāmahān* – nagyatyákat; *ācāryān* – tanítómestereket; *mātulān* – anyai nagybátyákat; *bhrātṝn* – fivéreket; *putrān* – fiakat; *pautrān* – unokákat; *sakhīn* – barátokat; *tathā* – szintén; *śvaśurān* – apósokat; *suhṛdaḥ* – jóakarókat; *ca* – is; *eva* – bizony; *senayoḥ* – seregeiben; *ubhayoḥ* – mindkét oldalnak; *api* – is.

Arjuna a két seregben atyáit, nagyatyáit, tanítómestereit, anyai nagybátyjait, fivéreit, fiait, unokáit, barátait, apósait és jóakaróit pillantotta meg.

MAGYARÁZAT: Arjuna a rokonait látta a csatatéren. Látta Bhūriśravāt és másokat, akik apja kortársai voltak, látta Bhīṣma és Somadatta nagyatyákat; tanítóit, Droṇācāryát és Kṛpācāryát; anyai nagybátyjait, Śalyát és Śakunit; fivéreit, köztük Duryodhanát; fiait, például Lakṣmanát; Aśvatthāmāt és többi barátját; jóakaróit, Kṛtavarmāt és a többieket. A két felsorakozott seregben számtalan barátját fedezte fel.

27. VERS

तान् समीक्ष्य स कौन्तेयः सर्वान् बन्धूनवस्थितान् ।
कृपया परयाविष्टो विषीदन्निदमब्रवीत् ॥२७॥

tān samīkṣya sa kaunteyaḥ sarvān bandhūn avasthitān
kṛpayā parayāviṣṭo viṣīdann idam abravīt

tān – mindannyiukat; *samīkṣya* – miután megtekintette; *saḥ* – ő; *kaunteyaḥ* – Kuntī fia; *sarvān* – mindenféle; *bandhūn* – rokonokat; *avasthitān* – ott tartózkodó; *kṛpayā* – együttérzésből; *parayā* – magas rangú; *āviṣṭaḥ* – lesújtva; *viṣīdan* – keseregve; *idam* – így; *abravīt* – szólt.

Amikor Kuntī fia, Arjuna meglátta a különféle rokonok és barátok sokaságát, szívét részvét töltötte el, s így szólt:

28. VERS

अर्जुन उवाच
दृष्ट्वेमं स्वजनं कृष्ण युयुत्सुं समुपस्थितम् ।
सीदन्ति मम गात्राणि मुखं च परिशुष्यति ॥२८॥

arjuna uvāca
dṛṣṭvemaṁ sva-janaṁ kṛṣṇa yuyutsuṁ samupasthitam
sīdanti mama gātrāṇi mukhaṁ ca pariśuṣyati

arjunaḥ uvāca – Arjuna mondta; *dṛṣṭvā* – látván; *imam* – mindezeket; *sva-janam* – rokonokat; *kṛṣṇa* – ó, Kṛṣṇa; *yuyutsum* – harcra vágyókat; *samupasthitam* – jelen; *sīdanti* – reszketnek; *mama* – enyém; *gātrāṇi* – testrészek; *mukham* – száj; *ca* – is; *pariśusyati* – kiszárad.

Arjuna így szólt: Kedves Kṛṣṇám! Előttem sorakozó, harci vágyban égő barátaim és rokonaim láttán tagjaim reszketnek, ajkam kiszárad.

MAGYARÁZAT: Aki őszintén átadja magát az Úrnak, abban a jámborak és a félistenek valamennyi jó tulajdonsága megnyilvánul, ellenben aki nem híve az Úrnak, az nem rendelkezik egyetlen jámbor tulajdonsággal sem, legyen bármennyire kiváló jellemű világi szempontból, képzettsége és műveltsége alapján. Így aztán Arjunán a harctéren felsorakozott, egymás vérét kiontani kész rokonai és barátai láttán erőt vett az együttérzés. Saját katonái iránt már kezdettől fogva részvétet érzett, most azonban még az ellenség harcosait is megsajnálta, amint látta küszöbön álló halálukat. Amint erre gondolt, tagjai reszketni kezdtek, ajka kiszáradt. Megdöbbent, hogy valamennyien harcolni vágytak. Jóformán az egész tábor Arjuna vérrokona volt, s most eljöttek, hogy megküzdjenek vele. Ez nagyon lesújtotta a jószívű *bhaktát*. Nem tesz róla említést a vers, mégis könnyen elképzelhetjük, hogy Arjunának nemcsak a tagjai reszkettek és az ajka száradt ki, de együttérzésében talán még sírt is. Ez azonban nem a gyengeség jele volt, hanem a jószívűségé, ami nagyon jellemző az Úr tiszta *bhaktájára*. Ezért mondja a *Śrīmad-Bhāgavatam* (5.18.12):

yasyāsti bhaktir bhagavaty akiñcanā
sarvair guṇais tatra samāsate surāḥ
harāv abhaktasya kuto mahad-guṇā
mano-rathenāsati dhāvato bahiḥ

„Aki rendíthetetlen odaadással fordul az Istenség Személyisége felé, az a félistenek valamennyi jó tulajdonságával rendelkezik. Aki azonban nem *bhaktája* az Úrnak, annak csupán anyagi tulajdonságai vannak, melyek szinte teljesen értéktelenek. Ennek az az oka, hogy az ilyen ember az elme síkján lebeg, s így egész biztosan elragadja a csillogó anyagi energia vonzása."

29. VERS

वेपथुश्च शरीरे मे रोमहर्षश्च जायते ।
गाण्डीवं स्रंसते हस्तात्त्वक्चैव परिदह्यते ॥२९॥

vepathuś ca śarīre me roma-harṣaś ca jāyate
gāṇḍīvaṁ sraṁsate hastāt tvak caiva paridahyate

vepathuḥ – remegés; *ca* – is; *śarīre* – a testen; *me* – enyém; *roma-harṣaḥ* – borzongás; *ca* – is; *jāyate* – történik; *gāṇḍīvam* – Arjuna íja; *sraṁsate* – kicsúszik; *hastāt* – a kézből; *tvak* – bőr; *ca* – is; *eva* – bizony; *paridahyate* – ég.

Egész testem remeg, s borzongás járja át. Gāṇḍīva íjam kicsúszik kezemből, s a bőröm tüzel.

MAGYARÁZAT: Két esetben kezd el remegni és borzongani a test: vagy rendkívüli lelki eksztázisban, vagy az anyagi körülmények okozta nagy félelem miatt. A transzcendentális megvilágosodás állapotában nincsen félelem, ebben az esetben tehát Arjunát anyagi rettegés, pontosabban a halálfélelem kerítette hatalmába. Más tünetek szintén egyértelműen ezt mutatják: olyan nehezen viselte a látványt, hogy híres Gāṇḍīva íja lassan kicsúszott kezéből, s mivel a szíve tüzelt, úgy érezte, lángol a bőre. Mindez az anyagi életfelfogás következménye.

30. VERS

न च शक्नोम्यवस्थातुं भ्रमतीव च मे मनः ।
निमित्तानि च पश्यामि विपरीतानि केशव ॥३०॥

na ca śaknomy avasthātuṁ bhramatīva ca me manaḥ
nimittāni ca paśyāmi viparītāni keśava

na – sem; *ca* – szintén; *śaknomi* – képes vagyok; *avasthātum* – megállni; *bhramati* – megfeledkezik; *iva* – mint; *ca* – és; *me* – enyém; *manaḥ* –

elme; *nimittāni* – okoz; *ca* – és; *paśyāmi* – látom; *viparītāni* – épp az ellenkezőjét; *keśava* – ó, Keśī démon végzete (Kṛṣṇa).

Képtelen vagyok tovább itt állni! Kezdek megfeledkezni magamról, s forog velem a világ. Ó, Kṛṣṇa, Keśī démon végzete, nagyon rosszat sejtek!

MAGYARÁZAT: Türelmetlenségében Arjuna úgy érezte, képtelen tovább a csatatéren maradni, s elméje gyengesége miatt egészen megfeledkezett magáról. Az anyagi dolgokhoz való túlzott ragaszkodás az oka, ha valaki ilyen zavarodottság jellemezte helyzetbe kerül. *Bhayaṁ dvitīyābhiniveśataḥ syāt* (*Śrīmad-Bhāgavatam* 11.2.37): az efféle félelem és az elme nyugalmának elvesztése azoknál figyelhető meg, akikre túlságosan nagy hatással vannak az anyagi körülmények. Arjuna nem látott mást a csatatéren, mint fájdalmat és szerencsétlenséget. Úgy érezte, még az ellenség fölött aratott győzelem sem tenné boldoggá. A *nimittāni viparītāni* szavak nagyon fontosak. Ha valakinek semmi reménye vágyai teljesülésére, így gondolkodik: „Mit keresek én itt?" Mindenkit csupán saját maga és saját jóléte érdekel, a Legfelsőbb Énnel viszont senki nem törődik. Arjuna Kṛṣṇa akaratából úgy tesz, mintha nem lenne tisztában valódi érdekével. Az ember valódi jóléte Viṣṇun, vagyis Kṛṣṇán múlik. A feltételekhez kötött lélek megfeledkezik erről, s ez az oka, hogy anyagi gyötrelmektől kell szenvednie. Arjuna úgy vélte, hogy a csata megnyerése csak bánatot okoz majd neki.

31. VERS

न च श्रेयोऽनुपश्यामि हत्वा स्वजनमाहवे ।
न काङ्क्षे विजयं कृष्ण न च राज्यं सुखानि च ॥३१॥

na ca śreyo 'nupaśyāmi hatvā sva-janam āhave
na kāṅkṣe vijayaṁ kṛṣṇa na ca rājyaṁ sukhāni ca

na – sem; *ca* – is; *śreyaḥ* – jót; *anupaśyāmi* – látok; *hatvā* – megölve; *sva-janam* – saját rokonaimat; *āhave* – a harcban; *na* – sem; *kāṅkṣe* – vágyok; *vijayam* – győzelemre; *kṛṣṇa* – ó, Kṛṣṇa; *na* – sem; *ca* – is; *rājyam* – királyságot; *sukhāni* – az ebből származó boldogságot; *ca* – és.

Nem látom be, mi jó származik abból, ha megölöm rokonaimat a harcban. Ó, kedves Kṛṣṇám, nem akarom megnyerni e csatát, s nem vágyom sem királyságra, sem boldogságra!

MAGYARÁZAT: A feltételekhez kötött lelkek nem tudják, hogy igazi érdekük Viṣṇu (Kṛṣṇa) érdeke, ezért a test alapján fennálló kapcsolatokhoz vonzódnak abban a reményben, hogy így majd boldogok lesznek.

E vak életfelfogás következtében még arról is megfeledkeznek, mi okozhat számukra anyagi boldogságot. Úgy tűnik, hogy Arjuna még a *kṣatriyák* erkölcsi törvényeit is egészen elfelejtette. Azt mondják, kétféle ember juthat el a hatalmas és ragyogó Nap bolygóra. Az egyik a *kṣatriya,* aki Kṛṣṇa személyes parancsainak engedelmeskedve a csatatéren esik el, a másik a lemondott rendben élő ember, aki teljesen átadja magát a lelki kultúrának. Arjuna még az ellenségeit is vonakodik megölni, a rokonairól nem is beszélve. Azt hiszi, sohasem lehet boldog az életben, ha megöli rokonait, s ezért nem akar harcolni, mint ahogyan a jóllakott embernek sincs kedve a főzéshez. Elhatározta, hogy az erdőbe vonul, s kiábrándultságában magányosan fog élni. *Kṣatriya* lévén azonban szüksége volt egy királyságra a létfenntartásához, mert a *kṣatriyák* a kormányzáson kívül nem űzhetnek más foglalkozást. De Arjunának nem volt királysága. Erre az egyetlen megoldás az volt, hogy megküzd unokatestvéreivel, és visszaköveteli az apjától örökölt birodalmat. Ezt azonban nem akarta, így arra gondolt, az lesz a legjobb, ha az erdőbe megy, s minden remény nélkül magányba vonul.

32–35. VERS

किं नो राज्येन गोविन्द किं भोगैर्जीवितेन वा ।
येषामर्थे काङ्क्षितं नो राज्यं भोगाः सुखानि च ॥३२॥

त इमेऽवस्थिता युद्धे प्राणांस्त्यक्त्वा धनानि च ।
आचार्याः पितरः पुत्रास्तथैव च पितामहाः ॥३३॥

मातुलाः श्वशुराः पौत्राः श्यालाः सम्बन्धिनस्तथा ।
एतान्न हन्तुमिच्छामि घ्नतोऽपि मधुसूदन ॥३४॥

अपि त्रैलोक्यराज्यस्य हेतोः किं नु महीकृते ।
निहत्य धार्तराष्ट्रान्नः का प्रीतिः स्याज्जनार्दन ॥३५॥

kiṁ no rājyena govinda kiṁ bhogair jīvitena vā
yeṣām arthe kāṅkṣitaṁ no rājyaṁ bhogāḥ sukhāni ca

ta ime 'vasthitā yuddhe prāṇāṁs tyaktvā dhanāni ca
ācāryāḥ pitaraḥ putrās tathaiva ca pitāmahāḥ

mātulāḥ śvaśurāḥ pautrāḥ śyālāḥ sambandhinas tathā
etān na hantum icchāmi ghnato 'pi madhusūdana

api trailokya-rājyasya hetoḥ kiṁ nu mahī-kṛte
nihatya dhārtarāṣṭrān naḥ kā prītiḥ syāj janārdana

kim – mi értelme; *naḥ* – számunkra; *rājyena* – királysággal; *govinda* – ó, Kṛṣṇa; *kim* – mi; *bhogaiḥ* – élvezettel; *jīvitena* – élve; *vā* – vagy; *yeṣām* – akiknek; *arthe* – érdekében; *kāṅkṣitam* – kívánt; *naḥ* – általunk; *rājyam* – királyságot; *bhogāḥ* – anyagi élvezet; *sukhāni* – minden boldogság; *ca* – is; *te* – mindegyikük; *ime* – ezek; *avasthitāḥ* – vannak; *yuddhe* – ezen a csatamezőn; *prāṇān* – életüket; *tyaktvā* – feladva; *dhanāni* – vagyonuktól; *ca* – is; *ācāryāḥ* – tanítómesterek; *pitaraḥ* – atyák; *putrāḥ* – fiak; *tathā* – valamint; *eva* – bizony; *ca* – is; *pitāmahāḥ* – nagyatyák; *mātulāḥ* – anyai nagybátyák; *śvaśurāḥ* – apósok; *pautrāḥ* – unokák; *śyālāḥ* – sógorok; *sambandhinaḥ* – rokonok; *tathā* – valamint; *etān* – mindezeket; *na* – soha; *hantum* – megölni; *icchāmi* – kívánom; *ghnataḥ* – meggyilkolva; *api* – még; *madhusūdana* – ó, Madhu démon elpusztítója (Kṛṣṇa); *api* – még ha; *trai-lokya* – a három világnak; *rājyasya* – a királyságért; *hetoḥ* – cserében; *kim nu* – mit sem szólva; *mahī-kṛte* – a földért; *nihatya* – megölve; *dhārtarāṣṭrān* – Dhṛtarāṣṭra fiait; *naḥ* – miénk; *kā* – mi; *prītiḥ* – öröm; *syāt* – lesz; *janārdana* – ó, minden élőlény fenntartója.

Ó, Govinda, mit ér nekünk a királyság, a boldogság, vagy mit ér maga az élet, ha azok, akiknek kedvéért erre vágyunk, most itt sorakoznak a csatatéren? Ó, Madhusūdana! Még ha másképp ők pusztítanának is el engem, miért kellene halálukat kívánnom a tanítóknak, atyáknak, fiaknak, nagyatyáknak, anyai nagybátyáknak, apósoknak, unokáknak, sógoroknak és más rokonoknak, akik itt állnak előttem, készen arra, hogy feláldozzák életüket és minden kincsüket? Ó, minden lény fenntartója, én nemhogy ezért a Földért, de még a három világért sem vagyok hajlandó harcolni velük! Miféle boldogság várhat ránk, ha megöljük Dhṛtarāṣṭra fiait?

MAGYARÁZAT: Arjuna Govindának szólítja az Úr Kṛṣṇát, mert Ő jelenti a gyönyört az érzékszervek és a tehenek számára. E fontos szó használatával Arjuna arra utal, hogy Kṛṣṇának tudnia kellene, mi az, ami Arjuna érzékeinek örömet ad. De Govindának nem az a feladata, hogy a mi érzékeinket kielégítse. Ha azonban az Ő érzékeinek próbálunk örömet szerezni, azzal a mi érzékszerveink is kielégülnek. Anyagi szinten mindenki saját érzékeinek boldogságára vágyik, s azt akarja, hogy Isten teljesítse minden parancsát ennek érdekében. Az Úr csak olyan mértékben szerez örömet az élőlények érzékszerveinek, amilyen mértékben megérdemlik, s nem úgy, ahogyan azt megkövetelik. Ám ha valaki az ellenkező utat választja – azaz nem saját, hanem Govinda érzékeinek próbál örömet szerezni –, akkor Govinda kegyéből minden kívánsága teljesül. Arjuna mély szeretete barátai és családtagjai iránt részben az irántuk érzett természetes részvétben nyilvánult meg, s ezért nem akart harcolni ellenük. Mindenki szeret eldicsekedni a vagyonával barátai és rokonai előtt, és Arjuna attól tartott, hogy a győzelem után, ha barátai és rokonai meghalnak a háborúban, nem tudja majd velük együtt élvezni a javakat. Ez a gondolkodásmód jellemzi a materialista életet. A transzcendentális élet azonban nem ilyen. A *bhakta* az Úr vágyainak akar eleget tenni, ezért ha az Úr úgy akarja, elfogadhat bármilyen kincset az Ő szolgálatában, s ha az Úr nem akarja, akkor nem szabad elfogadnia egy fillért sem. Arjuna nem akarta megölni a rokonait, s úgy vélte, ha erre mégis szükség lenne, akkor azt Kṛṣṇa tegye meg személyesen. Ekkor még nem tudta, hogy Kṛṣṇa már megölte őket, mielőtt a csatatérre vonultak volna, s neki csak Kṛṣṇa eszközévé kell válnia. Ez a későbbi fejezetekből fog majd kiderülni. Arjuna egy *bhakta* természetével rendelkezett, s nem akart bosszút állni gonosz unokatestvérein, ám az Úr terve az volt, hogy mindegyiküknek meg kell halnia. Az Úr *bhaktája* sohasem akar bosszút állni a vétkesen, az Úr azonban nem tűri, hogy a gonoszok ártsanak híveinek. Megbocsát annak, aki Őellene vét, de azoknak, akik a híveit bántják, sohasem. Az Úr tehát eltökélte, hogy elpusztítja a bűnösöket, annak ellenére, hogy Arjuna meg akart bocsátani nekik.

36. VERS

पापमेवाश्रयेदस्मान् हत्वैतानाततायिनः ।
तस्मान्नार्हा वयं हन्तुं धार्तराष्ट्रान् सबान्धवान् ।
स्वजनं हि कथं हत्वा सुखिनः स्याम माधव ॥३६॥

pāpam evāśrayed asmān hatvaitān ātatāyinaḥ
tasmān nārhā vayaṁ hantuṁ dhārtarāṣṭrān sa-bāndhavān
sva-janaṁ hi kathaṁ hatvā sukhinaḥ syāma mādhava

pāpam – a bűn; *eva* – bizonyosan; *āśrayet* – száll; *asmān* – ránk; *hatvā* – meggyilkolva; *etān* – mindezeket; *ātatāyinaḥ* – a támadókat; *tasmāt* – ezért; *na* – soha; *arhāḥ* – megérdemelve; *vayam* – mi; *hantum* – ölni; *dhārtarāṣṭrān* – Dhṛtarāṣṭra fiait; *sa-bāndhavān* – barátokkal együtt; *sva-janam* – rokonokat; *hi* – bizony; *katham* – hogyan; *hatvā* – meggyilkolva; *sukhinaḥ* – boldogok; *syāma* – leszünk; *mādhava* – ó, Kṛṣṇa, szerencse istennőjének férje.

A bűn fog hatalmába keríteni bennünket, ha legyilkoljuk e támadókat. Nem helyes hát, ha megöljük Dhṛtarāṣṭra fiait és barátainkat. Mit nyernénk ezzel, ó, Kṛṣṇa, szerencse istennőjének ura, és hogyan lehetnénk boldogok saját rokonaink elpusztítása árán?

MAGYARÁZAT: A védikus előírások szerint hatféle támadó van: 1. aki mérget ad, 2. aki gyújtogat, 3. aki halálos fegyverrel támad, 4. aki ellopja más vagyonát, 5. aki elfoglalja más földjét, 6. aki elrabolja más feleségét. Az efféle agresszorokat azonnal meg kell ölni, s ez nem számít bűnnek. A támadók elpusztítása elfogadható egy közönséges ember részéről, ám Arjuna nem volt az. Tulajdonságai egy szentre vallottak, s ehhez méltóan akart bánni az ellenségeivel is. Az efféle jámbor viselkedés azonban nem illik egy *kṣatriyához.* Az államban vezető helyet elfoglaló embertől elvárják, hogy szent életű legyen, de ez nem jelenthet gyávaságot. Az Úr Rāma például olyannyira jámbor volt, hogy az emberek még ma is szeretnének az Ő királyságában (a *rāma-rājyában*) élni, ám sohasem volt gyáva. Rāvaṇa támadónak számított, mert elrabolta Rāma hitvesét, Sītāt, de az Úr Rāmától olyan leckét kapott, amire nincs példa a világ történelmében. Arjuna esetében azonban figyelembe kell vennünk azt is, hogy ellenségei nem közönséges gonosztevők voltak, hanem saját nagyapja, tanára, barátai, fiai, unokái stb. Emiatt Arjuna úgy vélte, nem szabad olyan szigorúan bánnia velük, mint a közönséges ellenséggel. Ezenkívül egy szent embertől elvárják, hogy mindenkinek megbocsásson. Az efféle előírások a szent életűek számára fontosabbak, mint hogy bármely politikai vészhelyzet miatt lemondjanak róluk. Arjuna úgy gondolta, ahelyett, hogy politikai okokból megölné saját rokonait, jobb lenne, ha vallási meggyőződésből, jámbor emberhez méltóan megbocsátana nekik. Nem látta értelmét az ideiglenes testi boldogság kedvéért történő öldöklésnek. Az ebből nyert királyság és élvezet végül is nem tart örökké; miért kockáztassa hát életét és örök üdvösségét azzal, hogy legyilkolja saját rokonait? Ezzel kapcsolatban nagy jelentősége van annak, hogy Arjuna Mādhavának, a szerencse istennője férjének szólítja Kṛṣṇát. Ezzel arra akart rámutatni, hogy Kṛṣṇának a szerencse istennője uraként nem szabad őt olyasmire rávennie, ami végül szerencsétlenséget okoz. Kṛṣṇa azonban soha senkit nem sodor szerencsétlenségbe, legfőképpen pedig híveit nem.

37–38. VERS

यद्यप्येते न पश्यन्ति लोभोपहतचेतसः ।
कुलक्षयकृतं दोषं मित्रद्रोहे च पातकम् ॥३७॥
कथं न ज्ञेयमस्माभिः पापादस्मान्निवर्तितुम् ।
कुलक्षयकृतं दोषं प्रपश्यद्भिर्जनार्दन ॥३८॥

yady apy ete na paśyanti lobhopahata-cetasaḥ
kula-kṣaya-kṛtaṁ doṣaṁ mitra-drohe ca pātakam

kathaṁ na jñeyam asmābhiḥ pāpād asmān nivartitum
kula-kṣaya-kṛtaṁ doṣaṁ prapaśyadbhir janārdana

yadi – ha; *api* – még; *ete* – ők; *na* – nem; *paśyanti* – látnak; *lobha* – kapzsiságtól; *upahata* – eltöltött; *cetasaḥ* – szívűek; *kula-kṣaya* – a család kiirtását; *kṛtam* – előidézve; *doṣam* – bűnt; *mitra-drohe* – barátokkal való viszályban; *ca* – is; *pātakam* – a bűnök visszahatásai; *katham* – miért; *na* – nem kell; *jñeyam* – tudni; *asmābhiḥ* – általunk; *pāpāt* – bűntől; *asmāt* – ettől; *nivartitum* – megszüntetni; *kula-kṣaya* – egy dinasztia kipusztulását; *kṛtam* – előidézve; *doṣam* – bűnt; *prapaśyadbhiḥ* – azok által, akik látnak; *janārdana* – ó, Kṛṣṇa.

Ó, Janārdana! Ezek az emberek, akiknek szívét kapzsiság tölti el, nem látnak semmi rosszat abban, hogy kiirtsák saját családjukat, vagy hogy barátaikkal marakodjanak, ám miért követnénk el ilyen bűnt mi, akik tudjuk, hogy a család elpusztítása bűnös tett?

MAGYARÁZAT: Egy *kṣatriyának* nem szabad visszautasítania a párbajt vagy a szerencsejátékot, ha ellenfele kihívja. Elkötelezettsége miatt Arjuna nem tagadhatta meg a harcot, hiszen Duryodhana és társai kihívták őt. Úgy vélte azonban, hogy a másik csapat elvakultságában nem láthatta a kihívás következményeit, míg ő előre sejtette a szerencsétlen véget, s így nemet mondhatott a kihívásra. A kötelesség végrehajtása csak akkor kötelező, ha jó következményekkel jár, másképpen nem. A mellette és az ellene szóló érveket fontolóra véve Arjuna úgy döntött: nem fog harcolni.

39. VERS

कुलक्षये प्रणश्यन्ति कुलधर्माः सनातनाः ।
धर्मे नष्टे कुलं कृत्स्नमधर्मोऽभिभवत्युत ॥३९॥

kula-kṣaye praṇaśyanti kula-dharmāḥ sanātanāḥ
dharme naṣṭe kulaṁ kṛtsnam adharmo 'bhibhavaty uta

kula-kṣaye – a család kiirtása esetén; *praṇaśyanti* – megsemmisülnek; *kula-dharmāḥ* – a családi hagyományok; *sanātanāḥ* – örök; *dharme* – a vallás; *naṣṭe* – lerombolásakor; *kulam* – családot; *kṛtsnam* – egész; *adharmaḥ* – a vallástalanság; *abhibhavati* – átváltoztatja; *uta* – úgy mondják.

A dinasztia kipusztulásával az örök családi hagyományok is kivesznek, s az életben maradt családtagok vallástalanul fognak élni.

MAGYARÁZAT: A *varṇāśrama* intézményrendszerében a vallási hagyományoknak számtalan szabálya van, amelyeknek az a célja, hogy segítsék a családot a megfelelő gyarapodásban és a lelki értékek elsajátításában. A családban a tisztító rítusokért – amelyek végzése a születéskor kezdődik, s a halállal ér véget – az idősebb családtagok a felelősek. Az ő halálukkal azonban ezek a tisztító családi hagyományok megszűnhetnek, s így a fiatal nemzedék a vallástalan szokásokat követve elveszti a lehetőséget a lelki felszabadulásra. A család öregjeit éppen ezért semmilyen indokkal nem szabad megölni.

40. VERS

अधर्माभिभवात्कृष्ण प्रदुष्यन्ति कुलस्त्रियः ।
स्त्रीषु दुष्टासु वार्ष्णेय जायते वर्णसङ्करः ॥४०॥

adharmābhibhavāt kṛṣṇa pradusyanti kula-striyaḥ
strīṣu duṣṭāsu vārṣṇeya jāyate varṇa-saṅkaraḥ

adharma – vallástalanság; *abhibhavāt* – túlsúlyba kerülése miatt; *kṛṣṇa* – ó, Kṛṣṇa; *praduṣyanti* – beszennyeződnek; *kula-striyaḥ* – a család nőtagjai; *strīṣu* – a nők; *duṣṭāsu* – beszennyeződése esetén; *vārṣṇeya* – ó, Vṛṣṇi leszármazottja; *jāyate* – keletkezik; *varṇa-saṅkaraḥ* – nem várt utódok.

Ó, Kṛṣṇa, ó, Vṛṣṇi leszármazottja! Amikor a családban a vallástalanság kerül túlsúlyba, a család nőtagjai beszennyeződnek, ha pedig a nők rossz útra térnek, az nem várt utódokat eredményez.

MAGYARÁZAT: Az emberi társadalomban a béke, a jólét és a lelki fejlődés alapját a jó népesség jelenti. A *varṇāśrama* vallás elvei oly módon vannak lefektetve, hogy az állam és az egyes közösségek általános lelki fejlődése érdekében a jó emberek legyenek túlsúlyban. Az ilyen népesség kialakulásának a nők erénye és hűsége a feltétele. Ahogyan a gyermekeket nagyon könnyű félrevezetni, úgy a nők is igen hajlamosak arra, hogy rossz útra térjenek. Éppen ezért a család idősebb tagjainak a gyermekeket és a nőket egyaránt védelmezniük kell. Ha a nőket a vallásos tevékenységek kötik le, nem vehetik rá őket házasságtörésre. Cāṇakya Paṇḍita szerint a nők általában nem túl okosak, s ezért nem is megbízhatóak. A család hagyományos vallási tevékenységét kell tehát végezniük, s így erényességüknek és odaadásuknak köszönhetően egy jó nemzedék megszületésére van esély, amely képes lesz beilleszkedni a *varṇāśrama*-rendszerbe. A *varṇāśrama-dharma* megszűnésével a nők függetlenné válnak, és szabadon érintkeznek majd a férfiakkal, azaz házasságtörést követnek el azt kockáztatva, hogy nem várt utódokat teremtenek. A felelőtlen férfiak szintén házasságtörésre buzdítanak a társadalomban, s így nem kívánt gyermekek árasztják el az emberi társadalmat, aminek háborúk és járványok lehetnek a következményei.

41. VERS

सङ्करो नरकायैव कुलघ्नानां कुलस्य च ।
पतन्ति पितरो ह्येषां लुप्तपिण्डोदकक्रियाः ॥४१॥

saṅkaro narakāyaiva kula-ghnānāṁ kulasya ca
patanti pitaro hy eṣāṁ lupta-piṇḍodaka-kriyāḥ

saṅkaraḥ – az ilyen nem várt gyermekek; *narakāya* – pokoli életet teremtenek; *eva* – bizonyosan; *kula-ghnānām* – a családot elpusztítók számára; *kulasya* – a család számára; *ca* – is; *patanti* – visszaesnek; *pitaraḥ* – az ősatyák; *hi* – bizonyosan; *eṣām* – nekik; *lupta* – híján; *piṇḍa* – ételfelajánlás; *udaka* – és víz; *kriyāḥ* – szertartásoknak.

A nem várt nemzedék szaporodása kétségtelenül pokoli életet teremt a családnak és a családi hagyományok lerombolóinak egyaránt. Az ilyen erkölcstelen családok ősatyái visszaesnek, mert többé nem áldoznak nekik ételt és vizet.

MAGYARÁZAT: A gyümölcsöző cselekedetek végzésének szabályai szerint időnként ételt és vizet kell áldozni a család ősatyáinak. Ezt a felajánlást Viṣṇu imádatán keresztül végzik, mert ha valaki Viṣṇu ételmaradékát fogyasztja, megszabadulhat minden bűnös tett visszahatásától. Előfordul, hogy az ősatyák számtalan bűn visszahatásától szenvednek, s az is megtörténhet, hogy némelyikük még durvaanyagi testhez sem jut, hanem arra kényszerül, hogy szellemként finomfizikai testben maradjon. Amikor a leszármazottak a *prasāda* maradékait felajánlják az ősatyáknak, megszabadíthatják őket a szellemléttől és más nyomorúságoktól. Az ősatyák megsegítése ebben a formában családi hagyomány. Az odaadó szolgálatot nem végzők számára kötelező az ilyen szertartás, ám az odaadó szolgálatban élőknek nem szükséges ezek elvégzése, mert pusztán odaadó szolgálatukkal ezer és ezer ősüket menthetik meg minden nyomorúságtól. A *Bhāgavatam* (11.5.41) kijelenti:

devarṣi-bhūtāpta-nṛṇāṁ pitṝṇāṁ
na kiṅkaro nāyam ṛṇī ca rājan
sarvātmanā yaḥ śaraṇaṁ śaraṇyaṁ
gato mukundaṁ parihṛtya kartam

„Aki Mukundának, a felszabadulás adójának lótuszlábánál keres menedéket, s aki teljes komolysággal haladva ezen az úton minden más kötelezettségről lemond, annak nincsen kötelessége a félistenekkel, a bölcsekkel, a közönséges élőlényekkel, a családtagokkal, az emberiséggel és az ősatyákkal szemben." Az efféle kötelezettségeknek tehát automatikusan eleget tesz az ember, ha az Istenség Legfelsőbb Személyiségének odaadó szolgálatát végzi.

42. VERS

दोषैरेतैः कुलघ्नानां वर्णसङ्करकारकैः ।
उत्साद्यन्ते जातिधर्माः कुलधर्माश्च शाश्वताः ॥४२॥

doṣair etaiḥ kula-ghnānāṁ varṇa-saṅkara-kārakaiḥ
utsādyante jāti-dharmāḥ kula-dharmāś ca śāśvatāḥ

doṣaiḥ – az ilyen hibák által; *etaiḥ* – mindezek; *kula-ghnānām* – a család elpusztítóinak; *varṇa-saṅkara* – nem várt gyermekek; *kārakaiḥ* – okozói által; *utsādyante* – elpusztulnak; *jāti-dharmāḥ* – a köz javát szolgáló tevékenységek; *kula-dharmāḥ* – családi hagyományok; *ca* – is; *śāśvatāḥ* – örök.

A családi hagyományok elpusztítói – akik így nem kívánt gyermekek világrajöttét idézik elő – bűnös tetteikkel véget vetnek a köz javát és a családi jólétet szolgáló cselekedeteknek.

MAGYARÁZAT: A *sanātana-dharma* vagy *varṇāśrama-dharma* intézménye által az emberi társadalom négy rendje számára meghatározott feladatok a családok jólétét biztosító tevékenységekkel együtt arra szolgálnak, hogy képessé tegyék az emberi lényt arra, hogy eljusson a végső felszabadulásig. Ezért amikor a felelőtlen vezetők megtörik a *sanātana-dharma* hagyományát, az zavart okoz a társadalomban, aminek eredményeképpen az emberek megfeledkeznek az élet céljáról, Viṣṇuról. Az ilyen vezetőket vakoknak nevezhetjük, akik követőiket a biztos káoszba vezetik.

43. VERS

उत्सन्नकुलधर्माणां मनुष्याणां जनार्दन ।
नरके नियतं वासो भवतीत्यनुशुश्रुम ॥४३॥

utsanna-kula-dharmāṇāṁ manuṣyāṇāṁ janārdana
narake niyataṁ vāso bhavatīty anuśuśruma

utsanna – el vannak pusztítva; *kula-dharmāṇām* – akiknek családi hagyományai; *manuṣyāṇām* – az ilyen embereknek; *janārdana* – ó, Kṛṣṇa; *narake* – a pokolban; *niyatam* – mindig; *vāsaḥ* – lakhely; *bhavati* – így lesz; *iti* – így; *anuśuśruma* – hallottam a tanítványi láncolattól.

Ó, Kṛṣṇa, népek fenntartója! Azt hallottam a tanítványi láncolattól, hogy azokra, akiknek családi hagyományait elpusztítják, örök pokol vár.

MAGYARÁZAT: Arjuna nem személyes tapasztalatára hivatkozik, hanem arra, amit a hiteles tekintélyektől hallott. Ezen az úton lehet valódi tudásra szert tenni. Az ember nem remélhet igazi tudást, ha nem kap segítséget egy megfelelő személytől, aki már elsajátította azt. A *varṇāśrama* intézményében az a szokás, hogy az embernek halála előtt el kell végeznie egy folyamatot, ami megtisztítja bűneitől. Ezt nevezik *prāyaścittának,* s annak kell végrehajtania, aki élete során mindig bűnösen cselekedett. Ha nem hajtja ezt végre, egészen biztos, hogy a pokoli bolygókra kerül, ahol bűnös tettei eredményeképpen nyomorúságos életben lesz része.

44. VERS

अहो बत महत्पापं कर्तुं व्यवसिता वयम् ।
यद्राज्यसुखलोभेन हन्तुं स्वजनमुद्यताः ॥४४॥

aho bata mahat pāpaṁ kartuṁ vyavasitā vayam
yad rājya-sukha-lobhena hantuṁ sva-janam udyatāḥ

aho – ó, jaj; *bata* – milyen különös; *mahat* – hatalmas; *pāpam* – bűnt; *kartum* – cselekedni; *vyavasitāḥ* – elhatároztuk; *vayam* – mi; *yat* – mert; *rājya-sukha-lobhena* – mohón vágyva a királyi boldogságra; *hantum* – ölni; *sva-janam* – rokonokat; *udyatāḥ* – szándékozunk.

Ó, jaj, mily különös, hogy súlyos bűnök elkövetésére készülünk! A királyi gyönyörök élvezetére vágyva saját rokonainkat akarjuk elpusztítani.

MAGYARÁZAT: Az önző érdekektől vezérelt emberek olyan bűnök elkövetésére is képesek, mint saját fivérük, apjuk vagy anyjuk meggyilkolása. A világtörténelemben bőven találunk példát erre. Arjuna, az Úr jámbor *bhaktája* azonban sohasem feledkezik meg az erkölcsi törvényekről, s vigyáz arra, hogy ne kövessen el ilyen bűnt.

45. VERS

यदि मामप्रतीकारमशस्त्रं शस्त्रपाणयः ।
धार्तराष्ट्रा रणे हन्युस्तन्मे क्षेमतरं भवेत् ॥४५॥

yadi mām apratīkāram aśastraṁ śastra-pāṇayaḥ
dhārtarāṣṭrā raṇe hanyus tan me kṣemataraṁ bhavet

yadi – még ha; *mām* – engem; *apratīkāram* – ellenállás nélkül; *aśastram* – teljes fegyverzet nélkül; *śastra-pāṇayaḥ* – akiknek fegyver van a kezükben; *dhārtarāṣṭrāḥ* – Dhṛtarāṣṭra fiai; *raṇe* – a csatamezőn; *hanyuḥ* – megölhetnek; *tat* – az; *me* – nekem; *kṣema-taram* – jobb; *bhavet* – lesz.

Inkább haljak meg fegyvertelenül és ellenállás nélkül a csatatéren a felfegyverzett Dhṛtarāṣṭra-fiak kezétől!

MAGYARÁZAT: A *kṣatriyák* harci szabályai szerint a fegyvertelen és ellenállást nem tanúsító ellenséget nem szabad megtámadni. Arjuna azonban úgy döntött, hogy még akkor sem küzd, ha ilyen kellemetlen helyzetben támadja meg az ellenség. Nem vette figyelembe, hogy a másik fél mennyire akarja a harcot. Ezek a jelek mind arra utalnak, hogy az Úr hűséges *bhaktájaként* rendkívül lágyszívű volt.

46. VERS

सञ्जय उवाच
एवमुक्त्वार्जुनः सङ्ख्ये रथोपस्थ उपाविशत् ।
विसृज्य सशरं चापं शोकसंविग्नमानसः ॥४६॥

sañjaya uvāca
evam uktvārjunaḥ saṅkhye rathopastha upāviśat
visṛjya sa-śaraṁ cāpaṁ śoka-saṁvigna-mānasaḥ

sañjayaḥ uvāca – Sañjaya mondta; *evam* – így; *uktvā* – szólván; *arjunaḥ* – Arjuna; *saṅkhye* – a csatamezőn; *ratha* – harci szekérnek; *upasthe* – az ülésére; *upāviśat* – újra leült; *visṛjya* – félretéve; *sa-śaram* – nyílvesszőkkel együtt; *cāpam* – az íjat; *śoka* – keseregve; *saṁvigna* – kedvét vesztve; *mānasaḥ* – az elméjében.

Sañjaya mondta: E szavakkal szólt hát Arjuna a csatatéren, majd íját és nyilát félredobva leült harci szekerén, és szívét elborította a bánat.

MAGYARÁZAT: Miközben az ellenség helyzetét vette szemügyre, Arjuna felállt harci szekerén, ám annyira erőt vett rajta a szomorúság, hogy íját és nyilait félredobva újra leült. Egy ilyen kedves és lágyszívű *bhakta,* aki odaadóan szolgálja az Urat, érdemes arra, hogy megkapja az önvalóról szóló tudást.

Így végződnek a Bhaktivedanta-magyarázatok a Śrīmad Bhagavad-gītā *első fejezetéhez, melynek címe: „Hadiszemle a kurukṣetrai csatamezőn”.*

MÁSODIK FEJEZET

A Bhagavad-gītā tartalmának összefoglalása

1. VERS

सञ्जय उवाच
तं तथा कृपयाविष्टमश्रुपूर्णाकुलेक्षणम् ।
विषीदन्तमिदं वाक्यमुवाच मधुसूदनः ॥१॥

sañjaya uvāca
taṁ tathā kṛpayāviṣṭam aśru-pūrṇākulekṣaṇam
viṣīdantam idaṁ vākyam uvāca madhusūdanaḥ

sañjayaḥ uvāca – Sañjaya mondta; *tam* – Arjunának; *tathā* – így; *kṛpayā* – részvéttől; *āviṣṭam* – lesújtottnak; *aśru-pūrṇa-ākula* – könnyekkel teli; *īkṣaṇam* – szeműnek; *viṣīdantam* – panaszkodónak; *idam* – ezeket; *vākyam* – a szavakat; *uvāca* – mondta; *madhu-sūdanaḥ* – Madhu démon végzete.

Sañjaya mondta: Arjuna együttérzését, bánatát és könnyes szemét látván így szólt Madhusūdana, Kṛṣṇa:

MAGYARÁZAT: Az anyagi részvét, a panaszkodás és a könnyek mind az igazi énről való tudatlanság jelei. Az örök lélek iránti részvétet az önmegvalósítás jelenti. A „Madhusūdana" szónak nagy jelentősége van ebben a versben. Az Úr Kṛṣṇa megölte Madhu démont, s Arjuna azt szerette volna, ha most a félreértés démonával is végez, aki hatalmába kerítve őt akadályozta kötelessége végrehajtásában. Az emberek nem tudják, mi iránt kell részvétet érezniük. A fuldokló ruhája iránti szánalom ostobaság. A tudatlanság óceánjában fuldoklón nem segíthetünk azzal, ha csak ruháját, durvaanyagi testét mentjük meg. Aki ezt nem tudja, s ezért csak a ruha miatt siránkozik, azt *śūdrának,* vagyis fölöslegesen kesergőnek hívják. Arjunához *kṣatriya* lévén méltatlan volt az ilyen viselkedés. Az Úr Kṛṣṇa azonban véget vethet a tudatlan ember kesergésének, s e célból énekelte el a *Bhagavad-gītāt.* E fejezetben a legfelsőbb hiteles forrás, az Úr Śrī Kṛṣṇa arra oktat bennünket, hogyan érhetjük el az önmegvalósítást az anyagi test és a lélek elemző tanulmányozásával. Ez annak számára lehetséges, aki tettei során nem ragaszkodik azok gyümölcséhez, s az igazi önvaló szilárd tudatában cselekszik.

2. VERS

श्रीभगवानुवाच
कुतस्त्वा कश्मलमिदं विषमे समुपस्थितम् ।
अनार्यजुष्टमस्वर्ग्यमकीर्तिकरमर्जुन ॥ २ ॥

śrī-bhagavān uvāca
kutas tvā kaśmalam idaṁ viṣame samupasthitam
anārya-juṣṭam asvargyam akīrti-karam arjuna

śrī-bhagavān uvāca – az Istenség Legfelsőbb Személyisége így szólt; *kutaḥ* – honnan; *tvā* – neked; *kaśmalam* – szennyeződés; *idam* – ez a panaszkodás; *viṣame* – e válságos órában; *samupasthitam* – jött; *anārya* – az élet értékét nem ismerők által; *juṣṭam* – gyakorolt; *asvargyam* – ami nem juttatja el az embert a felsőbb bolygókra; *akīrti* – szégyen; *karam* – az oka; *arjuna* – ó, Arjuna.

Az Istenség Legfelsőbb Személyisége így szólt: Kedves Arjunám, hogyan fertőzhettek meg téged ezek a tisztátalanságok? Ezek nem illenek az

olyan emberhez, aki ismeri az élet értékét, s nem a felsőbb bolygókra, hanem a szégyenhez vezetnek.

MAGYARÁZAT: Kṛṣṇa és az Istenség Legfelsőbb Személyisége egy és ugyanaz, ezért Kṛṣṇát a *Gītā* végig Bhagavānnak nevezi. Bhagavān az Abszolút Igazság végső aspektusa. Az Abszolút Igazságnak három aspektusában lehet tudatára ébredni: 1. mint Brahman, a személytelen, mindent átható szellem, 2. mint Paramātmā, a Legfelsőbb minden élőlény szívében lakozó, helyhez kötött formája és 3. mint Bhagavān, az Istenség Legfelsőbb Személyisége, az Úr Kṛṣṇa. A *Śrīmad-Bhāgavatam* (1.2.11) az Abszolút Igazság e felfogását a következőképpen magyarázza:

vadanti tat tattva-vidas tattvaṁ yaj jñānam advayam
brahmeti paramātmeti bhagavān iti śabdyate

„Az Abszolút Igazságot illető tudatosságra annak ismerője három aspektusban tehet szert. Mindhárom azonos egymással, s Brahmannak, Paramātmānak és Bhagavānnak nevezik őket."

Ezt a három isteni aspektust a Nap példájának segítségével lehet elmagyarázni. A Napnak szintén három arculata van: a napfény, a Nap felszíne és maga a Nap bolygó. Aki csupán a napfényt tanulmányozza, az a kezdeti szinten áll, míg aki megérti a Nap felszínét, már sokkal fejlettebb, s az, aki képes bejutni a Nap bolygó belsejébe, valamennyiük közül a legjobb. Az átlagemberek, akik megelégszenek azzal, hogy egyedül a napfényt – egyetemes kiterjedését és személytelen természetének ragyogó sugárzását – tanulmányozzák, azokhoz hasonlíthatók, akik az Abszolút Igazság Brahman-arculatának képesek csupán a tudatára ébredni. Az ennél továbblépő tanuló megismerheti a Nap felszínét, amit az Abszolút Igazság Paramātmā-arculatát illető tudatossághoz hasonlíthatunk, azt a tanítványt pedig, aki a Nap szívébe hatol, azokhoz hasonlíthatjuk, akik a Legfelsőbb Abszolút Igazság személyes vonásainak tudatos megértését tették magukévá. A legkiválóbb transzcendentalisták ezért a *bhakták,* akik eljutottak az Abszolút Igazság Bhagavān-arculatát illető tudatosságig, annak ellenére, hogy az Abszolút Igazságot tanulmányozók mind ugyanazt a témát vizsgálják. A napfényt, a Nap felszínét és a bolygó belső jelenségeit nem lehet egymástól elválasztani, de a három különböző aspektust tanulmányozók mégis eltérő kategóriába tartoznak.

Parāśara Muni, Vyāsadeva apja, a kiváló, hiteles szaktekintély megmagyarázta a szanszkrit *bhagavān* szó értelmét. Az Istenség Legfelsőbb Személyiségét, aki minden vagyon, erő, hírnév, szépség, tudás és lemondás birtokosa, Bhagavānnak hívják. Sok ember van, aki végtelenül gazdag, roppant hatalmas vagy rendkívül szép, világhírű, esetleg kimagaslóan képzett és lemondott is, mégsem állíthatja senki sem magáról azt, hogy minden vagyonnal, erővel stb. rendelkezik. Egyedül Kṛṣṇa mondhatja ezt, mert Ő az Istenség Legfelsőbb Személyisége. Egyetlen élőlény, még Brahmā, az Úr Śiva és Nārāyaṇa sem rendelkezik e fenséges jellemzőkkel olyan teljességben, mint Kṛṣṇa. Ezért aztán maga az Úr Brahmā *Brahma-saṁhitā* című művében arra a következtetésre jut, hogy az Úr Kṛṣṇa az Istenség Legfelsőbb Személyisége. Senki sem egyenlő Vele, és senki sem múlhatja felül Őt. Ő az eredeti Úr, Bhagavān, akit Govindának is hívnak, és Ő minden ok legfelsőbb oka.

īśvaraḥ paramaḥ kṛṣṇaḥ sac-cid-ānanda-vigrahaḥ
anādir ādir govindaḥ sarva-kāraṇa-kāraṇam

„Számtalan személyiség létezik, aki rendelkezik Bhagavān jellemvonásaival, ám közülük Kṛṣṇa a legfelsőbb, mert senki sem múlhatja Őt felül. Ő a Legfelsőbb Személy, kinek teste örök, tudással és boldogsággal teljes. Ő az eredeti Úr, Govinda, s Ő minden ok oka" (*Brahma-saṁhitā* 5.1).

A *Bhāgavatam* szintén sokat felsorol az Istenség Legfelsőbb Személyisége inkarnációi közül, de Kṛṣṇát az eredeti Istenség Személyiségének nevezi, akiből sok-sok inkarnáció és Istenség Személyisége árad ki (1.3.28):

ete cāṁśa-kalāḥ puṁsaḥ kṛṣṇas tu bhagavān svayam
indrāri-vyākulaṁ lokaṁ mṛḍayanti yuge yuge

„Az Istenség itt felsorolt inkarnációi mind vagy teljes kiterjedései a Legfelsőbb Istenségnek, vagy részei az Ő teljes kiterjedéseinek, de Kṛṣṇa maga az Istenség Legfelsőbb Személyisége."

Kṛṣṇa tehát az eredeti Istenség Legfelsőbb Személyisége, az Abszolút Igazság, aki a Felsőlélek és a személytelen Brahman eredete.

Arjuna panaszkodása rokonai sorsa miatt az Istenség Legfelsőbb Személyiségének jelenlétében valóban nem illő, Kṛṣṇa ezért meglepetését a *kutaḥ,* „honnan" szóval érzékelteti. Az efféle tisztátalanság semmi esetre sem méltó az olyan emberhez, aki az *āryák* civilizált osztályába tartozik. Az *ārya* szó azokra utal, akik tisztában vannak az élet értékével, s akiknek civilizációja a lelki felemelkedésre épül. A materialista életfelfogás által vezérelt emberek nem tudják, hogy az élet célja az Abszolút Igazság, Viṣṇu, vagyis Bhagavān elérése. Az anyagi világ külső vonásai igézik meg őket, ezért nem tudják, hogy mi a felszabadulás. Azokat, akik mit sem tudnak arról, hogyan lehet az anyagi kötelékektől megszabadulni, nem lehet *āryáknak* nevezni. Noha Arjuna *kṣatriya* volt, mégis megtagadta a harcot, s ezzel eltért előírt kötelességétől. Az efféle gyáva tett nem méltó egy *āryához*. A kötelesség elhanyagolása nem csupán a lelki élet fejlődésének nem használ, de annak lehetőségétől is megfosztja az így cselekvőt, hogy hírnévre tegyen szert ebben a világban. Az Úr Kṛṣṇa nem helyeselte Arjuna rokonai iránt érzett „részvétét”.

3. VERS

क्लैब्यं मा स्म गमः पार्थ नैतत्त्वय्युपपद्यते ।
क्षुद्रं हृदयदौर्बल्यं त्यक्त्वोत्तिष्ठ परन्तप ॥ ३ ॥

klaibyaṁ mā sma gamaḥ pārtha naitat tvayy upapadyate
kṣudraṁ hṛdaya-daurbalyaṁ tyaktvottiṣṭha parantapa

klaibyam – tehetetlenséget; *mā sma* – ne; *gamah* – fogadd el; *pārtha* – ó, Pṛthā fia; *na* – sohasem; *etat* – ez; *tvayi* – hozzád; *upapadyate* – illő; *kṣudram* – kicsinyes; *hṛdaya* – a szívnek; *daurbalyam* – gyengeségét; *tyaktvā* – feladva; *uttiṣṭha* – kelj fel; *param-tapa* – ó, ellenség fenyítője.

Ó, Pṛthā fia, ne add át magad e lealázó tehetetlenségnek, mert ez nem illő hozzád! Ó, ellenség fenyítője, válj meg a szív kicsinyes gyengeségétől, és kelj fel!

MAGYARÁZAT: Arjunát Pṛthā fiának szólítja az Úr. Pṛthā Kṛṣṇa apjának, Vasudevának a nővére, emiatt tehát Arjuna Kṛṣṇa vérrokona volt. Ha egy *kṣatriya* fia megtagadja a harcot, akkor csak névleg *kṣatriya,* s ugyanez vonatkozik egy *brāhmaṇa* fiára is, ha nem cselekszik jámboran. Az ilyen *kṣatriyák* és *brāhmaṇák* csupán apáik hitvány fiai. Kṛṣṇa nem akarta, hogy Arjunából is érdemtelen *kṣatriya* sarj váljék. Arjuna Kṛṣṇa legmeghittebb barátja volt, és szekerén maga Kṛṣṇa látta el utasításokkal, a bizalom ellenére azonban szégyen lett volna számára, ha meghátrál a harc elől. Ezért mondta Kṛṣṇa, hogy az ilyen viselkedés nem méltó Arjuna jelleméhez. Arjuna érvelhetett volna azzal, hogy a rendkívüli tiszteletnek örvendő Bhīṣma és rokonai iránt érzett nemesszívűségből akar lemondani a küzdelemről, ám Kṛṣṇa véleménye szerint az efféle nemeslelkűség csupán a szív gyengesége. Egyetlen hiteles tekintély sem helyeselte az ilyen viselkedést. Az olyan embernek tehát, mint amilyen Arjuna volt, aki közvetlenül Kṛṣṇa utasításait követte, le kell mondania az ilyen nagylelkűségről vagy úgynevezett erőszakmentességről.

4. VERS

अर्जुन उवाच
कथं भीष्ममहं सङ्ख्ये द्रोणं च मधुसूदन ।
इषुभिः प्रतियोत्स्यामि पूजार्हावरिसूदन ॥ ४ ॥

arjuna uvāca
kathaṁ bhīṣmam ahaṁ saṅkhye droṇaṁ ca madhusūdana
iṣubhiḥ pratiyotsyāmi pūjārhāv ari-sūdana

arjunaḥ uvāca – Arjuna mondta; *katham* – hogyan; *bhīṣmam* – Bhīṣmát; *aham* – én; *saṅkhye* – a harcban; *droṇam* – Droṇát; *ca* – és; *madhu-sūdana* – ó, Madhu végzete; *iṣubhiḥ* – nyilakkal; *pratiyotsyāmi* – fogom visszaverni; *pūjā-arhau* – akik imádatra méltóak; *ari-sūdana* – ó, ellenség elpusztítója.

Arjuna így szólt: Ó, ellenség elpusztítója, Madhu végzete, hogyan harcolhatnék nyilakkal olyan harcosok ellen, mint Bhīṣma és Droṇa, akik méltóak arra, hogy imádjam őket?

MAGYARÁZAT: A tiszteletreméltó feljebbvalók, mint Bhīṣma nagyatya és Droṇācārya, a tanító, mindig érdemesek az imádatra, s még ha ők támadnak, akkor sem szabad fegyvert fogni ellenük. Az általános illem azt tanítja, hogy a feljebbvalókkal még szócsatába sem szabad bocsátkozni. Szépen kell velük bánni még akkor is, ha ők esetleg nyersen viselkednek. Hogyan szállhatott volna szembe velük Arjuna? Vajon megtámadná-e valaha is Kṛṣṇa saját nagyatyját, Ugrasenát, vagy tanárát, Sāndīpani Munit? Ilyen és hasonló érveket hozott fel Arjuna Kṛṣṇának.

5. VERS

गुरूनहत्वा हि महानुभावान्
श्रेयो भोक्तुं भैक्ष्यमपीह लोके ।
हत्वार्थकामांस्तु गुरूनिहैव
भुञ्जीय भोगान् रुधिरप्रदिग्धान् ॥५॥

gurūn ahatvā hi mahānubhāvān
śreyo bhoktuṁ bhaikṣyam apīha loke
hatvārtha-kāmāṁs tu gurūn ihaiva
bhuñjīya bhogān rudhira-pradigdhān

gurūn – feljebbvalókat; *ahatvā* – meg nem ölve; *hi* – bizony; *mahā-anubhāvān* – nagy lelkeket; *śreyaḥ* – jobb; *bhoktum* – élvezni az életet; *bhaikṣyam* – koldulással; *api* – még; *iha* – ebben az életben; *loke* – e világon; *hatvā* – megölvén; *artha* – haszonra; *kāmān* – vágyókat; *tu* – de; *gurūn* – feljebbvalókat; *iha* – e világon; *eva* – bizony; *bhuñjīya* – élvezni való; *bhogān* – kellemes dolgokat; *rudhira* – vérrel; *pradigdhān* – szennyezetteket.

Jobb koldulva élni ebben a világban, mintsem a nagy lelkek, tanáraim élete árán folytatni az életet. Világi nyereségre vágynak bár, mégis a feljebbvalóink, s ha megöljük őket, vér szennyezi majd be mindazt, amit élvezni fogunk.

MAGYARÁZAT: A szentírások parancsai szerint az ember megtagadhatja tanárát, ha az elítélendő tetteket hajt végre és elveszti józan ítélőképességét. Bhīṣma és Droṇa úgy érezték, kötelességük, hogy Duryodhana pártját fogják, akinek anyagi támogatását élvezték, noha nem lett volna szabad így tenniük pusztán e szempont alapján. Így aztán elvesztették tanári tekintélyüket. Arjuna azonban úgy véli, hogy ennek ellenére továbbra is a feljebbvalói, s a megölésük árán szerzett anyagi nyereség élvezete nem lenne más, mint holmi vérrel szennyezett hadizsákmány élvezete.

6. VERS

न चैतद्विद्मः कतरन्नो गरीयो
यद्वा जयेम यदि वा नो जयेयुः ।
यानेव हत्वा न जिजीविषाम-
स्तेऽवस्थिताः प्रमुखे धार्तराष्ट्राः ॥ ६ ॥

na caitad vidmaḥ kataran no garīyo
yad vā jayema yadi vā no jayeyuḥ
yān eva hatvā na jijīviṣāmas
te 'vasthitāḥ pramukhe dhārtarāṣṭrāḥ

na – sem; *ca* – és; *etat* – ezt; *vidmaḥ* – tudjuk; *katarat* – melyik; *naḥ* – nekünk; *garīyaḥ* – jobb; *yat vā* – vajon; *jayema* – legyőzhetjük; *yadi* – ha; *vā* – vagy; *naḥ* – bennünket; *jayeyuḥ* – legyőznek; *yān* – akiket; *eva* – bizony; *hatvā* – megölvén; *na* – soha; *jijīviṣāmaḥ* – szeretnénk élni; *te* – mindegyikük; *avasthitāḥ* – vannak; *pramukhe* – előttünk; *dhārtarāṣṭrāḥ* – Dhṛtarāṣṭra fiai.

Azt sem tudjuk, melyik a jobb: ha mi győzünk, vagy ha ők győznek le minket. Ha megöljük Dhṛtarāṣṭra fiait, tovább már nekünk sem szabadna élnünk. Most mégis előttünk sorakoznak a csatatéren.

MAGYARÁZAT: Arjuna nem tudta, mit tegyen: harcoljon-e, amivel azt kockáztatná, hogy felesleges erőszakot alkalmaz, noha a harc a *kṣatriya* kötelessége, vagy vonuljon vissza és koldulással tengesse életét. Ha nem kerekedik felül az ellenségen, a koldulás marad számára az egyetlen lehetőség a megélhetésre. Nem volt azonban biztos a győzelemben sem, hiszen bármelyik fél győztesként kerülhetett ki a csatából. Még ha megnyernék a csatát (ami ügyük igazságát jelentené), akkor is nehéz lenne folytatni életüket Dhṛtarāṣṭra fiai nélkül, ha azok mind a csatatéren vesznek. Ilyen körülmények között a győzelem is vereséget jelentett volna. E megfontolások határozottan bizonyítják, hogy Arjuna nemcsak az Úr hűséges *bhaktája,* de rendkívül felvilágosodott ember is volt, aki teljesen ura tudott lenni elméjének és érzékeinek. Kívánsága, hogy koldulva éljen – habár királyi család sarja volt – szintén a világi dolgokról való lemondását mutatja. Ezek a jellemvonások, valamint Śrī Kṛṣṇának, lelki tanítómesterének szavaiba vetett hite arról tanúskodnak, hogy Arjuna igazán erényes ember volt, s ebből arra következtethetünk, hogy megérdemelte a felszabadulást. Az ember mindaddig nem emelkedhet a tudás síkjára, amíg nem képes uralkodni az érzékszervein, tudás és odaadás nélkül pedig senkinek sincs esélye a felszabadulásra. Arjuna az anyagi kapcsolataiban megnyilvánuló rendkívüli jellemvonások mellett ezekkel a tulajdonságokkal is mind rendelkezett.

7. VERS

कार्पण्यदोषोपहतस्वभावः
पृच्छामि त्वां धर्मसम्मूढचेताः ।
यच्छ्रेयः स्यान्निश्चितं ब्रूहि तन्मे
शिष्यस्तेऽहं शाधि मां त्वां प्रपन्नम् ॥ ७ ॥

kārpaṇya-doṣopahata-svabhāvaḥ
pṛcchāmi tvāṁ dharma-sammūḍha-cetāḥ
yac chreyaḥ syān niścitaṁ brūhi tan me
śiṣyas te 'haṁ śādhi māṁ tvāṁ prapannam

kārpaṇya – szánalmasság; *doṣa* – gyengeség által; *upahata* – sújtva; *svabhāvaḥ* – tulajdonságok; *pṛcchāmi* – kérdezem; *tvām* – Neked; *dharma* – vallás; *sammūḍha* – zavart; *cetāḥ* – a szívben; *yat* – ami; *śreyaḥ* – legjobb; *syāt* – lehet; *niścitam* – bizalmasan; *brūhi* – mondd; *tat* – azt; *me* – nekem; *śiṣyaḥ* – tanítvány; *te* – Tiéd; *aham* – vagyok; *śādhi* – csak oktass; *mām* – engem; *tvām* – Neked; *prapannam* – meghódoltat.

Most zavarban vagyok a kötelességemet illetően, és szánalmas gyengeségem miatt elvesztettem önuralmamat. Ebben a helyzetben kérlek Téged,

mondd meg világosan, mi a legjobb számomra! Most a tanítványod vagyok, egy lélek, aki meghódolt Előtted. Kérlek, oktass engem!

MAGYARÁZAT: A természet elrendezése folytán az anyagi cselekedetek szövevénye zavarodottságot szül minden élőlényben. Minden lépésnél megzavar bennünket valami, ezért mindenkinek kötelessége, hogy felkeressen egy hiteles lelki tanítómestert, aki képes megmutatni a helyes utat, azt, hogy az ember hogyan teljesítheti be az élet értelmét. Valamennyi védikus írás azt tanácsolja, forduljunk egy hiteles lelki tanítómesterhez, hogy megszabadulhassunk az élet bonyodalmaitól, amelyekben akaratunk ellenére részünk van. Az erdőtűzhöz hasonlíthatnánk ezeket, amely valamiképpen fellobban, noha senki sem gyújtotta meg. Hasonló a világ helyzete is: az élet bonyodalmai maguktól jönnek, még akkor is, ha nem akarjuk őket. Senki sem akarja a tüzet, mégis fellobban, s mi megzavarodunk. A védikus írások ezért bölcsen azt tanácsolják: ha megoldást akarunk találni az élet bonyodalmaira, s ha meg akarjuk érteni ennek tudományát, egy lelki tanítómesterhez kell fordulnunk, aki a tanítványi láncolat tagja. Az az ember, akinek igaz lelki tanítómestere van, mindent megtudhat. Nem szabad ezért az anyagi zavarodottság helyzetében maradnunk: egy lelki tanítómesterhez kell fordulnunk. Ez a magyarázata ennek a versnek.

Kiről mondjuk, hogy anyagi zavarodottságban él? Arról, aki nem érti meg az élet problémáit. A *Bṛhad-āraṇyaka-upaniṣad* (3.8.10) így ír a zavarodott emberről: *yo vā etad akṣaraṁ gārgy aviditvāsmāl̐ lokāt praiti sa kṛpaṇaḥ.* „Fösvény az, aki emberi lény létére nem oldja meg az élet problémáit, s aki úgy távozik e világból, mint a macskák és a kutyák, anélkül hogy megértené az önmegvalósítás tudományát." Az élőlény számára ez az emberi létforma a legértékesebb kincs, s eszköz arra, hogy megoldja az élet problémáit. Éppen ezért szánalmasan fösvény az, aki nem használja ki ezt a lehetőséget. Az ő ellentéte a *brāhmaṇa,* vagyis az, aki kellőképpen intelligens ahhoz, hogy testét az élet problémáinak megoldására használja. *Ya etad akṣaraṁ gārgi viditvāsmāl̐ lokāt praiti sa brāhmaṇaḥ.*

A *kṛpaṇák,* a fösvények csak az idejüket vesztegetik, amikor az anyagi felfogásba merülve oly erősen ragaszkodnak a családjukhoz, közösségükhöz, hazájukhoz stb. Az emberek legtöbbször külsőségek alapján ragaszkodnak a családi élethez, vagyis a feleséghez, a gyermekekhez és a többi családtaghoz. A *kṛpaṇa* azt gondolja, képes megvédeni hozzátartozóit a haláltól, vagy épp azt hiszi, hogy családja és közössége mentheti meg őt annak torkából. Az efféle ragaszkodás még az alacsonyabb rendű állatokban is megtalálható, akik szintén törődnek utódaikkal. Arjuna okos volt, ezért megértette: zavarodottságának oka a családtagok iránti ragaszkodása s az a vágya volt, hogy megmentse őket a haláltól. Habár tudta, hogy harcosi kötelességének teljesítése még rá vár, szánalmas gyengesége miatt mégsem érezte magát képesnek erre. Ezért kéri az Úr Kṛṣṇát, a legfelsőbb lelki tanítómestert, hogy találjon egyértelmű megoldást. Tanítványként adja át magát Kṛṣṇának, véget akar vetni a baráti társalgásnak. A tanítómester és tanítvány közötti beszélgetések komolyak, s most Arjuna nagyon komolyan akart szólni hiteles lelki tanítómestere előtt. A *Bhagavad-gītā* tudományának eredeti lelki tanítómestere tehát Kṛṣṇa, az első tanítvány pedig, aki elsajátította azt, Arjuna. Hogy miképpen értette meg a *Bhagavad-gītāt,* arról maga a *Gītā* beszél. Ennek ellenére az ostoba világi tudósok úgy magyarázzák, hogy nem Kṛṣṇa személyének kell átadnunk magunkat, hanem „a Kṛṣṇán belüli megszületetlennek". Kṛṣṇa belseje és külseje között azonban nincs különbség. Aki ezt nem képes felfogni, s így próbálja megérteni a *Bhagavad-gītāt,* az a legnagyobb ostoba.

8. VERS

न हि प्रपश्यामि ममापनुद्याद्
यच्छोकमुच्छोषणमिन्द्रियाणाम् ।
अवाप्य भूमावसपत्नमृद्धं
राज्यं सुराणामपि चाधिपत्यम् ॥ ८ ॥

na hi prapaśyāmi mamāpanudyād
yac chokam ucchoṣaṇam indriyāṇām
avāpya bhūmāv asapatnam ṛddhaṁ
rājyaṁ surāṇām api cādhipatyam

na – nem; *hi* – bizonyosan; *prapaśyāmi* – látom; *mama* – enyém; *apanudyāt* – elűzheti; *yat* – azt; *śokam* – bánatot; *ucchoṣaṇam* – kiszikkasztja; *indriyāṇām* – az érzékszerveknek; *avāpya* – elérve; *bhūmau* – a Földön; *asapatnam* – páratlan; *ṛddham* – gazdag; *rājyam* – királyságot; *surāṇām* – a félistenekét; *api* – még ha; *ca* – is; *ādhipatyam* – uralmat.

Nem tudom, hogyan űzzem el ezt a bánatot, amely kiszikkasztja érzékeimet, s melyet legyőzni nem leszek képes még akkor sem, ha egy páratlan, virágzó földi királyságot nyerek, olyan korlátlan hatalommal, mint a félisteneké a mennyek országában.

MAGYARÁZAT: Arjuna számtalan érvvel hozakodott elő a vallási elvek és az erkölcsi törvények ismeretében, mégis úgy tűnik, igazi problémájára képtelen volt megoldást találni a lelki tanítómester, az Úr Śrī Kṛṣṇa segítsége nélkül. Megértette, hogy úgynevezett tudományának nem veheti hasznát gondjai elűzésében, melyek már egész létét felemésztették. Ezeket a bonyodalmakat lehetetlen volt megoldania egy olyan lelki tanítómester segítsége nélkül, mint az Úr Kṛṣṇa. Akadémikus tudás, humanista műveltség, magas rang – mind-mind hasznavehetetlenek az élet problémáinak megoldásában. Segítséget csakis egy olyan lelki tanítómester nyújthat, mint Kṛṣṇa. Ebből azt a következtetést vonhatjuk le, hogy hiteles lelki tanítómester az, aki száz százalékosan Kṛṣṇa-tudatú, mert egyedül ő képes megoldani az élet problémáit. Az Úr Caitanya szerint aki mestere a Kṛṣṇa-tudat tudományának, az társadalmi helyzetétől függetlenül igazi lelki tanítómesternek számít.

kibā vipra, kibā nyāsī, śūdra kene naya
yei kṛṣṇa-tattva-vettā, sei 'guru' haya

„Nem számít, hogy az ember *vipra* [a védikus tudomány művelt tudósa], vagy épp alacsonyrendű család szülötte, esetleg az élet lemondott rendjében él. Ha mestere a Kṛṣṇa-tudat tudományának, akkor ő a tökéletes és hiteles lelki tanítómester" (*Caitanya-caritāmṛta, Madhya-līlā* 8.128). Senki sem lehet tehát hiteles lelki tanítómester, ha nem mestere a Kṛṣṇa-tudat tudományának. A védikus irodalom hasonlóképpen ír:

ṣaṭ-karma-nipuṇo vipro mantra-tantra-viśāradaḥ
avaiṣṇavo gurur na syād vaiṣṇavaḥ śva-paco guruḥ

„A védikus tudomány valamennyi ágát jól ismerő tudós *brāhmaṇa* nem méltó arra, hogy lelki tanítómester legyen, ha nem *vaiṣṇava,* vagyis ha nem jártas a Kṛṣṇa-tudat tudományában. Ellenben az, aki egy alacsony kasztú családban jött a világra, lelki tanítómesterré válhat, ha *vaiṣṇava,* azaz Kṛṣṇa-tudatú" (*Padma-purāṇa*).

Az anyagi lét problémáira – a születésre, az öregségre, a betegségre és a halálra – nem jelent megoldást a vagyongyűjtés és az anyagi gyarapodás. Sok olyan gazdag, fejlett ország van a világon, amely bővelkedik az élethez szükséges minden kincsben, ám az anyagi lét problémáival még ott is találkozunk. Számtalan úton keresik az emberek a békét, az igazi boldogsághoz azonban csak akkor jutnak el, ha Kṛṣṇához vagy a Kṛṣṇa tudományát tartalmazó *Bhagavad-gītāhoz* és a *Śrīmad-Bhāgavatamhoz* fordulnak Kṛṣṇa hiteles képviselőjén, a Kṛṣṇa-tudatú emberen keresztül.

Ha a gazdasági fejlődés és az anyagi kényelem véget tudnának vetni a családi, szociális, nemzeti és nemzetek közötti nézeteltérések okozta kesergésnek, akkor Arjuna nem mondta volna, hogy még egy páratlan földi királyság vagy a mennyei bolygókon élő félistenek korlátlan hatalma sem lenne képes elűzni bánatát. Ezért aztán a Kṛṣṇa-tudatnál keresett menedéket, s ez az a helyes út, amely a békéhez és a harmóniához vezet. Az anyagi gyarapodásnak vagy a világ feletti korlátlan hatalomnak az anyagi természet katasztrófái bármelyik pillanatban véget vethetnek. Manapság az emberek meg akarják a lábukat vetni a Holdon, de még ez a próbálkozásuk is, hogy eljussanak a felsőbb bolygórendszerekbe, egy csapásra kudarcba fulladhat. A *Bhagavad-gītā* megerősíti ezt: *kṣīṇe puṇye martya-lokaṁ viśanti.* „Amikor jámbor tettei többé nem hoznak gyümölcsöt, az ember a boldogság csúcsáról az élet legalantasabb formájába zuhan." A világ számos politikusa bukott el már így, s az efféle bukás csak egyre több szomorúságot okoz.

Ezért ha végérvényesen véget szeretnénk vetni a siránkozásnak, akkor Kṛṣṇánál kell menedéket keresnünk, ahogyan Arjuna teszi. Arjuna Kṛṣṇa segítségét kérte, hogy végleg megoldhassa problémáit. Ez a Kṛṣṇa-tudat útja.

9. VERS

सञ्जय उवाच

एवमुक्त्वा हृषीकेशं गुडाकेशः परन्तपः ।
न योत्स्य इति गोविन्दमुक्त्वा तूष्णीं बभूव ह ॥ ९ ॥

sañjaya uvāca
evam uktvā hṛṣīkeśaṁ guḍākeśaḥ parantapaḥ
na yotsya iti govindam uktvā tūṣṇīṁ babhūva ha

sañjayaḥ uvāca – Sañjaya mondta; *evam* – így; *uktvā* – szólva; *hṛṣīkeśam* – Kṛṣṇához, az érzékek urához; *guḍākeśah* – Arjuna, a tudatlanság legyőzésének mestere; *parantapaḥ* – az ellenség fenyítője; *na yotsye* – nem fogok harcolni; *iti* – így; *govindam* – Kṛṣṇának, aki boldoggá teszi az érzékeket; *uktvā* – mondván; *tūṣṇīm* – néma; *babhūva* – lett; *ha* – minden bizonnyal.

Sañjaya szólt: Így beszélt Arjuna, az ellenség fenyítője, majd e szavakkal fordult Kṛṣṇához: „Govinda, én nem fogok harcolni!" Aztán elhallgatott.

MAGYARÁZAT: Dhṛtarāṣṭra nagyon boldog lehetett, amikor meghallotta, hogy Arjuna a harc helyett el akarja hagyni a csatateret, hogy aztán koldusként tengesse életét. De Sañjaya ismét csalódást okozott neki, amikor tudatta vele, hogy Arjuna képes ellenségei megölésére (*parantapaḥ*). Arjunát egy időre elöntötte a családja iránt érzett szeretetből fakadó illuzórikus bánat, mint tanítvány azonban meghódolt Kṛṣṇa, a legfelsőbb lelki tanítómester előtt. Ez arra utal, hogy hamarosan megszabadul ettől az alaptalan panaszkodástól, ami a családi ragaszkodás eredménye, s az önmegvalósítás tökéletes tudományában, a Kṛṣṇa-tudatban megvilágosodva biztosan harcolni fog. Ha Kṛṣṇa felvilágosítja Arjunát – aki azután a végsőkig küzd majd –, Dhṛtarāṣṭra öröme szertefoszlik.

10. VERS

तमुवाच हृषीकेशः प्रहसन्निव भारत ।
सेनयोरुभयोर्मध्ये विषीदन्तमिदं वचः ॥१०॥

tam uvāca hṛṣīkeśaḥ prahasann iva bhārata
senayor ubhayor madhye viṣīdantam idaṁ vacaḥ

tam – neki; *uvāca* – mondta; *hṛṣīkeśaḥ* – az érzékek ura, Kṛṣṇa; *prahasan* – mosolyogva; *iva* – úgy; *bhārata* – ó, Dhṛtarāṣṭra, Bharata sarja; *senayoḥ* – a seregeknek; *ubhayoḥ* – mindkét félnek; *madhye* – között; *viṣīdantam* – a bánkódónak; *idam* – a következő; *vacaḥ* – szavakat.

Ó, Bharata leszármazottja! Kṛṣṇa ekkor a két sereg között az alábbi szavakat intézte mosolyogva a bánattól sújtott Arjunához:

MAGYARÁZAT: A beszélgetés két bensőséges barát, Hṛṣīkeśa és Guḍākeśa között folyt. Barátok lévén azonos szinten álltak, ám egyikük önszántából a másik tanítványa lett. Kṛṣṇa azért mosolygott, mert egy barátja a tanítványa akart lenni. Ő, mindenki Ura és mestere, mindig felsőbbrendű helyzetben van, mégis barátjává, fiává vagy kedvesévé válik annak a *bhaktájának,* aki ilyen szerepben szeretné látni Őt. Amikor mesternek választották, rögtön vállalta ezt a szerepet, s tanítványához mesterként, kellő komolysággal szólt. Láthatjuk, hogy a tanítómester és tanítványa közötti beszélgetés a két sereg jelenlétében történt, nyíltan, hogy mindenkinek áldására legyen. A *Bhagavad-gītā* tehát nem egy bizonyos embernek, társadalomnak vagy közösségnek szól, hanem mindenkinek, s barát és ellenség egyformán jogosult arra, hogy hallja.

11. VERS

श्रीभगवानुवाच
अशोच्यानन्वशोचस्त्वं प्रज्ञावादांश्च भाषसे ।
गतासूनगतासूंश्च नानुशोचन्ति पण्डिताः ॥११॥

śrī-bhagavān uvāca
aśocyān anvaśocas tvaṁ prajñā-vādāṁś ca bhāṣase
gatāsūn agatāsūṁś ca nānuśocanti paṇḍitāḥ

śrī-bhagavān uvāca – az Istenség Legfelsőbb Személyisége mondta; *aśocyān* – nem érdemes bánkódni érte; *anvaśocaḥ* – bánkódsz; *tvam* – te; *prajñā-vādān* – művelt szavakat; *ca* – és; *bhāṣase* – mondasz; *gata* – elveszett; *asūn* – élet; *agata* – nem veszett el; *asūn* – élet; *ca* – és; *na* – soha; *anuśocanti* – siránkoznak; *paṇḍitāḥ* – a tanult emberek.

Az Istenség Legfelsőbb Személyisége így szólt: Művelt beszéded mellett olyasmit gyászolsz, amiért nem érdemes bánkódni. A bölcsek nem keseregnek sem az élő, sem a halott felett.

MAGYARÁZAT: Az Úr máris felvette a tanító szerepét, s megszidta tanítványát, amikor közvetve ostobának nevezte: „Művelt emberként szólsz, de azt mégsem tudod, hogy a tanult ember, aki tudja, mi a test, és tudja, mi a lélek, nem panaszkodik a test egyik állapota miatt sem, legyen az élő vagy halott." Ahogyan az a későbbi fejezetek magyarázataiból világossá válik, a tudás annyit jelent, mint ismerni az anyagot és a lelket, valamint mindkettő irányítóját. Arjuna azzal érvelt, hogy a vallásos elvek fontosabbak, mint a politika és a szociológia, de azt nem tudta, hogy az anyagról, a lélekről és a Legfelsőbbről szóló tudás még a vallásos külsőségeknél is fontosabb. Nem rendelkezett ezzel az ismerettel, ezért nem lett volna szabad bölcs embernek mutatnia magát. Nem volt az, s ezért olyasvalami miatt panaszkodott, ami miatt egyáltalán nem érdemes szomorkodni. A test megszületik, és sorsa az, hogy ma vagy holnap elpusztuljon, ezért nem olyan fontos, mint a lélek. Aki ennek tudatában van, az valóban művelt, és számára semmi nem jelent okot a panaszkodásra, bármilyen helyzetben is legyen az anyagi test.

12. VERS

न त्वेवाहं जातु नासं न त्वं नेमे जनाधिपाः ।
न चैव न भविष्यामः सर्वे वयमतः परम् ॥१२॥

na tv evāhaṁ jātu nāsaṁ na tvaṁ neme janādhipāḥ
na caiva na bhaviṣyāmaḥ sarve vayam ataḥ param

na – soha; *tu* – de; *eva* – bizony; *aham* – Én; *jātu* – bármikor; *na* – nem; *āsam* – léteztem; *na* – nem; *tvam* – te; *na* – nem; *ime* – mindezek; *jana-*

adhipāḥ – királyok; *na* – soha; *ca* – szintén; *eva* – bizonyosan; *na* – nem; *bhaviṣyāmaḥ* – létezni fogunk; *sarve vayam* – mi mindannyian; *ataḥ param* – ezek után.

Nem volt olyan idő, amikor Én nem léteztem, és öröktől fogva vagy te és ezek a királyok is; a jövőben sem fog megszűnni életünk.

MAGYARÁZAT: A Védák – a *Kaṭha-upaniṣad* és a *Śvetāśvatara-upaniṣad* – azt mondják, hogy az Istenség Legfelsőbb Személyisége tartja fenn a számtalan élőlényt, egyéni tetteik és azok visszahatásai következtében elért helyzetüknek megfelelően. Az Istenség Legfelsőbb Személyisége teljes részei által minden élőlény szívében is jelen van. Csakis azok a szent emberek érhetik el valóban a tökéletes és örökkévaló békét, akik belül és kívül egyaránt látják ugyanazt a Legfelsőbb Urat.

nityo nityānāṁ cetanaś cetanānām
eko bahūnāṁ yo vidadhāti kāmān
tam ātma-sthaṁ ye 'nupaśyanti dhīrās
teṣāṁ śāntiḥ śāśvatī netareṣām
(*Kaṭha-upaniṣad* 2.2.13)

Azt a védikus igazságot, amelyet Arjuna megtudott, megtudhatják azok is mind, akik nagyon műveltnek adják ki magukat, holott tudásuk rendkívül csekély. Az Úr egyértelműen kijelenti, hogy Ő maga, Arjuna és a csatatéren összegyűlt királyok mind örökkévaló egyéni élőlények, s Ő az örök fenntartójuk mind feltételekhez kötött, mind felszabadult helyzetükben. Az Istenség Legfelsőbb Személyisége a legfelsőbb egyén, és Arjuna, az Úr örök társa, valamint az ott összesereglett uralkodók szintén egyéni, örök személyek. Nem igaz, hogy nem léteztek mint egyének a múltban, s hogy nem maradnak örökkévaló személyek. Egyéni létük megvolt a múltban, és megszakítás nélkül folytatódni fog a jövőben is. Éppen ezért nincs értelme bárkiért is bánkódni.

A legfelsőbb hiteles forrás, az Úr Kṛṣṇa ebben a versben megcáfolja azt a *māyāvādī* elméletet, miszerint a felszabadulás után az egyéni lélek, aki megszabadult a *māyā,* vagyis az illúzió burkától, beleolvad a személytelen Brahmanba, és elveszíti egyéni létét. Azt az elméletet sem támasztja alá, mely az egyéniséget csakis a feltételekhez kötött állapotban ismeri el. Kṛṣṇa ebben a versben világosan kijelenti, hogy az Ő egyénisége, valamint minden élőlény egyénisége a jövőben is örökké létezni fog. Ezt az *upaniṣadok* is megerősítik. Kṛṣṇának ez a kijelentése autentikus, hiszen Őt nem kerítheti hatalmába az illúzió. Ha az egyéniség nem lenne valóság, Kṛṣṇa nem hangsúlyozta volna ennyire még a jövőre vonatkozóan is. Egy *māyāvādī* érvelhet azzal, hogy a Kṛṣṇa által említett egyéniség nem lelki, hanem anyagi. Még ha el is fogadnánk azt az érvet, hogy az egyéniség az anyagi síkon létezik, hogyan különböztetnénk meg Kṛṣṇa egyéniségét? Kṛṣṇa határozottan állítja, hogy rendelkezett egyéniséggel a múltban, és megerősíti, hogy az a jövőben is megmarad. Egyéniségének létét számtalan formában megerősítette, s kijelentette, hogy a személytelen Brahman az alárendeltje. Kṛṣṇa mindvégig fenntartotta lelki egyéniségét, s ha Őt valaki közönséges, egyéni tudattal rendelkező, feltételekhez kötött léleknek tekinti, akkor a *Bhagavad-gītānak* mint hiteles szentírásnak nincsen értéke. Egy közönséges ember, akit az emberi gyarlóság négy hibája jellemez, nem képes olyan tanítást átadni, amely meghallgatásra érdemes. A *Gītā* felette áll az ilyen irodalomnak. Egyetlen világi könyvet sem lehet összehasonlítani vele. Ha valaki közönséges embernek tekinti Kṛṣṇát, a *Gītā* elveszíti minden jelentőségét. A *māyāvādīk* érve szerint a versben említett többes szám használata csak a szokásokat követi, és csak a testre utal. Ám egy verssel korábban Kṛṣṇa már elítélte az efféle testi felfogást. Hogyan tehetett volna újra egy általános kijelentést a testet illetően, ha azt a felfogást, amely az élőlényeket a testüknek tekinti, már elítélte? Az egyéniség tehát a lelki síkon marad fenn, s ezt a nagy *ācāryák,* például Śrī Rāmānuja és mások is megerősítik. A *Gītā* sok helyen világosan kijelenti, hogy ezt a lelki egyéniséget azok érthetik meg, akik az Úr *bhaktái.* Azok, akik irigyek Kṛṣṇára, mert Ő az Istenség Legfelsőbb Személyisége, nem érthetik meg e nagy művet. Ha olyanok próbálják elsajátítani a *Gītā* tanítását, akik nem *bhaktái* az Úrnak, az olyan, mint amikor a méhek kívülről nyalogatják a mézesüveget. Senki sem élvezheti a méz ízét, amíg nem nyitja fel az üveget, s éppen így a *Bhagavad-gītā* misztériumát is egyedül a *bhakták* érthetik meg. Senki más nem ízlelheti meg, ahogyan azt e könyv negyedik fejezetében olvashatjuk. A *Gītāt* nem érthetik meg azok sem, akik irigyek az Úr létére. A *Gītā māyāvādī* magyarázata tehát a teljes igazság leginkább félrevezető bemutatása. Az Úr Caitanya megtiltotta számunkra a *māyāvādīk* magyarázatainak olvasását, és figyelmeztetett bennünket, hogy aki elfogadja a *māyāvādī* filozófia tanítását, az elveszíti minden képességét arra, hogy a *Bhagavad-gītā* valódi misztériumát megérthesse. Ha az egyéniség a felfogható univerzumra vonatkozik, akkor semmi szükség az Úr tanítására. Az egyéni lélekre és az Úrra vonatkozó többes szám örök tény, s a Védák megerősítik, ahogyan azt az előbbiekben láthattuk.

13. VERS

देहिनोऽस्मिन् यथा देहे कौमारं यौवनं जरा ।
तथा देहान्तरप्राप्तिर्धीरस्तत्र न मुह्यति ॥१३॥

dehino 'smin yathā dehe kaumāraṁ yauvanaṁ jarā
tathā dehāntara-prāptir dhīras tatra na muhyati

dehinaḥ – a megtestesültnek; *asmin* – ebben; *yathā* – mint; *dehe* – a testben; *kaumāram* – gyermekkor; *yauvanam* – fiatalság; *jarā* – öregség; *tathā* – hasonlóan; *deha-antara* – a test cseréjének; *prāptiḥ* – elérése; *dhīraḥ* – a józan; *tatra* – azután; *na* – nem; *muhyati* – megtéved.

Amint a megtestesült lélek állandóan vándorol ebben a testben a gyermekkortól a serdülőkoron át az öregkorig, a halál pillanatában is egy másik testbe költözik. A józan embert azonban nem téveszti meg az efféle változás.

MAGYARÁZAT: Minden élőlény egyéni lélek, ezért minden pillanatban változtatja testét, s néha mint gyermek, néha mint fiatal, néha pedig mint öreg nyilvánul meg. Ám minden esetben ugyanarról a lélekről van szó, amely semmilyen változáson nem megy keresztül. Ez az egyéni lélek végül a halál beálltával elhagyja a testet, s egy másikba vándorol. Biztos, hogy a következő születésben új testet kap – vagy anyagit, vagy lelkit –, ezért Arjunának semmi oka nem volt amiatt keseregni, hogy Bhīṣma és Droṇa, akikért annyira aggódott, meg fognak halni. Inkább örülnie kellett volna, hogy öreg testüket újakra cserélik, s ezzel energiájuk is megfiatalodik. Ez a testcsere az élvezet és a szenvedés legváltozatosabb formáit teszi lehetővé az ember számára, életében elkövetett tetteinek megfelelően. Bhīṣma és Droṇa mindketten nemes szívű lelkek voltak, s így kétségtelenül lelki testet kaptak volna következő életükben, vagy legalábbis mennyeit, hogy egy magasabb rendű anyagi létet élvezhessenek. Bánkódásra tehát egyik esetben sem volt ok.

Aki tökéletes tudással rendelkezik az egyéni lélekről, a Felsőlélekről, valamint az anyagi és a lelki természetről, azt *dhīrának,* nagyon józannak nevezik. Az ilyen embert sohasem téveszti meg a test cseréje.

A lélek és a Legfelsőbb egységéről szóló *māyāvādī* elmélet elfogadhatatlan, mert a lelket nem lehet töredék részekre osztani. Ha a Legfelsőbbet különböző egyéni lelkekre lehetne darabolni, akkor felosztható és változó lenne, ami ellentmond annak az elvnek, miszerint a Legfelsőbb Lélek változatlan. Ahogyan azt a *Gītā* megerősíti, a Legfelsőbb töredék részei örökké (*sanātana*) léteznek, és *kṣarának* hívják őket, ami azt jelenti, hogy hajlamosak arra, hogy az anyagi természetbe kerüljenek. Ezek a töredék részek mindig töredékek, és azok maradnak még az egyéni lélek felszabadulása után is. Felszabadulásuk után azonban egy örök, tudással és boldogsággal teli életet fognak élni az Istenség Személyiségével. A Felsőlélekre – akit Paramātmának hívnak, s aki bár minden egyéni testben jelen van, különbözik az élőlényektől – a tükröződés elvét lehet alkalmazni. Amikor az égbolt visszatükröződik a vízben, a napot, a holdat és a csillagokat is láthatjuk. A csillagokat az élőlényekhez lehet hasonlítani, a napot vagy a holdat pedig a Legfelsőbb Úrhoz. Arjuna képviseli az egyéni, töredék lelket, a Legfelsőbb Lélek pedig az Istenség Személyisége, Śrī Kṛṣṇa. Nincsenek ugyanazon a szinten, ahogy azt meglátjuk majd a negyedik fejezet elején. Ha Arjuna egy szinten lenne Kṛṣṇával, vagyis ha Kṛṣṇa nem állna Arjuna fölött, akkor tanító–tanítvány viszonyuk értelmetlenné válna. Ha az illúziókeltő energia (*māyā*) mindkettőjüket megtévesztené, semmi értelme sem lenne, hogy az egyik tanár, a másik pedig tanítvány legyen. Az efféle oktatás hiábavaló lenne, mert a *māyā* karmai között senki sem adhat hiteles útmutatást. Így aztán Kṛṣṇát a Legfelsőbb Úrnak tekintik, aki magasabb rendű helyzetben van, mint Arjuna, az élőlény, a feledékeny lélek, aki a *māyā* vonzerejének hatása alá került.

14. VERS

मात्रास्पर्शास्तु कौन्तेय शीतोष्णसुखदुःखदाः ।
आगमापायिनोऽनित्यास्तांस्तितिक्षस्व भारत ॥१४॥

mātrā-sparśās tu kaunteya śītoṣṇa-sukha-duḥkha-dāḥ
āgamāpāyino 'nityās tāṁs titikṣasva bhārata

mātrā-sparśāḥ – érzékfelfogás; *tu* – csak; *kaunteya* – ó, Kuntī fia; *śīta* – tél; *uṣṇa* – nyár; *sukha* – boldogság; *duḥkha* – és fájdalom; *dāḥ* – adó; *āgama* – megjelenés; *apāyinaḥ* – eltűnés; *anityāḥ* – nem állandó; *tān* – mindegyiket; *titikṣasva* – próbáld meg eltűrni; *bhārata* – ó, Bharata-dinasztia leszármazottja.

Ó, Kuntī fia! A boldogság és a boldogtalanság ideiglenes megjelenése és eltűnése olyan, mint a tél és a nyár kezdete és elmúlása. Ó, Bharata sarja, ezek csak érzékfelfogásból erednek, s az embernek meg kell tanulnia eltűrni őket, anélkül, hogy zavarnák őt.

MAGYARÁZAT: Ha szeretnénk jól végezni a kötelességünket, meg kell tanulnunk eltűrni a boldogság és a boldogtalanság ideiglenes megjelenését és eltűnését. A védikus előírások szerint az embernek még *māgha* (január–február) hónapban is kora reggel meg kell fürödnie. Ilyen tájban nagyon hideg van, de a vallásos elveket követő ember ennek ellenére nem vonakodik a fürdőtől. Éppen így egyetlen nő sem tétovázik, hogy főzzön-e a konyhában májusban és júniusban, a nyár legforróbb időszakában. Az embernek az időjárás okozta minden kellemetlenség ellenére is végre kell hajtania feladatát. A *kṣatriyák* vallásos elve a harc, s előírt kötelességüktől még akkor sem szabad eltérniük, ha úgy adódik, hogy barátjukkal vagy rokonukkal kell megküzdeniük. Az embernek követnie kell a vallásos elvek által előírt szabályokat, hogy felemelkedjen a tudás szintjére, mert egyedül a tudás és az odaadás segítségével szabadulhat meg a *māyā* (az illúzió) karmaiból.

A két név, ahogyan Kṛṣṇa szólítja Arjunát, szintén jelentőségteljes. Amikor Kaunteyának nevezi, anyai ági nemes vérrokonságára utal, a Bhārata elnevezés pedig az apai ág szerinti előkelő származására. Mindkét ágtól nagy örökséget mondhat tehát a magáénak. E nemes származás arra kötelezte, hogy megfelelően hajtsa végre feladatát, éppen ezért nem kerülhette el a harcot.

15. VERS

यं हि न व्यथयन्त्येते पुरुषं पुरुषर्षभ ।
समदुःखसुखं धीरं सोऽमृतत्वाय कल्पते ॥१५॥

yaṁ hi na vyathayanty ete puruṣaṁ puruṣarṣabha
sama-duḥkha-sukhaṁ dhīraṁ so 'mṛtatvāya kalpate

yam – akit; *hi* – bizony; *na* – nem; *vyathayanti* – gyötörnek; *ete* – mindezek; *puruṣam* – személyt; *puruṣa-ṛṣabha* – ó, emberek legkiválóbbja; *sama* – változatlan; *duḥkha* – boldogtalanságban; *sukham* – és boldogságban; *dhīram* – béketűrő; *saḥ* – ő; *amṛtatvāya* – a felszabadulásra; *kalpate* – alkalmasnak számít.

Ó, emberek között a legkiválóbb [Arjuna]! Akit sem a boldogság, sem a boldogtalanság nem zavar meg, s mindkettő esetén rendíthetetlen, az kétségtelenül méltó rá, hogy felszabaduljon.

MAGYARÁZAT: Bárki, aki szilárd elhatározással törekszik a lelki megvalósítás fejlett fokának elérésére, s aki képes elviselni a boldogtalanság és a boldogság támadásait egyaránt, az biztosan megérett a felszabadulásra. A *varṇāśrama* intézményében az élet negyedik szakasza, azaz a lemondás rendje (*sannyāsa*) megpróbáltatásokkal teli életet jelent. Ám aki komolyan törekszik, hogy tökéletessé tegye az életét, az minden nehézség ellenére biztosan belép e rendbe. A bonyodalmak általában abból származnak, hogy az embernek el kell vágnia a kötelékeket, melyek a családhoz fűzik őt, s meg kell szüntetnie kapcsolatát a feleségével és a gyerekeivel. Aki azonban képes eltűrni az ilyen nehézségeket, annak számára az út, amely a lelki megvalósításhoz vezet, minden bizonnyal véget ért. Kṛṣṇa Arjunának is azt tanácsolja, hogy tartson ki *kṣatriya* kötelessége mellett, még akkor is, ha családtagjai ellen kell harcolnia, vagy olyanok ellen, akiket hasonlóan nagyon szeret. Az Úr Caitanya huszonnégy éves volt, amikor a *sannyāsa*-rendbe lépett, és családjának, fiatal feleségének és idős anyjának senkije sem maradt, aki gondoskodott volna róluk. Egy felsőbb cél érdekében mégis *sannyāsī* lett, és állhatatosan végezte magasabb rendű kötelességét. Ily módon lehet megszabadulni az anyagi kötelékektől.

16. VERS

नासतो विद्यते भावो नाभावो विद्यते सतः ।
उभयोरपि दृष्टोऽन्तस्त्वनयोस्तत्त्वदर्शिभिः ॥१६॥

nāsato vidyate bhāvo nābhāvo vidyate sataḥ
ubhayor api dṛṣṭo 'ntas tv anayos tattva-darśibhiḥ

na – nem; *asataḥ* – a nem létezőnek; *vidyate* – van; *bhāvaḥ* – állandósága; *na* – nem; *abhāvaḥ* – változás; *vidyate* – létezik; *sataḥ* – az örökkévalónak; *ubhayoḥ* – a kettőnek; *api* – valóban; *dṛṣṭaḥ* – megfigyelték; *antaḥ* – végkövetkeztetés; *tu* – de; *anayoḥ* – nekik; *tattva* – igazság; *darśibhiḥ* – a látnokok által.

Az igazság látnokai arra a következtetésre jutottak, hogy a nem létező [az anyagi test] számára nincsen állandóság, az örökkévaló [a lélek] pedig változatlan. Erre mindkettő természetének tanulmányozásával jöttek rá.

MAGYARÁZAT: A változó test számára nincsen állandóság. A modern orvostudomány is elismeri, hogy a test minden pillanatban változik a különféle sejtekben végbemenő hatásoknak és ellenhatásoknak köszönhetően. Ennek eredménye a növekedés és az öregség. A lélek azonban örökké létezik, s ugyanaz marad a test és az elme minden változása ellenére. Ez a különbség az anyag és a lélek között. A test természete az, hogy mindig változik, a léleké pedig hogy örök. Ezt a következtetést az igazság különféle látnokai – a személytelen és a személyes filozófia hívei egyaránt – mind elfogadták. A *Viṣṇu-purāṇában* (2.12.38) az áll, hogy Viṣṇunak és hajlékainak önragyogó lelki létük van (*jyotīṁṣi viṣṇur bhuvanāni viṣṇuḥ*). A *létező* illetve *nem létező* szavak csakis a lélekre, illetve az anyagra vonatkoznak. Mindenki, aki látja az igazságot, egyetért ezzel.

Ezzel kezdődik az a tanítás, melyben az Úr a tudatlanság hatására megzavarodott élőlényeket részesíti. A tudatlanság eltávolítása azt jelenti, hogy visszaállítjuk az imádó és az imádandó közötti örök kapcsolatot, és ezáltal megértjük a különbséget a szerves részek – az élőlények – és az Istenség Legfelsőbb Személyisége között. A Legfelsőbb természetét úgy ismerheti meg az ember, hogy mélyrehatóan tanulmányozza önmagát, valamint az önmaga és a Legfelsőbb közötti különbséget, amit a rész és az egész viszonyaként érthetünk meg. A Legfelsőbbet a *Vedānta-sūtrák* a *Śrīmad-Bhāgavatammal* együtt valamennyi kiáradás eredetének fogadják el. Ezek a kiáradások a felsőbb- és alsóbbrendű természet jelenségein keresztül tapasztalhatóak. Az élőlények a felsőbb természethez tartoznak, ahogyan azt majd a hetedik fejezetből megtudhatjuk. Habár nincsen különbség az energia és az energia forrása között, ez utóbbit a Legfelsőbbnek, az energiát – vagy természetet – pedig alárendeltnek tekintik. Az élőlények így mindig a Legfelsőbb Úr alárendeltjei, ahogyan szolga az urának, tanítvány a tanítójának. Amíg az ember a tudatlanság bűvöletében él, nem értheti meg e nyilvánvaló bölcsességet. Az Úr azért tanítja a *Bhagavad-gītāt,* hogy elűzze e tudatlanságot, s hogy minden élőlényt örök időkre felvilágosítson.

17. VERS

अविनाशि तु तद्विद्धि येन सर्वमिदं ततम् ।
विनाशमव्ययस्यास्य न कश्चित्कर्तुमर्हति ॥१७॥

avināśi tu tad viddhi yena sarvam idaṁ tatam
vināśam avyayasyāsya na kaścit kartum arhati

avināśi – elpusztíthatatlan; *tu* – de; *tat* – az; *viddhi* – tudd meg; *yena* – aki által; *sarvam* – az egész test; *idam* – ez; *tatam* – áthatva; *vināśam* – pusztulást; *avyayasya* – az elpusztíthatatlannak; *asya* – annak; *na kaścit* – senki sem; *kartum* – megtenni; *arhati* – képes.

Tudd meg, hogy az, ami áthatja az egész testet, elpusztíthatatlan! E halhatatlan lelket senki sem képes megsemmisíteni.

MAGYARÁZAT: Ez a vers még érthetőbben elmagyarázza az egész testben jelen lévő lélek igazi természetét. Bárki megértheti, mi az, ami áthatja a testet: a tudat. Mindenki tudatában van a fájdalomnak és az örömnek, melyet vagy az egész testében, vagy annak egyes részeiben érzékel. A tudat kiterjedésének határa az egyéni test. Senki sem tud egy másik test fájdalmáról és boldogságáról. Minden test egy egyéni lélek megtestesülése tehát, s a lélek jelenlétének szimptómája az egyéni tudat. A lélek nagysága megegyezik egy hajszál felső vége keresztmetszetének tízezred részével. A *Śvetāśvatara-upaniṣad* (5.9) megerősíti ezt:

bālāgra-śata-bhāgasya śatadhā kalpitasya ca
bhāgo jīvaḥ sa vijñeyaḥ sa cānantyāya kalpate

„Ha egy hajszál felső végének keresztmetszetét száz részre osztjuk, majd az így kapott részeket ismét százra, a kapott egységek azonosak lesznek a lélek nagyságával." Máshol is hasonló magyarázatot találunk:

keśāgra-śata-bhāgasya śatāṁśaḥ sādṛśātmakaḥ
jīvaḥ sūkṣma-svarūpo 'yaṁ saṅkhyātīto hi cit-kaṇaḥ

„Megszámlálhatatlan lelki atomrészecske létezik, melynek mérete a hajszálvég felső keresztmetszete tízezred részének felel meg."

Az egyéni lélekrészecske tehát egy lelki atom, amely kisebb az anyagi atomnál. Megszámlálhatatlan ilyen atom létezik. Ez a nagyon parányi lélekszikra az anyagi test alapja, s hatása az egész testre kiterjed, mint ahogy egy gyógyszer hatóanyaga is eljut a test minden részébe. A lélek szétoszlását tudatként érzékelhetjük szerte a testben, s ez a bizonyíték jelenlétére. Minden laikus megértheti, hogy a test tudat nélkül halott, s ezt a tudatot semmilyen anyagi módszerrel nem lehet felébreszteni a testben. A tudat léte tehát nem az elemek bizonyos összetételének, hanem a léleknek köszönhető. A *Muṇḍaka-upaniṣad* (3.1.9) további magyarázattal szolgál az atomnyi lélek méretéről:

eṣo 'ṇur ātmā cetasā veditavyo
yasmin prāṇaḥ pañcadhā saṁviveśa
prāṇaiś cittaṁ sarvam otaṁ prajānāṁ
yasmin viśuddhe vibhavaty eṣa ātmā

„A lélek mérete az atoménak felel meg, és csakis tökéletes értelemmel lehet érzékelni. Ez az atomnyi lélek ötfajta levegőben (*prāṇa, apāna, vyāna, samāna* és *udāna*) lebeg, a szívben helyezkedik el, és hatását a megtestesült élőlény egész testére kiterjeszti. Lelki hatása akkor nyilvánul meg, amikor megtisztult az ötféle anyagi levegő okozta szennyeződéstől."

A *haṭha-yoga* folyamatának célja az, hogy különféle ülőhelyzetek által szabályozza a tiszta lelket körülzáró ötféle levegőt – nem az anyagi haszon érdekében, hanem hogy a parányi lélek kiszabaduljon az anyagi atmoszféra kötelékéből.

Az atomnyi lélek természetéről tehát mindegyik védikus írás beszámol, s minden józan ember is tapasztalhatja a mindennapi életben. Csak egy elmebeteg hiheti a parányi lélekről azt, hogy a mindent átható *viṣṇu-tattva.*

Az atomnyi lélek hatása az egyéni test minden részébe képes eljutni. A *Muṇḍaka-upaniṣad* szerint jelen van minden élőlény szívében, s mivel méretének meghatározása meghaladja a materialista tudósok képességeit, némelyikük ostobán azt állítja, hogy nem is létezik. Az atomnyi, egyéni lélek kétségtelenül jelen van a szívben a Felsőlélekkel együtt, s ezért a test működéséhez szükséges minden energia a testnek ebből a részéből származik. A tüdőből oxigént szállító vörösvértestek energiájukat a lélektől kapják. Ha a lélek elhagyja helyét, akkor a vér működése, amely a fúziót idézi elő, megszűnik. Az orvostudomány elismeri a vörösvértestek jelentőségét, azt azonban nem tudja kideríteni, hogy az energia forrása a lélek. Ennek ellenére elfogadja, hogy a szív a központja a test minden energiájának.

A lelki egész atomnyi részecskéit a napfény részecskéihez hasonlíthatjuk. Ahogyan a napfény végtelen sok ragyogó molekulát tartalmaz, a Legfelsőbb Úr parányi részei a Legfelsőbb Úr sugarainak atomnyi szikrái, melyeket *prabhānak,* vagyis felsőbbrendű energiának neveznek. Akár a védikus tudást, akár a modern tudományt fogadja el valaki, nem tagadhatja, hogy a lélek a testben létezik. A lélek tudományáról maga az Istenség Személyisége beszél rendkívül érthetően a *Bhagavad-gītāban.*

18. VERS

अन्तवन्त इमे देहा नित्यस्योक्ताः शरीरिणः ।
अनाशिनोऽप्रमेयस्य तस्माद्युध्यस्व भारत ॥१८॥

antavanta ime dehā nityasyoktāḥ śarīriṇaḥ
anāśino 'prameyasya tasmād yudhyasva bhārata

anta-vantaḥ – mulandóak; *ime* – mindezek; *dehāḥ* – anyagi testek; *nityasya* – az örökké létezőnek; *uktāḥ* – így mondják; *śarīriṇaḥ* – a megtestesült léleknek; *anāśinaḥ* – a megsemmisíthetetlennek; *aprameyasya* – a mérhetetlennek; *tasmāt* – ezért; *yudhyasva* – harcolj; *bhārata* – ó, Bharata leszármazottja.

Az elpusztíthatatlan, mérhetetlen és örök élőlény anyagi teste mindenképpen megsemmisül; ezért hát harcra fel, ó, Bharata leszármazottja!

MAGYARÁZAT: Az anyagi test természeténél fogva mulandó. Lehet, hogy rövidesen elpusztul, lehet, hogy csak száz év múlva – csupán idő kérdése. Nem lehet örökre megtartani. A lélek ezzel szemben olyan parányi, hogy az ellenség nem is láthatja, mit sem szólva arról, hogy megölje. Ahogy azt az előző vers említette, annyira parányi, hogy senki sem tudja, hogyan lehetne megmérni kiterjedését. Egyik szempontból sincs tehát ok a kesergésre, hiszen sem az élőlényt nem lehet elpusztítani, sem az anyagi testet nem lehet hosszú ideig megtartani vagy örökre megvédeni. Az egész lélek parányi része tettei alapján kapja anyagi testét, ezért a vallásos elvek betartása nagyon fontos. A *Vedānta-sūtrák* az élőlényt fénynek minősítik, mert szerves része a legfelsőbb fénynek. Ahogyan a napsugár tartja fenn az egész univerzumot, úgy tartja fenn a lélek fénye is az anyagi testet. Amint a lélek távozik az anyagi testből, az azonnal bomlásnak indul. A lélek az tehát, ami fenntartja a testet; magának a testnek nincs jelentősége. Kṛṣṇa azt a tanácsot adta Arjunának, hogy harcoljon, s ne áldozza fel a vallás ügyét anyagi, testi érdekeiért.

19. VERS

य एनं वेत्ति हन्तारं यश्चैनं मन्यते हतम् ।
उभौ तौ न विजानीतो नायं हन्ति न हन्यते ॥१९॥

ya enaṁ vetti hantāraṁ yaś cainaṁ manyate hatam
ubhau tau na vijānīto nāyaṁ hanti na hanyate

yaḥ – aki; *enam* – ezt; *vetti* – véli; *hantāram* – gyilkosnak; *yaḥ* – aki; *ca* – szintén; *enam* – ezt; *manyate* – gondolja; *hatam* – megöltnek; *ubhau* – mindkettő; *tau* – ők; *na* – nem; *vijānītaḥ* – tudással rendelkeznek; *na* – sohasem; *ayam* – ez; *hanti* – öl; *na* – sem; *hanyate* – megöletik.

Aki az élőlényt gyilkosnak hiszi, vagy azt gondolja, hogy megölhető, az nem rendelkezik tudással, hiszen az önvaló nem gyilkos és nem is ölhető meg.

MAGYARÁZAT: Az embernek tudnia kell, hogy a testen belüli élőlény nem pusztul el még akkor sem, ha a megtestesült élőlényt fegyver sebzi halálra. A lélek olyan parányi, hogy semmilyen anyagi fegyver nem képes elpusztítani, ahogyan az a következő versekből kiderül. Egy másik ok, ami miatt az élőlényt nem lehet megölni, hogy alapvetően lelki természetű. Amit megölnek – vagy amit megölhetnek –, az csupán a test. Ez azonban ne bátorítson senkit a test elpusztítására. A védikus parancs kimondja: *mā hiṁsyāt sarvā bhūtāni,* soha ne alkalmazz erőszakot senki ellen. Annak megértése, hogy az élőlény elpusztíthatatlan, szintén nem biztathat az állatok lemészárlására. Valakinek a testét megölni a felsőbb hatalom jóváhagyása nélkül szörnyű és büntetendő tett, az állam és az Úr törvényei szerint egyaránt. Arjuna azonban nem a saját szeszélyei miatt, hanem a vallás elvéért öl.

20. VERS

न जायते म्रियते वा कदाचिन्
नायं भूत्वा भविता वा न भूयः ।
अजो नित्यः शाश्वतोऽयं पुराणो
न हन्यते हन्यमाने शरीरे ॥२०॥

na jāyate mriyate vā kadācin
nāyaṁ bhūtvā bhavitā vā na bhūyaḥ
ajo nityaḥ śāśvato 'yaṁ purāṇo
na hanyate hanyamāne śarīre

na – nem; *jāyate* – születik; *mriyate* – meghal; *vā* – vagy; *kadācit* – mindenkor (a múltban, a jelenben és a jövőben); *na* – nem; *ayam* – ez; *bhūtvā* – létrejött; *bhavitā* – létre fog jönni; *vā* – vagy; *na* – nem; *bhūyaḥ* – újra létrejön; *ajaḥ* – megszületetlen; *nityaḥ* – örökkévaló; *śāśvataḥ* – maradandó; *ayam* – ez; *purāṇaḥ* – a legöregebb; *na* – sohasem; *hanyate* – öletik meg; *hanyamāne* – meggyilkolása esetén; *śarīre* – a testnek.

A lélek nem ismer sem születést, sem halált. Soha nem keletkezett, nem most jön létre, és a jövőben sem fog megszületni. Születetlen, örökkévaló, mindig létező és ősi, s ha a testet meg is ölik, ő akkor sem pusztul el.

MAGYARÁZAT: A Legfelsőbb Lélek parányi, atomnagyságú töredék része minőségileg azonos a Legfelsőbbel, s a testtel ellentétben nem változik. Néha *kūṭa-sthának,* állandónak is nevezik. A test hatféle változáson megy keresztül. Megszületik az anya méhéből, egy ideig fennmarad, növekszik, utódokat hoz létre, majd fokozatosan elsorvad, és végül a feledés homályába merül. A lelket azonban nem érik ilyen változások. Nem születik, de mivel anyagi testbe költözik, a test megszületik. A lélek nem születik és nem hal meg. Minden, ami megszületik, el is pusztul. Mivel a léleknek nincs születése, nincs múltja, jelene és jövője sem. Örökkévaló, mindig létező és eredeti, azaz létrejöttének nincsen nyoma a történelemben. Csupán a testről szerzett tapasztalataink miatt akarunk tudni a lélek születéséről és többi változásáról. A testtel ellentétben a lélek sohasem öregszik meg. Ezért van az, hogy egy úgynevezett idős ember ugyanúgy érzi magát, mint gyermekkorában vagy fiatalként. A test változásai nem befolyásolják a lelket. A lélek nem indul bomlásnak az idő hatására, mint a fa vagy bármilyen más anyag, és melléktermékei sincsenek. A test melléktermékei, azaz a gyermekek szintén különböző egyéni lelkek, s egyedül a testnek tudható be, hogy valaki gyermekeinek tűnnek. A test a lélek jelenlétének következtében fejlődik ki, de a lélek nem változik, s utódokat sem hoz létre – mentes tehát a test hatféle változásától.

A *Kaṭha-upaniṣadban* (1.2.18) egy hasonló kijelentést olvashatunk:

na jāyate mriyate vā vipaścin
nāyaṁ kutaścin na babhūva kaścit
ajo nityaḥ śāśvato 'yaṁ purāṇo
na hanyate hanyamāne śarīre

E vers jelentése és magyarázata ugyanaz, mint a *Bhagavad-gītā* verséé, ám egy sajátos szóval találkozunk benne – *vipaścit* –, ami azt jelenti, hogy „tanult" vagy „tudással rendelkező".

A lélek tudással teli, azaz mindig teljes tudattal rendelkezik; a tudat a lélek tünete. Még ha nem is találjuk meg a lelket a szívben – ott, ahol elhelyezkedik –, a tudat jelenlétéből mégis következtethetünk arra, hogy létezik. Néha a felhők miatt vagy más okból nem látjuk a napot az égen, de napfény mindig van, s ebből tudhatjuk, hogy nappal van. Amint egy halvány fényt látunk korán reggel az égen, megérthetjük, hogy felkelt a nap. Hasonlóan, miután bizonyos mértékű tudattal minden test rendelkezik, legyen az emberé vagy állaté, megérthetjük, hogy a lélek jelen van benne. A lélek tudata azonban különbözik a Legfelsőbb tudatától, mert a legfelsőbb tudat mindentudó, ismeri a múltat, a jelent és a jövőt, míg az egyéni lélek tudata hajlamos a feledékenységre. Amikor megfeledkezik valódi természetéről, Kṛṣṇa felsőbbrendű tanítása világosítja fel. Kṛṣṇa azonban nem olyan, mint a feledékeny lélek, mert ha olyan lenne, akkor a *Bhagavad-gītā* tanításának semmi haszna nem lenne.

Kétféle lélek létezik: a parányi lélekrészecske (*aṇu-ātmā*) és a Felsőlélek (*vibhu-ātmā*). Ezt a *Kaṭha-upaniṣad* (1.2.20) is megerősíti:

aṇor aṇīyān mahato mahīyān
ātmāsya jantor nihito guhāyām
tam akratuḥ paśyati vīta-śoko
dhātuḥ prasādān mahimānam ātmanaḥ

„A Felsőlélek [Paramātmā] és az atomnyi lélek [*jīvātmā*] a test ugyanazon fáján, egyazon élőlény szívében helyezkedik el. Egyedül az értheti meg a Legfelsőbb kegyéből a lélek dicsőségét, aki megszabadult minden anyagi vágytól, s nem siránkozik semmi miatt." Kṛṣṇa a Felsőlélek forrása is – ahogyan azt a későbbi fejezetek feltárják –, míg Arjuna az atomnyi lélek, aki megfeledkezett igazi természetéről, s ezért szüksége van Kṛṣṇa vagy hiteles képviselője (a lelki tanítómester) felvilágosítására.

21. VERS

वेदाविनाशिनं नित्यं य एनमजमव्ययम् ।
कथं स पुरुषः पार्थ कं घातयति हन्ति कम् ॥२१॥

vedāvināśinaṁ nityaṁ ya enam ajam avyayam
kathaṁ sa puruṣaḥ pārtha kaṁ ghātayati hanti kam

veda – tudja; *avināśinam* – elpusztíthatatlannak; *nityam* – mindig létezőnek; *yaḥ* – aki; *enam* – ezt (a lelket); *ajam* – megszületetlennek; *avyayam* – változhatatlannak; *katham* – hogyan; *saḥ* – az; *puruṣaḥ* – az ember; *pārtha* – ó, Pārtha (Arjuna); *kam* – kit; *ghātayati* – megsebesít; *hanti* – megöl; *kam* – kit.

Ó, Pārtha! Hogyan lehetne gyilkos, vagy miképpen vehetne rá bárkit is az ölésre az, aki tudja, hogy a lélek elpusztíthatatlan, örök, megszületetlen és változatlan?

MAGYARÁZAT: Mindennek megvan a maga haszna, s a tökéletes tudással rendelkező ember tudja, mit, hogyan és hol alkalmazzon. Annak is megvan a módja, hogyan lehet erőszakot alkalmazni, s a tudással rendelkező ember ismeri ennek a titkát. A bíró halálbüntetéssel sújthatja a gyilkost, ám tettéért nem hibáztatható, mert a jogszabályok alapján rendelte el az erőszakot egy másik élőlénnyel szemben. A *Manu-saṁhitā,* az emberiség törvénykönyve egyetért azzal, hogy a gyilkost halálra kell ítélni, mert így következő életében nem kell szenvednie a súlyos bűn miatt, amit elkövetett. Ha tehát egy király valakit kötél általi halálbüntetéssel sújt, azzal valójában jót tesz neki. Ehhez hasonlóan amikor Kṛṣṇa rendeli el a harcot, abból arra következtethetünk, hogy ez az erőszak a legfőbb igazságot szolgálja. Arjunának éppen ezért követnie kell az utasítást, és tudnia kell, hogy az az erőszak, amit Kṛṣṇáért harcolva követ el, egyáltalán nem erőszak, mert az embert, pontosabban a lelket semmilyen körülmények között nem lehet megölni. Az igazságszolgáltatás érdekében tehát megengedett az úgynevezett erőszak. Egy sebészeti műtét célja sem a beteg elpusztítása, hanem a gyógyítása. Ezért a harc, amit Arjuna Kṛṣṇa utasítását követve fog megvívni, teljes tudás birtokában történik, s így nem lehet semmilyen bűnös visszahatása.

22. VERS

वासांसि जीर्णानि यथा विहाय
नवानि गृह्णाति नरोऽपराणि ।
तथा शरीराणि विहाय जीर्णा-
न्यन्यानि संयाति नवानि देही ॥२२॥

vāsāṁsi jīrṇāni yathā vihāya
navāni gṛhṇāti naro 'parāṇi
tathā śarīrāṇi vihāya jīrṇāny
anyāni saṁyāti navāni dehī

vāsāṁsi – ruhákat; *jīrṇāni* – régieket és elnyűtteket; *yathā* – ahogyan; *vihāya* – levetve; *navāni* – új ruhákat; *gṛhṇāti* – felvesz; *naraḥ* – egy ember; *aparāṇi* – másokat; *tathā* – ugyanúgy; *śarīrāṇi* – testeket; *vihāya* – levetve; *jīrṇāni* – öreg és hasznavehetetlen; *anyāni* – különböző; *saṁyāti* – valóban elfogadja; *navāni* – új öltözékeket; *dehī* – a megtestesült.

Ahogy az ember leveti elnyűtt ruháit, s újakat ölt magára, úgy válik meg a lélek is az öreg és hasznavehetetlen testektől, hogy újakat fogadjon el helyükbe.

MAGYARÁZAT: Az atomnyi egyéni lélek testének cseréje elfogadott tény. Még a modern tudósok is – akik nem hisznek a lélek létében, ám nem képesek magyarázatot adni a szívből származó energia eredetére – kénytelenek elismerni, hogy a test szünet nélkül változik, s ez a gyermekkortól a serdülőkoron át a felnőttkorig és az öregkorig folyamatosan észlelhető. Az öregség után a test egy másikra változik. Ezt egy korábbi vers (2.13) már elmagyarázta.

Az atomnyi egyéni lélek másik testbe kerülését a Felsőlélek kegye teszi lehetővé. Eleget tesz a parányi lélek kívánságainak, mint ahogyan az ember barátja vágyait teljesíti. A Védák – például a *Muṇḍaka-upaniṣad* és a *Śvetāśvatara-upaniṣad* – a lelket és a Felsőlelket két madár-baráthoz hasonlítják, akik ugyanazon a fán ülnek. Az egyik madár (az egyéni, atom nagyságú lélek) a fa gyümölcseit csipegeti, miközben a másik (Kṛṣṇa) csupán figyeli barátját. A két madár között minőség tekintetében nincs különbség, ám az egyiket elbűvöli az anyagi fa gyümölcse, míg a másik csupán szemtanúja barátja tetteinek. A tanú-madár Kṛṣṇa, a csipegető pedig Arjuna. Barátok, de az egyik közülük mester, a másik pedig szolga. Az atomnyi lélek vándorlását egyik fáról a másikra, azaz egyik testből a másikba az okozza, hogy megfeledkezik e kapcsolatról. A *jīva*-lélek erejét megfeszítve küzd az anyagi test fáján, ám amint elfogadja a másik madarat legfelsőbb lelki tanítómesterének – ahogyan azt Arjuna tette, amikor önként meghódolt Kṛṣṇa előtt, hogy tanulhasson Tőle –, az alárendelt madárnak többé nem kell keseregnie semmi miatt. Ezt a *Muṇḍaka-upaniṣad* (3.1.2) és a *Śvetāśvatara-upaniṣad* (4.7) egyaránt megerősíti:

samāne vṛkṣe puruṣo nimagno
'nīśayā śocati muhyamānaḥ
juṣṭaṁ yadā paśyaty anyam īśam
asya mahimānam iti vīta-śokaḥ

„Noha a két madár ugyanazon a fán ül, a csipegető, aki megpróbálja élvezni a fa gyümölcseit, aggodalommal és bánattal teli. Ha azonban ez a szenvedő madár valahogyan barátja, az Úr felé fordítja az arcát, s felismeri dicsőségét, azonnal megszabadul minden aggodalomtól." Arjuna örök barátja, Kṛṣṇa felé fordította arcát, s most Tőle tanulja a *Bhagavad-gītāt.* Kṛṣṇát hallgatva megértheti az Úr legfelsőbb dicsőségét, és megszabadulhat minden bánatától.

Az Úr itt azt tanácsolja Arjunának, hogy ne keseregjen öreg nagyatyja és tanítója testcseréje miatt. Inkább örüljön, hogy igazságos harcban öli meg testüket, s így azonnal megtisztulhatnak a különféle testi cselekedetek valamennyi visszahatásától. Aki életét áldozza az áldozati oltáron, vagyis az igaz csatában, az azonnal megtisztul a testi visszahatásoktól, s egy magasabb rendű létbe emelkedik. Arjunának tehát semmi oka sem volt a kesergésre.

23. VERS

नैनं छिन्दन्ति शस्त्राणि नैनं दहति पावकः ।
न चैनं क्लेदयन्त्यापो न शोषयति मारुतः ॥२३॥

nainaṁ chindanti śastrāṇi nainaṁ dahati pāvakaḥ
na cainaṁ kledayanty āpo na śoṣayati mārutaḥ

na – sohasem; *enam* – ezt a lelket; *chindanti* – darabokra vágják; *śastrāṇi* – fegyverek; *na* – sohasem; *enam* – ezt a lelket; *dahati* – megégeti; *pāvakaḥ* – tűz; *na* – sohasem; *ca* – szintén; *enam* – ezt a lelket; *kledayanti* – nedvesíti; *āpaḥ* – víz; *na* – sohasem; *śoṣayati* – felszárítja; *mārutaḥ* – szél.

A lelket semmilyen fegyver nem képes feldarabolni. Tűz nem égetheti, víz nem nedvesítheti, és szél sem száríthatja.

MAGYARÁZAT: A lelket egyetlen fegyver – sem kard, sem tűzfegyver, sem esőfegyver, sem szélfegyver stb. – nem pusztíthatja el. Láthatjuk, hogy a modern tűzfegyverek mellett valaha számtalan más, földből, vízből, levegőből, éterből és egyéb anyagokból készült fegyver létezett. Még napjaink nukleáris fegyverei is tűzfegyvereknek számítanak, ám hajdanában sok más fegyver is volt, melyeket különféle anyagi elemekből készítettek. A tűzfegyvereket a vízfegyverekkel hárították el, amelyek a modern tudomány számára ismeretlenek. Manapság a tudósok a szélfegyverekről sem tudnak. Azonban bármit is találjon fel a tudomány, a lelket soha nem lehet feldarabolni, és megsemmisíteni sem tudja semmilyen fegyver.

A *māyāvādīk* nem tudnak magyarázatot adni arra, hogyan jött létre az egyéni lélek pusztán a tudatlanság miatt, és ennek következtében hogyan borította be az illúziókeltő energia. Az sem történhetett meg soha, hogy az egyéni lelket kivágják az eredeti Legfelsőbb Lélekből, hiszen az egyéni lelkek a Legfelsőbb Lélektől örökké különálló részek. Örökké (*sanātana*) atomnyi egyéni lelkek, ezért nagyon könnyen az illúziókeltő energia hatása alá kerülnek, távol a Legfelsőbb Úrtól, ahogyan a lángokból kipattanó szikrák is kialszanak, noha minőségileg nem különböznek a tűztől. A *Varāha-purāṇa* az élőlényekről mint a Legfelsőbb különálló szerves részeiről beszél. A *Bhagavad-gītā* szerint szintén ez az örök jellemzőjük. Így tehát az élőlény még azután is különálló entitás marad, hogy megszabadult az illúziótól, ahogyan azt az Úr Arjunának átadott tanításaiból megtudhatjuk. Arjuna a Kṛṣṇától kapott tudás következtében felszabadult, ám sohasem vált eggyé Vele.

24. VERS

अच्छेद्योऽयमदाह्योऽयमक्लेद्योऽशोष्य एव च ।
नित्यः सर्वगतः स्थाणुरचलोऽयं सनातनः ॥२४॥

acchedyo 'yam adāhyo 'yam akledyo 'śoṣya eva ca
nityaḥ sarva-gataḥ sthāṇur acalo 'yaṁ sanātanaḥ

acchedyaḥ – törhetetlen; *ayam* – ez a lélek; *adāhyaḥ* – éghetetlen; *ayam* – ez a lélek; *akledyaḥ* – feloldhatatlan; *aśoṣyaḥ* – nem lehet felszárítani; *eva* – bizony; *ca* – és; *nityaḥ* – örökkévaló; *sarva-gataḥ* – mindent átható; *sthāṇuḥ* – állandó; *acalaḥ* – megingathatatlan; *ayam* – ez a lélek; *sanātanaḥ* – örökké ugyanaz.

Az egyéni lélek törhetetlen, feloldhatatlan, és sem megégetni, sem felszárítani nem lehet. Örökkévaló, mindenhol jelen van, változatlan, rendíthetetlen és örökké ugyanaz.

MAGYARÁZAT: A parányi lélek e tulajdonságai mind határozottan bizonyítják, hogy az egyéni lélek örökké a lelki egész atomnyi részecskéje, s az is marad mindig, változatlanul. A monizmus elméletét ebben az esetben nagyon nehéz lenne alkalmazni, mert az egyéni lélek sohasem válik homogén egységgé a lelki egésszel. Miután megszabadul az anyagi szennyeződéstől, az atomnyi lélek – ha arra vágyik – az Istenség Legfelsőbb Személyiségének ragyogó sugárzásába kerülhet mint lélekszikra, a bölcs lelkek azonban a lelki bolygókra mennek, hogy ott az Istenség Személyisége társaságát élvezzék.

A *sarva-gataḥ* („mindent átható") szó fontos, hiszen semmi kétség nem férhet hozzá, hogy az élőlények mindenhol jelen vannak Isten teremtésében. Ott vannak a szárazföldön, a vízben, a levegőben, a föld mélyén, sőt a tűzben is. Az az elképzelés, hogy a tűzben az élőlény elpusztul, elfogadhatatlan, hiszen ebből a versből félreérthetetlenül kiderül, hogy a lelket a tűz nem égetheti meg. Éppen ezért még a Napon is kétségtelenül élnek élőlények, az ottani élethez alkalmazkodó testben. Ha a Nap egy lakatlan bolygó volna, a *sarva-gata* – „mindenhol élő" – szó értelmetlenné válna.

25. VERS

अव्यक्तोऽयमचिन्त्योऽयमविकार्योऽयमुच्यते ।
तस्मादेवं विदित्वैनं नानुशोचितुमर्हसि ॥२५॥

avyakto 'yam acintyo 'yam avikāryo 'yam ucyate
tasmād evaṁ viditvainaṁ nānuśocitum arhasi

avyaktaḥ – láthatatlan; *ayam* – ez a lélek; *acintyaḥ* – felfoghatatlan; *ayam* – ez a lélek; *avikāryaḥ* – változatlan; *ayam* – ez a lélek; *ucyate* – úgy mondják; *tasmāt* – ezért; *evam* – ilyennek; *viditvā* – ismervén; *enam* – ezt a lelket; *na* – nem; *anuśocitum* – siratni; *arhasi* – érdemes.

Úgy mondják, hogy a lélek láthatatlan, felfoghatatlan és változhatatlan. Ezt tudván nem szabad bánkódnod a test miatt.

MAGYARÁZAT: Ahogyan korábban már elmondtuk, a lélek anyagi számításaink alapján olyan parányi, hogy még a legfinomabb mikroszkóppal sem lehet kimutatni, ezért hát láthatatlan. A lélek létezését senki sem képes tapasztalati úton bizonyítani. A *śruti,* a védikus bölcselet bizonyítékára kell hallgatnunk. Ezt az igazságot el kell fogadnunk, mert a lélek létéről – noha érzékelhető tény – semmilyen más forrásból nem szerezhetünk tudomást. Számtalan olyan dolog van, amit pusztán egy felsőbb, hiteles tekintélyre támaszkodva kell elfogadnunk. Senki sem tagadhatja apja létezését, ha arról anyja biztosítja. Egyedül anyánk szavainak hihetünk, ha apánk kilétére vagyunk kíváncsiak – nincs más módja, hogy tudomást szerezzünk róla. Ehhez hasonlóan a lélek létezéséről sem tehetünk szert tudásra más úton, csakis a Védák tanulmányozásával. A lélek tehát az emberi tapasztalat számára felfoghatatlan. A lélek maga a tudat, és tudatos – ezt szintén a Védák jelentik ki, s nekünk el kell fogadnunk. A testtel ellentétben a lélek nem változik. Örökké változatlan, s így örökké parányi marad a határtalan Legfelsőbb Lélekhez képest. A Legfelsőbb Lélek határtalan, az atomnyi lélek pedig végtelenül parányi. Éppen ezért a végtelenül parányi lélek – mivel változatlan – sohasem válik egyenlővé a határtalan lélekkel, az Istenség Legfelsőbb Személyiségével. Ezt a nézetet a Védák több formában ismétlik el, hogy megerősítsék a lélek fogalmának biztos meghatározását. Az ismétlésre szükség van ahhoz, hogy alaposan és helyesen értsük meg ezt a témát.

26. VERS

अथ चैनं नित्यजातं नित्यं वा मन्यसे मृतम् ।
तथापि त्वं महाबाहो नैनं शोचितुमर्हसि ॥२६॥

atha cainaṁ nitya-jātaṁ nityaṁ vā manyase mṛtam
tathāpi tvaṁ mahā-bāho nainaṁ śocitum arhasi

atha – ha azonban; *ca* – szintén; *enam* – ezt a lelket; *nitya-jātam* – mindig megszületőnek; *nityam* – mindig; *vā* – vagy; *manyase* – hiszed; *mṛtam* – meghalónak; *tathā api* – mégis; *tvam* – te; *mahā-bāho* – ó, erős karú; *na* – soha; *enam* – a lelket; *śocitum* – siratni; *arhasi* – érdemes.

Még ha azt hiszed is, hogy a lélek [vagy az élet jele] szüntelenül megszületik és örökké meghal, akkor sincs okod a bánkódásra, ó, erős karú!

MAGYARÁZAT: A filozófusoknak mindig is létezett egy olyan rétege, mely a buddhistákhoz hasonlóan nem hisz abban, hogy a testen túl a lélek különállóan létezik. Láthatjuk, hogy ilyen filozófusok már akkor is voltak, amikor az Úr Kṛṣṇa elbeszélte a *Bhagavad-gītāt. Lokāyatikáknak* és *vaibhāṣikáknak* nevezték őket. Nézeteik szerint az életjelenségek akkor nyilvánulnak meg, amikor az anyag kombinációja egy bizonyos érettségi fokot elér. Napjaink materialista tudósai és filozófusai hasonlóképpen gondolkodnak. Szerintük a test az anyagi elemek kombinációja, s a fizikai és kémiai elemek kölcsönhatása következtében egy adott szinten megnyilvánulnak az életjelenségek. Az antropológia tudománya erre a filozófiára épül. Manapság számtalan álvallás – melyek egyre divatosabbá válnak

Amerikában – vallja ezt a nézetet, a nihilista, minden odaadást mellőző buddhista vallásfelekezetekkel együtt.

Arjunának még akkor sem lenne oka a búslakodásra, ha a *vaibhāṣika* filozófiának megfelelően nem hinne a lélek létezésében. Senki sem kesereg egy halom kémiai anyag elvesztésén, és senki sem hagyja abba emiatt előírt kötelessége végzését. A modern tudományban és a tudományos hadviselésben sok-sok tonna vegyszer vész kárba az ellenség legyőzése érdekében. A *vaibhāṣika* filozófia szerint az úgynevezett lélek vagy *ātmā* megsemmisül a test halálával. Így tehát akár elfogadja Arjuna a védikus következtetést, miszerint létezik egy atomnyi lélek, akár nem hisz a lélek létezésében, egyik esetben sincs oka szomorúságra. A fenti elmélet szerint semmi értelme a halál felett keseregni, hiszen számtalan élőlény keletkezik az anyagból és hal meg minden pillanatban. Ha a lélek nem születik újjá, akkor Arjunának nincs miért félnie a bűnös visszahatásoktól, melyek nagyatyja és tanára meggyilkolásából származnának. Kṛṣṇa természetesen nem fogadta el a védikus bölcseletet figyelmen kívül hagyó *vaibhāṣikák* filozófiáját, ezért gúnyosan *mahā-bāhunak,* erős karúnak szólítja Arjunát, aki *kṣatriya* volt, a védikus kultúra részese, így illő lett volna betartania a védikus elveket.

27. VERS

जातस्य हि ध्रुवो मृत्युर्ध्रुवं जन्म मृतस्य च ।
तस्मादपरिहार्येऽर्थे न त्वं शोचितुमर्हसि ॥२७॥

jātasya hi dhruvo mṛtyur dhruvaṁ janma mṛtasya ca
tasmād aparihārye 'rthe na tvaṁ śocitum arhasi

jātasya – annak, aki megszületett; *hi* – bizony; *dhruvaḥ* – tény; *mṛtyuḥ* – halál; *dhruvam* – szintén tény; *janma* – születés; *mṛtasya* – a halottnak; *ca* – szintén; *tasmāt* – ezért; *aparihārye* – annak, ami elkerülhetetlen; *arthe* – erre vonatkozóan; *na* – nem; *tvam* – te; *śocitum* – keseregni; *arhasi* – érdemes.

A megszületett számára biztos a halál, s halála után újra megszületik kétségtelenül. Ezért hát nem szabad keseregned kötelességed elkerülhetetlen végrehajtása közben!

MAGYARÁZAT: Az embernek életében véghezvitt tettei alapján kell újra megszületnie, s ha tevékenységeinek egy adott sorát elvégezte, meg kell halnia, hogy aztán újra megszülessen. Így vándorol megállás nélkül a születés és halál körforgásában, s nem szabadulhat belőle. A születés és halál körforgása azonban nem jogosít fel a fölösleges gyilkolásra, mészárlásra és háborúskodásra. Az erőszak és a háború ugyanakkor elkerülhetetlen az emberi társadalomban, a törvény és a rend fenntartása érdekében.

A kurukṣetrai csata a Legfelsőbb akarata volt, s így nem lehetett elkerülni. Egy *kṣatriyának* kötelessége, hogy az igaz ügyért harcoljon. Miért kellene Arjunának félnie rokonai halálától, vagy miért kellene sajnálkoznia emiatt, ha saját kötelességének tesz eleget? Nem volt méltó hozzá, hogy megszegje a törvényt, s hogy ezzel bűnös tettek visszahatását vonja magára, amitől annyira félt. Rokonai halálát nem akadályozhatná meg kijelölt kötelessége végrehajtásának elmulasztásával, s a cselekedetek helytelen útját választva csak mélyre süllyedne.

28. VERS

अव्यक्तादीनि भूतानि व्यक्तमध्यानि भारत ।
अव्यक्तनिधनान्येव तत्र का परिदेवना ॥२८॥

avyaktādīni bhūtāni vyakta-madhyāni bhārata
avyakta-nidhanāny eva tatra kā paridevanā

avyakta-ādīni – kezdetben megnyilvánulatlan; *bhūtāni* – minden teremtett; *vyakta* – megnyilvánult; *madhyāni* – a közbeeső időben; *bhārata* – ó, Bharata leszármazottja; *avyakta* – megnyilvánulatlan; *nidhanāni* – amikor megsemmisül; *eva* – ez így van; *tatra* – ezért; *kā* – mi végre; *paridevanā* – bánat.

Kezdetben minden teremtett lény megnyilvánulatlan, középső szakaszában megnyilvánul, majd a megsemmisüléskor újra megnyilvánulatlan lesz. Mi okod hát a kesergésre?

MAGYARÁZAT: Kétféle filozófus van: az egyik hisz a lélek létezésében, a másik nem, ám egyiknek sincs miért keseregnie. Azokat, akik nem hisznek a lélekben, a védikus bölcsesség hívei ateistáknak nevezik. Sajnálkozásra azonban még akkor sincs okunk, ha pusztán a vita kedvéért elfogadjuk az ateista elméletet. A lélek különálló lététől függetlenül az anyagi elemek a teremtés előtt megnyilvánulatlan állapotban vannak, s e finomfizikai, megnyilvánulatlan állapotból nyilvánulnak meg, ahogyan az éterből megnyilvánul a levegő, a levegőből a tűz, a tűzből a víz, a vízből pedig a föld. A föld számtalan megnyilvánulás forrása. Nézzünk meg példaként egy nagy felhőkarcolót, ami szintén a földből jön létre. Miután romba dől, a megnyilvánultból ismét megnyilvánulatlan lesz, s a végső szinten atomokként létezik tovább. Az energiamegmaradás törvénye továbbra is érvényes, a különbség csupán annyi, hogy a dolgok idővel megnyilvánulnak, majd ismét megnyilvánulatlan állapotba kerülnek. Miért kellene hát siránkoznunk bármelyik állapot miatt? Semmi sem vész el, még akkor sem, ha megnyilvánulatlanná válik. Kezdetben és a végső szinten minden elem megnyilvánulatlan, s csak a középső stádiumban nyilvánul meg, ez azonban nem jelent igazi, lényeges különbséget.

Ha elfogadjuk a *Bhagavad-gītāban* megfogalmazott védikus végkövetkeztetést, miszerint az anyagi testek idővel mind megsemmisülnek (*antavanta ime dehāḥ*), ellenben a lélek örök (*nityasyoktāḥ śarīriṇaḥ*), akkor mindig emlékeznünk kell arra, hogy a test olyan, mint egy ruha. Miért keseregnénk azon, hogy másik ruhát öltünk magunkra? Az anyagi testnek nincs valóságos léte az örök lélekhez viszonyítva. Olyan ez, mint egy álom. Álmunkban repülhetünk az égen, vagy királyként egy hintóban ülhetünk, ám amikor felébredünk, láthatjuk, hogy sem az égen nem vagyunk, sem hintóban nem ülünk. A védikus bölcsesség azon az alapon, hogy az anyagi test nem létezik, az önmegvalósításra biztat. Akár hiszünk tehát a lélek létezésében, akár nem, egyik esetben sincs okunk szomorkodni a test elvesztése miatt.

29. VERS

आश्चर्यवत्पश्यति कश्चिदेन-
माश्चर्यवद्वदति तथैव चान्यः ।
आश्चर्यवच्चैनमन्यः शृणोति
श्रुत्वाप्येनं वेद न चैव कश्चित् ॥२९॥

āścarya-vat paśyati kaścid enam
āścarya-vad vadati tathaiva cānyaḥ
āścarya-vac cainam anyaḥ śṛṇoti
śrutvāpy enaṁ veda na caiva kaścit

āścarya-vat – csodálatosnak; *paśyati* – látja; *kaścit* – valaki; *enam* – ezt a lelket; *āścarya-vat* – csodálatosként; *vadati* – beszél róla; *tathā* – így; *eva* – bizony; *ca* – szintén; *anyaḥ* – a másik; *āścarya-vat* – hasonlóan csodálatosként; *ca* – szintén; *enam* – ezt a lelket; *anyaḥ* – másik; *śṛṇoti* – hall róla; *śrutvā* – hallott róla; *api* – még; *enam* – ezt a lelket; *veda* – tudja; *na* – soha; *ca* – és; *eva* – bizony; *kaścit* – valaki.

A lelket egyesek csodálatosnak látják, mások olyannak írják le, megint mások azt hallják róla, hogy csodálatos, míg mások egyáltalán nem értik még azután sem, hogy hallottak róla.

MAGYARÁZAT: A *Gītopaniṣad* többnyire az *upaniṣadok* elveire épül, ezért nem meglepő, hogy hasonló verssel találkozunk a *Kaṭha-upaniṣadban* (1.2.7) is:

śravaṇayāpi bahubhir yo na labhyaḥ
śṛṇvanto 'pi bahavo yaṁ na vidyuḥ
āścaryo vaktā kuśalo 'sya labdhā
āścaryo 'sya jñātā kuśalānuśiṣṭaḥ

Az, hogy az atomnyi lélek jelen van egy hatalmas állat testében éppúgy, mint egy gigantikus banjanfáéban és a mikrobákéban, amelyekből egy köbcentiméternyi területen több millió található, kétségkívül nagyon csodálatos. A csekély tudással rendelkező emberek és azok, akik nem végeznek lemondásokat, nem érthetik meg az egyéni, atomnyi nagyságú lélekszikra csodáit, annak ellenére sem, hogy a tudás leghitelesebb szaktekintélye magyarázza el nekik, aki még Brahmāt, az univerzum első élőlényét is tanította. A megrögzött materialista felfogásnak köszönhetően napjainkban a legtöbb ember el sem tudja képzelni, hogyan képes e parányi részecske olyan hatalmassá, s emellett olyan kicsinnyé is válni. Így aztán az emberek csodálatosnak tekintik a lelket, ha megismerik természetét vagy hallanak róla. Az anyagi energia illúziójának hatása alatt olyannyira elmerülnek érzékeik kielégítésében, hogy szinte semmi idejük nem marad az önvaló megértésére, noha tény, hogy enélkül a létért folytatott küzdelem során minden próbálkozásuk kudarcba fullad. Valószínűleg még azt sem tudják, hogy az embernek gondolnia kell a lélekre is, és így véget kell vetnie az anyagi szenvedésnek.

Azok, akik hallani akarnak a lélekről, talán eljárnak előadásokra és kellemes emberekkel tartanak kapcsolatot, de tudatlanságuk következtében gyakran tévútra vetődnek, amikor elfogadják, hogy a Felsőlélek és az atomnyi lélek egy, s nagyságuk sem különböző. Nagyon ritka az olyan ember, aki tökéletesen megérti a Felsőlélek és az atomnyi lélek helyzetét, szerepét, egymáshoz fűződő viszonyát s a többi részletet. S még ritkább az olyan, aki valóban hasznosan alkalmazza a lélekről szóló tudást, s aki képes különböző szempontok szerint leírást adni a lélek természetéről. Ha valakinek mégis sikerül megismernie a lelket, élete sikeressé válik.

Az önvaló megismerésének legkönnyebb módja az, ha elfogadjuk a legfelsőbb hiteles forrás, az Úr Kṛṣṇa tanítását a *Bhagavad-gītāban,* anélkül hogy más elméletek megtévesztenének bennünket. Ezenkívül sok előző vagy jelen életbeli vezeklés és áldozat is szükséges ahhoz, hogy Kṛṣṇát az

Istenség Legfelsőbb Személyiségeként fogadjuk el. Ez a felismerés azonban csakis egy tiszta *bhakta* indokolatlan kegyéből lehetséges, sehogyan másképp.

30. VERS

देही नित्यमवध्योऽयं देहे सर्वस्य भारत ।
तस्मात्सर्वाणि भूतानि न त्वं शोचितुमर्हसि ॥३०॥

dehī nityam avadhyo 'yaṁ dehe sarvasya bhārata
tasmāt sarvāṇi bhūtāni na tvaṁ śocitum arhasi

dehī – az anyagi test birtokosa; *nityam* – örökké; *avadhyaḥ* – elpusztíthatatlan; *ayam* – ez a lélek; *dehe* – a testben; *sarvasya* – mindenkié; *bhārata* – ó, Bharata leszármazottja; *tasmāt* – ezért; *sarvāṇi* – minden; *bhūtāni* – élőlényt (a megszületetteket); *na* – soha; *tvam* – neked; *śocitum* – siratni; *arhasi* – érdemes.

Ó, Bharata leszármazottja, egy élőlényért sem kell bánkódnod, hiszen a testben lakozót sohasem lehet elpusztítani!

MAGYARÁZAT: Az Úr ezzel fejezi be a soha meg nem változó lélekről szóló tanítását. Miközben sokféleképpen jellemzi a halhatatlan lelket, az Úr Kṛṣṇa bebizonyítja, hogy a lélek halhatatlan, míg a test ideiglenes. Arjunának éppen ezért *kṣatriya* lévén nem szabad hátat fordítania kötelességének csupán azért, mert attól fél, hogy nagyatyja és tanára – Bhīṣma és Droṇa – elesnek a csatában. Śrī Kṛṣṇára mint hiteles forrásra támaszkodva az embernek el kell hinnie, hogy a lélek létezik, s különbözik az anyagi testtől. Nem szabad azt gondolnia, hogy nincs lélek, vagy hogy az életjelenségek a kémiai anyagok kölcsönhatása következtében, az anyag fejlődésének bizonyos szintjén nyilvánulnak meg. A lélek halhatatlan, ám ez senkit nem jogosít fel az erőszakra. Egyedül háború esetén lehet erőszakhoz folyamodni, amikor valóban szükség van rá, s ezt az Úr jóváhagyása alapján, s nem az emberi szeszélyre hallgatva kell megítélni.

31. VERS

स्वधर्ममपि चावेक्ष्य न विकम्पितुमर्हसि ।
धर्म्याद्धि युद्धाच्छ्रेयोऽन्यत्क्षत्रियस्य न विद्यते ॥३१॥

sva-dharmam api cāvekṣya na vikampitum arhasi
dharmyād dhi yuddhāc chreyo 'nyat kṣatriyasya na vidyate

sva-dharmam – az emberre vonatkozó vallásos elveket; *api* – is; *ca* – valóban; *avekṣya* – figyelembe véve; *na* – sohasem; *vikampitum* – vonakodni; *arhasi* – érdemes; *dharmyāt* – a vallásos elvekért folytatott; *hi* – bizony; *yuddhāt* – harcnál; *śreyaḥ* – jobb elfoglaltság; *anyat* – bármi más; *kṣatriyasya* – egy *kṣatriyának; na* – nem; *vidyate* – létezik.

Kṣatriya kötelességedet figyelembe véve tudnod kell, hogy nincs számodra jobb elfoglaltság, mint harcolni a vallásos elvekért. Semmi szükség hát a tétovázásra.

MAGYARÁZAT: A társadalom négy rendje közül a második tagjai a *kṣatriyák,* akik a megfelelő irányításért felelősek. A *kṣat* szó jelentése: „bánt". Azt tehát, aki megvéd a bajtól, *kṣatriyának* nevezik (*trāyate* – védelmet nyújtani). A *kṣatriyák* az erdőben gyakorolják az ölést. Hajdanán egy szál karddal a kezükben szembeszálltak a tigrissel, megküzdöttek vele, s a legyőzött állatot aztán nagy pompával elhamvasztották. Dzsaipur állam *kṣatriya* királyai mind a mai napig követik e hagyományt. A *kṣatriyákat* főleg párbajra és ölésre tanítják, mert a vallásos erőszakra néha szükség van. Nekik éppen ezért sohasem szabad a *sannyāsa,* vagyis a lemondás rendjébe lépniük. Az erőszakmentesség lehet jó politikai fogás, de sohasem lehet alapvető tényező vagy elv. A vallásos törvénykönyvekben ez áll:

āhaveṣu mitho 'nyonyaṁ jighāṁsanto mahī-kṣitaḥ
yuddhamānāḥ paraṁ śaktyā svargaṁ yānty aparāṅ-mukhāḥ

yajñeṣu paśavo brahman hanyante satataṁ dvijaiḥ
saṁskṛtāḥ kila mantraiś ca te 'pi svargam avāpnuvan

„Az a király vagy *kṣatriya,* aki a csatatéren a rá irigykedő király ellen harcol, méltó arra, hogy halála után a mennyei bolygókra kerüljön, ahogyan az áldozati tűzben állatot feláldozó *brāhmaṇa* is oda jut." Ezért a csatában, a vallásos elvek érdekében történt ölés, valamint az állatok feláldozása az áldozati tűzben semmiképpen nem tekinthető erőszakos cselekedetnek, mert a vallásos elvek, amelyek érdekében végrehajtják őket, mindenkire áldást hoznak. A feláldozott állat azonnal emberi testet kap, anélkül hogy keresztül kellene mennie a fokozatos fejlődési folyamaton, egyik testből a másikba kerülve, s az áldozatot végrehajtó *brāhmaṇákhoz* hasonlóan a csatatéren elesett *kṣatriyák* is a felsőbb bolygókra jutnak.

Kétféle *sva-dharma,* azaz egyéni kötelesség van. Amíg az ember el nem jut a felszabadulás szintjére, ennek elérése érdekében a teste alapján meghatározott kötelességeknek kell eleget tennie, a vallásos elvekkel összhangban. Felszabadulása után *sva-dharmája,* sajátos kötelessége lelkivé válik, s nem az anyagi testhez kapcsolódik. A testet figyelembe vevő életfelfogásban a *brāhmaṇákra* és a *kṣatriyákra* sajátos kötelességek hárulnak, melyeket nem kerülhetnek ki. Ahogyan a negyedik fejezetből majd kiderül, a *sva-dharmát* az Úr Kṛṣṇa rendelte el. Testi síkon e *sva-dharmát varṇāśrama-dharmának* nevezik, s ez az egyik lépcsőfok a lelki felemelkedés felé vezető úton. Az emberi civilizáció a *varṇāśrama-dharma* szintjén kezdődik, azon a szinten, amikor az ember sajátos kötelességét az határozza meg, milyen természeti kötőerők hatnak a testére, melyet kapott. Ha adott kötelességét minden területen a felsőbb tekintélyek utasításainak megfelelően hajtja végre, egy magasabb szintű létbe emelkedhet.

32. VERS

यदृच्छया चोपपन्नं स्वर्गद्वारमपावृतम् ।
सुखिनः क्षत्रियाः पार्थ लभन्ते युद्धमीदृशम् ॥३२॥

yadṛcchayā copapannaṁ svarga-dvāram apāvṛtam
sukhinaḥ kṣatriyāḥ pārtha labhante yuddham īdṛśam

yadṛcchayā – magától; *ca* – is; *upapannam* – érkezett; *svarga* – a mennyei bolygóknak; *dvāram* – kapuját; *apāvṛtam* – szélesre táró; *sukhinaḥ* – nagyon boldogok; *kṣatriyāḥ* – a királyi rend tagjai; *pārtha* – ó, Pṛthā fia; *labhante* – elérik; *yuddham* – háborút; *īdṛśam* – mint amilyen ez.

Ó, Pārtha! Boldogok a kṣatriyák, akiknek ilyen váratlan lehetőségeik kínálkoznak a harcra, megnyitván számukra a mennyei bolygók kapuját.

MAGYARÁZAT: Az Úr Kṛṣṇa, a világ legfelsőbb tanítója elítéli Arjuna magatartását, aki azt mondta: „Nem látok semmi jót a harcban. Csupán örökké tartó pokoli léthez vezet majd." Arjuna szavai egyedül tudatlanságának tudhatók be. Nem akart erőszakot alkalmazni a reá kiszabott kötelesség végrehajtása során, ám egy *kṣatriya* részéről meglehetősen ostoba filozófia a csatatéren az erőszakmentességet választani. A *Parāśara-smṛtiben,* a vallásos szabályok könyvében – melyet a nagy bölcs, Parāśara, Vyāsadeva apja írt – ez áll:

kṣatriyo hi prajā rakṣan śastra-pāṇiḥ pradaṇḍayan
nirjitya para-sainyādi kṣitiṁ dharmeṇa pālayet

„A *kṣatriya* kötelessége, hogy megvédelmezze a népet minden bajtól, s ezért adott esetben erőszakhoz kell folyamodnia a törvény és a rend fenntartása érdekében. Le kell tehát győznie az ellenséges királyok katonáit, s a vallásos elvek szerint kell kormányoznia a világot."

Arjunának semmilyen szempontból nem volt oka rá, hogy megtagadja a harcot. Ha legyőzi ellenségeit, királyi örömök várják, ha pedig elesik a csatában, a felsőbb bolygókra emelkedik, melynek kapui tárva-nyitva állnak előtte. A harc tehát mindkét esetben a javára válna.

33. VERS

अथ चेत्त्वमिमं धर्म्यं सङ्ग्रामं न करिष्यसि ।
ततः स्वधर्मं कीर्तिं च हित्वा पापमवाप्स्यसि ॥३३॥

atha cet tvam imaṁ dharmyaṁ saṅgrāmaṁ na kariṣyasi
tataḥ sva-dharmaṁ kīrtiṁ ca hitvā pāpam avāpsyasi

atha – ezért; *cet* – ha; *tvam* – te; *imam* – ezt; *dharmyam* – mint vallásos kötelességet; *saṅgrāmam* – a harcot; *na* – nem; *kariṣyasi* – végrehajtod; *tataḥ* – akkor; *sva-dharmam* – vallásos kötelességedet; *kīrtim* – hírnevedet; *ca* – is; *hitvā* – elveszítve; *pāpam* – bűnös visszahatást; *avāpsyasi* – fogsz kapni.

Ha azonban nem hajtod végre vallásos kötelességedet s nem harcolsz, akkor feladatod elhanyagolásával bizonyosan bűnt követsz el, s így búcsút mondhatsz harcosi hírnevednek.

MAGYARÁZAT: Arjuna híres harcos volt, s hírnevére azzal tett szert, hogy számtalan hatalmas félistennel megküzdött, még az Úr Śivával is. Az Úr Śivának, aki vadásznak öltözve jelent meg előtte, nagy örömet szerzett Arjuna harca és győzelme, s jutalmul megajándékozta a *pāśupata-astra* nevű fegyverrel. Mindenki tudta, hogy Arjuna kiváló harcos. Még mestere, Droṇācārya is megáldotta, s egy különleges fegyvert ajándékozott neki, amivel még őt is megölhette. Számos fölötte álló, elismert szaktekintély – beleértve fogadott apját, Indrát, a mennyei bolygók királyát – részesítette katonai kitüntetésben. Ha azonban feladta volna a csatát, akkor nemcsak előírt *kṣatriya* kötelességének nem tett volna eleget, hanem hírét és dicsőségét is elveszítette volna, s ezzel csupán azt az utat nyitotta volna meg maga előtt, ami egyenesen a pokolba vezet. Más szóval nem a harc, hanem a meghátrálás juttatta volna a pokolba.

34. VERS

अकीर्तिं चापि भूतानि कथयिष्यन्ति तेऽव्ययाम् ।
सम्भावितस्य चाकीर्तिर्मरणादतिरिच्यते ॥३४॥

akīrtiṁ cāpi bhūtāni kathayiṣyanti te 'vyayām
sambhāvitasya cākīrtir maraṇād atiricyate

akīrtim – szégyent; *ca* – is; *api* – ezenkívül; *bhūtāni* – mindenki; *kathayiṣyanti* – beszélni fognak; *te* – rólad; *avyayām* – örökre; *sambhāvitasya* – egy tiszteletre méltó ember számára; *ca* – is; *akīrtiḥ* – a rossz hír; *maraṇāt* – a halálnál; *atiricyate* – több lesz.

Az emberek szégyenedről beszélnek majd, s egy tiszteletre méltó ember számára a szégyen még a halálnál is rosszabb.

MAGYARÁZAT: Az Úr Kṛṣṇa filozófusként és barátként most kimondja végső ítéletét a harcot megtagadó Arjuna felett: „Arjuna! Ha elhagyod a csatateret még azelőtt, hogy a csata elkezdődne, az emberek gyávának fognak bélyegezni. Ha pedig úgy döntesz, hogy nem törődsz az emberek gúnyolódásával, s elmenekülsz a csatatérről, hogy mentsd az életed, akkor véleményem szerint jobb, ha meghalsz a csatában. Egy tiszteletre méltó ember számára, mint amilyen te vagy, a szégyen rosszabb a halálnál. Nem szabad hát elmenekülnöd csupán azért, mert félted az életed! Jobb, ha a csatában esel el, mert az megment a szégyentől, amit a barátságommal való visszaélés jelent, s társadalmi tekintélyedet sem veszíted el."

Az Úr végső szava tehát az, hogy Arjuna inkább haljon meg az ütközetben, mintsem hogy meghátráljon.

35. VERS

भयाद्रणादुपरतं मंस्यन्ते त्वां महारथाः ।
येषां च त्वं बहुमतो भूत्वा यास्यसि लाघवम् ॥३५॥

bhayād raṇād uparataṁ maṁsyante tvāṁ mahā-rathāḥ
yeṣāṁ ca tvaṁ bahu-mato bhūtvā yāsyasi lāghavam

bhayāt – félelemből; *raṇāt* – a csatától; *uparatam* – elállónak; *maṁsyante* – gondolnak majd; *tvām* – téged; *mahā-rathāḥ* – a nagy tábornokok; *yeṣām* – akiknek; *ca* – is; *tvam* – te; *bahu-mataḥ* – nagy becsben; *bhūtvā* – lévő; *yāsyasi* – menni fogsz; *lāghavam* – jelentéktelenségbe.

A hatalmas hadvezérek, akik oly nagyra tartották neved és dicsőséged, azt fogják hinni, hogy puszta félelemből hagytad el a csatateret, s így jelentéktelen személyiségnek tekintenek majd.

MAGYARÁZAT: Az Úr Kṛṣṇa így folytatja szavait, miközben Arjunának kifejti véleményét: „Ne hidd, hogy a nagy hadvezérek, Duryodhana, Karṇa és a többiek arra gondolnak majd, hogy a fivéreid és nagyatyád iránti részvét miatt hagyod el a csatamezőt. Azt fogják hinni, azért menekülsz, mert félted az életed, s irántad érzett nagyrabecsülésük szertefoszlik."

36. VERS

अवाच्यवादांश्च बहून् वदिष्यन्ति तवाहिताः ।
निन्दन्तस्तव सामर्थ्यं ततो दुःखतरं नु किम् ॥३६॥

avācya-vādāṁś ca bahūn vadiṣyanti tavāhitāḥ
nindantas tava sāmarthyaṁ tato duḥkhataraṁ nu kim

avācya – barátságtalan; *vādān* – hazug szavakat; *ca* – is; *bahūn* – sokat; *vadiṣyanti* – mondani fognak; *tava* – a te; *ahitāḥ* – ellenségeid; *nindantaḥ* – miközben becsmérlik; *tava* – a te; *sāmarthyam* – képességedet; *tataḥ* – annál; *duḥkha-taram* – fájdalmasabb; *nu* – természetesen; *kim* – mi lehet.

Ellenségeid bántó szavakkal fognak illetni, s gúnyt űznek majd tehetségedből. Mi lehetne számodra ennél fájdalmasabb?

MAGYARÁZAT: Az Úr Kṛṣṇát először meglepte, hogy Arjuna váratlanul a könyörületesség ürügyével hozakodik elő, s elmondta neki, hogy együttérzése nem méltó az *āryákhoz*. Most szavaival alátámasztja korábbi kijelentéseit, melyek Arjuna úgynevezett „könyörületességét" bírálták.

37. VERS

हतो वा प्राप्स्यसि स्वर्गं जित्वा वा भोक्ष्यसे महीम् ।
तस्मादुत्तिष्ठ कौन्तेय युद्धाय कृतनिश्चयः ॥३७॥

hato vā prāpsyasi svargaṁ jitvā vā bhokṣyase mahīm
tasmād uttiṣṭha kaunteya yuddhāya kṛta-niścayaḥ

hataḥ – megölve; *vā* – vagy; *prāpsyasi* – nyersz; *svargam* – mennyei birodalmat; *jitvā* – a győzelemmel; *vā* – vagy; *bhokṣyase* – élvezed; *mahīm* – a világot; *tasmāt* – ezért; *uttiṣṭha* – kelj fel; *kaunteya* – ó, Kuntī fia; *yuddhāya* – harcra; *kṛta* – elszánt; *niścayaḥ* – bizonyosságban.

Ó, Kuntī fia! Vagy megölnek a csatamezőn, s a mennyei bolygókra kerülsz, vagy pedig győzelmet aratsz, s a földi királyságot élvezed. Légy hát elszánt, s harcra fel!

MAGYARÁZAT: Még ha nem is volt biztos számára a győzelem, Arjunának harcolnia kellett, hiszen még ha megölik, akkor is a mennyei bolygókra kerül.

38. VERS

सुखदुःखे समे कृत्वा लाभालाभौ जयाजयौ ।
ततो युद्धाय युज्यस्व नैवं पापमवाप्स्यसि ॥३८॥

sukha-duḥkhe same kṛtvā lābhālābhau jayājayau
tato yuddhāya yujyasva naivaṁ pāpam avāpsyasi

sukha – boldogságot; *duḥkhe* – és nyomorúságot; *same* – egyformának; *kṛtvā* – tartva; *lābha-alābhau* – nyereséget és veszteséget; *jaya-ajayau* – győzelmet és vereséget; *tataḥ* – ezután; *yuddhāya* – a harc kedvéért; *yujyasva* – harcolj; *na* – sohasem; *evam* – ily módon; *pāpam* – bűnös visszahatást; *avāpsyasi* – szerezni fogsz.

Harcolj a harc kedvéért, s ne gondolj boldogságra vagy szomorúságra, nyereségre vagy veszteségre, győzelemre vagy vereségre! Így cselekedvén sohasem fogsz bűnt elkövetni.

MAGYARÁZAT: Az Úr Kṛṣṇa most egyenesen megmondja Arjunának, hogy a harc kedvéért kell harcolnia, mert Ő akarja a csatát. A Kṛṣṇa-tudatban cselekvő nem törődik boldogsággal vagy boldogtalansággal, nyereséggel vagy veszteséggel, győzelemmel vagy vereséggel. Az a tudat, amikor mindent Kṛṣṇa érdekében teszünk, transzcendentális, s így az anyagi tettek nem járnak semmilyen visszahatással. Aki saját érzékei kielégítéséért cselekszik – akár a jóság, akár a szenvedély kötőerejében –, az jó vagy rossz visszahatásoknak teszi ki magát. Ám aki teljesen átadta magát a Kṛṣṇa-tudatú tetteknek, az a közönséges tetteket végrehajtó emberrel szemben már nem tartozik kötelességgel senki felé, s nem is adósa senkinek. Az írásokban (*Śrīmad-Bhāgavatam* 11.5.41) ez áll:

devarṣi-bhūtāpta-nṛṇāṁ pitṝṇāṁ
na kiṅkaro nāyam ṛṇī ca rājan
sarvātmanā yaḥ śaraṇaṁ śaraṇyaṁ
gato mukundaṁ parihṛtya kartam

„Aki teljesen meghódolt Kṛṣṇának, azaz Mukundának, s aki minden más kötelességgel felhagyott, az nem tartozik senkinek, és kötelességei sincsenek sem a félistenekkel, sem a bölcsekkel, sem a közönséges emberekkel, sem a hozzátartozóival, sem az emberiséggel, sem az ősatyákkal szemben." Erre céloz Kṛṣṇa burkoltan Arjunának ebben a versben, s a következő versek még világosabban kifejtik ezt.

39. VERS

एषा तेऽभिहिता साङ्ख्ये बुद्धिर्योगे त्विमां शृणु ।
बुद्ध्या युक्तो यया पार्थ कर्मबन्धं प्रहास्यसि ॥३९॥

eṣā te 'bhihitā sāṅkhye buddhir yoge tv imāṁ śṛṇu
buddhyā yukto yayā pārtha karma-bandhaṁ prahāsyasi

eṣā – mindez; *te* – neked; *abhihitā* – leírva; *sāṅkhye* – elemző tanulmányozás során; *buddhiḥ* – értelem; *yoge* – a tettek gyümölcsére nem vágyó cselekvésként; *tu* – de; *imām* – ezt; *śṛṇu* – halld hát; *buddhyā* – értelem által; *yuktaḥ* – összekapcsolt; *yayā* – amivel; *pārtha* – ó, Pṛthā fia; *karma-bandham* – a visszahatás kötelékét; *prahāsyasi* – elhagyod.

Eddig az elemző tanulmányozás segítségével írtam le neked e tudást. Halld most, ahogy a tettek gyümölcseire nem vágyó cselekvés alapján magyarázom el! Ó, Pṛthā fia! Ha ilyen tudás birtokában cselekszel, megszabadulhatsz a munka bilincseitől.

MAGYARÁZAT: A *Nirukti,* a védikus értelmező szótár szerint a saṅkhyā szó a dolgok részletes leírását jelenti, a *sāṅkhya* pedig arra a filozófiára utal, amely a lélek igazi természetét írja le. A *yoga* az érzékek szabályozását foglalja magában. Arjuna ötlete, hogy nem fog harcolni, az érzékkielégítésen alapult. Megfeledkezett alapvető kötelességéről, s le akart mondani a harcról, mert azt hitte, hogy boldogabb lehet, ha nem pusztítja el rokonait, mint ha unokatestvéreit, Dhṛtarāṣṭra fiait legyőzve élvezi a királyságot. Az alapelv azonban mindkét esetben csupán az érzékkielégítés volt. Akár a legyőzésük jelent számára boldogságot, akár az, hogy életben látja őket, mindkettő saját érzékkielégítésén alapszik, aminek érdekében még a bölcsességet és a kötelességet is hajlandó volt feláldozni. Kṛṣṇa éppen ezért meg akarta magyarázni Arjunának, hogy nagyatyja testének elpusztításával magát a lelket nem ölné meg.

Elmondta, hogy minden egyéni személy – magát az Urat is beleértve – örökké egyéniség marad. Azok voltak a múltban, azok a jelenben, s azok maradnak a jövőben is, mert mindannyian örökké egyéni lelkek vagyunk. Csupán testi öltözékünket cseréljük számtalan módon, valójában azonban egyéniségünket még az után is megőrizzük, hogy megszabadultunk az anyagi öltözék kötelékeitől. Az Úr Kṛṣṇa nagyon szemléletesen magyarázta el a lélek és a test analitikus tudományát. A *Nirukti* szótárnak megfelelően a vers *sāṅkhyának* nevezi ezt a leíró tudományt, amely különböző nézőpontokból vizsgálja a lelket és a testet. Ez a *sāṅkhya* semmilyen kapcsolatban nem áll az ateista Kapila *sāṅkhya* filozófiájával. Jóval a csaló Kapila előtt a valódi Kapila, az Úr Kṛṣṇa inkarnációja már részletesen kifejtette a *sāṅkhya* filozófiát a *Śrīmad-Bhāgavatamban,* amikor anyjának, Devahūtinak tanította azt. Érthetően elmagyarázta, hogy a *puruṣa,* vagyis a Legfelsőbb Úr az aktív princípium, s hogy azáltal teremt, hogy rápillant a *prakṛtire.* Ezt mind a Védák, mind a *Gītā* elfogadja. A Védák leírása szerint az Úr rápillantott a *prakṛtire,* vagyis a természetre, és megtermékenyítette azt az atomnyi egyéni lelkekkel. Ezek az egyének valamennyien az érzékeik kielégítése érdekében cselekszenek az anyagi világban, és az anyagi energia hatása alatt azt gondolják, hogy ők az élvezők. E mentalitás mellett egészen a felszabadulás végső pontjáig kitartanak, amikor is eggyé akarnak válni az Úrral. Ez a *māyānak,* az érzékkielégítés illúziójának utolsó csapdája. Sok-sok ilyen érzékkielégítő tevékenységben eltöltött élet után a kiváló lélek meghódol Vāsudevának, az Úr Kṛṣṇának, s így eléri a végső igazság utáni kutatás célját.

Arjuna már elfogadta Kṛṣṇát lelki tanítómesterének, amikor meghódolt Előtte: *śiṣyas te 'haṁ śādhi māṁ tvāṁ prapannam.* Kṛṣṇa ezért most beszélni fog neki a *buddhi-yoga,* vagyis a *karma-yoga* tetteiről, más szóval az odaadó szolgálat végzéséről, amely egyedül az Úr érzékeinek kielégítését tekinti céljának. A tizedik fejezet tizedik verse érthetően elmagyarázza, hogy a *buddhi-yoga* nem más, mint közvetlen kapcsolat az Úrral, aki Paramātmáként mindenki szívében jelen van. Ezt a kapcsolatot azonban lehetetlen megteremteni az odaadó szolgálat nélkül. Aki tehát az Úr transzcendentális, szeretetteljes odaadó szolgálatának él – vagyis Kṛṣṇa-tudatú –, az az Úr különleges kegyéből eljut a *buddhi-yoga* szintjére. Ezért mondja az Úr, hogy csak azokat jutalmazza meg a szeretetteljes odaadás tiszta tudományával, akik transzcendentális szeretettel mindig odaadóan szolgálják Őt. A *bhakta* ily módon könnyen elérheti Őt örök, gyönyörteli birodalmában.

A versben említett *buddhi-yoga* ily módon az Úr odaadó szolgálatát jelenti, és a *sāṅkhya* szónak, melyet szintén e versben találunk, semmi köze nincs a csaló Kapila által hirdetett ateista *sāṅkhya-yogához.* Nem szabad hát félreértenünk, és azt gondolnunk, hogy az itt említett *sāṅkhya-*

yogának kapcsolata van az ateista *sāṅkhyával.* Annak a filozófiának akkor még semmilyen hatása nem volt; s az Úr Kṛṣṇa nem is beszélne egy ilyen istentagadó filozófiai spekulációról. A valódi *sāṅkhya* filozófiát az Úr Kapila írja le a *Śrīmad-Bhāgavatamban,* de még annak a *sāṅkhyának* sincs köze a jelenlegi témához. Itt a *sāṅkhya* a test és a lélek elemző leírását jelenti. Az Úr Kṛṣṇa analitikus leírást adott a lélekről, hogy Arjunát eljuttassa a *buddhi-yoga,* vagyis a *bhakti-yoga* szintjére. Az Úr Kṛṣṇa *sāṅkhyája,* valamint az Úr Kapila *sāṅkhyája,* melyet a *Bhāgavatam* ír le, egy és ugyanaz tehát. Mindkettő *bhakti-yoga.* Az Úr Kṛṣṇa ezért kijelentette, hogy csak a csekély értelemmel megáldott emberek tesznek különbséget a *sāṅkhya-yoga* és a *bhakti-yoga* között (*sāṅkhya-yogau pṛthag bālāḥ pravadanti na paṇḍitāḥ*).

Az ateista *sāṅkhya-yogának* természetesen nincs köze a *bhakti-yogához,* az intelligenciával nem rendelkező emberek mégis azt mondják, hogy a *Bhagavad-gītā* az ateista *sāṅkhya-yogára* utal.

Meg kell értenünk, hogy a *buddhi-yoga* azt jelenti, hogy az ember Kṛṣṇa-tudatban, az odaadó szolgálat teljes boldogságában és tudásában cselekszik. Aki csupán azért dolgozik, hogy elégedetté tegye az Urat, s ennek érdekében mindent megtesz, legyen az bármilyen nehéz, az a *buddhi-yoga* elvei szerint cselekszik, s mindig transzcendentális boldogságot érez. Az ilyen transzcendentális tevékenység következtében az Úr kegyéből az ember tökéletes transzcendentális tudásra tesz szert, s így felszabadulása teljessé válik, anélkül hogy külön erőfeszítést tenne a tudás elsajátítása érdekében. A Kṛṣṇa-tudatú tettek és a gyümölcsökért végzett munka között nagy különbség van, különösen ha az utóbbival az embernek az érzékkielégítés a célja, hogy családi vagy anyagi boldogsághoz jusson. A *buddhi-yoga* tehát az elvégzett munka transzcendentális természetére utal.

40. VERS

नेहाभिक्रमनाशोऽस्ति प्रत्यवायो न विद्यते ।
स्वल्पमप्यस्य धर्मस्य त्रायते महतो भयात् ॥४०॥

nehābhikrama-nāśo 'sti pratyavāyo na vidyate
sv-alpam apy asya dharmasya trāyate mahato bhayāt

na – nincs; *iha* – ebben a *yogában; abhikrama* – törekvésben; *nāśaḥ* – veszteség; *asti* – van; *pratyavāyaḥ* – csökkenés; *na* – sohasem; *vidyate* – létezik; *su-alpam* – egy kicsi; *api* – is; *asya* – ebből; *dharmasya* – az elfoglaltságból; *trāyate* – megszabadít; *mahataḥ* – nagyon nagy; *bhayāt* – veszélytől.

Ebben a törekvésben nincsen veszteség vagy hanyatlás, s ezen az úton már egy kis fejlődés is megvédi az embert a félelem legveszélyesebb fajtájától.

MAGYARÁZAT: A Kṛṣṇa-tudatú – vagyis az érzékkielégítés vágya nélkül, Kṛṣṇa kedvéért végzett – tevékenység a cselekvés legfelsőbb transzcendentális szintje. Már a legkisebb erőfeszítés is eredményes lehet, s a csekélyke eredmény sem vész el soha. Az anyagi síkon minden elkezdett tevékenységet be kell fejezni, másképp minden igyekezet hiábavaló. A Kṛṣṇa-tudatban végzett munka azonban maradandó eredménnyel jár még akkor is, ha az ember nem fejezi be. Aki tehát ilyen tetteket végez, azt nem éri veszteség még akkor sem, ha munkáját nem tudja befejezni. Ha egy százalékát végzi el Kṛṣṇa-tudatban, annak eredménye örök, így a következő alkalommal már két százalékról indul. Ezzel ellentétben az anyagi cselekedet semmi haszonnal nem jár, ha nem száz százalékos sikerrel hajtja végre az ember. Ajāmila csupán néhány százalékos Kṛṣṇa-tudatban tett eleget kötelességének, ám az Úr kegyéből végül száz százalékos eredményt élvezhetett. Szép verset találunk erre vonatkozóan a *Śrīmad-Bhāgavatamban* (1.5.17):

tyaktvā sva-dharmaṁ caraṇāmbujaṁ harer
bhajann apakvo 'tha patet tato yadi
yatra kva vābhadram abhūd amuṣya kiṁ
ko vārtha āpto 'bhajatāṁ sva-dharmataḥ

„Mit veszít az az ember, aki hivatásbeli kötelességeivel felhagyva Kṛṣṇa-tudatban cselekszik, de nem sikerül befejeznie munkáját, s visszaesik? S mit nyer az, aki anyagi cselekedeteit tökéletesen hajtja végre?" Vagy ahogyan a keresztények mondják: „Mert mit használ az embernek, ha az egész világot elnyeri, örök lelkében azonban kárt vall?"

Az anyagi cselekedeteknek és azok eredményeinek a testtel együtt vége szakad, a Kṛṣṇa-tudatban végzett tettek azonban még a test elvesztése után is újra a Kṛṣṇa-tudathoz vezetik az embert. Minden esélye megvan rá, hogy következő életében ismét emberként szülessen meg nagyon művelt *brāhmaṇák* vagy pedig gazdag, előkelő emberek családjában. Ily módon kap további lehetőségeket a fejlődésre. Ebben áll a Kṛṣṇa-tudatban végzett tettek egyedülálló volta.

41. VERS

व्यवसायात्मिका बुद्धिरेकेह कुरुनन्दन ।
बहुशाखा ह्यनन्ताश्च बुद्धयोऽव्यवसायिनाम् ॥४१॥

vyavasāyātmikā buddhir ekeha kuru-nandana
bahu-śākhā hy anantāś ca buddhayo 'vyavasāyinām

vyavasāya-ātmikā – a Kṛṣṇa-tudatban eltökélt; *buddhiḥ* – értelem; *ekā* – egyetlen; *iha* – ebben a világban; *kuru-nandana* – ó, Kuruk szeretett gyermeke; *bahu-śākhāḥ* – szerteágazó; *hi* – valóban; *anantāḥ* – határtalan; *ca* – is; *buddhayaḥ* – értelme; *avyavasāyinām* – azoknak, akik nem Kṛṣṇa-tudatúak.

Akik ezt az utat járják, szilárdak elhatározásukban, és csak egyetlen céljuk van. Ó, Kuruk szeretett gyermeke, a határozatlanok szétszórt értelműek.

MAGYARÁZAT: A megingathatatlan hitet abban, hogy a Kṛṣṇa-tudat által az ember elérheti az élet legtökéletesebb szintjét, *vyavasāyātmikā* értelemnek nevezik. A *Caitanya-caritāmṛta* (*Madhya-līlā* 22.62) így ír:

'śraddhā'-śabde — viśvāsa kahe sudṛḍha niścaya
kṛṣṇe bhakti kaile sarva-karma kṛta haya

A hit valamilyen magasztos dologba vetett rendíthetetlen bizalmat jelent. Amikor valaki a Kṛṣṇa-tudat kötelességeit végzi, többé nem kell tekintettel lennie az anyagi világ kapcsolataira – megszűnnek kötelezettségei a családi hagyományokkal, az emberiséggel vagy a nemzettel szemben. Gyümölcsöző tettek alatt azt az elfoglaltságot értjük, amelyre az embert korábbi jó és rossz cselekedeteinek visszahatásai késztetik. A Kṛṣṇa-tudat éber állapotában az embernek már nem szükséges cselekedetei során a jó eredményre törekednie. Minden tette abszolút síkon van, mivel nem hatnak rá többé az olyan kettősségek, mint a jó és a rossz. A Kṛṣṇa-tudat legtökéletesebb foka az anyagi életfelfogásról való lemondás. Ezt a szintet a Kṛṣṇa-tudat fejlődésével automatikusan el lehet érni.

A Kṛṣṇa-tudatú ember eltökéltsége a tudáson alapszik. *Vāsudevaḥ sarvam iti sa mahātmā su-durlabhaḥ:* olyan ritka és jó lélek ő, aki tökéletesen megérti, hogy Vāsudeva, azaz Kṛṣṇa a gyökere minden megnyilvánult oknak. Ahogyan a fa gyökerét öntözve a víz eljut az ágakig és a levelekig is, úgy a Kṛṣṇa-tudatos tettekkel a legnagyobb szolgálatot nyújthatjuk mindenkinek – saját magunknak, a családnak, a társadalomnak, a hazának, az emberiségnek és így tovább. Ha tetteink elégedettséget okoznak Kṛṣṇának, akkor mindenki más is elégedett lesz.

A Kṛṣṇa-tudatú szolgálatot azonban legjobban egy lelki tanítómester hozzáértő vezetésével végezhetjük, aki Kṛṣṇa hiteles képviselője, ismeri tanítványa természetét, s képes útmutatást adni neki, hogyan cselekedjen Kṛṣṇa-tudatosan. Ahhoz, hogy valaki szert tegyen a Kṛṣṇa-tudat tudományára, eltökélten kell cselekednie. Engedelmeskednie kell Kṛṣṇa képviselőjének, a hiteles lelki tanítómesternek, s utasítását élete küldetésévé kell tennie. Śrīla Viśvanātha Cakravartī Ṭhākura a következőképpen tanít bennünket a lelki tanítómesterhez írt híres imáiban:

yasya prasādād bhagavat-prasādo
yasyāprasādān na gatiḥ kuto 'pi
dhyāyan stuvaṁs tasya yaśas tri-sandhyaṁ
vande guroḥ śrī-caraṇāravindam

„Ha a lelki tanítómester elégedett, az elégedettséget okoz az Istenség Legfelsőbb Személyiségének is, ám ha nem tesszük elégedetté a lelki tanítómestert, semmi esélyünk nem lesz arra, hogy eljussunk a Kṛṣṇa-tudat síkjára. Hadd meditáljak ezért naponta háromszor lelki tanítómesteremen, hadd fohászkodjam kegyéért, s hadd ajánljam tiszteletteljes hódolatomat neki!"

A folyamat sikere azonban teljes egészében attól függ, hogy tökéletes tudással rendelkezik-e az ember a testen túl létező lélekről, nemcsak elméletben, de gyakorlatban is, ami azt jelenti, hogy nem törekszik a gyümölcsöző cselekedetekben megnyilvánuló érzékkielégítésre. Azt, akinek elméje nem szilárd, elcsábítják a különféle gyümölcsöző cselekedetek.

42–43. VERS

यामिमां पुष्पितां वाचं प्रवदन्त्यविपश्चितः ।
वेदवादरताः पार्थ नान्यदस्तीति वादिनः ॥४२॥
कामात्मानः स्वर्गपरा जन्मकर्मफलप्रदाम् ।
क्रियाविशेषबहुलां भोगैश्वर्यगतिं प्रति ॥४३॥

yām imāṁ puṣpitāṁ vācaṁ pravadanty avipaścitaḥ
veda-vāda-ratāḥ pārtha nānyad astīti vādinaḥ

kāmātmānaḥ svarga-parā janma-karma-phala-pradām
kriyā-viśeṣa-bahulāṁ bhogaiśvarya-gatiṁ prati

yām imām – mindezeket; *puṣpitām* – a virágos; *vācam* – szavakat; *pravadanti* – mondják; *avipaścitaḥ* – a csekély tudásúak; *veda-vāda-ratāḥ* – a Védák állítólagos követői; *pārtha* – ó, Pṛthā fia; *na* – nem; *anyat* – más; *asti* – van; *iti* – így; *vādinaḥ* – a szószólók; *kāma-ātmānaḥ* – érzékkielégítésre vágyók; *svarga-parāḥ* – mennyei bolygók elérésére törekvők;

janma-karma-phala-pradām – jó születést és más gyümölcsöző visszahatásokat eredményezőket; *kriyā-viśeṣa* – pompás szertartásokat; *bahulām* – különféle; *bhoga* – érzékkielégítésben; *aiśvarya* – és gazdagságban; *gatim* – fejlődés; *prati* – felé.

A csekély tudással rendelkezők nagyon vonzódnak a Védák virágos szavaihoz, melyek különféle gyümölcsöző cselekedeteket ajánlanak annak érdekében, hogy az ember eljusson a mennyei bolygókra, hogy előnyös helyzetben szülessen meg, hogy hatalomra tegyen szert és így tovább. Érzékkielégítésre és gazdag életre vágynak, ezért azt mondják, hogy nincs más ezen kívül.

MAGYARÁZAT: Az emberek legnagyobb része nem túlságosan intelligens, és tudatlansága következtében rendkívül ragaszkodik azokhoz a gyümölcsöző cselekedetekhez, melyeket a Védák *karma-kāṇḍa* része ajánl. Csak az érdekli őket, hogyan élvezhet az ember egy érzékkielégítéssel teli életet a felsőbb bolygókon, ahol bor, nők és anyagi gazdagság állnak a rendelkezésére. A Védák sok áldozatot ajánlanak, melyeknek eredményeképpen az ember a felsőbb bolygókra kerülhet, különösen a *jyotiṣṭoma* áldozatokat. A szentírásokban valóban az áll, hogy a mennyei bolygók eléréséhez elengedhetetlen ezeknek az áldozatoknak a bemutatása, s ezért a csekély tudással rendelkező emberek azt hiszik, hogy ez a védikus bölcsesség egyedüli célja. Az ilyen tapasztalatlan embereknek nagyon nehéz határozottan cselekedniük a Kṛṣṇa-tudatban. Ahogyan az ostobák vonzódnak egy mérgező fa virágaihoz, s nem tudják, mi lesz a következménye, úgy a felvilágosulatlan emberek is vágyódnak a mennyei gazdagságra és a vele járó érzéki élvezetre.

A Védák *karma-kāṇḍa* részében olvashatjuk: *apāma somam amṛtā abhūma; akṣayyaṁ ha vai cāturmāsya-yājinaḥ sukṛtaṁ bhavati.* Ez azt jelenti, hogy akik végrehajtják a négy hónapig tartó vezeklést, azok lehetőséget kapnak a *soma-rasa* ital fogyasztására, s így halhatatlanok és örökké boldogok lehetnek. Még a Földön is vannak olyanok, akik nagyon szeretnének szert tenni a *soma-rasára,* aminek hatására erősek lesznek, s alkalmassá válnak az érzéki élvezetre. Az ilyen emberek nem hisznek abban, hogy meg lehet szabadulni az anyagi kötelékektől, s nagyon ragaszkodnak a védikus áldozatok pompás szertartásaihoz. Leginkább a kéjvágy jellemzi őket, s az élet mennyei gyönyörein kívül nem vágynak semmi másra. Köztudott, hogy a mennyekben találhatók az úgynevezett *nandana-kānana* kertek, ahol az ember angyali, gyönyörű nők társaságát élvezheti, s bőségesen jut számára a *soma-rasa* borból is. Az efféle testi gyönyör kétségtelenül az érzékek boldogsága, ezért akik magukat az anyagi világ urainak hiszik, azok csakis az ilyen anyagi és ideiglenes boldogsághoz vonzódnak.

44. VERS

भोगैश्वर्यप्रसक्तानां तयापहृतचेतसाम् ।
व्यवसायात्मिका बुद्धिः समाधौ न विधीयते ॥४४॥

bhogaiśvarya-prasaktānāṁ tayāpahṛta-cetasām
vyavasāyātmikā buddhiḥ samādhau na vidhīyate

bhoga – az anyagi élvezethez; *aiśvarya* – és gazdagsághoz; *prasaktānām* – ragaszkodóknak; *tayā* – az ilyen dolgok által; *apahṛta-cetasām* – megtévesztett elméjűeknek; *vyavasāya-ātmikā* – szilárd elhatározás; *buddhiḥ* – az Úr odaadó szolgálata; *samādhau* – a szabályozott elmében; *na* – sohasem; *vidhīyate* – létrejön.

Azoknak az elméjében, akik túlságosan ragaszkodnak az érzéki élvezethez és az anyagi gazdagsághoz, s akiket mindezek megtévesztenek, sohasem ébred szilárd eltökéltség, hogy a Legfelsőbb Úr odaadó szolgálatát végezzék.

MAGYARÁZAT: A *samādhi* szó jelentése „szilárd elme". A *Nirukti* védikus értelmező szótár kijelenti: *samyag ādhīyate 'sminn ātma-tattva-yāthātmyam.* „Amikor az elme megingathatatlanul megértette az önvalót, azt mondják róla, *samādhiban* van." Azok, akiket az anyagi, érzéki gyönyörök érdekelnek, s akiket megtévesztenek az efféle ideiglenes dolgok, nem érhetik el a *samādhit*. Őket az anyagi energia működése valamilyen szinten kárhozatra ítéli.

45. VERS

त्रैगुण्यविषया वेदा निस्त्रैगुण्यो भवार्जुन ।
निर्द्वन्द्वो नित्यसत्त्वस्थो निर्योगक्षेम आत्मवान् ॥४५॥

trai-guṇya-viṣayā vedā nistrai-guṇyo bhavārjuna
nirdvandvo nitya-sattva-stho niryoga-kṣema ātmavān

trai-guṇya – az anyagi természet három kötőerejére vonatkozó; *viṣayāḥ* – téma; *vedāḥ* – védikus irodalom; *nistrai-guṇyaḥ* – az anyagi természet három kötőereje fölött álló; *bhava* – légy; *arjuna* – ó, Arjuna; *nirdvandvaḥ* – kettősség nélkül; *nitya-sattva-sthaḥ* – a lelki lét tiszta állapotában; *niryoga-kṣemaḥ* – a nyereség és védelem gondolatától mentesen; *ātma-vān* – az önvalóban megállapodott.

A Védák legfőképpen az anyagi természet három kötőerejéről beszélnek. Ó, Arjuna, légy transzcendentális, s emelkedj e három kötőerő fölé!

Szabadulj meg minden kettősségtől, valamint minden aggodalomtól a nyereséget és a biztonságot illetően, s légy szilárd az önvalóban!

MAGYARÁZAT: Minden anyagi cselekedet az anyagi természet három kötőerejének hatása alatt végzett tettből és annak visszahatásából áll. E tetteket a gyümölcseikért hajtják végre, melyek az anyagi világbeli rabsághoz vezetnek. A Védák leginkább e gyümölcsöző cselekedetekkel foglalkoznak, hogy az embereket az érzékkielégítés síkjáról fokozatosan a transzcendentális síkra emeljék. Az Úr Kṛṣṇa arra utasítja Arjunát, tanítványát és barátját, hogy emelkedjen fel a *vedānta* filozófia transzcendentális síkjára, mely a *brahma-jijñāsāval,* vagyis a legfelsőbb transzcendens utáni tudakozódással kezdődik. Az anyagi világban minden élőlény fáradságos küzdelmet folytat létéért. Az anyagi világ megteremtése után az Úr átadta nekik a védikus bölcsességet, melyben útmutatást ad, hogyan éljenek, s hogyan szabaduljanak meg az anyagi kötelékektől. Az érzékkielégítést szolgáló tetteket, a *karma-kāṇḍát* leíró fejezet után az *upaniṣadok* – melyek a négy Véda részét képezik, mint ahogyan a *Bhagavad-gītā* az ötödik Védának, a *Mahābhāratának* a része – lehetőséget nyújtanak a lelki felemelkedésre. Az *upaniṣadok* jelzik a transzcendentális élet kezdetét.

Mindaddig, amíg az anyagi test létezik, az anyagi kötőerők hatásai és ellenhatásai is léteznek. Az embernek meg kell tanulnia, hogyan tűrje el a boldogság és szomorúság, a hideg és meleg stb. kettősségeit, s e kettősségek eltűrésével meg kell szabadulnia a nyereséggel vagy veszteséggel járó aggodalmaktól. Ezt a transzcendentális helyzetet a teljes Kṛṣṇa-tudatban lehet elérni, amikor az ember tökéletesen rábízza magát Kṛṣṇa jóakaratára.

46. VERS

यावानर्थ उदपाने सर्वतः सम्प्लुतोदके ।
तावान् सर्वेषु वेदेषु ब्राह्मणस्य विजानतः ॥४६॥

yāvān artha udapāne sarvataḥ samplutodake
tāvān sarveṣu vedeṣu brāhmaṇasya vijānataḥ

yāvān – mindaz; *arthaḥ* – cél; *uda-pāne* – egy vízzel teli kútban; *sarvataḥ* – minden tekintetben; *sampluta-udake* – egy nagy vízgyűjtőben; *tāvān* – hasonlóan; *sarveṣu* – mindegyik; *vedeṣu* – védikus írásban; *brāhmaṇasya* – aki ismeri a Legfelsőbb Brahmant; *vijānataḥ* – aki teljes tudással rendelkezik.

Ahogy egy nagy víztároló alkalmas mindarra, amire egy kis kút, úgy a Védák valamennyi célját eléri az, aki ismeri a mögöttük rejlő szándékot.

MAGYARÁZAT: A védikus irodalom *karma-kāṇḍa* részében említett szertartások és áldozatok arra szolgálnak, hogy elősegítsék az önmegvalósítás fokozatos fejlődését. Az önmegvalósítás céljáról a *Bhagavad-gītā* tizenötödik fejezete (15.15) ír világosan: a Védák tanulmányozásának célja az Úr Kṛṣṇának, minden dolog eredeti okának a megismerése. Az önmegvalósítás tehát Kṛṣṇának és az ember Hozzá fűződő örök kapcsolatának megértését jelenti. A *Bhagavad-gītā* tizenötödik fejezete (15.7) az élőlények és Kṛṣṇa kapcsolatáról szintén említést tesz. Az élőlények Kṛṣṇa szerves részei, ezért a védikus tudás legfelsőbb, tökéletes szintje az, amikor az egyéni élőlény újjáéleszti Kṛṣṇa-tudatát. A *Śrīmad-Bhāgavatam* (3.33.7) ezt a következőképpen erősíti meg:

aho bata śva-paco 'to garīyān
yaj-jihvāgre vartate nāma tubhyam
tepus tapas te juhuvuḥ sasnur āryā
brahmānūcur nāma gṛṇanti ye te

„Ó, Uram! Aki szent nevedet énekli, az az önmegvalósítás legmagasabb szintjén áll még akkor is, ha egy alacsony rendű, *caṇḍāla* (kutyaevő) család szülötte. Az ilyen ember kétségtelenül végrehajtott már minden vezeklést és áldozatot a védikus rítusok alapján, s miután megfürdött minden szent zarándokhelyen, sokszor áttanulmányozta a védikus irodalmat is. Az *ārya* család legkiválóbb tagjának tekintik őt."

Az embernek kellőképpen okosnak kell lennie ahhoz, hogy megértse a Védák célját, s ne csak a szertartásokhoz vonzódjon. Nem szabad arra vágynia, hogy a jobb érzékkielégítés kedvéért a mennyei birodalomba kerüljön. Ebben a korszakban a közönséges ember nem képes arra, hogy betartsa a védikus rítusok valamennyi szabályát, s az is lehetetlen számára, hogy alaposan áttanulmányozza az egész *vedāntát* és az *upaniṣadokat.* A Védák céljainak elérése sok időt, energiát, tudást és anyagi ráfordítást igényel, s ez a mai korszakban aligha lehetséges. A védikus kultúra célját akkor érjük el, ha az Úr szent nevét énekeljük, ahogyan azt az Úr Caitanya, valamennyi bűnös lélek megmentője ajánlotta. A Védák nagy tudósa, Prakāśānanda Sarasvatī egyszer megkérdezte az Úr Caitanyát, miért énekli szentimentális módon az Úr szent nevét, ahelyett, hogy a *vedānta* filozófiát tanulmányozná. Az Úr azt válaszolta, hogy lelki tanítómestere nagyon ostobának találta, ezért arra kérte, énekelje az Úr Kṛṣṇa szent nevét. Az Úr így is tett, s olyan eksztázis lett úrrá rajta, hogy őrültként viselkedett. Ebben a Kali-korszakban az emberek legtöbbje ostoba, s nem elég művelt ahhoz, hogy megértse a *vedānta* filozófiát, melynek szándékát legjobban az Úr szent nevének sértés nélküli éneklésével lehet beteljesíteni. A védikus bölcsességben a *vedānta* az utolsó szó, s e *vedānta* filozófia szerzője és ismerője az Úr Kṛṣṇa. A legjobb vedántista az a nagy lélek, aki örömét leli az Úr szent nevének éneklésében. Ez minden védikus miszticizmus végső célja.

47. VERS

कर्मण्येवाधिकारस्ते मा फलेषु कदाचन ।
मा कर्मफलहेतुर्भूर्मा ते सङ्गोऽस्त्वकर्मणि ॥४७॥

karmaṇy evādhikāras te mā phaleṣu kadācana
mā karma-phala-hetur bhūr mā te saṅgo 'stv akarmaṇi

karmaṇi – előírt kötelességekben; *eva* – bizonyosan; *adhikāraḥ* – jog; *te* – neked; *mā* – sohasem; *phaleṣu* – a gyümölcsökben; *kadācana* – bármikor; *mā* – sohasem; *karma-phala* – a munka eredményének; *hetuḥ* – oka; *bhūḥ* – létrejötte; *mā* – soha; *te* – a te; *saṅgaḥ* – ragaszkodásod; *astu* – legyen; *akarmaṇi* – az előírt kötelességek nem teljesítéséhez.

Előírt kötelességed végrehajtásához jogod van, de tetteid gyümölcsére nem tarthatsz igényt. Sohase gondold, hogy te vagy az oka cselekedeteid következményének, és sohase vonzzon kötelességed elhanyagolása!

MAGYARÁZAT: E vers három dolgot említ, melyet figyelembe kell vennünk: az előírt kötelességeket, az önkényes munkát és a tétlenséget. Az ember kötelességeit az határozza meg, hogy az anyagi természet melyik kötőerejének hatása alatt áll. Az önkényes munka olyan cselekedetet jelent, amely egy felsőbb tekintély jóváhagyása nélkül történik, a tétlenség pedig az előírt kötelességek végre nem hajtását jelenti. Az Úr azt ajánlja Arjunának, hogy ne legyen tétlen, hanem hajtsa végre előírt kötelességét, de ne ragaszkodjon annak eredményéhez. A munkája gyümölcseihez ragaszkodó embernek felelnie kell tetteiért, ezért ezek vagy élvezetet, vagy szenvedést okoznak számára.

Az előírt kötelességek három alosztályba sorolhatók: mindennapi, alkalmanként végzett és gyümölcsöző cselekedetek. A mindennapi tevékenység, melyet az ember az írások utasításait követve végez, s nem vágyik annak eredményére, a jóság kötőerejébe tartozik. Az a tett, amit az ember a gyümölcséért hajt végre, kötöttséget eredményez, tehát nem kedvező. Előírt kötelessége elvégzéséhez mindenkinek joga van, ám úgy kell cselekednie, hogy ne ragaszkodjon annak eredményéhez. Az ilyen érdek nélküli, kötelességből elvégzett tettek minden kétséget kizáróan a felszabadulás útjára vezetnek.

Az Úr éppen ezért azt ajánlotta Arjunának, hogy harcoljon kötelességből, s ne ragaszkodjon az eredményhez. Ha nem venne részt a csatában, az csak egy másik fajta ragaszkodás lenne, s az efféle kötődés sohasem vezeti az embert a felszabadulás útjára. Minden anyagi vonzódás, legyen jó vagy rossz, kötöttséget eredményez. A tétlenség azonban bűn, ezért Arjuna számára a felszabaduláshoz vezető egyetlen kedvező út a kötelességből végzett harc volt.

48. VERS

योगस्थः कुरु कर्माणि सङ्गं त्यक्त्वा धनञ्जय ।
सिद्ध्यसिद्ध्योः समो भूत्वा समत्वं योग उच्यते ॥४८॥

yoga-sthaḥ kuru karmāṇi saṅgaṁ tyaktvā dhanañjaya
siddhy-asiddhyoḥ samo bhūtvā samatvaṁ yoga ucyate

yoga-sthaḥ – kiegyensúlyozottan; *kuru* – hajtsd végre; *karmāṇi* – kötelességeidet; *saṅgam* – ragaszkodást; *tyaktvā* – elengedve; *dhanañjaya* – ó, Arjuna; *siddhi-asiddhyoḥ* – sikerben vagy kudarcban; *samaḥ* – kiegyensúlyozottá; *bhūtvā* – válván; *samatvam* – egyensúlyt; *yogaḥ* – *yogának; ucyate* – hívják.

Végezd kötelességed megingathatatlanul, ó, Arjuna, s ne ragaszkodj se a sikerhez, se a kudarchoz! Az ilyen kiegyensúlyozottságot hívják yogának.

MAGYARÁZAT: Kṛṣṇa azt mondja Arjunának, hogy cselekedjen a *yogában*. Mi a *yoga?* A *yoga* azt jelenti, hogy az elmét az örökké zavart okozó érzékek szabályozásával a Legfelsőbbre irányítjuk. És ki a Legfelsőbb? Az Úr. Ő biztatja Arjunát a harcra, ezért Arjunának nem lesz köze annak eredményéhez. A nyereség vagy a győzelem Kṛṣṇa dolga, Arjunának csupán az Ő utasításai szerint kell cselekednie. Az igazi *yoga* Kṛṣṇa utasításainak követése, s a Kṛṣṇa-tudatnak nevezett folyamat e *yoga* gyakorlását jelenti. Egyedül a Kṛṣṇa-tudat segítségével szabadulhatunk meg a birtoklásvágytól. Az embernek Kṛṣṇa szolgájává, vagyis az Ő szolgájának a szolgájává kell válnia. Ez az igazi módja a kötelesség végrehajtásának a Kṛṣṇa-tudatban, s egyedül ez segíthet, hogy a *yogában* cselekedjünk.

Arjuna *kṣatriya* volt, így a *varṇāśrama-dharma* intézmény részesese. A *Viṣṇu-purāṇában* az áll, hogy a *varṇāśrama-dharma* egyedüli célja Viṣṇu kielégítése. Az ember tehát ne saját elégedettsége elérésére törekedjen – ahogyan az az anyagi világra jellemző –, hanem Kṛṣṇának szerezzen örömet. Ha az ember nem teszi Kṛṣṇát elégedetté, akkor nem követi megfelelően a *varṇāśrama-dharma* elveit. Arjuna közvetve azt az utasítást kapta, hogy Kṛṣṇa parancsai szerint cselekedjen.

49. VERS

दूरेण ह्यवरं कर्म बुद्धियोगाद्धनञ्जय ।
बुद्धौ शरणमन्विच्छ कृपणाः फलहेतवः ॥४९॥

dūreṇa hy avaraṁ karma buddhi-yogād dhanañjaya
buddhau śaraṇam anviccha kṛpaṇāḥ phala-hetavaḥ

dūreṇa – messzire eldobva; *hi* – bizony; *avaram* – gyalázatos; *karma* – tettet; *buddhi-yogāt* – a Kṛṣṇa-tudat segítségével; *dhanañjaya* – ó, gazdagság meghódítója; *buddhau* – ilyen tudatban; *śaraṇam* – teljes meghódolást; *anviccha* – próbálj; *kṛpaṇāḥ* – fösvények; *phala-hetavaḥ* – akik tetteik gyümölcsére vágynak.

Ó, Dhanañjaya! Az odaadó szolgálat erejével tartsd távol magad minden emberhez nem méltó tettől, s ebben a tudatban hódolj meg az Úr előtt! Akik élvezni akarják munkájuk gyümölcsét, valamennyien fösvények.

MAGYARÁZAT: Aki valóban megértette, hogy eredeti helyzete szerint az Úr örök szolgája, az a Kṛṣṇa-tudatban végzett munkán kívül minden más elfoglaltsággal felhagy. Ahogyan már megmagyaráztuk, a *buddhi-yoga* az Úr transzcendentális szerető szolgálatát jelenti. Ez a szolgálat az élőlény számára a cselekvés helyes módja. Csak a fösvények akarják élvezni munkájuk gyümölcsét, hogy egyre inkább elvesszenek az anyagi lét útvesztőjében. A Kṛṣṇa-tudatú tetteket kivéve minden cselekedet szörnyű, mert a végrehajtót szakadatlanul a születés és halál körforgásába kényszerítik. Az embernek ezért sohasem szabad azt kívánnia, hogy tetteinek ő legyen az oka. Mindent Kṛṣṇa-tudatban, Kṛṣṇa elégedettségéért kell tennie. A fösvények nem tudják, hogyan használják fel jó szerencsével vagy fáradságos munkával szerzett vagyonukat. Minden energiánkkal a Kṛṣṇa-tudatban kell tevékenykednünk, s így életünk sikeres lesz. Akárcsak a fösvények, a szerencsétlen emberek sem állítják emberi energiájukat az Úr szolgálatába.

50. VERS

बुद्धियुक्तो जहातीह उभे सुकृतदुष्कृते ।
तस्माद्योगाय युज्यस्व योगः कर्मसु कौशलम् ॥५०॥

buddhi-yukto jahātīha ubhe sukṛta-duṣkṛte
tasmād yogāya yujyasva yogaḥ karmasu kauśalam

buddhi-yuktaḥ – aki odaadó szolgálatot végez; *jahāti* – megszabadulhat; *iha* – ebben az életben; *ubhe* – mindkettőtől; *sukṛta-duṣkṛte* – jó és rossz eredménytől; *tasmāt* – ezért; *yogāya* – az odaadó szolgálat kedvéért; *yujyasva* – cselekedj így; *yogaḥ* – Kṛṣṇa-tudatként; *karmasu* – minden cselekedetben; *kauśalam* – művészet.

Az odaadó szolgálatban élő ember még ebben az életében megszabadul mind a jó, mind pedig a rossz visszahatásoktól. Törekedj hát a yogára, a tettek művészetére!

MAGYARÁZAT: Minden egyes élőlény időtlen idők óta halmozza jó és rossz tettei különféle visszahatásait, s emiatt folytonosan tudatlanságban él, nem ismerve valódi, eredeti helyzetét. A *Bhagavad-gītā* tanítása megszünteti ezt a tudatlanságot, mert arra tanít, hogyan hódoljunk meg minden tekintetben az Úr Śrī Kṛṣṇának, és hogyan szabaduljunk meg a születésről születésre ismétlődő tettek és visszahatások bilincseitől. Kṛṣṇa ezért azt tanácsolja Arjunának, hogy cselekedjen Kṛṣṇa-tudatban, amely megtisztítja az embert a következményekkel járó tettektől.

51. VERS

कर्मजं बुद्धियुक्ता हि फलं त्यक्त्वा मनीषिणः ।
जन्मबन्धविनिर्मुक्ताः पदं गच्छन्त्यनामयम् ॥५१॥

karma-jaṁ buddhi-yuktā hi phalaṁ tyaktvā manīṣiṇaḥ
janma-bandha-vinirmuktāḥ padaṁ gacchanty anāmayam

karma-jam – a gyümölcsöző tetteknek köszönhetően; *buddhi-yuktāḥ* – odaadó szolgálatot végzők; *hi* – bizonyosan; *phalam* – eredményeket; *tyaktvā* – elhagyva; *manīṣiṇaḥ* – a nagy bölcsek vagy *bhakták; janma-bandha* – a születés és halál kötelékéből; *vinirmuktāḥ* – felszabadultak; *padam* – helyzetet; *gacchanti* – elérik; *anāmayam* – szenvedés nélkülit.

Az Úr odaadó szolgálatát végezve a nagy bölcsek és bhakták megszabadulnak az anyagi világban végzett munka eredményeitől. Ily módon kiszabadulnak a születés és halál körforgásából, és [azáltal, hogy hazatérnek Istenhez] elérik azt az állapotot, amely túl van minden szenvedésen.

MAGYARÁZAT: A felszabadult élőlények hazája az a hely, ahol nincsen anyagi szenvedés. A *Bhāgavatam* (10.14.58) így ír erről:

samāśritā ye pada-pallava-plavaṁ
mahat-padaṁ puṇya-yaśo murāreḥ
bhavāmbudhir vatsa-padaṁ paraṁ padaṁ
padaṁ padaṁ yad vipadāṁ na teṣām

„Aki elfogadta az Úr lótuszlábának hajóját, aki a kozmikus megnyilvánulás menedéke, s aki Mukundaként, a *mukti* adományozójaként híres, annak az anyagi világ óceánja nem több, mint a borjú patanyomában összegyűlt víz. Az ilyen ember célja nem az a hely, ahol minden lépésnél veszély fenyegeti, hanem a *paraṁ padam,* az a hely, amely mentes a szenvedéstől, a Vaikuṇṭha világa."

Tudatlansága következtében az ember nem látja be, hogy az anyagi világ nyomorúságos hely, ahol minden lépésnél veszély leselkedik rá. Kizárólag a tudatlanság az oka, hogy a csekély értelemmel megáldott emberek gyümölcsöző cselekedetekkel próbálnak alkalmazkodni a helyzethez, mert azt hiszik, hogy azok eredményei majd boldoggá teszik őket. Nem tudják, hogy a világegyetemben sehol, semmilyen anyagi testben nem élhetnek szenvedések nélkül. Az élet gyötrelmei – a születés, a halál, az öregség és a betegség – mindenhol jelen vannak ebben az anyagi világban. Aki azonban megérti, hogy igazi, eredeti helyzetében az Úr örök szolgája, s így ismeri az Istenség Személyiségének helyzetét, az az Úr transzcendentális szerető szolgálatához lát, s ennek eredményeképpen alkalmassá válik arra, hogy eljusson a Vaikuṇṭha-bolygókra, ahol sem a nyomorúságos anyagi élettel, sem az idő vagy a halál befolyásával nem találkozik. Eredeti helyzetünk ismerete egyben azt is jelenti, hogy tisztában vagyunk az Úr felsőbbrendű helyzetével. Aki azt hiszi, hogy az élőlény és az Úr egyenrangúak, az téved, és egyértelműen sötétségben él, ezért nem képes az Úr odaadó szolgálatát végezni. Ő maga válik úrrá, így egyengetvén útját az ismétlődő születés és halál felé. Ám aki megértette, hogy feladata nem más, mint hogy szolgáljon, az az Úr szolgálatába áll, és azon nyomban alkalmassá válik a Vaikuṇṭhaloka elérésére. Az Úrért végzett szolgálatot *karma-yogának* vagy *buddhi-yogának,* egyszerűbb szavakkal az Úr odaadó szolgálatának hívják.

52. VERS

यदा ते मोहकलिलं बुद्धिर्व्यतितरिष्यति ।
तदा गन्तासि निर्वेदं श्रोतव्यस्य श्रुतस्य च ॥५२॥

yadā te moha-kalilaṁ buddhir vyatitariṣyati
tadā gantāsi nirvedaṁ śrotavyasya śrutasya ca

yadā – amikor; *te* – a te; *moha* – illúziónak; *kalilam* – sűrű erdejét; *buddhiḥ* – az intelligenciával végzett transzcendentális szolgálatod; *vyatitariṣyati* – elhagyja; *tadā* – akkor; *gantā asi* – menni fogsz; *nirvedam* – közömbösségbe; *śrotavyasya* – az iránt, amit hallani fogsz; *śrutasya* – amit már hallottál; *ca* – és.

Amikor értelmed kitalál az illúzió sűrű erdejéből, közömbössé válsz mindaz iránt, amit hallottál, s amit hallani fogsz.

MAGYARÁZAT: Az Úr számtalan nagy *bhaktájának* élete példa arra, hogyan lehet közömbössé válni a Védák rítusai iránt pusztán az Úr odaadó szolgálatával. Amikor valaki valóban megérti, hogy kicsoda Kṛṣṇa és neki milyen kapcsolata van Vele, akkor a gyümölcsöző cselekedetek szertartásai egyszerre közömbössé válnak számára, még akkor is, ha ő maga tanult *brāhmaṇa*. Śrī Mādhavendra Purī, a tanítványi lánc nagy *bhaktája* és *ācāryája* mondja:

sandhyā-vandana bhadram astu bhavato bhoḥ snāna tubhyaṁ namo
bho devāḥ pitaraś ca tarpaṇa-vidhau nāhaṁ kṣamaḥ kṣamyatām
yatra kvāpi niṣadya yādava-kulottaṁsasya kaṁsa-dviṣaḥ
smāraṁ smāram aghaṁ harāmi tad alaṁ manye kim anyena me

„Ó, naponta háromszor ajánlott imák, minden dicsőséget nektek! Ó, fürdés, hódolatomat ajánlom neked! Ó, félistenek! Ó, ősatyák! Kérlek, bocsássatok meg nekem, hogy képtelen vagyok tiszteletemet ajánlani nektek! Bárhol vagyok, mindenhol a Yadu-dinasztia dicső leszármazottjára [Kṛṣṇára], Kaṁsa ellenségére gondolok, s ez kiszabadít a bűnök börtönéből. Úgy gondolom, nekem ez elegendő."

A kezdők számára fontosak a védikus szertartások és rítusok: a különféle imák, melyeket naponta háromszor elmondanak, a kora reggeli fürdés, a tiszteletnyilvánítás az ősatyáknak stb. Az az ember azonban, aki teljesen Kṛṣṇa-tudatú, s aki az Úr transzcendentális szerető szolgálatában él, már elérte a tökéletességet, s e szabályozó elvek közömbösek számára. Ha valaki a Legfelsőbb Úr, Kṛṣṇa szolgálata révén képes eljutni e tudás síkjára, többé már nem szükséges végrehajtania a kinyilatkoztatott írások ajánlotta különféle vezekléseket és áldozatokat. Ezzel szemben aki nem értette meg, hogy a Védák célja Kṛṣṇa elérése, és csupán a rítusoknak és a többi formaságnak él, az hiábavalóan vesztegeti az idejét. Azok, akik Kṛṣṇa-tudatúak, felülemelkednek a *śabda-brahma,* vagyis a Védák és az *upaniṣadok* birodalmán.

53. VERS

श्रुतिविप्रतिपन्ना ते यदा स्थास्यति निश्चला ।
समाधावचला बुद्धिस्तदा योगमवाप्स्यसि ॥५३॥

śruti-vipratipannā te yadā sthāsyati niścalā
samādhāv acalā buddhis tadā yogam avāpsyasi

śruti – a védikus kinyilatkoztatásoknak; *vipratipannā* – a gyümölcsöző eredményei által nem befolyásolt; *te* – tiéd; *yadā* – amikor; *sthāsyati* – marad; *niścalā* – mozdulatlan; *samādhau* – transzcendentális tudatban, azaz Kṛṣṇa-tudatban; *acalā* – rendíthetetlen; *buddhiḥ* – értelmed; *tadā* – akkor; *yogam* – önmegvalósítást; *avāpsyasi* – el fogod érni.

Amikor elmédet többé nem zavarják meg a Védák virágos szavai, és szilárdan megállapodik az önmegvalósítás transzában, isteni tudatra teszel majd szert.

MAGYARÁZAT: Amikor valakiről azt mondjuk, hogy *samādhiban* van, az azt jelenti, hogy tökéletes Kṛṣṇa-tudatra tett szert. Teljes *samādhiban* lenni tehát nem más, mint elérni a Brahman-, a Paramātmā- és a Bhagavān-tudatosság szintjét. Az önmegvalósítás legtökéletesebb foka az, ha valaki megérti, hogy ő Kṛṣṇa örök szolgája, s egyetlen dolga, hogy teljesítse Kṛṣṇa-tudatos kötelességeit. Egy Kṛṣṇa-tudatú embert, vagyis az Úr rendíthetetlen *bhaktáját* nem zavarják meg a Védák virágos szavai, és nem végez gyümölcsöző tetteket sem abban a reményben, hogy a mennyei bolygókra emelkedhet. A Kṛṣṇa-tudatban az ember közvetlenül kapcsolatba kerül Kṛṣṇával, és e transzcendentális szinten képes lesz megérteni Kṛṣṇa minden utasítását. Aki így cselekszik, az kétségtelenül elnyeri annak eredményét, és szert tesz a legvégső tudásra. Csupán arra van szükség, hogy betartsa Kṛṣṇa vagy az Ő képviselője, a lelki tanítómester utasításait.

54. VERS

अर्जुन उवाच
स्थितप्रज्ञस्य का भाषा समाधिस्थस्य केशव ।
स्थितधीः किं प्रभाषेत किमासीत व्रजेत किम् ॥५४॥

arjuna uvāca
sthita-prajñasya kā bhāṣā samādhi-sthasya keśava
sthita-dhīḥ kiṁ prabhāṣeta kim āsīta vrajeta kim

arjunaḥ uvāca – Arjuna így szólt; *sthita-prajñasya* – annak, aki szilárd a Kṛṣṇa-tudatban; *kā* – milyen; *bhāṣā* – a nyelve; *samādhi-sthasya* – annak, aki elmerült a transzban; *keśava* – ó, Kṛṣṇa; *sthita-dhīḥ* – aki szilárdan Kṛṣṇa-tudatú; *kim* – mit; *prabhāṣeta* – beszél; *kim* – hogyan; *āsīta* – marad egy helyben; *vrajeta* – megy; *kim* – hogyan.

Arjuna így szólt: Ó, Kṛṣṇa! Milyen jelekről ismerhetem fel azt, akinek tudata ily módon a transzcendensbe merült? Hogyan s milyen szavakkal beszél? Hogyan ül és hogyan jár?

MAGYARÁZAT: Ahogy helyzetéből adódóan mindenkinek sajátos ismertetőjelei vannak, úgy a Kṛṣṇa-tudatú ember is sajátos jellemmel rendelkezik, amely beszédében, járásában, gondolkodásában, érzéseiben stb. nyilvánul meg. Vannak bizonyos megkülönböztető jegyek, amelyek alapján felmérhetjük, hogy valaki gazdag, beteg vagy művelt, s éppen így a transzcendentális Kṛṣṇa-tudatba merülő ember tetteiben is sajátos jeleket figyelhetünk meg. Ezeket a *Bhagavad-gītāból* ismerhetjük meg. A legfontosabb az, hogyan beszél valaki, aki Kṛṣṇa-tudatos, hiszen ez minden ember legfontosabb jellemzője. Azt mondják, a bolond embert mindaddig nem ismerik fel, míg el nem kezd beszélni. Ez valóban így van. Egy jól öltözött ostobáról senki sem tudja, hogy kicsoda, amíg ki nem nyitja a száját, ám amint beszélni kezd, nyomban elárulja magát. A Kṛṣṇa-tudatú embert azonnal felismerhetjük arról, hogy csakis Kṛṣṇáról és a Vele kapcsolatos dolgokról beszél. A többi meghatározó vonás – amelyről a következőkben esik majd szó – ennek természetes velejárója.

55. VERS

श्रीभगवानुवाच
प्रजहाति यदा कामान् सर्वान् पार्थ मनोगतान् ।
आत्मन्येवात्मना तुष्टः स्थितप्रज्ञस्तदोच्यते ॥५५॥

śrī-bhagavān uvāca
prajahāti yadā kāmān sarvān pārtha mano-gatān
ātmany evātmanā tuṣṭaḥ sthita-prajñas tadocyate

śrī-bhagavān uvāca – az Istenség Legfelsőbb Személyisége mondta; *prajahāti* – elhagyja; *yadā* – amikor; *kāmān* – az érzékkielégítés utáni vágyakat; *sarvān* – minden fajtát; *pārtha* – ó, Pṛthā fia; *manaḥ-gatān* – az elme által kitaláltakat; *ātmani* – a lélek tiszta állapotában; *eva* – bizonyosan; *ātmanā* – a megtisztult elme által; *tuṣṭaḥ* – elégedett; *sthita-prajñaḥ* – transzcendentális helyzetűnek; *tadā* – akkor; *ucyate* – mondják.

Az Istenség Legfelsőbb Személyisége így szólt: Ó, Pārtha! Amikor az ember lemond az érzékkielégítésre irányuló, az elme által kitalált valamennyi vágyról, s ekképpen megtisztult elméje egyedül az önvalóban

talál elégedettséget, akkor azt mondhatjuk róla, hogy tiszta, transzcendentális tudata van.

MAGYARÁZAT: A *Bhāgavatam* megerősíti, hogy aki teljesen Kṛṣṇa-tudatú, azaz aki odaadással szolgálja az Urat, a nagy szentek minden jó tulajdonságával rendelkezik, míg annak az embernek, akinek helyzete nem transzcendentális, nincsenek jó tulajdonságai, hiszen saját elmeszüleményeinél keresett menedéket. Ezért hát helyesen mondja a vers, hogy az embernek meg kell válnia minden érzéki vágytól, melyet az elme hoz létre. E vágyakat nem lehet mesterséges úton megszüntetni, ám a Kṛṣṇa-tudat cselekedeteivel minden külön erőfeszítés nélkül maguktól lecsillapodnak. Ezért haladéktalanul a Kṛṣṇa-tudat tetteihez kell látnunk, mert az odaadó szolgálat azonnal a transzcendentális tudat szintjére segíthet bennünket. Egy rendkívül fejlett szinten álló lélek mindig elégedett, mert megértette, hogy ő a Legfelsőbb Úr örök szolgája. E transzcendentális helyzetben nincsenek alantas materializmusból fakadó érzéki vágyai, s a Legfelsőbb Úr örök szolgájának természetes helyzetében mindig boldog.

56. VERS

दुःखेष्वनुद्विग्नमनाः सुखेषु विगतस्पृहः ।
वीतरागभयक्रोधः स्थितधीर्मुनिरुच्यते ॥५६॥

duḥkheṣv anudvigna-manāḥ sukheṣu vigata-spṛhaḥ
vīta-rāga-bhaya-krodhaḥ sthita-dhīr munir ucyate

duḥkheṣu – a háromféle szenvedésben; *anudvigna-manāḥ* – háborítatlan elméjű; *sukheṣu* – a boldogság iránt; *vigata-spṛhaḥ* – nem érdeklődő; *vīta* – aki mentes; *rāga* – ragaszkodástól; *bhaya* – félelemtől; *krodhaḥ* – és dühtől; *sthita-dhīḥ* – kinek elméje rendíthetetlen; *muniḥ* – bölcsnek; *ucyate* – hívják.

Aki a háromfajta szenvedés ellenére háborítatlan marad, akit a boldogság nem mámorít, s aki mentes a ragaszkodástól, a félelemtől és a dühtől, azt rendíthetetlen elméjű bölcsnek hívják.

MAGYARÁZAT: A *muni* szó olyan embert jelent, aki az elméleti spekuláció segítségével számtalan formában képes az elméjét működésre késztetni, ám valódi végkövetkeztetésre sohasem jut. Azt mondják, minden *muninak* más a nézőpontja, s a szó valódi értelmében nem is hívhatnak valakit *muninak,* ha felfogása nem tér el a többiekétől. *Nāsāv ṛṣiryasya mataṁ na bhinnam* (*Mahābhārata, Vana-parva* 313.117). A *sthita-dhīr muni* azonban, akiről az Úr beszél, különbözik a közönséges *munitól.*

Mindig elmerül a Kṛṣṇa-tudatban, mert véget vetett a kreatív spekulációnak. *Praśānta-niḥśeṣa-mano-rathāntarának* nevezik (*Stotra-ratna* 43), ami azt jelenti, hogy felülemelkedett az elméleti találgatások szintjén, s arra a végkövetkeztetésre jutott, hogy az Úr Śrī Kṛṣṇa, vagyis Vāsudeva minden (*vāsudevaḥ sarvam iti sa mahātmā su-durlabhaḥ*). Őt tehát rendíthetetlen elméjű *muninak* hívják. Az ilyen teljesen Kṛṣṇa-tudatú embert a háromfajta szenvedés támadásai a legkevésbé sem zavarják, mert minden megpróbáltatást az Úr kegyének tekint, s úgy gondolja, hogy múltbeli bűneiért még több gyötrelmet érdemelne, s egyedül az Úr kegyéből van része csupán ilyen kevés szenvedésben. Éppen így azt is az Úrnak köszöni meg, ha boldog, mert nem érzi magát méltónak a boldogságra. Megérti, hogy csak az Úr kegyének tudható be az is, hogy kellemes körülmények között élhet, ami lehetővé teszi számára, hogy még tökéletesebb szolgálatot végezzen Neki. Az Úr szolgálata érdekében semmitől nem riad vissza, mindig serény, és nem befolyásolja ragaszkodás vagy ellenszenv. Ragaszkodás alatt azt értjük, amikor saját érzékeink kielégítése érdekében fogadunk el bizonyos dolgokat, s ha nincs jelen ilyen érzéki ragaszkodás, azt közömbösségnek nevezzük. Aki azonban szilárd a Kṛṣṇa-tudatban, az se nem ragaszkodó, se nem közömbös, mert életét az Úr szolgálatának szentelte, s ennek következtében a legkevésbé sem lesz dühös, ha törekvéseiben kudarcot vall. Aki Kṛṣṇa-tudatos, az siker vagy kudarc esetén egyformán rendíthetetlen marad elhatározásában.

57. VERS

यः सर्वत्रानभिस्नेहस्तत्तत्प्राप्य शुभाशुभम् ।
नाभिनन्दति न द्वेष्टि तस्य प्रज्ञा प्रतिष्ठिता ॥५७॥

yaḥ sarvatrānabhisnehas tat tat prāpya śubhāśubham
nābhinandati na dveṣṭi tasya prajñā pratiṣṭhitā

yaḥ – aki; *sarvatra* – mindenhol; *anabhisnehaḥ* – ragaszkodás nélküli; *tat* – az; *tat* – azt; *prāpya* – elérve; *śubha* – jót; *aśubham* – rosszat; *na* – sohasem; *abhinandati* – dicsér; *na* – sohasem; *dveṣṭi* – viszolyog; *tasya* – az ő; *prajñā* – tökéletes tudása; *pratiṣṭhitā* – szilárd.

Akit nem ingat meg semmi, érje bár jó vagy rossz, s nem ujjong és nem is panaszkodik miattuk, az szilárdan gyökerezik a tökéletes tudásban.

MAGYARÁZAT: Az anyagi világban mindig számíthatunk valamilyen jó vagy rossz fordulatra. Akit az ilyen váratlan anyagi események nem zavarnak meg, s akire a jó vagy a balsors nincs hatással, arról tudhatjuk, hogy rendíthetetlen Kṛṣṇa-tudatban él. A jóval és a rosszal számolnunk kell mindaddig, míg az anyagi világban vagyunk, mert ez a világ kettősségekkel teli. A Kṛṣṇa-tudatban szilárdan gyökerező embert azonban nem befolyásolja a jó és a rossz, mert kizárólag Kṛṣṇa érdekli, aki az abszolút jó. Ez a Kṛṣṇában elmerülő tudat az embert tökéletes transzcendentális állapotba emeli, melyet szaknyelven *samādhinak* neveznek.

58. VERS

यदा संहरते चायं कूर्मोऽङ्गानीव सर्वशः ।
इन्द्रियाणीन्द्रियार्थेभ्यस्तस्य प्रज्ञा प्रतिष्ठिता ॥५८॥

yadā saṁharate cāyaṁ kūrmo 'ṅgānīva sarvaśaḥ
indriyāṇīndriyārthebhyas tasya prajñā pratiṣṭhitā

yadā – amikor; *saṁharate* – behúzza; *ca* – és; *ayam* – ő; *kūrmaḥ* – a teknősbéka; *aṅgāni* – a végtagokat; *iva* – mint; *sarvaśaḥ* – valamennyi; *indriyāṇi* – érzékeket; *indriya-arthebhyaḥ* – az érzékszervek tárgyaitól; *tasya* – az ő; *prajñā* – tudata; *pratiṣṭhitā* – szilárd.

Aki képes úgy visszavonni érzékeit az érzékszervek tárgyairól, mint ahogyan a teknősbéka húzza be páncéljába végtagjait, az rendíthetetlenül megállapodott a tökéletes tudatban.

MAGYARÁZAT: A *yogī,* a *bhakta,* vagyis az önmegvalósítást elért lélek ismertetőjele, hogy tetszése szerint képes uralkodni érzékszervein. A legtöbb ember azonban a szolgája saját érzékeinek, s így azok parancsainak engedelmeskedik. Ez a válasz arra a kérdésre, milyen helyzetben van a *yogī.* Az érzékszerveket mérges kígyókhoz hasonlítják, melyek szabadon, minden korlátozás nélkül akarnak cselekedni. A *yogīnak,* vagyis a *bhaktának* rendkívül erősnek kell lennie, hogy a kígyóbűvölőhöz hasonlóan irányítani tudja a kígyókat. Sohasem engedi őket önállóan cselekedni. A kinyilatkoztatott írásokban sok parancs van arra vonatkozóan, mit szabad és mit nem szabad tenni. Amíg valaki nem tudja betartani e parancsokat, s így nem képes elállni az érzéki élvezettől, addig nem érheti el a szilárd, rendíthetetlen Kṛṣṇa-tudat szintjét. Erre a legjobb példa az említett teknősbéka. A teknős bármelyik pillanatban képes visszahúzni érzékeit, hogy aztán szükség esetén bármikor kiengedje őket. Ehhez hasonlóan a Kṛṣṇa-tudatú ember is csak bizonyos célra, az Úr szolgálatában használja érzékszerveit, egyébként visszahúzza őket. Kṛṣṇa itt arra tanítja Arjunát, hogyan állítsa érzékszerveit az Úr szolgálatába, ahelyett, hogy saját elégedettségének elérésére törekedne velük. Az érzékeit visszatartó teknős jó példa arra, hogyan kell az érzékeket mindig az Úr szolgálatába állítani.

59. VERS

विषया विनिवर्तन्ते निराहारस्य देहिनः ।
रसवर्जं रसोऽप्यस्य परं दृष्ट्वा निवर्तते ॥५९॥

viṣayā vinivartante nirāhārasya dehinaḥ
rasa-varjaṁ raso 'py asya paraṁ dṛṣṭvā nivartate

viṣayāḥ – az érzékkielégítés tárgyaitól; *vinivartante* – tiltásokkal; *nirāhārasya* – való tartózkodást gyakorolva; *dehinaḥ* – a megtestesült számára; *rasa-varjam* – az élvezet utáni vággyal felhagyva; *rasaḥ* – az élvezet érzése; *api* – noha ott van; *asya* – övé; *param* – sokkal magasabb rendű dolgokat; *dṛṣṭvā* – tapasztalva; *nivartate* – eláll tőle.

A megtestesült lélek elállhat az érzéki örömöktől, de az érzékek tárgyai utáni vágya megmarad. Tudata azonban rendíthetetlen, mert egy magasabb rendű ízt tapasztalva hagyott fel az érzéki élvezettel.

MAGYARÁZAT: Az érzéki élvezetektől lehetetlen elállni addig, míg valaki transzcendentális szintre nem kerül. Amikor az érzéki élvezetekről a szabályok és korlátozások betartásával mond le az ember, az olyan, mint amikor egy beteget eltiltanak bizonyos ételektől. Nincs ínyére e korlátozás, és a tiltott ételek iránti étvágyát sem veszíti el. Az érzékek valamilyen lelki folyamat – például a *yama, niyama, āsana, prāṇāyāma, pratyāhāra, dhāraṇā, dhyāna* stb. gyakorlatát magában foglaló *aṣṭāṅga-yoga* – segítségével történő visszatartása a nem túlságosan intelligens embereknek ajánlott, akik nem tudnak ennél jobbat. Ám aki a Kṛṣṇa-tudatban egyre fejlődve megízlelte a Legfelsőbb Úr, Kṛṣṇa szépségét, annak az élettelen anyagi dolgok többé nem jelentenek élvezetet. A korlátozások ezért a kevésbé értelmes kezdők lelki fejlődését szolgálják, ám csak addig hasznosak, míg az emberben valóban fel nem ébred a vágy a Kṛṣṇa-tudatra. Ha valaki Kṛṣṇa-tudatú lesz, annak számára a közönséges dolgok egyszerre ízüket vesztik.

60. VERS

यततो ह्यपि कौन्तेय पुरुषस्य विपश्चितः ।
इन्द्रियाणि प्रमाथीनि हरन्ति प्रसभं मनः ॥६०॥

yatato hy api kaunteya puruṣasya vipaścitaḥ
indriyāṇi pramāthīni haranti prasabhaṁ manaḥ

yatataḥ – törekvése közben; *hi* – bizony; *api* – ellenére; *kaunteya* – ó, Kuntī fia; *puruṣasya* – az embernek; *vipaścitaḥ* – megkülönböztető képességgel rendelkezőnek; *indriyāṇi* – az érzékszervei; *pramāthīni* – izgatott; *haranti* – dobálják; *prasabham* – erőnek erejével; *manaḥ* – az elmét.

Ó, Arjuna, az érzékek olyan erősek és fékezhetetlenek, hogy még a rajtuk uralkodni próbáló, józan ítélőképességű ember elméjét is erőnek erejével elragadják.

MAGYARÁZAT: Sok művelt bölcs, filozófus és transzcendentalista próbálkozik érzékszervei legyőzésével, minden igyekezetük ellenére azonban néha még a legkiválóbbak is áldozatul esnek az anyagi érzéki élvezetnek, az izgatott elmének köszönhetően. Viśvāmitra, a nagy bölcs és tökéletes *yogī* szigorú vezeklésekkel és a *yoga* gyakorlásával törekedett az érzékek feletti uralomra, de Menakā még őt is elcsábította, s rávette a nemi élvezetre. Természetesen sok hasonló példa akad erre a világtörténelemben. Az elmét és az érzékszerveket kordában tartani rendkívül nehéz, ha az ember nem teljesen Kṛṣṇa-tudatú. Az ilyen anyagi cselekedetektől nem lehet addig elállni, míg elménket nem merítjük el Kṛṣṇában. Erre Śrī Yāmunācārya, a nagy szent és *bhakta* mutatott gyakorlati példát, aki azt mondta:

yad-avadhi mama cetaḥ kṛṣṇa-pādāravinde
nava-nava-rasa-dhāmany udyataṁ rantum āsīt
tad-avadhi bata nāri-saṅgame smaryamāne
bhavati mukha-vikāraḥ suṣṭhu niṣṭhīvanaṁ ca

„Mióta elmémet az Úr Kṛṣṇa lótuszlábának szolgálatába állítottam, s egy örökké megújuló transzcendentális íz élvezetében van részem, ha a nemi élvezet jut az eszembe, csak elfordítom az arcom, s köpök egyet."

A Kṛṣṇa-tudat olyan transzcendentálisan csodálatos dolog, hogy hatására az anyagi élvezet minden külön törekvés nélkül íztelenné válik, ahogyan az éhes embernek is elűzi az éhségét, ha elegendő mennyiségű tápláló ételt kap. Ambarīṣa Mahārāja szintén képes volt arra, hogy legyőzze a nagy *yogīt,* Durvāsā Munit, mert elméjét teljesen a Kṛṣṇa-tudat töltötte be (*sa vai manaḥ kṛṣṇa-padāravindayor vacāṁsi vaikuṇṭha-guṇānuvarṇane*).

61. VERS

तानि सर्वाणि संयम्य युक्त आसीत मत्परः ।
वशे हि यस्येन्द्रियाणि तस्य प्रज्ञा प्रतिष्ठिता ॥६१॥

tāni sarvāṇi saṁyamya yukta āsīta mat-paraḥ
vaśe hi yasyendriyāṇi tasya prajñā pratiṣṭhitā

tāni – azokat az érzékeket; *sarvāṇi* – mindegyiket; *saṁyamya* – leigázva; *yuktaḥ* – lekötött; *āsīta* – legyen ilyen helyzetben; *mat-paraḥ* – Velem kapcsolatban; *vaśe* – teljesen leigázva; *hi* – bizony; *yasya* – akinek; *indriyāṇi* – érzékszervei; *tasya* – annak; *prajñā* – tudata; *pratiṣṭhitā* – szilárd.

Aki az érzékeit megzabolázva, azokat teljesen irányítása alatt tartva tudatát Rám szögezi, azt rendíthetetlen értelműnek ismerik.

MAGYARÁZAT: Ez a vers világosan elmagyarázza, hogy a Kṛṣṇa-tudat a *yoga* legmagasabb rendű és legtökéletesebb formája. Az ember nem képes uralkodni az érzékszervein addig, míg nem válik Kṛṣṇa-tudatúvá. Az előzőekben már említettük, hogy a nagy bölcs, Durvāsā Muni vitába bocsátkozott Ambarīṣa Mahārājával, s miután büszkesége miatt minden ok nélkül méregbe gurult, nem tudott többé uralkodni érzékein. A király nem volt olyan hatalmas *yogī,* mint a bölcs, ám az Úr *bhaktája* volt, aki szó nélkül tűrte a bölcs minden igazságtalanságát, s így ő került ki győztesen. Azért tudta féken tartani az érzékszerveit, mert rendelkezett azokkal a tulajdonságokkal, melyekről a *Śrīmad-Bhāgavatam* (9.4.18–20) ír:

sa vai manaḥ kṛṣṇa-padāravindayor
vacāṁsi vaikuṇṭha-guṇānuvarṇane
karau harer mandira-mārjanādiṣu
śrutiṁ cakārācyuta-sat-kathodaye

mukunda-liṅgālaya-darśane dṛśau
tad-bhṛtya-gātra-sparśe 'ṅga-saṅgamam
ghrāṇaṁ ca tat-pāda-saroja-saurabhe
śrīmat-tulasyā rasanāṁ tad-arpite

pādau hareḥ kṣetra-padānusarpaṇe
śiro hṛṣīkeśa-padābhivandane
kāmaṁ ca dāsye na tu kāma-kāmyayā
yathottamaśloka-janāśrayā ratiḥ

„Ambarīṣa király az elméjét az Úr Kṛṣṇa lótuszlábára rögzítette, szavaival az Ő hajlékát írta le, két kezével az Ő templomát tisztította, fülével az Úr kedvteléseit hallgatta, szemével az Úr formáját nézte, testével a *bhakták* testét érintette, orrával az Úr lótuszlábának ajánlott virágok illatát szagolta, nyelvével a Neki felajánlott *tulasī*-leveleket ízlelte, lábával a szent helyre ment, ahol az Ő temploma áll, fejével hódolatát ajánlotta az Úrnak, vágyait pedig az Ő kívánságainak teljesítésére használta. Ezek a tulajdonságok alkalmassá tették arra, hogy az Úr *mat-para bhaktája* legyen."

A *mat-para* szónak ebben a vonatkozásban nagy jelentősége van. Ambarīṣa Mahārāja életéből megtudhatjuk, hogyan válhat valakiből *mat-para*. Śrīla Baladeva Vidyābhūṣaṇa, a *mat-para* lánc nagy tudósa és *ācāryája* megjegyzi: *mad-bhakti-prabhāvena sarvendriya-vijaya-pūrvikā svātma-dṛṣṭiḥ sulabheti bhāvaḥ.* „Az érzékeken csakis a Kṛṣṇának végzett odaadó szolgálat révén lehet teljes mértékben uralkodni." Néha a tűz példáját is használjuk erre: „Ahogyan a lángoló tűz mindent felemészt egy szobában, úgy éget föl minden tisztátalanságot az Úr Viṣṇu, aki a *yogī* szívében lakozik." A *Yoga-sūtra* szintén azt írja elő, hogy Viṣṇun kell meditálnunk, nem pedig a semmin. Azok az állítólagos *yogīk,* akik meditációjuk középpontjába nem Viṣṇu alakját helyezik, csupán idejüket vesztegetik, amikor hiábavalóan holmi álomvilág után kutatnak. Kṛṣṇa-tudatúvá, az Istenség Személyiségének odaadó hívévé kell válnunk. Ez az igazi *yoga* célja.

62. VERS

ध्यायतो विषयान् पुंसः सङ्गस्तेषूपजायते ।
सङ्गात्सञ्जायते कामः कामात्क्रोधोऽभिजायते ॥६२॥

dhyāyato viṣayān puṁsaḥ saṅgas teṣūpajāyate
saṅgāt sañjāyate kāmaḥ kāmāt krodho 'bhijāyate

dhyāyataḥ – elmélkedés közben; *viṣayān* – az érzékek tárgyain; *puṁsaḥ* – az embernek; *saṅgaḥ* – ragaszkodása; *teṣu* – az érzékek tárgyai iránt; *upajāyate* – kifejlődik; *saṅgāt* – vonzódásból; *sañjāyate* – kifejlődik; *kāmaḥ* – vágy; *kāmāt* – vágyból; *krodhaḥ* – düh; *abhijāyate* – megnyilvánul.

Az emberben az érzékek tárgyain elmélkedve ragaszkodás ébred azok iránt. E ragaszkodásból heves vágy támad, a vágy pedig dühöt szül.

MAGYARÁZAT: Aki nem Kṛṣṇa-tudatú, abban az érzéktárgyakon elmélkedve elkerülhetetlenül anyagi vágyak ébrednek. Az érzékeknek valódi elfoglaltságra van szükségük, s ha nem az Úr transzcendentális szerető szolgálata köti le őket, akkor egész biztos, hogy a materializmust szolgálják. Az anyagi világban mindenki, még az Úr Śiva és az Úr Brahmā is – mit sem szólva a mennyei bolygókon élő többi félistenről – ki van téve az érzéktárgyak hatásának. Ha ki akarunk kerülni az anyagi lét útvesztőjéből, az egyetlen út az, hogy Kṛṣṇa-tudatúvá válunk. Az Úr Śiva mély meditációba merült, ám amikor Pārvatī az érzéki élvezetre próbálta rávenni, hajlott a szavára, s ennek eredményeképpen megszületett Kārtikeya. Hasonlóan kísértette meg Māyā-devī inkarnációja Haridāsa Ṭhākurát, amikor még ifjú *bhakta* volt, ám Haridāsa az Úr Kṛṣṇa iránti vegyítetlen odaadása miatt könnyedén kiállta a próbát. Śrī Yāmunācārya korábban idézett verséből kitűnik, hogy az őszinte *bhakta* messze elkerül minden anyagi érzéki örömöt, mert az Úr társaságában sokkal magasabb rendű lelki élvezetben van része. Ez a siker titka. Az tehát, aki nem Kṛṣṇa-tudatú – legyen bármennyire erős érzékei mesterséges elnyomásában –, végül elkerülhetetlenül kudarcot vall, mert az érzéki élvezet leghalványabb gondolata is vágyai kielégítésére fogja késztetni.

63. VERS

क्रोधाद्भवति सम्मोहः सम्मोहात्स्मृतिविभ्रमः ।
स्मृतिभ्रंशाद् बुद्धिनाशो बुद्धिनाशात्प्रणश्यति ॥६३॥

krodhād bhavati sammohaḥ sammohāt smṛti-vibhramaḥ
smṛti-bhraṁśād buddhi-nāśo buddhi-nāśāt praṇaśyati

krodhāt – a dühből; *bhavati* – lesz; *sammohaḥ* – teljes illúzió; *sammohāt* – az illúzióból; *smṛti* – az emlékezet; *vibhramaḥ* – zavara; *smṛti-bhraṁśāt* – az emlékezet zavarából; *buddhi-nāśaḥ* – az értelem elvesztése; *buddhi-nāśāt* – és az értelem elvesztése folytán; *praṇaśyati* – az ember elbukik.

A düh eredménye teljes illúzió, az illúzióé pedig emlékezetzavar. Ha zavart az emlékezet, elvész az értelem, s az értelem elvesztésével az ember ismét visszasüllyed az anyagi lét mocsarába.

MAGYARÁZAT: Śrīla Rūpa Gosvāmī a következő utasítást adja számunkra:

prāpañcikatayā buddhyā hari-sambandhi-vastunaḥ
mumukṣubhiḥ parityāgo vairāgyaṁ phalgu kathyate
(*Bhakti-rasāmṛta-sindhu* 1.2.258)

Kṛṣṇa-tudata fejlődése során az ember megtanulja, hogy minden felhasználható az Úr szolgálatában. Akik nem ismerik a Kṛṣṇa-tudatot, azok természetellenes módszerekkel próbálják elkerülni az anyagi dolgokat, s ennek az az eredménye, hogy noha az anyagi kötelékek alóli felszabadulásra vágynak, nem jutnak el a lemondás tökéletes szintjére. Állítólagos lemondásukat *phalgunak,* lényegtelennek nevezik. A Kṛṣṇa-tudatú ember ezzel szemben tudja, hogyan használjon fel mindent az Úr szolgálatában, s ezért ő nem esik áldozatul az anyagi tudatnak. Az imperszonalisták például azt gondolják, hogy mivel az Úr, az Abszolút személytelen, nem képes enni. Megpróbálnak lemondani a finom ételekről, ám a *bhakták* velük ellentétben tudják, hogy Kṛṣṇa a legfelsőbb élvező, s elfogyasztanak mindent, amit odaadással felajánlanak Neki. Finomabbnál finomabb ételeket ajánlanak fel az Úrnak, majd megeszik a maradékot, amit *prasādának* hívnak. Ily módon minden lelkivé válik, s a *bhaktákat* nem fenyegeti az elbukás veszélye. Kṛṣṇa-tudatosan elfogyasztják a *prasādát,* míg az *abhakták* azt anyaginak tekintik, s elutasítják. Az imperszonalisták természetellenes lemondásuk miatt tehát nem tudják élvezni az életet, s ennek következtében elméjük a legkisebb izgatásra is az anyagi lét mocsarába rántja őket. A szentírások szerint az ilyen lélek még ha el is éri a felszabadulást, ismét visszaesik, mert nem áll mögötte az odaadó szolgálat támasza.

64. VERS

रागद्वेषविमुक्तैस्तु विषयानिन्द्रियैश्चरन् ।
आत्मवश्यैर्विधेयात्मा प्रसादमधिगच्छति ॥६४॥

rāga-dveṣa-vimuktais tu viṣayān indriyaiś caran
ātma-vaśyair vidheyātmā prasādam adhigacchati

rāga – a ragaszkodástól; *dveṣa* – és közömbösségtől; *vimuktaiḥ* – megszabadultak által; *tu* – de; *viṣayān* – az érzéktárgyakat; *indriyaiḥ* – érzékei által; *caran* – használva; *ātma-vaśyaiḥ* – kontrolláltak által; *vidheya-ātmā* – a szabályozott szabadság útját követő; *prasādam* – az Úr kegyét; *adhigacchati* – eléri.

De aki mentes minden ragaszkodástól és ellenszenvtől, és képes a szabadság szabályozó elveinek gyakorlása révén uralkodni az érzékein, az elnyerheti az Úr teljes kegyét.

MAGYARÁZAT: Már elmondtuk, hogy valamilyen természetellenes folyamattal a felszínen lehetséges uralkodni az érzékszervek fölött, de mindaddig, amíg az érzékeket nem állítjuk az Úr transzcendentális szolgálatába, minden esély megvan a visszaesésre. Az, aki teljesen Kṛṣṇa-tudatú, látszólag talán az érzékek síkján cselekszik, ám amiatt, hogy Kṛṣṇa-tudatú, egyáltalán nem ragaszkodik az érzéki cselekedetekhez. Semmi mással nem törődik, csak Kṛṣṇa elégedettségével, ezért fölötte áll minden ragaszkodásnak és ellenszenvnek. Ha Kṛṣṇa úgy akarja, a *bhakta* mindent megtesz, még azt is, amit egyébként nem akar, ha pedig Kṛṣṇa nem akarja, nem tesz olyat, amit másképp saját elégedettsége érdekében megtenne. Kṛṣṇa utasítását követve cselekszik, ezért ő dönti el, mit tesz és mit nem. Ez a tudat Kṛṣṇa indokolatlan kegye, amit a *bhakta* elnyerhet még akkor is, ha az érzékek elégedettségére vágyva cselekszik.

65. VERS

प्रसादे सर्वदुःखानां हानिरस्योपजायते ।
प्रसन्नचेतसो ह्याशु बुद्धिः पर्यवतिष्ठते ॥६५॥

prasāde sarva-duḥkhānāṁ hānir asyopajāyate
prasanna-cetaso hy āśu buddhiḥ paryavatiṣṭhate

prasāde – az Úr indokolatlan kegyét elnyerve; *sarva* – minden; *duḥkhānām* – anyagi szenvedésnek; *hāniḥ* – megsemmisülése; *asya* – neki; *upajāyate* – történik; *prasanna-cetasaḥ* – a derűs elméjűnek; *hi* – bizonyosan; *āśu* – nagyon hamar; *buddhiḥ* – értelme; *pari* – kielégítően; *avatiṣṭhate* – megszilárdul.

Aki ily módon elégedett [a Kṛṣṇa-tudatban], annak számára megszűnik az anyagi lét háromféle szenvedése, s ebben az elégedett tudatban értelme hamarosan megszilárdul.

66. VERS

नास्ति बुद्धिरयुक्तस्य न चायुक्तस्य भावना ।
न चाभावयतः शान्तिरशान्तस्य कुतः सुखम् ॥६६॥

nāsti buddhir ayuktasya na cāyuktasya bhāvanā
na cābhāvayataḥ śāntir aśāntasya kutaḥ sukham

na asti – nem lehet; *buddhiḥ* – transzcendentális értelme; *ayuktasya* – annak, aki nem áll kapcsolatban (a Kṛṣṇa-tudattal); *na* – nem; *ca* – és; *ayuktasya* – annak, aki nem Kṛṣṇa-tudatú; *bhāvanā* – a (boldogságban) megállapodott elme; *na* – nem; *ca* – és; *abhāvayataḥ* – annak, aki nem szilárd; *śāntiḥ* – béke; *aśāntasya* – a nem békésnek; *kutaḥ* – hol van; *sukham* – boldogság.

Aki nem áll kapcsolatban a Legfelsőbbel [a Kṛṣṇa-tudatban], annak értelme nem transzcendentális, elméje nem szilárd, s enélkül lehetetlen a béke is. És hogyan volna lehetséges a boldogság béke nélkül?

MAGYARÁZAT: Amíg valaki nem Kṛṣṇa-tudatú, nem érheti el a békét. Az ötödik fejezet (5.29) megerősíti, hogy csak akkor lehet valaki valóban békés, ha megérti, hogy Kṛṣṇa az áldozat és vezeklés minden kedvező eredményének egyetlen élvezője, az univerzumok valamennyi megnyilvánulásának birtokosa és minden élőlény igaz barátja. Ezért annak az elméjéből, aki nem Kṛṣṇa-tudatú, hiányzik a végső cél, s ez nyughatatlanságot okoz. Ám ha valaki biztos abban, hogy Kṛṣṇa mindenki és minden élvezője, tulajdonosa és barátja, az rendíthetetlen elméjével békét tud teremteni. Aki tehát úgy cselekszik, hogy nincsen kapcsolata Kṛṣṇával, annak örökké aggodalomban és nyugtalanságban van része, bármennyire is próbál nyugalmat színlelni és fejlett lelki szinten állónak látszani. A Kṛṣṇa-tudat egy magától megnyilvánuló békés állapot, melyet csakis Kṛṣṇával kapcsolatba kerülve lehet elérni.

67. VERS

इन्द्रियाणां हि चरतां यन्मनोऽनुविधीयते ।
तदस्य हरति प्रज्ञां वायुर्नावमिवाम्भसि ॥६७॥

indriyāṇāṁ hi caratāṁ yan mano 'nuvidhīyate
tad asya harati prajñāṁ vāyur nāvam ivāmbhasi

indriyāṇām – az érzékek közül; *hi* – bizonyosan; *caratām* – csapongó; *yat* – amivel; *manaḥ* – az elme; *anuvidhīyate* – állandóan elfoglalt lesz; *tat* – az; *asya* – annak; *harati* – elragadja; *prajñām* – értelmét; *vāyuḥ* – szél; *nāvam* – csónakot; *iva* – mint; *ambhasi* – a vízen.

Ahogyan az erős szél sodorja el a csónakot a vízen, úgy képes elragadni az ember értelmét még egyetlen csapongó érzék is, ha az elme arra összpontosít.

MAGYARÁZAT: Minden érzékszervet az Úr szolgálatába kell állítanunk, mert ha közülük akár egy is érzékkielégítéssel foglalkozik, az már eltérítheti a *bhaktát* a transzcendentális fejlődés útjáról. Ahogyan Ambarīṣa Mahārāja életével kapcsolatban megemlítettük, minden érzékünknek Kṛṣṇa-tudatos elfoglaltságot kell adnunk. Ez a helyes módja az elme szabályozásának.

68. VERS

तस्माद्यस्य महाबाहो निगृहीतानि सर्वशः ।
इन्द्रियाणीन्द्रियार्थेभ्यस्तस्य प्रज्ञा प्रतिष्ठिता ॥६८॥

tasmād yasya mahā-bāho nigṛhītāni sarvaśaḥ
indriyāṇīndriyārthebhyas tasya prajñā pratiṣṭhitā

tasmāt – ezért; *yasya* – akinek; *mahā-bāho* – ó, erős karú; *nigṛhītāni* – féken vannak tartva; *sarvaśaḥ* – körös-körül; *indriyāṇi* – az érzékei; *indriya-arthebhyaḥ* – az érzéktárgyaktól; *tasya* – annak; *prajñā* – az értelme; *pratiṣṭhitā* – szilárd.

Ezért, ó, erős karú, aki visszatartja érzékeit azok tárgyaitól, annak értelme valóban rendíthetetlen.

MAGYARÁZAT: Az érzékek kielégítésére irányuló késztetést kizárólag Kṛṣṇa-tudattal lehet legyőzni, vagyis azzal, hogy valamennyi érzékünket az Úr transzcendentális szerető szolgálatába állítjuk. Ahogyan az ellenséget a túlerő győzi le, úgy az érzékek fölött is egyedül az Urat szolgálva lehet győzelmet aratni, s nem emberi próbálkozással. Aki megérti, hogy az ember csakis a Kṛṣṇa-tudat által szilárdíthatja meg igazán az értelmét, s hogy e művészetet egy hiteles lelki tanítómester irányítása alatt kell gyakorolnia, azt *sādhakának* nevezik, olyan jelöltnek, aki megérett a felszabadulásra.

69. VERS

या निशा सर्वभूतानां तस्यां जागर्ति संयमी ।
यस्यां जाग्रति भूतानि सा निशा पश्यतो मुनेः ॥६९॥

yā niśā sarva-bhūtānāṁ tasyāṁ jāgarti saṁyamī
yasyāṁ jāgrati bhūtāni sā niśā paśyato muneḥ

yā – ami; *niśā* – éj; *sarva* – minden; *bhūtānām* – élőlénynek; *tasyām* – abban; *jāgarti* – éber; *saṁyamī* – a fegyelmezett; *yasyām* – amelyikben; *jāgrati* – ébren van; *bhūtāni* – minden lény; *sā* – az; *niśā* – éjjel; *paśyataḥ* – a befelé tekintő; *muneḥ* – bölcsnek.

Ami minden lény számára éjjel, ébredés az a fegyelmezett embernek, míg az élőlények ébrenléte a bensőt látó bölcsnek éjszaka.

MAGYARÁZAT: Az értelmes emberek két csoportot alkotnak. Az egyikbe azok tartoznak, akiknek intelligenciája az érzékkielégítést szolgáló anyagi tettekre korlátozódik, míg a másikba azok, akik befelé tekintenek, s készen állnak az önmegvalósításra. Az introspektív, gondolkodó bölcs cselekedetei éjszakát jelentenek a materializmusba merült embereknek. Mivel a materialisták mit sem tudnak az önmegvalósításról, ilyenkor is folytatják álmukat, ám a befelé tekintő bölcs ébren marad az ő „éjszakájukban". A bölcs transzcendentális örömöt érez, amint fokozatosan fejlődik a lelki életben, míg az anyagi tetteket végrehajtó ember az önmegvalósítás szempontjából alszik, s az érzéki gyönyörök különféle változatairól álmodva néha boldognak, néha pedig boldogtalannak érzi magát. Az anyagi boldogság vagy boldogtalanság közömbösen hat a befelé fordulóra, s miközben folytatja az önmegvalósítást szolgáló tetteit, az anyagi visszahatások nem zavarják meg.

70. VERS

आपूर्यमाणमचलप्रतिष्ठं
समुद्रमापः प्रविशन्ति यद्वत् ।
तद्वत्कामा यं प्रविशन्ति सर्वे
स शान्तिमाप्नोति न कामकामी ॥७०॥

āpūryamāṇam acala-pratiṣṭhaṁ
samudram āpaḥ praviśanti yadvat
tadvat kāmā yaṁ praviśanti sarve
sa śāntim āpnoti na kāma-kāmī

āpūryamāṇam – a mindig töltődő; *acala-pratiṣṭham* – mozdulatlan; *samudram* – óceánba; *āpaḥ* – vizek; *praviśanti* – beleömlenek; *yadvat* – ahogyan; *tadvat* – úgy; *kāmāḥ* – vágyak; *yam* – akibe; *praviśanti* – ömlenek; *sarve* – mind; *saḥ* – az a személy; *śāntim* – békét; *āpnoti* – eléri; *na* – nem; *kāma-kāmī* – aki teljesíteni kívánja vágyait.

A békét nem az éri el, aki igyekszik vágyait beteljesíteni, hanem egyedül az, akit nem zavar a kívánságok szakadatlan özöne, melyek úgy ömlenek bele, mint folyók az állandóan töltődő, ám mindig mozdulatlan óceánba.

MAGYARÁZAT: A hatalmas óceán rendkívüli víztömeg, ám örökké egyre több és több víz ömlik bele, különösen az esős évszak idején. Ennek ellenére azonban ugyanolyan mozdulatlan marad: nem kavarodik fel, s nem önt ki medréből. Ez jellemzi a szilárd Kṛṣṇa-tudatú embert is. Amíg az embernek anyagi teste van, a test érzékkielégítés utáni követelései nem szűnnek meg. A *bhaktát* azonban tökéletessége miatt nem zavarják meg az efféle vágyak. Aki Kṛṣṇa-tudatú, annak semmire sincs szüksége, mert az Úr ellátja mindennel, amire az anyagi lét során szüksége van. Éppen ezért olyan ő, mint az óceán: mindig teljes magában. Vágyak özöne zúdulhat rá, ahogyan a folyók ömlenek az óceánba, ő azonban rendíthetetlen marad tetteiben, s az érzékkielégítésre irányuló vágyak a legkevésbé sem zavarják. Ez a Kṛṣṇa-tudatú ember ismertetőjele, aki – noha a vágyak jelen vannak benne – nem hajlik többé az anyagi érzékkielégítésre. Az Úr transzcendentális szerető szolgálatát végezve mindig elégedett, ezért megingathatatlan marad, mint az óceán, s így teljes békében van része. Ezzel szemben mások, akik vágyaik beteljesítésére törekednek – beleértve még a felszabadulás utáni vágyat is, az anyagi siker utáni vágyról nem is beszélve –, sohasem érik el a békét. A tetteik gyümölcsére törekvők, a felszabadulásra vágyók és a misztikus hatalomra törekvő *yogīk* mind boldogtalanok beteljesületlen kívánságaik miatt. A Kṛṣṇa-tudatú ember azonban boldog az Úr szolgálatában, s nincsenek beteljesülésre váró vágyai. Valójában még az anyagi kötelékek alól sem akar felszabadulni. Kṛṣṇa *bhaktáinak* nincsenek anyagi vágyaik, ezért tökéletesen békések.

71. VERS

विहाय कामान् यः सर्वान् पुमांश्चरति निःस्पृहः ।
निर्ममो निरहङ्कारः स शान्तिमधिगच्छति ॥७१॥

vihāya kāmān yaḥ sarvān pumāṁś carati niḥspṛhaḥ
nirmamo nirahaṅkāraḥ sa śāntim adhigacchati

vihāya – feladva; *kāmān* – az érzékkielégítés utáni anyagi vágyakat; *yaḥ* – aki; *sarvān* – mindet; *pumān* – az az ember; *carati* – él; *niḥspṛhaḥ* – vágyak nélkül; *nirmamaḥ* – birtoklásvágy nélkül; *nirahaṅkāraḥ* – hamis ego nélkül; *saḥ* – ő; *śāntim* – tökéletes békét; *adhigacchati* – elér.

Egyedül az éri el az igazi békét, aki megszabadult minden érzékkielégítésre irányuló vágytól, kívánságok nélkül él, megvált minden birtoklásérzettől, s mentes a hamis egótól.

MAGYARÁZAT: Vágyak nélkül élni azt jelenti, hogy az ember nem törekszik az érzékkielégítésre. Az a vágy tehát, hogy valaki Kṛṣṇa-tudatúvá váljon, valójában vágynélküliség. Amikor az ember megérti valódi helyzetét mint Kṛṣṇa örök szolgája, s nem tekinti magát tévesen az anyagi testnek, valamint nem vallja magát jogtalanul semmi tulajdonosának, akkor a Kṛṣṇa-tudat tökéletes szintjére érkezett el. E tökéletes szintre eljutva tudja, hogy mivel Kṛṣṇa a birtokosa mindennek, mindent arra kell használnia, hogy Neki örömet szerezzen. Arjuna saját érzékkielégítésére gondolva nem akart harcolni, ám amikor teljesen Kṛṣṇa-tudatúvá vált, mégis fegyvert fogott, mert Kṛṣṇa ezt kívánta tőle. Saját magáért nem akart harcolni, Kṛṣṇáért azonban ugyanaz az Arjuna minden erejével küzdött.

Az az ember a valóban vágyak nélküli, aki Kṛṣṇa kedvét keresi, s nem az, aki természetellenes módon próbálja elűzni vágyait. Az élőlény nem lehet vágyak vagy érzékek nélküli, de változtatnia kell vágyai minőségén. Az anyagi kívánságoktól mentes ember jól tudja, hogy minden Kṛṣṇához tartozik (*īśāvāsyam idaṁ sarvam*), ezért semmit sem tekint jogtalanul a magáénak. Ez a transzcendentális tudás az önmegvalósításon alapszik, vagyis annak tökéletes felismerésén, hogy az élőlény lelki azonosságában Kṛṣṇa örök, szerves része, s ezért az élőlény örök helyzetében sohasem állhat Kṛṣṇával egyenlő vagy Nála magasabb szinten. E Kṛṣṇa-tudatos felfogás jelenti az igazi béke alapját.

72. VERS

एषा ब्राह्मी स्थितिः पार्थ नैनां प्राप्य विमुह्यति ।
स्थित्वास्यामन्तकालेऽपि ब्रह्मनिर्वाणमृच्छति ॥७२॥

eṣā brāhmī sthitiḥ pārtha naināṁ prāpya vimuhyati
sthitvāsyām anta-kāle 'pi brahma-nirvāṇam ṛcchati

eṣā – ez; *brāhmī* – lelki; *sthitiḥ* – helyzet; *pārtha* – ó, Pṛthā fia; *na* – sohasem; *enām* – ezt; *prāpya* – elérve; *vimuhyati* – megzavarodik; *sthitvā* – ilyen állapotban; *asyām* – ebben; *anta-kāle* – az élet végén; *api* – szintén; *brahma-nirvāṇam* – Isten lelki birodalmát; *ṛcchati* – eléri.

Ez a lelki és isteni élet útja, melyet elérve az ember megtéveszthetetlenné válik. Még ha a halál órájában lépett is rá, képes eljutni Isten birodalmába.

MAGYARÁZAT: Az ember szert tehet a Kṛṣṇa-tudatra, az isteni életre egyetlen pillanat alatt is, de előfordulhat, hogy millió és millió élet sem elegendő számára, hogy elérje ezt a szintet. Ez csupán a tények megértésétől és elfogadásától függ. Khaṭvāṅga Mahārāja a halála előtt néhány perccel jutott el az életnek erre a szintjére, amikor átadta magát Kṛṣṇának. A *nirvāṇa* azt jelenti, hogy az ember véget vet az anyagi felfogású életnek. A buddhista filozófia szerint az anyagi élet után nincs semmi, ám a *Bhagavad-gītā* mást tanít. Az igazi élet az anyagi lét befejezése után kezdődik. A pusztán a durva anyagban hívő materialista beéri annyival, hogy tudja: fel kell hagynia anyagi életmódjával, ellenben a lelki értelemben fejlett emberek számára ez után az anyagi élet után egy másik élet következik. Ha valaki szerencsés módon még azelőtt Kṛṣṇa-tudatú lesz, hogy élete véget érne, azonnal eljut a *brahma-nirvāṇa* szintjére. Isten országa és az Úr odaadó szolgálata között nincsen különbség. Mindkettő az abszolút síkon van, ezért az Úr transzcendentális szerető szolgálata a lelki világ elérését jelenti. Az ember az anyagi világban érzékei kielégítéséért cselekszik, míg a lelki világban mindent Kṛṣṇa-tudatban tesz. Aki még ebben az életében Kṛṣṇa-tudatossá válik, az azonnal eléri a Brahmant, s aki Kṛṣṇa-tudatos, az minden kétséget kizárva már belépett Isten országába.

A Brahman az anyag ellentéte, így a *brāhmī sthiti* azt jelenti: „nem az anyagi cselekedetek szintjén". A *Bhagavad-gītā* az Úr odaadó szolgálatát felszabadult szintnek tekinti (*sa guṇān samatītyaitān brahma-bhūyāya kalpate*), így a *brāhmī sthiti* nem más, mint megszabadulás az anyagi kötelékektől.

Śrīla Bhaktivinoda Ṭhākura a *Bhagavad-gītā* második fejezetéről kijelenti, hogy az az egész mű tartalmának tömör összefoglalása. A *Bhagavad-gītā* témáját a *karma-yoga,* a *jñāna-yoga* és a *bhakti-yoga* alkotja. A második fejezet a *karma-* és a *jñāna-yogát* tárgyalja nagyon érthetően, s röviden a *bhakti-yogáról* is említést tesz a mű tartalmának összegzése kapcsán.

Így végződnek a Bhaktivedanta-magyarázatok a Śrīmad Bhagavad-gītā *második fejezetéhez, melynek címe: „A* Bhagavad-gītā *tartalmának összefoglalása".*

HARMADIK FEJEZET

Karma-yoga

1. VERS

अर्जुन उवाच
ज्यायसी चेत्कर्मणस्ते मता बुद्धिर्जनार्दन ।
तत्किं कर्मणि घोरे मां नियोजयसि केशव ॥ १ ॥

arjuna uvāca
jyāyasī cet karmaṇas te matā buddhir janārdana
tat kiṁ karmaṇi ghore māṁ niyojayasi keśava

arjunaḥ uvāca – Arjuna mondta; *jyāyasī* – jobbnak; *cet* – ha; *karmaṇaḥ* – a gyümölcsöző cselekedeteknél; *te* – Általad; *matā* – gondolt; *buddhiḥ* – az értelem; *janārdana* – ó, Kṛṣṇa; *tat* – ezért; *kim* – miért; *karmaṇi* – tettre; *ghore* – szörnyű; *mām* – engem; *niyojayasi* – biztatsz; *keśava* – ó, Kṛṣṇa.

Arjuna így szólt: Ó, Janārdana! Ó, Keśava! Miért akarod, hogy részt vegyek e szörnyű harcban, ha úgy gondolod, hogy az értelem jobb a gyümölcsöző tettnél?

MAGYARÁZAT: Az előző fejezetben az Istenség Legfelsőbb Személyisége, Śrī Kṛṣṇa alapos részletességgel leírta a lélek természetét, azzal a céllal, hogy Arjunát, meghitt barátját kimentse az anyagi bánat óceánjából. A megvalósítás útjaként a *buddhi-yogát,* vagyis a Kṛṣṇa-tudatot ajánlotta. A Kṛṣṇa-tudatot egyesek tétlenségnek tekintik, s e félreértés következtében gyakran egy elhagyatott helyre vonulnak, hogy ott az Úr Kṛṣṇa szent nevének éneklésével teljesen Kṛṣṇa-tudatúvá váljanak. A Kṛṣṇa-tudat filozófiájának elsajátítása nélkül azonban nem ajánlatos egy félreeső helyre vonulni, hogy a szent név éneklésével az ember esetleg csupán az ártatlan tömegek olcsó csodálatát vívja ki. Arjuna szintén azt hitte, hogy a Kṛṣṇa-tudat vagy *buddhi-yoga* (az értelem használata a lelki tudás kifejlesztésében) azt jelenti, hogy vissza kell vonulnia a tevékeny élettől, s egy magányos helyen a vezeklést és az önfegyelmezést kell gyakorolnia. Más szóval el akarta kerülni a harcot, s erre ügyesen a Kṛṣṇa-tudatot hozta fel ürügyként. Mivel azonban őszinte tanítvány volt, mestere, Kṛṣṇa előtt feltárta elméjét, s Őt kérdezte arról, melyik a legjobb módja a cselekvésnek. Válaszul az Úr Kṛṣṇa e harmadik fejezetben részletes magyarázatot ad a *karma-yogáról,* a Kṛṣṇa-tudatbeli cselekvésről.

2. VERS

व्यामिश्रेणेव वाक्येन बुद्धिं मोहयसीव मे ।
तदेकं वद निश्चित्य येन श्रेयोऽहमाप्नुयाम् ॥ २ ॥

vyāmiśreṇeva vākyena buddhiṁ mohayasīva me
tad ekaṁ vada niścitya yena śreyo 'ham āpnuyām

vyāmiśreṇa – kétértelműekkel; *iva* – bizonyosan; *vākyena* – szavakkal; *buddhim* – értelmemet; *mohayasi* – megtéveszted; *iva* – bizonyosan; *me* – az én; *tat* – ezért; *ekam* – csak egyet; *vada* – kérlek, mondj meg; *niścitya* – megállapítva; *yena* – ami által; *śreyaḥ* – valódi haszonhoz; *aham* – én; *āpnuyām* – juthatok.

Kétértelmű utasításaid megtévesztették értelmemet. Kérlek hát, mondd meg világosan, mi a leghasznosabb számomra!

MAGYARÁZAT: Az előző fejezet a *Bhagavad-gītā* bevezetéseként különféle utakat ismertetett – *sāṅkhya-yoga, buddhi-yoga,* az érzékek értelemmel való szabályozása, cselekvés anélkül, hogy vágynánk annak gyümölcseire –, s ezenkívül a kezdő helyzetét is leírta. Minderről azonban nem rendszerezett formában olvashattunk. A helyes cselekvés és megértés érdekében szükség van az út rendszerezettebb áttekintésére. Arjuna éppen ezért tisztázni akarta e látszólag zavaros fogalmakat, hogy bármelyik közönséges ember félreértés nélkül elfogadhassa azokat. Kṛṣṇának nem állt szándékában Arjunát a szavakkal bűvészkedve megtéveszteni, ám Arjuna nem tudott a Kṛṣṇa-tudat útjára lépni sem a tétlenség, sem a tevékeny szolgálat által. Más szóval tehát kérdésével megvilágítja a Kṛṣṇa-tudat útját minden olyan tanítvány számára, aki komolyan elhatározta, hogy megérti a *Bhagavad-gītā* titkát.

3. VERS

श्रीभगवानुवाच
लोकेऽस्मिन्द्विविधा निष्ठा पुरा प्रोक्ता मयानघ ।
ज्ञानयोगेन साङ्ख्यानां कर्मयोगेन योगिनाम् ॥ ३ ॥

śrī-bhagavān uvāca
loke 'smin dvi-vidhā niṣṭhā purā proktā mayānagha
jñāna-yogena sāṅkhyānāṁ karma-yogena yoginām

śrī-bhagavān uvāca – az Istenség Legfelsőbb Személyisége mondta; *loke* – a világban; *asmin* – ebben; *dvi-vidhā* – kétféle; *niṣṭhā* – hit; *purā* – korábban; *proktā* – említett; *mayā* – Általam; *anagha* – ó, bűntelen; *jñāna-yogena* – a tudás összekapcsoló folyamata által; *sāṅkhyānām* – az empirikus filozófusoké; *karma-yogena* – az odaadás összekapcsoló folyamata által; *yoginām* – a *bhaktáké.*

Az Istenség Legfelsőbb Személyisége így szólt: Ó, bűntelen Arjuna! Már megmagyaráztam, hogy az emberek két rétege törekszik az önvaló megismerésére. Némelyek empirikus, filozófiai spekuláció útján, mások pedig az odaadó szolgálat által kívánják ezt elérni.

MAGYARÁZAT: A második fejezet harminckilencedik versében az Úr két útról beszélt: a *sāṅkhya-yogáról* és a *karma-yogáról* vagy *buddhi-yogáról.* Ebben a versben ugyanezt magyarázza el sokkal érthetőbben. A *sāṅkhya-yogát,* vagyis a lélek és az anyag természetének elemző tanulmányozását azok végzik, akik hajlamosak a spekulációra, valamint a dolgok tapasztalati tudás és filozófia által történő megértésére. Az emberek másik rétege Kṛṣṇa-tudatban cselekszik, ahogy azt a második fejezet hatvanegyedik verse megmagyarázza. Szintén a harminckilencedik versben az Úr kifejti, hogy a *buddhi-yoga,* vagyis a Kṛṣṇa-tudat elvei szerinti cselekvés által az ember megszabadulhat a tettek kötelékeitől, s ezenkívül e folyamat teljesen mentes minden hibától. A hatvanegyedik vers még világosabban megmagyarázza ugyanezt az elvet, miszerint a *buddhi-yoga* azt jelenti, hogy az ember teljesen a Legfelsőbbre (pontosabban Kṛṣṇára) bízza magát, s hogy ily módon könnyedén uralkodni tud valamennyi érzéke felett. Ezért mindkét *yoga*-folyamat kölcsönösen függ egymástól – az egyik a vallási, a másik a filozófiai aspektus. A vallás filozófia nélkül szentimentalizmus vagy néha fanatizmus, míg a filozófia vallás nélkül csupán elméleti spekuláció. A végső cél Kṛṣṇa, hiszen az Abszolút Igazság után őszintén kutató filozófusok végül szintén a Kṛṣṇa-tudathoz érkeznek el. A *Bhagavad-gītā* erről is ír. Az egész folyamat arra szolgál, hogy megértsük az önvaló valódi helyzetét a Legfelsőbbel való viszonyában. A filozófiai spekuláció közvetett folyamat, ami által az ember fokozatosan eljuthat a Kṛṣṇa-tudat szintjére, míg a másik folyamat közvetlen, s mindent közvetlenül Kṛṣṇával kapcsol össze, Kṛṣṇa-tudatban. E kettő közül a Kṛṣṇa-tudat útja a jobb, mert nem függ az érzékek filozófiai úton való megtisztításától. A Kṛṣṇa-tudat maga a tisztító folyamat, amely az odaadó szolgálat közvetlen alkalmazásával könnyű, s egyben magasztos is.

4. VERS

न कर्मणामनारम्भान्नैष्कर्म्यं पुरुषोऽश्नुते ।
न च सन्न्यसनादेव सिद्धिं समधिगच्छति ॥ ४ ॥

na karmaṇām anārambhān naiṣkarmyaṁ puruṣo 'śnute
na ca sannyasanād eva siddhiṁ samadhigacchati

na – nem; *karmaṇām* – az előírt kötelességeknek; *anārambhāt* – végre nem hajtásával; *naiṣkarmyam* – megszabadulást a visszahatástól; *puruṣaḥ* – az ember; *aśnute* – eléri; *na* – sem; *ca* – is; *sannyasanāt* – lemondással; *eva* – csupán; *siddhim* – sikert; *samadhigacchati* – eléri.

Az ember nem szabadulhat meg a visszahatásoktól csupán azáltal, hogy eláll a tettektől, s pusztán lemondással sem érhet el tökéletességet.

MAGYARÁZAT: A lemondott élet rendjébe akkor léphet az ember, ha előírt kötelességei teljesítése következtében megtisztult. Az előírt kötelességek célja az, hogy megtisztítsák a materialista emberek szívét. Senki sem érhet el sikert azzal, hogy egyszerre csak belép az élet negyedik rendjébe (a *sannyāsába*), anélkül hogy előtte megtisztult volna. Az empirikus filozófusok szerint csupán a *sannyāsa* elfogadásával, vagyis a gyümölcsöző cselekedetektől tartózkodva az ember azon nyomban egyenlővé válik Nārāyaṇával. Az Úr Kṛṣṇa azonban nem szentesíti ezt az elvet. A szív megtisztítása nélkül a *sannyāsa* csupán zavart okoz a társadalomban. Másrészt azonban ha valaki az Úr transzcendentális szolgálatához lát, az Úr elfogadja fejlődését – legyen az bármilyen csekély –, még akkor is, ha előírt kötelességeit nem végzi el (*buddhi-yoga*). *Sv-alpam apy asya dharmasya trāyate mahato bhayāt.* Ha ennek az elvnek valaki a legkisebb mértékben eleget tesz, képes lesz arra, hogy a legnagyobb nehézséget is legyőzze.

5. VERS

न हि कश्चित्क्षणमपि जातु तिष्ठत्यकर्मकृत् ।
कार्यते ह्यवशः कर्म सर्वः प्रकृतिजैर्गुणैः ॥५॥

na hi kaścit kṣaṇam api jātu tiṣṭhaty akarma-kṛt
kāryate hy avaśaḥ karma sarvaḥ prakṛti-jair guṇaiḥ

na – sem; *hi* – bizonyosan; *kaścit* – bárki; *kṣaṇam* – egy pillanatra; *api* – még; *jātu* – bármikor; *tiṣṭhati* – marad; *akarma-kṛt* – anélkül, hogy tenne valamit; *kāryate* – cselekedni kényszerül; *hi* – bizony; *avaśaḥ* – tehetetlenül; *karma* – munka; *sarvaḥ* – minden; *prakṛti-jaiḥ* – az anyagi természet kötőerőiből születő; *guṇaiḥ* – tulajdonságok által.

Minden ember akaratlanul is arra kényszerül, hogy az anyagi természet kötőerőitől származó tulajdonságai szerint cselekedjék, ezért senki sem maradhat tétlen, még egy pillanatra sem.

MAGYARÁZAT: Az állandó aktivitás nem a megtestesült állapot jellemzője, hanem a lélek természete. A lélek jelenléte nélkül az anyagi test képtelen mozogni. A test csupán egy halott jármű, melyet a mindig tevékeny, egy pillanatra sem nyugvó lélek működtet. Éppen ezért a lelket a Kṛṣṇa-tudat kedvező cselekedeteivel kell elfoglalni, mert másképp az illúziókeltő energia diktálta tennivalók kötik le. A lélek az anyagi energiával kapcsolatba kerülve az anyagi kötőerők hatása alá kerül, s hogy e köteléktől megszabadulhasson, a *śāstrákban* említett előírt kötelességeket kell végeznie. Ha azonban a Kṛṣṇa-tudatban cselekszik, ami természetes feladata, akkor bármit tesz, az a javára válik. A *Śrīmad-Bhāgavatam* (1.5.17) megerősíti ezt:

tyaktvā sva-dharmaṁ caraṇāmbujaṁ harer
bhajann apakvo 'tha patet tato yadi

yatra kva vābhadram abhūd amuṣya kiṁ
ko vārtha āpto 'bhajatāṁ sva-dharmataḥ

„Aki a Kṛṣṇa-tudat folyamatába kezd, azt nem éri veszteség vagy rossz még akkor sem, ha esetleg nem teljesíti a *śāstrák* előírta kötelességeket, vagy nem végzi megfelelően az odaadó szolgálatot, sőt akkor sem, ha elbukik. De mi haszna a *sāstrákban* említett valamennyi tisztító eljárás végrehajtásának, ha valaki nem Kṛṣṇa-tudatú?" A tisztító folyamatra tehát szükség van a Kṛṣṇa-tudat e szintjének eléréséhez, s a *sannyāsa* vagy bármi más tisztító folyamat a végső cél elérését, a Kṛṣṇa-tudatúvá válást segíti, ami nélkül minden kudarcnak számít.

6. VERS

कर्मेन्द्रियाणि संयम्य य आस्ते मनसा स्मरन् ।
इन्द्रियार्थान् विमूढात्मा मिथ्याचारः स उच्यते ॥ ६ ॥

karmendriyāṇi saṁyamya ya āste manasā smaran
indriyārthān vimūḍhātmā mithyācāraḥ sa ucyate

karma-indriyāṇi – az öt cselekvő érzékszervet; *saṁyamya* – irányítva; *yaḥ* – bárki; *āste* – marad; *manasā* – az elmével; *smaran* – ha rágondol; *indriya-arthān* – az érzéktárgyakra; *vimūḍha* – ostoba; *ātmā* – lélek; *mithyā-ācāraḥ* – képmutató; *saḥ* – őt; *ucyate* – hívják.

Aki visszatartja cselekvő érzékeit, ám elméje továbbra is az érzékek tárgyain csügg, az kétségkívül becsapja magát. Az ilyen embert kétszínűnek hívják.

MAGYARÁZAT: Számtalan kétszínű ember van, aki a Kṛṣṇa-tudatú cselekvést megtagadva meditációt színlel, ám közben az érzéki élvezetre gondol. Az ilyen emberek néha még valamiféle száraz filozófiáról is beszélnek, hogy becsapják okoskodó követőiket, ám e vers szerint ők a legnagyobb csalók. Ha valaki érzéki élvezetre vágyik, azt bármely társadalmi rendben megkaphatja, de ha követi a saját helyzetére vonatkozó szabályokat, akkor fokozatosan megtisztíthatja a létét. Aki azonban *yogīnak* tünteti fel magát, miközben valójában az érzékkielégítés tárgyai után kutat, azt a legnagyobb csalónak kell nevezni, még akkor is, ha néha filozófiáról beszél. Tudása értéktelen, mert az Úr illúziókeltő energiája az ilyen bűnös embert megfosztja tudásának eredményétől. Az ilyen álszent elméje mindig tisztátalan, s így színlelt *yoga*-meditációjának semmi értéke nincsen.

7. VERS

यस्त्विन्द्रियाणि मनसा नियम्यारभतेऽर्जुन ।
कर्मेन्द्रियैः कर्मयोगमसक्तः स विशिष्यते ॥ ७ ॥

yas tv indriyāṇi manasā niyamyārabhate 'rjuna
karmendriyaiḥ karma-yogam asaktaḥ sa viśiṣyate

yaḥ – aki; *tu* – de; *indriyāṇi* – az érzékszerveket; *manasā* – az elme által; *niyamya* – szabályozva; *ārabhate* – elkezdi; *arjuna* – ó, Arjuna; *karma-indriyaiḥ* – a cselekvő érzékek által; *karma-yogam* – az odaadást; *asaktaḥ* – ragaszkodás nélkül; *saḥ* – ő; *viśiṣyate* – sokkal kiválóbb.

Az az őszinte ember azonban, aki elméjével uralkodni próbál cselekvő érzékein, s ragaszkodástól mentesen a karma-yoga gyakorlásához lát [Kṛṣṇa-tudatban], sokkal kiválóbb nála.

MAGYARÁZAT: Jobb folytatni a munkát az élet céljának elérése érdekében – ami nem más, mint megszabadulni az anyagi kötelékektől és eljutni Isten birodalmába –, mintsem csaló transzcendentalistává válni az erkölcstelen élet és az érzéki élvezet kedvéért. A legfőbb *svārtha-gati,* az önvaló legfőbb célja Viṣṇu elérése. A *varṇa* és *āśrama* intézmény teljes egészében arra szolgál, hogy segítsen bennünket e cél elérésében, melyet még a családos ember is elérhet a Kṛṣṇa-tudatban végzett szabályozott szolgálattal. Az önmegvalósítás érdekében az ember egyidejűleg követheti a *śāstrákban* előírt szabályozott életet, valamint ragaszkodás nélkül folytathatja munkáját is, és ezáltal fejlődhet ezen az úton. Az az őszinte ember, aki ezt a folyamatot követi, sokkal jobb helyzetben van, mint a csaló képmutató, aki csak színleli a lelki életet, hogy becsapja az ártatlanokat. Egy őszinte utcaseprő sokkal többet ér a képmutató meditálónál, aki csak a megélhetés kedvéért meditál.

8. VERS

नियतं कुरु कर्म त्वं कर्म ज्यायो ह्यकर्मणः ।
शरीरयात्रापि च ते न प्रसिद्ध्येदकर्मणः ॥ ८ ॥

niyataṁ kuru karma tvaṁ karma jyāyo hy akarmaṇaḥ
śarīra-yātrāpi ca te na prasiddhyed akarmaṇaḥ

niyatam – előírt; *kuru* – tedd; *karma* – kötelességeket; *tvam* – te; *karma* – munka; *jyāyaḥ* – jobb; *hi* – bizony; *akarmaṇaḥ* – a nem cselekvésnél; *śarīra* – a test; *yātrā* – fenntartása; *api* – még; *ca* – szintén; *te* – tiéd; *na* – nem; *prasiddhyet* – megvalósul; *akarmaṇaḥ* – tettek nélkül.

Hajtsd végre előírt kötelességed, mert az jobb a tétlenségnél! Az ember még anyagi testét sem képes fenntartani munka nélkül.

MAGYARÁZAT: Számtalan csaló meditáló van, aki előkelő származásúnak adja ki magát, és megannyi nagy hivatásos *yogī* állítja, hogy mindent feláldozott a lelki élet érdekében. Az Úr Kṛṣṇa nem akarta, hogy Arjuna kétszínű legyen, inkább arra vágyott, hogy Arjuna végezze a *kṣatriyák* számára előírt kötelességeket. Arjuna családos ember és hadvezér volt, ezért számára előnyösebb volt, ha megmarad ebben a helyzetben, és a családos *kṣatriyák* előírt vallásos kötelességeit végzi. Az ilyen tettek fokozatosan megtisztítják a világi ember szívét, s megszabadítják az anyagi szennyeződésektől. A test fenntartása érdekében végzett állítólagos lemondást sem az Úr, sem egyetlen vallásos írás nem támogatja. Az ember végső soron kénytelen valamilyen munkát végezni, amiből testét és lelkét együtt tarthatja. Nem szabad ezt önkényesen abbahagynia, anélkül hogy materialista hajlamaitól megszabadult volna. Az anyagi világban mindenkire jellemző az a tisztátlan hajlam, hogy uralkodni akar az anyagi természet fölött, vagyis érzékkielégítésre vágyik. Ezektől a szennyes hajlamoktól meg kell tisztulni. Amíg az ember nem tisztul meg kötelességei végrehajtása révén, addig nem szabad azzal próbálkoznia, hogy „transzcendentalistává" váljon, s nem szabad felhagynia a munkával, hogy aztán mások tartsák el.

9. VERS

यज्ञार्थात्कर्मणोऽन्यत्र लोकोऽयं कर्मबन्धनः ।
तदर्थं कर्म कौन्तेय मुक्तसङ्गः समाचर ॥ ९ ॥

yajñārthāt karmaṇo 'nyatra loko 'yaṁ karma-bandhanaḥ
tad-arthaṁ karma kaunteya mukta-saṅgaḥ samācara

yajña-arthāt – csakis Yajña, vagyis Viṣṇu kedvéért végzett; *karmaṇaḥ* – munkát; *anyatra* – kivéve; *lokaḥ* – a világ; *ayam* – ez; *karma-bandhanaḥ* – a tettek okozta kötelék; *tat* – Neki; *artham* – kedvéért; *karma* – munkát; *kaunteya* – ó, Kuntī fia; *mukta-saṅgaḥ* – megszabadulva a kapcsolatoktól; *samācara* – végezd tökéletesen.

Az ember végezze úgy munkáját, hogy az Viṣṇunak ajánlott áldozat legyen, másképp tettei az anyagi világhoz kötözik. Ó, Kuntī fia, teljesítsd ezért előírt kötelességed az Ő örömére, s így mindig mentes maradsz a kötelékektől!

MAGYARÁZAT: Az embernek dolgoznia kell még teste fenntartásáért is, ezért sajátságos társadalmi helyzete és tulajdonságai szerint előírt kötelességei olyanok, hogy általuk elérheti ezt a célt. A *yajña* szó az Úr Viṣṇut vagy az áldozati szertartásokat jelenti. Minden áldozatnak az Úr Viṣṇu elégedettsége a célja. A Védák kijelentik: *yajño vai viṣṇuḥ*. Más szóval ugyanannak a célnak teszünk eleget, ha végrehajtjuk az előírt *yajñákat,* mint ha közvetlenül az Úr Viṣṇut szolgáljuk. Ezért a Kṛṣṇa-tudat, ahogyan ez a vers is írja, a *yajña* végrehajtását jelenti. A *varṇāśrama*-intézmény célja szintén az Úr Viṣṇu elégedettsége. *Varṇāśramācāravatā puruṣeṇa paraḥ pumān / viṣṇur ārādhyate* (*Viṣṇu-purāṇa* 3.8.8).

Az embernek Viṣṇu öröméért kell tehát dolgoznia. Bármi másért cselekszik ebben az anyagi világban, az rabságot eredményez, mert a jó és a rossz tett egyaránt visszahatásokkal jár, a visszahatások pedig bilincsbe kötik a tett elkövetőjét. Kṛṣṇa-tudatban kell cselekednünk, Kṛṣṇa (Viṣṇu) elégedettsége érdekében, s e tettek végzése a felszabadult szinten történik. Ez tehát a tettek művészete, amely kezdetben nagyon ügyes irányítást igényel. Éppen ezért nagyon szorgalmasan kell dolgoznunk, vagy az Úr Kṛṣṇa *bhaktájának* szakszerű vezetése, vagy közvetlenül az Úr Kṛṣṇa irányítása alatt (s Arjunának ez a lehetőség adatott meg). Semmit sem szabad csupán az érzékkielégítésért végeznünk: mindent Kṛṣṇa kielégítése érdekében kell tennünk. Ez nemcsak a tettek visszahatásaitól szabadít meg bennünket, de lassanként arra a szintre is felemel, amelyen az Úr transzcendentális szerető szolgálatát végezhetjük. Ez a szolgálat az egyetlen dolog, amely által eljuthatunk Isten országába.

10. VERS

सहयज्ञाः प्रजाः सृष्ट्वा पुरोवाच प्रजापतिः ।
अनेन प्रसविष्यध्वमेष वोऽस्त्विष्टकामधुक् ॥१०॥

saha-yajñāḥ prajāḥ sṛṣṭvā purovāca prajāpatiḥ
anena prasaviṣyadhvam eṣa vo 'stv iṣṭa-kāma-dhuk

saha – együtt; *yajñāḥ* – az áldozatokkal; *prajāḥ* – nemzedékeket; *sṛṣṭvā* – teremtve; *purā* – az ősi időkben; *uvāca* – mondta; *prajā-patiḥ* – a teremtmények Ura; *anena* – ezáltal; *prasaviṣyadhvam* – éljetek mind jobban és jobban; *eṣaḥ* – ez; *vaḥ* – tiétek; *astu* – legyen; *iṣṭa* – minden kívánatos dolog; *kāma-dhuk* – adományozó.

A teremtés kezdetén az élőlények Ura az emberek és félistenek nemzedékeit teremtette meg Viṣṇunak szánt áldozatokkal, aztán megáldotta

őket, mondván: „Legyetek boldogok e yajña [áldozat] által, mert ennek végrehajtása majd megajándékoz benneteket mindennel, ami kívánatos a boldog élethez és a felszabaduláshoz!"

MAGYARÁZAT: Az élőlények Ura (Viṣṇu) anyagi teremtése lehetőséget nyújt a feltételekhez kötött lelkek számára, hogy hazatérjenek, vissza Istenhez. Az anyagi teremtésen belül minden élőlényt feltételekhez köt az anyagi természet, mert megfeledkeztek a Viṣṇuhoz, vagyis Kṛṣṇához, az Istenség Legfelsőbb Személyiségéhez fűződő kapcsolatukról. A védikus elvek azért vannak, hogy segítsenek bennünket ezen örök kapcsolat megértésében, ahogyan azt a *Bhagavad-gītā* elmondja: *vedaiś ca sarvair aham eva vedyaḥ.* Az Úr kijelenti, hogy a Védák célja az Ő megismerése. A védikus himnuszokban az áll: *patiṁ viśvasyātmeśvaram.* Az élőlények Ura az Istenség Legfelsőbb Személyisége, Viṣṇu. A *Śrīmad-Bhāgavatamban* (2.4.20) Śrīla Śukadeva Gosvāmī szintén újra és újra *patinak* nevezi az Urat:

śriyaḥ patir yajña-patiḥ prajā-patir
dhiyāṁ patir loka-patir dharā-patiḥ
patir gatiś cāndhaka-vṛṣṇi-sātvatāṁ
prasīdatāṁ me bhagavān satāṁ patiḥ

A *prajā-pati* az Úr Viṣṇu: Ő az Ura valamennyi élőlénynek, minden világnak és minden szépségnek, és Ő védelmez mindenkit. Az Úr azért teremtette ezt az anyagi világot, hogy a feltételekhez kötött lelkek megtanulhassák, hogyan kell *yajñákat* (áldozatokat) végrehajtaniuk Viṣṇu elégedettsége érdekében, hogy nagyon kényelmesen, aggodalom nélkül éljenek, amíg az anyagi világban vannak, s hogy aztán jelenlegi anyagi testük halála után beléphessenek Isten birodalmába. Ez az Úr terve a feltételekhez kötött lelkek számára, akik a *yajña* végzésével fokozatosan Kṛṣṇa-tudatúvá és minden tekintetben jámborrá válhatnak. A védikus írások e Kali-korszak számára a *saṅkīrtana-yajñát* (Isten szent neveinek éneklését) ajánlják. Ezt a transzcendentális folyamatot az Úr Caitanya vezette be, hogy e korszakban valamennyi ember felszabadulhasson. A *saṅkīrtana-yajña* és a Kṛṣṇa-tudat nagyon jól összeillenek. A *Śrīmad-Bhāgavatam* (11.5.32) így ír az Úr Kṛṣṇa *bhaktaként* (az Úr Caitanyaként) megjelenő formájáról, különösen kiemelve a *saṅkīrtana-yajñát:*

kṛṣṇa-varṇaṁ tviṣākṛṣṇaṁ sāṅgopāṅgāstra-pārṣadam
yajñaiḥ saṅkīrtana-prāyair yajanti hi su-medhasaḥ

„Az igazán intelligens emberek a Kali-korszakban a *saṅkīrtana-yajña* végzésével imádják majd a társaival együtt megjelenő Urat." A védikus irodalomban leírt többi *yajñát* nagyon nehéz végrehajtani ebben a Kali-korszakban, ám a *saṅkīrtana-yajña* minden szempontból rendkívül könnyű és nagyszerű. A *Bhagavad-gītā* (9.14) szintén ezt az áldozatot javasolja.

11. VERS

देवान् भावयतानेन ते देवा भावयन्तु वः ।
परस्परं भावयन्तः श्रेयः परमवाप्स्यथ ॥११॥

devān bhāvayatānena te devā bhāvayantu vaḥ
parasparaṁ bhāvayantaḥ śreyaḥ param avāpsyatha

devān – félisteneket; *bhāvayatā* – miután megörvendeztettétek; *anena* – ezzel az áldozattal; *te* – azok; *devāḥ* – a félistenek; *bhāvayantu* – örömet fognak szerezni; *vaḥ* – nektek; *parasparam* – kölcsönösen; *bhāvayantaḥ* – örömet szerezve egymásnak; *śreyaḥ* – áldást; *param* – a legfelsőbbet; *avāpsyatha* – el fogjátok érni.

A félistenek, akiket megörvendeztetnek az áldozatok, szintén a kedvetekben fognak járni, s ha az emberek és félistenek ily módon együttműködnek, általános jólét köszönt mindenkire.

MAGYARÁZAT: A félistenek az anyagi világ ügyeinek felhatalmazott irányítói. Feladatuk, hogy levegővel, fénnyel, vízzel, valamint a test fenntartásához szükséges minden áldással ellássák az élőlényeket. Megszámlálhatatlanul sokan vannak, és az Istenség Legfelsőbb Személyisége testének különböző részein segédkeznek. Elégedettségük vagy neheztelésük az emberek által végrehajtott *yajñáktól* függ. Némely *yajña* célja az, hogy végzői bizonyos félistenek kedvében járjanak, ám még ők is minden *yajñában* Viṣṇut imádják, a legfőbb haszonélvezőt. A *Bhagavad-gītā* szintén ír arról, hogy maga Kṛṣṇa minden *yajña* élvezője: *bhoktāraṁ yajña-tapasām.* Éppen ezért valamennyi *yajña* legfőbb célja, hogy végül örömet szerezzen a *yajña-patinak*. Ha a *yajñákat* az emberek tökéletesen hajtják végre, akkor a félistenek, akik az emberek ellátásáról gondoskodnak, szintén elégedettek lesznek, s így bőségesen ellátják majd az embereket a természet különféle terményeivel.

A *yajñák* elvégzése sok egyéb áldással is jár, s végül az anyagi kötelékek alóli felszabaduláshoz vezet. *Yajñákat* végezve az embernek minden tette megtisztul, ahogyan azt a Védák is kijelentik: *āhāra-śuddhau sattva-śuddhiḥ sattva-śuddhau dhruvā smṛtiḥ smṛti-lambhe sarva-granthīnāṁ vipramokṣaḥ. Yajñát* végrehajtva az ember megszenteli ételét, s e megszentelt ételek fogyasztása megtisztítja a létét. A lét megtisztulásával az emlékezet finom szövetei is megtisztulnak, s ennek következtében az ember képes lesz a felszabadulás útjára gondolni. Mindez együttvéve a Kṛṣṇa-tudathoz vezet, melyre oly nagy szükség van napjaink társadalmában.

12. VERS

इष्टान् भोगान् हि वो देवा दास्यन्ते यज्ञभाविताः ।
तैर्दत्तानप्रदायैभ्यो यो भुङ्क्ते स्तेन एव सः ॥१२॥

iṣṭān bhogān hi vo devā dāsyante yajña-bhāvitāḥ
tair dattān apradāyaibhyo yo bhuṅkte stena eva saḥ

iṣṭān – a kívánt; *bhogān* – életszükségleteket; *hi* – bizonyosan; *vaḥ* – nektek; *devāḥ* – a félistenek; *dāsyante* – meg fogják adni; *yajña-bhāvitāḥ* – az áldozatok végzésétől elégedetten; *taiḥ* – általuk; *dattān* – adományokat; *apradāya* – felajánlás nélkül; *ebhyaḥ* – a félistenek számára; *yaḥ* – aki; *bhuṅkte* – élvezi; *stenaḥ* – tolvaj; *eva* – bizonyosan; *saḥ* – ő.

Ha a különféle életszükségletekről gondoskodó félistenek elégedettek a yajña [áldozat] végzésével, ellátnak majd benneteket mindennel, amire csak szükségetek van. Ám bizonyosan tolvaj az, aki úgy élvezi ezeket az adományokat, hogy nem ajánlja fel őket viszonzásképpen a félisteneknek.

MAGYARÁZAT: A félistenek az Istenség Legfelsőbb Személyisége, Viṣṇu felhatalmazott ügynökei, akik az ellátásért felelősek, s ezért az előírt *yajñák* végzésével a kedvükben kell járni. A Védák a különféle félistenek imádatára más és más *yajñát* írnak elő, ám végső soron minden áldozat az Istenség Legfelsőbb Személyiségének szól. A félistenek számára *yajñát* bemutatni azoknak ajánlatos, akik nem képesek megérteni, ki az Istenség Személyisége. A Védák az emberek anyagi tulajdonságainak megfelelően számos különböző típusú *yajñát* ajánlanak. A félistenek imádatára is ugyanez az elv vonatkozik: az áldozat végrehajtójának tulajdonságai határozzák meg. A húsevőknek például azt ajánlják, hogy Kālī istennőt, az anyagi természet szörnyű formáját imádják, és áldozzanak állatokat neki. Azoknak azonban, akik a jóság kötőerejének hatása alatt állnak, Viṣṇu transzcendentális imádatát javasolják. Végső soron minden *yajñának* az a célja, hogy fokozatosan a transzcendentális szintre emelje az embert. A közönséges emberek számára legalább a *pañca-mahā-yajña* nevű öt *yajña* elvégzése szükséges.

Tudnunk kell, hogy az emberi társadalom létfenntartásához minden szükségesről az Úr megbízott félistenei gondoskodnak – senki sem képes előteremteni azokat. Vegyük például az emberiség táplálékait. Ezek közé tartoznak a jóság kötőerejében lévők számára a gabonafélék, a gyümölcsök, a zöldségfélék, a tej, a cukor stb., a nem vegetáriánusok számára pedig a hús. Az ember egyiknek az előállítására sem képes. Vagy vegyük például a hőt, a fényt, a vizet, a levegőt vagy bármely más létfontosságú dolgot – az emberi társadalom egyiknek az előállítására sem képes. A Legfelsőbb Úr nélkül nem lenne elegendő napfény, holdfény, eső és szél, melyek hiányában senki sem élhet. Egyértelmű tehát, hogy életünk az Úr szolgáltatásaitól függ. Még ipari vállalkozásaink is rengeteg nyersanyagot igényelnek: fémeket, ként, higanyt, mangánt és számos más alapanyagot. Valamennyit az Úr megbízottai szolgáltatják, hogy helyes alkalmazásukkal erőre és egészségre tegyünk szert az önmegvalósítás érdekében, amely az élet végső céljához, az anyagi létért folytatott küzdelemtől való megszabaduláshoz vezet. Ezt az életcélt a *yajñák* végzésével lehet elérni. Ha megfeledkezünk az emberi élet értelméről, és csupán érzékeink kielégítésére használjuk mindazt, amit az Úr ügynökei adnak, s egyre jobban az anyagi lét útvesztőjébe bonyolódunk, holott a teremtésnek nem ez a célja, akkor bizonyosan tolvajokká válunk, s ezért az anyagi természet törvényei megbüntetnek bennünket. Egy tolvajokból álló társadalom sohasem lehet boldog, mert tagjainak nincs életcélja. A durva anyagi felfogású, materialista tolvajok életének nincs végső célja, egyedül az érzékkielégítés érdekli őket. Azt sem tudják, hogyan kell a *yajñákat* végrehajtani. Ám az Úr Caitanya bevezette a legkönnyebb *yajñát,* a *saṅkīrtana-yajñát,* melyet bárki végezhet e világban, aki elfogadja a Kṛṣṇa-tudat elveit.

13. VERS

यज्ञशिष्टाशिनः सन्तो मुच्यन्ते सर्वकिल्बिषैः ।
भुञ्जते ते त्वघं पापा ये पचन्त्यात्मकारणात् ॥१३॥

yajña-śiṣṭāśinaḥ santo mucyante sarva-kilbiṣaiḥ
bhuñjate te tv aghaṁ pāpā ye pacanty ātma-kāraṇāt

yajña-śiṣṭa – a *yajña* elvégzése után maradó ételt; *aśinaḥ* – fogyasztó; *santaḥ – bhakták; mucyante* – megszabadulnak; *sarva* – mindenféle; *kilbiṣaiḥ* – bűntől; *bhuñjate* – élveznek; *te* – ők; *tu* – de; *agham* – súlyos bűnöket; *pāpāḥ* – bűnösök; *ye* – akik; *pacanti* – elkészítik az ételt; *ātma-kāraṇāt* – érzéki élvezetre.

A bhakták megszabadulnak minden bűntől, mert csak olyan ételt fogyasztanak, amit először felajánlottak áldozat gyanánt. Mások, akik személyes érzéki élvezetükre készítenek ételt, bizony csak bűnt esznek.

MAGYARÁZAT: A Legfelsőbb Úr *bhaktáit,* a Kṛṣṇa-tudatú embereket *santáknak* nevezik, s ahogyan azt a *Brahma-saṁhitā* (5.38) leírja, szeretetük az Úr iránt szakadatlan: *premāñjana-cchurita-bhakti-vilocanena santaḥ sadaiva hṛdayeṣu vilokayanti.* Az Istenség Legfelsőbb Személyisége, Govinda (minden gyönyör adományozója), Mukunda (a felszabadulás adományozója), vagyis Kṛṣṇa (a mindenkit vonzó) iránt érzett megingathatatlan szeretetükben semmi olyat nem esznek, amit előzőleg nem ajánlottak fel a Legfelsőbb Személynek. Ezek a *bhakták* mindig *yajñákat* végeznek az odaadó szolgálat különféle formáiban (pl. *śravaṇam, kīrtanam, smaraṇam, arcanam* stb.), s ez távol tartja őket az anyagi világbeli bűnös kapcsolatok minden szennyétől. Azonban akik csak saját élvezetükre, érzékkielégítésük érdekében készítenek ételt, nemcsak tolvajok, de mindenféle bűnt is esznek. Hogy lehet valaki boldog, ha tolvaj és bűnös? Sehogy. Ahhoz, hogy az emberek minden tekintetben boldogok legyenek, meg kell tanítani nekik, hogyan végezzék teljes Kṛṣṇa-tudatban a *saṅkīrtana-yajña* egyszerű folyamatát. Másképp nem lehet béke és boldogság a világon.

14. VERS

अन्नाद्भवन्ति भूतानि पर्जन्यादन्नसम्भवः ।
यज्ञाद्भवति पर्जन्यो यज्ञः कर्मसमुद्भवः ॥१४॥

annād bhavanti bhūtāni parjanyād anna-sambhavaḥ
yajñād bhavati parjanyo yajñaḥ karma-samudbhavaḥ

annāt – a gabonaféléktől; *bhavanti* – növekednek; *bhūtāni* – az anyagi testek; *parjanyāt* – az esőtől; *anna* – gabonaféléknek; *sambhavaḥ* – termése; *yajñāt* – az áldozat végzéséből; *bhavati* – lehetővé válik; *parjanyaḥ* – az eső; *yajñaḥ* – a *yajña* végzése; *karma* – előírt kötelességekből; *samudbhavaḥ* – születő.

Mindenki teste gabonaféléken él, melyek az esőből származnak. Az eső a yajña [áldozat] végzéséből ered, a yajña pedig az előírt kötelességekből születik.

MAGYARÁZAT: Śrīla Baladeva Vidyābhūṣaṇa, a *Bhagavad-gītā* híres magyarázója így ír: *ye indrādy-aṅgatayāvasthitaṁ yajñaṁ sarveśvaraṁ viṣṇuṁ abhyarcya tac-cheṣam aśnanti tena tad deha-yātrāṁ sampādayanti, te santaḥ sarveśvarasya yajña-puruṣasya bhaktāḥ sarva-kilbiṣair anādi-kāla-vivṛddhair ātmānubhava-prati-bandhakair nikhilaiḥ pāpair vimucyante.* A Legfelsőbb Úr, akit *yajña-puruṣának,* minden áldozat személyes haszonélvezőjének neveznek, minden félisten Ura, akik úgy szolgálják Őt, mint a testrészek az egész testet. Indra, Candra és Varuṇa félistenek felhatalmazott vezetők, akik az anyagi világ dolgait irányítják. A Védák áldozatokat írnak elő e félistenek elégedettségének elérése érdekében, hogy örömmel adjanak elegendő mennyiségű levegőt, fényt és vizet a gabonafélék termesztéséhez. Az Úr Kṛṣṇát imádva egyben a félisteneket – az Úr különféle testrészeit – is imádjuk, ezért nincs szükség a félistenek külön imádatára. Ez az oka, hogy a *bhakták,* a Kṛṣṇa-tudatú emberek az ételüket először felajánlják Kṛṣṇának, és csak azután fogyasztják el. Ez a folyamat lelki táplálékot nyújt a testnek. Nemcsak megszabadítja a testet az előző bűnök visszahatásaitól, hanem ellenállóvá is teszi az anyagi természet minden szennyeződésével szemben. Egy járványos betegség esetén a fertőtlenítő oltóanyag megvédi az embert a ragályos betegségtől. A Viṣṇunak felajánlott étel fogyasztása kellőképpen ellenállóvá tesz bennünket az anyagi vonzódással szemben, s aki ilyen ételt eszik, azt az Úr *bhaktájának* nevezik. A Kṛṣṇa-tudatú ember tehát, aki csak Kṛṣṇának felajánlott ételt fogyaszt, képes elhárítani a múltban szerzett anyagi fertőzések visszahatásait, melyek gátolják fejlődését az önmegvalósítás útján. Aki azonban nem így él, az csak szaporítja bűnös tetteit, s ennek eredményeként következő teste disznókhoz és kutyákhoz hasonló lesz, hogy szenvedjen bűnei visszahatásaitól. Az anyagi világ szennyeződésekkel teli, ám aki az Úr *prasādáját* (a Viṣṇunak felajánlott ételt) fogyasztja, az ellenállóvá válik, s megmenekül támadásaitól. Aki azonban nem így cselekszik, azt a szennyeződések legyőzik.

A valódi táplálékot a gabonafélék és a zöldségek jelentik. Az emberek különféle gabonamagvakat, zöldségeket, gyümölcsöket stb. esznek, míg az állatok a gabona és a zöldségek maradékát, valamint füvet, növényeket stb. fogyasztanak. A húsevéshez szokott emberek szintén függenek a növénytermesztéstől, hogy az állatokat megehessék. Végső soron tehát a mezőgazdaság az, amire támaszkodnunk kell, nem pedig a nagyipari termelés. A földműveléshez kellő mennyiségű eső szükséges, ami a félistenek, például Indra, a Nap, a Hold és mások irányításától függ. Mindannyian az Úr szolgái, akiknek az áldozatok végrehajtásával lehet a kedvükben járni. Így tehát aki nem hajt végre *yajñát,* arra ínség vár – ez a természet törvénye. Az erre a korra előírt *yajñát,* különösen a *saṅkīrtana-yajñát* végre kell hajtanunk, hogy legalább az élelemhiányt elkerüljük.

15. VERS

कर्म ब्रह्मोद्भवं विद्धि ब्रह्माक्षरसमुद्भवम् ।
तस्मात्सर्वगतं ब्रह्म नित्यं यज्ञे प्रतिष्ठितम् ॥१५॥

karma brahmodbhavaṁ viddhi brahmākṣara-samudbhavam
tasmāt sarva-gataṁ brahma nityaṁ yajñe pratiṣṭhitam

karma – a munka; *brahma* – a Védákból; *udbhavam* – származik; *viddhi* – tudnod kell; *brahma* – a Védák; *akṣara* – a Legfelsőbb Brahmanból (az Istenség Személyiségéből); *samudbhavam* – közvetlenül megnyilvánult; *tasmāt* – ezért; *sarva-gatam* – mindent átható; *brahma* – a transzcendens; *nityam* – örökké; *yajñe* – áldozatban; *pratiṣṭhitam* – jelen lévő.

A szabályozott cselekedeteket a Védák írják elő, a Védák pedig közvetlenül az Istenség Legfelsőbb Személyiségéből nyilvánultak meg. Következésképpen a mindent átható Transzcendens mindig jelen van az áldozati tettekben.

MAGYARÁZAT: Ez a vers még egyértelműbben beszél a *yajñārtha-karma,* a kizárólag Kṛṣṇa örömét szolgáló tettek szükségszerűségéről. Ha a *yajña-puruṣa,* vagyis Viṣṇu kedvéért kell dolgoznunk, a szükséges útmutatást ehhez a Brahmanban, azaz a transzcendentális Védákban találjuk meg. A Védák tehát a munka törvénykönyvei. Tegyünk bármit, ha a Védák nem írják elő, akkor az *vikarma,* azaz nem autentikus, hanem bűnös tett. Mindig a Védák szerint kell cselekednünk, hogy megszabaduljunk a munka visszahatásaitól. Ahogyan a hétköznapi életben kell az állam utasításai alapján cselekednünk, úgy kell az Úr legfelsőbb államának irányítása alatt is dolgoznunk. A Védák útmutatásai közvetlenül az Istenség Legfelsőbb Személyisége kilégzéséből nyilvánultak meg. *Asya mahato bhūtasya niśvasitam etad yad ṛg-vedo yajur-vedaḥ sāma-vedo 'tharvāṅgirasaḥ:* „A négy Véda, név szerint a *Ṛg-veda,* a *Yajur-veda,* a *Sāma-veda* és az *Atharva-veda* mind a hatalmas Istenség Személyisége lélegzésével áradtak ki" (*Bṛhad-āraṇyaka-upaniṣad* 4.5.11). Az Úr mindenható, ezért tud beszélni a lélegzésével is, mert ahogyan azt a *Brahma-saṁhitā* elmagyarázza, minden egyes érzékszervével képes ellátni a többi érzék feladatát. Más szóval tehát az Úr beszélhet a lélegzésén keresztül, szemeivel pedig megtermékenyíthet. Az írásokban valóban az áll, hogy az Úr az anyagi természetre pillantva nemzette az élőlényeket. Miután megteremtette a feltételekhez kötött lelkeket, azaz megtermékenyítette velük az anyagi természet méhét, a védikus bölcseletbe foglalva utasításokat is adott nekik, hogyan térhetnek haza, vissza Istenhez. Soha ne felejtsük el, hogy az anyagi világban élő feltételekhez kötött lelkek mind nagyon vágynak az anyagi élvezetre. A védikus utasítások azonban olyanok, hogy ha betartja őket, az ember kielégítheti eltorzult vágyait, majd úgynevezett élvezete befejezése után visszatérhet Istenhez. Mindez lehetőséget ad a feltételekhez kötött lelkeknek, hogy felszabaduljanak, ezért törekedniük kell arra, hogy kövessék a *yajña* folyamatát azáltal, hogy

Kṛṣṇa-tudatúvá válnak. A Kṛṣṇa-tudat elveit még azok is elfogadhatják, akik sohasem követték a védikus utasításokat, s ezek az elvek helyettesíteni fogják a védikus *yajñák,* vagyis *karmák* elvégzését.

16. VERS

एवं प्रवर्तितं चक्रं नानुवर्तयतीह यः ।
अघायुरिन्द्रियारामो मोघं पार्थ स जीवति ॥१६॥

evaṁ pravartitaṁ cakraṁ nānuvartayatīha yaḥ
aghāyur indriyārāmo moghaṁ pārtha sa jīvati

evam – így; *pravartitam* – a Védákban lefektetett; *cakram* – kört; *na* – nem; *anuvartayati* – elfogadja; *iha* – ebben az életben; *yaḥ* – aki; *agha-āyuḥ* – bűnös életűként; *indriya-ārāmaḥ* – érzékkielégítésből elégedettséget merítve; *mogham* – hiábavalóan; *pārtha* – ó, Pṛthā fia (Arjuna); *saḥ* – ő; *jīvati* – él.

Kedves Arjunám! Aki emberi élete során nem követi a Védákban előírt áldozatkört, az minden bizonnyal bűnös életet él. Léte hiábavaló, mert csak az érzékkielégítésben leli örömét.

MAGYARÁZAT: Az Úr ebben a versben elítéli a „dolgozz keményen, és élvezd az érzéki örömöket" pénzimádó, anyagias filozófiáját. Az említett *yajñák* végzése tehát elengedhetetlenül szükséges azok számára, akik élvezni akarják ezt az anyagi világot. Akik nem követik e szabályokat, azok rendkívül kockázatos életet élnek, amely a kárhozat felé vezet. A természet törvényei alapján az emberi élet célja legfőképpen az önmegvalósítás, amit három úton – a *karma-yogán,* a *jñāna-yogán* és a *bhakti-yogán* keresztül – lehet elérni. Az erény és a bűn felett álló transzcendentalisták számára nem szükséges az előírt *yajñák* szigorú végrehajtása, ám azoknak, akik csupán az érzékkielégítést hajszolják, meg kell tisztulniuk az említett *yajña*-kör elvégzésével. Sokféle tett van. Akik nem Kṛṣṇa-tudatúak, azok nyilvánvalóan érzéki tudatban cselekszenek, ezért jámbor tetteket kell végezniük. A *yajñák* rendszerét úgy tervezték meg, hogy elvégzésükkel az érzéktudatú ember anélkül teljesítheti be vágyait, hogy az érzékkielégítő tett visszahatásaiba bonyolódna. A világ jóléte nem saját erőfeszítésünktől függ, hanem a Legfelsőbb Úr háttérelrendezésétől, amit a félistenek hajtanak végre. A *yajñákat* éppen ezért közvetlenül az adott félisteneknek mutatják be, akikről a Védák beszélnek. Közvetve ez maga a Kṛṣṇa-tudatú folyamat, mert aki szakértővé válik a *yajñák* végrehajtásában, az minden kétséget kizárva Kṛṣṇa-tudatú lesz. Ha azonban a *yajñák* végzésével valaki nem válik Kṛṣṇa-tudatúvá, akkor ezek az elvek puszta erkölcsi szabályok maradnak. Az embernek nem szabad a fejlődése során az erkölcsi szabályoknál megállnia. Túl kell azokon lépnie, hogy elérje a Kṛṣṇa-tudatot.

17. VERS

यस्त्वात्मरतिरेव स्यादात्मतृप्तश्च मानवः ।
आत्मन्येव च सन्तुष्टस्तस्य कार्यं न विद्यते ॥१७॥

yas tv ātma-ratir eva syād ātma-tṛptaś ca mānavaḥ
ātmany eva ca santuṣṭas tasya kāryaṁ na vidyate

yaḥ – aki; *tu* – de; *ātma-ratiḥ* – az önvalóban leli örömét; *eva* – bizonyosan; *syāt* – marad; *ātma-tṛptaḥ* – az önvalóban megvilágosodott; *ca* – és; *mānavaḥ* – az az ember; *ātmani* – önmagában; *eva* – egyedül; *ca* – és; *santuṣṭaḥ* – tökéletesen elégedett; *tasya* – számára; *kāryam* – kötelesség; *na* – nem; *vidyate* – létezik.

Ám aki az önvalóban találja meg örömét, akinek emberi élete az önmegvalósítást szolgálja, s aki egyedül az önvalóban érez teljes elégedettséget, annak nincs kötelessége.

MAGYARÁZAT: A *teljesen* Kṛṣṇa-tudatú embernek, akinek számára Kṛṣṇa-tudatú tettei tökéletes elégedettséget nyújtanak, már nincsen semmi teljesíteni való kötelessége. Mivel Kṛṣṇa-tudatúvá vált, azonnal megtisztult minden benne szunnyadó istentagadó hajlamtól, ami másképpen csak sok ezer *yajña* végzésével érhető el. Tudatának megtisztulása eredményeként szilárd meggyőződésre tesz szert a Legfelsőbbhöz fűződő örök helyzetét illetően. Az Úr kegyéből megvilágosodik előtte, mi a kötelessége, s ettől kezdve a védikus parancsolatok már nem kötelezik semmire. Az ilyen Kṛṣṇa-tudatú embert nem érdeklik többé az anyagi tettek, s az olyan világi dolgokban sem leli már örömét, mint a bor, a nők és a többi hasonló őrült szenvedély.

18. VERS

नैव तस्य कृतेनार्थो नाकृतेनेह कश्चन ।
न चास्य सर्वभूतेषु कश्चिदर्थव्यपाश्रयः ॥१८॥

naiva tasya kṛtenārtho nākṛteneha kaścana
na cāsya sarva-bhūteṣu kaścid artha-vyapāśrayaḥ

na – nem; *eva* – bizony; *tasya* – neki; *kṛtena* – a kötelesség végrehajtásával; *arthaḥ* – szándéka; *na* – sem; *akṛtena* – a kötelesség végrehajtása nélkül; *iha* – e világban; *kaścana* – bármi; *na* – sohasem; *ca* – és; *asya* – neki; *sarva-bhūteṣu* – egyetlen élőlénynél sem; *kaścit* – bármi; *artha* – szándéka; *vyapāśrayaḥ* – menedéket keresni.

Az önmegvalósított embernek nincsen semmi célja előírt kötelességei végrehajtásával, de arra sincs oka, hogy ne végezzen ilyen munkát. Az ilyen ember nem függ egyetlen más élőlénytől sem.

MAGYARÁZAT: Az önmegvalósítást elért embernek a Kṛṣṇa-tudatú tetteken kívül nem kell többé semmilyen előírt kötelességet végrehajtania. A következő versek elmagyarázzák, hogy a Kṛṣṇa-tudat sem tétlenséget jelent. Aki Kṛṣṇa-tudatú, az nem egy embernél vagy félistennél keres menedéket. Bármit tesz a Kṛṣṇa-tudatban, azzal eleget tesz minden kötelességének.

19. VERS

तस्मादसक्तः सततं कार्यं कर्म समाचर ।
असक्तो ह्याचरन् कर्म परमाप्नोति पूरुषः ॥१९॥

tasmād asaktaḥ satataṁ kāryaṁ karma samācara
asakto hy ācaran karma param āpnoti pūruṣaḥ

tasmāt – ezért; *asaktaḥ* – ragaszkodás nélkül; *satatam* – örökké; *kāryam* – kötelességként; *karma* – a munkát; *samācara* – hajtsa végre; *asaktaḥ* – ragaszkodás nélkül; *hi* – bizony; *ācaran* – végezvén; *karma* – a munkát; *param* – a Legfelsőbbet; *āpnoti* – eléri; *pūruṣaḥ* – az ember.

Ezért az embernek kötelességből kell cselekednie, anélkül, hogy tettei gyümölcseire vágyna, mert aki vonzódás nélkül cselekszik, az eléri a Legfelsőbbet.

MAGYARÁZAT: A *bhakták* számára az Istenség Személyisége a Legfelsőbb, míg az imperszonalisták számára a felszabadulás. Aki megfelelő irányítással Kṛṣṇáért, azaz Kṛṣṇa-tudatban cselekszik, s nem vonzódik munkája eredményéhez, az kétségtelenül az élet legfőbb céljának elérése felé halad. Arjuna azt az utasítást kapta, hogy harcoljon a kurukṣetrai csatában Kṛṣṇa érdekeiért, mert ez az Ő kívánsága. Jó embernek lenni vagy távol maradni az erőszaktól személyes ragaszkodásból is lehet, míg a Legfelsőbb kedvéért végzett tett azt jelenti, hogy az ember nem ragaszkodik az eredményhez. Ez a tökéletes cselekvés legmagasabb szintje, s az Istenség Legfelsőbb Személyisége, Śrī Kṛṣṇa ezt ajánlja.

A védikus szertartásokat – többek között az előírt áldozatokat – azért hajtja végre az ember, hogy megtisztuljon az érzékkielégítés során végzett istentelen cselekedetek hatásától. Ám a Kṛṣṇa-tudatban elkövetett tettek transzcendentálisak, s fölötte állnak a jó vagy rossz cselekedetek visszahatásainak. A Kṛṣṇa-tudatú ember nem ragaszkodik tettei eredményéhez, hanem egyedül Kṛṣṇa kedvéért cselekszik. Számtalanféle tettet végrehajt, ám teljesen mentes a ragaszkodástól.

20. VERS

कर्मणैव हि संसिद्धिमास्थिता जनकादयः ।
लोकसङ्ग्रहमेवापि सम्पश्यन् कर्तुमर्हसि ॥२०॥

karmaṇaiva hi saṁsiddhim āsthitā janakādayaḥ
loka-saṅgraham evāpi sampaśyan kartum arhasi

karmaṇā – munkával; *eva* – még; *hi* – bizony; *saṁsiddhim* – tökéletességben; *āsthitāḥ* – elhelyezkednek; *janaka-ādayaḥ* – Janaka és más királyok; *loka-saṅgraham* – a köznépet; *eva api* – szintén; *sampaśyan* – figyelembe véve; *kartum* – cselekedned; *arhasi* – kell.

Előírt kötelességeik teljesítésével még a királyok – például Janaka – is elérték a tökéletességet. Végre kell hát hajtanod feladatodat, hogy az embereket a jóra tanítsd.

MAGYARÁZAT: Janaka és a hozzá hasonló királyok mind önmegvalósított lelkek voltak, s emiatt számukra nem volt kötelező a Védákban előírt kötelességek végrehajtása. Mégis eleget tettek minden előírt feladatnak, hogy saját példájukkal tanítsák a hétköznapi embert. Janaka Sītā apja és az Úr Śrī Rāma apósa volt. Az Úr hűséges *bhaktája* lévén transzcendentális szinten állt, ám mint Mithilānak (az indiai Bihár állam egyik tartományának) a királya, tanítania kellett alattvalóit az előírt kötelesség végrehajtására. Az Úr Kṛṣṇának és Arjunának, az Úr örök barátjának nem kellett volna harcolniuk a kurukṣetrai csatában, mégis harcoltak, hogy megtanítsák az embereknek: az erőszakra szintén szükség van ott, ahol a józan érvek már nem segítenek. A kurukṣetrai csata előtt számtalan kísérlet történt, hogy elejét vegyék a háborúnak. Még az Istenség Legfelsőbb Személyisége is közbenjárt a békéért, ám a másik tábor mindenáron háborút akart. Ilyen igaz ügy érdekében tehát szükség van a harcra. Noha a Kṛṣṇa-tudatú embert talán egyáltalán nem érdekli ez a világ, mégis dolgozik, hogy másokat helyes cselekedetekre és helyes életmódra tanítson. Akik jártasak a Kṛṣṇa-tudatban, képesek úgy cselekedni, hogy mások kövessék őket. Erről szól a következő vers.

21. VERS

यद्यदाचरति श्रेष्ठस्तत्तदेवेतरो जनः ।
स यत्प्रमाणं कुरुते लोकस्तदनुवर्तते ॥२१॥

yad yad ācarati śreṣṭhas tat tad evetaro janaḥ
sa yat pramāṇaṁ kurute lokas tad anuvartate

yat yat – bármit; *ācarati* – tesz; *śreṣṭhaḥ* – egy tiszteletre méltó vezető; *tat* – azt; *tat* – és csak azt; *eva* – bizonyosan; *itaraḥ* – közönséges; *janaḥ* – ember; *saḥ* – ő; *yat* – bármilyen; *pramāṇam* – példát; *kurute* – végrehajt; *lokaḥ* – az egész világ; *tat* – azt; *anuvartate* – követi.

Bármit tegyen egy nagy egyéniség, a közönséges emberek a nyomdokába lépnek, és bármilyen irányadó mértéket szabjon meg saját példájával, az egész világ követi őt.

MAGYARÁZAT: Az embereknek mindig szükségük van egy vezetőre, aki viselkedésével tanítani tudja őket. Az azonban, aki dohányzik, nem taníthatja az embereket a dohányzás abbahagyására. Az Úr Caitanya azt mondta, egy tanító csak azután taníthat, hogy ő maga megtanulta a helyes viselkedést. Aki így tanít, azt *ācāryának,* példamutató tanítónak hívják. Egy tanárnak követnie kell a *śāstra* (a szentírás) elveit ahhoz, hogy a közönséges embereket taníthassa. Nem találhat ki olyan szabályokat, amelyek ellentétben állnak a kinyilatkoztatott írások elveivel. A kinyilatkoztatott írásokat – többek között a *Manu-saṁhitāt* – irányadó könyveknek tekintik, melyeket az emberi társadalomnak követnie kell. Egy vezetőnek tehát a mérvadó *śāstrák* elveire kell alapoznia tanítását. Aki tökéletességre vágyik, annak követnie kell a szabályokat, ahogyan azt a kiváló tanárok teszik. A *Śrīmad-Bhāgavatam* is megerősíti, hogy az embernek a nagy *bhakták* nyomdokait kell követnie, s így előreléphet a lelki megvalósítás útján. A király, az államelnök, az apa és a tanító mindannyian az ártatlan köznép természetes vezetői. Felelősek alárendeltjeikért, ezért jól kell ismerniük a mérvadó erkölcsi és lelki törvénykönyveket.

22. VERS

न मे पार्थास्ति कर्तव्यं त्रिषु लोकेषु किञ्चन ।
नानवाप्तमवाप्तव्यं वर्त एव च कर्मणि ॥२२॥

na me pārthāsti kartavyaṁ triṣu lokeṣu kiñcana
nānavāptam avāptavyaṁ varta eva ca karmaṇi

na – semmi; *me* – Nekem; *pārtha* – ó, Pṛthā fia; *asti* – van; *kartavyam* – előírt kötelesség; *triṣu* – a három; *lokeṣu* – bolygórendszerben; *kiñcana* – bármit; *na* – nem; *anavāptam* – szükséges; *avāptavyam* – nyerni; *varte* – elfoglalom magam; *eva* – bizony; *ca* – szintén; *karmaṇi* – az előírt kötelességben.

Ó, Pṛthā fia! Számomra nincs előírt tett a három bolygórendszerben. Semmire sincs szükségem, és nincs semmi, amit el kellene érnem – mégis végzem az előírt kötelességeket.

MAGYARÁZAT: A védikus irodalom így ír az Istenség Legfelsőbb Személyiségéről:

tam īśvarāṇāṁ paramaṁ maheśvaraṁ
taṁ devatānāṁ paramaṁ ca daivatam
patiṁ patīnāṁ paramaṁ parastād
vidāma devaṁ bhuvaneśam īḍyam

na tasya kāryaṁ karaṇaṁ ca vidyate
na tat-samaś cābhyadhikaś ca dṛśyate
parāsya śaktir vividhaiva śrūyate
svābhāvikī jñāna-bala-kriyā ca

„A Legfelsőbb Úr irányít minden más irányítót, s a különféle bolygók vezetői közül Ő a leghatalmasabb. Mindenki az Ő irányítása alatt áll. Az élőlények sajátos képességeiket egyedül a Legfelsőbb Úrtól kapják; ők maguk nem a legfelsőbbek. Minden félisten Őt imádja, s Ő minden vezető legfelsőbb vezetője, ezért transzcendentális minden anyagi vezetőhöz és irányítóhoz képest, s imádatra méltó mindenki számára. Senki sem nagyobb Nála, s Ő minden ok legvégső oka."

„Az Ő teste nem olyan, mint a közönséges élőlényé. Teste és lelke között nincsen különbség. Ő abszolút, mindegyik érzéke transzcendentális, és képes ellátni a többi érzék feladatát. Senki sem egyenlő hát Vele vagy nagyobb Nála. Energiái sokfélék, s így tettei maguktól, természetes módon következnek be" (*Śvetāśvatara-upaniṣad* 6.7–8).

Az Istenség Legfelsőbb Személyiségében minden teljes bőségében jelen van, s teljes igazságként létezik, ezért Számára nincsen kötelesség. Aki függ munkája eredményétől, annak van egy meghatározott feladata, ám aki nem vágyik semmire sem e három bolygórendszerben, annak valóban nincsen kötelessége. Az Úr Kṛṣṇa a *kṣatriyák* vezéreként mégis részt vesz a kurukṣetrai csatában, mert a *kṣatriyák* teendője az, hogy megvédjék a szenvedőket. Noha Ő fölötte áll a kinyilatkoztatott írások minden szabályának, mégsem tesz semmi olyat, ami azokkal ellentétben állna.

23. VERS

यदि ह्यहं न वर्तेयं जातु कर्मण्यतन्द्रितः ।
मम वर्त्मानुवर्तन्ते मनुष्याः पार्थ सर्वशः ॥२३॥

yadi hy ahaṁ na varteyaṁ jātu karmaṇy atandritaḥ
mama vartmānuvartante manuṣyāḥ pārtha sarvaśaḥ

yadi – ha; *hi* – bizony; *aham* – Én; *na* – nem; *varteyam* – tenném így; *jātu* – valaha; *karmaṇi* – az előírt kötelességek végrehajtása közben; *atandritaḥ* – gondosan; *mama* – Enyém; *vartma* – utat; *anuvartante* – követnék; *manuṣyāḥ* – minden ember; *pārtha* – ó, Pṛthā fia; *sarvaśaḥ* – minden tekintetben.

Mert ha Én nem végezném lelkiismeretesen az előírt kötelességeket, az emberek minden bizonnyal követnék példámat, ó, Pārtha!

MAGYARÁZAT: Minden civilizált embernek követnie kell bizonyos hagyományos családi szokásokat, hogy a lelki fejlődés érdekében ne zavarja meg a társadalom nyugalmát. Ezek a szabályok a feltételekhez kötött lelkekre vonatkoznak, s nem az Úr Kṛṣṇára, Ő mégis betartotta a törvényeket, mert azért szállt alá, hogy a vallás elveit megalapozza. Ha másképp cselekedne, a közönséges emberek követnék példáját, hiszen Ő a legfelsőbb tekintély. A *Śrīmad-Bhāgavatamból* megtudhatjuk, hogy az Úr Kṛṣṇa otthonában is és otthonán kívül is végrehajtotta a családos ember számára előírt valamennyi vallásos kötelességet.

24. VERS

उत्सीदेयुरिमे लोका न कुर्यां कर्म चेदहम् ।
सङ्करस्य च कर्ता स्यामुपहन्यामिमाः प्रजाः ॥२४॥

utsīdeyur ime lokā na kuryāṁ karma ced aham
saṅkarasya ca kartā syām upahanyām imāḥ prajāḥ

utsīdeyuḥ – romba dőlnének; *ime* – mindezek; *lokāḥ* – világok; *na* – nem; *kuryām* – végzem; *karma* – előírt kötelességeket; *cet* – ha; *aham* – Én; *saṅkarasya* – nemkívánatos népességnek; *ca* – és; *kartā* – teremtője; *syām* – lennék; *upahanyām* – elpusztítanám; *imāḥ* – mindezeket; *prajāḥ* – élőlényeket.

Ha Én nem végezném többé az előírt kötelességeket, romba dőlnének a világok. Én lennék az oka a nemkívánatos népességnek, s ezáltal véget vetnék minden élőlény békéjének.

MAGYARÁZAT: A *varṇa-saṅkara* kifejezés nemkívánatos népességet jelent, amely zavarja a társadalom békéjét. A társadalomban kialakuló zavar elkerülését számos szabály és törvény segíti elő, melyek betartásával az emberekre békesség vár, s így felkészülhetnek a fejlődésre a lelki életben. Az Úr Kṛṣṇa természetesen betartja az efféle szabályokat és előírásokat, amikor alászáll, hogy biztosítsa az ilyen tevékenységek tekintélyét és jelentőségét. Az Úr minden élőlény atyja, s ha az élőlények tévúton járnak, a felelősség közvetve az Övé. Ezért aztán amikor az emberek többsége nem tartja tiszteletben a szabályozó elveket, akkor Ő maga száll alá, hogy helyes útra terelje a társadalmat. Jól jegyezzük meg, hogy noha követnünk kell az Úr nyomdokait, arról sohasem szabad megfeledkeznünk, hogy nem utánozhatjuk a cselekedeteit. Követni és utánozni két különböző dolog. Nem utánozhatjuk az Urat, s nem emelhetjük fel a Govardhana-hegyet, ahogyan az Úr tette gyermekkorában. Erre egyetlen ember sem képes. Be kell tartanunk utasításait, ám sohasem szabad utánoznunk a tetteit. A *Śrīmad-Bhāgavatam* (10.33.30–31) megerősíti ezt:

naitat samācarej jātu manasāpi hy anīśvaraḥ
vinaśyaty ācaran mauḍhyād yathārudro 'bdhi-jaṁ viṣam

īśvarāṇāṁ vacaḥ satyaṁ tathaivācaritaṁ kvacit
teṣāṁ yat sva-vaco-yuktaṁ buddhimāṁs tat samācaret

„Csupán követnünk kell az Úr és az Ő felhatalmazott szolgái utasításait, melyek mind a javunkra válnak. Minden intelligens ember betartja ezeket. Vigyáznunk kell azonban, hogy ne utánozzuk tetteiket. Senki se próbálkozzon azzal, hogy az Úr Śivát utánozva kiigya a méregóceánt!"

Azokat az *īśvarákat,* akik irányítani képesek a Nap és a Hold mozgását, mindig magasabb rendűeknek kell tekintenünk. Ilyen képességek hiányában senkinek sem szabad a rendkívüli hatalmú *īśvarák* cselekedeteit utánoznia. Az Úr Śiva egy egész méregóceánt kiivott, melynek egyetlen csöppje elegendő lett volna ahhoz, hogy végezzen egy közönséges emberrel. Az Úr Śivának sok olyan állítólagos híve van, akik *gañját* (marihuánát) és hasonló kábítószereket akarnak szívni, arról azonban megfeledkeznek, hogy az Úr Śiva tetteit ekképpen utánozva csak a halálukat siettetik. Az Úr Kṛṣṇának is vannak olyan álhívei, akik *rāsa-līláját,* szerelmi táncát akarják utánozni, ám azt elfelejtik, hogy a Govardhana-hegyet viszont képtelenek felemelni. A legjobb tehát, ha az ember nem próbálja utánozni a nagy személyiségek cselekedeteit, hanem csak követi utasításaikat. A szükséges tulajdonságok nélkül azzal se próbálkozzon senki, hogy a helyzetükbe kerüljön. Istennek számtalan olyan „inkarnációja" létezik, aki nem rendelkezik a Legfelsőbb Istenség hatalmával.

25. VERS

सक्ताः कर्मण्यविद्वांसो यथा कुर्वन्ति भारत ।
कुर्याद्विद्वांस्तथासक्तश्चिकीर्षुर्लोकसङ्ग्रहम् ॥२५॥

saktāḥ karmaṇy avidvāṁso yathā kurvanti bhārata
kuryād vidvāṁs tathāsaktaś cikīrṣur loka-saṅgraham

saktāḥ – ragaszkodva; *karmaṇi* – az előírt kötelességekhez; *avidvāṁsaḥ* – a tudatlanok; *yathā* – amennyire; *kurvanti* – cselekednek; *bhārata* – ó, Bharata leszármazottja; *kuryāt* – meg kell tenni; *vidvān* – a tanult; *tathā* – ily módon; *asaktaḥ* – ragaszkodás nélkül; *cikīrṣuḥ* – vezetni kívánva; *loka-saṅgraham* – az embereket.

Ahogy a tudatlanok az eredményre vágyva végrehajtják kötelességeiket, úgy a bölcs is cselekszik, hogy az embereket a helyes úton vezesse, ő azonban nem ragaszkodik tettei gyümölcséhez.

MAGYARÁZAT: A Kṛṣṇa-tudatú és a nem Kṛṣṇa-tudatú embert eltérő vágyaik különböztetik meg egymástól. Aki Kṛṣṇa-tudatú, az nem tesz semmi olyat, ami nem segíti Kṛṣṇa-tudatának fejlődését. Lehet, hogy éppen úgy cselekszik, mint az anyagi tettekhez túlságosan ragaszkodó tudatlan ember, de míg az utóbbinak saját érzékei kielégítése a célja, ő Kṛṣṇa kedvéért tesz mindent. Szükség van tehát arra, hogy megmutassa az embereknek, miként cselekedjenek, s hogyan szolgálják tetteik eredményével a Kṛṣṇa-tudat érdekeit.

26. VERS

न बुद्धिभेदं जनयेदज्ञानां कर्मसङ्गिनाम् ।
जोषयेत्सर्वकर्माणि विद्वान् युक्तः समाचरन् ॥२६॥

na buddhi-bhedaṁ janayed ajñānāṁ karma-saṅginām
joṣayet sarva-karmāṇi vidvān yuktaḥ samācaran

na – ne; *buddhi-bhedam* – értelemzavart; *janayet* – okozzon; *ajñānām* – az ostobának; *karma-saṅginām* – akik ragaszkodnak a gyümölcsöző tettekhez; *joṣayet* – kapcsoljon össze; *sarva* – minden; *karmāṇi* – munkát; *vidvān* – a tanult; *yuktaḥ* – összekapcsolt; *samācaran* – végző.

A bölcs, hogy ne zavarja meg az előírt kötelességek gyümölcséhez ragaszkodó tudatlanok elméjét, ne tétlenségre buzdítsa őket, hanem az odaadó szellemben [a Kṛṣṇa-tudat fokozatos kifejlesztése érdekében] végzett cselekvésre.

MAGYARÁZAT: *Vedaiś ca sarvair aham eva vedyaḥ*. Ez valamennyi védikus szertartás végső célja. Minden szertartás, áldozat és minden más, amelyről a Védák írnak – beleértve az anyagi cselekedetekre vonatkozó utasításokat is – arra szolgál, hogy az emberek megértsék Kṛṣṇát, az élet végső célját. Ám a feltételekhez kötött lelkek az érzékkielégítésen kívül nem ismernek más célt, ezért csupán az érzékkielégítés érdekében tanulmányozzák a Védákat. A védikus szertartások által szabályozott gyümölcsöző tetteken és érzékkielégítésen keresztül azonban az ember fokozatosan felemelkedhet a Kṛṣṇa-tudatig. A Kṛṣṇa-tudatú, önmegvalósított léleknek tehát nem szabad megzavarnia mások tetteit vagy felfogását, hanem saját cselekedeteivel kell megmutatnia, hogyan lehet minden munka eredményét Kṛṣṇa szolgálatának szentelni. A tanult Kṛṣṇa-tudatú embernek úgy kell végeznie tetteit, hogy az érzékkielégítésre törekvő tudatlanok elsajátíthassák tőle a helyes cselekvés és viselkedés módját. Noha a tudatlant nem szabad tetteiben megzavarni, a Kṛṣṇa-tudatban kicsit fejlettebb embert már közvetlenül az Úr szolgálatával is meg lehet bízni, anélkül, hogy más védikus előírásokat kellene követnie. E szerencsés embernek nem kell elvégeznie a védikus szertartásokat, mert a közvetlen Kṛṣṇa-tudat révén elérheti mindazt az eredményt, amit előírt kötelességei teljesítésével érne el.

27. VERS

प्रकृतेः क्रियमाणानि गुणैः कर्माणि सर्वशः ।
अहङ्कारविमूढात्मा कर्ताहमिति मन्यते ॥२७॥

prakṛteḥ kriyamāṇāni guṇaiḥ karmāṇi sarvaśaḥ
ahaṅkāra-vimūḍhātmā kartāham iti manyate

prakṛteḥ – az anyagi természetnek; *kriyamāṇāni* – megtett; *guṇaiḥ* – a kötőerői által; *karmāṇi* – cselekedetek; *sarvaśaḥ* – mindenféle; *ahaṅkāra-vimūḍha* – a hamis egótól megtévesztett; *ātmā* – lélek; *kartā* – a cselekvő; *aham* – én vagyok; *iti* – így; *manyate* – gondolja.

A hamis ego által megtévesztett lélek önmagát hiszi a tettek végrehajtójának, pedig valójában az anyagi természet három kötőereje végzi azokat.

MAGYARÁZAT: Ha egy Kṛṣṇa-tudatú és egy anyagi tudatú ember hasonló tetteket hajt végre, látszólag azonos szinten cselekszenek, ám kettejük helyzete között nagy különbség van. A materialista tudatú ember hamis egójának köszönhetően meg van róla győződve, hogy ő a tettei végrehajtója. Nem tudja, hogy a test mechanizmusát a Legfelsőbb Úr ellenőrzése alatt álló anyagi természet hozza létre. Arról sincsen tudomása, hogy ő maga végső soron Kṛṣṇa irányítása alatt áll. A hamis ego hatása alatt azt hiszi, hogy függetlenül cselekszik, s tetteiért magának tulajdonít minden érdemet. Ez az ismertetőjele a tudatlanságának. Nem érti, hogy ez a durva- és finomfizikai test az Istenség Legfelsőbb Személyiségének irányítása alatt álló anyagi természet terméke, s hogy ezért teste és elméje cselekedeteivel Kṛṣṇát kellene szolgálnia Kṛṣṇa-tudatban. A tudatlan elfelejti, hogy az Istenség Legfelsőbb Személyiségét Hṛṣīkeśának, az anyagi test érzékei urának hívják. Ez annak köszönhető, hogy érzékszerveit hosszú időn keresztül helytelenül az érzékkielégítésben használva a hamis ego teljesen megtévesztette, minek következtében megfeledkezett Kṛṣṇához fűződő örök kapcsolatáról.

28. VERS

तत्त्ववित्तु महाबाहो गुणकर्मविभागयोः ।
गुणा गुणेषु वर्तन्त इति मत्वा न सज्जते ॥२८॥

tattva-vit tu mahā-bāho guṇa-karma-vibhāgayoḥ
guṇā guṇeṣu vartanta iti matvā na sajjate

tattva-vit – az Abszolút Igazság ismerője; *tu* – azonban; *mahā-bāho* – ó, erős karú; *guṇa-karma* – az anyagi hatás alatt végzett munka; *vibhāgayoḥ* – különbségeinek; *guṇāḥ* – az érzékek; *guṇeṣu* – érzékkielégítéssel; *vartante* – vannak elfoglalva; *iti* – így; *matvā* – gondolkodva; *na* – sohasem; *sajjate* – ragaszkodni kezd.

Ó, erős karú! Az Abszolút Igazság ismerője nem merül el az érzékek és az érzékkielégítés tetteiben, mert jól látja az odaadással és a gyümölcseiért végzett munka közötti különbséget.

MAGYARÁZAT: Az Abszolút Igazság ismerője tisztában van azzal, milyen kellemetlen a helyzete az anyagi világban. Tudja, hogy szerves része az Istenség Legfelsőbb Személyiségének, Kṛṣṇának, s hogy helye nem az anyagi teremtésben van. Ismeri valódi önazonosságát az örökkévaló gyönyör és tudás jellemezte Legfelsőbb szerves részeként, s megérti, hogy valamiképpen az anyagi életfelfogás csapdájába esett. Létének tiszta állapotában cselekedeteit össze kell hangolnia az Istenség Legfelsőbb Személyisége, Kṛṣṇa odaadó szolgálatával, ezért a Kṛṣṇa-tudatú tettekhez lát, s természetszerűleg eltávolodik az anyagi érzékek tevékenységétől, amely a körülményektől függ és ideiglenes. Tudja, hogy anyagi létének körülményei az Úr legfelsőbb irányítása alatt állnak, így aztán nem zavarják meg a különféle anyagi visszahatások, amelyeket az Úr kegyének tekint. A *Śrīmad-Bhāgavatam* szerint az Abszolút Igazság három arculatát (a Brahmant, a Paramātmāt és az Istenség Legfelsőbb Személyiségét) ismerő embert *tattva-vitnek* nevezik, mert a Legfelsőbbhöz fűződő saját valódi helyzetét is ismeri.

29. VERS

प्रकृतेर्गुणसम्मूढाः सज्जन्ते गुणकर्मसु ।
तानकृत्स्नविदो मन्दान् कृत्स्नविन्न विचालयेत् ॥२९॥

prakṛter guṇa-sammūḍhāḥ sajjante guṇa-karmasu
tān akṛtsna-vido mandān kṛtsna-vin na vicālayet

prakṛteḥ – az anyagi természetnek; *guṇa* – a kötőerői által; *sammūḍhāḥ* – az anyagi azonosítás által megtévesztettek; *sajjante* – merülnek; *guṇa-karmasu* – anyagi tettekbe; *tān* – azokat; *akṛtsna-vidaḥ* – a csekély tudással rendelkezők; *mandān* – akik lusták, hogy megértsék az önmegvalósítást; *kṛtsna-vit* – aki valódi tudással rendelkezik; *na* – ne; *vicālayet* – próbálja megzavarni.

Az ostobák az anyagi természet kötőerőitől megtévesztve anyagi tettekbe merülnek, s azok rabjaivá válnak. Tudatlanságuk következtében tetteik alsóbbrendűek, ám a bölcsnek mégsem szabad megzavarnia őket.

MAGYARÁZAT: A tudatlan emberek tévesen a durvafizikai tudattal azonosulnak, s mindenféle anyagi címkékben gondolkodnak. Ez a test az anyagi természet ajándéka. Aki túlságosan ragaszkodik a testi tudathoz, azt *mandának,* lustának nevezik, aki mit sem tud a lélekről. A tudatlanok a testüknek hiszik magukat, ezért a testükkel kapcsolatban állókat rokonaiknak tekintik, az országot, ahol ezt a testet kapták, imádatra méltónak tartják, s azt hiszik, hogy a vallásos szertartások formaságai jelentik a végső célt. Az ilyen anyagi címkékben gondolkodó emberek tetteit a társadalomért végzett munka, a nacionalizmus és az altruizmus jellemzik. E megjelölésektől megtévesztve mindig anyagi síkon tevékenykednek. A lelki önmegvalósítás számukra csupán mítosz, ezért nem is érdekli őket. Azoknak azonban, akik megvilágosodtak a lelki életben, nem szabad megzavarniuk az anyagba merült embereket – jobb, ha csupán csendben végzik tovább saját lelki tevékenységüket. Ezek a megtévesztett emberek néha még olyan magasrendű erkölcsi alapelvekkel is foglalkoznak, mint az erőszaknélküliség és a többi hasonló, anyagi szempontból jótékony tett.

A tudatlanok nem képesek méltányolni a Kṛṣṇa-tudatú tetteket, ezért az Úr Kṛṣṇa arra utasít bennünket, hogy ne zavarjuk őket, ne vesztegessük az időnket fölöslegesen. Az Úr *bhaktái* azonban még Nála is kegyesebbek, mert megértik szándékát. Emiatt aztán vállalnak minden veszélyt, még azt is, hogy odamennek a tudatlanokhoz, s megpróbálják rávenni őket a Kṛṣṇa-tudatú tettekre, amelyek feltétlenül szükségesek az emberi lény számára.

30. VERS

मयि सर्वाणि कर्माणि सन्न्यस्याध्यात्मचेतसा ।
निराशीर्निर्ममो भूत्वा युध्यस्व विगतज्वरः ॥३०॥

mayi sarvāṇi karmāṇi sannyasyādhyātma-cetasā
nirāśīr nirmamo bhūtvā yudhyasva vigata-jvaraḥ

mayi – Nekem; *sarvāṇi* – mindenféle; *karmāṇi* – tetteket; *sannyasya* – maradéktalanul átadva; *adhyātma* – az önvalót teljesen ismerő; *cetasā* – tudattal; *nirāśīḥ* – haszonvágy nélkülivé; *nirmamaḥ* – birtoklásvágy nélkülivé; *bhūtvā* – válva; *yudhyasva* – harcolj; *vigata-jvaraḥ* – csüggedés nélkül.

Ó, Arjuna! Harcolj hát minden tettedet Nekem áldozva, a Rólam szóló teljes tudás birtokában, haszonra nem vágyva, semmit sem tekintve a tulajdonodnak, csüggedés nélkül!

MAGYARÁZAT: Ez a vers világosan tükrözi a *Bhagavad-gītā* mondanivalóját. Az Úr utasítása az, hogy váljunk teljesen Kṛṣṇa-tudatúvá, s végezzük kötelességünket katonás szigorral. Az efféle parancs talán megnehezíti a dolgunkat, ám kötelességeinket ennek ellenére végre kell hajtanunk, teljes mértékben Kṛṣṇára bízva magunkat, hiszen ez az élőlény eredeti helyzete. Az élőlény nem lehet boldog, ha nem működik együtt a Legfelsőbb Úrral, mert örök helyzete alapján az Ő kívánságainak kell eleget tennie. Śrī Kṛṣṇa ezért mint hadvezére utasította Arjunát a harcra. Az embernek mindent fel kell áldoznia annak érdekében, hogy a Legfelsőbb Úr legjobb akarata érvényesüljön, s egyben előírt kötelességeit is teljesítenie kell, anélkül hogy bármi fölött birtokjogot követelne. Arjunának nem kellett gondolkoznia az Úr parancsán – csupán végre kellett hajtania azt. A Legfelsőbb Úr a lelke minden léleknek, ezért aki saját magával nem törődve teljesen és egyedül a Legfelsőbbre bízza magát – más szóval teljesen Kṛṣṇa-tudatú –, azt *adhyātma-cetasnak* nevezik. A *nirāśīḥ* szó azt jelenti, hogy az embernek a mester utasításai szerint kell cselekednie, ám nem szabad a munka gyümölcsére vágynia. Egy pénztáros több millió dollárt számol meg munkaadójának anélkül, hogy akár egy centre is igényt tartana belőle. Ehhez hasonlóan meg kell értenünk, hogy ebben a világban minden a Legfelsőbb Úré, és semmi sem tartozik az egyénhez. Ez a *mayi* – „Nekem" – szó igazi tartalma. Ha valaki ilyen Kṛṣṇa-tudatban cselekszik, az egész biztosan nem követel magának semmit. Ezt a fajta tudatot hívják *nirmamának* („semmi sem az enyém"). És ha valaki vonakodna végrehajtani egy ilyen szigorú parancsot – amely nem veszi tekintetbe a test úgynevezett rokoni kötelékeit –, le kell vetkőznie vonakodását. Ily módon válhat valaki *vigata-jvarává,* olyan emberré, akinek elméje nem ég lázban, ugyanakkor nem is hajlamos a csüggedésre. Tulajdonságai és helyzete szerint mindenkinek végeznie kell egy bizonyos fajta munkát, s ahogyan ez a vers írja, e kötelességeknek Kṛṣṇa-tudatban is eleget lehet tenni. Ez vezeti az embert a felszabadulás útjára.

31. VERS

ये मे मतमिदं नित्यमनुतिष्ठन्ति मानवाः ।
श्रद्धावन्तोऽनसूयन्तो मुच्यन्ते तेऽपि कर्मभिः ॥३१॥

ye me matam idaṁ nityam anutiṣṭhanti mānavāḥ
śraddhāvanto 'nasūyanto mucyante te 'pi karmabhiḥ

ye – akik; *me* – az Én; *matam* – utasításaimat; *idam* – ezt; *nityam* – örök tevékenységként; *anutiṣṭhanti* – rendszeresen végrehajtják; *mānavāḥ* – emberek; *śraddhā-vantaḥ* – hittel és odaadással telve; *anasūyantaḥ* – irigység nélkül; *mucyante* – megszabadulnak; *te* – azok; *api* – még; *karmabhiḥ* – a gyümölcsöző cselekedet törvényének kötelékétől.

Akik kötelességeiket az Én utasításaim szerint teljesítik, és hűségesen, irigység nélkül követik ezt a tanítást, felszabadulnak a gyümölcsöző tettek rabságából.

MAGYARÁZAT: Az Istenség Legfelsőbb Személyisége, Kṛṣṇa utasításai jelentik az egész védikus bölcselet lényegét, ezért kivétel nélkül mindegyik örök igazság. Ahogyan a Védák örökkévalóak, a Kṛṣṇa-tudat igazsága szintén az. Az embernek megingathatatlanul hinnie kell ezekben az utasításokban, anélkül hogy az Úrra irigykedne. Sok olyan filozófus ír magyarázatot a *Bhagavad-gītāhoz,* aki nem hisz Kṛṣṇában. Ők sohasem szabadulnak fel a gyümölcsöző cselekedetek rabságából. Ám az Úr örök utasításaiban rendületlenül hívő közönséges ember kiszabadul a *karma* törvényének bilincseiből még akkor is, ha végrehajtani nem is tudja e parancsokat. Előfordulhat, hogy a Kṛṣṇa-tudat folyamatát éppen csak elkezdő ember nem hajtja végre teljes egészében az Úr utasításait, de ha nem kritizálja a folyamatot, hanem őszintén, vereséggel és reménytelenséggel nem törődve törekszik tovább, minden bizonnyal felemelkedik a tiszta Kṛṣṇa-tudat síkjára.

32. VERS

ये त्वेतदभ्यसूयन्तो नानुतिष्ठन्ति मे मतम् ।
सर्वज्ञानविमूढांस्तान् विद्धि नष्टानचेतसः ॥३२॥

ye tv etad abhyasūyanto nānutiṣṭhanti me matam
sarva-jñāna-vimūḍhāṁs tān viddhi naṣṭān acetasaḥ

ye – akik; *tu* – azonban; *etat* – ezt; *abhyasūyantaḥ* – irigységből; *na* – nem; *anutiṣṭhanti* – rendszeresen végzik; *me* – az Én; *matam* – utasításomat; *sarva-jñāna* – mindenféle tudásban; *vimūḍhān* – teljesen rászedettekről; *tān* – róluk; *viddhi* – tudd hát; *naṣṭān* – mind elvesztek; *acetasaḥ* – Kṛṣṇa-tudat nélkül.

De akik irigységből nem törődnek e tanítással, s nem követik azt állhatatosan, azokról tudnunk kell, hogy elvesztették minden tudásukat, tévúton járnak, és hiába törekszenek a tökéletesség elérésére.

MAGYARÁZAT: Ez a vers egyértelműen kijelenti, hogy bűn, ha valaki nem Kṛṣṇa-tudatú. Ahogyan büntetés jár az államelnök parancsainak be nem tartásáért, úgy az Istenség Legfelsőbb Személyisége utasításainak megszegése is mindenképpen büntetést von maga után. Az engedetlen ember – legyen bármilyen kiváló személyiség – üres szíve miatt mit sem tud önvalójáról, a Legfelsőbb Brahmanról, a Paramātmāról és az Istenség Személyiségéről, ezért semmi reménye a tökéletes életre.

33. VERS

सदृशं चेष्टते स्वस्याः प्रकृतेर्ज्ञानवानपि ।
प्रकृतिं यान्ति भूतानि निग्रहः किं करिष्यति ॥३३॥

sadṛśaṁ ceṣṭate svasyāḥ prakṛter jñānavān api
prakṛtiṁ yānti bhūtāni nigrahaḥ kiṁ kariṣyati

sadṛśam – eszerint; *ceṣṭate* – próbál; *svasyāḥ* – saját; *prakṛteḥ* – kötőerői által; *jñāna-vān* – a tanult; *api* – habár; *prakṛtim* – a természetnek; *yānti* – aláveti magát; *bhūtāni* – minden élőlény; *nigrahaḥ* – az elfojtás; *kim* – mit; *kariṣyati* – ér el.

Még a bölcs is saját hajlamának megfelelően cselekszik, hiszen mindenki azt a természetet követi, amellyel a három kötőerő megáldja. Mit érünk hát vele, ha elfojtjuk?

MAGYARÁZAT: Ahogy az Úr a hetedik fejezetben (7.14) megerősíti, mindaddig nem szabadulhatunk meg az anyagi természet kötőerőinek befolyásától, míg el nem érjük a Kṛṣṇa-tudat transzcendentális szintjét. Ezért még a legműveltebb világi ember sem képes kikerülni *māyā* útvesztőjéből csupán elméleti tudással, vagyis a lélek és a test különválasztásával. Sok olyan, magát transzcendentalistának nevező ember van, aki úgy viselkedik, mint aki rendkívül jártas a tudományban, belül azonban teljesen rabja az anyagi természet bizonyos kötőerőinek, melyeket képtelen legyőzni. Lehet valaki a világi tudományosság szempontjából nagyon művelt, ám amiatt, hogy oly hosszú ideje kapcsolatban áll az anyagi természettel, bilincsekben él. A Kṛṣṇa-tudat még akkor is segít kiszabadulni az anyagi kötelékekből, ha közben az ember az anyagi létezés megkívánta kötelességeit végzi. Senkinek sem szabad tehát felhagynia a hivatásával járó kötelességekkel addig, amíg nem válik teljesen Kṛṣṇa-tudatúvá. Senki se fordítson hátat egyik napról a másikra előírt feladatai végzésének, hogy a *yogīkat,* a transzcendentalistákat utánozza. Ennél sokkal jobb, ha az ember adott helyzetében marad, s a felette állók irányításával megpróbál Kṛṣṇa-tudatúvá válni. Így lehet megszabadulni Kṛṣṇa *māyājának* béklyóiból.

34. VERS

इन्द्रियस्येन्द्रियस्यार्थे रागद्वेषौ व्यवस्थितौ ।
तयोर्न वशमागच्छेत्तौ ह्यस्य परिपन्थिनौ ॥३४॥

indriyasyendriyasyārthe rāga-dveṣau vyavasthitau
tayor na vaśam āgacchet tau hy asya paripanthinau

indriyasya – az érzékeknek; *indriyasya arthe* – az érzéktárgyakban; *rāga* – ragaszkodását; *dveṣau* – és ellenszenvét; *vyavasthitau* – szabályozva; *tayoḥ* – ezeknek; *na* – sohasem; *vaśam* – az irányítása alá; *āgacchet* – szabad kerülni; *tau* – azok; *hi* – bizonyosan; *asya* – számára; *paripanthinau* – akadályok.

Az érzékek ragaszkodását és viszolygását az érzéktárgyak iránt bizonyos elvekkel kell szabályozni. Az embernek nem szabad e vonzódás és idegenkedés irányítása alá kerülnie, mert ezek csak akadályt jelentenek az önmegvalósítás útján.

MAGYARÁZAT: Akik Kṛṣṇa-tudatúak, azok természetüknél fogva távol tartják magukat az anyagi érzékkielégítéstől. Azoknak azonban, akiknek nem ilyen a tudata, követniük kell a kinyilatkoztatott írások szabályait és előírásait. Az anyagi rabság oka a mértéktelen érzéki élvezet, de akik betartják a kinyilatkoztatott írások szabályait, azokat nem kötik le az érzéktárgyak. A nemi élvezet például szükségszerű a feltételekhez kötött lélek számára, s a házasság keretei között az írások engedélyezik azt. A szentírások parancsai szerint az ember csak a feleségével élhet nemi életet, a más nőkkel való szexuális kapcsolat tilos számára, s a feleségén kívül minden nőt anyjának kell tekintenie. Az emberek azonban még e parancsok ellenére is hajlamosak a más nőkkel való nemi kapcsolatra. Az efféle hajlamokat meg kell fékezni, mert akadályt jelentenek az önmegvalósítás ösvényén. Amíg van anyagi testünk, követelésének eleget kell tennünk, de csakis a szabályoknak és előírásoknak megfelelően. Ezekkel az engedményekkel azonban nem szabad visszaélnünk. Ragaszkodás nélkül kell követnünk őket, mert másképpen még a szabályozott érzékkielégítés is tévútra vezethet bennünket, ahogyan a baleset veszélye még a legjobb utakon is fennáll. Még ha a legbiztosabb úton járunk is, senki sem garantálhatja, hogy nem ér bennünket baleset. Az érzéki élvezet szelleme már hosszú-hosszú idő óta jelen van bennünk az anyaggal való kapcsolat eredményeként, ezért még a szabályozott érzéki élvezet ellenére is minden esély megvan a visszaesésre. Arra kell hát törekednünk, hogy ne ragaszkodjunk még a szabályozott érzéki élvezethez sem. Ha azonban Kṛṣṇához ragaszkodunk, azaz mindig Kṛṣṇa szerető szolgálatát végezzük, az távol tart bennünket mindenfajta érzéki tettől. Sohasem szabad megválnunk a Kṛṣṇa-tudattól, az élet egyetlen szakaszában sem. Az érzéki ragaszkodástól való függetlenség célja az, hogy az ember végül felemelkedjen a Kṛṣṇa-tudat szintjére.

35. VERS

श्रेयान् स्वधर्मो विगुणः परधर्मात्स्वनुष्ठितात् ।
स्वधर्मे निधनं श्रेयः परधर्मो भयावहः ॥३५॥

śreyān sva-dharmo viguṇaḥ para-dharmāt sv-anuṣṭhitāt
sva-dharme nidhanaṁ śreyaḥ para-dharmo bhayāvahaḥ

śreyān – sokkal jobb; *sva-dharmaḥ* – saját előírt kötelességek; *viguṇaḥ* – még hibásan is; *para-dharmāt* – a mások számára előírt kötelességeknél; *su-anuṣṭhitāt* – tökéletesen végrehajtottaknál; *sva-dharme* – saját előírt kötelességeiben; *nidhanam* – megsemmisülés; *śreyaḥ* – jobb; *para-dharmaḥ* – a mások számára előírt kötelességek; *bhaya-āvahaḥ* – veszélyesek.

Sokkal jobb saját előírt kötelességünket hibásan, mint a másokét tökéletesen végrehajtani. Jobb, ha az embert saját kötelessége végzése közben éri a halál, mint ha más feladatait végzi, mert más útját követni veszélyes.

MAGYARÁZAT: A számunkra előírt munkát kell tehát végeznünk teljes Kṛṣṇa-tudatban, s nem a másokét. Anyagi szinten az ember előírt kötelességeit pszichofizikai állapota határozza meg, amely a természet kötőerői hatásának eredménye. A lelki kötelességeket, melyeknek célja Kṛṣṇa transzcendentális szolgálata, a lelki tanítómester írja elő. Akár anyagi, akár lelki kötelességről is van azonban szó, az embernek haláláig ki kell tartania mellette, s nem szabad más feladatát utánoznia. A lelki és anyagi szint kötelességei eltérőek lehetnek, ám ha valaki a hiteles útmutatást követi, az mindig a javára válik. Amíg az ember az anyagi természet kötőerőinek varázsa alatt áll, követnie kell a saját helyzetének megfelelő előírt kötelességeket, s nem szabad másokat utánoznia. A jóság kötőerejében lévő *brāhmaṇa* például tartózkodik az erőszaktól, míg a *kṣatriya* számára, akire a szenvedély kötőereje hat, engedélyezett az erőszak. Így aztán a *kṣatriya* számára jobb az erőszak szabályait követve meghalni, mint az erőszakmentesség elvét követő *brāhmaṇát* utánozni. A szívét nem hirtelen, hanem fokozatosan kell mindenkinek megtisztítania. Ám ha valaki felülemelkedik az anyagi természet kötőerőin, és teljesen Kṛṣṇa-tudatúvá válik, az a hiteles lelki tanítómester irányítása alatt bármilyen feladatot végezhet. A Kṛṣṇa-tudat e tökéletes síkján a *kṣatriya brāhmaṇaként,* a *brāhmaṇa* pedig *kṣatriyaként* cselekedhet. Az anyagi világbeli megkülönböztetések a transzcendentális szintre nem vonatkoznak. Viśvāmitra például eredetileg *kṣatriya* volt, ám később *brāhmaṇaként* cselekedett, míg a *brāhmaṇa* Paraśurāma egy *kṣatriya* munkáját végezte. Azért tehették ezt meg, mert transzcendentális szinten álltak, de addig, amíg valaki anyagi síkon van, végre kell hajtania az anyagi természet kötőerői szerinti kötelességeit, s ugyanakkor teljesen meg kell értenie a Kṛṣṇa-tudatot.

36. VERS

अर्जुन उवाच
अथ केन प्रयुक्तोऽयं पापं चरति पूरुषः ।
अनिच्छन्नपि वार्ष्णेय बलादिव नियोजितः ॥३६॥

arjuna uvāca
atha kena prayukto 'yaṁ pāpaṁ carati pūruṣaḥ
anicchann api vārṣṇeya balād iva niyojitaḥ

arjunaḥ uvāca – Arjuna mondta; *atha* – akkor; *kena* – mi által; *prayuktaḥ* – ösztönzött; *ayam* – valaki; *pāpam* – bűnöket; *carati* – elkövet; *pūruṣaḥ* – egy ember; *anicchan* – nem akarván; *api* – habár; *vārṣṇeya* – ó, Vṛṣṇi leszármazottja; *balāt* – erővel; *iva* – mintha; *niyojitaḥ* – lenne kényszerítve.

Arjuna így szólt: Ó, Vṛṣṇi leszármazottja, mi az, ami az embert akarata ellenére, szinte erőszakkal bűnös tettekre kényszeríti?

MAGYARÁZAT: Az élőlény a Legfelsőbb szerves részeként eredetileg lelki, tiszta, s mentes minden anyagi szennyeződéstől, így természeténél fogva nem kényszerül az anyagi világ bűneinek elkövetésére. Amikor azonban kapcsolatba kerül az anyagi természettel, minden további nélkül számtalan bűnös tettet elkövet, néha még akarata ellenére is. Arjuna Kṛṣṇához intézett kérdése éppen ezért nagyon lényeges, mert az élőlények eltorzult természetére vonatkozik. Az élőlény néha még akkor is bűnös cselekedetre kényszerül, ha nem akarja. E bűnökre azonban nem a szívben lévő Felsőlélek ösztönöz bennünket, hanem más oka van, ahogyan azt az Úr a következő versben elmagyarázza.

37. VERS

श्रीभगवानुवाच
काम एष क्रोध एष रजोगुणसमुद्भवः ।
महाशनो महापाप्मा विद्ध्येनमिह वैरिणम् ॥३७॥

śrī-bhagavān uvāca
kāma eṣa krodha eṣa rajo-guṇa-samudbhavaḥ
mahāśano mahā-pāpmā viddhy enam iha vairiṇam

śrī-bhagavān uvāca – az Istenség Személyisége mondta; *kāmaḥ* – kéjvágy; *eṣaḥ* – ez; *krodhaḥ* – harag; *eṣaḥ* – ez; *rajaḥ-guṇa* – a szenvedély kötőerejéből; *samudbhavaḥ* – született; *mahā-aśanaḥ* – mindent felemésztő; *mahā-pāpmā* – nagyon bűnös; *viddhi* – tudd; *enam* – ezt; *iha* – az anyagi világban; *vairiṇam* – a legnagyobb ellenség.

Az Istenség Legfelsőbb Személyisége így szólt: Csupán a kéjvágy az, ó, Arjuna. A szenvedély anyagi kötőerejével való kapcsolatból születik, s később haraggá alakul át – ez a világ mindent felemésztő, bűnös ellensége.

MAGYARÁZAT: Az anyagi teremtéssel és a szenvedély kötőerejével kapcsolatba kerülve az élőlény Kṛṣṇa iránti örök szeretete kéjvággyá alakul át. Az Isten iránti szeretet úgy változik kéjvággyá, mint ahogyan a tej válik joghurttá a savanyú tamarindgyümölcs hatására. A kielégítetlen kéjvágy haraggá alakul, a haragból illúzió lesz, az illúzió pedig azt eredményezi, hogy az ember folytatja anyagi létét. Ezért a kéjvágy az élőlény legnagyobb ellensége. Egyedül ez az, ami arra készteti a különben tiszta élőlényt, hogy az anyagi világ béklyóiban maradjon. A harag a tudatlanság kötőerejének megnyilvánulása. Ezeket a kötőerőket tehát a dühről és más velejáróiról lehet felismerni. Ha a szenvedély kötőerejéből az előírt cselekedetek és életmód által a jóságéba emelkedünk, s nem süllyedünk a tudatlanság kötőerejébe, akkor a lelki vonzódás megmenthet bennünket a mélybe taszító dühtől.

Az Istenség Legfelsőbb Személyisége számtalan formába terjesztette ki magát, hogy élvezze örökké növekvő lelki gyönyörét, melynek az élőlények szerves részei. Ők szintén rendelkeznek részleges függetlenséggel, de amikor ezzel visszaélnek, és szolgálatkész hajlamuk érzéki élvezetre vágyó hajlammá alakul át, akkor a kéjvágy hatalmába kerülnek. Ezt az anyagi világot azért teremtette az Úr, hogy lehetőséget adjon a feltételekhez kötött élőlényeknek kéjes hajlamaik kielégítésére, s hogy miután hosszú időn keresztül teljesen hiábavalóan próbálkoztak e vágyak kielégítésével, kezdjenek el tudakozódni igazi helyzetükről.

Erről a tudakozódásról írnak a *Vedānta-sūtra* első sorai. *Athāto brahma-jijñāsā:* tudakozódnunk kell a Legfelsőbbről. A Legfelsőbbet a *Śrīmad-Bhāgavatam* a következőképpen határozza meg: *janmādy asya yato 'nvayād itarataś ca.* „Mindennek az eredete a Legfelsőbb Brahman." A kéjvágy így szintén a Legfelsőbbtől származik. Ha kéjvágyunkat a Legfelsőbb iránti szeretetté, vagyis Kṛṣṇa-tudattá formáljuk át – más szóval amikor Kṛṣṇa öröme lesz minden vágyunk –, akkor a kéjvágyat és a haragot is lelkivé változtathatjuk. Hanumān, az Úr Rāma nagy szolgája Rāvaṇa arany városának felégetésére használta dühét, ám így az Úr legkiválóbb *bhaktája* lett. Itt a *Bhagavad-gītāban* az Úr arra biztatja Arjunát is, hogy dühét fordítsa ellenségei ellen, hogy örömet szerezzen Neki. A Kṛṣṇa-tudatban, Kṛṣṇa kedvéért kimutatott kéjvágy és harag ily módon már nem az ellenségünk többé, hanem a barátunk.

38. VERS

धूमेनाव्रियते वह्निर्यथादर्शो मलेन च ।
यथोल्बेनावृतो गर्भस्तथा तेनेदमावृतम् ॥३८॥

dhūmenāvriyate vahnir yathādarśo malena ca
yatholbenāvṛto garbhas tathā tenedam āvṛtam

dhūmena – füsttel; *āvriyate* – borított; *vahniḥ* – tűz; *yathā* – mint ahogyan; *ādarśaḥ* – tükör; *malena* – porral; *ca* – is; *yathā* – mint; *ulbena* – az anyaméh által; *āvṛtaḥ* – fedett; *garbhaḥ* – embrió; *tathā* – úgy; *tena* – azzal a kéjvággyal; *idam* – ez; *āvṛtam* – befedett.

Mint tüzet a füst, mint tükröt a por vagy mint magzatot az anyja méhe, úgy burkolják be az élőlényt e kéjvágy különböző fokai.

MAGYARÁZAT: Az élőlény tiszta tudatát elhomályosító burok három fokban tudja befedni az élőlényt. Ez a fedőréteg nem más, mint a kéjvágy, különböző megnyilvánulásaiban. Ezeket a tűz füstjéhez, a tükröt borító porhoz és az embriót körülvevő anyaméhhez lehet hasonlítani. Amikor a kéjvágyat a füsthöz hasonlítják, azt úgy kell értenünk, hogy az élő szikra tüze kis mértékben ugyan, de érzékelhető. Más szóval az élőlényt akkor lehet a füsttel borított tűzhöz hasonlítani, ha Kṛṣṇa-tudata kis mértékben már megnyilvánul. Habár ha van füst, akkor tűznek is lennie kell, kezdetben a láng mégsem látható. Ez az állapot tehát olyan, mint a Kṛṣṇa-tudat kezdete. A tükör és a por példája az elme tükrének tisztítására utal, amely számtalan lelki folyamat segítségével történik, s melyek közül az Úr szent neveinek éneklése a legjobb. Az anyaméh által beburkolt magzat analógiája a tehetetlenséget szemlélteti, hiszen a magzat a méhben olyannyira tehetetlen, hogy még mozogni sem tud. Ezt az állapotot a fák létéhez lehet hasonlítani. A fák szintén élőlények, ám rendkívül erős kéjes vágyaik miatt szinte tudat nélküli létállapotba kerültek. A madarakat és a vadállatokat a porral fedett tükörhöz, az emberi lényt pedig a füsttel takart tűzhöz hasonlítják. Emberi formát öltve az élőlény képes Kṛṣṇa-tudatát valamilyen mértékben életre kelteni, s ha tovább fejlődik, akkor a lelki élet tüze lángra kaphat ebben az életformában. Ha valaki ügyesen bánik a füsttel, a tűz fellobbanhat. Az emberi létállapotban tehát az élőlény esélyt kap rá, hogy kiszabaduljon az anyagi lét börtönéből. Megfelelő irányítással, a Kṛṣṇa-tudat művelésével legyőzheti ellenségét, a kéjvágyat.

39. VERS

आवृतं ज्ञानमेतेन ज्ञानिनो नित्यवैरिणा ।
कामरूपेण कौन्तेय दुष्पूरेणानलेन च ॥३९॥

āvṛtaṁ jñānam etena jñānino nitya-vairiṇā
kāma-rūpeṇa kaunteya duṣpūreṇānalena ca

āvṛtam – be van fedve; *jñānam* – tiszta tudata; *etena* – ez által; *jñāninaḥ* – a tudónak; *nitya-vairiṇā* – az örök ellenség által; *kāma-rūpeṇa* – a kéj formájában; *kaunteya* – ó, Kuntī fia; *duṣpūreṇa* – a sohasem elégedett; *analena* – tűz által; *ca* – is.

Így fedi be a bölcs élőlény tiszta tudatát örök ellensége, a kéjvágy, mely sohasem elégedett, s lángol, mint a tűz.

MAGYARÁZAT: A *Manu-smṛti* leírja, hogy a kéjvágyat nem elégíti ki semmilyen érzéki élvezet, ahogyan a tüzet sem lehet eloltani, ha folyton tápláljuk. Az anyagi világban minden tett középpontjában a nemi élet áll, ezért ezt a világot *maithunya-āgāránák,* a nemi élet börtönének hívják. Ahogy a közönséges börtönben rácsok mögött őrzik a rabokat, az Úr törvényeit megszegő bűnözőket a nemi élet láncolja le. Az anyagi civilizáció fejlődése, amelynek alapja az érzékkielégítés, csak meghosszabbítja az élőlények anyagi létét, s így a kéjvágy a tudatlanság szimbóluma, mely az anyagi világhoz köti az élőlényt. Igaz, hogy az érzékkielégítés élvezése közben érezhet valamiféle boldogságot, ám ez az állítólagos boldogságérzet az érzékeit élvező végső ellensége.

40. VERS

इन्द्रियाणि मनो बुद्धिरस्याधिष्ठानमुच्यते ।
एतैर्विमोहयत्येष ज्ञानमावृत्य देहिनम् ॥४०॥

indriyāṇi mano buddhir asyādhiṣṭhānam ucyate
etair vimohayaty eṣa jñānam āvṛtya dehinam

indriyāṇi – az érzékek; *manaḥ* – az elme; *buddhiḥ* – az értelem; *asya* – e kéjvágynak; *adhiṣṭhānam* – székhelyének; *ucyate* – mondják; *etaiḥ* – ezek által; *vimohayati* – megtéveszti; *eṣaḥ* – ez a kéjvágy; *jñānam* – tudását; *āvṛtya* – befedve; *dehinam* – a megtestesültnek.

A kéjvágy székhelye az érzékek, az elme és az értelem. Rajtuk keresztül fedi be az élőlény igazi tudását s vezeti tévútra őt.

MAGYARÁZAT: Az ellenség elfoglalta a feltételekhez kötött lélek testének különböző stratégiai pontjait. Az Úr Kṛṣṇa említést tesz e pontokról, hogy aki le akarja győzni az ellenséget, az tudja, hol találhatók. Az érzékszervek valamennyi tevékenységének az elme a központja, így amikor az érzéktárgyakról hallunk, az elmében tengernyi érzékkielégítésre irányuló gondolat gyűlik össze, s ennek eredményeképpen a kéjvágy az elmében és az érzékekben üt tanyát. Ezek után az értelem válik e kéjvágyó hajlamok központjává. Az értelem a lélek közvetlen szomszédja. A kéjvágyó értelem készteti a lelket arra, hogy a hamis egóval azonosuljon, azaz az anyaggal, s ezzel egyidejűleg az elmével és az érzékeivel azonosítsa magát. A lélek rászokik az anyagi érzékek élvezetére, és ezt tekinti az igazi boldogságnak. A *Śrīmad-Bhāgavatam* (10.84.13) nagyon szépen elmagyarázza ezt a hamis énképet:

yasyātma-buddhiḥ kuṇape tri-dhātuke
sva-dhīḥ kalatrādiṣu bhauma ijya-dhīḥ
yat-tīrtha-buddhiḥ salile na karhicij
janeṣv abhijñeṣu sa eva go-kharaḥ

„A magát a három elemből álló testtel azonosító ember, aki teste melléktermékeit a rokonainak tekinti, szülőföldjét pedig imádatra méltónak tartja, s aki csak fürödni jár a zarándokhelyekre, nem pedig azért, hogy találkozzon azokkal, akik jártasak a transzcendentális tudományban, nem tekinthető különbnek egy szamárnál vagy egy tehénnél.”

41. VERS

तस्मात्त्वमिन्द्रियाण्यादौ नियम्य भरतर्षभ ।
पाप्मानं प्रजहि ह्येनं ज्ञानविज्ञाननाशनम् ॥४१॥

tasmāt tvam indriyāṇy ādau niyamya bharatarṣabha
pāpmānaṁ prajahi hy enaṁ jñāna-vijñāna-nāśanam

tasmāt – ezért; *tvam* – te; *indriyāṇi* – érzékeket; *ādau* – az elején; *niyamya* – szabályozva; *bharata-ṛṣabha* – ó, Bharata leszármazottainak vezére; *pāpmānam* – a bűn nagy jelképét; *prajahi* – zabolázd meg; *hi* – bizony; *enam* – ezt; *jñāna* – a tudásnak; *vijñāna* – és a tiszta lélek tudományos ismeretének; *nāśanam* – a megsemmisítőjét.

Ezért, ó, Arjuna, legjobb a Bhāraták között, még az elején zabolázd meg érzékeid szabályozásával a bűn e nagy jelképét [a kéjvágyat], és semmisítsd meg a tudás és az önmegvalósítás elpusztítóját!

MAGYARÁZAT: Az Úr azt tanácsolta Arjunának, hogy még a legelején fékezze meg az érzékeit, mert csak úgy győzheti le a legnagyobb, bűnös ellenséget, a kéjvágyat, ami elpusztítja az önmegvalósítás vágyát és az önvalóról szóló tudást. A *jñāna* a hamis önvalótól különböző önvaló ismeretére utal, arra a tudásra, mely szerint a lélek nem azonos a testtel. A *vijñāna* a lélek eredeti helyzetének és a Legfelsőbb Lélekhez fűződő kapcsolatának ismeretét jelenti. A *Śrīmad-Bhāgavatam* (2.9.31) ezt a következőképpen magyarázza:

jñānaṁ parama-guhyaṁ me yad-vijñāna-samanvitam
sa-rahasyaṁ tad-aṅgaṁ ca gṛhāṇa gaditaṁ mayā

„Az önvalóról, valamint a Legfelsőbb Önvalóról szóló tudás rendkívül titkos és misztikus, ám ezt a tudást és sajátságos megvalósítását meg lehet érteni, ha különféle aspektusait maga az Úr magyarázza el.” Ezt az az önvalóról szóló általános és sajátságos tudást a *Bhagavad-gītā* adja át nekünk. Az élőlények az Úr szerves részei, ezért feladatuk egyedül az, hogy szolgálják Őt. Ezt a tudatot nevezik Kṛṣṇa-tudatnak. A Kṛṣṇa-tudatot már életünk korai szakaszában el kell sajátítanunk, hogy teljesen Kṛṣṇa-tudatúvá válhassunk, és eszerint cselekedhessünk.

A kéjvágy csupán eltorzult tükörképe az Isten iránti szeretetnek, amely minden élőlény természetéhez hozzátartozik. De ha valakit már fiatal korától Kṛṣṇa-tudatban nevelnek, annak Isten iránti szeretete nem fajulhat kéjvággyá. Ha az Isten iránti szeretet egyszer kéjvággyá torzul, nagyon nehéz visszaállítani a természetes állapotot. A Kṛṣṇa-tudat azonban olyannyira hatásos, hogy az odaadó szolgálat szabályozó elveinek betartásával még abban az emberben is kialakulhat az Isten iránti szeretet, aki későn kezd a folyamat gyakorlásához. Az érzékeknek a Kṛṣṇa-tudatban, vagyis az Úr odaadó szolgálatában való szabályozását tehát az élet bármelyik szakaszában el lehet kezdeni, amikor megértettük annak sürgősségét, s ily módon a kéjvágyat Isten iránti szeretetté változtathatjuk át. Ez az emberi élet legtökéletesebb szintje.

42. VERS

इन्द्रियाणि पराण्याहुरिन्द्रियेभ्यः परं मनः ।
मनसस्तु परा बुद्धिर्यो बुद्धेः परतस्तु सः ॥४२॥

indriyāṇi parāṇy āhur indriyebhyaḥ paraṁ manaḥ
manasas tu parā buddhir yo buddheḥ paratas tu saḥ

indriyāṇi – az érzékeket; *parāṇi* – magasabb rendűnek; *āhuḥ* – mondják; *indriyebhyaḥ* – az érzékeknél; *param* – magasabb rendű; *manaḥ* – az elme; *manasaḥ* – az elménél; *tu* – szintén; *parā* – magasabb rendű; *buddhiḥ* – az értelem; *yaḥ* – aki; *buddheḥ* – az értelemnél; *parataḥ* – magasabb rendű; *tu* – de; *saḥ* – ő.

A cselekvő érzékszervek magasabb rendűek a tompa anyagnál, az elme az érzékeknél, az értelem az elménél, de ő [a lélek] még az értelemnél is magasabb rendű.

MAGYARÁZAT: A kéjvágy tettei az érzékeken keresztül nyilvánulnak meg számtalan formában. A kéjvágy a testen belül tanyázik, s az érzékek a kivezető nyílásai. Az érzékek tehát magasabb rendűek a test egészénél. A felsőbbrendű tudatban, vagyis a Kṛṣṇa-tudatban élők nem használják ezeket a kijáratokat. A Kṛṣṇa-tudatban a lélek közvetlen kapcsolatot teremt az Istenség Legfelsőbb Személyiségével, így – amint ez a vers is írja – a test különféle funkcióinak hierarchiájában a Legfelsőbb Lélek áll legfelül. A test cselekedete az érzékek működését jelenti, így az érzékek leállítása valamennyi testi tevékenység megszűnésével jár. Mivel azonban az elme aktív, még akkor is cselekszik, ha a test nyugalomban, tétlen állapotban van. Ez történik az álom során is. Ám az értelem döntése felette áll az elmének, afölött pedig maga a lélek áll. Ha tehát a lélek közvetlenül a Legfelsőbbet szolgálja, akkor automatikusan alárendeltjei – az értelem, az elme és az érzékek – is mind Őt szolgálják. A *Kaṭha-upaniṣadban* egy hasonló verssel találkozhatunk, ami arról szól, hogy az érzékkielégítés tárgyai magasabb rendűek az érzékeknél, az elme pedig az érzéktárgyaknál. Ha tehát az elmét állandóan az Úr közvetlen szolgálatával foglaljuk el, akkor az érzékek sem tudnak mást tenni. Az elmének erről a hozzáállásáról már beszéltünk. *Paraṁ dṛṣṭvā nivartate.* Ha az elme az Úr transzcendentális szolgálatába merül, lehetetlen, hogy az alacsonyabb rendű hajlamok felülkerekedjenek rajta. A *Kaṭha-upaniṣad mahānak,* nagynak írja le a lelket. A lélek tehát legfölül, az érzéktárgyak, az érzékek, az elme és az értelem fölött áll, így minden probléma megoldása a lélek eredeti helyzetének közvetlen felismerésében rejlik.

Értelmünkkel meg kell ismernünk a lélek eredeti helyzetét, s aztán elménket örökre a Kṛṣṇa-tudatra kell összpontosítanunk. Ez meg fog oldani minden problémát. A kezdő transzcendentalistának ajánlatos tartózkodnia az érzékek tárgyaitól, emellett azonban elméjét is meg kell erősítenie az értelme segítségével. Ha az ember az értelme segítségével Kṛṣṇa-tudatban foglalja el az elméjét, úgy, hogy teljesen átadja magát az Istenség Legfelsőbb Személyiségének, akkor az elme is egyre erősebb lesz, s bár az érzékek – mint a kígyók – rendkívül erősek, nem jelentenek majd többet az elme számára kitört fogú mérges kígyóknál. Annak ellenére azonban, hogy a lélek az értelem, az elme és az érzékek ura, amíg a Kṛṣṇával való kapcsolat révén nem erősödik meg a Kṛṣṇa-tudatban, addig az izgatott elme miatt bármikor visszaeshet.

43. VERS

एवं बुद्धेः परं बुद्ध्वा संस्तभ्यात्मानमात्मना ।
जहि शत्रुं महाबाहो कामरूपं दुरासदम् ॥४३॥

evaṁ buddheḥ paraṁ buddhvā saṁstabhyātmānam ātmanā
jahi śatruṁ mahā-bāho kāma-rūpaṁ durāsadam

evam – így; *buddheḥ* – értelemnél; *param* – felsőbbrendűnek; *buddhvā* – tudva; *saṁstabhya* – megszilárdítva; *ātmānam* – az elmét; *ātmanā* – a megfontolt értelem által; *jahi* – győzd le; *śatrum* – az ellenséget; *mahā-bāho* – ó, erős karú; *kāma-rūpam* – a kéjvágy formájában; *durāsadam* – félelmetest.

Ó, erős karú Arjuna! Ha megértette, hogy transzcendentális az anyagi érzékekhez, az elméhez és az értelemhez képest, az ember megfontolt lelki értelmével [Kṛṣṇa-tudatával] szilárdítsa meg elméjét, s lelki erejével győzze le a kéjvágyként ismert telhetetlen ellenséget.

MAGYARÁZAT: A *Bhagavad-gītā* harmadik fejezetének végkövetkeztetése a Kṛṣṇa-tudathoz vezeti el az embert, aki így felismeri, hogy ő az Istenség Legfelsőbb Személyiségének örök szolgája, s végső célja nem a személytelen üresség. Az anyagi létben a kéjvágy és az anyagi természet javai fölötti uralomra való vágy kétségtelenül mindenkit befolyásol. Az uralkodás és az érzékkielégítés utáni vágy a feltételekhez kötött lélek legnagyobb ellensége, a Kṛṣṇa-tudat segítségével azonban bárki képes lehet az anyagi érzékszervek, az elme és az értelem irányítására. Ha nem is fordít hátat azon nyomban a munkának és az előírt kötelességeknek, a Kṛṣṇa-tudat fokozatos kifejlesztésével, a tiszta azonosságára irányított rendíthetetlen értelme révén eljuthat a transzcendentális síkra, ahol az anyagi érzékek és az elme többé nem befolyásolják. Ez a mondanivalója ennek a fejezetnek. Az anyagi lét éretlen állapotában a filozófiai spekuláció és az a természetellenes törekvés, hogy *yoga*-testtartások által szabályozzuk az érzékeket, sohasem vezetnek el a lelki élethez. Egy magasabb rendű értelem segítségével a Kṛṣṇa-tudatot kell elsajátítanunk.

Így végződnek a Bhaktivedanta magyarázatok a Śrīmad Bhagavad-gītā *harmadik fejezetéhez, melynek címe:* „Karma-yoga”, *azaz a Kṛṣṇa-tudatban végzett előírt kötelességek.*

NEGYEDIK FEJEZET

Transzcendentális tudás

1. VERS

श्रीभगवानुवाच
इमं विवस्वते योगं प्रोक्तवानहमव्ययम् ।
विवस्वान्मनवे प्राह मनुरिक्ष्वाकवेऽब्रवीत् ॥ १ ॥

śrī-bhagavān uvāca
imaṁ vivasvate yogaṁ proktavān aham avyayam
vivasvān manave prāha manur ikṣvākave 'bravīt

śrī-bhagavān uvāca – az Istenség Legfelsőbb Személyisége mondta; *imam* – ezt; *vivasvate* – a napistennek; *yogam* – a Legfelsőbbel való kapcsolat tudományát; *proktavān* – oktattam; *aham* – Én; *avyayam* – maradandót; *vivasvān* – Vivasvān (a napisten neve); *manave* – az emberiség atyjának (akit Vaivasvatának hívnak); *prāha* – elbeszélte; *manuḥ* – az emberiség atyja; *ikṣvākave* – Ikṣvāku királynak; *abravīt* – mondta.

Az Istenség Személyisége, az Úr Śrī Kṛṣṇa így szólt: A yoga eme örök tudományát Én tanítottam a napistennek, Vivasvānnak, aki később Manut, az emberiség atyját, Manu pedig Ikṣvākut oktatta erről.

MAGYARÁZAT: Ebben a versben a *Bhagavad-gītā* történetéről olvashatunk, amely az ősidőkbe nyúlik vissza, amikor ezt a tudást a Nap bolygóval kezdődően valamennyi bolygó királyi rendje megkapta. A bolygók uralkodóinak legfontosabb feladata az ott élők védelmezése, ezért a királyi rend tagjainak meg kell érteniük a *Bhagavad-gītā* tudományát, hogy vezetni tudják az embereket, s képesek legyenek megvédelmezni őket attól az anyagi köteléktől, mely a kéjhez köti őket. Az emberi élet arra való, hogy az Istenség Legfelsőbb Személyiségével örök kapcsolatban álló lelki kultúrát műveljük. Minden állam, minden bolygó vezetőjének kötelessége, hogy ezt a tudást az oktatáson, a kultúrán és a lelki életen keresztül átadja az embereknek. Más szóval tehát minden államfőnek terjesztenie kell a Kṛṣṇa-tudat tudományát, hogy az embereknek javukra válhasson e nagyszerű bölcselet, s az emberi létforma által nyújtott lehetőséget kihasználva sikerrel járjanak útjukon.

A jelen korszakban Vivasvān a napisten, azaz ő a Napnak, a naprendszer valamennyi bolygója eredetének a királya. A *Brahma-saṁhitāban* (5.52) ez áll:

yac-cakṣur eṣa savitā sakala-grahāṇāṁ
rājā samasta-sura-mūrtir aśeṣa-tejāḥ
yasyājñayā bhramati sambhṛta-kāla-cakro
govindam ādi-puruṣaṁ tam ahaṁ bhajāmi

„Az Istenség Legfelsőbb Személyiségét, Govindát [Kṛṣṇát], az eredeti személyt imádom, akinek utasítására a Nap, minden bolygó királya hatalmas energiát és hőt áraszt! A Nap az Úr szemét képviseli, s az Ő utasítására kering engedelmesen pályáján" – mondta az Úr Brahmā.

A Napon, a bolygók királyán a napisten (jelenleg Vivasvān) uralkodik. Ez a bolygó az, amely minden más bolygót az irányítása alatt tart azáltal, hogy hővel és fénnyel látja el őket. Pályáján az Úr Kṛṣṇa parancsára kering, aki Vivasvānt tette meg első tanítványának, hogy az megértse a *Bhagavad-gītā* tudományát. Egyszóval a *Gītā* nem valamiféle spekulatív értekezés, ami a jelentéktelen világi tudósok számára íródott. A tudás alapvető könyve ez, amely emberemlékezet óta létezik.

A *Mahābhārata* (*Śānti-parva* 348.51–52) segítségével nyomon követhetjük a *Gītā* történetét:

tretā-yugādau ca tato vivasvān manave dadau
manuś ca loka-bhṛty-arthaṁ sutāyekṣvākave dadau
ikṣvākuṇā ca kathito vyāpya lokān avasthitaḥ

„A Legfelsőbbel való kapcsolat eme tudományát Vivasvān a Tretā-yuga kezdetén adta át Manunak. Manu, az emberiség atyja fiát, Ikṣvāku Mahārāját, a Föld királyát és annak a Raghu-dinasztiának az ősatyját oktatta erről, amelyben az Úr Rāmacandra jelent meg." A *Bhagavad-gītā* tehát Ikṣvāku Mahārāja ideje óta létezik az emberi társadalomban.

Jelenleg még csak ötezer év telt el a különben négyszázharminckétezer évig tartó Kali-yugából. E *yugát* a Dvāpara-yuga (nyolcszázezer év) előzte meg, azt pedig a Tretā-yuga (egymillió-kétszázezer év). Ezek alapján Manu körülbelül kétmillió-ötezer évvel ezelőtt beszélte el a *Bhagavad-gītāt* tanítványának és fiának, Ikṣvāku Mahārājának, a Föld uralkodójának. A jelenkori Manu életének hossza háromszázötmillió-háromszázezer év, amiből már százhúszmillió-négyszázezer eltelt. Tekintve, hogy az Úr Manu születése előtt tanította a *Gītāt* tanítványának, Vivasvān napistennek, hozzávetőleges számítással megállapíthatjuk, hogy ez minimum százhúszmillió-négyszázezer évvel ezelőtt történt, s az emberi társadalomban mintegy kétmillió éve létezik. Az Úr ismét elbeszélte Arjunának körülbelül ötezer évvel ezelőtt. Ez a *Gītā* korának hozzávetőleges becslése maga a mű és annak elbeszélője, az Úr Śrī Kṛṣṇa véleménye alapján. Vivasvān, a napisten azért részesült e tanításban, mert ő is *kṣatriya,* és ő az atyja a tőle származó valamennyi *kṣatriyának,* a *sūrya-vaṁśa kṣatriyáknak.* A *Bhagavad-gītāt* az Istenség Legfelsőbb Személyisége beszélte el, ezért egyenértékű a Védákkal, s így ez a tudás *apauruṣeya,* vagyis emberfeletti. A védikus utasításokat úgy kell elfogadni, ahogyan vannak, minden emberi átértelmezés nélkül, s ezért a *Gītāhoz* sem szabad materialista magyarázatot fűzni. Az örökké vitázó világi emberek hiába próbálják saját találgatásaik alapján értelmezni a *Bhagavad-gītāt* – az nem az igazi *Bhagavad-gītā.* A *Bhagavad-gītāt* úgy kell elsajátítanunk a tanítványi láncolattól, ahogy van, s ahogyan azt e vers szerint az Úr elmondta a napistennek, a napisten a fiának, Manunak, Manu pedig az ő fiának, Ikṣvākunak.

2. VERS

एवं परम्पराप्राप्तमिमं राजर्षयो विदुः ।
स कालेनेह महता योगो नष्टः परन्तप ॥ २ ॥

evaṁ paramparā-prāptam imaṁ rājarṣayo viduḥ
sa kāleneha mahatā yogo naṣṭaḥ parantapa

evam – ily módon; *paramparā* – a tanítványi lánc által; *prāptam* – megkapott; *imam* – ezt a tudományt; *rāja-ṛṣayaḥ* – a szent királyok; *viduḥ* – megértették; *saḥ* – az a tudás; *kālena* – idővel; *iha* – e világban; *mahatā* – nagy; *yogaḥ* – a Legfelsőbbel való kapcsolat tudománya; *naṣṭaḥ* – elveszett; *parantapa* – ó, Arjuna, ellenség legyőzője.

E legfelsőbb tudomány ily módon, a tanítványi láncon keresztül szállt alá, s a szent királyok így értették meg azt. Idővel azonban megszakadt e lánc, ezért tűnik az eredeti tudomány elveszettnek.

MAGYARÁZAT: Ebből a versből egyértelműen kiderül, hogy a *Gītā* legfőképpen a szent királyoknak szólt, mert ők voltak azok, akiknek alattvalóik fölött uralkodva meg kellett valósítaniuk a *Gītā* célját. A *Bhagavad-gītā* semmiképpen sem a démonikus embereknek való, akik csupán elherdálnák ezt az értékes kincset, mindenkit kizárva áldásából, és saját szeszélyeiket követve különféle értelmezéseket agyalnának ki. Amint a lelkiismeretlen magyarázók személyes érdekeikkel elhomályosítják az eredeti mondanivalót, szükségessé válik a tanítványi lánc felújítása. Ötezer évvel ezelőtt maga az Úr fedezte fel, hogy a tanítványi lánc megszakadt, s ezért tette azt a kijelentést, hogy a *Gītā* célja látszólag feledésbe merült. A *Gītā* napjainkban is számtalan kiadásban jelenik meg (főleg angolul), ám alig akad közöttük olyan, amelyik a hiteles tanítványi láncolatot követné. Megannyi világi tudós írt magyarázatot e műhöz, s noha jó üzletet csinálnak Śrī Kṛṣṇa szavaiból, szinte egyik sem tekinti Őt az Istenség Legfelsőbb Személyiségének. Ez a mentalitás démoni, mert a démonok nem hisznek Istenben, a Legfelsőbben, csupán élvezik a tulajdonát. Nagy szükség van a *Gītānak* egy olyan kiadására, amely a *paramparān* (a tanítványi láncolaton) keresztül száll alá. Ezzel a művel ezt a hiányt kívánjuk pótolni. A *Bhagavad-gītā* – amelyet úgy kell elfogadnunk, ahogyan van – nagy áldás az emberiség számára, ám ha valaki csupán egy filozófiai spekulációra épülő műnek tekinti, csak az idejét vesztegeti a tanulmányozásával.

3. VERS

स एवायं मया तेऽद्य योगः प्रोक्तः पुरातनः ।
भक्तोऽसि मे सखा चेति रहस्यं ह्येतदुत्तमम् ॥ ३ ॥

sa evāyaṁ mayā te 'dya yogaḥ proktaḥ purātanaḥ
bhakto 'si me sakhā ceti rahasyaṁ hy etad uttamam

saḥ – ugyanaz; *eva* – bizony; *ayam* – ez; *mayā* – Általam; *te* – neked; *adya* – ma; *yogaḥ* – a *yoga* tudománya; *proktaḥ* – elbeszélt; *purātanaḥ* – nagyon régi; *bhaktaḥ* – *bhakta; asi* – vagy; *me* – Enyém; *sakhā* – barát; *ca* – is; *iti* – ezért; *rahasyam* – rejtély; *hi* – bizony; *etat* – ez; *uttamam* – transzcendentális.

A Legfelsőbbel való kapcsolat ugyanezen ősi tudományát azért mondom el ma neked, mert a bhaktám és a barátom vagy, s e tudomány transzcendentális rejtélyét szintén emiatt értheted meg.

MAGYARÁZAT: Kétféle ember van: a *bhakta* és a démon. Arjuna az Úr *bhaktája* volt, ezért az Úr őt választotta ki, hogy átadja neki e nagy tudományt, melynek rejtélyeit a démonok képtelenek megérteni. A bölcsesség e hatalmas könyve számtalan kiadást megért már, s néha *bhakták,* néha pedig démonok fűztek hozzá magyarázatot. A *bhakták* magyarázata valóságos, míg a démonoké hasznavehetetlen. Arjuna elfogadta Śrī Kṛṣṇát az Istenség Legfelsőbb Személyiségének, s ha egy *Gītā*-magyarázó az ő nyomdokait követi, igazi odaadó szolgálatot végez e nagy tudománynak. A démoni emberek azonban nem fogadják el az Úr Kṛṣṇát úgy, ahogyan van. Kitalálnak valamit Róla, s ezzel eltérítik a közönséges olvasót Kṛṣṇa tanításainak ösvényéről. Ez a vers felhívja a figyelmünket a rossz irányba vezető utakra. Az Arjunával kezdődő tanítványi láncot kell követnünk, s akkor részünk lehet a *Śrīmad Bhagavad-gītā* nagyszerű tudományának áldásában.

4. VERS

अर्जुन उवाच
अपरं भवतो जन्म परं जन्म विवस्वतः ।
कथमेतद्विजानीयां त्वमादौ प्रोक्तवानिति ॥४॥

arjuna uvāca
aparaṁ bhavato janma paraṁ janma vivasvataḥ
katham etad vijānīyāṁ tvam ādau proktavān iti

arjunaḥ uvāca – Arjuna mondta; *aparam* – fiatalabb; *bhavataḥ* – a Te; *janma* – születésed; *param* – idősebb; *janma* – a születése; *vivasvataḥ* – a napistennek; *katham* – hogyan; *etat* – ezt; *vijānīyām* – értsem; *tvam* – Te; *ādau* – a kezdetben; *proktavān* – oktattad; *iti* – ily módon.

Arjuna így szólt: A napisten, Vivasvān jóval Előtted élt. Hogyan értsem hát, hogy először őt oktattad erre a tudományra?

MAGYARÁZAT: Arjunáról tudjuk, hogy az Úr *bhaktája.* Hogy lehet, hogy mégsem hitt Kṛṣṇa szavaiban? Az igazság az, hogy Arjuna nem saját maga, hanem azok miatt érdeklődik, akik nem hisznek az Istenség Legfelsőbb Személyiségében, illetve a démonok érdekében, akiknek nincs ínyükre a gondolat, hogy Kṛṣṇát az Istenség Legfelsőbb Személyiségének kell elfogadniuk. Arjuna kizárólag rájuk gondolva kérdez és tesz úgy, mintha ő maga nem tudná, hogy Kṛṣṇa az Istenség Személyisége. Ahogyan az a tizedik fejezetből egyértelműen kiderül majd, Arjuna nagyon is jól tudta, hogy Kṛṣṇa az Istenség Legfelsőbb Személyisége, minden dolog kútfeje, a transzcendens legvégső aspektusa. Kṛṣṇa azonban Devakī fiaként is megjelent a Földön, s a közönséges ember nagyon nehezen értheti meg, hogyan maradt mégis ugyanaz az Istenség Legfelsőbb Személyisége, az örökkévaló eredeti személy. Arjuna azért kérdezi erről Kṛṣṇát, hogy Ő tisztázza autentikus válaszával ezt a lényeges kérdést. Kṛṣṇát emberemlékezet óta az egész világ a legfelsőbb hiteles tekintélynek fogadja el, s ezt egyedül a démonok tagadják. Arjuna éppen ezért egyenesen Kṛṣṇának teszi fel kérdését, hogy Ő beszéljen magáról, s így elkerülje a démonok torzító leírásait, amiket csak ők maguk és követőik értenek meg. A Kṛṣṇáról szóló tudományt mindenkinek szükséges elsajátítania, a saját érdekében. Ha tehát Ő beszél magáról, az az egész világ számára áldást jelent. A démonok furcsának találják Kṛṣṇa magyarázatait, mert kizárólag saját nézőpontjuk alapján tanulmányozzák Őt, ám a *bhakták* örömteli szívvel fogadnak minden szót, amit Kṛṣṇa mond. Mindig imádni fogják hiteles szavait, mert mindig nagyon vágynak rá, hogy egyre többet tudjanak meg Róla. A Kṛṣṇát közönséges embernek tekintő ateisták így megtudhatják, hogy Ő emberfölötti, *sac-cid-ānanda-vigraha* – a gyönyör és tudás örökkévaló formája –, és transzcendentális, aki az anyagi természet kötőerői, valamint az idő és a tér hatása felett áll. Kṛṣṇa *bhaktái,* mint amilyen Arjuna is volt, mentesek minden félreértéstől az Úr transzcendentális helyzetét illetően. Arjuna kérdése tehát egy *bhakta* próbálkozása, hogy megdöntse azoknak az embereknek az ateista nézeteit, akik Kṛṣṇát az anyagi természet kötőerőinek hatása alatt álló közönséges emberi lénynek tekintik.

5. VERS

श्रीभगवानुवाच
बहूनि मे व्यतीतानि जन्मानि तव चार्जुन ।
तान्यहं वेद सर्वाणि न त्वं वेत्थ परन्तप ॥५॥

śrī-bhagavān uvāca
bahūni me vyatītāni janmāni tava cārjuna
tāny ahaṁ veda sarvāṇi na tvaṁ vettha parantapa

śrī-bhagavān uvāca – az Istenség Személyisége mondta; *bahūni* – sok; *me* – Nekem; *vyatītāni* – elmúlt; *janmāni* – születések; *tava* – neked; *ca* – szintén; *arjuna* – ó, Arjuna; *tāni* – azokat; *aham* – Én; *veda* – ismerem; *sarvāṇi* – mindet; *na* – nem; *tvam* – te; *vettha* – ismered; *parantapa* – ó, ellenség legyőzője.

Az Istenség Személyisége így válaszolt: Sok-sok élet áll Énmögöttem és mögötted is. Én képes vagyok mindegyikre emlékezni, de te nem, ó, ellenség legyőzője!

MAGYARÁZAT: A *Brahma-saṁhitából* (5.33) megtudhatjuk, hogy az Úrnak megszámlálhatatlanul sok inkarnációja van:

advaitam acyutam anādim ananta-rūpam
ādyaṁ purāṇa-puruṣaṁ nava-yauvanaṁ ca
vedeṣu durlabham adurlabham ātma-bhaktau
govindam ādi-puruṣaṁ tam ahaṁ bhajāmi

„Az Istenség Legfelsőbb Személyiségét, Govindát [Kṛṣṇát], az eredeti, abszolút, csalhatatlan és kezdet nélküli személyt imádom. Noha végtelen sok formába kiterjed, mégis ugyanaz az eredeti, legősibb személy, aki örökké üde ifjúnak látszik. Az Úr ezen örökkévaló, gyönyörteli és mindentudó formáit még a Védák legkiválóbb ismerői sem értik meg, ám ugyanezek a formák a tiszta és igaz *bhakták* előtt mindig feltárulnak."

A *Brahma-saṁhitában* (5.39) a következőt is olvashatjuk:

rāmādi-mūrtiṣu kalā-niyamena tiṣṭhan
nānāvatāram akarod bhuvaneṣu kintu
kṛṣṇaḥ svayaṁ samabhavat paramaḥ pumān yo
govindam ādi-puruṣaṁ tam ahaṁ bhajāmi

„Az Istenség Legfelsőbb Személyiségét, Govindát [Kṛṣṇát] imádom, aki mindig jelen van különféle inkarnációiban, például Rāmaként, Nṛsiṁhaként, valamint számos alinkarnációjában, s aki nem más, mint a Kṛṣṇaként ismert eredeti Istenség Személyisége, aki személyesen is alászáll."

A Védák is megemlítik, hogy bár az Úr egyetlen, mégis megszámlálhatatlan formában jelenik meg. A *vaidūrya*-drágakőhöz lehet hasonlítani, amely bár változtatja színét, mégis ugyanaz marad. A tiszta *bhakták* nem pusztán a Védák tanulmányozásával értik meg e számtalan inkarnációt (*vedeṣu durlabham adurlabham ātma-bhaktau*). Az Arjunához hasonló *bhakták* az Úr állandó társai, akik valahányszor az Úr alászáll, megjelennek Vele együtt, hogy természetüknek megfelelően szolgálják Őt. Arjuna egyike ezeknek a *bhaktáknak,* s e versből kiderül, hogy egy másfajta szerepben ő is jelen volt, amikor az Úr Kṛṣṇa több millió évvel ezelőtt elbeszélte a *Bhagavad-gītāt* a napistennek, Vivasvānnak. A különbség azonban az Úr és Arjuna között az, hogy az Úr emlékezett a történtekre, Arjuna ellenben erre képtelen volt. Ez a különbség a szerves rész – az élőlény – és a Legfelsőbb Úr között. Habár Kṛṣṇa Arjunát nagy hősnek szólítja, aki képes legyőzni ellenségeit, Arjuna képtelen visszaemlékezni, mi történt számtalan előző élete során. Bármilyen hatalmas is egy élőlény anyagi szempontból, sohasem lehet egyenrangú a Legfelsőbb Úrral. Mindenki, aki az Úr állandó társa, kétségtelenül felszabadult lélek, ám az Úrral nem állhat azonos szinten. A *Brahma-saṁhitā* csalhatatlannak (*acyuta*) mondja az Urat, s ez azt jelenti, hogy soha, még az anyaggal kapcsolatba kerülve sem feledkezik meg kilétéről. Éppen ezért az Úr és az élőlény sohasem lehet minden tekintetben egyenrangú, még akkor sem, ha olyan felszabadult élőlényről van szó, mint Arjuna. Arjuna az Úr *bhaktája* volt, mégis elfelejtkezett az Úr természetéről, ám míg a *bhakták* az isteni kegy révén azonnal megérthetik az Úr csalhatatlan helyzetét, az *abhakták,* a démonok képtelenek felfogni transzcendentális természetét. Ebből következik, hogy a *Gītā* e leírásait démoni elmével nem lehet megérteni. Kṛṣṇa képes volt visszaemlékezni sok millió évvel ezelőtti tetteire, Arjuna azonban nem, pedig az öröklét mindkettőjük természetéhez hozzátartozik. Azt is meg kell itt jegyeznünk, hogy az élőlény testének cseréje miatt felejti el előző életeit, ám az Úr emlékszik mindenre, mert nem cseréli *sac-cid-ānanda* testét. Ő *advaita,* ami annyit jelent, hogy teste és saját maga között nincsen különbség. Minden, ami Vele kapcsolatban áll, lelki, ellenben a feltételekhez kötött lélek különbözik anyagi testétől. Mivel az Úr teste és lelke nem különbözik egymástól, az Ő helyzete sohasem azonos a közönséges élőlényekével, még akkor sem, ha alászáll az anyagi világba. A démonok nem képesek felfogni az Úr transzcendentális természetét, amiről maga az Úr beszél a következő versben.

6. VERS

अजोऽपि सन्नव्ययात्मा भूतानामीश्वरोऽपि सन् ।
प्रकृतिं स्वामधिष्ठाय सम्भवाम्यात्ममायया ॥ ६ ॥

ajo 'pi sann avyayātmā bhūtānām īśvaro 'pi san
prakṛtiṁ svām adhiṣṭhāya sambhavāmy ātma-māyayā

ajaḥ – megszületetlen; *api* – habár; *san* – lévén; *avyaya* – elpusztíthatatlan; *ātmā* – test; *bhūtānām* – mindazoknak, akik megszülettek; *īśvaraḥ* –

a Legfelsőbb Úr; *api* – habár; *san* – lévén; *prakṛtim* – a transzcendentális formában; *svām* – Enyém; *adhiṣṭhāya* – ilyen helyzetben; *sambhavāmi* – alászállok; *ātma-māyayā* – belső energiám által.

Noha megszületetlen vagyok, és transzcendentális testem sohasem pusztul el, s bár Én vagyok valamennyi élőlény Ura, mégis minden korszakban megjelenek eredeti, transzcendentális alakomban.

MAGYARÁZAT: Az Úr ebben a versben sajátos születéséről beszél: noha közönséges embernek tűnhet, mégis emlékszik mindenre, ami soksok előző „élete" alatt történt, míg egy átlagember még azt sem tudja felidézni, amit néhány órával azelőtt tett. Ha egy egyszerű embert megkérdeznénk, mit csinált tegnap ugyanebben az órában, aligha tudna nyomban választ adni. Bizonyára nagyon meg kellene erőltetnie az emlékezetét, hogy eszébe jusson, mit is csinált előző nap ugyanebben az időben. Ám az emberek ennek ellenére mégis nagyon gyakran Istennek, Kṛṣṇának merészelik nevezni magukat. Ne hagyjuk, hogy az efféle értelmetlen állítások félrevezessenek bennünket! Az Úr ezután újra *prakṛtijét,* azaz formáját magyarázza meg. A *prakṛti* jelentése „természet", valamint *svarūpa,* azaz „saját forma". Az Úr azt mondja, hogy Ő saját testében jelenik meg; nem cseréli azt, mint az egyik testből a másikba vándorló közönséges élőlény. A feltételekhez kötött lélek rendelkezik valamilyen testtel ebben az életben, ám a következőben egy másikat kap. Az anyagi világban az élőlénynek nincsen állandó teste, hanem egyikből a másikba vándorol. Az Úr esetében azonban ez nem így van. Bármikor jelenik meg, azt mindig ugyanabban az eredeti testben, belső energiája által teszi. Más szóval Kṛṣṇa eredeti, örökkévaló, kétkarú formájában – egyik kezében fuvolát tartva – mutatkozik meg ebben az anyagi világban. Örökkévaló testében jelenik meg, amelyet az anyagi világ nem szennyez be. Noha mindig ugyanabban a transzcendentális testben száll alá, s Ő az univerzum Ura, mégis úgy tűnik, születése nem különbözik a közönséges élőlények születésétől. Annak ellenére, hogy teste az anyagi testtel ellentétben nem semmisül meg, az Úr Kṛṣṇa látszólag csecsemőkorból gyermekkorba, gyermekkorból ifjúkorba lép. Ennél a kornál azonban csodálatos módon sohasem lesz öregebb. A kurukṣetrai csata idején már számtalan unokája volt, azaz anyagi számítás szerint meglehetősen hajlott korú lehetett, ám mégsem tűnt idősebbnek húsz-huszonöt évesnél. Sohasem látunk olyan képet, ami idősnek ábrázolja Kṛṣṇát, mert velünk ellentétben Ő sohasem öregszik meg, noha Ő a legidősebb az egész teremtésben, a múltban, a jelenben és a jövőben. Teste és értelme sohasem pusztul el vagy változik meg, így aztán érthető, hogy bár az anyagi világban van, Ő a boldogság és a tudás születetlen, örökkévaló formája, akinek transzcendentális teste és értelme sohasem változik. Megjelenését és távozását a nap mozgásához hasonlíthatjuk: a nap felkel, magasra hág az égen, majd eltűnik szemünk elől. Ha nem látjuk a napot, azt hisszük, hogy lenyugodott, ha pedig megjelenik, úgy véljük, a horizonton van. Valójában azonban a nap mindig egy helyben marad; csak hiányos és elégtelen érzékeinknek köszönhetően hisszük azt, hogy megjelenik, majd eltűnik. És mivel az Úr Kṛṣṇa megjelenése és távozása teljesen eltér a közönséges élőlényétől, magától értetődik, hogy belső energiája révén Ő az örökkévaló, gyönyörteli tudás, s az anyagi természet sohasem szennyezi be. A Védák szintén alátámasztják a tényt, hogy noha az Istenség Legfelsőbb Személyisége születetlen, mégis úgy tűnik, mintha megszületne megszámlálhatatlanul sok megnyilvánulásában. A Védákat kiegészítő írások szintén megerősítik, hogy bár a látszat azt mutatja, hogy az Úr megszületik, Ő nem cserél testet. A *Bhāgavatamban* négykarú Nārāyaṇaként, a hatféle fenséges tulajdonság teljes díszében jelenik meg anyja előtt. Indokolatlan kegyéből jelenik meg eredeti, örök formájában, s azért részesíti e kegyben az élőlényeket, hogy azok eredeti formáján meditálhassanak, ne pedig valamiféle elmebeli kitaláción vagy egy elképzelt formán, mint az imperszonalisták, akik azt hiszik, hogy a Legfelsőbb Úr formája képzeletbeli, az elme kitalációja. A *Viśvakośa* értelmező szótár szerint a *māyā* vagy *ātma-māyā* szó az Úr indokolatlan kegyére utal. Az Úr tudatában van valamennyi megjelenésének és távozásának, ám a közönséges élőlény amint egy új testet kap, azonnal elfelejt mindent előző testéről. Az Úr minden élőlény Ura, mert csodálatos és emberfeletti tetteket hajt végre földi tartózkodása idején. Ő tehát mindig ugyanaz az Abszolút Igazság, akinek formája és lelke, tulajdonságai és teste között nincsen különbség. Ezek után felmerülhet a kérdés, miért jelenik meg e világban, s miért távozik. Ezt a következő vers magyarázza meg.

7. VERS

यदा यदा हि धर्मस्य ग्लानिर्भवति भारत ।
अभ्युत्थानमधर्मस्य तदात्मानं सृजाम्यहम् ॥७॥

yadā yadā hi dharmasya glānir bhavati bhārata
abhyutthānam adharmasya tadātmānaṁ sṛjāmy aham

yadā yadā – bármikor és bárhol; *hi* – bizony; *dharmasya* – a vallásnak; *glāniḥ* – elhajlása; *bhavati* – megnyilvánul; *bhārata* – ó, Bharata leszármazottja; *abhyutthānam* – túlsúlya; *adharmasya* – a vallástalanságnak; *tadā* – akkor; *ātmānam* – önmagamat; *sṛjāmi* – megnyilvánítom; *aham* – Én.

Ó, Bharata leszármazottja! Bárhol legyen a vallás gyakorlása hanyatlóban, s kerüljön fölényes túlsúlyba a vallástalanság, alászállok Én magam.

MAGYARÁZAT: A *sṛjāmi* szónak nagy jelentősége van. Nem értelmezhetjük „teremtés”-ként, hiszen az előző vers szerint az Úr formája vagy teste nem jött létre – valamennyi formája örökké létezik. A *sṛjāmi* szó tehát azt jelenti, hogy az Úr eredeti valójában nyilvánul meg. Noha az Úr előre meghatározott időben, azaz Brahmā napjában egyszer, a hetedik Manu huszonnyolcadik korszakának Dvāpara-yugája végén jelenik meg, mégsem kötik az efféle szabályok, mert teljesen szabadon, tetszése szerint cselekedhet. Saját akaratából jelenik meg tehát, valahányszor túlsúlyba kerül a vallástalanság, és hanyatlás mutatkozik az igazi vallás terén. A vallás elveit a Védák határozzák meg, s az ember akkor válik vallástalanná, ha eltér ezek megfelelő végzésétől. A *Bhāgavatam* szerint ezek az elvek az Úr törvényei. Egyedül az Úr hozhat létre vallást. A Védákat szintén úgy fogadják el, hogy maga az Úr beszélte el azokat Brahmānak a szívén keresztül. A *dharma,* vagyis a vallás elvei tehát az Istenség Legfelsőbb Személyiségének közvetlen parancsai (*dharmaṁ tu sākṣād bhagavat-praṇītam*). A *Bhagavad-gītā* mindvégig kihangsúlyozza ezeket az elveket. A Védák célja az, hogy megvessék ezeknek az elveknek az alapjait a Legfelsőbb Úr parancsainak megfelelően, aki a *Gītā* végén nyíltan kijelenti, hogy a vallás legfelsőbb elve nem más, mint meghódolni egyedül Őelőtte. A védikus elvek e teljes meghódolásra ösztönöznek mindenkit, s ha a démoni emberek szembeszállnak ezekkel az elvekkel, az Úr megjelenik. A *Bhāgavatamból* megtudhatjuk, hogy az Úr Buddha Kṛṣṇa inkarnációja volt, aki a materializmus elburjánzásakor jelent meg, akkor, amikor a materialisták visszaéltek a Védák hitelességével. A Védákban vannak bizonyos korlátozó szabályok és előírások az egyes célok érdekében végzett állatáldozatokat illetően, ám a démoni természetű emberek a védikus elveket figyelmen kívül hagyva áldoztak állatokat. Az Úr Buddha azért jelent meg, hogy véget vessen ennek az ostobaságnak, s megalapozza az erőszakmentesség védikus elveit. Láthatjuk, hogy minden egyes *avatārának,* az Úr minden inkarnációjának sajátos missziója van, s a kinyilatkoztatott szentírások mindegyikről írnak. Senkit sem szabad *avatāraként* elfogadni, ha az írások nem tesznek említést róla. Az, hogy az Úr csakis Indiában jelenhet meg, nem helytálló feltételezés. Bárhol megjelenhet, amikor csak úgy kívánja. Minden inkarnációjában csupán annyit mond a vallásról, amennyit akkor az ott élők adott körülményeik között megérthetnek. A misszió azonban mindig ugyanaz: az embereket az Isten-tudat felé vezetni s a vallás elveinek betartására ösztönözni. Néha személyesen száll alá, néha hiteles képviselőjét küldi el fiaként vagy szolgájaként, néha pedig bár Ő maga jön, valamilyen rejtett formában jelenik meg.

A *Bhagavad-gītā* elveit az Úr Arjunának beszélte el – és más felvilágosult embereknek –, mert Arjuna sokkal fejlettebb szinten állt, mint a világ más részein élő közönséges emberek. A „kettő meg kettő egyenlő néggyel" számtani szabálya éppen úgy igaz a kezdő, mint a fejlett matematikusok számára, ennek ellenére azonban létezik alacsonyabb és magasabb szintű matematika. Az Úr mindegyik inkarnációja ugyanazokat az elveket tanítja, de azok a különféle körülmények között megjelenve alacsonyabb vagy magasabb rendűeknek tűnnek. A vallás magasabb szintű elvei a társadalom négy rendjének és osztályának elfogadásával kezdődnek, ahogyan azt a későbbiekben megtudhatjuk. Az inkarnációk missziója nem más, mint hogy mindenhol életre keltsék a Kṛṣṇa-tudatot. Ez a tudat hol megnyilvánul, hol nem, ez azonban csupán az eltérő körülményeknek tudható be.

8. VERS

परित्राणाय साधूनां विनाशाय च दुष्कृताम् ।
धर्मसंस्थापनार्थाय सम्भवामि युगे युगे ॥ ८ ॥

paritrāṇāya sādhūnāṁ vināśāya ca duṣkṛtām
dharma-saṁsthāpanārthāya sambhavāmi yuge yuge

paritrāṇāya – felszabadításáért; *sādhūnām* – a *bhaktáknak; vināśāya* – megsemmisítéséért; *ca* – és; *duṣkṛtām* – a gonoszoknak; *dharma* – a vallás elveinek; *saṁsthāpana-arthāya* – visszaállításáért; *sambhavāmi* – Én megjelenek; *yuge* – korszakról; *yuge* – korszakra.

A jámborok felszabadítása, a gonoszok megsemmisítése, valamint a vallás elveinek visszaállítása végett korszakról korszakra megjelenek Én.

MAGYARÁZAT: A *Bhagavad-gītā* szerint a *sādhu* (szent ember) szó Kṛṣṇa-tudatú embert jelent. Lehet, hogy kívülről nézve valaki vallástalannak tűnik, ám ha teljes mértékben rendelkezik a Kṛṣṇa-tudatú tulajdonságokkal, akkor tudhatjuk róla, hogy *sādhu.* A *duṣkṛtām* szó azokra utal, akik nem törődnek a Kṛṣṇa-tudattal. Ezek a hitetlenek (*duṣkṛtām*) nagyon ostobák, s az emberiség alját képezik még akkor is, ha a világi műveltség díszében tetszelegnek. A száz százalékosan Kṛṣṇa-tudatban cselekvőt ezzel ellentétben *sādhunak* tekintik még akkor is, ha nem túlságosan tanult vagy művelt. Ami az ateistákat illeti, a Legfelsőbb Úrnak nem szükséges személyesen megjelennie ahhoz, hogy végezzen velük, mint ahogy Rāvaṇa és Kaṁsa esetében tette. Számtalan ügynöke van erre a célra, akik nagyon jól értenek a démonok megsemmisítéséhez. Az Úr legfőképpen azért jelenik meg, hogy boldoggá tegye tiszta *bhaktáit,* akiket a démonok örökké zaklatnak. Egy démon még akkor is üldözi a *bhaktát,* ha az történetesen a saját rokona. Hiraṇyakaśipu például saját fiát, Prahlāda Mahārāját üldözte, és noha Kṛṣṇa anyja (Devakī) Kaṁsa húga volt, mégis számtalan viszontagságon kellett keresztülmennie férjével, Vasudevával együtt csak azért, mert Kṛṣṇa az ő gyermekükként készült megjelenni. Az Úr Kṛṣṇa elsősorban Devakī megmentése, és nem Kaṁsa megölése miatt jelent meg, bár egyidejűleg mindkét feladatnak eleget tett. Ezért mondja ez a vers, hogy az Úr különféle inkarnációiban a *bhakták* védelmezése és a hitetlen démonok megsemmisítése érdekében száll alá.

Kṛṣṇadāsa Kavirāja Gosvāmī *Caitanya-caritāmṛtájában* a következő versek (*Madhya-līlā* 20.263–264) összegzik az inkarnációk alapelveit:

sṛṣṭi-hetu yei mūrti prapañce avatare
sei īśvara-mūrti 'avatāra' nāma dhare

māyātīta paravyome sabāra avasthāna
viśve avatari' dhare 'avatāra' nāma

„Az *avatāra,* az Istenség inkarnációja Isten birodalmából száll alá, hogy megnyilvánuljon az anyagi világban. Az Istenség Személyiségének e sajátos, alászálló formáját inkarnációnak, *avatārának* hívják. Ezek az inkarnációk a lelki világban, Isten birodalmában élnek, s az anyagi teremtésbe alászállva kapják az *avatāra* nevet."

Különféle *avatārák* vannak: *puruṣāvatārák, guṇāvatārák, līlāvatārák, śakty-āveśa-avatārák, manvantara-avatārák* és *yugāvatārák.* Valamennyien előre meghatározott időpontban jelennek meg a világegyetem különböző részein, ám minden *avatāra* kútfeje az Úr Kṛṣṇa, az eredeti Úr. Az Úr Śrī Kṛṣṇa főleg azért jelenik meg, hogy enyhítsen a tiszta *bhakták* aggodalmain, akik nagyon vágynak látni Őt eredeti vṛndāvanai kedvtelései közben. Ezért a Kṛṣṇa-*avatāra* elsődleges célja, hogy tiszta *bhaktái* kedvében járjon.

Az Úr azt mondja, hogy minden korszakban megjelenik, s ez arra utal, hogy a Kali-korszakban is eljön. A *Śrīmad-Bhāgavatam* szerint a Kali-korszak inkarnációja az Úr Caitanya Mahāprabhu, aki a *saṅkīrtana*-mozgalom (a szent nevek együttes éneklése) által hirdette Kṛṣṇa imádatát, s így terjesztette el a Kṛṣṇa-tudatot egész Indiában. Megjósolta, hogy a *saṅkīrtana*-mozgalom faluról falura, városról városra terjed majd, s a világon mindenhová eljut. A kinyilatkoztatott írások bizalmas részei – az *upaniṣadok,* a *Mahābhārata* és a *Bhāgavatam* – nem közvetlenül, hanem burkoltan írnak az Úr Caitanyáról mint Kṛṣṇának, az Istenség Személyiségének inkarnációjáról. Az Úr Kṛṣṇa *bhaktái* rendkívül vonzódnak az Úr Caitanya *saṅkīrtana*-mozgalmához. Az Úrnak ez az *avatārája* nem öli meg a gonosz embereket, hanem indokolatlan kegyéből felszabadítja őket.

9. VERS

जन्म कर्म च मे दिव्यमेवं यो वेत्ति तत्त्वतः ।
त्यक्त्वा देहं पुनर्जन्म नैति मामेति सोऽर्जुन ॥ ९ ॥

janma karma ca me divyam evaṁ yo vetti tattvataḥ
tyaktvā dehaṁ punar janma naiti mām eti so 'rjuna

janma – születés; *karma* – cselekvés; *ca* – is; *me* – Enyém; *divyam* – transzcendentális; *evam* – így; *yaḥ* – aki; *vetti* – ismeri; *tattvataḥ* – igazi valójában; *tyaktvā* – elhagyván; *deham* – ezt a testet; *punaḥ* – ismét; *janma* – születést; *na* – sohasem; *eti* – elér; *mām* – Engem; *eti* – elér; *saḥ* – ő; *arjuna* – ó, Arjuna.

Ó, Arjuna! Aki ismeri megjelenésem és cselekedeteim transzcendentális természetét, az teste elhagyása után nem születik meg újra ebben az anyagi világban, hanem eléri az Én örök hajlékomat.

MAGYARÁZAT: A hatodik vers már megmagyarázta, hogyan száll alá az Úr transzcendentális hajlékából. Aki képes megérteni az Istenség Személyisége megjelenéséről szóló igazságot, az már megszabadult az anyagi kötelékektől, s ezért jelenlegi anyagi teste elhagyása után azonnal visszatér Isten országába. Az anyagi kötelékek alóli felszabadulás egyáltalán nem könnyű dolog az élőlény számára. Az imperszonalisták és a *yogīk* csak sok-sok megpróbáltatás és sok-sok élet után szabadulnak fel, ám ez a felszabadulás – beolvadás az Úr személytelen *brahmajyotijába* – csupán részleges, s magában rejti a veszélyt, hogy ismét visszatérnek ebbe az anyagi világba. De a *bhakta* csupán azáltal, hogy megérti az Úr testének és tetteinek transzcendentális természetét, jelen teste elhagyása után eljut az Ő hajlékára, és számára nem áll fenn többé a veszély, hogy vissza kell jönnie az anyagi világba. A *Brahma-saṁhitā* (5.33) leírja, hogy az Úrnak számtalan formája és inkarnációja van: *advaitam acyutam anādim ananta-rūpam.* Megannyi transzcendentális formával rendelkezik, ám mindegyik egy és ugyanaz az Istenség Legfelsőbb Személyisége. Ennek a ténynek a meggyőződésünkké kell válnia, annak ellenére, hogy a világi professzorok és empirikus filozófusok számára felfoghatatlan. A Védák kijelentik (*Puruṣa-bodhinī-upaniṣad*):

eko devo nitya-līlānurakto bhakta-vyāpī hṛdy antar-ātmā

„Az egyetlen Istenség Legfelsőbb Személyisége számtalan transzcendentális formáján keresztül örökké kapcsolatban áll tiszta *bhaktáival.*” Ezt a védikus kijelentést az Úr személyesen is megerősíti a *Gītā* e versében. Aki elfogadja ezt az igazságot a Védák és az Istenség Legfelsőbb Személyisége hiteles szavai alapján, s aki nem vesztegeti idejét filozófiai spekulációkra, az eléri a felszabadulás legtökéletesebb fokát. Ha valaki csupán hitből elfogadja ezt az igazságot, kétségtelenül felszabadulhat. A *tat tvam asi* védikus kijelentés valójában erre az esetre vonatkozik. Ha valaki megérti, hogy az Úr Kṛṣṇa a Legfelsőbb, vagy így szól Hozzá: „Te vagy maga a Legfelsőbb Brahman, az Istenség Személyisége”, az azon nyomban, minden kétséget kizáróan felszabadul, s biztos, hogy ezáltal az Úr transzcendentális társaságába kerül. Más szóval tehát az Úr hűséges *bhaktája* eléri a tökéletességet. Ezt az alábbi védikus kijelentés támasztja alá (*Śvetāśvatara-upaniṣad.* 3.8):

tam eva viditvāti mṛtyum eti nānyaḥ panthā vidyate 'yanāya

„Az ember eljuthat a születéstől és haláltól való megszabadulás tökéletes szintjére csupán azáltal, hogy ismeri az Urat, az Istenség Legfelsőbb Személyiségét. Nincs más út, ami ehhez a tökéletességhez vezetne.” Az, hogy más lehetőség nincsen, azt jelenti, hogy aki nem érti meg, hogy az Úr Kṛṣṇa az Istenség Legfelsőbb Személyisége, az egész biztosan a tudatlanság kötőerejében van, és ennek következtében nem éri el a felszabadulást csupán azzal, hogy – úgymond – a mézesüveg külsejét nyalogatja, azaz a *Bhagavad-gītāt* a materialista tudás alapján értelmezi. Előfordulhat, hogy az efféle empirikus filozófusok nagyon fontos pozíciót töltenek be az anyagi világban, ez azonban nem jelenti feltétlenül azt, hogy alkalmasak a felszabadulásra. Az ilyen felfuvalkodott világi értelmiségieknek várniuk kell az Úr *bhaktája* indokolatlan kegyére. Hittel és tudással kell tehát művelnünk a Kṛṣṇa-tudatot, hogy ily módon elérjük a tökéletességet.

10. VERS

वीतरागभयक्रोधा मन्मया मामुपाश्रिताः ।
बहवो ज्ञानतपसा पूता मद्भावमागताः ॥१०॥

vīta-rāga-bhaya-krodhā man-mayā mām upāśritāḥ
bahavo jñāna-tapasā pūtā mad-bhāvam āgatāḥ

vīta – mentesen; *rāga* – ragaszkodástól; *bhaya* – félelemtől; *krodhāḥ* – és haragtól; *mat-mayā* – teljesen Énbennem; *mām* – Bennem; *upāśritāḥ* – teljesen elmélyülve; *bahavaḥ* – sokan; *jñāna* – a tudás; *tapasā* – szigorú művelése által; *pūtāḥ* – megtisztulva; *mat-bhāvam* – Irántam érzett transzcendentális szeretetet; *āgatāḥ* – elérték.

Megszabadulván a ragaszkodástól, a félelemtől és a haragtól, teljesen elmerülvén Énbennem, oltalmat Énnálam keresve már sokan megtisztultak a múltban a Rólam szóló tudás által, s így felébredt bennük az Irántam érzett transzcendentális szeretet.

MAGYARÁZAT: E vers szerint az, aki túlságosan materialista, aligha értheti meg a Legfelsőbb Abszolút Igazság személyes természetét. A testi életfelfogáshoz ragaszkodó emberek általában annyira elmerülnek a materializmusban, hogy szinte lehetetlen megérteniük, hogyan lehet a Legfelsőbb egy személy. Még azt sem tudják elképzelni, hogy létezik egy transzcendentális, elpusztíthatatlan, teljes tudással rendelkező és örökké boldogsággal teli test. Az anyagi felfogásban a test mulandó, tudatlansággal teli és teljes mértékben boldogtalan, így aztán amikor a hétköznapi ember az Úr személyes formájáról hall, arra is ugyanígy gondol. Az ilyen materialisták számára a gigantikus anyagi megnyilvánulás a legmagasabb rendű forma, következésképpen a Legfelsőbbet személytelennek hiszik. Túlságosan belemerülnek az anyagi életbe, s ezért rémülettel tölti el őket a gondolat, hogy a személyes létet még az anyagi kötelékek alól felszabadulva is megőrzik. Amikor azt hallják, hogy a lelki élet szintén egyéni és személyes, rettegnek attól, hogy ismét személyek legyenek, s így természetesen inkább a személytelen semmibe olvadás mellett döntenek. Az ilyen emberek az élőlényeket általában az óceán buborékaihoz hasonlítják, amelyek az óceánba merülnek. A lelki létnek ez a síkja a legtökéletesebb szint, amit egyéni személyiség nélkül el lehet érni. Meglehetősen félelmetes létállapot ez, amelyben az ember nem rendelkezik tökéletes tudással a lelki létről. Számtalan olyan ember is van, aki egyáltalán nem képes felfogni, hogy van lelki lét. A sokféle elmélet és filozófiai spekuláció ellentmondásaitól megzavarodva kiábrándultak és dühösek lesznek, majd ostobán arra a következtetésre jutnak, hogy nincs legfelsőbb ok, s végső soron minden üresség. Mindannyian egy beteges létállapotban élnek. Vannak olyan emberek is, akik túlságosan ragaszkodnak az anyagi dolgokhoz, s ezért nem törődnek a lelki élettel, mások a legfelsőbb lelki okba szeretnének olvadni, s vannak, akik semmiben sem hisznek, mert reménytelenségükben minden csaló vallásra dühösek. Az utóbbiak általában a kábítószereknél keresnek menedéket, s érzelmi hallucinációikat néha lelki látomásoknak hiszik. Meg kell szabadulnunk az anyagi világhoz fűződő ragaszkodás mindhárom fajtájától: a lelki élet megtagadásától, a személyes lelki azonosságtól való rettegéstől, valamint a nemlét elméletétől, amely az életből való kiábrándulásból származik. Ha valaki meg akar szabadulni az anyagi életfelfogás e három szintjétől, annak a hiteles lelki tanítómester vezetése alatt teljes menedéket kell keresnie az Úrnál, s követnie kell a lelki élet fegyelmező és szabályozó elveit. Az odaadó élet utolsó szintjét *bhāvának,* vagyis Isten iránti transzcendentális szeretetnek nevezik.

A *Bhakti-rasāmṛta-sindhu,* az odaadó szolgálat kézikönyve így ír erről (1.4.15–16):

ādau śraddhā tataḥ sādhu- saṅgo 'tha bhajana-kriyā
tato 'nartha-nivṛttiḥ syāt tato niṣṭhā rucis tataḥ

athāsaktis tato bhāvas tataḥ premābhyudañcati
sādhakānām ayaṁ premṇaḥ prādurbhāve bhavet kramaḥ

„Az embernek legelőször is vágynia kell az önmegvalósításra. Ez majd eljuttatja arra a szintre, ahol törekedni fog arra, hogy a lelkileg fejlettek társaságába kerüljön. A következő lépcsőfokot az jelenti, amikor a kezdő *bhakta* egy kiváló lelki tanítómestertől avatásban részesül, s az ő irányítása alatt az odaadó szolgálat folyamatának gyakorlásába kezd. A lelki tanítómester felügyelete alatt odaadó szolgálatot végezve megszabadul minden anyagi ragaszkodástól, rendíthetetlen lesz az önmegvalósításban, és felébred benne a vágy, hogy az Istenség Abszolút Személyiségéről, Śrī Kṛṣṇáról halljon. Ez a szomj viszi tovább a *bhaktát* a Kṛṣṇa-tudathoz való ragaszkodásig, ami a *bhāva,* vagyis az Isten iránti transzcendentális szeretet előzetes szintjén érik meg. Az Isten iránti valódi szeretetet *premának* nevezik. Ez az élet legtökéletesebb állapota." A *prema* síkján az ember szünet nélkül az Úr transzcendentális szerető szolgálatát végzi. A hiteles lelki tanítómester irányítása alatt végzett odaadó szolgálat lépcsőzetes folyamatával tehát az ember elérheti a legmagasabb szintet, megszabadulhat minden anyagi ragaszkodástól, a személyes, egyéni lelki léttől való rettegéstől és attól a kiábrándultságtól, amelyből a nemlétezést valló filozófia származik, s ezután végül eljuthat a Legfelsőbb Úr hajlékára.

11. VERS

ये यथा मां प्रपद्यन्ते तांस्तथैव भजाम्यहम् ।
मम वर्त्मानुवर्तन्ते मनुष्याः पार्थ सर्वशः ॥११॥

ye yathā māṁ prapadyante tāṁs tathaiva bhajāmy aham
mama vartmānuvartante manuṣyāḥ pārtha sarvaśaḥ

ye – mindazok; *yathā* – ahogyan; *mām* – Nekem; *prapadyante* – meghódolnak; *tān* – őket; *tathā* – úgy; *eva* – bizony; *bhajāmi* – megjutalmazom; *aham* – Én; *mama* – az Én; *vartma* – utamat; *anuvartante* – követik; *manuṣyāḥ* – minden ember; *pārtha* – ó, Pṛthā fia; *sarvaśaḥ* – minden tekintetben.

Mindenkit aszerint jutalmazok meg, amilyen mértékben átadja magát Nekem. Ó, Pṛthā fia, mindenki, minden tekintetben az Én utamat járja!

MAGYARÁZAT: Mindenki Kṛṣṇa után kutat, megnyilvánulásainak valamelyik aspektusában. Az Istenség Legfelsőbb Személyisége, Kṛṣṇa személytelen *brahmajyoti*-ragyogásának, valamint a mindent átható, mindenben, még az atomok részecskéiben is jelen lévő Felsőléleknek az elérése részleges megvalósítás csupán. Kṛṣṇát csak tiszta *bhaktái* érik el teljesen. Mindenki Kṛṣṇát próbálja megérteni, s így minden embernek aszerint teljesül a vágya, amilyen mértékben meg akarja Őt ismerni. Kṛṣṇa a transzcendentális világban is olyan transzcendentális szerepben viszonozza tiszta hívei szeretetét, ahogyan ők kívánják. Az egyik *bhakta* legfelsőbb Uraként akarja imádni Kṛṣṇát, a másik személyes barátja akar lenni, a harmadik a fiaként, valaki más pedig a kedveseként akarja szeretni Őt. Kṛṣṇa egyenlően jutalmazza meg mindegyik *bhaktát,* Iránta érzett szeretetük mélységének megfelelően. Ugyanezek az érzelmi kapcsolatok az anyagi világban is léteznek, s az Úr szintén viszonozza különféle imádói szeretetét. A tiszta *bhakták* itt és transzcendentális hajlékán egyaránt személyes kapcsolatban állnak Vele, személyesen szolgálják Őt, s így Kṛṣṇa szerető szolgálatát végezve transzcendentális boldogságban van részük. Ami az imperszonalistákat illeti, akik az élőlény egyéni léte elpusztításával lelki öngyilkosságot akarnak elkövetni, Kṛṣṇa rajtuk is segít azáltal, hogy sugárzásába meríti őket. Ezek az imperszonalisták nem hajlandók elfogadni az örökkévaló, boldogsággal teli Istenség Személyiségét, ezért amiatt, hogy egyéniségük megszűnt, képtelenek élvezni az Úr személyes transzcendentális szolgálatának gyönyörét. Azok, akik még e személytelen létállapotban sem szilárdak, visszatérnek az anyagi síkra, hogy valóra válthassák a bennük szunnyadó vágyakat a cselekvésre. Ők nem léphetnek a lelki bolygókra, hanem újabb esélyt kapnak, hogy az anyagi bolygókon cselekedjenek. A tetteik gyümölcseiért cselekvőket az Úr mint *yajñeśvara* megjutalmazza azzal az eredménnyel, amelynek reményében előírt kötelességeiket végrehajtják. A misztikus képességekre vágyó *yogīkat* szintén megjutalmazza a kívánt hatalommal. Mindenki sikere kizárólag az Ő kegyén múlik tehát, s a különféle lelki folyamatok csupán különböző szintű eredményeket jelentenek ugyanazon az úton. Ezért egyetlen törekvésünk sem járhat sikerrel addig, míg el nem jutunk a Kṛṣṇa-tudat legtökéletesebb szintjére, mondja a *Śrīmad-Bhāgavatam* (2.3.10):

akāmaḥ sarva-kāmo vā   mokṣa-kāma udāra-dhīḥ
tīvreṇa bhakti-yogena   yajeta puruṣaṁ param

„Vagy vágyak nélküli valaki [mint a *bhakta*], vagy gyümölcsöző eredményekre vágyik, vagy a felszabadulást akarja, ám a teljes tökéletesség elérése érdekében – ami a Kṛṣṇa-tudatban tetőzik – minden erejével arra kell törekednie, hogy imádja az Istenség Legfelsőbb Személyiségét."

12. VERS

काङ्क्षन्तः कर्मणां सिद्धिं यजन्त इह देवताः ।
क्षिप्रं हि मानुषे लोके सिद्धिर्भवति कर्मजा ॥१२॥

kāṅkṣantaḥ karmaṇāṁ siddhiṁ   yajanta iha devatāḥ
kṣipraṁ hi mānuṣe loke   siddhir bhavati karma-jā

kāṅkṣantaḥ – kívánva; *karmaṇām* – a gyümölcsöző cselekedeteknek; *siddhim* – tökéletességét; *yajante* – áldozatokkal imádják; *iha* – az anyagi világban; *devatāḥ* – a félisteneket; *kṣipram* – nagyon gyorsan; *hi* – bizony; *mānuṣe* – az emberi társadalomban; *loke* – ebben a világban; *siddhiḥ* – a siker; *bhavati* – jön; *karma-jā* – a gyümölcsöző tettekből.

Ebben a világban az emberek a gyümölcsöző munka sikerére vágynak, s ezért a félisteneket imádják. E tetteikkel bizonyosan nagyon hamar eredményt érhetnek el.

MAGYARÁZAT: Az emberek téves képet alkotnak az anyagi világ isteneiről, azaz félisteneiről. Azok, akik magukat bölcs tudósnak tüntetik fel, ám valójában meglehetősen csekély értelműek, a félisteneket a Legfelsőbb Úr különféle formáinak tekintik, noha azok nem Isten különféle formái, hanem különböző szerves részei. Isten egy, de számtalan szerves része van. *Nityo nityānām,* mondják a Védák: Isten egy. *Īśvaraḥ paramaḥ kṛṣṇaḥ.* A Legfelsőbb Isten egy – Kṛṣṇa –, aki a félisteneket olyan képességekkel ruházta fel, amelyek alkalmassá teszik őket az anyagi világ irányítására. Ezek a félistenek mind élőlények (*nityānām*), akik mindannyian rendelkeznek valamilyen anyagi hatalommal. A Legfelsőbb Istennel, Nārāyaṇával, Viṣṇuval, vagyis Kṛṣṇával nem lehetnek egyenlőek. Aki a félisteneket egyenrangúnak hiszi Istennel, azt ateistának, *pāṣaṇḍīnak* nevezik. Még a hatalmas félisteneket, köztük Brahmāt és Śivát sem lehet a Legfelsőbb Úrhoz hasonlítani. Valójában Brahmā, Śiva és a többi félisten (*śiva-viriñci-nutam*) mind az Urat imádják. Érdekes módon azonban az antropomorfizmus és a zoomorfizmus tanai által félrevezetett sok ostoba egyes vezetőket imád. Az *iha devatāḥ* kifejezés az anyagi világ hatalmas emberére vagy félistenére utal. Ám Nārāyaṇa, Viṣṇu, vagyis Kṛṣṇa, az Istenség Legfelsőbb Személyisége nem tartozik ehhez a világhoz. Ő az anyagi teremtés felett áll, transzcendentális ahhoz képest. Még Śrīpāda Śaṅkarācārya, az imperszonalisták vezére is azon a véleményen van, hogy Nārāyaṇa, vagyis Kṛṣṇa túl van ezen az anyagi teremtésen. Az ostoba emberek (*hṛta-jñāna*) azonban a félisteneket imádják, mert azonnali eredményt akarnak. Meg is kapják, de arról nem tudnak, hogy az az eredmény, amelyet ilyen módon érnek el, ideiglenes, és csak a kevésbé értelmes embereket teszi elégedetté. Az okos ember Kṛṣṇa-tudatú, s nem tartja szükségesnek a jelentéktelen félistenek imádatát holmi azonnali, átmeneti haszon kedvéért. A félistenek az anyagi világ megsemmisülésekor imádóikkal együtt elpusztulnak. Áldásaik tehát anyagiak és ideiglenesek. Az anyagi világok lakóikkal együtt – beleértve a félisteneket és azok imádóit is – csupán buborékok a kozmikus óceánban. Ennek ellenére ebben a világban az emberek őrültként vágynak az olyan ideig-óráig tartó anyagi áldásra, mint a földbirtok, a család és minden élvezet, ami ezekkel jár, s az efféle tiszavirág életű dolgok megszerzése érdekében a félisteneket vagy az emberi társadalom hatalmas vezetőit imádják. Ha valaki egy politikai vezető imádatával miniszteri rangra emelkedik a kormányban, azt rendkívül nagy áldásnak tekintik. Az ideiglenes jutalom reményében sokan megalázkodnak az úgynevezett vezetők vagy „fejesek" előtt, és sikerrel is járnak. Az ilyen ostoba embereket nem érdekli a Kṛṣṇa-tudat, amely végleges megoldással szolgál az anyagi lét nehézségeire. Mindannyian az érzékkielégítéssel törődnek csupán, s a félistenekként ismert felhatalmazott élőlények imádatához vonzódnak, s azt remélik, hogy ezáltal valami parányi lehetőséget kapnak tőlük érzékeik élvezetére. Ebből a versből kiderül, hogy nagyon kevés az olyan ember, akit érdekel a Kṛṣṇa-tudat. A többség az anyagi élvezetbe merül, s ennek érdekében valamilyen nagy hatalmú élőlényt imád.

13. VERS

चातुर्वर्ण्यं मया सृष्टं गुणकर्मविभागशः ।
तस्य कर्तारमपि मां विद्ध्यकर्तारमव्ययम् ॥१३॥

cātur-varṇyaṁ mayā sṛṣṭaṁ guṇa-karma-vibhāgaśaḥ
tasya kartāram api māṁ viddhy akartāram avyayam

cātuḥ-varṇyam – az emberi társadalom négy rétege; *mayā* – Általam; *sṛṣṭam* – teremtett; *guṇa* – a tulajdonság; *karma* – és a munka; *vibhāgaśaḥ* – felosztása szerint; *tasya* – annak; *kartāram* – atyjaként; *api* – bár; *mām* – Engem; *viddhi* – ismerj; *akartāram* – a nem cselekvőt; *avyayam* – a változatlant.

Az emberi társadalom négy osztályát Én teremtettem az anyagi természet három kötőereje és a rájuk jellemző munka szerint. Tudd meg, hogy bár Én vagyok e rendszer alkotója, Én mégis nem cselekvő és változatlan vagyok!

MAGYARÁZAT: Az Úr a teremtője mindennek. Minden Tőle születik, Ő tart fenn mindent, s a megsemmisülés után minden Belé tér vissza. Ő a négy társadalmi rend teremtője is. A társadalmi felosztás az értelmiséggel, azaz szakkifejezéssel élve a *brāhmaṇákkal* kezdődik, mert ők a jóság kötőerejében vannak. A következő az irányítók osztálya, akiket *ksatriyáknak* hívnak, mert a szenvedély kötőereje jellemzi őket. A *vaiśyák,* azaz a kereskedők a szenvedély és a tudatlanság kevert kötőerejében, a *śūdrák,* vagyis a kétkezi munkások pedig az anyagi természet tudatlanság kötőerejében élnek. Az emberi társadalom négy osztályát az Úr Kṛṣṇa teremtette, Ő azonban egyikhez sem tartozik, hiszen nem a feltételekhez kötött lelkek közül való, akik az emberi társadalom egy részét alkotják. Az emberi társadalom hasonlít bármelyik állati társadalomhoz, de az Úr megteremtette a fentiekben említett négy rendet, hogy kiemelje az embereket az állatias létből, s lehetővé tegye számukra, hogy fokozatosan fejlődjenek a Kṛṣṇa-tudatban. Hogy az ember milyen sajátságos tevékenységre érez hajlamot, azt az anyagi természet rá ható kötőereje határozza meg. Azokról az életjelenségekről, amelyek a különféle kötőerőkről tanúskodnak, a tizennyolcadik fejezet ír. A Kṛṣṇa-tudatú ember azonban még a *brāhmaṇáknál* is magasabb szinten áll. A *brāhmaṇa* szó arra utal, akinek jelleme alapján ismernie kell a Brahmant, a Legfelsőbb Abszolút Igazságot, ám a *brāhmaṇák* legtöbbjét csak az Úr Kṛṣṇa személytelen Brahman-megnyilvánulása érdekli. De aki a *brāhmaṇák* korlátolt tudásán túllépve az Istenség Legfelsőbb Személyiségét, Śrī Kṛṣṇát ismeri meg, az Kṛṣṇa-tudatúvá, más szóval *vaiṣṇavává* válik. A Kṛṣṇa-tudat magában foglalja a Kṛṣṇa különböző teljes kiterjedéseiről – például a Rāmáról, Nṛsiṁháról, Varāháról és másokról – szóló tudást is. És ahogyan Kṛṣṇa transzcendentálisan az emberi társadalom négy osztálya fölött áll, úgy a Kṛṣṇa-tudatú ember is transzcendentális az emberi társadalom valamennyi osztályához képest, beleértve a közösség, nemzet és faj szerinti felosztást is.

14. VERS

न मां कर्माणि लिम्पन्ति न मे कर्मफले स्पृहा ।
इति मां योऽभिजानाति कर्मभिर्न स बध्यते ॥१४॥

na māṁ karmāṇi limpanti na me karma-phale spṛhā
iti māṁ yo 'bhijānāti karmabhir na sa badhyate

na – sohasem; *mām* – Engem; *karmāṇi* – semmiféle tettek; *limpanti* – befolyásolnak; *na* – sem; *me* – Enyém; *karma-phale* – gyümölcsöző cselekedetekre; *spṛhā* – törekvés; *iti* – így; *mām* – Engem; *yaḥ* – aki; *abhijānāti* – ismer; *karmabhiḥ* – az ilyen munka visszahatása által; *na* – sohasem; *saḥ* – ő; *badhyate* – válik megkötötté.

Nincs tett, ami Engem befolyásolna, s Én a munka gyümölcsére sem törekszem. Aki megérti ezt az igazságot Rólam, azt szintén nem kötik le a tettek gyümölcsöző visszahatásai.

MAGYARÁZAT: Az anyagi világnak megvannak a maga törvényei – például a király nem hibázhat, s az állam törvényei sem kötik. Ehhez hasonlóan, bár az Úr teremtette az anyagi világot, Őt nem befolyásolja annak működése. Teremt, de független marad a teremtéstől, míg az élőlényeket az anyagi javak fölötti uralkodási hajlamuknak köszönhetően az anyagi cselekedetek gyümölcsöző eredményei megkötik. Egy vállalat tulajdonosa nem felelős munkásai jó vagy rossz tetteiért – ők maguk felelnek értük. Érzékkielégítése érdekében minden élőlény végzi a maga tetteit, ám ezeket nem az Úr rendelte el. Az érzékek élvezetére vágyva anyagi tettekbe merülnek, s arra törekszenek, hogy haláluk után mennyei boldogságban legyen majd részük. Az Úr azonban önmagában teljes, ezért Őt nem vonzza az állítólagos mennyei boldogság. A mennyek félistenei az Ő szolgái, s egy vállalat tulajdonosához hasonlóan sohasem vágyik arra az alacsonyabb rendű boldogságra, amelyben munkásainak van része. Az Úr fölötte áll az anyagi tetteknek és azok visszahatásainak. A Föld növényzetéért például az eső nem felelős, noha nélküle egyetlen növény sem nőhet. A védikus *smṛti* a következőképpen erősíti meg ezt a tényt:

nimitta-mātram evāsau sṛjyānāṁ sarga-karmaṇi
pradhāna-kāraṇī-bhūtā yato vai sṛjya-śaktayaḥ

„Az anyagi teremtésekben az Úr az egyedüli legfelsőbb ok. A közvetlen ok az anyagi természet, amely által a kozmikus megnyilvánulás láthatóvá válik." Számtalanféle teremtett élőlény van – félistenek, emberek, alacsonyabb rendű állatok –, s mindannyiukat múltbeli jó és rossz tetteik befolyásolják. Az Úr mindössze megadja nekik a megfelelő lehetőséget e tettek végrehajtásához, valamint biztosítja a természet kötőerőinek meghatározott befolyását, Ő azonban sohasem felelős teremtményei múltbeli vagy jelen tetteiért. A *Vedānta-sūtra* (2.1.34) megerősíti: *vaiṣamya-nairghṛṇye na sāpekṣatvāt* – az Úr egyetlen élőlénnyel szemben sem elfogult. Az élőlény maga felelős cselekedeteiért; az Úr csupán megadja számára a lehetőségeket az anyagi természet, a külső energia ügynöksége révén. Aki tökéletesen ismeri a *karma,* vagyis a gyümölcsöző tettek bonyolult törvényét, azt munkájának eredménye nem befolyásolja. Úgy is mondhatnánk, hogy aki ismeri az Úr transzcendentális természetét, az tapasztalt Kṛṣṇa-tudatos ember, ezért sohasem kényszerül arra, hogy engedelmeskedjen a *karma* törvényeinek. Aki semmit sem tud az Úr transzcendentális természetéről, s azt hiszi, hogy a közönséges élőlényekhez hasonlóan az Ő cselekedeteinek a célja is a gyümölcsöző eredmények elérése, az bizonyosan elvész a tettek visszahatásainak útvesztőjében. Aki azonban ismeri a Legfelsőbb Igazságot, az már felszabadult lélek, aki rendíthetetlen a Kṛṣṇa-tudatban.

15. VERS

एवं ज्ञात्वा कृतं कर्म पूर्वैरपि मुमुक्षुभिः ।
कुरु कर्मैव तस्मात्त्वं पूर्वैः पूर्वतरं कृतम् ॥१५॥

evaṁ jñātvā kṛtaṁ karma pūrvair api mumukṣubhiḥ
kuru karmaiva tasmāt tvaṁ pūrvaiḥ pūrvataraṁ kṛtam

evam – így; *jñātvā* – jól tudván; *kṛtam* – végrehajtatott; *karma* – a munka; *pūrvaiḥ* – a hajdani hiteles tekintélyek által; *api* – valóban; *mumukṣubhiḥ* – akik elérték a felszabadulást; *kuru* – végezd csak; *karma* – előírt kötelességet; *eva* – bizony; *tasmāt* – ezért; *tvam* – te; *pūrvaiḥ* – az elődök által; *pūrva-taram* – az ősi időkben; *kṛtam* – ahogy végrehajtották.

A régmúlt időkben minden felszabadult lélek transzcendentális természetemet ismerve cselekedett. Nyomdokaikba lépve ezért végezd te is kötelességedet!

MAGYARÁZAT: Kétféle ember létezik: az egyiknek a szíve anyagi szennyeződéssel teli, míg a másiké mentes attól. A Kṛṣṇa-tudat mindkettőjük számára egyformán áldásos. Az anyagi szennyeződéssel teli embereknek azért kell elkezdeniük a Kṛṣṇa-tudat folyamatát, hogy az odaadó szolgálat szabályozó elveit követve fokozatosan megtisztulhassanak, míg azoknak, akik már megtisztultak a szennyeződésektől, azért kell folytatniuk tetteiket ebben a tudatban, hogy mások követhessék példájukat, s ez a hasznukra váljon. Az ostobák és a Kṛṣṇa-tudat kezdő gyakorlói gyakran vissza akarnak vonulni a tettektől, anélkül, hogy ismernék a Kṛṣṇa-tudat tudományát. Az Úr nem helyeselte Arjuna vágyát sem, aki szintén távol akart maradni a csatatéren rá váró feladatoktól. Az embernek csupán azt kell tudnia, hogyan kell cselekednie. Ha valaki lemond a Kṛṣṇa-tudat tetteiről, s egyedül, félrevonulva leül, hogy Kṛṣṇa-tudatot színleljen, az nem olyan jó, mint ha tetteket végezne, de valóban Kṛṣṇa kedvéért. Kṛṣṇa most azt tanácsolja Arjunának, hogy az Úr hajdani tanítványainak – például a napistennek, Vivasvānnak, akiről korábban szó volt – a nyomdokait követve cselekedjen Kṛṣṇa-tudatban. A Legfelsőbb Személy nemcsak saját múltbeli tetteiről tud, de azokéról is, akik a múltban gyakorolták a Kṛṣṇa-tudatot. A napisten tetteit állítja elénk példaként, aki sok millió évvel ezelőtt Tőle tanulta ezt a művészetet. Az Úr Kṛṣṇa valamennyi hajdani tanítványáról elmondja, hogy felszabadult lelkek voltak, akik az Általa kiszabott kötelességeiket végezték.

16. VERS

किं कर्म किमकर्मेति कवयोऽप्यत्र मोहिताः ।
तत्ते कर्म प्रवक्ष्यामि यज्ज्ञात्वा मोक्ष्यसेऽशुभात् ॥१६॥

kiṁ karma kim akarmeti kavayo 'py atra mohitāḥ
tat te karma pravakṣyāmi yaj jñātvā mokṣyase 'śubhāt

kim – mi; *karma* – a tett; *kim* – mi; *akarma* – a tétlenség; *iti* – így; *kavayaḥ* – az intelligensek; *api* – is; *atra* – ezzel kapcsolatban; *mohitāḥ* – összezavarodnak; *tat* – azt; *te* – neked; *karma* – a munkát; *pravakṣyāmi* – meg fogom magyarázni; *yat* – amit; *jñātvā* – ismervén; *mokṣyase* – meg fogsz szabadulni; *aśubhāt* – a balszerencsétől.

Még az okosak is zavarba jönnek, amikor megpróbálják meghatározni, hogy mi a cselekvés és mi a tétlenség. Én most elmagyarázom neked, mi a cselekvés, hogy ennek ismeretében megszabadulhass minden kellemetlenségtől.

MAGYARÁZAT: A Kṛṣṇa-tudatú tetteket a múltban élt igaz *bhakták* példáját követve kell végrehajtanunk – ezt ajánlja a tizenötödik vers. Hogy miért nem szabad függetlenül cselekednünk, azt a következő sorok magyarázzák meg.

Ahogyan azt a fejezet elején elmondtuk, ha valaki Kṛṣṇa-tudatban akar cselekedni, egy felhatalmazott vezető útmutatását kell követnie, aki tagja a tanítványi láncolatnak. A Kṛṣṇa-tudat útjáról először a napisten hallott, aki később fiát, Manut oktatta erről, Manu pedig később fiának, Ikṣvākunak mondta el ugyanezt. Láthatjuk tehát, hogy a Kṛṣṇa-tudat nagyon régóta jelen van a Földön. Mindenkinek a tanítványi láncolat korábbi, hiteles tagjainak nyomdokait kell követnie, másképp még a legértelmesebb ember is zavarba jöhet a helyes Kṛṣṇa-tudatos tetteket illetően. Ezért határozta el az Úr, hogy Arjunát személyesen fogja oktatni róla. Az Úr tehát maga tanítja Arjunát, ezért az, aki Arjunát követi, semmiképpen nem tévedhet meg.

Az írások szerint a tökéletlen tapasztalati tudás önmagában nem elegendő ahhoz, hogy ez alapján ki lehessen jelölni a vallás útjait – egyedül az Úr mondhatja ki annak alapelveit. *Dharmaṁ tu sākṣād bhagavat-praṇītam* (*Śrīmad-Bhāgavatam* 6.3.19). Senkinek sem szabad a tökéletlen spekulálás segítségével vallásos elveket kitalálnia. A kiváló, hiteles tekintélyek – Brahmā, Śiva, Nārada, Manu, a Kumārák, Kapila, Prahlāda, Bhīṣma, Śukadeva Gosvāmī, Yamarāja, Janaka és Bali Mahārāja – nyomdokait kell követnünk. Spekulálással nem lehet kiokoskodni, mi a vallás és mi az önmegvalósítás. Ezért *bhaktái* iránti indokolatlan kegyéből az Úr személyesen magyarázza el Arjunának, hogy mi a cselekvés és mi a tétlenség. Egyedül a Kṛṣṇa-tudatban végrehajtott tettek szabadíthatják ki az embert az anyagi lét kötelékei közül.

17. VERS

कर्मणो ह्यपि बोद्धव्यं बोद्धव्यं च विकर्मणः ।
अकर्मणश्च बोद्धव्यं गहना कर्मणो गतिः ॥१७॥

karmaṇo hy api boddhavyaṁ boddhavyaṁ ca vikarmaṇaḥ
akarmaṇaś ca boddhavyaṁ gahanā karmaṇo gatiḥ

karmaṇaḥ – a tettről; *hi* – bizony; *api* – is; *boddhavyam* – meg kell érteni; *boddhavyam* – meg kell érteni; *ca* – szintén; *vikarmaṇaḥ* – a tiltott tettről; *akarmaṇaḥ* – a tétlenségről; *ca* – is; *boddhavyam* – meg kell érteni; *gahanā* – nagyon nehéz; *karmaṇaḥ* – a tettnek; *gatiḥ* – a folyamata.

A cselekvés bonyolult témáját nagyon nehéz megérteni. Jól kell tudni ezért, hogy mi a tett, mi a tiltott tett, s mi a tétlenség.

MAGYARÁZAT: Ha valaki komolyan elhatározta, hogy megszabadul az anyagi kötelékektől, meg kell értenie, mi a különbség a cselekvés, a tétlenség és az önkényes tett között. Ez egy rendkívül nehéz téma, ezért meg kell próbálnunk elemezni a tettet, a visszahatást és a helytelen cselekvést. Ahhoz, hogy megértsük a Kṛṣṇa-tudatot és a cselekvés különféle fajtáit, meg kell ismernünk a Legfelsőbbhöz fűződő kapcsolatunkat. Aki ugyanis ismeretet szerez erről, az tökéletesen tudja, hogy minden élőlény az Úr örök szolgája, következésképpen mindenkinek Kṛṣṇa-tudatban kell cselekednie. Az egész *Bhagavad-gītā* ehhez a végkövetkeztetéshez vezet el. Minden más végkövetkeztetés, ami ellentétben áll ezzel a tudattal és a vele járó tettekkel, *vikarma,* azaz tiltott cselekedet. Ahhoz, hogy mindezt az ember megértse, a Kṛṣṇa-tudat hiteles szaktekintélyeinek társaságát kell keresnie. Tőlük kell eltanulnia a titkot, s ez ugyanolyan jó, mintha közvetlenül az Úrtól hallana róla. Aki nem így tesz, legyen bármilyen okos ember, csak összezavarodik.

18. VERS

कर्मण्यकर्म यः पश्येदकर्मणि च कर्म यः ।
स बुद्धिमान्मनुष्येषु स युक्तः कृत्स्नकर्मकृत् ॥१८॥

karmaṇy akarma yaḥ paśyed akarmaṇi ca karma yaḥ
sa buddhimān manuṣyeṣu sa yuktaḥ kṛtsna-karma-kṛt

karmaṇi – cselekvésben; *akarma* – tétlenséget; *yaḥ* – aki; *paśyet* – lát; *akarmaṇi* – tétlenségben; *ca* – is; *karma* – gyümölcsöző cselekedetet; *yaḥ* – aki; *saḥ* – ő; *buddhi-mān* – értelmes; *manuṣyeṣu* – az emberek között; *saḥ* – ő; *yuktaḥ* – transzcendentális helyzetben van; *kṛtsna-karma-kṛt* – még tetteket végzőként is.

Aki a cselekvésben tétlenséget és a tétlenségben cselekvést lát, az értelmes az emberek között, s transzcendentális helyzetben van, noha mindenféle tettet végez.

MAGYARÁZAT: A Kṛṣṇa-tudatban cselekvő ember automatikusan mentes a *karma* béklyóitól. Minden tettét Kṛṣṇáért végzi, ezért nem élvezi munkája visszahatásait, s nem is szenved azoktól. Ő tehát az értelmes lény az emberi társadalomban, noha Kṛṣṇáért számtalan tettet végrehajt. Az *akarma* visszahatások nélküli tettet jelent. Az imperszonalista félelemből felhagy a gyümölcsöző cselekedetekkel, nehogy a visszahatások akadályozzák előrehaladását az önmegvalósítás útján, ám a személyes filozófia híve ismeri valódi helyzetét, azaz tudja, hogy ő az Istenség Legfelsőbb Személyiségének örök szolgája, ezért Kṛṣṇa-tudatú tetteket végez.

Mindent Kṛṣṇáért tesz, így szolgálata közben csupán transzcendentális boldogságot élvez. Akik ezen az úton járnak, azok köztudottan mentesek a személyes érzékkielégítés vágyától. Az a tudat, hogy az ember Kṛṣṇa örök szolgája, megvéd a tettek minden visszahatásától.

19. VERS

यस्य सर्वे समारम्भाः कामसङ्कल्पवर्जिताः ।
ज्ञानाग्निदग्धकर्माणं तमाहुः पण्डितं बुधाः ॥१९॥

yasya sarve samārambhāḥ kāma-saṅkalpa-varjitāḥ
jñānāgni-dagdha-karmāṇaṁ tam āhuḥ paṇḍitaṁ budhāḥ

yasya – akinek; *sarve* – minden; *samārambhāḥ* – törekvései; *kāma* – az érzékkielégítés vágyán alapuló; *saṅkalpa* – törekvéstől; *varjitāḥ* – mentesek; *jñāna* – a tökéletes tudásnak; *agni* – a tüze; *dagdha* – felégette; *karmāṇam* – akinek a tettét; *tam* – őt; *āhuḥ* – mondják; *paṇḍitam* – bölcsnek; *budhāḥ* – akik tudnak.

Akinek minden törekvése mentes az érzékkielégítés vágyától, arról tudhatjuk, hogy teljes tudással rendelkezik. A bölcsek azt tartják róla, hogy a tökéletes tudás tüze már felégette tettei visszahatásait.

MAGYARÁZAT: Csak az értheti meg a Kṛṣṇa-tudatú ember cselekedeteit, aki teljes tudással rendelkezik. A Kṛṣṇa-tudatú ember mentes minden érzékkielégítő hajlamtól, mert megértette eredeti helyzetét, azt, hogy ő az Istenség Legfelsőbb Személyiségének örök szolgája, s ez a tökéletes tudás felégette tettei visszahatásait. Az a valóban bölcs, aki szert tett erre a tökéletes tudásra. Annak a tudásnak a kibontakozását, mely szerint az ember az Úr örök szolgája, a tűzhöz hasonlítják. Az ilyen tűz ha egyszer lángra lobban, képes felégetni a tettek bármilyen visszahatását.

20. VERS

त्यक्त्वा कर्मफलासङ्गं नित्यतृप्तो निराश्रयः ।
कर्मण्यभिप्रवृत्तोऽपि नैव किञ्चित्करोति सः ॥२०॥

tyaktvā karma-phalāsaṅgaṁ nitya-tṛpto nirāśrayaḥ
karmaṇy abhipravṛtto 'pi naiva kiñcit karoti saḥ

tyaktvā – elengedve; *karma-phala-āsaṅgam* – a gyümölcsöző eredményekhez való ragaszkodást; *nitya* – mindig; *tṛptaḥ* – elégedetten; *nirāśrayaḥ* – menedék nélkül; *karmaṇi* – a cselekvésben; *abhipravṛttaḥ* – teljesen tevékenyen; *api* – ennek ellenére; *na* – nem; *eva* – bizony; *kiñcit* – bármit; *karoti* – tesz; *saḥ* – ő.

Megszabadulván minden ragaszkodástól, mely tettei gyümölcseihez fűzi, az ilyen ember örökké elégedett és független, s bár számtalan tettet végez, nem a tettek gyümölcséért cselekszik.

MAGYARÁZAT: A tettek börtönéből kiszabadulni egyedül a Kṛṣṇa-tudatban lehetséges, amikor mindent Kṛṣṇáért teszünk. A Kṛṣṇa-tudatú ember az Istenség Legfelsőbb Személyisége iránti tiszta szeretetből végzi munkáját, ezért nem vágyik annak eredményére. Még saját létfenntartása miatt sem aggódik, mindent Kṛṣṇára bíz. Nem törődik a gyűjtögetéssel, és azzal sem, hogy megvédelmezze a már tulajdonában lévő dolgokat. Minden tőle telhetőt megtesz kötelessége végzése érdekében, s mindent Kṛṣṇára bíz. Az ilyen ember, aki megvált minden ragaszkodástól, mentes a jó és rossz visszahatásoktól, s ez olyan, mintha nem cselekedne. Ez jellemzi az *akarmát,* vagyis a gyümölcsöző visszahatások nélküli cselekvést. Minden más tett, ami nem Kṛṣṇa-tudatú, leköti végrehajtóját. Ez a *vikarma* valódi természete, ahogyan az előzőekben elmondtuk.

21. VERS

निराशीर्यतचित्तात्मा त्यक्तसर्वपरिग्रहः ।
शारीरं केवलं कर्म कुर्वन्नाप्नोति किल्बिषम् ॥२१॥

nirāśīr yata-cittātmā tyakta-sarva-parigrahaḥ
śārīraṁ kevalaṁ karma kurvan nāpnoti kilbiṣam

nirāśīḥ – az eredményre nem vágyva; *yata* – irányított; *citta-ātmā* – elmével és értelemmel; *tyakta* – feladván; *sarva* – minden; *parigrahaḥ* – birtoklási vágyat; *śārīram* – a test és lélek együtt tartásáért; *kevalam* – csak; *karma* – munkát; *kurvan* – végezvén; *na* – sohasem; *āpnoti* – szerez; *kilbiṣam* – bűnös visszahatásokat.

Az ilyen értelmes ember tökéletesen uralkodik elméjén és értelmén. Nem tekinti javai tulajdonosának magát, és csupán annyit dolgozik, amennyi léte fenntartásához szükséges. Aki ily módon cselekszik, arra nem hatnak a bűnös visszahatások.

MAGYARÁZAT: A Kṛṣṇa-tudatú ember nem számít tettei jó vagy rossz eredményére. Elméjét és értelmét teljesen uralma alatt tartja. Tudja, hogy mivel szerves része a Legfelsőbbnek, az egész szerves részeként nem ő maga cselekszik, hanem a Legfelsőbb cselekszik rajta keresztül. A kéz sem a saját, hanem az egész test erőfeszítésének köszönhetően mozog. A Kṛṣṇa-tudatú ember mindig a legfelsőbb kívánsághoz igazodik, mert saját érzékkielégítésére nem vágyik. Éppen úgy működik, mint egy gépalkatrész. Ahogyan egy gépalkatrésznek karbantartásra, olajozásra és tisztításra van szüksége, úgy a Kṛṣṇa-tudatú embernek is gondoskodnia kell létéről munkájával, hogy alkalmas legyen az Úr transzcendentális szerető szolgálatára. Éppen ezért tettei visszahatásai egyáltalán nem hatnak rá. Az állathoz hasonlóan neki sincsen tulajdonjoga még a saját teste fölött sem. A kegyetlen gazda néha megöli a tulajdonában lévő állatot, az állat mégsem tiltakozik, s valójában semmi függetlensége nincs. Az önmegvalósításban elmélyedt Kṛṣṇa-tudatú embernek nem marad ideje arra, hogy jogtalanul bármilyen anyagi dolog birtokosa legyen. Teste fenntartása érdekében sem tartja szükségesnek, hogy tisztességtelen módszerekkel keressen pénzt. Éppen ezért az efféle anyagi bűnök nem fertőzik be, s mentes marad cselekedeteinek valamennyi visszahatásától.

22. VERS

यदृच्छालाभसन्तुष्टो द्वन्द्वातीतो विमत्सरः ।
समः सिद्धावसिद्धौ च कृत्वापि न निबध्यते ॥२२॥

yadṛcchā-lābha-santuṣṭo dvandvātīto vimatsaraḥ
samaḥ siddhāv asiddhau ca kṛtvāpi na nibadhyate

yadṛcchā – magától; *lābha* – nyereséggel; *santuṣṭaḥ* – elégedett; *dvandva* – kettősségen; *atītaḥ* – felülemelkedett; *vimatsaraḥ* – irigységtől mentes; *samaḥ* – rendíthetetlen; *siddhau* – sikerben; *asiddhau* – kudarcban; *ca* – is; *kṛtvā* – cselekedve; *api* – habár; *na* – sohasem; *nibadhyate* – kerül befolyás alá.

Aki elégedett a magától kínálkozó nyereséggel, aki megszabadult az ellentétpároktól, aki nem irigy, s aki a sikerben és a kudarcban egyaránt rendíthetetlen, azt bár cselekszik, sohasem kötik le tettei.

MAGYARÁZAT: A Kṛṣṇa-tudatú ember még teste fenntartása érdekében sem tesz erőfeszítést, s megelégszik a magától kínálkozó haszonnal. Nem koldul és nem kér kölcsön, hanem becsületesen dolgozik, legjobb tudása szerint. Elégedett azzal, amihez tisztességes munka révén hozzájut, s így függetlenül tartja fenn magát. Nem hagyja, hogy bárki tevékenysége megzavarja saját Kṛṣṇa-tudatú tetteit, ám az Úr szolgálata kedvéért bármit megtehet, az anyagi világ kettősségei nem zavarják meg. Ezek a kettősségek a hőség és hideg, fájdalom és boldogság stb. formájában érzékelhetők. A Kṛṣṇa-tudatú ember fölötte áll a kettősségeknek, mert Kṛṣṇa kedvéért kész bármit megtenni, éppen ezért a sikerben és a kudarcban egyaránt rendíthetetlen. Ezek a jelek akkor mutatkoznak meg, ha valaki teljes mértékben elsajátította a transzcendentális tudást.

23. VERS

गतसङ्गस्य मुक्तस्य ज्ञानावस्थितचेतसः ।
यज्ञायाचरतः कर्म समग्रं प्रविलीयते ॥२३॥

gata-saṅgasya muktasya jñānāvasthita-cetasaḥ
yajñāyācarataḥ karma samagraṁ pravilīyate

gata-saṅgasya – annak, aki független az anyagi természet kötőerőitől; *muktasya* – a felszabadultnak; *jñāna-avasthita* – a transzcendensben megállapodott; *cetasaḥ* – bölcsességűnek; *yajñāya* – Yajña (Kṛṣṇa) kedvéért; *ācarataḥ* – végzett; *karma* – munkája; *samagram* – teljesen; *pravilīyate* – beleolvad.

Az anyagi természet kötőerőitől független, a transzcendentális tudásban elmerülő ember tettei teljes egészében a transzcendensbe olvadnak.

MAGYARÁZAT: Teljesen Kṛṣṇa-tudatúvá válva az ember megszabadul minden kettősségtől, s így megtisztul az anyagi kötőerők szennyeződésétől is. Azért szabadulhat fel, mert ismeri eredeti helyzetét, kapcsolatát Kṛṣṇával, s így elméjét semmi sem térítheti el a Kṛṣṇa-tudattól. Bármit tesz tehát, azt Kṛṣṇáért, az eredeti Viṣṇuért teszi, s így valamennyi tette áldozat, mert annak hívják mindazt, aminek célja a Legfelsőbb Személy, Viṣṇu, Kṛṣṇa öröme. Az ilyen tett visszahatása kétségtelenül a transzcendensbe olvad, így az embernek nem kell szenvednie az anyagi visszahatásoktól.

24. VERS

ब्रह्मार्पणं ब्रह्म हविर्ब्रह्माग्नौ ब्रह्मणा हुतम् ।
ब्रह्मैव तेन गन्तव्यं ब्रह्मकर्मसमाधिना ॥२४॥

brahmārpaṇaṁ brahma havir brahmāgnau brahmaṇā hutam
brahmaiva tena gantavyaṁ brahma-karma-samādhinā

brahma – lelki természetű; *arpaṇam* – hozzájárulás; *brahma* – a Legfelsőbb; *haviḥ* – vaj; *brahma* – lelki; *agnau* – a felajánlás tüzében; *brahmaṇā* – a lélek által; *hutam* – felajánlott; *brahma* – a lelki birodalom; *eva* – bizony; *tena* – általa; *gantavyam* – elérendő; *brahma* – lelki; *karma* – cselekedetekben; *samādhinā* – teljes elmélyedéssel.

A Kṛṣṇa-tudatban teljesen elmerülő ember bizonyosan eljut a lelki birodalomba, mert teljes mértékben átadja magát a lelki tetteknek, melyek eredménye abszolút, s az általuk bemutatott áldozat ugyanúgy lelki természetű.

MAGYARÁZAT: Ez a vers azt írja le, hogyan vezethetik az embert a Kṛṣṇa-tudatú tettek végül a lelki célhoz. A Kṛṣṇa-tudat különféle cselekedeteiről a következő versek írnak, míg ebben a versben magának a Kṛṣṇa-tudatnak az elvéről olvashatunk. Az anyagi szennyeződés fertőjébe merült feltételekhez kötött lélek csakis az anyagi atmoszférában cselekedhet, ám ki kell kerülnie ebből a közegből. Ezt a célt szolgálja a Kṛṣṇa-tudat folyamata. Ahogyan a túl sok tejtermék fogyasztásától bélrendszeri bántalmakban szenvedő embert egy másik tejtermék, a túró hozza helyre, úgy az anyagban elmerült lelket a Kṛṣṇa-tudatban végrehajtott tettek gyógyítják ki, ahogyan azt a *Gītā* itt kijelenti. Ezt a folyamatot általában *yajñának* nevezik, olyan tetteknek (áldozatoknak), amelyeket kizárólag Viṣṇu, Kṛṣṇa érdekében hajtanak végre. Minél több Kṛṣṇa-tudatú – azaz egyedül Viṣṇu örömét szolgáló – cselekedetet végzünk az anyagi világban, a teljes elmélyülés következtében annál inkább lelkivé válik az atmoszféra. A *brahma* (Brahman) szó jelentése: „lelki természetű". Az Úr transzcendentális, és lelki testének sugarait *brahmajyotinak,* lelki ragyogásnak nevezik. Minden, ami létezik, ebben a *brahmajyotiban* van, ám amikor ezt a *jyotit* az illúzió (*māyā*), vagyis az érzékkielégítés fedi be, akkor anyagnak hívják. Ezt az anyagi fátylat azonban a Kṛṣṇa-tudattal azonnal el lehet távolítani. Így a Kṛṣṇa-tudat érdekét szolgáló felajánlás, az ilyen áldozatot vagy hozzájárulást elfogadó közeg, az elfogadás folyamata, az áldozó és az eredmény is mind Brahman – vagyis az Abszolút Igazság. A *māyā-val* befedett Abszolút Igazságot anyagnak hívják. Az Abszolút Igazsággal kapcsolatba kerülő anyag visszanyeri lelki természetét. A Kṛṣṇa-tudat az a folyamat, amivel az illúzióban lévő tudatot Brahmanná, vagyis a Legfelsőbbé változtatjuk át. Amikor az elme teljesen elmerül a Kṛṣṇa-tudatban, azt *samādhinak,* transznak nevezik. Ilyen transzcendentális tudatban bármit teszünk, azt *yajñának,* az Abszolút kedvéért végzett áldozatnak hívják. A lelki tudat ezen állapotában az áldozó, a hozzájárulás, az áldozat folyamata, az áldozat végrehajtója vagy vezetője és az eredmény vagy a végső nyereség mind eggyé válik az Abszolútban, vagyis a Legfelsőbb Brahmanban. Ez a Kṛṣṇa-tudat módszere.

25. VERS

दैवमेवापरे यज्ञं योगिनः पर्युपासते ।
ब्रह्माग्नावपरे यज्ञं यज्ञेनैवोपजुह्वति ॥२५॥

daivam evāpare yajñaṁ yoginaḥ paryupāsate
brahmāgnāv apare yajñaṁ yajñenaivopajuhvati

daivam – a félistenek imádatában; *eva* – így; *apare* – néhányan; *yajñam* – áldozatot; *yoginaḥ* – a misztikusok; *paryupāsate* – tökéletesen bemutatnak; *brahma* – az Abszolút Igazságnak; *agnau* – a tüzében; *apare* – mások; *yajñam* – az áldozatot; *yajñena* – az áldozattal; *eva* – ily módon; *upajuhvati* – felajánlják.

Némely yogī a félisteneket imádja tökéletesen, különféle áldozatokat ajánlva fel nekik, míg mások a Legfelsőbb Brahman tüzébe ajánlják áldozataikat.

MAGYARÁZAT: Ahogyan korábban olvashattuk, a kötelességét Kṛṣṇa-tudatban végző embert tökéletes *yogīnak,* első rangú misztikusnak nevezik. Vannak azonban, akik a félistenek számára mutatnak be hasonló áldozatokat, mások pedig a Legfelsőbb Brahmannak, vagyis a Legfelsőbb Úr személytelen arculatának áldoznak. Tehát a különféle kategóriáknak megfelelően különféle áldozatok vannak. A sokféle végrehajtó sokféle áldozatvégzése csupán látszólag tér el egymástól. Az áldozat valójában a Yajñának is nevezett Legfelsőbb Úr, Viṣṇu kielégítését jelenti. A különféle áldozatokat két fő csoportba sorolhatjuk: 1. világi javak feláldozása és 2. áldozat a transzcendentális tudás művelésével. Akik Kṛṣṇa-tudatúak, azok minden anyagi tulajdonukat feláldozzák, hogy elégedetté tegyék a Legfelsőbb Urat, míg akik ideiglenes anyagi boldogságra vágynak, földi javaik felajánlásával a félisteneknek, többek között Indrának vagy a napistennek akarnak a kedvében járni. Az imperszonalisták önazonosságukat áldozzák fel, amikor a személytelen Brahmanba olvadnak. A félistenek olyan nagy hatalmú élőlények, akiket a Legfelsőbb Úr bízott meg azzal, hogy gondoskodjanak az anyagi világ valamennyi aspektusának működésről, vagyis az univerzum hő-, víz- és fényellátásáról, ügyeljenek annak fenntartására, és tartsák az ellenőrzésük alatt. Az anyagi jólétre vágyakozók a félisteneket imádják a védikus szertartásokkal, különféle áldozatok végrehajtásával. *Bahv-īśvara-vādīknak,* azaz sokistenhívőknek nevezik őket. Mások, akik az Abszolút Igazság személytelen aspektusát imádják, s a félistenek formáit ideiglenesnek tekintik, egyéni önazonosságukat áldozzák a legfelsőbb tűzbe, s a Legfelsőbb létébe olvadva véget vetnek egyéni létüknek. Ezek az imperszonalisták filozófiai spekulációval töltik az idejüket, így próbálják megérteni a Legfelsőbb transzcendentális természetét. Összefoglalva tehát a munka gyümölcseiért dolgozók az anyagi élvezet reményében javaikat áldozzák fel, míg az imperszonalisták anyagi megjelöléseikről mondanak le, hogy a Legfelsőbb létébe merüljenek. Az imperszonalista számára a Legfelsőbb Brahman az áldozás tűzoltára, felajánlása pedig az önvaló, melyet a Brahman lángja emészt fel. Ezzel szemben a Kṛṣṇa-tudatú ember – amilyen Arjuna is volt – azért áldoz fel mindent, hogy Kṛṣṇa kedvében járjon, s mindenét, minden anyagi tulajdonát és önmagát is Kṛṣṇának adja. Ő tehát a legkiválóbb *yogī,* aki azonban egyéni létét nem veszíti el.

26. VERS

श्रोत्रादीनीन्द्रियाण्यन्ये संयमाग्निषु जुह्वति ।
शब्दादीन् विषयानन्य इन्द्रियाग्निषु जुह्वति ॥२६॥

śrotrādīnīndriyāṇy anye saṁyamāgniṣu juhvati
śabdādīn viṣayān anya indriyāgniṣu juhvati

śrotra-ādīni – pl. a hallás folyamatát; *indriyāṇi* – érzékeket; *anye* – mások; *saṁyama* – a visszatartásnak; *agniṣu* – a tüzeibe; *juhvati* – felajánlják; *śabda-ādīn* – a hangvibrációt stb.; *viṣayān* – az érzékkielégítés tárgyait; *anye* – mások; *indriya* – az érzékszerveknek; *agniṣu* – a tüzeibe; *juhvati* – feláldozzák.

Némelyek [a tiszta brahmacārīk] a hallás folyamatát és az érzékeket áldozzák az elme fegyelmezésének tüzébe, mások [a szabályok szerint élő családosok] az érzékek tárgyait áldozzák az érzékek tüzébe.

MAGYARÁZAT: Az emberi élet négy rendje tagjainak, a *brahmacārīknak,* a *gṛhastháknak,* a *vānaprastháknak* és a *sannyāsīknak* egyaránt a legkiválóbb *yogīkká,* transzcendentalistákká kell válniuk. Az emberi élet célja nem az, hogy az állatokhoz hasonlóan az érzékkielégítésnek éljünk, éppen ezért az emberi élet négy rendje úgy lett megteremtve, hogy tagjaik tökéletessé válhassanak a lelki életben. A *brahmacārīk,* akik a hiteles lelki tanítómester felügyelete alatt tanulnak, úgy uralkodnak az elméjükön, hogy távol tartják magukat az érzékkielégítéstől. A *brahmacārī* csupán a Kṛṣṇa-tudattal kapcsolatos szavakat hallgatja meg. A megértés alapja a hallás, ezért a tiszta *brahmacārī* teljesen elmélyed a *harer nāmānukīrtanában,* az Úr dicsőségének hallgatásában és éneklésében. Kerüli az anyagi hangvibrációkat, s hallását egyedül a Hare Kṛṣṇa, Hare Kṛṣṇa transzcendentális hangvibrációjával köti le. A családosok, akik számára engedélyezett bizonyos fokú érzékkielégítés, nagy önmegtartóztatással teszik azt. A nemi élvezet, az alkohol- és kábítószer-fogyasztás, a húsevés az emberi társadalomban általánosan megmutatkozó tendenciák, ám a szabályok szerint élő családos nem merül a korlátlan szexualitás és a többi érzékkielégítés élvezetébe. A vallásos életen alapuló házasság minden civilizált társadalomban megtalálható, mert ez a módja a nemi élet korlátozásának. A korlátozott, ragaszkodás nélküli nemi élet szintén egyfajta *yajña,* mert a mértékletes házasember a magasabb rendű transzcendentális élet érdekében feláldozza az érzékkielégítésre való hajlamát.

27. VERS

सर्वाणीन्द्रियकर्माणि प्राणकर्माणि चापरे ।
आत्मसंयमयोगाग्नौ जुह्वति ज्ञानदीपिते ॥२७॥

sarvāṇīndriya-karmāṇi prāṇa-karmāṇi cāpare
ātma-saṁyama-yogāgnau juhvati jñāna-dīpite

sarvāṇi – minden; *indriya* – érzéknek; *karmāṇi* – a tevékenységét; *prāṇa-karmāṇi* – az életlevegő működését; *ca* – is; *apare* – mások; *ātma-saṁyama* – az elmén uralkodva; *yoga* – az összekapcsoló folyamat; *agnau* – tüzében; *juhvati* – felajánlják; *jñāna-dīpite* – az önmegvalósításra vágyakozva.

Akik az elme és az érzékek szabályozása által kívánják elérni az önmegvalósítást, azok az érzékek és az életlevegő működését ajánlják áldozatként a fegyelmezett elme tüzébe.

MAGYARÁZAT: Ez a vers a Patañjali alapította *yoga*-rendszerre utal. Patañjali *Yoga-sūtrája pratyag-ātmának* és *parāg-ātmának* nevezi a lelket. Ha a lélek ragaszkodik az érzéki élvezethez, *parāg-ātmának* nevezik, ha azonban lemond az érzéki élvezetről, *pratyag-ātmā* a neve. A lélek alá van vetve a testen belüli tízféle levegő működésének, s ez a légzés folyamatán keresztül érzékelhető. A Patañjali-féle *yoga*-rendszer a testlevegő működésének gyakorlati szabályozását tanítja. Ennek célja, hogy a belső levegő működése végső soron elősegítse a lélek megtisztulását az anyagi ragaszkodástól. E *yoga*-rendszer szerint a végső cél a *pratyag-ātmā*. Ez a *pratyag-ātmā* tartózkodik minden anyagi cselekedettől. Az érzékek és az érzéktárgyak kölcsönhatásban állnak egymással: a fül a hanggal a hallás érdekében, a szem a formával a látás érdekében, az orr az illattal a szaglás érdekében, a nyelv az ízzel az ízlelés érdekében, a kéz a tapintással a tapintásérzékelés érdekében. Ily módon mindegyik érzék az önvalón kívüli cselekedetekbe merül. Ezeket hívják a *prāṇa-vāyu* tevékenységeinek. Az *apāṇa-vāyu* lefelé megy, a *vyāna-vāyu* az összehúzódást és a tágulást segíti elő, a *samāna-vāyu* az egyensúlyt szabályozza, az *udāna-vāyu* pedig felfelé megy. A megvilágosodott tudatú ember mindezeket az önmegvalósítás érdekében használja.

28. VERS

द्रव्ययज्ञास्तपोयज्ञा योगयज्ञास्तथापरे ।
स्वाध्यायज्ञानयज्ञाश्च यतयः संशितव्रताः ॥२८॥

dravya-yajñās tapo-yajñā yoga-yajñās tathāpare
svādhyāya-jñāna-yajñāś ca yatayaḥ saṁśita-vratāḥ

dravya-yajñāḥ – a javaikat feláldozók; *tapaḥ-yajñāḥ* – a vezeklést áldozók; *yoga-yajñāḥ* – a nyolcfokú *yogával* áldozók; *tathā* – így; *apare* – mások; *svādhyāya* – a Védák tanulmányozásával; *jñāna-yajñāḥ* – a transzcendentális tudásban tett fejlődéssel áldozók; *ca* – is; *yatayaḥ* – megvilágosodnak; *saṁśita-vratāḥ* – szigorú fogadalmakat tevők.

Vannak, akik szigorú fogadalmakat téve azáltal világosodnak meg, hogy feláldozzák javaikat, nehéz lemondásokat végeznek, a nyolcfokú misztika yogáját gyakorolják, vagy a Védákat tanulmányozzák, hogy fejlődhessenek a transzcendentális tudásban.

MAGYARÁZAT: Ezeket az áldozatokat több kategóriába lehet sorolni. Vannak emberek, akik különféle jótékony adományok formájában áldozzák fel javaikat. Indiában a gazdag kereskedők közössége és a hercegi családok sokféle jótékonysági intézményt nyitnak – *dharma-śālākat, anna-kṣetrákat, atithi-śālākat, anāthālayákat* és *vidyā-pīṭhákat*. Más országokban is szép számmal akadnak kórházak, idősotthonok és hasonló jótékonysági létesítmények, melyek a szegények és elesettek etetéséről, oktatásáról és orvosi kezeléséről gondoskodnak. Az effele jótékonysági cselekedeteket együttesen *dravyamaya-yajñának* hívják. Vannak, akik egy magasabb színvonalú élet vagy az univerzum felsőbb bolygóinak elérése reményében önszántukból mindenféle vezeklést vállalnak magukra, mint amilyen a *candrāyaṇa* vagy a *cāturmāsya.* Ők szigorú fogadalmakat tesznek, és meghatározott szabályok szerint élik az életüket. Aki betartja a *cāturmāsya* fogadalmát, az az év négy hónapján át (júliustól októberig) nem borotválkozik, tartózkodik bizonyos ételektől, csak egyszer eszik egy nap, és nem mozdul ki otthonról. A kényelmes élet efféle feláldozását *tapomaya-yajñának* nevezik. Mások különféle misztikus *yogákat* gyakorolnak, például Patañjali *yoga*-rendszerét, hogy az Abszolút létébe olvadjanak, vagy a *haṭha-* illetve *aṣṭāṅga-yogával* foglalkoznak, hogy bizonyos képességekre tegyenek szert. Vannak, akik a szent zarándokhelyeket látogatják sorra. E tevékenységeket együttesen *yoga-yajñának* hívják, olyan áldozatoknak, melyeknek célja egy bizonyos fajta tökéletesség elérése ebben az anyagi világban. Vannak olyanok, akik a különféle védikus írásokat tanulmányozzák, főleg az *upaniṣadokat* és a *Vedānta-sūtrát,* más szóval a *sāṅkhya* filozófiát. Ezeket összefoglaló néven *svādhyāya-yajñának,* a tanulás áldozatának nevezik. Ezek a *yogīk* valamennyien hűségesen végrehajtják a különféle áldozatokat, s egy magasabb rendű életre törekszenek. A Kṛṣṇa-tudat azonban egészen más: ez a Legfelsőbb Úr közvetlen szolgálatát jelenti. A Kṛṣṇa-tudatot az említett áldozatfajták egyikével sem lehet elérni – kizárólag az Úr és az Ő hiteles *bhaktája* kegye teszi azt lehetővé. A Kṛṣṇa-tudat éppen ezért transzcendentális.

29. VERS

अपाने जुह्वति प्राणं प्राणेऽपानं तथापरे ।
प्राणापानगती रुद्ध्वा प्राणायामपरायणाः ।
अपरे नियताहाराः प्राणान् प्राणेषु जुह्वति ॥२९॥

apāne juhvati prāṇaṁ prāṇe 'pānaṁ tathāpare
prāṇāpāna-gatī ruddhvā prāṇāyāma-parāyaṇāḥ
apare niyatāhārāḥ prāṇān prāṇeṣu juhvati

apāne – a lefelé ható levegőben; *juhvati* – felajánlják; *prāṇam* – a kifelé ható levegőt; *prāṇe* – a kifelé menő levegőben; *apānam* – a lefelé haladó levegőt; *tathā* – szintén; *apare* – mások; *prāṇa* – a kifelé menő levegőnek; *apāna* – és a lefelé menő levegőnek; *gatī* – a mozgását; *ruddhvā* – szabályozva; *prāṇa-āyāma* – a légzés beszüntetésével elérhető transzra; *parāyaṇāḥ* – törekvők; *apare* – mások; *niyata* – szabályozott; *āhārāḥ* –

evésűek; *prāṇān* – a kifelé menő levegőt; *prāṇeṣu* – a kifelé menő levegőben; *juhvati* – feláldozzák.

Mások, akik a légzés megszüntetésével akarnak transzba merülni, a kilégzést a belégzésbe, a belégzést pedig a kilégzésbe ajánlják, míg a lélegzet teljes leállításával transzban nem maradnak. Mások a szabályozott evés folyamatával a kilélegzést ajánlják önmagába áldozatként.

MAGYARÁZAT: Ezt a lélegzésfolyamatot szabályozó *yogát prāṇāyāmának* hívják, ami a *haṭha-yoga* különféle ülőhelyzeteinek gyakorlásával kezdődik. Ezek a módszerek ajánlottak ahhoz, hogy az ember szabályozni tudja érzékeit, s fejlődni tudjon a lelki önmegvalósítás útján. Gyakorlásuk a testen belüli levegők szabályozását foglalja magában azáltal, hogy megfordítja azok haladási irányát. Az *apāṇa* levegő lefelé, a *prāṇa* pedig felfelé megy. A *prāṇāyāma-yogī* a megszokottal épp ellentétes módon lélegzik, míg csak az áramlatok a *pūraka* állapotba, vagyis egyensúlyba nem kerülnek. A kilégzés belégzésbe ajánlását *recakának* hívják. Amikor valaki mindkét levegőáramlást teljesen beszünteti, azt *kumbhaka-yogának* nevezik. E *yoga* gyakorlásával a *yogī* meghosszabbíthatja életét, hogy tökéletessé tehesse lelki önmegvalósítását. Az intelligens *yogī* egyetlen élet alatt akarja elérni a tökéletességet, s nem vár a következőre. A *kumbhaka-yoga* végzésével a *yogīk* sok-sok évvel teszik hosszabbá az életüket. A Kṛṣṇa-tudatú ember azonban automatikusan uralkodni tud az érzékei fölött, mert mindig az Úr transzcendentális szerető szolgálatában cselekszik. Érzékei állandóan Kṛṣṇa szolgálatába merülnek, így nincs lehetőség arra, hogy más dolog kösse le őket. Természetes tehát, hogy élete végén az ilyen ember az Úr Kṛṣṇa transzcendentális hajlékára jut, következésképpen nem törekszik arra, hogy meghosszabbítsa életét. Azon nyomban eléri a felszabadulást, ahogyan azt a *Bhagavad-gītā* (14.26) is kijelenti:

māṁ ca yo 'vyabhicāreṇa bhakti-yogena sevate
sa guṇān samatītyaitān brahma-bhūyāya kalpate

„Aki az Úr tiszta odaadó szolgálatát végzi, az az anyagi természet kötőerői fölé emelkedik, s azonnal a lelki síkra kerül." A Kṛṣṇa-tudatú ember a transzcendentális síkról indul, és mindig ebben a tudatban van, éppen ezért nem esik vissza, s végül eljut az Úr lakhelyére. Ha az ember csak *kṛṣṇa-prasādát* fogyaszt, azaz csak olyan ételt eszik, amit az Úrnak felajánlott, természetes módon szabályozza az étkezését. Az evés csökkentése rendkívül sokat segít az érzékek szabályozásában. Ha nem vagyunk képesek uralkodni érzékeinken, nem szabadulhatunk ki az anyagi kötelékekből.

30. VERS

सर्वेऽप्येते यज्ञविदो यज्ञक्षपितकल्मषाः ।
यज्ञशिष्टामृतभुजो यान्ति ब्रह्म सनातनम् ॥३०॥

sarve 'py ete yajña-vido yajña-kṣapita-kalmaṣāḥ
yajña-śiṣṭāmṛta-bhujo yānti brahma sanātanam

sarve – mind; *api* – habár látszólag különbözőek; *ete* – ezek; *yajña-vidaḥ* – az áldozat célját ismerők; *yajña-kṣapita* – az áldozatok eredményeképpen megtisztulva; *kalmaṣāḥ* – a bűnös visszahatásoktól; *yajña-śiṣṭa* – az ilyen *yajña* végzése eredményének; *amṛta-bhujaḥ* – akik ízleltek már ilyen nektárt; *yānti* – haladnak; *brahma* – a legfelsőbb; *sanātanam* – örök birodalom felé.

Ezek az áldozatvégzők, akik ismerik az áldozat célját, megtisztulnak a bűnös visszahatásoktól, s az áldozatok eredményeinek nektárját megízlelve a legfelsőbb, örök világ felé haladnak.

MAGYARÁZAT: A különféle áldozatok – a tulajdon feláldozása, a Védák vagy a különböző filozófiai elméletek tanulmányozása, a *yoga*-rendszer gyakorlása – eddigi leírásából kitűnik, hogy mindegyiknek az érzékek szabályozása a célja. Az anyagi lét alapvető oka az érzékkielégítés, ezért amíg el nem hagyjuk az érzékkielégítés síkját, nincs esélyünk a teljes tudás, teljes boldogság és teljes lét jellemezte örök szint elérésére. Ez a szint az örökkévaló, vagyis a Brahman atmoszférában van. Valamennyi említett áldozat abban segít, hogy megtisztuljunk az anyagi lét bűnös visszahatásaitól. Ez a fejlődés nemcsak boldoggá és gazdaggá teszi az egyént ebben az életben, de teste elhagyása után Isten örök birodalmába is eljuttatja, ahol vagy a személytelen Brahmanba olvad, vagy pedig az Istenség Legfelsőbb Személyisége, Kṛṣṇa társaságát élvezheti.

31. VERS

नायं लोकोऽस्त्ययज्ञस्य कुतोऽन्यः कुरुसत्तम ॥३१॥

nāyaṁ loko 'sty ayajñasya kuto 'nyaḥ kuru-sattama

na – sohasem; *ayam* – ez; *lokaḥ* – a bolygó; *asti* – van; *ayajñasya* – az áldozatot nem végzőnek; *kutaḥ* – hol van; *anyaḥ* – a másik; *kuru-sattama* – ó, Kuruk legjobbja.

Ó, Kuru-dinasztia legkiválóbbja! Áldozat nélkül nem élhet az ember boldogan ezen a bolygón vagy ebben az életben. Mit mondhatnánk akkor a következő életéről?

MAGYARÁZAT: Bármilyen anyagi létformában van az élőlény, soha nincs tisztában igazi helyzetével. Jelenlétünk az anyagi világban bűnös életeink sokszoros visszahatásainak köszönhető. A tudatlanság a bűnös élet oka, a bűnös élet pedig az anyagi lét folytatódását idézi elő. Az emberi létforma az egyetlen lehetőség, hogy megszabaduljunk e béklyótól. A Védák ennek érdekében esélyt adnak a menekülésre azáltal, hogy megmutatják a vallás, az anyagi kényelem és a szabályokhoz kötött érzékkielégítés útját, s végül azt a módszert is megtanítják, aminek segítségével végleg kiszabadulhatunk nyomorúságos helyzetünkből. A vallás, vagyis az előzőekben említett különféle áldozatok útját követve gazdasági problémáink maguktól megoldódnak. A *yajña* végrehajtásával elegendő mennyiségű élelemhez, tejhez stb. jutunk, még az állítólagos népességszaporulat ellenére is. A test teljes ellátása után természetesen az érzékek kielégítése a következő lépés. Ezért a szabályokhoz kötött érzékkielégítés érdekében a Védák szent házasságot írnak elő, mely által az ember felemelkedik arra a szintre, ahol megszabadul az anyagi kötelékektől. E szabad élet legteljesebb tökéletességét a Legfelsőbb Úr társasága jelenti. Ahogyan arról korábban olvashattunk, a tökéletességet a *yajña* (áldozat) végzésével lehet elérni. Hogyan remélhet valaki boldog életet ebben a testben – a következő testről nem is beszélve, melyet egy másik bolygón kap majd –, ha nem akar a Védák szellemében *yajñát* végezni? A különféle mennyei bolygókon az anyagi kényelem különböző fokozataival találkozhatunk, s azokra, akik *yajñát* végeznek, minden esetben mérhetetlen öröm vár. Ám a legnagyobb boldogság, amit az ember elérhet, az, ha a Kṛṣṇa-tudat gyakorlásával eljut a lelki bolygókra. Ezért az anyagi lét valamennyi problémájára a Kṛṣṇa-tudatos élet a megoldás.

32. VERS

एवं बहुविधा यज्ञा वितता ब्रह्मणो मुखे ।
कर्मजान् विद्धि तान् सर्वानेवं ज्ञात्वा विमोक्ष्यसे ॥३२॥

evaṁ bahu-vidhā yajñā vitatā brahmaṇo mukhe
karma-jān viddhi tān sarvān evaṁ jñātvā vimokṣyase

evam – így; *bahu-vidhāḥ* – különféle; *yajñāḥ* – áldozatok; *vitatāḥ* – terjednek; *brahmaṇaḥ* – a Védákból; *mukhe* – a szájon keresztül; *karma-*

jān – tettekből születetteknek; *viddhi* – tudd; *tān* – őket; *sarvān* – mindet; *evam* – ilyennek; *jñātvā* – tudván; *vimokṣyase* – fel fogsz szabadulni.

A Védák helyeslik e különféle áldozatokat, melyek mindegyike tettekből születik. Ha tudod, hogy ez így van, felszabadulsz.

MAGYARÁZAT: Ahogyan azt az előzőekben elmondtuk, a Védák sokféle áldozatot ajánlanak a különböző tevékenységek végzői számára. Ezek az áldozatok olyan rendszert alkotnak, hogy a testi életfelfogásban mélyen elmerülő emberek a testükkel, az elméjükkel vagy akár az értelmükkel is végezhetik azokat. Ezzel együtt azonban mindegyik *yajñát* azért ajánlják, hogy végrehajtójuk megszabaduljon a testtől. Az Úr saját szavaival erősíti meg ezt ebben a versben.

33. VERS

श्रेयान्द्रव्यमयाद्यज्ञाज्ज्ञानयज्ञः परन्तप ।
सर्वं कर्माखिलं पार्थ ज्ञाने परिसमाप्यते ॥३३॥

śreyān dravya-mayād yajñāj jñāna-yajñaḥ parantapa
sarvaṁ karmākhilaṁ pārtha jñāne parisamāpyate

śreyān – nagyobb; *dravya-mayāt* – az anyagi javaknak; *yajñāt* – a feláldozásánál; *jñāna-yajñaḥ* – a tudásban végzett áldozat; *parantapa* – ó, ellenség fenyítője; *sarvam* – minden; *karma* – tett; *akhilam* – teljességében; *pārtha* – ó, Pṛthā fia; *jñāne* – tudásban; *parisamāpyate* – végződik.

Ó, ellenség fenyítője, a tudással végzett áldozat többet ér az anyagi javak feláldozásánál. Ó, Pṛthā fia! Végül a tettek valamennyi áldozata a transzcendentális tudásban éri el tetőfokát.

MAGYARÁZAT: Minden áldozat célja a teljes tudás elérése, majd az anyagi szenvedésektől való megszabadulás, és végül a Legfelsőbb Úr szerető transzcendentális szolgálata (a Kṛṣṇa-tudat). E különféle áldozati cselekedeteket azonban titok fedi. Meg kell ismernünk ezt a titkot. Az áldozatok olykor a végrehajtó sajátos hitének megfelelően különféle formát öltenek. Ha az áldozat végrehajtójának hite elérte a transzcendentális tudás síkját, akkor őt fejlettebbnek kell tekinteni, mint azt, aki ilyen tudás nélkül csupán az anyagi javakat áldozza fel, mert tudás hiányában az áldozat anyagi jellegű marad, és nem jár lelki haszonnal. Az igazi tudás a Kṛṣṇa-tudatban, a transzcendentális tudás legmagasabb fokán éri el tetőpontját. Ha nem emelkednek a tudás síkjára, az áldozatok anyagi tettek maradnak. Ha azonban elérik a transzcendentális tudás e szintjét, akkor minden ilyen cselekedet lelki jellegű lesz. Az áldozati tetteket a végrehajtók tudata alapján néha *karma-kāṇḍának* (gyümölcsöző cselekedeteknek), néha pedig *jñāna-kāṇḍának* (az igazságot kereső tudásnak) nevezzük. Jobb, ha a tudás a végső cél.

34. VERS

तद्विद्धि प्रणिपातेन परिप्रश्नेन सेवया ।
उपदेक्ष्यन्ति ते ज्ञानं ज्ञानिनस्तत्त्वदर्शिनः ॥३४॥

tad viddhi praṇipātena paripraśnena sevayā
upadekṣyanti te jñānaṁ jñāninas tattva-darśinaḥ

tat – azt az ismeretet a különféle áldozatokról; *viddhi* – próbáld megérteni; *praṇipātena* – azáltal, hogy egy lelki tanítómesterhez fordulsz; *paripraśnena* – alázatos tudakozódással; *sevayā* – szolgálatvégzéssel; *upadekṣyanti* – be fognak avatni; *te* – téged; *jñānam* – tudásba; *jñāninaḥ* – az önmegvalósítottak; *tattva* – az igazságnak; *darśinaḥ* – a látnokai.

Fordulj egy lelki tanítómesterhez, úgy próbáld megismerni az igazságot! Tudakozódj tőle alázatosan, és szolgáld őt! Az önmegvalósított lelkek képesek tudásban részesíteni téged, mert ők már látták az igazságot.

MAGYARÁZAT: A lelki megvilágosodás útja kétségtelenül nehéz, ezért az Úr azt tanácsolja, hogy forduljunk egy hiteles lelki tanítómesterhez, aki tagja az Úrtól eredő tanítványi láncolatnak. Senki sem lehet hiteles lelki tanítómester, ha nem tartozik a tanítványi láncolathoz. Az Úr az eredeti lelki tanítómester, így a Tőle eredő tanítványi láncolat tagja képes az Úr üzenetét változtatás nélkül átadni tanítványának. Az ostoba képmutatók körében nagyon népszerű, hogy kitalálnak egy saját folyamatot, ezzel azonban senki sem tehet szert a lelki megvilágosodásra. A *Bhāgavatam* (6.3.19) azt írja: *dharmaṁ tu sākṣād bhagavat-praṇītam,* a vallás útját maga az Úr szabja meg. Ezért az elmebeli spekuláció vagy az unalmas logika nem vezetik az embert a helyes ösvényre. A tudás könyveinek saját szeszélyeink alapján való tanulmányozásával sem lehet fejlődni a lelki életben. A tudásért egy hiteles lelki tanítómesterhez kell fordulnunk. Az ilyen lelki tanítómestert teljes meghódolással kell elfogadnunk, és minden alaptalan büszkeségérzet nélkül kell szolgálnunk, akár egy cseléd. A lelki életben tett fejlődés titka az önmegvalósítást elért lelki tanítómester elégedettsége. Ha valaki lelki tudásra vágyik, arra a tudakozódás és alázatosság a helyes módszer. Mindaddig hiába érdeklődünk a nagy tudású lelki tanítómestertől, amíg nem vagyunk alázatosak és szolgálatkészek. A lelki tanítómester próbára teszi tanítványát, akinek ki kell állnia e próbát. Ha meggyőződik tanítványa őszinte vágyáról, igaz lelki tudással áldja meg őt. Ez a vers a vakon követést és az abszurd tudakozódást egyaránt elítéli. Nemcsak alázatosan kell hallgatni a lelki tanítómester szavait, de az engedelmesség, a szolgálat és a kérdések segítségével alaposan meg is kell érteni mindazt, amit mond. A hiteles lelki tanítómester természeténél fogva nagyon kedves tanítványához, így aztán ha a tanítvány alázatos és mindig szolgálatkész, a tudakozódás és a tanítás kölcsönös viszonya tökéletessé válik.

35. VERS

यज्ज्ञात्वा न पुनर्मोहमेवं यास्यसि पाण्डव ।
येन भूतान्यशेषाणि द्रक्ष्यस्यात्मन्यथो मयि ॥३५॥

yaj jñātvā na punar moham evaṁ yāsyasi pāṇḍava
yena bhūtāny aśeṣāṇi drakṣyasy ātmany atho mayi

yat – amit; *jñātvā* – tudva; *na* – sohasem; *punaḥ* – újra; *moham* – illúzióba; *evam* – így; *yāsyasi* – jutsz; *pāṇḍava* – ó, Pāṇḍu fia; *yena* – ami által; *bhūtāni* – az élőlényeket; *aśeṣāṇi* – mindet; *drakṣyasi* – látni fogod; *ātmani* – a Legfelsőbb Lélekben; *atha u* – vagy más szóval; *mayi* – Bennem.

Ha egy önmegvalósított lélek igazi tudásban részesít, nem esel többé ilyen illúzióba, mert e tudás révén látni fogod, hogy minden élőlény a Legfelsőbb része, vagyis az Enyémek ők.

MAGYARÁZAT: Ha az ember tudásra tett szert egy önmegvalósított lélektől, vagyis attól, aki a dolgokat a maguk valójában ismeri, akkor megtanulja, hogy minden élőlény az Istenség Legfelsőbb Személyisége, az Úr Śrī Kṛṣṇa szerves része. Azt a felfogást, miszerint létünk Kṛṣṇától független, *māyānak* hívják (*mā* – nem, *yā* – ez). Egyesek úgy gondolják, semmi közünk Kṛṣṇához, hogy Kṛṣṇa csupán egy kiemelkedő történelmi személyiség, az Abszolút viszont a személytelen Brahman. Valójában – amint a *Bhagavad-gītā* írja – ez a személytelen Brahman nem más, mint a Kṛṣṇa személyes formájából áradó ragyogás. Kṛṣṇa, az Istenség Legfelsőbb Személyisége minden létező dolog oka. A *Brahma-saṁhitā* egyértelműen kijelenti, hogy Kṛṣṇa, az Istenség Legfelsőbb Személyisége minden ok oka. Még a sok millió inkarnáció is az Ő kiterjedése, s éppen így az élőlények is Kṛṣṇa kiterjedései. A *māyāvādī* filozófusok tévednek, amikor azt hiszik, hogy Kṛṣṇa sok kiterjedésében elveszíti saját különálló létét. Ez anyagi gondolkodás. Az anyagi világban azt tapasztaljuk, hogy egy tárgy elveszíti eredeti formáját, ha töredék részekre oszlik. A *māyāvādī* filozófusok képtelenek megérteni, hogy *abszolút* azt jelenti, hogy egy meg egy az egy, és egy mínusz egy is egy. Ez jellemzi az abszolút világot.

Az abszolút tudomány kellő ismerete hiányában most illúzió borít bennünket, ezért különállóknak hisszük magunkat Kṛṣṇától. Noha valóban Kṛṣṇa elkülönült részei vagyunk, nem különbözünk Tőle. Az élőlények testi különbözősége *māyā,* vagyis valótlanság. Mindannyiunknak az a feladatunk, hogy elégedetté tegyük Kṛṣṇát. Csakis a *māyā* hatása alatt hitte Arjuna, hogy a rokonaihoz fűződő ideiglenes testi kapcsolat fontosabb a Kṛṣṇához fűződő örök lelki kapcsolatánál. A *Bhagavad-gītā* egész tanítása ezt a végkövetkeztetést helyezi a középpontba: az élőlény Kṛṣṇa örök szolgája, ezért nem választható el Tőle, s ha különállónak gondolja magát Kṛṣṇától, az *māyā.* Az élőlényeknek – mint a Legfelsőbb elkülönült szerves részeinek – feladatuk van, amit teljesíteniük kell. Erről megfeledkezvén időtlen idők óta különböző – olykor emberi, olykor állati, olykor félisteni stb. – testeket öltenek magukra. Az efféle testi különbségek oka az, hogy az élőlények megfeledkeznek az Úr transzcendentális szolgálatáról. Ha valaki a Kṛṣṇa-tudat révén Kṛṣṇa transzcendentális szolgálatához lát, azonnal megszabadul ettől az illúziótól. Ilyen tiszta tudást csakis egy hiteles lelki tanítómester adhat, s ezáltal az ember megszabadulhat attól a tévhittől, hogy az élőlény egyenlő Kṛṣṇával. A tökéletes tudás azt jelenti, hogy a Legfelsőbb Lélek, Kṛṣṇa minden élőlény végső menedéke. Ha az élőlények elhagyják ezt a védelmet, az anyagi energia varázsa ejti csapdába őket, melynek hatása alatt azt képzelik, hogy függetlenek. Ily módon a különféle anyagi önazonosítások következtében megfeledkeznek Kṛṣṇáról. Ha azonban ezek a megtévesztett élőlények ismét Kṛṣṇa-tudatúvá válnak, tudhatjuk, hogy a felszabadulás útján haladnak, ahogyan azt a *Bhāgavatam* (2.10.6) is megerősíti: *muktir hitvānyathārūpaṁ svarūpena vyavasthitiḥ.* A felszabadulás azt jelenti, hogy az ember újra elfoglalja eredeti helyzetét mint Kṛṣṇa örök szolgája, azaz Kṛṣṇatudatú lesz.

36. VERS

अपि चेदसि पापेभ्यः सर्वेभ्यः पापकृत्तमः ।
सर्वं ज्ञानप्लवेनैव वृजिनं सन्तरिष्यसि ॥३६॥

api ced asi pāpebhyaḥ sarvebhyaḥ pāpa-kṛt-tamaḥ
sarvaṁ jñāna-plavenaiva vṛjinaṁ santariṣyasi

api – még; *cet* – ha; *asi* – te vagy; *pāpebhyaḥ* – bűnösök közül; *sarvebhyaḥ* – mindegyikük közül; *pāpa-kṛt-tamaḥ* – a legnagyobb bűnös; *sarvam* – minden ilyen bűnös visszahatást; *jñāna-plavena* – a transzcendentális tudás hajójával; *eva* – bizony; *vṛjinam* – a szenvedések óceánját; *santariṣyasi* – át fogod szelni.

Még ha a bűnösök legbűnösebbjének tekintenek is, képes leszel átszelni a szenvedések óceánját, ha helyet foglaltál a transzcendentális tudás hajóján.

MAGYARÁZAT: Eredeti helyzetünk – Kṛṣṇával való kapcsolatunk – megfelelő felismerése olyan csodálatos dolog, hogy azon nyomban kimenthet bennünket a tudatlanság óceánjából, ahol létünkért küzdünk. Az anyagi világot néha a tudatlanság óceánjának, néha pedig égő erdőnek nevezik. Bármennyire is ügyes úszó valaki, az óceánban a létért folytatott küzdelem rendkívül kíméletlen. A legdicsőbb életmentő az, aki eljön, és kimenti az óceánban küszködő úszót. A felszabadulás útja az Istenség Legfelsőbb Személyiségétől kapott tökéletes tudás. A Kṛṣṇa-tudat hajója nagyon egyszerű, ugyanakkor a legnagyszerűbb is.

37. VERS

यथैधांसि समिद्धोऽग्निर्भस्मसात्कुरुतेऽर्जुन ।
ज्ञानाग्निः सर्वकर्माणि भस्मसात्कुरुते तथा ॥३७॥

yathaidhāṁsi samiddho ’gnir bhasma-sāt kurute ’rjuna
jñānāgniḥ sarva-karmāṇi bhasma-sāt kurute tathā

yathā – mint ahogyan; *edhāṁsi* – a tűzifát; *samiddhaḥ* – lángoló; *agniḥ* – tűz; *bhasma-sāt* – hamuvá; *kurute* – változtatja; *arjuna* – ó, Arjuna; *jñāna-agniḥ* – a tudás tüze; *sarva-karmāṇi* – az anyagi cselekedetek minden visszahatását; *bhasma-sāt* – hamuvá; *kurute* – változtatja; *tathā* – hasonlóan.

Ó, Arjuna! Amint a lobogó lángok között hamuvá ég a fa, úgy hamvasztja el a tudás tüze az anyagi cselekedetek minden visszahatását.

MAGYARÁZAT: Az önvalóról és a Felsőbb Önvalóról, valamint a kettőjük kapcsolatáról szóló tökéletes tudást e vers a tűzhöz hasonlítja. A tűz nemcsak az istentelen tettek valamennyi visszahatását égeti hamuvá, de a jókét is. A visszahatásnak több fokozata van: kialakuló, érlelődő, már megkapott és előzetes. Az élőlény eredeti helyzetéről szóló tudás azonban valamennyit elhamvasztja. Ha valaki teljes tudással rendelkezik, akkor minden visszahatás, *a priori* és *a posteriori* egyaránt elhamvad.

A Védák (*Bṛhad-āraṇyaka-upaniṣad* 4.4.22) kijelentik: *ubhe uhaivaiṣa ete taraty amṛtaḥ sādhv-asādhūnī.* „Az ember a jó és a rossz tett visszahatásaitól egyformán megszabadul."

38. VERS

न हि ज्ञानेन सदृशं पवित्रमिह विद्यते ।
तत्स्वयं योगसंसिद्धः कालेनात्मनि विन्दति ॥३८॥

na hi jñānena sadṛśaṁ pavitram iha vidyate
tat svayaṁ yoga-saṁsiddhaḥ kālenātmani vindati

na – semmi; *hi* – bizony; *jñānena* – tudással; *sadṛśam* – összehasonlítva; *pavitram* – megszentelt; *iha* – ebben a világban; *vidyate* – létezik; *tat* – az; *svayam* – maga; *yoga* – odaadásban; *saṁsiddhaḥ* – aki érett; *kālena* – idővel; *ātmani* – magában; *vindati* – örvend.

Ebben a világban semmi sem olyan magasztos és tiszta, mint a transzcendentális tudás. Ez a tudás minden misztika érett gyümölcse, s ha valaki tökéletessé válik az odaadó szolgálat végzésében, az idővel bensőjében örvend e tudásnak.

MAGYARÁZAT: Amikor transzcendentális tudásról beszélünk, a lelki tudást értjük alatta. Semmi sem magasztosabb és tisztább tehát a transzcendentális tudásnál. Rabságunk oka a tudatlanság, felszabadulásunké pedig a tudás, mely az odaadó szolgálat érett gyümölcse. A transzcendentális tudás birtokában az embernek nem kell máshol kutatnia a béke után, hiszen bensőjében örvend annak. Más szóval ez a tudás és béke a Kṛṣṇa-tudatban éri el tetőfokát. Ez a *Bhagavad-gītā* végső szava.

39. VERS

श्रद्धावाँल्लभते ज्ञानं तत्परः संयतेन्द्रियः ।
ज्ञानं लब्ध्वा परां शान्तिमचिरेणाधिगच्छति ॥३९॥

śraddhāvāl̐ labhate jñānaṁ tat-paraḥ saṁyatendriyaḥ
jñānaṁ labdhvā parāṁ śāntim acireṇādhigacchati

śraddhā-vān – a hittel rendelkező; *labhate* – eléri; *jñānam* – a tudást; *tat-paraḥ* – az ehhez nagyon ragaszkodó; *saṁyata* – szabályozott; *indriyaḥ* – érzékű; *jñānam* – tudást; *labdhvā* – elérve; *parām* – transzcendentális; *śāntim* – békét; *acireṇa* – nagyon hamar; *adhigacchati* – eléri.

Az az erős hitű ember, aki átadja magát a transzcendentális tudásnak, valamint uralkodik az érzékein, alkalmas rá, hogy szert tegyen erre a tudásra, s ha már a birtokában van, hamarosan eléri a legfelsőbb lelki békét.

MAGYARÁZAT: A Kṛṣṇa-tudat tudományára csak a Kṛṣṇában szilárdan hívő, erős hittel rendelkező ember tehet szert. Erős hitűnek azt nevezik, aki meg van győződve arról, hogy ha Kṛṣṇa-tudatban cselekszik, elérheti a legmagasabb szintű tökéletességet. Ezt a hitet az odaadó szolgálat végzésével és a Hare Kṛṣṇa, Hare Kṛṣṇa, Kṛṣṇa Kṛṣṇa, Hare Hare, Hare Rāma, Hare Rāma, Rāma Rāma, Hare Hare éneklésével lehet elérni, amely megtisztítja a szívet minden anyagi szennytől. Mindenek fölött azonban meg kell tanulnunk uralkodni az érzékek felett. Aki Kṛṣṇába veti hitét és uralkodik az érzékein, az könnyen és gyorsan tökéletessé válhat a Kṛṣṇa-tudat tudományában.

40. VERS

अज्ञश्चाश्रद्दधानश्च संशयात्मा विनश्यति ।
नायं लोकोऽस्ति न परो न सुखं संशयात्मनः ॥४०॥

ajñaś cāśraddadhānaś ca saṁśayātmā vinaśyati
nāyaṁ loko 'sti na paro na sukhaṁ saṁśayātmanaḥ

ajñaḥ – az ostoba, aki nem ismeri a kinyilatkoztatott írásokat; *ca* – és; *aśraddadhānaḥ* – a kinyilatkoztatott szentírásokba vetett hitet nélkülöző; *ca* – és; *saṁśaya* – kételkedő; *ātmā* – személy; *vinaśyati* – visszaesik; *na* – sohasem; *ayam* – ebben; *lokaḥ* – a világban; *asti* – van; *na* – sem; *paraḥ* – a következő életben; *na* – nem; *sukham* – boldogság; *saṁśaya* – a kételkedő; *ātmanaḥ* – embernek.

Ám a kinyilatkoztatott írásokban kételkedő, tudatlan és hitetlen emberek nem érik el az Isten-tudatot, hanem visszaesnek. A kételkedő lelkek nem boldogok sem ebben, sem a következő világban.

MAGYARÁZAT: A számos mértékadó és hiteles kinyilatkoztatott szentírás közül a *Bhagavad-gītā* a legjobb. A csaknem állatként élő emberek nem hisznek a kinyilatkoztatott szentírásokban, sőt nem is ismerik őket, s ha ismerik is – sőt még idéznek is belőlük –, valójában nem hiszik el egyetlen szavát sem. Vannak olyanok is, akik hisznek ugyan az olyan szentírásokban, mint a *Bhagavad-gītā,* ám nem hisznek az Istenség Személyiségében, Śrī Kṛṣṇában, s nem imádják Őt. Az ilyen emberek nem tudnak Kṛṣṇa-tudatban maradni, s így visszaesnek. Az említettek közül a hitetlenek és az állandóan kételkedők egyáltalán nem fejlődnek. Akik nem hisznek Istenben és az Ő kinyilatkoztatott szavaiban, azokra semmi jó nem vár sem ebben a világban, sem a következőben, és a boldogságot sem találják meg soha. Ezért hát hittel meg kell szívlelnünk a kinyilatkoztatott írások elveit, hogy felemelkedhessünk a tudás síkjára, mert csakis e tudás segítségével érhetjük el a lelki tudás transzcendentális szintjét. A kételkedőknek tehát nincs keresnivalójuk a lelki felszabadulás ösvényén. A siker érdekében az embernek a tanítványi lánc nagy *ācāryáinak* nyomdokait kell követnie.

41. VERS

योगसन्न्यस्तकर्माणं ज्ञानसञ्छिन्नसंशयम् ।
आत्मवन्तं न कर्माणि निबध्नन्ति धनञ्जय ॥४१॥

yoga-sannyasta-karmāṇaṁ jñāna-sañchinna-saṁśayam
ātmavantaṁ na karmāṇi nibadhnanti dhanañjaya

yoga – aki a *karma-yogában* végzett odaadó szolgálat által; *sannyasta* – lemondott; *karmāṇam* – tettei gyümölcseiről; *jñāna* – aki a tudás által; *sañchinna* – elvágta; *saṁśayam* – kétségeit; *ātma-vantam* – aki az önvalóban megállapodott; *na* – sohasem; *karmāṇi* – a tettek; *nibadhnanti* – lekötik; *dhanañjaya* – ó, gazdagság meghódítója.

Ó, gazdagság meghódítója! Aki odaadó szolgálatot végez, s lemond munkája gyümölcseiről, akinek kétségeit szétoszlatta a transzcendentális tudás, az igazán megállapodik az önvalóban, s így nem kötik gúzsba a tettek visszahatásai.

MAGYARÁZAT: Aki követi a *Bhagavad-gītā* utasításait, úgy, ahogyan azt maga az Úr, az Istenség Legfelsőbb Személyisége tanítja, az a transzcendentális tudás révén megszabadul minden kételytől. Mint az Úr szerves része, teljes Kṛṣṇa-tudatában elsajátította az önvalóról szóló tudományt, s ennek következtében kétségtelenül kiszabadult a cselekvés kötelékei közül.

42. VERS

तस्मादज्ञानसम्भूतं हृत्स्थं ज्ञानासिनात्मनः ।
छित्त्वैनं संशयं योगमातिष्ठोत्तिष्ठ भारत ॥४२॥

tasmād ajñāna-sambhūtaṁ hṛt-sthaṁ jñānāsinātmanaḥ
chittvainaṁ saṁśayaṁ yogam ātiṣṭhottiṣṭha bhārata

tasmāt – ezért; *ajñāna-sambhūtam* – a tudatlanságból született; *hṛt-stham* – a szívben elhelyezkedő; *jñāna* – tudásnak; *asinā* – a fegyverével; *ātmanaḥ* – az önvalóról szóló; *chittvā* – elvágva; *enam* – ezt; *saṁśayam* – kétséget; *yogam* – *yogában; ātiṣṭha* – állapodj meg; *uttiṣṭha* – kelj fel és harcolj; *bhārata* – ó, Bharata leszármazottja.

Ezért az önvalóról szóló tudás fegyverével hasítsd szét a kétségeket, melyek tudatlanságból támadtak szívedben! Ó, Bhārata, állj fel a yogával felfegyverkezve, és harcolj!

MAGYARÁZAT: Az ebben a fejezetben ismertetett *yogát sanātana-yogának* nevezik, amely az élőlény által végzett örök tetteket jelenti. Ez a *yoga* kétféle áldozati tevékenységet foglal magában: az egyik az anyagi javak feláldozása, a másik pedig az önvalóról szóló tudás megszerzése. Ez utóbbi tiszta lelki cselekedet. Ha az anyagi javak feláldozása nem kapcsolódik egybe a lelki önmegvalósítással, akkor az ilyen áldozat anyagi lesz, ám ha lelki céllal, azaz odaadó szolgálatban hajtják végre, akkor tökéletessé válik. A lelki tettekhez érve azt találjuk, hogy azok szintén két részre oszthatók: az önvalónak (a lélek eredeti helyzetének) a megértése, valamint az Istenség Legfelsőbb Személyiségére vonatkozó igazság felismerése. Aki az igazi *Bhagavad-gītā* útját követi, az nagyon könnyen megértheti a lelki tudás e két fontos kategóriáját. Számára nem nehéz tökéletes tudást szerezni a lélekről, amely az Úr szerves része. Az ilyen tudás hasznos, mert aki ezt megérti, az könnyen megérti az Úr transzcendentális tetteit is. A fejezet elején maga a Legfelsőbb Úr beszélt transzcendentális cselekedeteiről. Aki nem érti meg a *Gītā* parancsait, az hitetlen, és úgy kell tekinteni rá, hogy visszaélt az Úrtól kapott töredék függetlenségével. Aki ezen utasítások ellenére sem érti meg az Úr igazi természetét – hogy Ő az örökkévaló, gyönyörrel teli és mindentudó Istenség Személyisége –, az kétségtelenül első számú ostoba. A Kṛṣṇa-tudat elveinek fokozatos elfogadásával véget vethetünk a tudatlanságnak. A Kṛṣṇa-tudatot különféle módszerekkel lehet felébreszteni: a félisteneknek végzett különféle áldozatokkal, a Brahmannak végzett áldozattal, a cölibátus áldozatával, a házasság áldozatával, az érzékek fegyelmezésének, a misztikus *yoga* gyakorlásának, a vezekléseknek, az anyagi javak feláldozásának, a Védák tanulmányozásának és a *varṇāśrama-dharma* társadalmi intézményében való részvételnek az áldozatával. Valamennyit áldozatnak nevezik, s mindegyikük a szabályozott cselekedeteken alapszik, de valamennyiben az önmegvalósítás a fontos tényező. Aki *ezt* a célt kutatja, az a *Bhagavad-gītā* igazi tanulmányozója, míg a Kṛṣṇa felsőbb hatalmában kételkedő visszaesik. Ajánlatos tehát, hogy a *Bhagavad-gītāt* vagy bármelyik más szentírást egy hiteles lelki tanítómester felügyelete alatt, őt szolgálva és neki meghódolva tanulmányozzuk. A hiteles lelki tanítómester az öröktől fogva létező tanítványi láncolat tagja, és egy hajszálnyira sem tér el a Legfelsőbb Úr utasításaitól, amelyeket sok millió évvel ezelőtt a napisten is hallott, akitől a *Bhagavad-gītā* tanítása eljutott a földi világba. Követnünk kell tehát a *Bhagavad-gītāt,* magának a *Gītānak* az utasításai alapján, s kerülnünk kell az olyan önző embereket, akik a saját dicsőségükre vágyva letérítenek másokat az igaz útról. Kétség sem fér hozzá, hogy az Úr a legfelsőbb személy, s tettei transzcendentálisak. Aki ezt megérti, az már a *Bhagavad-gītā* tanulmányozása kezdetén felszabadul.

Így végződnek a Bhaktivedanta-magyarázatok a Śrīmad Bhagavad-gītā *negyedik fejezetéhez, melynek címe: „Transzcendentális tudás”.*

ÖTÖDIK FEJEZET

Karma-yoga – cselekvés Kṛṣṇa-tudatban

1. VERS

अर्जुन उवाच
सन्न्यासं कर्मणां कृष्ण पुनर्योगं च शंससि ।
यच्छ्रेय एतयोरेकं तन्मे ब्रूहि सुनिश्चितम् ॥१॥

arjuna uvāca
sannyāsaṁ karmaṇāṁ kṛṣṇa punar yogaṁ ca śaṁsasi
yac chreya etayor ekaṁ tan me brūhi su-niścitam

arjunaḥ uvāca – Arjuna mondta; *sannyāsam* – lemondást; *karmaṇām* – minden tettről; *kṛṣṇa* – ó, Kṛṣṇa; *punaḥ* – megint; *yogam* – odaadó szolgálatot; *ca* – is; *śaṁsasi* – dicséred; *yat* – ami; *śreyaḥ* – hasznosabb; *etayoḥ* – e kettő közül; *ekam* – egyet; *tat* – azt; *me* – nekem; *brūhi* – kérlek, mondd meg; *su-niścitam* – határozottan.

Arjuna így szólt: Ó, Kṛṣṇa, először azt kéred, mondjak le a tettekről, majd az odaadással végzett munkát ajánlod. Kérlek, mondd meg határozottan, hogy a kettő közül melyik a hasznosabb?

MAGYARÁZAT: A *Bhagavad-gītānak* ebben a fejezetében az Úr kijelenti, hogy az odaadó szolgálatban végzett munka jobb az unalmas spekulációnál, s könnyebb is, mert transzcendentális természeténél fogva megszabadítja az embert a visszahatásoktól. A második fejezet a lélekről szóló tudás alapjait és a lélek anyagi testben való rabságát magyarázta el, valamint azt, hogyan lehet a *buddhi-yoga,* az odaadó szolgálat által kiszabadulni az anyag börtönéből. A harmadik fejezet arról szólt, hogy annak, aki eljutott a tudás síkjára, már nincsenek végrehajtandó kötelességei, a negyedik fejezetben pedig azt mondta el az Úr Arjunának, hogy minden áldozati tett a tudásban tetőzik. E fejezet végén azonban azt tanácsolta neki: ébredjen fel, s a tökéletes tudás birtokában harcoljon. Arjunát némileg összezavarta és elbizonytalanította, hogy Kṛṣṇa egyidejűleg hangsúlyozta az odaadással végzett munka és a tudással teli tétlenség fontosságát. Arjuna megértette, hogy a tudással történő lemondás mindenfajta érzéktevékenység beszüntetését jelenti. De hogyan szüntessük be a tetteket, ha odaadó szolgálatban cselekszünk? Más szóval Arjuna, mivel a tett és a lemondás összeegyeztethetetlennek tűnt számára, úgy vélte, hogy a *sannyāsának,* vagyis a tudással történő lemondásnak teljes egészében mentesnek kell lennie mindenféle cselekedettől. Úgy látszik, nem értette meg, hogy a teljes tudással végzett tett nem jár visszahatásokkal, tehát ugyanaz, mint a tétlenség. Ezért tette fel a kérdést: hagyjon-e abba minden tettet, vagy teljes tudásban cselekedjen?

2. VERS

श्रीभगवानुवाच
सन्न्यासः कर्मयोगश्च निःश्रेयसकरावुभौ ।
तयोस्तु कर्मसन्न्यासात्कर्मयोगो विशिष्यते ॥२॥

śrī-bhagavān uvāca
sannyāsaḥ karma-yogaś ca niḥśreyasa-karāv ubhau
tayos tu karma-sannyāsāt karma-yogo viśiṣyate

śrī-bhagavān uvāca – az Istenség Személyisége mondta; *sannyāsaḥ* – lemondás a cselekvésről; *karma-yogaḥ* – odaadással végzett tettek; *ca* – is; *niḥśreyasa-karau* – a felszabadulás útjához vezetnek; *ubhau* – mindkettő; *tayoḥ* – a kettő közül; *tu* – de; *karma-sannyāsāt* – a gyümölcsöző tettekről való lemondással összehasonlítva; *karma-yogaḥ* – az odaadással végzett tettek; *viśiṣyate* – a jobb.

Az Istenség Személyisége így válaszolt: A tettekről való lemondás és az odaadással végzett tett egyaránt felszabaduláshoz vezet. Ám az odaadó szolgálat jobb, mint a tettekről való lemondás.

MAGYARÁZAT: Az anyagi rabságot az érzékkielégítés érdekében végzett gyümölcsöző cselekedetek okozzák. Az élőlény mindaddig vándorol a különféle testeken keresztül, s folytatja szakadatlan anyagi rabságát, amíg olyan tetteket hajt végre, amelyeknek célja a testi kényelem fokozása. A *Śrīmad-Bhāgavatam* (5.5.4–6) a következőképpen erősíti ezt meg:

nūnaṁ pramattaḥ kurute vikarma
yad indriya-prītaya āpṛṇoti
na sādhu manye yata ātmano 'yam
asann api kleśa-da āsa dehaḥ

parābhavas tāvad abodha-jāto
yāvan na jijñāsata ātma-tattvam
yāvat kriyās tāvad idaṁ mano vai
karmātmakaṁ yena śarīra-bandhaḥ

evaṁ manaḥ karma-vaśaṁ prayuṅkte
avidyayātmany upadhīyamāne
prītir na yāvan mayi vāsudeve
na mucyate deha-yogena tāvat

„Az emberek őrültként hajszolják az érzékkielégítést, s nem tudják, hogy jelen testük, melynek oly sok szenvedésben van része, múltbeli gyümölcsöző cselekedeteik eredménye. Ez a test ideiglenes, mégis állandóan számtalan bajt okoz. Az érzékek kielégítéséért cselekedni ezért nem jó. Az ember élete mindaddig kudarcnak tekinthető, míg nem tudakozódik valódi kiléte felől. Amíg nem érti meg, ki ő valójában, addig az érzékkielégítés reményében a gyümölcsöző eredményekért kénytelen dolgozni, s amíg tudata az érzékkielégítésbe merül, egyik testből a másikba kell vándorolnia. Az elme a gyümölcsöző tettekbe mélyed, s a tudatlanság hatása alatt áll, de ki kell fejlesztenünk a szeretetet Vāsudeva odaadó szolgálata iránt. Csakis ekkor nyílik lehetőség arra, hogy az ember kiszabaduljon az anyagi lét rabságából."

A *jñāna* tehát (vagyis annak ismerete, hogy nem az anyagi test, hanem lélek vagyunk) nem elegendő a felszabaduláshoz. *Cselekednünk* kell a lélek helyzetének megfelelően, különben nem szabadulhatunk ki az anyag rabságából. A Kṛṣṇa-tudatbeli cselekvés azonban nem a gyümölcsöző tettek síkján történik. A teljes tudással végzett tettek elősegítik az igazi tudás fejlődését. Kṛṣṇa-tudat nélkül a gyümölcsöző tettekről történő lemondás önmagában nem tisztítja meg a feltételekhez kötött lélek szívét, s mindaddig, amíg a szívünk nem tiszta, arra kényszerülünk, hogy a gyümölcsöző tettek szintjén cselekedjünk. Ám a Kṛṣṇa-tudatban végzett munka megszabadít a gyümölcsöző tettek végeredményétől, s így nem szükséges alászállnunk az anyagi síkra. A Kṛṣṇa-tudatbeli cselekedet mindig magasabb rendű a lemondásnál, mert a lemondás mindig magában rejti a visszaesés veszélyét. Śrīla Rūpa Gosvāmī *Bhakti-rasāmṛta-sindhu* című írásában (1.2.258) megerősíti, hogy a lemondás Kṛṣṇa-tudat nélkül nem tökéletes:

prāpañcikatayā buddhyā hari-sambandhi-vastunaḥ
mumukṣubhiḥ parityāgo vairāgyaṁ phalgu kathyate

„Ha a felszabadulásra vágyakozó emberek olyan dolgokról is lemondanak, amelyek kapcsolatban állnak az Istenség Legfelsőbb Személyiségével, csak mert anyaginak tekintik őket, lemondásukat tökéletlennek nevezik." A lemondás akkor teljes, ha annak a tudásnak a birtokában történik, miszerint minden, ami létezik, az Úr tulajdona, ezért senki sem követelhet birtokjogot semmi felett. Meg kell értenünk, hogy valójában semmi nem a miénk. Hogyan beszélhetnénk akkor lemondásról? Aki tudatában van annak, hogy minden Kṛṣṇa tulajdona, az mindig lemondásban él. Mivel Kṛṣṇa az egyedüli birtokos, mindent az Ő szolgálatában kell alkalmazni. A Kṛṣṇa-tudatbeli cselekvés e tökéletes formája sokkal jobb, mint a *māyāvādī*-iskola *sannyāsījainak* bármilyen fokú, természetellenes lemondása.

3. VERS

ज्ञेयः स नित्यसन्न्यासी यो न द्वेष्टि न काङ्क्षति ।
निर्द्वन्द्वो हि महाबाहो सुखं बन्धात्प्रमुच्यते ॥ ३ ॥

jñeyaḥ sa nitya-sannyāsī yo na dveṣṭi na kāṅkṣati
nirdvandvo hi mahā-bāho sukhaṁ bandhāt pramucyate

jñeyaḥ – tudni kell; *saḥ* – ő; *nitya* – mindig; *sannyāsī* – a lemondó; *yaḥ* – aki; *na* – sohasem; *dveṣṭi* – irtózik; *na* – sem; *kāṅkṣati* – vágyakozik; *nirdvandvaḥ* – mentes az ellentétpároktól; *hi* – bizony; *mahā-bāho* – ó, erős karú; *sukham* – könnyedén; *bandhāt* – a kötelékektől; *pramucyate* – teljesen megszabadul.

Ó, erős karú Arjuna! Aki nem vágyakozik munkája gyümölcseire, s nem is gyűlöli azokat, az mindig lemondásban él. Az ilyen ember, aki mentes az ellentétpároktól, könnyedén elvágja az anyagi kötelékeket, s eléri a teljes felszabadulást.

MAGYARÁZAT: A teljesen Kṛṣṇa-tudatú ember mindig lemondásban él, mert nem gyűlöli tettei eredményét, s nem is vágyakozik rájuk. Az ilyen ember, aki életét az Úr transzcendentális szerető szolgálatának szenteli, teljes tudással rendelkezik, mert ismeri eredeti helyzetét Kṛṣṇával való kapcsolatában, s jól tudja, hogy Kṛṣṇa az egész, ő pedig Kṛṣṇa szerves része. Ez a tudás tökéletes, mert a minőség és a mennyiség szempontjából egyaránt helyes. Az az elmélet, hogy egyek vagyunk Kṛṣṇával, helytelen, hiszen a rész nem lehet egyenlő az egésszel. Az tehát, hogy minőség tekintetében egyek vagyunk, ám mennyiségileg különbözőek, helytálló transzcendentális tudás, amelynek elsajátítása oda vezet, hogy az ember teljessé válik önmagában, s többé semmire nem vágyakozik és semmi miatt nem bánkódik. Elméje megszabadul a kettősségektől, mert bármit tesz, azt Kṛṣṇáért teszi. Mivel a kettősségek síkja fölé emelkedik, még ebben a világban felszabadul.

4. VERS

साङ्ख्ययोगौ पृथग्बालाः प्रवदन्ति न पण्डिताः ।
एकमप्यास्थितः सम्यगुभयोर्विन्दते फलम् ॥४॥

sāṅkhya-yogau pṛthag bālāḥ pravadanti na paṇḍitāḥ
ekam apy āsthitaḥ samyag ubhayor vindate phalam

sāṅkhya – az anyagi világ analitikus tanulmányozása; *yogau* – az odaadó szolgálatban végzett munka; *pṛthak* – különböző; *bālāḥ* – a kevésbé értelmesek; *pravadanti* – mondják; *na* – sohasem; *paṇḍitāḥ* – a nagy tudásúak; *ekam* – egyben; *api* – habár; *āsthitaḥ* – elhelyezkedve; *samyak* – teljesen; *ubhayoḥ* – mindkettőnek; *vindate* – élvezik; *phalam* – eredményét.

Csak a tudatlanok mondják, hogy az odaadó szolgálat [karma-yoga] különbözik az anyagi világ elemző tanulmányozásától [a sāṅkhyától]. Akik valóban nagy tudásúak, azt mondják, hogy aki helyesen halad a két út egyikén, az mindkettő eredményét elnyeri.

MAGYARÁZAT: Az anyagi világ elemző tanulmányozásának célja a lét lelkének felfedezése. Az anyagi világ lelke Viṣṇu, vagyis a Felsőlélek. Az Úrnak végzett odaadó szolgálat magában foglalja a Felsőlélek szolgálatát. Az első feladat megtalálni a fa gyökerét, a második megöntözni azt. A *sāṅkhya* filozófia valódi tanulmányozója megtalálja az anyagi világ gyökerét, Viṣṇut, majd e tökéletes tudással átadja magát az Ő szolgálatának. Lényegében tehát nincs különbség a kettő között, hiszen mindkettő célja Viṣṇu. Akik nem ismerik a végső célt, azt mondják, hogy a *sāṅkhya* és a *karma-yoga* célja nem ugyanaz, de a bölcs tudja, hogy a két különböző folyamat ugyanoda vezet.

5. VERS

यत्साङ्ख्यैः प्राप्यते स्थानं तद्योगैरपि गम्यते ।
एकं साङ्ख्यं च योगं च यः पश्यति स पश्यति ॥ ५ ॥

yat sāṅkhyaiḥ prāpyate sthānaṁ tad yogair api gamyate
ekaṁ sāṅkhyaṁ ca yogaṁ ca yaḥ paśyati sa paśyati

yat – ami; *sāṅkhyaiḥ* – a *sāṅkhya* filozófia által; *prāpyate* – elérhető; *sthānam* – hely; *tat* – az; *yogaiḥ* – az odaadó szolgálat által; *api* – is; *gamyate* – elérhető; *ekam* – egy; *sāṅkhyam* – elemző tanulmányozás; *ca* – és; *yogam* – odaadással végzett cselekedet; *ca* – és; *yaḥ* – aki; *paśyati* – látja; *saḥ* – ő; *paśyati* – valóban lát.

Aki tudja, hogy odaadó szolgálattal is elérhető az a helyzet, amihez az elemző tanulmányozás vezet, s aki ezért az elemző tanulmányozást és az odaadó szolgálatot egy szinten állónak látja, az valóban lát.

MAGYARÁZAT: A filozófiai kutatás az élet végső célját akarja felfedezni, s mivel az élet végső célja az önmegvalósítás, a két folyamat végkövetkeztetése között nincsen különbség. A *sāṅkhya* filozófiai kutatás által az ember arra a megállapításra jut, hogy az élőlény nem az anyagi világ, hanem a legfelsőbb lelki egész szerves része. Ebből következően a léleknek semmi köze az anyagi világhoz: tetteinek a Legfelsőbbel kell kapcsolatban állniuk. Eredeti helyzetébe valójában akkor kerül, amikor Kṛṣṇa-tudatban cselekszik. Az első folyamat, a *sāṅkhya* során külön kell válni az anyagtól, az odaadó *yoga*-folyamatban pedig ragaszkodni kell a Kṛṣṇa kedvéért végzett tettekhez. Valójában a két folyamat azonos, noha az egyik látszólagos közönyt, a másik pedig ragaszkodást alkalmaz. Ám távol tartani magunkat az anyagtól és ragaszkodni Kṛṣṇához egy és ugyanaz. Aki látja ezt, az igazán lát.

6. VERS

सन्न्यासस्तु महाबाहो दुःखमाप्तुमयोगतः ।
योगयुक्तो मुनिर्ब्रह्म न चिरेणाधिगच्छति ॥ ६ ॥

sannyāsas tu mahā-bāho duḥkham āptum ayogataḥ
yoga-yukto munir brahma na cireṇādhigacchati

sannyāsaḥ – a lemondásban élők rendje; *tu* – de; *mahā-bāho* – ó, erős karú; *duḥkham* – szenvedést; *āptum* – elérni; *ayogataḥ* – odaadó szolgálat nélkül; *yoga-yuktaḥ* – az odaadó szolgálatot végző; *muniḥ* – gondolkodó; *brahma* – a Legfelsőbbet; *na cireṇa* – késedelem nélkül; *adhigacchati* – eléri.

Az embert nem teheti boldoggá, ha pusztán lemond a tettekről, ám nem végez odaadó szolgálatot az Úrnak. Az odaadó szolgálatot végző bölcs azonban késedelem nélkül eléri a Legfelsőbbet.

MAGYARÁZAT: A *sannyāsīknak,* vagyis az élet lemondott rendjébe tartozóknak két csoportja van. A *māyāvādī sannyāsīk* a *sāṅkhya*-filozófiát, a *vaiṣṇava sannyāsīk* pedig a *Vedānta-sūtrák* helyes magyarázatát tartalmazó *Bhāgavatam*-filozófiát tanulmányozzák. A *māyāvādī sannyāsīk* ugyan szintén tanulmányozzák a *Vedānta-sūtrákat,* de saját magyarázatuk, a Śaṅkarācārya által írt *Śārīraka-bhāṣya* alapján. A *Bhāgavata*-iskola tanítványai a *pāñcarātrikī* előírások szerint az Úr odaadó szolgálatának élnek, és ezért a *vaiṣṇava sannyāsīk* rendkívül szerteágazó tevékenységet folytatnak az Úr transzcendentális szolgálatában. Nekik semmi közük sincs az anyagi tettekhez, ám az Úr odaadó szolgálatában sokféle tettet végrehajtanak. A *sāṅkhyát* és a *vedāntát* tanulmányozó, spekuláló *māyāvādī sannyāsīk* azonban képtelenek megízlelni az Úr transzcendentális szolgálatát. Tanulmányaik unalmassá válnak számukra, így néha elegük lesz a Brahmanról való spekulálásból, s bár sem a tudásuk, sem a megközelítésmódjuk nem megfelelő, mégis a *Bhāgavatamhoz* fordulnak. Mindez oda vezet, hogy a *Śrīmad-Bhāgavatam* tanulmányozása során nehézségekbe ütköznek. Unalmas spekulációjuk és természetellenes, személytelen magyarázataik mind hasznavehetetlenek. Az odaadó szolgálatot végző *vaiṣṇava sannyāsīk* ellenben boldogok transzcendentális kötelességeik végrehajtása közben, s biztos, hogy végül bejutnak Isten országába. A *māyāvādī sannyāsīk* néha elbuknak az önmegvalósítás útján, s ismét a filantrópia vagy az altruizmus anyagi tetteibe fognak, amelyek szintén csak materialista tevékenységek. A végkövetkeztetés tehát az, hogy a Kṛṣṇa-tudatban cselekvők helyzete jobb azokénál a *sannyāsīkénál,* akik azt próbálják kitalálni, hogy mi Brahman és mi nem Brahman, habár jó néhány élet után ők is Kṛṣṇa-tudatúak lesznek.

7. VERS

योगयुक्तो विशुद्धात्मा विजितात्मा जितेन्द्रियः ।
सर्वभूतात्मभूतात्मा कुर्वन्नपि न लिप्यते ॥ ७ ॥

yoga-yukto viśuddhātmā vijitātmā jitendriyaḥ
sarva-bhūtātma-bhūtātmā kurvann api na lipyate

yoga-yuktaḥ – az odaadó szolgálatot végző; *viśuddha-ātmā* – megtisztult lélek; *vijita-ātmā* – önfegyelmezett; *jita-indriyaḥ* – legyőzött érzékű; *sarva-bhūta* – minden élőlénnyel; *ātma-bhūta-ātmā* – együtt érző; *kurvan api* – habár dolgozik; *na* – sohasem; *lipyate* – bonyolódik bele.

Az odaadással cselekvő, elméje és érzékei fölött uralkodó tiszta lelket mindenki kedveli, és ő is mindenkit kedvel. Az ilyen embert, bár állandóan tevékeny, sohasem kötik meg tettei.

MAGYARÁZAT: Azt, aki a Kṛṣṇa-tudat révén a felszabadulás útján halad, minden élőlény kedveli, és ő is kedvel mindenkit. Ez Kṛṣṇa-tudatának köszönhető. Egyetlen élőlényről sem gondolja, hogy Kṛṣṇától különálló, mint ahogyan a fa leveleiről és ágairól sem hiszi, hogy a fától függetlenül léteznek. Tudja jól, hogy a fa gyökerét öntözve a víz eljut minden levélhez és ághoz, a gyomor táplálása pedig automatikusan ellátja energiával az egész testet. Aki Kṛṣṇa-tudatban cselekszik, az mindenkit szolgál, ezért őt mindenki szereti. Tetteivel mindenkit elégedetté tesz, így tudata tiszta. Ennek köszönhetően teljesen ura az elméjének, s így érzékei felett is győzedelmeskedik, és mivel elméje mindig Kṛṣṇába merül, nem áll fenn annak a veszélye, hogy eltávolodik Kṛṣṇától. Az sem valószínű, hogy érzékeit mással foglalja el, mint az Úr szolgálatával. Semmi másról nem akar hallani, csak ami Kṛṣṇával kapcsolatos. Egyedül Neki felajánlott ételt akar fogyasztani, és sohasem akar olyan helyre menni, ami nem áll kapcsolatban Kṛṣṇával. Érzékei tehát fegyelmezettek, s aki uralkodik az érzékein, az nem bánt senkit. Felmerülhet a kérdés: „Akkor miért támadt Arjuna másokra (a csatában)? Talán nem volt Kṛṣṇa-tudatú?" Arjuna csupán látszólag volt támadó, mert (ahogyan a második fejezet ezt már megmagyarázta) a csatatéren összegyűlt harcosok mind folytatják egyéni életüket – a lelket nem lehet elpusztítani. Lelki szempontból így senki sem halt meg a kurukṣetrai csatamezőn, a harcosok csupán öltözéküket cserélték egy másikra, Kṛṣṇa utasítására, aki személyesen jelen volt. A kurukṣetrai csatatéren küzdő Arjuna tehát valójában egyáltalán nem harcolt, mindössze Kṛṣṇa utasításait hajtotta végre teljes Kṛṣṇa-tudatban. Az ilyen embert sohasem kötik meg a tettek visszahatásai.

8–9. VERS

नैव किञ्चित्करोमीति युक्तो मन्येत तत्त्ववित् ।
पश्यञ्शृण्वन् स्पृशञ्जिघ्रन्नश्नन् गच्छन् स्वपन् श्वसन् ॥ ८ ॥

प्रलपन् विसृजन् गृह्णन्नुन्मिषन्निमिषन्नपि ।
इन्द्रियाणीन्द्रियार्थेषु वर्तन्त इति धारयन् ॥ ९ ॥

naiva kiñcit karomīti yukto manyeta tattva-vit
paśyañ śṛṇvan spṛśañ jighrann aśnan gacchan svapan śvasan

pralapan visṛjan gṛhṇann unmiṣan nimiṣann api
indriyāṇīndriyārtheṣu vartanta iti dhārayan

na – sohasem; *eva* – bizony; *kiñcit* – bármit; *karomi* – cselekszem; *iti* – így; *yuktaḥ* – az isteni tudatban cselekvő; *manyeta* – gondolkodik; *tattva-vit* – aki ismeri az igazságot; *paśyan* – látva; *śṛṇvan* – hallgatva; *spṛśan* – megérintve; *jighran* – szagolva; *aśnan* – evés közben; *gacchan* – menés közben; *svapan* – álmában; *śvasan* – lélegzés közben; *pralapan* – beszéd közben; *visṛjan* – feladva; *gṛhṇan* – elfogadva; *unmiṣan* – kinyitva; *nimiṣan* – becsukva; *api* – ennek ellenére; *indriyāṇi* – az érzékek; *indriya-artheṣu* – az érzékkielégítésben; *vartante* – hadd tevékenykedjenek; *iti* – így; *dhārayan* – vélve.

Az isteni tudatban élő, bár lát, hall, érint, szagol, eszik, mozog, alszik és lélegzik, mindig tudja, hogy ő maga valójában nem tesz semmit. Beszéd, ürítés, elfogadás és pislogás közben állandóan tudatában van annak, hogy csupán az anyagi érzékek foglalkoznak tárgyaikkal, ő azonban ezek felett áll.

MAGYARÁZAT: A Kṛṣṇa-tudatú ember léte tiszta, éppen ezért semmi köze az olyan tettekhez, melyek az öt közvetlen és közvetett okkal – a cselekvővel, a tettel, a helyzettel, az erőfeszítéssel és a sorssal – kapcsolatosak. Ez azért van így, mert Kṛṣṇa transzcendentális szerető szolgálatát végzi. Noha úgy tűnik, hogy testével és érzékeivel cselekszik, mindig tudatában van valódi helyzetének: lelki tevékenységet kell végeznie. Az anyagi felfogásúak érzékei saját élvezetükbe merülnek, de a Kṛṣṇa-tudatban az érzékek arra törekszenek, hogy Kṛṣṇa érzékeinek szerezzenek örömet. Ezért a Kṛṣṇa-tudatú ember mindig független, noha látszólag az érzékek tevékenységébe merül. A látás és a hallás az érzékeknek az a működése, amely a tudásszerzést segíti elő, míg a mozgás, a beszéd, az ürítés stb. a cselekvő érzékek tevékenységei. Azt, aki Kṛṣṇa-tudatú, sohasem befolyásolják az érzékek cselekedetei. Egyedül az Úr szolgálatát végzi, mert tudja, hogy az Ő örök szolgája.

10. VERS

ब्रह्मण्याधाय कर्माणि सङ्गं त्यक्त्वा करोति यः ।
लिप्यते न स पापेन पद्मपत्रमिवाम्भसा ॥१०॥

brahmaṇy ādhāya karmāṇi saṅgaṁ tyaktvā karoti yaḥ
lipyate na sa pāpena padma-patram ivāmbhasā

brahmaṇi – az Istenség Legfelsőbb Személyiségének; *ādhāya* – lemondva; *karmāṇi* – minden tettről; *saṅgam* – ragaszkodást; *tyaktvā* – feladva; *karoti* – végzi; *yaḥ* – aki; *lipyate* – befolyásolt; *na* – sohasem; *saḥ* – ő; *pāpena* – a bűnök által; *padma-patram* – a lótusz levele; *iva* – mint; *ambhasā* – a víz által.

Aki ragaszkodás nélkül végzi kötelességét, és minden eredményt átad a Legfelsőbb Úrnak, azt nem éri bűn, mint ahogyan a lótusz levelét sem éri víz.

MAGYARÁZAT: A *brahmaṇi* szó itt a Kṛṣṇa-tudatra utal. Az anyagi világ az anyagi természet három kötőerejének totális megnyilvánulása, szakkifejezéssel *pradhāna.* A védikus himnuszok, például a *sarvaṁ hy etad brahma* (*Māṇḍūkya-upaniṣad* 2), a *tasmād etad brahma nāma-rūpam annaṁ ca jāyate* (*Muṇḍaka-upaniṣad* 1.1.9) és a *mama yonir mahad brahma* (*Bhagavad-gītā* 14.13) versei arra utalnak, hogy az anyagi világban minden a Brahman megnyilvánulása, s habár az okozatok eltérően nyilvánulnak meg, mégsem különböznek az októl. Az *Īśopaniṣad* szerint minden kapcsolatban áll a Legfelsőbb Brahmannal, Kṛṣṇával, ezért minden kizárólag az Övé. Aki tökéletesen tisztában van vele, hogy minden Kṛṣṇáé, hogy Kṛṣṇa a tulajdonosa mindennek, s ezért mindent az Úr szolgálatában kell alkalmaznia, annak természetesen nincsen köze tettei következményeihez, legyenek azok akár jók, akár bűnösek. Az ember még anyagi testét is – ami az Úr ajándéka, hogy egy bizonyos fajta tevékenységet végezhessen – használhatja Kṛṣṇa-tudatban, s akkor a bűnös visszahatások nem szennyezhetik azt be, éppen úgy, ahogyan a lótuszvirág is száraz marad, noha a vízben él. Az Úr a *Gītāban* (3.30) azt is mondja: *mayi sarvāṇi karmāṇi sannyasya.* „Hódolj meg minden tetteddel Énelőttem [Kṛṣṇa előtt]!" A végkövetkeztetés tehát az, hogy aki nem Kṛṣṇa-tudatú, az abban a felfogásban cselekszik, hogy az érzékek és az anyagi test az éne, míg a Kṛṣṇa-tudatú ember bármit tesz, tudja, hogy a test Kṛṣṇa tulajdona, s ezért Őt kell vele szolgálnia.

11. VERS

कायेन मनसा बुद्ध्या केवलैरिन्द्रियैरपि ।
योगिनः कर्म कुर्वन्ति सङ्गं त्यक्त्वात्मशुद्धये ॥११॥

kāyena manasā buddhyā kevalair indriyair api
yoginaḥ karma kurvanti saṅgaṁ tyaktvātma-śuddhaye

kāyena – a testtel; *manasā* – az elmével; *buddhyā* – az értelemmel; *kevalaiḥ* – a megtisztult; *indriyaiḥ* – érzékekkel; *api* – még; *yoginaḥ* – a Kṛṣṇa-tudatú emberek; *karma* – tetteket; *kurvanti* – végeznek; *saṅgam* – ragaszkodást; *tyaktvā* – feladva; *ātma* – az önvalónak; *śuddhaye* – a megtisztulás érdekében.

A yogīk lemondanak minden ragaszkodásról, és testükkel, elméjükkel, értelmükkel, sőt érzékeikkel is egyedül a tisztulás érdekében cselekszenek.

MAGYARÁZAT: Ha Kṛṣṇa-tudatban, Kṛṣṇa érzékeinek örömére cselekszünk, akkor a test, az elme, az értelem, sőt még az érzékek cselekedetei is megtisztulnak az anyagi szennyeződéstől. A Kṛṣṇa-tudatú ember tetteinek nincsenek anyagi visszahatásai. Kṛṣṇa-tudatban cselekedve tehát nagyon könnyű tiszta tetteket végezni, melyeket általában *sad-ācārának* neveznek. Śrī Rūpa Gosvāmī így ír erről *Bhakti-rasāmṛta-sindhu* című művében (1.2.187):

īhā yasya harer dāsye karmaṇā manasā girā
nikhilāsv apy avasthāsu jīvan-muktaḥ sa ucyate

„Aki testével, elméjével, értelmével és szavaival Kṛṣṇa-tudatban (azaz Kṛṣṇa szolgálatában) cselekszik, az annak ellenére, hogy a legkülönfélébb anyaginak tűnő tetteket végzi, már ebben az anyagi világban felszabadult léleknek tekinthető." Hamis egója nincs, mert nem hiszi azt, hogy ő az anyagi test vagy a test tulajdonosa. Tudja, hogy nem ez az anyagi test, és hogy ez a test nem az övé – ő maga és a test egyaránt Kṛṣṇáé. Ha mindenét, vagyis mindazt, amit testével, elméjével, értelmével, beszédével, életével, vagyonával stb. létrehoz, Kṛṣṇa szolgálatába állítja, akkor azon nyomban összekapcsolódik Vele. Egy lesz Kṛṣṇával, és megszabadul attól a hamis egótól, ami az embert arra készteti, hogy testének vagy más egyébnek higgye magát. Ez a Kṛṣṇa-tudat tökéletes szintje.

12. VERS

युक्तः कर्मफलं त्यक्त्वा शान्तिमाप्नोति नैष्ठिकीम् ।
अयुक्तः कामकारेण फले सक्तो निबध्यते ॥१२॥

yuktaḥ karma-phalaṁ tyaktvā śāntim āpnoti naiṣṭhikīm
ayuktaḥ kāma-kāreṇa phale sakto nibadhyate

yuktaḥ – aki odaadó szolgálatot végez; *karma-phalam* – minden tett gyümölcséről; *tyaktvā* – lemondva; *śāntim* – békét; *āpnoti* – elér; *naiṣṭhikīm* – tökéletest; *ayuktaḥ* – aki nem Kṛṣṇa-tudatú; *kāma-kāreṇa* – a tett eredményének élvezete miatt; *phale* – az eredményben; *saktaḥ* – ragaszkodó; *nibadhyate* – megköttetik.

A rendíthetetlenül odaadó lélek tökéletes békét ér el, mert minden tette eredményét Nekem ajánlja fel. De aki nem él harmóniában Istennel, s munkája gyümölcseire sóvárog, azt megkötik tettei.

MAGYARÁZAT: Egy Kṛṣṇa-tudatban és egy testi tudatban élő ember között az a különbség, hogy az előbbi Kṛṣṇához ragaszkodik, míg az utóbbi tettei eredményeihez. Aki Kṛṣṇához ragaszkodik, s egyedül Érte dolgozik, az bizonyosan felszabadult lélek, aki nem aggódik tettei eredményei miatt. A *Bhāgavatam* a munka eredménye utáni vágyat azzal magyarázza, hogy az ember a kettősségek jellemezte felfogásban cselekszik, azaz anélkül, hogy ismerné az Abszolút Igazságot. A Legfelsőbb Abszolút Igazság Kṛṣṇa, az Istenség Személyisége. A Kṛṣṇa-tudatban nincs kettősség. Minden, ami létezik, Kṛṣṇa energiájának terméke, és Kṛṣṇa tökéletesen jó. A Kṛṣṇa-tudatban végzett tettek így abszolútak, transzcendentálisak, és nincsenek anyagi következményeik. Éppen ezért a Kṛṣṇa-tudatú embert béke tölti el, míg az, aki az érzékkielégítés vágyával csupán a nyereségre törekszik, nem lelhet nyugalmat. Ez a Kṛṣṇa-tudat titka. Ha teljesen tudatában vagyunk annak, hogy Kṛṣṇán kívül nem létezik semmi, elértük a béke és a félelemnélküliség síkját.

13. VERS

सर्वकर्माणि मनसा सन्न्यस्यास्ते सुखं वशी ।
नवद्वारे पुरे देही नैव कुर्वन्न कारयन् ॥१३॥

sarva-karmāṇi manasā sannyasyāste sukhaṁ vaśī
nava-dvāre pure dehī naiva kurvan na kārayan

sarva – minden; *karmāṇi* – tettekről; *manasā* – az elme által; *sannyasya* – lemondva; *āste* – marad; *sukham* – boldogságban; *vaśī* – aki önfegyelmezett; *nava-dvāre* – a kilenckapus; *pure* – a városban; *dehī* – a megtestesült lélek; *na* – sohasem; *eva* – bizony; *kurvan* – bármit téve; *na* – nem; *kārayan* – okozva tettet.

Amikor a megtestesült lélek fegyelmezi jellemét, és elméjében lemond minden tettről, akkor boldogan él a kilenckapus városban [az anyagi testben]. Nem cselekszik ő, s nem is oka semmilyen tettnek.

MAGYARÁZAT: A megtestesült lélek a kilenckapus városban él. A testnek, azaz a test képletes városának a cselekedeteit a természet sajátos kötőerői automatikusan irányítják. A lélek, noha aláveti magát a test nyújtotta feltételeknek, ha úgy akarja, felül is emelkedhet azokon. Szenvedése kizárólag annak köszönhető, hogy megfeledkezett felsőbbrendű természetéről, s ezért az anyagi testtel azonosítja magát. A Kṛṣṇa-tudat segítségével visszatérhet eredeti helyzetébe, s megszabadulhat az anyagi testtől. Aki a Kṛṣṇa-tudat gyakorlásához kezd, az azonnal és teljesen megválik a testi cselekedetektől. Az ilyen fegyelmezett, megváltozott felfogású ember boldogan él a kilenckapus városban. A *Śvetāśvatara-upaniṣad* (3.18) is említést tesz a kilenc kapuról:

nava-dvāre pure dehī haṁso lelāyate bahiḥ
vaśī sarvasya lokasya sthāvarasya carasya ca

„Az Istenség Legfelsőbb Személyisége – aki ott van az élőlény testében – irányítja a világegyetem valamennyi élőlényét. A testnek kilenc kapuja van [a két szem, a két orrlyuk, a két fül, a száj, a végbél és a nemi szerv]. Feltételekhez kötött állapotában az élőlény a testtel azonosítja magát, ám még ebben a testben olyan szabaddá válhat, mint az Úr, ha a benne élő Úrral azonosul."

Láthatjuk tehát, hogy a Kṛṣṇa-tudatú ember az anyagi test külső és belső tetteitől egyaránt mentes.

14. VERS

न कर्तृत्वं न कर्माणि लोकस्य सृजति प्रभुः ।
न कर्मफलसंयोगं स्वभावस्तु प्रवर्तते ॥१४॥

na kartṛtvaṁ na karmāṇi lokasya sṛjati prabhuḥ
na karma-phala-saṁyogaṁ svabhāvas tu pravartate

na – sohasem; *kartṛtvam* – tulajdonjogot; *na* – sem; *karmāṇi* – tetteket; *lokasya* – az embereknek; *sṛjati* – teremt; *prabhuḥ* – a test városának ura; *na* – sem; *karma-phala* – a tettek gyümölcseivel; *saṁyogam* – kapcsolatot; *svabhāvaḥ* – az anyagi természet; *tu* – de; *pravartate* – végzi.

A megtestesült lélek, teste városának ura nem hoz létre tetteket, nem késztet cselekvésre másokat, és a munka gyümölcseit sem ő teremti meg. Mindezt az anyagi természet kötőerői végzik.

MAGYARÁZAT: Ahogyan a hetedik fejezet majd elmagyarázza, az élőlény a Legfelsőbb Úr egyik energiája vagy természete, de különbözik az anyagtól, amely az Úr másik – alsóbbrendűnek nevezett – természete. A felsőbbrendű természet, az élőlény valamiképpen időtlen idők óta kapcsolatban áll az anyagi természettel. Ideiglenes testhez, anyagi lakhelyhez jut, s ez az oka különböző tetteinek és azok visszahatásainak. A feltételekhez kötöttség atmoszférájában az élőlény szenved a test tetteinek következményeitől, mivel tudatlansága miatt a testtel azonosítja magát. E tudatlanságban végtelen hosszú ideje él, s ez okozza a testi szenvedést és aggodalmakat. Amint az élőlény felülemelkedik a test cselekedetein, rögtön megszabadul a visszahatásoktól is. Míg a test városában tartózkodik, úgy tűnik, hogy ő az ura annak, ám valójában se nem tulajdonosa, se nem irányítója a test tetteinek és azok visszahatásainak – ő csupán küzdelmét vívja létéért az anyagi óceán kellős közepén. A hullámok ide-oda dobálják, s ő tehetetlen velük szemben. A legjobb megoldás az, ha a transzcendentális Kṛṣṇa-tudat által kikerül ebből a vízből. Egyedül ez mentheti őt meg minden bajtól.

15. VERS

नादत्ते कस्यचित्पापं न चैव सुकृतं विभुः ।
अज्ञानेनावृतं ज्ञानं तेन मुह्यन्ति जन्तवः ॥१५॥

nādatte kasyacit pāpaṁ na caiva sukṛtaṁ vibhuḥ
ajñānenāvṛtaṁ jñānaṁ tena muhyanti jantavaḥ

na – sohasem; *ādatte* – fogadja el; *kasyacit* – bárkinek; *pāpam* – a bűnét; *na* – sem; *ca* – is; *eva* – bizony; *su-kṛtam* – jámbor tetteit; *vibhuḥ* – a Legfelsőbb Úr; *ajñānena* – tudatlanság által; *āvṛtam* – befedett; *jñānam* – a tudás; *tena* – az által; *muhyanti* – megzavarodnak; *jantavaḥ* – az élőlények.

A Legfelsőbb Úr sem vállalja magára senki bűnös vagy jámbor tettét. A megtestesült élőlényeket azonban megtéveszti a tudatlanság, amely elfedi igazi tudásukat.

MAGYARÁZAT: A szanszkrit *vibhu* szó a Legfelsőbb Úrra utal, aki teljes, határtalan tudással, gazdagsággal, erővel, hírnévvel, szépséggel és lemondással rendelkezik. Ő mindig elégedett Önmagában, s a bűnös vagy jó cselekedetek nem háborgatják. Egyetlen élőlény számára sem Ő teremti meg sajátságos helyzetét: a tudatlanságtól megtévesztett élőlény az, aki bizonyos életkörülmények közé kívánkozik. Így kezdődik el a tettek és visszahatások láncolata. Az élőlény a felsőbbrendű természethez tartozik, ezért tudással teli, ám hatalmának korlátozott volta miatt hajlamos arra, hogy a tudatlanság befolyása alá kerüljön. Az Úr mindenható, az élőlény azonban nem. Az Úr *vibhu,* azaz mindentudó, míg az élőlény *aṇu,* vagyis atomnyi, és mivel élő lélek, módjában áll, hogy szabad akarata szerint kívánjon bármit. Vágyát csakis a mindenható Úr teljesítheti. Ha az élőlényt megtévesztik vágyai, az Úr beleegyezik azok teljesítésébe, ám sohasem felelős azokért a tettekért és visszahatásokért, amelyek abban az élethelyzetben várnak az élőlényre, melyre vágyott. Ebben a zavarodott állapotban az élőlény a körülmények meghatározta anyagi testtel azonosítja magát, s az élet ideiglenes szenvedéseitől és örömeitől válik függővé. Az Úr Paramātmāként, vagyis Felsőlélekként az élőlény állandó társa, ezért képes megérteni az egyéni lélek vágyait, ahogyan mi is megérezzük egy virág illatát, ha a közelében állunk. A vágy az élőlény feltételekhez kötöttségének finom formája. Az Úr az élőlény kívánságait érdemei szerint teljesíti – ember tervez, Isten végez. Az ember tehát nem mindenható saját vágyai valóra váltásában. Az Úr azonban minden óhajt teljesíteni tud, s mivel semleges mindenkivel szemben, nem akadályozza vágyaik beteljesülésében a parányi független élőlényeket. Azt azonban, aki Kṛṣṇát akarja, az Úr különös figyelmében részesíti, s lelkesíti, hogy vágyaival elérhesse Őt, s örökre boldog legyen. A védikus himnuszok ezért kijelentik (*Kauṣītakī-upaniṣad* 3.8): *eṣa u hy eva sādhu karma kārayati taṁ yam ebhyo lokebhya unninīṣate; eṣa u evāsādhu karma kārayati yam adho ninīṣate.* „Az Úr jámbor tetteket ad az élőlénynek, hogy az felemelkedhessen, és bűnös tetteket, hogy a pokolba kerülhessen."

ajño jantur anīśo 'yam ātmanaḥ sukha-duḥkhayoḥ
īśvara-prerito gacchet svargaṁ vāśv abhram eva ca

„Az élőlény akár boldog, akár boldogtalan, sohasem független. A Legfelsőbb akaratából kerül a mennyekbe vagy a pokolba, mint a szél sodorta felhő."

Maga a megtestesült lélek az oka tehát saját zavarodottságának, amiatt, hogy ősidők óta el akarja kerülni a Kṛṣṇa-tudatot. Következésképpen bár az élőlény természetét az örökkévaló, gyönyörrel és tudással teli lét jellemzi, létének parányisága miatt megfeledkezik eredeti feladatáról, az Úr szolgálatáról. Így a tudatlanság rabjává válik, s ennek varázsa alatt kijelenti, hogy az Úr a felelős feltételekhez kötött létéért. A *Vedānta-sūtra* (2.1.34) szintén megerősíti ezt: *vaiṣamya-nairghṛṇye na sāpekṣatvāt tathā hi darśayati.* „A látszat ellenére az Úr nem gyűlöl és nem kedvel senkit sem."

16. VERS

ज्ञानेन तु तदज्ञानं येषां नाशितमात्मनः ।
तेषामादित्यवज्ज्ञानं प्रकाशयति तत्परम् ॥१६॥

jñānena tu tad ajñānaṁ yeṣāṁ nāśitam ātmanaḥ
teṣām āditya-vaj jñānaṁ prakāśayati tat param

jñānena – tudással; *tu* – de; *tat* – az; *ajñānam* – a tudatlanság; *yeṣām* – akiké; *nāśitam* – megsemmisült; *ātmanaḥ* – az élőlényről szóló; *teṣām* – az övék; *āditya-vat* – mint a felkelő nap; *jñānam* – tudás; *prakāśayati* – feltárja; *tat param* – a Kṛṣṇa-tudatot.

Ellenben amikor a tudatlanságot eloszlató tudás világossággal árasztja el az embert, tudása feltár előtte mindent, ahogyan a nap is mindent beragyog nappal.

MAGYARÁZAT: Akik elfelejtették Kṛṣṇát, azok tévhitben élnek, ellentétben a Kṛṣṇa-tudatú emberekkel, akik egyáltalán nem zavarodottak. A *Bhagavad-gītā* kijelenti: *sarvaṁ jñāna-plavena; jñānāgniḥ sarva-karmāṇi; na hi jñānena sadṛśam.* A tudás mindig nagy kincs. S mi ez a tudás? Tökéletes tudásra akkor tesz szert az ember, ha meghódol Kṛṣṇa előtt, ahogyan a hetedik fejezet tizenkilencedik verse is mondja: *bahūnāṁ janmanām ante jñānavān māṁ prapadyate.* Amikor az ember sok-sok születésen át tartó vándorlás után a tökéletes tudás birtokában meghódol Kṛṣṇa előtt, azaz Kṛṣṇa-tudatú lesz, minden feltárul előtte, ahogyan a nap is bevilágít mindent nappal. Az élőlényt számtalan dolog téveszti meg. Amikor például minden további nélkül Istennek képzeli magát, valójában a tudatlanság utolsó csapdájába esik. Ha az élőlény lenne Isten, hogyan zavarhatná meg a tudatlanság? Megtévesztheti-e Istent a tudatlanság? Ha igen, akkor a tudatlanság, vagyis a Sátán hatalmasabb Istennél. Igazi tudást attól kaphatunk, aki Kṛṣṇa-tudatú. Éppen ezért az embernek fel kell kutatnia egy ilyen hiteles lelki tanítómestert, s az ő irányításával meg kell tanulnia, hogy mi a Kṛṣṇa-tudat, mert a Kṛṣṇa-tudat bizonyosan elűz minden tudatlanságot, ahogyan a nap oszlatja szét a sötétséget. Lehet, hogy valaki teljesen tudatában van annak, hogy nem azonos az anyagi testével, hanem transzcendentális, és fölötte áll a testnek, ám a lélek és a Felsőlélek között esetleg mégsem tud különbséget tenni. Ha azonban meghódol egy tökéletes, hiteles, Kṛṣṇa-tudatú lelki tanítómester előtt, akkor mindent alaposan megérthet. Istent és Vele való kapcsolatunkat csak akkor ismerhetjük meg, ha találkozunk Isten képviselőjével. Isten képviselője sohasem állítja, hogy ő Isten, noha az emberek amiatt, hogy rendelkezik az Istenről szóló tudással, olyan tiszteletben részesítik, mint ami általában Istennek jár. Meg kell tanulnunk különbséget tenni Isten és az élőlény között. Ennek érdekében a második fejezetben (2.12) az Úr Śrī Kṛṣṇa kijelenti, hogy minden élőlény egyén, az Úrral együtt. Egyének voltak a múltban, egyének most is, és a jövőben is egyének maradnak mind, még felszabadulásuk után is. Éjjel, a sötétben minden egynek tűnik a szemünkben, de napfelkelte után a dolgokat a maguk valójában láthatjuk. Az igazi tudás tehát nem más, mint tisztában lenni lelki életbeli önazonosságunkkal és egyéni mivoltunkkal.

17. VERS

तद्बुद्धयस्तदात्मानस्तन्निष्ठास्तत्परायणाः ।
गच्छन्त्यपुनरावृत्तिं ज्ञाननिर्धूतकल्मषाः ॥१७॥

tad-buddhayas tad-ātmānas tan-niṣṭhās tat-parāyaṇāḥ
gacchanty apunar-āvṛttiṁ jñāna-nirdhūta-kalmaṣāḥ

tat-buddhayaḥ – akiknek értelme mindig a Legfelsőbbe merül; *tat-ātmānaḥ* – akiknek elméje mindig a Legfelsőbbe merül; *tat-niṣṭhāḥ* – akik egyedül a Legfelsőbben hisznek; *tat-parāyaṇāḥ* – akik teljes menedékre leltek Nála; *gacchanti* – mennek; *apunaḥ-āvṛttim* – felszabaduláshoz; *jñāna* – tudás által; *nirdhūta* – a megtisztultak; *kalmaṣāḥ* – kétségektől.

Ha az ember értelme, elméje és hite szilárdan a Legfelsőbben gyökerezik, s menedéket is Benne talált, akkor tökéletes tudása által teljesen megtisztul kétségeitől, és feltartóztathatatlanul halad a felszabadulás útján.

MAGYARÁZAT: A Legfelsőbb Transzcendentális Igazság az Úr Kṛṣṇa. Az egész *Bhagavad-gītā* középpontjában az a kijelentés áll, miszerint Kṛṣṇa az Istenség Legfelsőbb Személyisége. Ezt tanítja a védikus irodalom valamennyi könyve. A *para-tattva* a Legfelsőbb Valóságot jelenti, akit a Legfelsőbb ismerői mint Brahmant, mint Paramātmāt és mint Bhagavānt értenek meg. Bhagavān, vagyis az Istenség Legfelsőbb Személyisége az Abszolút végső aspektusa. Nincsen semmi, ami Nála magasabb rendű lenne. Az Úr azt mondja: *mattaḥ parataraṁ nānyat kiñcid asti dhanañjaya.* A személytelen Brahmant is Kṛṣṇa tartja fenn: *brahmaṇo hi pratiṣ-*

ṭhāham. A Legfelsőbb Valóság tehát minden szempontból Kṛṣṇa. Akinek elméje, értelme és hite állandóan Kṛṣṇába merül, aki egyedül Nála keresett oltalmat – más szóval aki teljesen Kṛṣṇa-tudatú –, az már bizonyosan megszabadult valamennyi kétségétől, s a transzcendenssel kapcsolatban mindenről tökéletes tudással rendelkezik. A Kṛṣṇa-tudatú ember teljes mértékben képes megérteni, hogy Kṛṣṇában kettősség (egyidejű azonosság és egyediség) van, s e transzcendentális tudással felfegyverkezve rendületlenül haladhat előre a felszabadulás útján.

18. VERS

विद्याविनयसम्पन्ने ब्राह्मणे गवि हस्तिनि ।
शुनि चैव श्वपाके च पण्डिताः समदर्शिनः ॥१८॥

vidyā-vinaya-sampanne brāhmaṇe gavi hastini
śuni caiva śva-pāke ca paṇḍitāḥ sama-darśinaḥ

vidyā – a műveltséggel; *vinaya* – és kedvességgel; *sampanne* – teljes mértékben rendelkező; *brāhmaṇe* – *brāhmaṇára; gavi* – a tehénre; *hastini* – az elefántra; *śuni* – a kutyára; *ca* – és; *eva* – bizony; *śva-pāke* – a kutyaevőre (a kaszton kívülire); *ca* – egyaránt; *paṇḍitāḥ* – a bölcsek; *sama-darśinaḥ* – ugyanúgy tekintenek.

Az alázatos bölcsek igaz tudásuk révén ugyanúgy tekintenek a tanult és szelíd brāhmaṇára, a tehénre, az elefántra, a kutyára és a kutyaevőre [a kaszton kívülire] is.

MAGYARÁZAT: A Kṛṣṇa-tudatú ember nem tesz semmilyen különbséget a fajok vagy kasztok között. A *brāhmaṇa* és a kaszton kívüli ember társadalmi szemszögből különbözhet egymástól, s a kutya, a tehén vagy az elefánt is a fajtáját tekintve, ám a művelt transzcendentalista számára ezek a testi különbségek nem jelentenek semmit. Ennek az az oka, hogy valamennyien kapcsolatban állnak a Legfelsőbbel, hiszen a Legfelsőbb Úr Paramātmaként, saját teljes részeként mindenki szívében jelen van. Ha ezt megértjük, igazi tudásra teszünk szert. Ami pedig a különféle fajokban vagy kasztokban megszülető testeket illeti, az Úr mindenkihez egyformán kedves, mert minden élőlényt a barátjának tekint, ám mindig megmarad Paramātmānak, függetlenül az élőlények körülményeitől. Az Úr Paramātmaként jelen van a kaszton kívüli és a *brāhmaṇa* szívében is, noha e két test különbözik egymástól. A testek az anyagi természet különféle kötőerőinek anyagi termékei, ám a testen belüli lélek és a Felsőlélek egyaránt lelki természetű. A kettőjük között fennálló minőségi hasonlóság azonban nem teszi őket mennyiség szempontjából is egyenlővé, mivel az egyéni lélek csak egy adott testben van jelen, míg a Paramātmā minden testben ott lakozik. A Kṛṣṇa-tudatú ember tökéletesen tisztában van ezzel, ezért hát valóban művelt, s mindenkit egyenlőnek lát. A lélek és a Felsőlélek közös jellemzője, hogy mindkettő tudattal rendelkezik, örökkévaló és boldogsággal teli. A különbség annyi közöttük, hogy az egyéni lélek tudata csak a test korlátolt hatáskörére terjed ki, míg a Felsőléleké minden testre. Ő tehát valamennyi testben jelen van, megkülönböztetés nélkül.

19. VERS

इहैव तैर्जितः सर्गो येषां साम्ये स्थितं मनः ।
निर्दोषं हि समं ब्रह्म तस्माद् ब्रह्मणि ते स्थिताः ॥१९॥

ihaiva tair jitaḥ sargo yeṣāṁ sāmye sthitaṁ manaḥ
nirdoṣaṁ hi samaṁ brahma tasmād brahmaṇi te sthitāḥ

iha – ebben az életben; *eva* – bizony; *taiḥ* – általuk; *jitaḥ* – legyőzött; *sargaḥ* – születés és halál; *yeṣām* – akiké; *sāmye* – nyugalomban; *sthitam* – ilyen helyzetben van; *manaḥ* – elme; *nirdoṣam* – hibátlan; *hi* – bizony; *samam* – egyensúlyban; *brahma* – mint a Legfelsőbb; *tasmāt* – ezért; *brahmaṇi* – a Legfelsőbben; *te* – ők; *sthitāḥ* – vannak.

Akiknek elméje a rendíthetetlenségben és kiegyensúlyozottságban állapodott meg, azok már legyőzték a születést és a halált. Hibátlanok ők, mint a Brahman, s így már a Brahmanban vannak.

MAGYARÁZAT: A fenti vers szerint az önmegvalósítást elértek ismertetőjele az elme kiegyensúlyozottsága. Akik valóban elérték ezt a síkot, azokra úgy kell tekinteni, hogy ők már legyőzték az anyagi lét törvényeit, vagyis a születést és a halált. Amíg az ember a testével azonosítja magát, addig feltételekhez kötött léleknek számít, ám amint önvalója felismerése révén felemelkedik a kiegyensúlyozottság szintjére, azonnal megszabadul a feltételekhez kötött élettől. Más szóval többé nem lesz arra ítélve, hogy megszülessen az anyagi világban – halála után a lelki égbe kerülhet. Az Úr hibátlan, mert mentes a vonzódástól és a gyűlölettől. Ha az élőlény megtisztul ezektől, ő is hibátlan lesz. Alkalmassá válik arra, hogy belépjen a lelki világba, s úgy kell rá tekinteni, hogy már felszabadult. Ismertetőjeleiről a következőkben olvashatunk.

20. VERS

न प्रहृष्येत्प्रियं प्राप्य नोद्विजेत्प्राप्य चाप्रियम् ।
स्थिरबुद्धिरसम्मूढो ब्रह्मविद् ब्रह्मणि स्थितः ॥२०॥

na prahṛṣyet priyaṁ prāpya nodvijet prāpya cāpriyam
sthira-buddhir asammūḍho brahma-vid brahmaṇi sthitaḥ

na – sohasem; *prahṛṣyet* – örvendezik; *priyam* – a kellemeset; *prāpya* – elérve; *na* – nem; *udvijet* – izgatott lesz; *prāpya* – elérve; *ca* – is; *apriyam* – a kellemetlent; *sthira-buddhiḥ* – rendületlen értelmű; *asammūḍhaḥ* – nem zavarodott; *brahma-vit* – a Legfelsőbbet tökéletesen ismerő; *brahmaṇi* – a transzcendensben; *sthitaḥ* – van.

Aki nem örvendezik, ha valami kellemes éri, s nem búsul a kellemetlenen, kinek értelme rendületlen, akit semmi nem téveszt meg, s aki ismeri az Istenről szóló tudományt, az már a transzcendensben állapodott meg.

MAGYARÁZAT: Ez a vers az önmegvalósítást elért ember jellemzőit írja le. Az első jellemvonása az, hogy nem téveszti meg a hamis testi azonosítás, azaz nem gondolja, hogy igazi énje az anyagi test. Tökéletesen tisztában van vele, hogy az Istenség Legfelsőbb Személyiségének töredék része ő, s nem ez a test. Éppen ezért nem örül, ha megkap valamit, s nem bánkódik semmi olyan dolog elvesztése miatt, ami csak a testtel áll kapcsolatban. Az ilyen szilárd elmeállapotot hívják *sthira-buddhinak,* vagyis rendíthetetlen értelemnek. Őt tehát sohasem téveszti meg az a felfogás, mely szerint a durvafizikai test egyenlő a lélekkel. Nem fogadja el, hogy a test örökkévaló, és nem tagadja meg a lélek létezését. Ez a tudás olyan helyzetbe emeli, amelyben tökéletes ismerettel rendelkezik az Abszolút Igazság – azaz a Brahman, a Paramātmā és Bhagavān – tudományáról. Ily módon tökéletesen ismeri saját eredeti helyzetét, s nem próbál tévesen minden tekintetben eggyé válni a Legfelsőbbel. Ezt hívják a Brahman-szint elérésének, vagyis önmegvalósításnak, s ez a szilárd tudat a Kṛṣṇa-tudat.

21. VERS

बाह्यस्पर्शेष्वसक्तात्मा विन्दत्यात्मनि यत्सुखम् ।
स ब्रह्मयोगयुक्तात्मा सुखमक्षयमश्नुते ॥२१॥

bāhya-sparśeṣv asaktātmā vindaty ātmani yat sukham
sa brahma-yoga-yuktātmā sukham akṣayam aśnute

bāhya-sparśeṣu – külsődleges érzéki gyönyörben; *asakta-ātmā* – nem ragaszkodó; *vindati* – élvezi; *ātmani* – az önvalóban; *yat* – amit; *sukham* – boldogságot; *saḥ* – ő; *brahma-yoga* – a Brahmanra összpontosítva; *yukta-ātmā* – az önvalóval összekapcsolódó; *sukham* – boldogságot; *akṣayam* – végtelent; *aśnute* – élvez.

Aki ekképpen felszabadult, az nem vonzódik az anyagi érzéki élvezetekhez, hanem mindig transzba merül, s a belső gyönyört élvezi. Az önmegvalósított embernek ily módon határtalan boldogságban van része, mert figyelmét a Legfelsőbbre függeszti.

MAGYARÁZAT: Śrī Yāmunācārya, a Kṛṣṇa-tudat nagy *bhaktája* így ír:

yad-avadhi mama cetaḥ kṛṣṇa-pādāravinde
nava-nava-rasa-dhāmany udyataṁ rantum āsīt
tad-avadhi bata nārī-saṅgame smaryamāne
bhavati mukha-vikāraḥ suṣṭhu niṣṭhīvanaṁ ca

„Mióta Kṛṣṇa transzcendentális szerető szolgálatát végzem, s örökké megújuló lelki gyönyört merítek Belőle, ha bármikor eszembe jut a nemi élvezet, már a gondolattól is köpök, s ajkam legörbül az undortól." A *brahma-yogában,* vagyis a Kṛṣṇa-tudatban élő ember olyannyira elmélyed az Úr szerető szolgálatában, hogy minden kedve elmegy az anyagi élvezetektől. A legnagyobb anyagi gyönyör a nemi élvezet. Az egész világ ennek varázsa alatt működik, s a materialisták nem is képesek más cél érdekében cselekedni. A Kṛṣṇa-tudatú ember ezzel ellentétben nagyobb lendülettel képes dolgozni a nemi élvezet nélkül, melyet messze elkerül. Ez a lelki megvalósítás bizonyítéka. A lelki megvalósítás és a nemi élvezet nem férnek össze egymással. A Kṛṣṇa-tudatú ember felszabadult lélek, ezért nem vonzódik semmilyen érzéki élvezethez.

22. VERS

ये हि संस्पर्शजा भोगा दुःखयोनय एव ते ।
आद्यन्तवन्तः कौन्तेय न तेषु रमते बुधः ॥२२॥

ye hi saṁsparśa-jā bhogā duḥkha-yonaya eva te
ādy-antavantaḥ kaunteya na teṣu ramate budhaḥ

ye – azok; *hi* – bizony; *saṁsparśa-jāḥ* – az anyagi érzékekkel való kapcsolatból származó; *bhogāḥ* – élvezetek; *duḥkha* – boldogtalanság; *yonayaḥ* – forrásai; *eva* – bizony; *te* – ezek; *ādi* – a kezdet; *anta* – és vég; *vantaḥ* –

hatása alatt állóak; *kaunteya* – ó, Kuntī fia; *na* – sohasem; *teṣu* – azokban; *ramate* – örömét leli; *budhaḥ* – aki intelligens.

Az okos távol tartja magát a szenvedés forrásaitól, amelyek az anyagi érzékekkel való kapcsolatból származnak. Ó, Kuntī fia, az efféle élvezeteknek kezdetük és végük van, ezért a bölcs nem leli bennük örömét.

MAGYARÁZAT: Az anyagi érzéki örömök az anyagi érzékek kapcsolataiból származnak. Az érzékek mind ideiglenesek, mert maga a test is az. Egy felszabadult lelket nem érdekel semmilyen átmeneti dolog. Hogyan is lenne képes élvezni az illuzórikus gyönyört, amikor jól ismeri a transzcendentális élvezet örömeit? A *Padma-purāṇában* ez áll:

ramante yogino 'nante satyānande cid-ātmani
iti rāma-padenāsau paraṁ brahmābhidhīyate

„A misztikusok vég nélküli transzcendentális gyönyört merítenek az Abszolút Igazságból – ezért hívják a Legfelsőbb Abszolút Igazságot, az Istenség Személyiségét Rāmának is."

A *Śrīmad-Bhāgavatam* (5.5.1) így ír ezzel kapcsolatban:

nāyaṁ deho deha-bhājāṁ nṛ-loke
kaṣṭān kāmān arhate viḍ-bhujāṁ ye
tapo divyaṁ putrakā yena sattvaṁ
śuddhyed yasmād brahma-saukhyaṁ tv anantam

„Kedves fiaim, az emberi létformában semmi értelme minden erőnkkel az érzéki örömökért fáradozni. Az efféle boldogságra még az ürülékevőknek [disznóknak] is lehetőségük van. Ehelyett életetek során vállaljatok lemondásokat, mert így létetek megtisztul, s így soha véget nem érő transzcendentális gyönyört élvezhettek majd!"

Az igazi *yogīkat,* azaz tudós transzcendentalistákat ezért nem vonzzák az érzéki örömök, melyek csak a szakadatlan anyagi lét forrásai. Minél jobban rászokik az ember az anyagi élvezetekre, annál inkább fogságában tartja őt az anyagi szenvedés.

23. VERS

शक्नोतीहैव यः सोढुं प्राक्शरीरविमोक्षणात् ।
कामक्रोधोद्भवं वेगं स युक्तः स सुखी नरः ॥२३॥

śaknotīhaiva yaḥ soḍhuṁ prāk śarīra-vimokṣaṇāt
kāma-krodhodbhavaṁ vegaṁ sa yuktaḥ sa sukhī naraḥ

śaknoti – képes; *iha eva* – a jelenlegi testben; *yaḥ* – aki; *soḍhum* – eltűrni; *prāk* – mielőtt; *śarīra* – a testet; *vimokṣaṇāt* – elhagyná; *kāma* – vágyból; *krodha* – és dühből; *udbhavam* – keletkező; *vegam* – ösztönzést; *saḥ* – ő; *yuktaḥ* – transzban; *saḥ* – ő; *sukhī* – boldog; *naraḥ* – emberi lény.

Ha valaki még jelen teste elhagyása előtt eljut oda, hogy képes eltűrni az anyagi érzékek ösztönzéseit, s felül tud kerekedni a vágy és a harag hatalmán, az a megfelelő helyzetben van, s boldog ebben a világban.

MAGYARÁZAT: Ha valaki rendületlenül szeretne haladni az önmegvalósítás útján, meg kell próbálnia uralkodni az anyagi érzékek ösztönzésén – a beszéd, a düh, az elme, a gyomor, a nemi szervek és a nyelv késztetésén. Aki képes felülkerekedni e különféle érzékek és az elme ösztönzésén, azt *gosvāmīnak* vagy *svāmīnak* nevezik. A *gosvāmīk* rendkívül szigorú szabályokat követnek, s nem vesznek tudomást az érzékek ösztönzéséről. A kielégítetlen anyagi vágyak dühöt szülnek, mely izgatottá teszi az elmét, a mellkast és a szemet. Ezért az embernek gyakorolnia kell a felettük való uralmat, még mielőtt elhagyná ezt az anyagi testet. Aki képes erre, arról tudnunk kell, hogy megértette valódi énjét, s boldogan él az önmegvalósítás állapotában. A transzcendentalistának kötelessége, hogy kitartóan törekedjen a vágyak és a düh megfékezésére.

24. VERS

योऽन्तःसुखोऽन्तरारामस्तथान्तर्ज्योतिरेव यः ।
स योगी ब्रह्मनिर्वाणं ब्रह्मभूतोऽधिगच्छति ॥२४॥

yo 'ntaḥ-sukho 'ntar-ārāmas tathāntar-jyotir eva yaḥ
sa yogī brahma-nirvāṇaṁ brahma-bhūto 'dhigacchati

yaḥ – aki; *antaḥ-sukhaḥ* – belül boldog; *antaḥ-ārāmaḥ* – bensőjében élvezi az életet; *tathā* – valamint; *antaḥ-jyotiḥ* – belül van a célja; *eva* – bizony; *yaḥ* – bárki; *saḥ* – ő; *yogī* – misztikus; *brahma-nirvāṇam* – felszabadulást a Legfelsőbben; *brahma-bhūtaḥ* – az önmegvalósított; *adhigacchati* – elér.

Aki bensőjében boldog, belül cselekszik és belülről merít örömet, s akinek a célja szintén belül van, az tökéletes misztikus. Ő felszabadult a Legfelsőbben, s végül el is éri a Legfelsőbbet.

MAGYARÁZAT: Hogy lenne képes bárki is hátat fordítani a felszínes boldogságot nyújtó külső cselekedeteknek mindaddig, amíg nem ízlelte meg a belülről fakadó boldogságot? A felszabadult ember valóban boldogságot érez. Képes bárhol csöndben leülni, és belülről élvezni az életet, s többé már nem vágyik a külső, anyagi boldogságra. Ezt az állapotot hívják *brahma-bhūtának*, amelyet elérve az ember minden kétséget kizárva hazatér, vissza Istenhez.

25. VERS

लभन्ते ब्रह्मनिर्वाणमृषयः क्षीणकल्मषाः ।
छिन्नद्वैधा यतात्मानः सर्वभूतहिते रताः ॥२५॥

labhante brahma-nirvāṇam ṛṣayaḥ kṣīṇa-kalmaṣāḥ
chinna-dvaidhā yatātmānaḥ sarva-bhūta-hite ratāḥ

labhante – elérik; *brahma-nirvāṇam* – a felszabadulást a Legfelsőbben; *ṛṣayaḥ* – akik belül tevékenyek; *kṣīṇa-kalmaṣāḥ* – akik mentesek minden bűntől; *chinna-dvaidhāḥ* – akik elszakadtak a kettősségektől; *yata-ātmānaḥ* – az önmegvalósításra törekvők; *sarva-bhūta* – a minden élőlény; *hite* – jólétén; *ratāḥ* – fáradozók.

Akik felülemelkedtek a kétségekből származó kettősségeken, akiknek elméje befelé fordul, akik mindig valamennyi élőlény jólétén fáradoznak, s mentesek minden bűntől, azok felszabadulnak a Legfelsőbben.

MAGYARÁZAT: Csak a teljesen Kṛṣṇa-tudatú emberről mondhatjuk el, hogy minden élőlény jólétéért cselekszik. Amikor valaki valóban megértette, hogy Kṛṣṇa a kútfeje mindennek, s ebben a szellemben hajtja végre tetteit, akkor mindenkiért dolgozik. Az emberiség szenvedésének az az oka, hogy elfelejtette: Kṛṣṇa a legfelsőbb élvező, a legfelsőbb tulajdonos és a legfelsőbb barát. Ha valaki azért dolgozik, hogy életre keltse ezt a tudatot az egész emberi társadalomban, az a legmagasabb rendű jótékonysági munkát végzi. Ám senki sem végezhet ilyen nagyszerű jótékonysági munkát mindaddig, míg nem szabadult fel a Legfelsőbben. A Kṛṣṇa-tudatú embernek nincsenek kétségei Kṛṣṇa felsőbbrendű hatalmát illetően. Nincsenek kétségei, mert teljesen megtisztult minden bűntől. Ez az isteni szeretet állapota.

A csupán az emberi társadalom testi jólétéért fáradozó ember valójában senkin sem tud segíteni. A külső test és az elme okozta szenvedések enyhítése nem tesz senkit boldoggá. A létért folytatott fáradságos küzdelem közben tapasztalt nehézségek igazi oka abban rejlik, hogy az ember megfeledkezett a Legfelsőbb Úrral való kapcsolatáról. Ha valaki teljesen tudatában van Kṛṣṇához fűződő kapcsolatának, akkor felszabadult lélek, még ha anyagi testben van is.

26. VERS

कामक्रोधविमुक्तानां यतीनां यतचेतसाम् ।
अभितो ब्रह्मनिर्वाणं वर्तते विदितात्मनाम् ॥२६॥

kāma-krodha-vimuktānāṁ yatīnāṁ yata-cetasām
abhito brahma-nirvāṇaṁ vartate viditātmanām

kāma – a vágyaktól; *krodha* – és a dühtől; *vimuktānām* – felszabadultak számára; *yatīnām* – a szent emberek számára; *yata-cetasām* – az elméjükön tökéletesen uralkodók számára; *abhitaḥ* – hamarosan; *brahma-nirvāṇam* – a felszabadulás a Legfelsőbben; *vartate* – megtörténik; *vidita-ātmanām* – azok számára, akik önmegvalósításra tettek szert.

Akik mentesek a haragtól és minden anyagi vágytól, akik megvalósították igazi énjüket, önfegyelmezettek, s állandóan a tökéletességre törekszenek, azok kétségtelenül hamarosan felszabadulnak a Legfelsőbben.

MAGYARÁZAT: A szünet nélkül felszabadulásra törekvő szent emberek közül a Kṛṣṇa-tudatú a legjobb. A *Bhāgavatam* (4.22.39) a következőképpen erősíti meg ezt a tényt:

yat-pāda-paṅkaja-palāśa-vilāsa-bhaktyā
karmāśayaṁ grathitam udgrathayanti santaḥ
tadvan na rikta-matayo yatayo 'pi ruddha-
sroto-gaṇās tam araṇaṁ bhaja vāsudevam

„Törekedj egyedül arra, hogy odaadó szolgálatban imádd Vāsudevát, az Istenség Legfelsőbb Személyiségét. Még a nagy bölcsek sem képesek olyan sikeresen uralkodni az érzékek ösztönzésein, mint azok, akik transzcendentális gyönyörben élnek az Úr lótuszlábát szolgálva, kitépve a gyümölcsöző tettek utáni vágyak mélyre nyúló gyökereit."

A feltételekhez kötött lélekben a munka gyümölcsöző eredményeinek élvezetére irányuló vágy olyannyira mélyen gyökerezik, hogy nagy erőfeszítéseik dacára még a kiváló bölcsek is rendkívül nehezen győzik le. Az Úr *bhaktája,* aki a Kṛṣṇa-tudatban állandóan az odaadó szolgálatnak él, s tökéletes önmegvalósításra tett szert, nagyon hamar felszabadul a Legfelsőbben, s az önmegvalósításban gyökerező teljes tudása révén mindig transzban marad. Az alábbi vers egy hasonlattal él ezzel kapcsolatban:

darśana-dhyāna-saṁsparśair matsya-kūrma-vihaṅgamāḥ
svāny apatyāni puṣṇanti tathāham api padma-ja

„Nézéssel, meditálással és érintéssel csupán a hal, a teknős és a madár neveli fel ivadékait. Hasonlóan gondoskodom én is gyermekeimről, ó, Padmaja!"

A hal úgy neveli fel ivadékait, hogy csupán nézi őket. A teknős ugyanezt meditálással teszi, ugyanis tojásait kint a szárazföldön rejti el, ő maga pedig a vízben meditál rajtuk. A Kṛṣṇa-tudatú ember, noha távol van az Úr hajlékától, eljuthat oda, egyszerűen azáltal, hogy szakadatlanul Rá gondol, azaz a Kṛṣṇa-tudatot gyakorolja. Ő nem érzi az anyagi lét gyötrelmeit. Ezt az állapotot, amikor az ember szüntelenül a Legfelsőbbe merül, s ezért az anyagi szenvedés távol marad tőle, *brahma-nirvāṇának* nevezik.

27–28. VERS

स्पर्शान् कृत्वा बहिर्बाह्यांश्चक्षुश्चैवान्तरे भ्रुवोः ।
प्राणापानौ समौ कृत्वा नासाभ्यन्तरचारिणौ ॥२७॥

यतेन्द्रियमनोबुद्धिर्मुनिर्मोक्षपरायणः ।
विगतेच्छाभयक्रोधो यः सदा मुक्त एव सः ॥२८॥

sparśān kṛtvā bahir bāhyāṁś cakṣuś caivāntare bhruvoḥ
prāṇāpānau samau kṛtvā nāsābhyantara-cāriṇau

yatendriya-mano-buddhir munir mokṣa-parāyaṇaḥ
vigatecchā-bhaya-krodho yaḥ sadā mukta eva saḥ

sparśān – érzéktárgyakat, például a hangot; *kṛtvā* – tartva; *bahiḥ* – kívül; *bāhyān* – a feleslegeseket; *cakṣuḥ* – szemeket; *ca* – szintén; *eva* – bizony; *antare* – között; *bhruvoḥ* – a szemöldökök; *prāṇa-apānau* – fel- és lefelé mozgó levegőt; *samau* – beszüntetve; *kṛtvā* – visszatartva; *nāsa-abhyantara* – az orrlyukakban; *cāriṇau* – fújó; *yata* – szabályozott; *indriya* – érzékű; *manaḥ* – elméjű; *buddhiḥ* – értelmű; *muniḥ* – transzcendentalista; *mokṣa* – felszabadulásra; *parāyaṇaḥ* – szánt; *vigata* – elhagyott; *icchā* – vágyú; *bhaya* – félelmű; *krodhaḥ* – dühű; *yaḥ* – aki; *sadā* – mindig; *muktaḥ* – felszabadult; *eva* – bizony; *saḥ* – ő.

Amikor kizár minden külső érzéki tárgyat, szemét és tekintetét a két szemöldök közé rögzíti, a ki- és belélegzést az orrlyukakban tartja,

ezáltal szabályozva az elmét, az érzékeket és az értelmet, a felszabadulásra törekvő transzcendentalista megszabadul a vágyaktól, a félelemtől és a haragtól. Aki mindig ebben az állapotban van, az bizonyosan felszabadult.

MAGYARÁZAT: Kṛṣṇa-tudatban cselekedve az ember azonnal megismeri lelki önazonosságát, majd az odaadó szolgálat révén képes lesz megérteni a Legfelsőbb Urat is. Az odaadó szolgálatban megállapodva eléri a transzcendentális szintet, s alkalmassá válik arra, hogy minden tettében érezze az Úr jelenlétét. Ezt a sajátos helyzetet nevezik felszabadulásnak a Legfelsőbben.

Miután megmagyarázta a Legfelsőbben való felszabadulás említett elveit, az Úr arra oktatja Arjunát, hogyan lehet elérni ezt az állapotot a misztika, vagyis az *aṣṭāṅga-yoga* nevű *yoga* által, ami egy nyolcrétű gyakorlatot takar: *yama, niyama, āsana, prāṇāyāma, pratyāhāra, dhāraṇā, dhyāna* és *samādhi*. Az ötödik fejezet végén csak előzetes ismertetést olvashatunk erről a *yogáról,* de a hatodik fejezet részletesen leírja a módszert. Ebben a *yogában* a *pratyāhāra* révén az embernek távol kell tartania magát az érzéktárgyaktól, vagyis a hangtól, az érintéstől, a formától, az íztől és az illattól, majd a tekintetet a két szemöldök közé szögezve, félig lehunyt szemmel az orrhegyre kell összpontosítania a figyelmét. A szemet nem tanácsos teljesen becsukni, mert ez nagyon könnyen elalváshoz vezet. Teljesen kinyitni sem jó, mert akkor meg annak a veszélye áll fenn, hogy vonzódni kezdünk az érzéktárgyakhoz. A légzést az orrlyukban a test le- és felfelé mozgó levegőjének egyensúlyban tartásával lehet benntartani. E *yoga* gyakorlása által az ember képes lesz uralkodni az érzékei felett, távol tudja tartani magát a külső érzéktárgyaktól, s ily módon felkészülhet a Legfelsőbben való felszabadulásra.

Ez a *yoga*-folyamat segít abban, hogy megszabaduljunk minden félelemtől és dühtől, s így abban is, hogy e transzcendentális állapotban megérezzük a Felsőlélek jelenlétét. Más szóval a Kṛṣṇa-tudat a legkönnyebb módszer a *yoga* elveinek betartására. Ezt a következő fejezet alaposan el fogja magyarázni. A Kṛṣṇa-tudatú ember számára azonban amiatt, hogy mindig odaadó szolgálatot végez, nem áll fenn az a veszély, hogy elveszíti uralmát érzékei felett, s az érzékek más elfoglaltságot keresnek. Ez jobb módszer az érzékek szabályozására, mint az *aṣṭāṅga-yoga*.

29. VERS

भोक्तारं यज्ञतपसां सर्वलोकमहेश्वरम् ।
सुहृदं सर्वभूतानां ज्ञात्वा मां शान्तिमृच्छति ॥२९॥

bhoktāraṁ yajña-tapasāṁ sarva-loka-maheśvaram
suhṛdaṁ sarva-bhūtānāṁ jñātvā māṁ śāntim ṛcchati

bhoktāram – a haszonélvezőjeként; *yajña* – áldozatoknak; *tapasām* – vezekléseknek és lemondásoknak; *sarva-loka* – minden bolygónak és azok félisteneinek; *maha-īśvaram* – a Legfelsőbb Uraként; *su-hṛdam* – a jótevőjeként; *sarva* – minden; *bhūtānām* – élőlénynek; *jñātvā* – így ismervén; *mām* – Engem (az Úr Kṛṣṇát); *śāntim* – megszabadulást az anyagi kínoktól; *ṛcchati* – elér.

Akinek tudata Bennem merül el, s tudja, hogy Én vagyok minden áldozat és önfegyelmezés végső haszonélvezője, minden bolygó és félisten Legfelsőbb Ura, valamint az összes élőlény jóakarója és jótevője, az megszabadul az anyagi szenvedésektől, és eléri a békét.

MAGYARÁZAT: A feltételekhez kötött lelkek az illúziókeltő energia karmai között nagyon vágyódnak a békére az anyagi világban. Nem tudják, hogyan érhetik el, ám a *Bhagavad-gītānak* ez a része megmagyarázza mindezt. A béke legnagyszerűbb képlete a következő: az Úr Kṛṣṇa a haszonélvezője minden emberi tettnek. Ő az összes bolygó és az azokon uralkodó félistenek tulajdonosa, ezért mindent az Ő transzcendentális szolgálatára kell felajánlanunk. Nála senki sem hatalmasabb. Még a legnagyobb félisteneknél, az Úr Śivánál és az Úr Brahmānál is hatalmasabb. A Védák (*Śvetāśvatara-upaniṣad* 6.7) a Legfelsőbb Úrról azt írják: *tam īśvarāṇāṁ paramaṁ maheśvaram*. Az élőlények az illúzió varázsa alatt megpróbálnak az urai lenni mindennek, amit csak látnak, noha a valóságban mind alárendeltjei az Úr anyagi energiájának. Az anyagi természetnek az Úr a mestere, a feltételekhez kötött élőlények pedig arra kényszerülnek, hogy engedelmeskedjenek az anyagi természet szigorú törvényeinek. Mindaddig, amíg meg nem értjük ezeket a magától értetődő tényeket, nem érhetünk el sem egyéni, sem általános békét a világban. A Kṛṣṇa-tudat lényege nem más, mint hogy az Úr Kṛṣṇa a legfelsőbb uralkodó, az élőlények pedig – beleértve a hatalmas félisteneket is – valamennyien az Ő alárendeltjei. A tökéletes békét tehát csakis teljes Kṛṣṇa-tudatban lehet elérni.

Az ötödik fejezet az általában *karma-yogának* nevezett Kṛṣṇa-tudat gyakorlati magyarázata. Arra a spekulatív kérdésre, hogy miképpen eredményezhet a *karma-yoga* felszabadulást, itt kapunk választ. A Kṛṣṇa-tudatbeli cselekvés azt jelenti, hogy úgy cselekszünk, hogy közben tökéletes tudásunk van az Úrról, mindenek uralkodójáról. Az ilyen tevékenység nem különbözik a transzcendentális tudástól. A *bhakti-yoga* nem más, mint közvetlen Kṛṣṇa-tudat, a *jñāna-yoga* pedig egy olyan út, amely a *bhakti-yogához* vezet. A Kṛṣṇa-tudat tehát azt jelenti, hogy az ember úgy cselekszik, hogy teljes tudással rendelkezik a Legfelsőbb Abszolúthoz fűződő kapcsolatáról. Ez a tudat a Kṛṣṇáról, vagyis az Istenség Legfelsőbb Személyiségéről szóló teljes tudás ismeretében válik tökéletessé. A tiszta lélek Isten parányi szerves része, s így örök szolgája. A *māyāval* (illúzióval) azért kerül kapcsolatba, mert annak ura akar lenni, s ez okozza tengernyi szenvedését. Mindaddig, míg kapcsolatban van az anyaggal, munkát is kell végeznie, hogy anyagi szükségleteit előteremtse. A Kṛṣṇa-tudat azonban a lelki életbe vezeti át az embert, miközben még az anyagi világban él, mert ennek az anyagi világban való gyakorlása feléleszti lelki létét. Minél emelkedettebb az ember, annál inkább kiszabadul az anyag karmai közül. Az Úr nem részrehajló senkivel szemben sem. Minden a Kṛṣṇa-tudatos kötelességek gyakorlati végrehajtásától függ, amelynek segítségével az ember eléri, hogy minden tekintetben uralkodni tud az érzékein, s képes szembeszállni a vágyak és a düh késztetéseivel. Aki pedig szilárd a Kṛṣṇa-tudatban, s uralkodik az említett szenvedélyeken, az valóban a transzcendentális síkon, a *brahma-nirvāṇában* marad. Aki Kṛṣṇa-tudatban él, az ezzel együtt a nyolcfokú *yogát* is végzi, mert annak a végső célját is eléri. A *yama, niyama, āsana, prāṇāyāma, pratyāhāra, dhāraṇā, dhyāna* és *samādhi* gyakorlásával az ember fokozatosan emelkedik felfelé, ám ezek csupán előkészítik az odaadó szolgálat által elért tökéletességet. Egyedül az odaadó szolgálat ajándékozhatja meg békével az embert. Ez az élet legmagasabb rendű tökéletessége.

Így végződnek a Bhaktivedanta-magyarázatok a Śrīmad Bhagavad-gītā *ötödik fejezetéhez, melynek címe:* „Karma-yoga – *cselekvés Kṛṣṇa-tudatban".*

HATODIK FEJEZET

Dhyāna-yoga

1. VERS

श्रीभगवानुवाच
अनाश्रितः कर्मफलं कार्यं कर्म करोति यः ।
स सन्न्यासी च योगी च न निरग्निर्न चाक्रियः ॥१॥

śrī-bhagavān uvāca
anāśritaḥ karma-phalaṁ kāryaṁ karma karoti yaḥ
sa sannyāsī ca yogī ca na niragnir na cākriyaḥ

śrī-bhagavān uvāca – az Úr mondta; *anāśritaḥ* – a menedéket nem kereső; *karma-phalam* – a munka gyümölcsénél; *kāryam* – kötelező; *karma* – tettet; *karoti* – végrehajtja; *yaḥ* – aki; *saḥ* – ő; *sannyāsī* – a lemondott rendben élő; *ca* – és; *yogī* – misztikus; *ca* – és; *na* – nem; *niragniḥ* – a tűz nélküli; *na* – sem; *ca* – és; *akriyaḥ* – a kötelesség nélküli.

Az Istenség Legfelsőbb Személyisége így szólt: Aki nem ragaszkodik munkája gyümölcséhez, s kötelessége szerint cselekszik, az az élet le-

mondott rendjében él. Ő az igazi misztikus, nem a tüzet nem gyújtó és munkáját nem végző.

MAGYARÁZAT: Ebben a fejezetben az Úr elmagyarázza, hogy a nyolcfokú *yoga*-rendszer folyamata az elme és az érzékek szabályozását segíti elő. Egy átlagember számára azonban ennek végzése nagyon nehéz, különösen a Kali-korszakban. Noha ez a fejezet a nyolcfokú *yoga*-rendszert javasolja, az Úr kihangsúlyozza, hogy a *karma-yoga* folyamata, vagyis a Kṛṣṇa-tudatban végzett cselekvés jobb. Ebben a világban mindenki azért dolgozik, hogy eltartsa családját, s fenntartsa mindazt, ami hozzá tartozik, de senki sem cselekszik önzetlenül, senki sem mond le saját elégedettségének eléréséről, történjen az közvetlenül vagy mások elégedettségén keresztül. A tökéletesség feltétele a Kṛṣṇa-tudatban végzett cselekvés, amelynek célja nem a tettek gyümölcseinek élvezése. Minden élőlénynek kötelessége, hogy Kṛṣṇa-tudatban cselekedjen, hiszen eredetileg mindannyian a Legfelsőbb szerves részei vagyunk. A testrészek az egész test elégedettsége érdekében cselekszenek. Nem saját élvezetük a céljuk – mindent azért tesznek, hogy kedvében járjanak a teljes egésznek. Az az élőlény a tökéletes *sannyāsī,* a tökéletes *yogī,* aki nem személyes érdekből cselekszik, hanem a legfelsőbb egész kielégítésén fáradozik.

A *sannyāsīk* néha – helytelenül – azt hiszik, hogy megszabadultak minden anyagi kötelességtől, ezért nem végzik tovább az *agnihotra-yajñákat* (tűzáldozatokat). Szándékuk azonban valójában önző, mert céljuk az, hogy eggyé váljanak a személytelen Brahmannal. Ez a vágy jobb, mint bármelyik anyagi óhaj, de nem mentes az önzéstől. Ehhez hasonlóan az anyagi tettekről lemondott misztikus *yogī,* aki félig lehunyt szemmel gyakorolja a *yoga*-folyamatot, szintén valamiféle személyes elégedettség elérésére vágyik. Ám a Kṛṣṇa-tudatban cselekvő ember az egész kielégítéséért dolgozik, önérdek nélkül. Nem vágyik saját örömére. Az ő sikerének titka Kṛṣṇa elégedettségében rejlik, s így ő a tökéletes *sannyāsī,* a tökéletes *yogī.* Az Úr Caitanya, a lemondás legtökéletesebb példaképe így imádkozik:

na dhanaṁ na janaṁ na sundarīṁ
kavitāṁ vā jagad-īśa kāmaye
mama janmani janmanīśvare
bhavatād bhaktir ahaitukī tvayi

„Ó, Mindenható Úr! Nem vágyom gazdagságra és szép nőkre, és azt sem akarom, hogy követőim legyenek. Csupán azt kívánom, hogy indokolatlan kegyedből életről életre odaadással szolgálhassalak!”

2. VERS

यं सन्न्यासमिति प्राहुर्योगं तं विद्धि पाण्डव ।
न ह्यसन्न्यस्तसङ्कल्पो योगी भवति कश्चन ॥ २ ॥

yaṁ sannyāsam iti prāhur yogaṁ taṁ viddhi pāṇḍava
na hy asannyasta-saṅkalpo yogī bhavati kaścana

yam – amit; *sannyāsam* – lemondásnak; *iti* – így; *prāhuḥ* – mondanak; *yogam* – összekapcsolódásnak a Legfelsőbbel; *tam* – azt; *viddhi* – tudnod kell; *pāṇḍava* – ó, Pāṇḍu fia; *na* – sohasem; *hi* – bizony; *asannyasta* – le nem mondó; *saṅkalpaḥ* – a személyes elégedettségre irányuló vágyról; *yogī* – a misztikus transzcendentalista; *bhavati* – lesz; *kaścana* – bárki.

Ó, Pāṇḍu fia! Tudnod kell, hogy amit lemondásnak nevezünk, az nem más, mint yoga, azaz összekapcsolódás a Legfelsőbbel, mert senki sem lehet yogī addig, míg le nem mond az érzékek kielégítésének vágyáról.

MAGYARÁZAT: Az igazi *sannyāsa-yoga* vagy *bhakti* azt jelenti, hogy az embernek ismernie kell élőlényként betöltött eredeti helyzetét, s eszerint kell cselekednie. Az élőlénynek nincsen különálló, független azonossága; ő a Legfelsőbb határenergiájához tartozik. Amikor az anyagi energia csapdába ejti, feltételekhez kötötté válik, amikor azonban Kṛṣṇa-tudatú, vagyis tudatára ébred a lelki energiának, akkor visszakerül valódi és természetes létállapotába. A teljes tudással rendelkező éppen ezért felhagy minden anyagi érzékkielégítéssel, vagyis lemond minden érzékkielégítő cselekedetről. Ezt azok a *yogīk* gyakorolják, akik távol tartják érzékeiket az anyaggal való kapcsolattól. Annak azonban, aki Kṛṣṇa-tudatú, nincs alkalma érzékeit semmi olyasmivel lefoglalni, aminek nem Kṛṣṇa kielégítése a célja, ezért ő egyidejűleg *sannyāsī* és *yogī* is. A Kṛṣṇa-tudattal minden külön törekvés nélkül elérhető a különféle *jñāna-* és *yoga*-rendszerek által célul kitűzött tudás és érzékszabályozás is. Ha valaki képtelen abbahagyni az önző természetű tetteket, akkor sem a *jñāna,* sem a *yoga* nem használ. Az élőlény igazi célja nem más, mint hogy felhagyjon minden olyan tettel, melynek alapja az öncélú elégedettség megszerzése, valamint hogy készen álljon a Legfelsőbb vágyainak teljesítésére. A Kṛṣṇa-tudatú ember nem vágyik semmiféle önző élvezetre, hanem mindig a Legfelsőbb öröméért cselekszik. Mivel senki sem lehet tétlen, az, aki mit sem tud a Legfelsőbbről, csak saját boldogságára törekedhet. A Kṛṣṇa-tudat gyakorlásával azonban minden cél elérhető.

3. VERS

आरुरुक्षोर्मुनेर्योगं कर्म कारणमुच्यते ।
योगारूढस्य तस्यैव शमः कारणमुच्यते ॥ ३ ॥

āruruksor muner yogaṁ karma kāraṇam ucyate
yogārūḍhasya tasyaiva śamaḥ kāraṇam ucyate

āruruksoḥ – annak, aki éppen elkezdte a *yogát; muneḥ* – a bölcsnek; *yogam* – a nyolcfokú *yoga*-rendszert; *karma* – tett; *kāraṇam* – az eszköz; *ucyate* – úgy mondják; *yoga* – a nyolcfokú *yoga; ārūḍhasya* – annak, aki elérte; *tasya* – neki; *eva* – bizony; *śamaḥ* – minden anyagi tett beszüntetése; *kāraṇam* – az eszköz; *ucyate* – úgy mondják.

Aki kezdő a nyolcfokú yoga gyakorlásában, annak a munkát ajánlják, annak pedig, aki már fejlett a yogában, az összes anyagi tettről való lemondást.

MAGYARÁZAT: *Yogának* azt a folyamatot nevezzük, amely összekapcsolja az embert a Legfelsőbbel. Hasonló ez egy létrához, amely a lelki megvalósítás legfelsőbb szintjére vezet. A létra az élőlény anyagi világbeli létének legalacsonyabb rendű állapotánál kezdődik, s a tiszta lelki életben bekövetkező tökéletes önmegvalósításig visz. Különféle szinteket jelölő fokait különböző nevekkel illetik. Magát a teljes létrát *yogának* hívják, amely három részre: *jñāna-yogára, dhyāna-yogára* és *bhakti-yogára* osztható. A létra legalsó fokát *yogārūrukṣunak,* a legfelsőt pedig *yogārūḍhának* nevezik.

A nyolcfokú *yoga*-rendszer első gyakorlatai, az élet szabályozó elveinek betartásával végzett meditáció és a különféle ülőhelyzetek gyakorlása (melyek többé-kevésbé tornagyakorlatok) gyümölcsöző anyagi tetteknek tekinthetők. Ezek tökéletes szellemi egyensúlyhoz vezetnek, s ezáltal az ember képes lesz uralkodni az érzékei fölött. Amikor az ember tökéletességet ért el a meditáció gyakorlásában, az elme minden zavaró tevékenysége megszűnik.

Ezzel szemben a Kṛṣṇa-tudatú ember kezdettől fogva a meditáció síkján van, mert mindig Kṛṣṇára gondol. Szakadatlanul Kṛṣṇa szolgálatában cselekszik, ezért úgy kell rá tekintenünk, hogy már felhagyott minden anyagi tettel.

4. VERS

यदा हि नेन्द्रियार्थेषु न कर्मस्वनुषज्जते ।
सर्वसङ्कल्पसन्न्यासी योगारूढस्तदोच्यते ॥ ४ ॥

yadā hi nendriyārtheṣu na karmasv anuṣajjate
sarva-saṅkalpa-sannyāsī yogārūḍhas tadocyate

yadā – amikor; *hi* – bizony; *na* – nem; *indriya-artheṣu* – érzékkielégítésben; *na* – sohasem; *karmasu* – gyümölcsöző tettekben; *anuṣajjate* – szükséges elmerülnie; *sarva-saṅkalpa* – minden anyagi vágyról; *sannyāsī* – lemondott; *yoga-ārūḍhaḥ* – fejlett a *yogában; tadā* – akkor; *ucyate* – úgy mondják.

Akkor számít valaki fejlettnek a yogában, ha anyagi vágyairól lemondva nem törekszik érzékei kielégítésére, s nem végez gyümölcsöző tetteket sem.

MAGYARÁZAT: Amikor az ember teljesen elmerül az Úr transzcendentális szerető szolgálatában, belső elégedettség tölti el, és így nem végez többé érzékkielégítő vagy gyümölcsöző tetteket. Ellenkező esetben azonban elkerülhetetlenül az érzékei kielégítésével lesz elfoglalva, hiszen nem maradhat tétlen. A Kṛṣṇa-tudat nélkül az ember mindig egocentrikus vagy másokra kiterjesztett önző cselekedetekre kényszerül. Ám aki Kṛṣṇa-tudatú, az mindent képes Kṛṣṇa örömééert tenni, így teljesen eltávolodik az érzékkielégítéstől. Aki nem értette meg és nem váltotta valóra ezt az elvet, az mechanikus módszerrel törekszik arra, hogy megszabaduljon az anyagi vágyaktól, még mielőtt a *yoga*-létra legfelsőbb fokára fellépne.

5. VERS

उद्धरेदात्मनात्मानं नात्मानमवसादयेत् ।
आत्मैव ह्यात्मनो बन्धुरात्मैव रिपुरात्मनः ॥५॥

uddhared ātmanātmānaṁ nātmānam avasādayet
ātmaiva hy ātmano bandhur ātmaiva ripur ātmanaḥ

uddharet – fel kell szabadítania; *ātmanā* – az elme által; *ātmānam* – a feltételekhez kötött lelket; *na* – sohasem; *ātmānam* – a feltételekhez kötött lelket; *avasādayet* – szabad degradálnia; *ātmā* – elméje; *eva* – bizony; *hi* – valóban; *ātmanaḥ* – a feltételekhez kötött léleknek; *bandhuḥ* – barátja; *ātmā* – elméje; *eva* – bizony; *ripuḥ* – ellensége; *ātmanaḥ* – a feltételekhez kötött léleknek.

Az embernek az elméje segítségével fel kell szabadulnia, s nem szabad visszaesnie. Az elme a barátja és az ellensége is lehet a feltételekhez kötött léleknek.

MAGYARÁZAT: Az *ātmā* szó testet, elmét és lelket is jelent, a szövegkörnyezettől függően. A *yoga*-rendszerben az elme és a feltételekhez kötött lélek különösen fontos. Mivel az elme áll a *yoga* gyakorlásának középpontjában, az *ātmā* itt az elmére utal. A *yoga*-rendszer célja az elme szabályozása és érzéktárgyaktól való visszatartása. Ez a vers kihangsúlyozza: az elmét úgy kell irányítani, hogy az kiszabadíthassa a feltételekhez kötött lelket a tudatlanság mocsarából. Az anyagi létben az embert az elméje és az érzékei befolyásolják. A tiszta lélek valójában annak köszönheti anyagi világbeli fogságát, hogy az elme kapcsolatban áll a hamis egóval, ami uralkodni akar az anyagi természet felett. Az elmét ezért oly módon kell szabályozni, hogy ne vonzza az anyagi természet csillogása. Így lehet megmenteni a feltételekhez kötött lelket. Az embernek nem szabad az érzéktárgyakhoz vonzódva visszaesnie. Minél jobban ragaszkodik az érzéktárgyakhoz, annál inkább belebonyolódik az anyagi létezés kötelékébe. A szabadulás legjobb módszere az, ha elménket állandóan Kṛṣṇa-tudatban foglaljuk le. A *hi* szócska használata nyomatékosítja ezt a gondolatot: így *kell* tenni. Az *Amṛta-bindu-upaniṣad* (2) így ír:

mana eva manuṣyāṇāṁ kāraṇaṁ bandha-mokṣayoḥ
bandhāya viṣayāsaṅgo muktyai nirviṣayaṁ manaḥ

„Az ember fogságának és felszabadulásának az elme az oka. Ha elmerül az érzéktárgyakban, az leláncolja az embert, ha pedig távol tartja magát azoktól, az felszabaduláshoz vezet.” Az állandóan Kṛṣṇa-tudatban elmélyülő elme segítségével ezért a legfelsőbb felszabadulás érhető el.

6. VERS

बन्धुरात्मात्मनस्तस्य येनात्मैवात्मना जितः ।
अनात्मनस्तु शत्रुत्वे वर्तेतात्मैव शत्रुवत् ॥ ६ ॥

bandhur ātmātmanas tasya yenātmaivātmanā jitaḥ
anātmanas tu śatrutve vartetātmaiva śatru-vat

bandhuḥ – barátja; *ātmā* – az elme; *ātmanaḥ* – az élőlénynek; *tasya* – annak; *yena* – aki által; *ātmā* – az elme; *eva* – bizony; *ātmanā* – az élőlény által; *jitaḥ* – legyőzött; *anātmanaḥ* – annak, akinek nem sikerült elméjét szabályoznia; *tu* – de; *śatrutve* – ellenségeskedés miatt; *varteta* – megmarad; *ātmā eva* – ugyanaz az elme; *śatru-vat* – ellenségként.

Az elme a legjobb barátja lesz annak, aki legyőzi őt, ám annak, aki nem képes felülkerekedni rajta, a legnagyobb ellenségévé válik.

MAGYARÁZAT: A nyolcfokú *yoga* gyakorlásának célja az elme legyőzése, hogy az az ember barátjává válhasson, s így segíteni tudja őt emberi küldetése teljesítésében. Aki megzabolázatlan elmével, csupán a látszat kedvéért végzi a *yogát,* az csak az idejét vesztegeti. Aki nem képes uralkodni az elméje fölött, az legnagyobb ellenségével él együtt, s ez tönkreteszi az egész életét, küldetése pedig nem jár sikerrel. Az élőlény örök természetéhez tartozik, hogy feljebbvalója parancsait végrehajtsa. Amíg az elméjét nem győzi le, s az az ellensége marad, addig a vágy, a düh, a mohóság, az illúzió stb. parancsait kénytelen teljesíteni. Amikor azonban legyőzi, akkor saját akaratából az Istenség Személyisége, a mindenki szívében jelen lévő Paramātmā utasításainak engedelmeskedik. Az igazi *yoga* végzéséhez hozzátartozik, hogy az ember felfedezi a Paramātmāt a szívében, s aztán követi útmutatásait. Ha valaki közvetlenül a Kṛṣṇa-tudat gyakorlásához lát, abból természetesen következik, hogy tökéletesen meghódol az Úr utasításainak.

7. VERS

जितात्मनः प्रशान्तस्य परमात्मा समाहितः ।
शीतोष्णसुखदुःखेषु तथा मानापमानयोः ॥ ७ ॥

jitātmanaḥ praśāntasya paramātmā samāhitaḥ
śītoṣṇa-sukha-duḥkheṣu tathā mānāpamānayoḥ

jita-ātmanaḥ – annak, aki legyőzte elméjét; *praśāntasya* – aki az elméje szabályozásával békét ért el; *parama-ātmā* – a Felsőlélek; *samāhitaḥ* – teljesen elért; *śīta* – hidegben; *uṣṇa* – melegben; *sukha* – boldogságban; *duḥkheṣu* – és boldogtalanságban; *tathā* – is; *māna* – tiszteletben; *apamānayoḥ* – és szégyenben.

Aki legyőzte elméjét, az elérte már a Felsőlelket, mert nyugalom árasztja el. Az ilyen ember számára boldogság vagy szenvedés, meleg vagy hideg, tisztelet vagy gyalázat nem különbözik egymástól.

MAGYARÁZAT: Voltaképpen minden élőlénynek az a kötelessége, hogy engedelmeskedjen az Istenség Legfelsőbb Személyisége utasításainak, aki Paramātmāként mindenki szívében jelen van. Az anyagi tettekbe akkor bonyolódik bele az élőlény, amikor a külső, illúziókeltő energia félrevezeti az elméjét. Éppen ezért arra az emberre, aki valamelyik *yoga*-folyamat segítségével megzabolázta az elméjét, úgy kell tekintenünk, mint aki már célba ért. Az embernek követnie kell a felsőbb utasításokat. Amikor elméje megingathatatlanul a felsőbb természetre összpontosít, akkor egyedül a Legfelsőbb útmutatását képes követni. Elméjének el kell fogadnia és követnie kell valamilyen felsőbb irányítást. Az elme szabályozásának eredménye az, hogy az ember magától értetődő módon engedelmeskedik a Paramātmā, a Felsőlélek parancsainak. Az, aki Kṛṣṇa-tudatú, azonnal eljut erre a transzcendentális síkra, ezért az Úr *bhaktájára* nem hatnak az anyagi lét kettősségei, például a boldogság és a boldogtalanság, a hideg és a meleg stb. Ez az állapot a tényleges *samādhi,* az elmélyülés a Legfelsőbben.

8. VERS

ज्ञानविज्ञानतृप्तात्मा कूटस्थो विजितेन्द्रियः ।
युक्त इत्युच्यते योगी समलोष्ट्राश्मकाञ्चनः ॥ ८ ॥

jñāna-vijñāna-tṛptātmā kūṭa-stho vijitendriyaḥ
yukta ity ucyate yogī sama-loṣṭrāśma-kāñcanaḥ

jñāna – a megszerzett tudás által; *vijñāna* – és a gyakorlatban megélt tudás által; *tṛpta* – elégedett; *ātmā* – élőlény; *kūṭa-sthaḥ* – a lelki síkon; *vijita-indriyaḥ* – szabályozott érzékű; *yuktaḥ* – alkalmas az önmegvalósításra; *iti* – így; *ucyate* – mondják; *yogī* – a misztikus; *sama* – kiegyensúlyozott; *loṣṭra* – kavics; *aśma* – kő; *kāñcanaḥ* – arany.

Csak akkor szilárd valaki az önmegvalósításban, és csak akkor hívják yogīnak [misztikusnak], ha teljesen elégedetté vált megszerzett tudása és annak megvalósítása által. Az ilyen ember transzcendentális szinten áll, s önfegyelmezett. Mindent egyenlőnek lát, legyen az kavics, kő vagy arany.

MAGYARÁZAT: A csupán elméleti tudásnak, mely nélkülözi a Legfelsőbb Igazságról való teljes tudatosságot, nincs haszna. A *Bhakti-rasāmṛta-sindhu* (1.2.234) így ír ezzel kapcsolatban:

ataḥ śrī-kṛṣṇa-nāmādi na bhaved grāhyam indriyaiḥ
sevonmukhe hi jihvādau svayam eva sphuraty adaḥ

„Szennyezett anyagi érzékeivel senki sem értheti meg Śrī Kṛṣṇa nevének, alakjának, jellemének és kedvteléseinek transzcendentális természetét. Ez csakis akkor tárul fel az ember előtt, ha az Úrnak végzett transzcendentális szolgálat lelkileg áthatja."

A *Bhagavad-gītā* a Kṛṣṇa-tudat tudománya. A világi bölcsesség egymagában senkit sem változtathat Kṛṣṇa-tudatúvá; az embernek olyan szerencsésnek kell lennie, hogy találkozzon egy tiszta tudatú emberrel. A Kṛṣṇa-tudatú ember Kṛṣṇa kegyéből megvalósított tudással rendelkezik, mert elégedett a tiszta odaadó szolgálattal, a megvalósított tudás által pedig az ember tökéletessé válik. A transzcendentális tudás birtokában szilárd maradhat meggyőződésében, de a csak elméleti tudással rendelkezőt könnyen megzavarhatják a látszólagos ellentmondások. Egyedül az önmegvalósítást elért lélek ura valóban önmagának, mert meghódolt Kṛṣṇa előtt. Transzcendentális ő, mert semmi köze a világi tudáshoz. Számára a világi tudás és az elméleti spekuláció – amit mások úgy becsülnek, mint az aranyat – nem ér többet a kavicsnál vagy a kőnél.

9. VERS

सुहृन्मित्रार्युदासीनमध्यस्थद्वेष्यबन्धुषु ।
साधुष्वपि च पापेषु समबुद्धिर्विशिष्यते ॥९॥

suhṛn-mitrāry-udāsīna- madhyastha-dveṣya-bandhuṣu
sādhuṣv api ca pāpeṣu sama-buddhir viśiṣyate

su-hṛt – a természetüknél fogva jóakarókhoz; *mitra* – a szeretetteljes jótevőkhöz; *ari* – az ellenségekhez; *udāsīna* – a hadviselők között semlegesekhez; *madhya-stha* – a hadviselők között közvetítőkhöz; *dveṣya* – az irigyekhez; *bandhuṣu* – és a rokonokhoz vagy jóakarókhoz; *sādhuṣu* – a jámborokhoz; *api* – még; *ca* – is; *pāpeṣu* – a bűnösökhöz; *sama-buddhiḥ* – ugyanolyan az értelme; *viśiṣyate* – sokkal kiválóbb.

Aki a becsületes jóakaróval, a kedves jótevővel, a pártatlannal, a közvetítővel, az iriggyel, a baráttal, az ellenséggel, a jámborral és a bűnössel is egyenlően bánik, az még emelkedettebb.

10. VERS

योगी युञ्जीत सततमात्मानं रहसि स्थितः ।
एकाकी यतचित्तात्मा निराशीरपरिग्रहः ॥१०॥

yogī yuñjīta satatam ātmānaṁ rahasi sthitaḥ
ekākī yata-cittātmā nirāśīr aparigrahaḥ

yogī – egy transzcendentalista; *yuñjīta* – Kṛṣṇa-tudatban koncentráljon; *satatam* – állandóan; *ātmānam* – magát (teste, elméje és önvalója által);

rahasi – egy elhagyatott helyen; *sthitaḥ* – ebben a helyzetben; *ekākī* – egyedül; *yata-citta-ātmā* – mindig éber elmével; *nirāśīḥ* – anélkül, hogy bármi más vonzaná; *aparigrahaḥ* – birtoklástudattól mentesen.

A transzcendentalistának testét, elméjét és lelkét a Legfelsőbbel kapcsolatban kell használnia. Egyedül, magányos helyen kell élnie, mindig figyelmesen szabályozva elméjét. Meg kell szabadulnia minden vágytól és birtoklástudattól.

MAGYARÁZAT: A Kṛṣṇát illető tudatosság különféle fokokban valósulhat meg: ismerhetjük Őt mint Brahmant, mint Paramātmāt és mint az Istenség Legfelsőbb Személyiségét. A Kṛṣṇa-tudat lényegében azt jelenti, hogy az ember szüntelenül az Úr transzcendentális szerető szolgálatát végzi. Akik azonban a személytelen Brahmanhoz vagy a helyhez kötött Felsőlélekhez vonzódnak, részben szintén Kṛṣṇa-tudatúak, mert a személytelen Brahman Kṛṣṇa lelki sugárzása, a Felsőlélek pedig az Ő mindent átható, részleges kiterjedése. Így az imperszonalista és a meditáló *yogī* közvetve szintén Kṛṣṇa-tudatú. A közvetlenül Kṛṣṇa-tudatú *bhakta* a legkiválóbb transzcendentalista, mert jól tudja, mi a Brahman és a Paramātmā. Tudása az Abszolút Igazságról tökéletes, ellenben az imperszonalisták és a meditáló *yogīk* Kṛṣṇa-tudata tökéletlen.

Ez a vers mindamellett mindnyájukat arra utasítja, hogy töretlenül folytassák saját útjukat, hogy előbb vagy utóbb elérjék a legfelsőbb tökéletességet. A transzcendentalista első kötelessége, hogy elméjét mindig Kṛṣṇára irányítsa. Örökké gondoljon Kṛṣṇára, s ne felejtse el Őt egy pillanatra sem. Az elme összpontosítását a Legfelsőbbön *samādhinak,* transznak nevezik. Az elme sikeres koncentrálása érdekében az embernek a világtól elvonultan kell élnie, s kerülnie kell a külső tényezők zavaró hatásait. Nagyon kell vigyáznia arra is, hogy elfogadja mindazt, ami kedvezően hat az önmegvalósításra, és hogy elutasítson mindent, ami káros. Teljes eltökéltségre szert téve ne vágyódjon fölösleges anyagi dolgokra, melyek a birtoklás érzését keltve megkötik őt.

Amikor az ember közvetlenül Kṛṣṇa-tudatú, akkor szert tesz e képességekre, és betart minden tiltást, mert a közvetlen Kṛṣṇa-tudat önmegtartóztatást jelent, ami nem nyújt sok lehetőséget az anyagi birtoklástudat kialakulására. Śrīla Rūpa Gosvāmī így jellemzi a Kṛṣṇa-tudatot (*Bhakti-rasāmṛta-sindhu* 1.2.255–256):

anāsaktasya viṣayān yathārham upayuñjataḥ
nirbandhaḥ kṛṣṇa-sambandhe yuktaṁ vairāgyam ucyate

prāpañcikatayā buddhyā hari-sambandhi-vastunaḥ
mumukṣubhiḥ parityāgo vairāgyaṁ phalgu kathyate

„Amikor az ember nem kötődik semmihez, ám ugyanakkor mindent elfogad, ami Kṛṣṇával kapcsolatban áll, akkor felülemelkedett a birtoklástudaton. Ellenben nem ilyen teljes annak a lemondása, aki mindent elutasít, anélkül, hogy ismerné azok Kṛṣṇához fűződő kapcsolatát."

A Kṛṣṇa-tudatú ember nagyon jól tudja, hogy minden Kṛṣṇához tartozik, ezért sohasem érzi azt, hogy ő a tulajdonosa valaminek, s nem vágyakozik semmire a saját maga számára. Tudja, hogyan kell elfogadni a Kṛṣṇa-tudat szempontjából hasznos dolgokat és elutasítani a haszontalanokat vagy károsakat. Mivel mindig transzcendentális, az anyagi dolgok felett áll, s mert nincs kapcsolata olyan emberekkel, akik nem Kṛṣṇa-tudatúak, mindig egyedül van. A Kṛṣṇa-tudatú személy a tökéletes *yogī*.

11–12. VERS

शुचौ देशे प्रतिष्ठाप्य स्थिरमासनमात्मनः ।
नात्युच्छ्रितं नातिनीचं चैलाजिनकुशोत्तरम् ॥११॥
तत्रैकाग्रं मनः कृत्वा यतचित्तेन्द्रियक्रियः ।
उपविश्यासने युञ्ज्याद्योगमात्मविशुद्धये ॥१२॥

śucau deśe pratiṣṭhāpya sthiram āsanam ātmanaḥ
nāty-ucchritaṁ nāti-nīcaṁ cailājina-kuśottaram

tatraikāgraṁ manaḥ kṛtvā yata-cittendriya-kriyaḥ
upaviśyāsane yuñjyād yogam ātma-viśuddhaye

śucau – megszentelt; *deśe* – földön; *pratiṣṭhāpya* – tartózkodva; *sthiram* – szilárd; *āsanam* – ülőhelyet; *ātmanaḥ* – magának; *na* – nem; *ati* – túlságosan; *ucchritam* – magasat; *na* – sem; *ati* – túlságosan; *nīcam* – alacsonyat; *caila-ajina* – puha ruha és őzbőr; *kuśa* – és *kuśa*-fű által; *uttaram* – fedettet; *tatra* – azután; *eka-agram* – összpontosított figyelmű; *manaḥ* – elmét; *kṛtvā* – csinálva; *yata-citta* – szabályozva az elmét; *indriya* – és az érzékeket; *kriyaḥ* – és a cselekedeteket; *upaviśya* – ülve; *āsane* – az ülőhelyen; *yuñjyāt* – végeznie kell; *yogam* – a *yoga* gyakorlatait; *ātma* – a szív; *viśuddhaye* – tisztítása érdekében.

A yoga gyakorlásához az embernek egy magányos helyre kell vonulnia. Terítsen kuśa-szénát a földre, azt pedig takarja le őzbőrrel és egy puha ruhadarabbal. Az ülés ne legyen se túl magas, se túl alacsony, és szent helyen álljon. Ezután a yogī vegyen fel rajta egy szilárd ülőhelyzetet, s gyakorolja a yogát, hogy elméje, érzékei és cselekedetei szabályozásával, valamint az elme egy pontra rögzítésével megtisztítsa a szívét.

MAGYARÁZAT: A „szent hely" zarándokhelyet jelent. Indiában a *yogīk* – a transzcendentalisták, vagyis a *bhakták* – mind elhagyják otthonukat, és szent helyeken – Prayāgában, Mathurāban, Vṛndāvanában, Hṛṣīkeśában, Haridvārában – telepednek le, és szent folyók, így a Yamunā és a Gangesz mellett, magányban gyakorolják a *yogát.* Gyakran azonban ez nem lehetséges, főleg a nyugati emberek számára. A nagyvárosok úgynevezett *yoga*-közösségei az anyagi javak megszerzésében talán biztosíthatnak némi sikert, ám az igazi *yoga* gyakorlására egyáltalán nem alkalmasak. Aki nem fegyelmezi önmagát, s akinek elméje zavarodott, az nem tud meditálni. A *Bṛhan-nāradīya-purāṇában* ezért az áll, hogy a Kali-yugában (a jelen *yugában,* korszakban), amikor az emberek többnyire rövid életűek, lassúak a lelki felemelkedésben, és mindig számtalan dolog miatt aggódnak, az Úr szent nevének éneklése a legjobb módszer a lelki önmegvalósításra.

harer nāma harer nāma harer nāmaiva kevalam
kalau nāsty eva nāsty eva nāsty eva gatir anyathā

„A nézeteltérések és a képmutatás jelen korszakában az Úr szent nevének éneklése az egyetlen lehetőség a felszabadulásra. Nincs más út, nincs más út, nincs más út."

13–14. VERS

समं कायशिरोग्रीवं धारयन्नचलं स्थिरः ।
सम्प्रेक्ष्य नासिकाग्रं स्वं दिशश्चानवलोकयन् ॥१३॥
प्रशान्तात्मा विगतभीर्ब्रह्मचारिव्रते स्थितः ।
मनः संयम्य मच्चित्तो युक्त आसीत मत्परः ॥१४॥

samaṁ kāya-śiro-grīvaṁ dhārayann acalaṁ sthiraḥ
samprekṣya nāsikāgraṁ svaṁ diśaś cānavalokayan

praśāntātmā vigata-bhīr brahmacāri-vrate sthitaḥ
manaḥ saṁyamya mac-citto yukta āsīta mat-paraḥ

samam – egyenesen; *kāya* – testet; *śiraḥ* – fejet; *grīvam* – és nyakat; *dhārayan* – tartva; *acalam* – mozdulatlanul; *sthiraḥ* – nyugodtan; *samprekṣya* – nézve; *nāsikā* – az orrnak; *agram* – a hegyét; *svam* – maga mellett; *diśaḥ* – minden oldalra; *ca* – és; *anavalokayan* – nem nézve; *praśānta* – háborítatlan; *ātmā* – elmével; *vigata-bhīḥ* – félelemtől mentesen; *brahmacāri-vrate* – a cölibátus fogadalmában; *sthitaḥ* – van; *manaḥ* – elmét; *saṁyamya* – teljesen legyőzve; *mat* – Rám (Kṛṣṇára);

cittaḥ – összpontosítva az elmét; *yuktaḥ* – a valódi *yogī; āsīta* – üljön; *mat* – Engem; *paraḥ* – a végső cél.

Testét, nyakát és fejét tartsa egyenes vonalban, és szemét rendületlenül szögezze az orrhegyére. Így – nyugodt és legyőzött elmével, a félelemtől megszabadulva, a nemi élvezetről teljesen lemondva – szívében Rajtam meditáljon, s Engem tegyen élete végső céljának.

MAGYARÁZAT: Az élet célja Kṛṣṇa megismerése, aki Paramātmāként, vagyis négykarú Viṣṇu alakjában mindenki szívében jelen van. A *yoga* gyakorlásának egyedüli célja Viṣṇu e helyhez kötött formájának felfedezése és megpillantása. Az élőlények szívében lakozó, helyhez kötött *viṣṇu-mūrti* Kṛṣṇa teljes képviselője. Akinek nem áll szándékában megpillantani ezt a *viṣṇu-mūrtit,* az teljesen hiábavalóan csak nevetséges módon utánozza a *yogát,* s az idejét vesztegeti. Kṛṣṇa az élet végső célja, s a *yoga* gyakorlása a szívben élő *viṣṇu-mūrtira* irányul. Ennek megvalósításához arra van szükség, hogy az ember teljesen felhagyjon a nemi élettel. Éppen ezért el kell hagynia otthonát, s egy magányos helyen, egyedül kell élnie, az említett módon mozdulatlanul ülve. Az ember nem válhat *yogīvá* azzal, hogy úgynevezett jógatanfolyamokra jár, miközben otthon vagy máshol nap mint nap a nemi élet élvezetébe merül. Gyakorolnia kell az elme szabályozását, s el kell kerülnie mindenféle érzékkielégítést, melyek közül a szexuális élvezet a legerősebb. Yājñavalkya, a nagy bölcs így ír a cölibátus törvényéről:

karmaṇā manasā vācā sarvāvasthāsu sarvadā
sarvatra maithuna-tyāgo brahmacaryaṁ pracakṣate

„A *brahmacarya* fogadalma arra való, hogy segítsen az embernek teljesen megválnia a nemi élvezettől tetteiben, beszédében és gondolataiban egyaránt, minden időben, mindenhol, minden körülmények között." Senki sem végezheti megfelelően a *yoga*-gyakorlatokat, ha közben a nemi élvezet rabja. A *brahmacaryát* ezért gyermekkortól kezdve oktatják, amikor az ember még nem tud a nemi életről. A gyermekeket ötéves korukban a *guru-kulába,* a lelki tanítómesterhez küldik, aki a fiatal fiúkat a *brahmacārī* élet szigorú elveire neveli. E szigorú gyakorlás nélkül senki sem fejlődhet a *yoga* egyetlen ágában sem, legyen az *dhyāna-, jñāna-* vagy *bhakti-yoga.* Azt, aki betartja a házasélet elveit és szabályait, és csak a feleségével van nemi kapcsolata (az is csak bizonyos előírások szerint), szintén *brahmacārīnak* hívják. Az ilyen önmegtartóztató, nős *brahmacārīt* a *bhakti*-iskola elfogadja, a *jñāna-* és a *dhyāna*-irányzat viszont nem ismeri el. Ezek az irányzatok teljes önmegtartóztatást követelnek meg, mindenféle engedmény nélkül. A *bhakti*-iskolában a családos *brahmacārī* számára engedélyezett a szabályozott nemi élet, mert a *bhakti-yoga* folyamatának hatása olyan erős, hogy az ember az Úr felsőbbrendű szolgálatának végzése által automatikusan elveszíti vonzódását a nemi élet iránt. A *Bhagavad-gītāban* (2.59) ez áll:

viṣayā vinivartante nirāhārasya dehinaḥ
rasa-varjaṁ raso 'py asya paraṁ dṛṣṭvā nivartate

Míg másoknak erővel kell visszatartaniuk magukat az érzékkielégítéstől, az Úr *bhaktája* minden külön erőfeszítés nélkül mond le róla, mert egy felsőbbrendű ízt érez. Ezt a felsőbbrendű ízt a *bhaktán* kívül senki sem ismeri.

Vigata-bhīḥ: mindaddig nem lehet félelem nélküli az ember, amíg nem teljesen Kṛṣṇa-tudatú. A feltételekhez kötött lélek félelmét eltorzult emlékezete okozza, az, hogy megfeledkezett a Kṛṣṇával való örök kapcsolatáról. A *Bhāgavatam* (11.2.37) azt mondja: *bhayam dvitīyābhiniveśataḥ syād īśād apetasya viparyayo 'smṛtiḥ.* A félelem nélküli állapot alapja egyedül a Kṛṣṇa-tudat. Csakis az ilyen tudattal rendelkező ember számára válik lehetővé a tökéletes gyakorlás. A *yoga* végső célja a szívben lakozó Úr megpillantása, így valamennyi *yogī* közül a Kṛṣṇa-tudatú a legjobb. Az említett *yoga*-rendszer elvei különböznek a manapság népszerű, úgynevezett „jógát" gyakorló társaságok elveitől.

15. VERS

युञ्जन्नेवं सदात्मानं योगी नियतमानसः ।
शान्तिं निर्वाणपरमां मत्संस्थामधिगच्छति ॥१५॥

yuñjann evaṁ sadātmānaṁ yogī niyata-mānasaḥ
śāntiṁ nirvāṇa-paramāṁ mat-saṁsthām adhigacchati

yuñjan – így gyakorolva; *evam* – az előzőekben említettek szerint; *sadā* – állandóan; *ātmānam* – testet, elmét és lelket; *yogī* – a misztikus transzcendentalista; *niyata-mānasaḥ* – szabályozott elmével; *śāntim* – békét; *nirvāṇa-paramām* – az anyagi lét megszűnését; *mat-saṁsthām* – a lelki világot (Isten birodalmát); *adhigacchati* – eléri.

A test, az elme és a tettek állandó irányítását gyakorló misztikus transzcendentalista szabályozott elméjével, az anyagi létezést megszüntetve eljut Isten birodalmába [Kṛṣṇa hajlékára].

MAGYARÁZAT: Ez a vers érthetően elmagyarázza a *yoga* gyakorlásának végső célját. A *yoga* nem arra való, hogy általa az ember anyagi kényelemhez jusson, hanem hogy elősegítse az anyagi lét teljes megszüntetését.

A *Bhagavad-gītā* szerint aki a *yogától* azt várja, hogy javuljon az egészsége, vagy hogy valamiféle anyagi képességre tegyen szert, az nem *yogī*. Az anyagi lét megszüntetése sem a „semmibe" olvadást jelenti – az csak képzelgés. Az Úr teremtésén belül nincs üresség. Az anyagi lét felszámolása azt teszi lehetővé az ember számára, hogy eljusson a lelki világba, az Úr hajlékára. A *Bhagavad-gītā* részletes leírást közöl az Úr hajlékáról, s elmondja, hogy ott nincs szükség sem napra, sem holdra, sem elektromosságra. A lelki világban minden bolygó önragyogó, az anyagi világ napjához hasonlóan. Valójában minden Isten birodalma, de a lelki világot és azok bolygóit *paraṁ dhāmának,* felsőbb hajléknak nevezik.

Maga az Úr Kṛṣṇa világosan kijelenti itt (*mat-cittaḥ, mat-paraḥ, mat-saṁsthām*), hogy csak a tökéletes *yogī,* aki Őt teljesen megérti, képes igazi békét elérni, s eljutni végül az Ő legfelsőbb hajlékára, Kṛṣṇalokára, amit Goloka-Vṛndāvanának is neveznek. A *Brahma-saṁhitā* (5.37) egyértelműen kijelenti: *goloka eva nivasaty akhilātma-bhūtaḥ* – noha az Úr mindig Goloka nevű lakhelyén tartózkodik, legfelsőbb lelki energiái révén Ő a mindent átható Brahman és a helyhez kötött Paramātmā is. A lelki világba (Vaikuṇṭhára) vagy az Úr örök hajlékára (Goloka Vṛndāvanába) senki sem juthat el, ha nem rendelkezik megfelelő tudással Kṛṣṇáról és az Ő teljes Viṣṇu-kiterjedéséről. A Kṛṣṇa-tudatban tevékenykedő ember tökéletes *yogī,* mert elméje mindig Kṛṣṇa tetteiben merül el (*sa vai manaḥ kṛṣṇa-padāravindayoḥ*). A Védákból (*Śvetāśvatara-upaniṣad* 3.8) szintén megtudhatjuk: *tam eva viditvāti mṛtyum eti.* „Az ember csak az Istenség Legfelsőbb Személyisége, Kṛṣṇa megismerésével győzheti le az ismétlődő születés és halál körforgását." Más szóval tehát a *yoga*-folyamat tökéletessége az, ha az ember megszabadul az anyagi léttől, s nem az, hogy holmi mágikus bűvészkedéssel vagy akrobatamutatványokkal becsapja az ártatlanokat.

16. VERS

नात्यश्नतस्तु योगोऽस्ति न चैकान्तमनश्नतः ।
न चातिस्वप्नशीलस्य जाग्रतो नैव चार्जुन ॥१६॥

nāty-aśnatas tu yogo 'sti   na caikāntam anaśnataḥ
na cāti-svapna-śīlasya   jāgrato naiva cārjuna

na – sohasem; *ati* – a túl sokat; *aśnataḥ* – evőnek; *tu* – de; *yogaḥ* – összekapcsolódás a Legfelsőbbel; *asti* – van; *na* – sem; *ca* – is; *ekāntam* – túlságosan; *anaśnataḥ* – az evéstől tartózkodónak; *na* – sem; *ca* – is; *ati* – a túl sokat; *svapna-śīlasya* – alvónak; *jāgrataḥ* – vagy a túl sokat virrasztónak; *na* – sem; *eva* – valaha; *ca* – és; *arjuna* – ó, Arjuna.

Ó, Arjuna, nem lehet yogī az, aki túl sokat vagy túl keveset eszik vagy alszik.

MAGYARÁZAT: Ez a vers a *yogīknak* szabályozott evést és alvást ajánl. Túl sokat az eszik, aki a test és lélek együtt tartásához szükséges ételnél többet vesz magához. Semmi szükség arra, hogy az ember húst egyen, hiszen van elég gabonaféle, zöldség, gyümölcs és tej a számára. A *Bhagavad-gītā* szerint ezek az egyszerű táplálékok tartoznak a jóság minőségébe. Húst csak a tudatlanság kötőerejében élő emberek fogyasztanak. Akik dohányoznak, alkoholt isznak, húst és olyan ételeket esznek, melyeket előtte nem ajánlottak fel Kṛṣṇának, szenvedni fognak bűnös tetteik visszahatásától, mert csak tisztátalan dolgokat esznek. *Bhuñjate te tv aghaṁ pāpā ye pacanty ātma-kāraṇāt.* Aki érzékei elégedettsége érdekében eszik, vagy magának főz, s az ételét nem ajánlja fel Kṛṣṇának, az csak bűnt vesz magához. Aki bűnt eszik, s többet eszik annál, mint ami számára elrendeltetett, az nem végezheti tökéletesen a *yogát*. A legjobb, ha valaki csupán a Kṛṣṇának felajánlott étel maradékait fogyasztja. Egy Kṛṣṇa-tudatú ember nem fogyaszt olyan táplálékot, amit nem ajánlottak fel előtte Kṛṣṇának. A *yoga* gyakorlásában tehát kizárólag az érhet el tökéletességet, aki Kṛṣṇa-tudatú. Az sem gyakorolhatja a *yogát,* aki önkényesen kitalált böjtöt követve természetellenesen lemond az evésről. A Kṛṣṇa-tudatú ember az írások tanácsainak megfelelően böjtöl. Nem koplal és nem eszik többet a kelleténél, így alkalmas a *yoga*-gyakorlatok végzésére. Aki a szükségesnél többet eszik, az nagyon sokat álmodik, ennek következtében pedig a szükségesnél többet alszik. Az ember ne aludjon napi hat óránál többet. Aki a huszonnégy órából hatnál többet tölt alvással, az kétségtelenül a tudatlanság kötőerejének hatása alatt áll. A tudatlanság kötőerejének rabja lusta, és hajlamos arra, hogy sokat aludjon. Az ilyen ember nem alkalmas a *yoga* végzésére.

17. VERS

युक्ताहारविहारस्य युक्तचेष्टस्य कर्मसु ।
युक्तस्वप्नावबोधस्य योगो भवति दुःखहा ॥१७॥

yuktāhāra-vihārasya yukta-ceṣṭasya karmasu
yukta-svapnāvabodhasya yogo bhavati duḥkha-hā

yukta – a szabályozott; *āhāra* – evésűnek; *vihārasya* – és pihenésűnek; *yukta* – a szabályozott; *ceṣṭasya* – létfenntartásúnak; *karmasu* – a kötelességek végrehajtása közben; *yukta* – a szabályozott; *svapna-avabodhasya* –

alvásúnak és ébrenlétűnek; *yogaḥ* – a *yoga* gyakorlása; *bhavati* – lesz; *duḥkha-hā* – fájdalmat enyhítő.

Akinek evése, alvása, pihenése és munkája szabályozott, az a yoga gyakorlásával minden anyagi fájdalmat képes megszüntetni.

MAGYARÁZAT: A szertelenség az evésben, az alvásban, a védekezésben és a nemi életben – melyek mind a test követelései – gátolhatja a *yoga* gyakorlásában tett fejlődést. Ami az evést illeti, azt csak akkor lehet szabályozni, ha az ember hozzászokott, hogy csakis *prasādát,* megszentelt ételt fogyasszon. A *Bhagavad-gītā* szerint (9.26) az Úr Kṛṣṇának zöldségeket, virágokat, gyümölcsöket, gabonaféléket, tejet stb. ajánlanak fel, s a Kṛṣṇa-tudatú ember így megtanulja, hogy ne fogyasszon olyan ételt, ami nem emberi táplálék, s ami nem tartozik a jóság kategóriájába. Ami az alvását illeti, Kṛṣṇa-tudatos kötelességei végrehajtása közben mindig éber, ezért nagy veszteségnek tekint minden percet, amelyet alvással tölt. *Avyartha-kālatvam:* a Kṛṣṇa-tudatú ember képtelen elviselni, hogy életéből akár egy percet is az Úr szolgálata nélkül töltsön, s ezért a lehető legkevesebbre csökkenti alvását. Példaképe ebben Śrīla Rūpa Gosvāmī, aki mindig Kṛṣṇa szolgálatába merült, s nem aludt többet napi két óránál, sőt néha még annyit sem. Haridāsa Ṭhākura még *prasādát* sem fogyasztott, s egy pillanatot sem aludt addig, amíg el nem végezte napi *japa*-gyakorlatát, amelynek során háromszázezerszer mondta ki az Úr szent nevét. Ami pedig tetteit illeti: aki Kṛṣṇa-tudatú, nem tesz semmi olyat, ami nem áll kapcsolatban Kṛṣṇa érdekével, így munkája mindig szabályozott, s mentes az érzékkielégítéstől. Mivel az ő esetében nincs szó érzékkielégítésről, anyagi értelemben vett pihenéséről sem beszélhetünk. És mivel munkájában, beszédében, alvásában, ébrenlétében és testének minden működésében egyaránt szabályozottan él, számára nem létezik anyagi nyomorúság.

18. VERS

यदा विनियतं चित्तमात्मन्येवावतिष्ठते ।
निस्पृहः सर्वकामेभ्यो युक्त इत्युच्यते तदा ॥१८॥

yadā viniyataṁ cittam ātmany evāvatiṣṭhate
nispṛhaḥ sarva-kāmebhyo yukta ity ucyate tadā

yadā – amikor; *viniyatam* – különösen fegyelmezett; *cittam* – az elme és tevékenysége; *ātmani* – a transzcendensben; *eva* – bizony; *avatiṣṭhate* – megállapodik; *nispṛhaḥ* – mentesen a vágytól; *sarva* – mindenféle; *kāmebhyaḥ* – anyagi érzékkielégítésre; *yuktaḥ* – szilárd a *yogában; iti* – így; *ucyate* – mondják; *tadā* – akkor.

Ha a yogī a yoga gyakorlása által képes fegyelmezni az elméjét, és minden anyagi vágy nélkül a transzcendensben állapodik meg, akkor azt mondják róla, megingathatatlan a yogában.

MAGYARÁZAT: A *yogī* tetteit az különbözteti meg a közönséges ember tetteitől, hogy mentes minden anyagi vágytól, melyek közül a nemi élvezet vágya a legerősebb. A tökéletes *yogī* olyan jól tudja fegyelmezni elméje működését, hogy semmilyen anyagi vágy nem zavarja meg többé. A *Śrīmad-Bhāgavatam* (9.4.18–20) szerint ezt a tökéletes síkot a Kṛṣṇa-tudatú emberek minden külön erőfeszítés nélkül elérik:

sa vai manaḥ kṛṣṇa-padāravindayor
vacāṁsi vaikuṇṭha-guṇānuvarṇane
karau harer mandira-mārjanādiṣu
śrutiṁ cakārācyuta-sat-kathodaye

mukunda-liṅgālaya-darśane dṛśau
tad-bhṛtya-gātra-sparśe 'ṅga-saṅgamam
ghrāṇaṁ ca tat-pāda-saroja-saurabhe
śrīmat-tulasyā rasanāṁ tad-arpite

pādau hareḥ kṣetra-padānusarpaṇe
śiro hṛṣīkeśa-padābhivandane
kāmaṁ ca dāsye na tu kāma-kāmyayā
yathottama-śloka-janāśrayā ratiḥ

„Ambarīṣa király először elméjét az Úr Kṛṣṇa lótuszlábára rögzítette. Szavaival az Ő transzcendentális tulajdonságait írta le, kezével a templomát takarította, fülével cselekedeteinek történeteit hallgatta, szemével transzcendentális formáit nézte, testével a *bhakták* testét érintette, orrával az Úrnak felajánlott lótuszvirág illatát szagolta, nyelvével az Ő lótuszlábának ajánlott *tulasī*-levelet ízlelte, lábával a templomba és a zarándokhelyekre látogatott, fejével az Úrnak ajánlotta hódolatát, vágyaival pedig az Úr küldetésének teljesülését szolgálta. E transzcendentális tettek jellemzik a tiszta *bhaktát.*"

Az imperszonalista út követői számára ez a transzcendentális sík a szubjektum szempontjából talán kifejezhetetlen, ám nagyon könnyű és célravezető a Kṛṣṇa-tudatúak számára, ahogyan ez Ambarīṣa Mahārāja említett tetteiből is kitűnik. E transzcendentális cselekedetek nem eredményesek mindaddig, amíg elménket az állandó emlékezés segítségével nem rögzítjük az Úr lótuszlábára. Az Úr odaadó szolgálatában ezeket az előírt tetteket *arcanának* hívják, ami azt jelenti, hogy minden érzéket az

Úr szolgálatába állítunk. Az elmének és az érzékeknek elfoglaltságra van szükségük; a cselekedetek puszta tagadása nem járható út. Az átlagemberek, s közülük is leginkább azok számára, akik nem a lemondást gyakorlók életrendjében élnek, a transzcendentális sík eléréséhez vezető tökéletes folyamat az érzékeknek és az elmének az említett transzcendentális szolgálattal való elfoglalása, amit a *Bhagavad-gītā yuktának* nevez.

19. VERS

यथा दीपो निवातस्थो नेङ्गते सोपमा स्मृता ।
योगिनो यतचित्तस्य युञ्जतो योगमात्मनः ॥१९॥

yathā dīpo nivāta-stho neṅgate sopamā smṛtā
yogino yata-cittasya yuñjato yogam ātmanaḥ

yathā – mint; *dīpaḥ* – egy mécses; *nivāta-sthaḥ* – szélcsendes helyen; *na* – nem; *iṅgate* – lobog; *sā* – ez; *upamā* – a hasonlat; *smṛtā* – van tekintve; *yoginaḥ* – a *yogī* esetében; *yata-cittasya* – kinek elméje fegyelmezett; *yuñjataḥ* – állandóan végzi; *yogam* – a meditációt; *ātmanaḥ* – a transzcendensen.

Ahogy a szélcsendes helyen nem lobog a mécses lángja, úgy az elméjét szabályozó transzcendentalista is mindig rendületlen marad, miközben a transzcendentális önvalón meditál.

MAGYARÁZAT: A valóban Kṛṣṇa-tudatú embert, aki mindig a transzcendensbe merül, s állandóan, rendíthetetlenül meditál imádandó Urán, éppúgy nem zavarja meg semmi, mint ahogyan szélcsendes helyen a mécses lángja sem rezdül.

20–23. VERS

यत्रोपरमते चित्तं निरुद्धं योगसेवया ।
यत्र चैवात्मनात्मानं पश्यन्नात्मनि तुष्यति ॥२०॥

सुखमात्यन्तिकं यत्तद् बुद्धिग्राह्यमतीन्द्रियम् ।
वेत्ति यत्र न चैवायं स्थितश्चलति तत्त्वतः ॥२१॥

यं लब्ध्वा चापरं लाभं मन्यते नाधिकं ततः ।
यस्मिन् स्थितो न दुःखेन गुरुणापि विचाल्यते ॥२२॥
तं विद्याद् दुःखसंयोगवियोगं योगसंज्ञितम् ॥२३॥

yatroparamate cittaṁ niruddhaṁ yoga-sevayā
yatra caivātmanātmānaṁ paśyann ātmani tuṣyati

sukham ātyantikaṁ yat tad buddhi-grāhyam atīndriyam
vetti yatra na caivāyaṁ sthitaś calati tattvataḥ

yaṁ labdhvā cāparaṁ lābhaṁ manyate nādhikaṁ tataḥ
yasmin sthito na duḥkhena guruṇāpi vicālyate

taṁ vidyād duḥkha-saṁyoga- viyogaṁ yoga-saṁjñitam

yatra – abban a helyzetben, ahol; *uparamate* – abbahagyja (mert transzcendentális boldogságot érez); *cittam* – az elme működését; *niruddham* – visszatartva az anyagtól; *yoga-sevayā* – a *yoga* végzése által; *yatra* – amiben; *ca* – is; *eva* – bizony; *ātmanā* – a tiszta elme által; *ātmānam* – az önvalót; *paśyan* – meglátva; *ātmani* – az önvalóban; *tuṣyati* – elégedetté válik; *sukham* – boldogságot; *ātyantikam* – legfelsőbbet; *yat* – amit; *tat* – azt; *buddhi* – az értelem által; *grāhyam* – elérhetőt; *atīndriyam* – transzcendentálisat; *vetti* – megismeri; *yatra* – amiben; *na* – sohasem; *ca* – is; *eva* – bizony; *ayam* – ő; *sthitaḥ* – elhelyezkedik; *calati* – mozdul; *tattvataḥ* – az igazságtól; *yam* – amit; *labdhvā* – elérve; *ca* – is; *aparam* – bármi más; *lābham* – nyereségre; *manyate* – gondol; *na* – sohasem; *adhikam* – többet; *tataḥ* – annál; *yasmin* – amiben; *sthitaḥ* – helyzetben; *na* – sohasem; *duḥkhena* – szenvedések által; *guruṇā api* – habár nagyon nehéz; *vicālyate* – megrendül; *tam* – azt; *vidyāt* – tudnod kell; *duḥkha-saṁyoga* – az anyaggal való kapcsolat okozta szenvedések; *viyogam* – kiirtását; *yoga-saṁjñitam* – úgy nevezik: transz a *yogában*.

A tökéletesség szintjén, melyet samādhinak, azaz transznak neveznek, az ember elméje a yoga gyakorlása révén megszabadul minden anyagi tevékenységtől. E tökéletesség jellemzője, hogy a yogī ebben az állapotban tiszta elméjével megpillanthatja önvalóját, s örömet, élvezetet tud meríteni abból. Ebben az örömteli állapotban határtalan lelki boldogságban van része, melyet transzcendentális érzékszerveivel tapasztal. E szilárd helyzetben sohasem tér el az igazságtól, s ide eljutva úgy érzi, ennél nagyobb kincsre soha nem tehet szert. Ezt az állapotot elérve még a legnagyobb nehézségek sem rendítik meg. Ily módon valóban megszabadul az anyagi kapcsolatok okozta minden szenvedéstől.

MAGYARÁZAT: A *yoga* legfőbb jellemzője, hogy gyakorlása által az ember fokozatosan eltávolodik az anyagi életfelfogástól. Ezután, amikor a *yogī* transzcendentális elméje és értelme segítségével tudatára ébred a Felsőléleknek, úgy, hogy az önvalót nem azonosítja tévesen a Felső Önvalóval, eléri a transz, a *samādhi* állapotát. A *yoga* gyakorlatai többé-kevésbé Patañjali rendszerének elveire épülnek. Néhány nem hiteles magyarázó megpróbálja azonosítani az egyéni lelket a Felsőlélekkel, s a monisták ezt vélik felszabadulásnak, ám ők nem értették meg a Patañjali-féle *yoga*-rendszer igazi célját. Patañjali rendszere ugyanis elfogadja a transzcendentális örömöt, míg az imperszonalisták nem, mert attól tartanak, hogy ez veszélyeztetné egység-elméletüket. Nem fogadják el a tudás és a tudó különállóságát, ez a vers azonban elismeri a transzcendentális érzékeken át megvalósított lelki gyönyört. Ezt Patañjali Muni, a *yoga*-rendszer híres magyarázója is megerősíti. A nagy bölcs így ír *Yoga-sūtráiban* (4.34): *puruṣārtha-śūnyānāṁ guṇānāṁ pratiprasavaḥ kaivalyaṁ svarūpa-pratiṣṭhā vā citi-śaktir iti.*

Ez a *citi-śakti,* vagyis belső energia transzcendentális. A *puruṣārtha* kifejezés materialista vallásosságra, anyagi gyarapodásra, érzékkielégítésre és végül a Legfelsőbbel való eggyé válás kísérletére utal. A monisták „a Legfelsőbbel való eggyé válást" *kaivalyának* hívják, Patañjali szerint azonban ez a *kaivalya* nem más, mint egy belső, transzcendentális erő, melynek segítségével az élőlény tudatosíthatja magában eredeti természetét és helyzetét. Az Úr Caitanya ezt *ceto-darpaṇa-mārjanamnak,* vagyis az elme poros tükre tisztításának nevezi. Ez a „tisztítás" valójában felszabadulás, vagyis *bhava-mahā-dāvāgni-nirvāpaṇam.* A *nirvāṇa* elmélete – ami szintén csak a kezdetet jelenti – megegyezik ezzel az elvvel. A *Bhāgavatam* (2.10.6) ezt *svarūpeṇa vyavasthitiḥnek* hívja. Ebben a versben a *Bhagavad-gītā* is megerősíti ezt.

A *nirvāṇa,* vagyis az anyagi lét megszüntetése után a lelki tettek, azaz az Úr odaadó szolgálata nyilvánul meg, amit Kṛṣṇa-tudatnak neveznek. Ahogyan a *Bhāgavatam* mondja: *svarūpeṇa vyavasthitiḥ,* ez „az élőlény igazi élete". *Māyának* vagy illúziónak azt az állapotot nevezzük, amikor a lelki életet az anyag szennyezi be. Ha azonban az élőlény megszabadul ettől, az nem azt jelenti, hogy eredeti, örök helyzete megszűnik. Ezzel Patañjali is egyetért: *kaivalyaṁ svarūpa-pratiṣṭhā vā citi-śaktir iti.* Ez a *citi-śakti,* transzcendentális gyönyör az igazi élet. A *Vedānta-sūtra* (1.1.12) is alátámasztja ezt: *ānanda-mayo 'bhyāsāt.* Ez a természetes transzcendentális boldogság a *yoga* végső célja, melyet könnyen el lehet érni az odaadó szolgálat, vagyis a *bhakti-yoga* végzésével. A *bhakti-yogáról* a *Bhagavad-gītā* hetedik fejezete ír majd részletesen.

Az ebben a fejezetben leírt *yoga*-rendszerben kétféle *samādhi* van: *samprajñāta-samādhi* és *asamprajñāta-samādhi.* Ha a transzcendentális síkra különféle filozófiai kutatásokkal jut el valaki, helyzetét *samprajñāta-samādhinak* hívják. Az *asamprajñāta-samādhiban* többé már semmilyen kapcsolat nincs a világi gyönyörrel, mert az ember akkorra már transzcendentálisan felülemelkedik minden olyan boldogságon, amelyhez az érzékeken keresztül jut. Ha a *yogī* egyszer megállapodik ebben a transzcendentális helyzetben, soha többé nem tér már el ettől. Amíg azonban nem éri el ezt a szintet, sikertelennek számít. Napjaink úgynevezett *yoga*-gyakorlatai, amelyekhez a különféle érzéki örömök is hozzátartoznak, ellentmondanak ennek. A nemi életet, alkoholt és kábítószereket élvező *yogī* csak nevetséges bohóc. Még azok sem tökéletesek, akiket a *yogában* a *siddhik* (misztikus képességek) vonzanak. Ahogyan azt ez a vers is kijelenti, ha a *yogīkat* a *yoga* melléktermékei vonzzák, nem érhetik el a tökéletesség szintjét. A látványos tornagyakorlatokhoz és *siddhikhez* vonzódó embereknek tudniuk kell, hogy ily módon elvész számukra a *yoga* igazi célja.

Ebben a korszakban a *yoga* gyakorlásának legjobb formája a Kṛṣṇa-tudat, amely sohasem vezet tévútra. A Kṛṣṇa-tudatú embert olyan boldoggá teszi munkája, hogy semmilyen más gyönyörre nem vágyik. A *haṭha-yoga, dhyāna-yoga* és *jñāna-yoga* gyakorlását – különösen a képmutatás e korszakában – sok minden gátolja, ám a *karma-yoga* vagy *bhakti-yoga* végzése során nyoma sincs ezeknek az akadályoknak.

Amíg az anyagi test létezik, addig az embernek szembe kell néznie a test követeléseivel: az evéssel, az alvással, a védekezéssel és a párzással. Ám aki tiszta *bhakti-yogában,* Kṛṣṇa-tudatban él, annak a test követelései nem zavarják meg az érzékeit. Hogy a legjobban használja ki testét, csakis azt fogadja el, amire létfenntartásához szüksége van, s így transzcendentális boldogságot élvez a Kṛṣṇa-tudatban. Közömbösen fogadja a váratlan eseményeket – balesetet, betegséget, éhínséget, sőt még legkedvesebb rokonának halálát is –, de arra mindig nagyon figyel, hogy kötelességeit a Kṛṣṇa-tudatban, a *bhakti-yogában* végrehajtsa. A nem várt események sohasem térítik el feladata végrehajtásától. Ahogyan azt a *Bhagavad-gītā* (2.14) elmondja: *āgamāpāyino 'nityās tāṁs titikṣasva bhārata.* A *bhakta* türelemmel visel minden váratlan eseményt, mert tudja, hogy azok örökké jönnek és elmúlnak, s nem befolyásolják kötelessége végzésében. Ily módon eléri a *yoga* legtökéletesebb szintjét.

24. VERS

स निश्चयेन योक्तव्यो योगोऽनिर्विण्णचेतसा ।
सङ्कल्पप्रभवान् कामांस्त्यक्त्वा सर्वानशेषतः ।
मनसैवेन्द्रियग्रामं विनियम्य समन्ततः ॥२४॥

sa niścayena yoktavyo yogo 'nirviṇṇa-cetasā
saṅkalpa-prabhavān kāmāṁs tyaktvā sarvān aśeṣataḥ
manasaivendriya-grāmaṁ viniyamya samantataḥ

saḥ – az; *niścayena* – szilárd elhatározással; *yoktavyaḥ* – gyakorolandó; *yogaḥ* – *yoga*-rendszer; *anirviṇṇa-cetasā* – eltérés nélkül; *saṅkalpa* – elmebeli spekulációból; *prabhavān* – született; *kāmān* – anyagi vágyakat; *tyaktvā* – feladva; *sarvān* – mindent; *aśeṣataḥ* – teljesen; *manasā* – az elme által; *eva* – bizony; *indriya-grāmam* – valamennyi érzéket; *viniyamya* – szabályozva; *samantataḥ* – minden oldalról.

Az embernek elszántsággal és hittel kell gyakorolnia a yogát, s nem szabad letérnie az útról. Meg kell válnia az elmebeli spekulációból eredő valamennyi anyagi vágytól, s elméje segítségével minden oldalról, egytől egyig szabályoznia kell érzékeit.

MAGYARÁZAT: A *yogát* gyakorlónak eltökéltnek kell lennie, s rendületlenül, türelmesen kell végeznie a gyakorlatokat. Bíznia kell a végső sikerben, nagy kitartással követnie kell a kijelölt utat, s nem szabad elkeserednie, ha a siker elérése várat magára. A *yoga* elveit szigorúan betartó ember számára az eredmény biztos. A *bhakti-yogával* kapcsolatban Rūpa Gosvāmī így ír (*Upadeśāmṛta* 3):

utsāhān niścayād dhairyāt tat-tat-karma-pravartanāt
saṅga-tyāgāt sato vṛtteḥ ṣaḍbhir bhaktiḥ prasidhyati

„A *bhakti-yoga* folyamatát csak szívből jövő lelkesedéssel, kitartással, eltökéltséggel, az előírt kötelességek végrehajtásával, a *bhakták* társaságában, teljesen a jóság kötőerejében cselekedve lehet sikeresen végezni."

Ami az elszántságot illeti, álljon előttünk a veréb példája, aki az óceán partjára rakta tojásait, ám a hatalmas hullámok mindet elsodorták. A veréb bánatában kérlelni kezdte az óceánt, hogy adja vissza tojásait, az azonban ügyet sem vetett könyörgésére. A kismadár erre elhatározta, hogy kiszárítja az óceánt, s parányi csőrével merni kezdte a vizet. Mindenki csak nevetett eltökéltségén, hogy e lehetetlen feladatra vállalkozott. Tettének híre messzire eljutott, s végül Garuḍa, az Úr Viṣṇu hatalmas madár-hátasa is meghallotta. Megszánta csöppnyi madárhúgát, s elment, hogy találkozzon vele. A kis veréb elszántsága nagy örömmel töltötte el, s megígérte, hogy segít rajta. Azonnal ráparancsolt az óceánra, hogy adja vissza a tojásokat, különben ő maga folytatja, amit a veréb elkezdett. Az óceán ijedtében nyomban engedelmeskedett neki. Garuḍa kegyéből a kis veréb boldogan élhetett tovább.

A *yoga,* különösen a *bhakti-yoga* gyakorlása a Kṛṣṇa-tudatban éppen így nagyon nehéznek tűnhet. De bárki követi is nagy eltökéltséggel a *yoga* elveit, az Úr minden bizonnyal segíteni fogja: segíts magadon, Isten is megsegít.

25. VERS

शनैः शनैरुपरमेद् बुद्ध्या धृतिगृहीतया ।
आत्मसंस्थं मनः कृत्वा न किञ्चिदपि चिन्तयेत् ॥२५॥

śanaiḥ śanair uparamed buddhyā dhṛti-gṛhītayā
ātma-saṁsthaṁ manaḥ kṛtvā na kiñcid api cintayet

śanaiḥ – fokozatosan; *śanaiḥ* – lépésről lépésre; *uparamet* – vissza kell tartania; *buddhyā* – az értelem által; *dhṛti-gṛhītayā* – meggyőződéssel; *ātma-saṁstham* – a transzcendensben megállapodottá; *manaḥ* – az elmét; *kṛtvā* – téve; *na* – ne; *kiñcit* – bármi másra; *api* – se; *cintayet* – gondoljon.

Az ember teljes meggyőződéssel, értelme segítségével fokozatosan, lépésről lépésre szilárduljon meg a transzban, s így elméjét rögzítse egyedül az önvalóra. Semmi másra ne gondoljon.

MAGYARÁZAT: Helyes meggyőződése és értelme segítségével az embernek fokozatosan el kell érnie a *pratyāhārának* nevezett szintet, ahol minden érzéktevékenység megszűnik. Az elmének, melyet az ember a meggyőződés, a meditáció és az érzéktevékenységek beszüntetése segítségével megzabolázott, meg kell állapodnia a transzban, azaz a *samādhiban*. Ezen a szinten nem kell már többé tartania attól, hogy újra visszatér az anyagi életfelfogás kötelékeibe. Más szóval tehát annak ellenére, hogy az ember mindaddig, míg anyagi teste van, kapcsolatban áll az anyaggal, nem szabad érzékkielégítésre gondolnia. A Legfelsőbb Én örömén kívül semmilyen boldogságra ne gondoljon. A Kṛṣṇa-tudat közvetlen gyakorlásával bárki könnyen eljuthat erre a szintre.

26. VERS

यतो यतो निश्चलति मनश्चञ्चलमस्थिरम् ।
ततस्ततो नियम्यैतदात्मन्येव वशं नयेत् ॥२६॥

yato yato niścalati manaś cañcalam asthiram
tatas tato niyamyaitad ātmany eva vaśaṁ nayet

yataḥ yataḥ – bárhol; *niścalati* – nagyon izgatott lesz; *manaḥ* – az elme; *cañcalam* – csapongó; *asthiram* – ingatag; *tataḥ tataḥ* – onnan; *niyamya* – szabályozva; *etat* – ezt; *ātmani* – az önvalóban; *eva* – bizony; *vaśam* – irányítás; *nayet* – alá kell hozni.

Bárhová is vándoroljon csapongó és ingatag természete miatt az elme, az embernek határozottan vissza kell térítenie az önvaló felügyelete alá.

MAGYARÁZAT: Az elmére az jellemző, hogy csapongó és ingatag. Az önmegvalósított *yogīnak* azonban uralkodnia kell rajta, s nem szabad, hogy az irányítsa őt. Aki elméjét (s így egyben az érzékeit is) szabályozza, azt *gosvāmīnak* vagy *svāmīnak* hívják, akit azonban az elméje irányít, azt *go-dāsának,* az érzékek szolgájának nevezik. A *gosvāmī* ismeri az érzéki boldogság korlátozottságát. A transzcendentális érzéki boldogságban az érzékek Hṛṣīkeśa, az érzékek legfelsőbb tulajdonosa (Kṛṣṇa) szolgálatát végzik. Megtisztult érzékekkel szolgálni Kṛṣṇát – ez a Kṛṣṇa-tudat. Így lehet teljes mértékben uralmunk alá hajtani az érzékeket, s ezen fölül ez a *yoga* gyakorlásának legmagasabb rendű tökéletessége is.

27. VERS

प्रशान्तमनसं ह्येनं योगिनं सुखमुत्तमम् ।
उपैति शान्तरजसं ब्रह्मभूतमकल्मषम् ॥२७॥

praśānta-manasaṁ hy enaṁ yoginaṁ sukham uttamam
upaiti śānta-rajasaṁ brahma-bhūtam akalmaṣam

praśānta – békés, mert Kṛṣṇa lótuszlábára szögezi elméjét; *manasam* – elméjűt; *hi* – bizonyosan; *enam* – ezt; *yoginam* – *yogīt; sukham* – a boldogság; *uttamam* – legfelsőbb; *upaiti* – eléri; *śānta-rajasam* – azt, akinek szenvedélye lecsendesült; *brahma-bhūtam* – azt, aki az Abszolúttal azonosulva felszabadult; *akalmaṣam* – azt, aki megszabadult minden múltbeli bűnös visszahatástól.

Az a yogī, akinek elméje Rajtam nyugszik, minden kétséget kizárva eléri a transzcendentális boldogság legmagasabb rendű tökéletességét. A szenvedély kötőereje fölött áll, valamint felismeri, hogy természetét tekintve azonos a Legfelsőbbel, így a múltban elkövetett tetteinek minden visszahatásától megszabadul.

MAGYARÁZAT: A *brahma-bhūta* az a szint, amelyen az ember már minden anyagi szennyeződéstől megszabadult, és az Úr transzcendentális szolgálatában él. *Mad-bhaktiṁ labhate parām* (*Bhagavad-gītā* 18.54). Az ember nem maradhat a Brahman, vagyis az Abszolút minőségében, ha elméjét nem rögzíti Kṛṣṇa lótuszlábára. *Sa vai manaḥ kṛṣṇa-padāravinda-*

yoḥ. Ha mindig az Úr transzcendentális szerető szolgálatában él, vagyis ha megállapodik a Kṛṣṇa-tudatban, az azt jelenti, hogy valóban megszabadult a szenvedély kötőerejétől és minden anyagi szennyeződéstől.

28. VERS

युञ्जन्नेवं सदात्मानं योगी विगतकल्मषः ।
सुखेन ब्रह्मसंस्पर्शमत्यन्तं सुखमश्नुते ॥२८॥

yuñjann evaṁ sadātmānaṁ yogī vigata-kalmaṣaḥ
sukhena brahma-saṁsparśam atyantaṁ sukham aśnute

yuñjan – a *yoga*-gyakorlatokat végezve; *evam* – így; *sadā* – mindig; *ātmānam* – az önvalót; *yogī* – akinek kapcsolata van a Legfelsőbb Önvalóval; *vigata* – mentes; *kalmaṣaḥ* – minden anyagi szennyeződéstől; *sukhena* – transzcendentális boldogságban; *brahma-saṁsparśam* – mert állandóan kapcsolatban van a Legfelsőbbel; *atyantam* – a legmagasabb rendű; *sukham* – boldogságot; *aśnute* – eléri.

Az önfegyelmezett yogī, aki állandóan a yogába merül, megszabadul minden anyagi szennyeződéstől, s az Úr transzcendentális szerető szolgálatában a tökéletes boldogság legmagasabb fokát éri el.

MAGYARÁZAT: Az önmegvalósítás azt jelenti, hogy az ember ismeri örök helyzetét a Legfelsőbbel való kapcsolatában. Az egyéni lélek a Legfelsőbb szerves része, ezért feladata az Úr transzcendentális szolgálata. Ezt a transzcendentális kapcsolatot a Legfelsőbbel *brahma-saṁsparśának* hívják.

29. VERS

सर्वभूतस्थमात्मानं सर्वभूतानि चात्मनि ।
ईक्षते योगयुक्तात्मा सर्वत्र समदर्शनः ॥२९॥

sarva-bhūta-stham ātmānaṁ sarva-bhūtāni cātmani
īkṣate yoga-yuktātmā sarvatra sama-darśanaḥ

sarva-bhūta-stham – a minden lényben jelen lévő; *ātmānam* – Felsőlelket; *sarva* – minden; *bhūtāni* – lényt; *ca* – is; *ātmani* – az önvalóban;

īkṣate – látja; *yoga-yukta-ātmā* – aki a Kṛṣṇa-tudatban összekapcsolódik; *sarvatra* – mindenhol; *sama-darśanaḥ* – egyenlőnek látó.

Az igaz yogī minden lényben Engem, s minden lényt Bennem lát. Sőt, az önmegvalósított ember mindenhol Engem, a Legfelsőbb Urat látja.

MAGYARÁZAT: A Kṛṣṇa-tudatú *yogī* tökéletesen lát, mert látja Kṛṣṇát, a Legfelsőbbet Felsőlélekként (Paramātmāként) mindenki szívében. *Īśvaraḥ sarva-bhūtānāṁ hṛd-deśe 'rjuna tiṣṭhati.* Az Úr Paramātmāként a kutya és a *brāhmaṇa* szívében egyaránt jelen van. A tökéletes *yogī* tudja, hogy az Úr örökké transzcendentális, s az anyag nincs rá hatással, bárhol legyen is, akár a kutyában, akár a *brāhmaṇában.* Ez az Úr legfelsőbb semlegessége. Az egyéni lélek szintén az egyén szívében helyezkedik el, de nincs jelen mindenkiében. Ez a különbség az egyéni lélek és a Felsőlélek között. Aki nem végzi helyesen a *yogát,* az nem láthat ilyen tisztán. A Kṛṣṇa-tudatú ember képes Kṛṣṇát a hitetlen és a hívő szívében is meglátni. A *smṛti* ezt a következőképpen erősíti meg: *ātatatvāc ca mātṛtvāc ca ātmā hi paramo hariḥ.* Az Úr minden lény eredete, így olyan Ő, mint az anya vagy az eltartó. Az anya egyformán bánik minden gyermekével, s így tesz a legfelsőbb atya (vagy anya) is. Következésképp a Felsőlélek mindig és minden élőlényben jelen van.

Az élőlények testüket tekintve is az Úr energiájában vannak. Ahogyan a hetedik fejezet majd elmagyarázza, az Úrnak két fő energiája van: a lelki (a felsőrendű) és az anyagi (az alsórendű) energia. Noha az élőlény a felsőbbrendű energia része, mégis alá van vetve az alsóbbrendűnek. Ennek ellenére azonban mindig az Úr energiájában van. Valamilyen formában tehát minden élőlény Benne van.

A *yogī* egyenlőnek lát mindent, mert látja, hogy az élőlények, noha gyümölcsöző tetteik folytán más és más helyzetben vannak, minden körülmények között az Úr szolgái maradnak. Az anyagi energiában az élőlény az anyagi érzékeket szolgálja, míg a lelki energiában közvetlenül a Legfelsőbb Urat. Bármelyik eset álljon fenn, Isten szolgája marad. A Kṛṣṇa-tudatú embert ennek az egyenlő szemléletnek a tökéletes formája jellemzi.

30. VERS

यो मां पश्यति सर्वत्र सर्वं च मयि पश्यति ।
तस्याहं न प्रणश्यामि स च मे न प्रणश्यति ॥३०॥

yo māṁ paśyati sarvatra sarvaṁ ca mayi paśyati
tasyāhaṁ na praṇaśyāmi sa ca me na praṇaśyati

yaḥ – bárki; *mām* – Engem; *paśyati* – lát; *sarvatra* – mindenhol; *sarvam* – mindent; *ca* – és; *mayi* – Bennem; *paśyati* – lát; *tasya* – annak; *aham* – Én; *na* – nem; *praṇaśyāmi* – veszek el; *saḥ* – ő; *ca* – is; *me* – Számomra; *na* – nem; *praṇaśyati* – vész el.

Aki mindenhol Engem és mindent Bennem lát, annak számára Én sohasem veszek el, s ő sem vész el Számomra soha.

MAGYARÁZAT: Aki Kṛṣṇa-tudatú, az valóban mindenhol az Úr Kṛṣṇát látja, s mindent Benne lát. Úgy tűnhet, hogy az anyagi természet valamennyi különálló megnyilvánulását látja, ám mindegyik esetben tudatában van Kṛṣṇa jelenlétének, mert tudja, hogy minden az Ő energiájának megnyilvánulása. Kṛṣṇa nélkül semmi sem létezhet, s Ő az Ura mindennek – ez a Kṛṣṇa-tudat alapelve. A Kṛṣṇa-tudat célja a Kṛṣṇa iránti szeretet kifejlesztése, vagyis annak a szintnek az elérése, amely transzcendentálisan az anyagi felszabadulás fölött áll. Ezen a Kṛṣṇa-tudatos síkon, amely túl van az önmegvalósításon, a *bhakta* eggyé válik Kṛṣṇával abban az értelemben, hogy számára Ő lesz minden, s az Iránta érzett szeretetben eléri a beteljesülést. A bensőséges kapcsolat Kṛṣṇa és a *bhakta* között ezen a szinten létezik. Az élőlény többé nem semmisülhet meg, s többé nem veszíti szem elől az Istenség Személyiségét. Kṛṣṇába olvadni lelki megsemmisülést jelent, s egy *bhakta* sohasem vállal ilyen veszélyt. A *Brahma-saṁhitā* (5.38) írja:

premāñjana-cchurita-bhakti-vilocanena
santaḥ sadaiva hṛdayeṣu vilokayanti
yaṁ śyāmasundaram acintya-guṇa-svarūpaṁ
govindam ādi-puruṣaṁ tam ahaṁ bhajāmi

„Govindát, az eredeti Urat imádom, akit a szeretet írjával bekent szemű *bhakták* örök Śyāmasundara formájában szünet nélkül a szívükben látnak."

Ezen a szinten az Úr Kṛṣṇa sohasem tűnik el a *bhakta* látóköréből, s a *bhakta* sem veszíti el Őt többé szem elől. Ugyanez érvényes a *yogīra* is, aki szívében Paramātmáként látja Kṛṣṇát. Belőle tiszta *bhakta* lesz, aki egy pillanatig sem képes elviselni, hogy ne lássa szívében az Urat.

31. VERS

सर्वभूतस्थितं यो मां भजत्येकत्वमास्थितः ।
सर्वथा वर्तमानोऽपि स योगी मयि वर्तते ॥३१॥

sarva-bhūta-sthitaṁ yo māṁ bhajaty ekatvam āsthitaḥ
sarvathā vartamāno 'pi sa yogī mayi vartate

sarva-bhūta-sthitam – a mindenki szívében jelen lévőt; *yaḥ* – aki; *mām* – Engem; *bhajati* – odaadóan szolgál; *ekatvam* – egységben; *āsthitaḥ* – ilyen helyzetben; *sarvathā* – minden tekintetben; *varta-mānaḥ* – ebben az állapotban; *api* – ellenére; *saḥ* – ő; *yogī* – a transzcendentalista; *mayi* – Bennem; *vartate* – marad.

Az a yogī, aki imádattal szolgálja a Felsőlelket, mert tudja, hogy Én és a Felsőlélek egyek vagyunk, az mindig, minden körülmények között Bennem marad.

MAGYARÁZAT: A *yogī,* aki a Felsőlelken meditál, látja magában Kṛṣṇa teljes részét, a négykarú Viṣṇut, aki kezeiben kagylókürtöt, korongot, buzogányt és lótuszvirágot tart. A *yogīnak* tudnia kell, hogy Viṣṇu nem különbözik Kṛṣṇától. A Felsőlélek formájában Kṛṣṇa jelen van mindenki szívében. A megszámlálhatatlan élőlény szívében jelen lévő megszámlálhatatlan Felsőlélek mind azonos egymással. Az a Kṛṣṇa-tudatú ember, aki mindig transzcendentális szeretettel szolgálja Kṛṣṇát, szintén nem különbözik a Felsőlelken meditáló tökéletes *yogītól.* Noha a Kṛṣṇa-tudatú *yogī* anyagi léte alatt sokféle tettet végez, mindig Kṛṣṇában marad. Ezt erősíti meg Śrīla Rūpa Gosvāmī is *Bhakti-rasāmṛta-sindhu* című művében (1.2.187): *nikhilāṣv apy avasthāsu jīvan-muktaḥ sa ucyate.* Az Úr *bhaktája,* aki mindig Kṛṣṇa-tudatban cselekszik, minden külön törekvés nélkül felszabadul. A *Nārada-pañcarātra* ezt a következőkkel támasztja alá:

dik-kālādy-anavacchinne kṛṣṇe ceto vidhāya ca
tan-mayo bhavati kṣipraṁ jīvo brahmaṇi yojayet

„Ha az ember nagy figyelemmel Kṛṣṇa transzcendentális formájára összpontosít – aki mindent átható, s aki fölötte áll az időnek és a térnek –, akkor teljesen elmerül Kṛṣṇáról szóló gondolataiban, s eléri azt a transzcendentális boldogságot, melyet az Ő társasága jelent."

A *yoga* gyakorlásában a transz legmagasabb fokát a Kṛṣṇa-tudat jelenti. Pusztán annak a ténynek a megértése, hogy Kṛṣṇa Paramātmaként mindenki szívében jelen van, hibátlanná teszi a *yogīt.* A Védák (*Gopāla-tāpanī-upaniṣad* 1.21) a következőképpen erősítik meg az Úr e felfoghatatlan képességét: *eko 'pi san bahudhā yo 'vabhāti.* „Noha az Úr egy, a számtalan szívben sokként van jelen." A *smṛti-śāstrában* hasonlót olvashatunk:

eka eva paro viṣṇuḥ sarva-vyāpī na saṁśayaḥ
aiśvaryād rūpam ekaṁ ca sūrya-vat bahudheyate

„Viṣṇu egyetlen, ám mégis mindent áthat. Annak ellenére, hogy egy formája van, felfoghatatlan hatalma révén jelen van mindenhol, ahogyan a nap is ugyanabban az időben számtalan helyen megjelenik.”

32. VERS

आत्मौपम्येन सर्वत्र समं पश्यति योऽर्जुन ।
सुखं वा यदि वा दुःखं स योगी परमो मतः ॥३२॥

ātmaupamyena sarvatra samaṁ paśyati yo 'rjuna
sukhaṁ vā yadi vā duḥkhaṁ sa yogī paramo mataḥ

ātma – az önvalójával; *aupamyena* – összehasonlítással; *sarvatra* – mindenhol; *samam* – egyenlőséget; *paśyati* – lát; *yaḥ* – aki; *arjuna* – ó, Arjuna; *sukham* – boldogságot; *vā* – vagy; *yadi* – ha; *vā* – vagy; *duḥkham* – boldogtalanságot; *saḥ* – az ilyen; *yogī* – transzcendentalista; *paramaḥ* – tökéletesnek; *mataḥ* – tekinthető.

Ó, Arjuna! A tökéletes yogī az, aki saját magához hasonlítva minden élőlényt – legyenek azok akár boldogok, akár boldogtalanok – valóban egyenlőnek lát.

MAGYARÁZAT: A tökéletes *yogī* az, aki Kṛṣṇa-tudatú. Saját tapasztalatának köszönhetően tudatában van mindenki boldogságának és boldogtalanságának. Mindenki azért szenved, mert megfeledkezett Istennel való kapcsolatáról, míg boldogságot az okoz, ha valaki tudja, hogy Kṛṣṇa az emberi lény tetteinek legfelsőbb élvezője, minden föld, minden bolygó tulajdonosa és minden élőlény legőszintébb barátja. A tökéletes *yogī* tudja, hogy az anyagi természet kötőerői által feltételekhez kötött élőlények amiatt, hogy megfeledkeztek Kṛṣṇához fűződő kapcsolatukról, arra kényszerülnek, hogy szenvedjenek a háromféle anyagi gyötrelemtől. A Kṛṣṇa-tudatú *bhakta* azonban boldog, ezért arra törekszik, hogy mindenhol elterjessze a Kṛṣṇáról szóló tudást. A tökéletes *yogī* azon fáradozik, hogy mindenhol elmondja, milyen fontos Kṛṣṇa-tudatúvá válni, ezért ő a világ legjobb filantrópja, s az Úr legkedvesebb szolgája. *Na ca tasmān manuṣyeṣu kaścin me priya-kṛttamaḥ* (18.69). Más szóval az Úr *bhaktája* egyedül az élőlények boldogulásával törődik, így valóban mindenki jó barátja. Ő a legnagyszerűbb *yogī,* mert nem csupán a saját érdekében vágyik a *yoga* tökéletes szintjének elérésére, hanem másokon is segíteni akar ezáltal. Az ilyen ember sohasem irigy élőlénytársaira. Láthatjuk tehát a határozott különbséget az Úr tiszta *bhaktája* és az olyan *yogī* között, akit csak saját fejlődése érdekel. A *yogī,* aki a tökéletes meditáció érdekében egy elhagyatott helyre vonul, nem lehet olyan tökéletes, mint a *bhakta,* aki mindent elkövet, hogy mindenkit Kṛṣṇa-tudatúvá tegyen.

33. VERS

अर्जुन उवाच
योऽयं योगस्त्वया प्रोक्तः साम्येन मधुसूदन ।
एतस्याहं न पश्यामि चञ्चलत्वात्स्थितिं स्थिराम् ॥३३॥

arjuna uvāca
yo 'yaṁ yogas tvayā proktaḥ sāmyena madhusūdana
etasyāhaṁ na paśyāmi cañcalatvāt sthitiṁ sthirām

arjunaḥ uvāca – Arjuna mondta; *yaḥ ayam* – ez a rendszer; *yogaḥ* – miszticizmus; *tvayā* – Általad; *proktaḥ* – leírt; *sāmyena* – általánosságban; *madhu-sūdana* – ó, Madhu démon elpusztítója; *etasya* – ebből; *aham* – én; *na* – nem; *paśyāmi* – látom; *cañcalatvāt* – nyugtalanság miatt; *sthitim* – a helyzetet; *sthirām* – biztosnak.

Arjuna így szólt: Ó, Madhusūdana! Az Általad ismertetett yoga megvalósíthatatlannak, sőt elviselhetetlennek tűnik számomra, hiszen az elme csapongó és nyugtalan.

MAGYARÁZAT: Azt a *yoga*-rendszert, melyet az Úr Kṛṣṇa – a *śucau deśe* verssel kezdődően és a *yogī paramaḥ* szavakkal bezárólag – ismertetett, Arjuna ebben a versben elutasítja, mert úgy érzi, képtelen annak gyakorlására. Ebben a Kali-korszakban a közönséges ember számára lehetetlen, hogy elhagyja otthonát és a *yoga* gyakorlása érdekében egy elhagyatott helyre, a hegyek közé vagy az őserdő mélyére vonuljon. Erre a korszakra a rövid életért folytatott elkeseredett küzdelem jellemző. Az emberek még az egyszerű és célravezető önmegvalósítási folyamatokat sem veszik komolyan, mit sem szólva erről a nehéz *yoga*-rendszerről, amely megköveteli az életmód szabályozását, az ülőhelyzetek gyakorlását, egy alkalmas hely felkutatását és az elme eltávolítását az anyagi tevékenységtől. Noha Arjuna sokoldalú és gyakorlatias volt, mégis úgy látta, hogy ezt a *yoga*-ösvényt lehetetlen követni. Királyi családból származott, és számos kiváló tulajdonsággal rendelkezett: nagy harcos volt, érett kort ért meg, s ami a legfontosabb, az Úr Kṛṣṇa, az Istenség Legfelsőbb Személyisége legbensőségesebb barátja volt. Ötezer évvel ezelőtt Arjuna lehetőségei sokkal jobbak voltak, mint a mieink, mégis elutasította a *yogának* ezt a formáját. A történelmi feljegyzéseket tanulmányozva láthatjuk, hogy Arjuna sohasem gyakorolta ezt a folyamatot. Be kell látnunk, hogy ebben a Kali-korszakban néhány ritka kivételtől eltekintve az emberek képtelenek követni ezt a módszert. Ha ez volt a helyzet ötezer évvel ezelőtt, akkor mit mondhatnánk a mai időkről? Akik az úgynevezett tanfolyamokon és klubokban utánozzák ezt a *yoga*-rendszert, csupán idejüket vesztegetik, még akkor is, ha ők maguk elégedettek. Az ilyen emberek semmit sem tudnak az igazi célról.

34. VERS

चञ्चलं हि मनः कृष्ण प्रमाथि बलवद् दृढम् ।
तस्याहं निग्रहं मन्ये वायोरिव सुदुष्करम् ॥३४॥

cañcalaṁ hi manaḥ kṛṣṇa pramāthi balavad dṛḍham
tasyāhaṁ nigrahaṁ manye vāyor iva su-duṣkaram

cañcalam – csapongó; *hi* – bizony; *manaḥ* – az elme; *kṛṣṇa* – ó, Kṛṣṇa; *pramāthi* – izgatott; *bala-vat* – erős; *dṛḍham* – csökönyös; *tasya* – annak; *aham* – én; *nigraham* – legyőzését; *manye* – gondolom; *vāyoḥ* – a szélnek; *iva* – mint; *su-duṣkaram* – nehéznek.

Ó, Kṛṣṇa, én úgy látom, hogy könnyebb megállítani a szelet, mint szabályozni az elmét, amely nyugtalan, fegyelmezetlen, csökönyös és hihetetlenül erős.

MAGYARÁZAT: Az elme olyannyira erős és csökönyös, hogy néha legyőzi az értelmet, noha valójában az alárendeltje. Kétségtelen, hogy annak az embernek, akinek a mindennapi életben oly sok támadással kell szembenéznie, nagyon nehéz uralkodnia az elméjén. Látszólag viselkedhet egyformán a baráttal és az ellenséggel, erre azonban hosszú távon egyetlen világi ember sem alkalmas, mert ez nehezebb, mint megfékezni a száguldó szelet. A védikus irodalom (*Kaṭha-upaniṣad* 1.3.3–4) így ír ezzel kapcsolatban:

ātmānaṁ rathinaṁ viddhi śarīraṁ ratham eva ca
buddhiṁ tu sārathiṁ viddhi manaḥ pragraham eva ca

indriyāṇi hayān āhur viṣayāṁs teṣu go-carān
ātmendriya-mano-yuktaṁ bhoktety āhur manīṣiṇaḥ

„Az egyéni lélek az anyagi test szekerének utasa, az értelem pedig a hajtó. Az elme a gyeplő, az érzékek pedig a lovak. Ily módon örvend vagy szenved a lélek az elme és az érzékek társaságában – így vélekednek a nagy gondolkodók." Valójában az értelemnek kellene irányítania az elmét, ám az elme olyannyira erős és csökönyös, hogy gyakran felülkerekedik az ember értelmén, épp úgy, ahogy egy heveny fertőzés is erősebb lehet az orvosság hatásánál. Az ilyen erős elmét a *yoga* gyakorlásával kellene megfékezni, ám egy Arjunához hasonló világi ember számára az efféle módszer nem megvalósítható. Milyen reményeket fűzhetnénk hát a modern emberhez? A versben említett hasonlat igen találó: az ember nem képes feltartóztatni a süvöltő szelet, s a féktelen elme megállítása még ennél is nehezebb. Az Úr Caitanya javaslata szerint erre a legkönnyebb módszer a „Hare Kṛṣṇa", a nagy felszabadító *mantra* ismétlése végtelen alázatossággal. Az előírt folyamat a *sa vai manaḥ kṛṣṇa-padāravindayoḥ:* az elmét teljesen Kṛṣṇával kell betöltenünk. Csakis így válik lehetővé, hogy semmilyen más tevékenység ne zavarja meg.

35. VERS

श्रीभगवानुवाच
असंशयं महाबाहो मनो दुर्निग्रहं चलम् ।
अभ्यासेन तु कौन्तेय वैराग्येण च गृह्यते ॥३५॥

śrī-bhagavān uvāca
asaṁśayaṁ mahā-bāho mano durnigrahaṁ calam
abhyāsena tu kaunteya vairāgyeṇa ca gṛhyate

śrī-bhagavān uvāca – az Istenség Személyisége mondta; *asaṁśayam* – kétségtelenül; *mahā-bāho* – ó, erős karú; *manaḥ* – az elme; *durnigraham* – nehezen legyőzhető; *calam* – ingadozó; *abhyāsena* – gyakorlással; *tu* – de; *kaunteya* – ó, Kuntī fia; *vairāgyeṇa* – közömbösséggel; *ca* – is; *gṛhyate* – szabályozható.

Az Úr Śrī Kṛṣṇa így szólt: Ó, Kuntī erős karú fia! A nyugtalan elmét legyőzni kétségtelenül nagyon nehéz, de a megfelelő gyakorlás és a ragaszkodásnélküliség célhoz vezet.

MAGYARÁZAT: Az Istenség Személyisége elfogadja Arjuna véleményét, miszerint a csökönyös elme szabályozása rendkívül nehéz, de ugyanakkor azt is mondja, hogy a gyakorlás és a ragaszkodástól való mentesség segítségével az ember sikerrel járhat. Mit is jelent ez a gyakorlás? Ebben a korszakban senki sem képes szigorúan betartani a szabályokat és előírásokat, például hogy magányos és szent helyen éljen, elméjét rögzítse a Felsőlélekre, szabályozza az érzékeket és az elmét, éljen cölibátusban és egyedül stb. A Kṛṣṇa-tudat gyakorlása közben azonban az ember kilenc formában szolgálhatja odaadóan az Urat. Az első és legfontosabb odaadó elfoglaltság a Kṛṣṇáról való hallás. Ez nagyon hatásos transzcendentális folyamat, amely megtisztítja az elmét minden kételkedéstől. Minél többet hall az ember Kṛṣṇáról, annál inkább megvilágosodik, s eltávolodik mindentől, ami eltérítheti Tőle. A *vairāgyát* könnyen elsajátíthatjuk azáltal, hogy elménket elszigeteljük az olyan tettektől, amelyek nem állnak kapcsolatban az Úr odaadó szolgálatával. A *vairāgya* annyit jelent, hogy megválunk az anyagtól és lelki elfoglaltságot adunk az elmének. A ragaszkodásmentességhez vezető imperszonalista folyamat sokkal nehezebb, mint az elmét Kṛṣṇa tetteire rögzíteni. Az utóbbi rendkívül célszerű, mert Kṛṣṇáról hallva az ember természetes módon ragaszkodni fog a Legfelsőbb Lélekhez. Ezt a ragaszkodást hívják *pareśānubhavának,* azaz lelki elégedettségnek. Olyan ez, mint amikor az éhes ember minden lenyelt falat után elégedettséget érez: minél többet eszik, annál elégedettebbnek és erősebbnek érzi magát. Ehhez hasonlóan az odaadó szolgálat végzése következtében transzcendentális elégedettséget érzünk, amikor az elme eltávolodik az anyagi tárgyaktól. Ahhoz hasonlíthatjuk ezt, mint amikor szakszerű kezeléssel és megfelelő étrenddel meggyógyítunk egy betegséget. Az őrült elme számára ezért a legjobb kezelés az Úr Kṛṣṇa transzcendentális tetteinek hallgatása, a szenvedő beteg megfelelő diétája pedig a Kṛṣṇának felajánlott étel. Ez a kezelés nem más, mint a Kṛṣṇa-tudat folyamata.

36. VERS

असंयतात्मना योगो दुष्प्राप इति मे मतिः ।
वश्यात्मना तु यतता शक्योऽवाप्तुमुपायतः ॥३६॥

asaṁyatātmanā yogo duṣprāpa iti me matiḥ
vaśyātmanā tu yatatā śakyo 'vāptum upāyataḥ

asaṁyata – a zabolátlan; *ātmanā* – elme által; *yogaḥ* – az önmegvalósítás; *duṣprāpaḥ* – nehezen elérhető; *iti* – így; *me* – Enyém; *matiḥ* – vélemény; *vaśya* – a szabályozott; *ātmanā* – elme által; *tu* – de; *yatatā* – miközben törekszik; *śakyaḥ* – célravezető; *avāptum* – elérni; *upāyataḥ* – a megfelelő eszközökkel.

Az önmegvalósítás nehéz feladat annak, akinek elméje zabolátlan. Ám a szabályozott elméjű, helyes módszerrel törekvő ember számára biztos a siker. Ez az Én véleményem.

MAGYARÁZAT: Az Istenség Legfelsőbb Személyisége kijelenti, hogy aki nem fogadja el a megfelelő kezelést, amely eltávolítja az elmét az anyagi foglalatosságoktól, az aligha érhet el sikert az önmegvalósításban. Aki a *yogát* akarja gyakorolni, miközben az elméjét az anyagi élvezet köti le, az éppen olyan, mintha valaki tüzet akarna gyújtani, miközben vizet önt rá. A *yoga* gyakorlása az elme megzabolázása nélkül csak merő időpocsékolás. Az efféle *yoga*-színjáték anyagi szempontból nézve csábító lehet, ám a lelki megvalósítás szempontjából semmi haszna. Az elmét tehát Kṛṣṇa transzcendentális szerető szolgálatával elfoglalva mindig az uralmunk alatt kell tartanunk. Amíg valaki nem Kṛṣṇa-tudatban tevékenykedik, nem képes az elméjét szilárdan irányítani. A Kṛṣṇa-tudatú ember könnyen, minden külön erőfeszítés nélkül eléri a *yoga* célját, ellenben a *yoga*-gyakorlatokat végző nem lehet sikeres addig, amíg Kṛṣṇa-tudatúvá nem válik.

37. VERS

अर्जुन उवाच
अयतिः श्रद्धयोपेतो योगाच्चलितमानसः ।
अप्राप्य योगसंसिद्धिं कां गतिं कृष्ण गच्छति ॥३७॥

arjuna uvāca
ayatiḥ śraddhayopeto yogāc calita-mānasaḥ
aprāpya yoga-saṁsiddhiṁ kāṁ gatiṁ kṛṣṇa gacchati

arjunaḥ uvāca – Arjuna mondta; *ayatiḥ* – a sikertelen transzcendentalista; *śraddhayā* – hittel; *upetaḥ* – aki törekedett; *yogāt* – a misztikus kapcsolattól; *calita* – eltérült; *mānasaḥ* – elméjű; *aprāpya* – nem érve el; *yoga-saṁsiddhim* – a miszticizmus legmagasabb rendű tökéletességét; *kām* – mi; *gatim* – célt; *kṛṣṇa* – ó, Kṛṣṇa; *gacchati* – elér.

Arjuna így szólt: Ó, Kṛṣṇa! Milyen sors vár arra a transzcendentalistára, aki nagy hittel kezdi el az önmegvalósítás folyamatát, ám világias elméje miatt később letér az útról, s így nem éri el a misztika tökéletességét?

MAGYARÁZAT: Az önmegvalósítás – a misztika – útjáról a *Bhagavad-gītāban* találhatunk leírást. Az önmegvalósítás alapelve az az ismeret, hogy az élőlény nem azonos az anyagi testtel, hanem különbözik tőle, és boldogságát az örökkévaló, gyönyörrel és tudással teli életben találja meg. Mindez transzcendentális, túl van a testen és az elmén. Az önmegvalósítást a tudás, a nyolcfokú *yoga*-rendszer, valamint a *bhakti-yoga* útján kell keresnünk. Mindegyik folyamat során meg kell ismernünk az élőlény valódi természetét, Istenhez fűződő kapcsolatát és azokat a cselekedeteket, amelyek által visszaállíthatja ezt az elveszett kapcsolatot, s elérheti a Kṛṣṇa-tudat legtökéletesebb szintjét. Ha az ember követi e három ösvény valamelyikét, előbb-utóbb kétségtelenül eléri a legfelsőbb célt. Ezt maga az Úr jelentette ki a második fejezetben: ezen a transzcendentális úton a legkisebb erőfeszítés is megadja a reményt a felszabadulásra. E három módszer közül ebben a korszakban különösen a *bhakti-yoga* gyakorlása vezet célra, mert ez Isten elérésének legközvetlenebb formája. Hogy másodszor is megbizonyosodjon, Arjuna arra kéri Śrī Kṛṣṇát, erősítse meg korábbi kijelentését. Lehet, hogy valaki őszintén belekezd az önmegvalósítás folyamatába, ám manapság a tudás művelésének és a nyolcfokú *yoga*-rendszer gyakorlásának útja rendkívül nehéz. Így aztán az ember folytonos igyekezete ellenére is számtalan okból kudarcot vallhat. Először is előfordulhat, hogy nem végzi kellőképpen komolyan a gyakorlatokat. A transzcendentális út követése olyan, mintha hadat üzennénk az illúziókeltő energiának, így aztán ez az energia számtalan csábításával mindent megtesz annak érdekében, hogy legyőzze a karmai közül kiszabadulni próbálót. A feltételekhez kötött lelket már különben is rabul ejtették az anyagi energia kötőerői, ezért minden esélye megvan arra, hogy újra elcsábítsák, még akkor is, ha a transzcendentális ösvényen jár. Ezt nevezik úgy, hogy *yogāc calita-mānasaḥ,* azaz letérés a transzcendentális útról. Arjuna arról kérdez, hogy mi történik azzal, aki letér az önmegvalósítás útjáról.

38. VERS

कच्चिन्नोभयविभ्रष्टश्छिन्नाभ्रमिव नश्यति ।
अप्रतिष्ठो महाबाहो विमूढो ब्रह्मणः पथि ॥३८॥

kaccin nobhaya-vibhraṣṭaś chinnābhram iva naśyati
apratiṣṭho mahā-bāho vimūḍho brahmaṇaḥ pathi

kaccit – vajon; *na* – nem; *ubhaya* – mindkettőtől; *vibhraṣṭaḥ* – eltérve; *chinna* – szétszaggatott; *abhram* – felhő; *iva* – mint; *naśyati* – elvész; *apratiṣṭhaḥ* – biztos helyzet nélkül; *mahā-bāho* – ó, erős karú Kṛṣṇa;

vimūḍhaḥ – a megtévesztett; *brahmaṇaḥ* – a transzcendensnek; *pathi* – az útján.

Ó, erős karú Kṛṣṇa! Vajon nem fog-e a transzcendens útjáról letért ember elesni mind a lelki, mind az anyagi sikertől, s a szertefoszló felhőhöz hasonlóan elveszni, anélkül hogy bárhol megállapodhatna?

MAGYARÁZAT: Kétféle előrehaladás van. A materialistákat nem érdekli a transzcendencia, ezért sokkal inkább az anyagi gyarapodással elérhető anyagi fejlődéssel foglalkoznak, s azzal, hogy a megfelelő tettekkel a felsőbb bolygókra emelkedjenek. Amikor valaki a transzcendens útjára lép, fel kell hagynia minden anyagi tettel, és fel kell áldoznia minden úgynevezett anyagi boldogságot. Ha a törekvő transzcendentalista nem jár sikerrel, akkor láthatóan mindkét folyamat vesztese, vagyis sem az anyagi boldogságot, sem pedig a lelki sikert nem élvezheti. Helyzete bizonytalan; olyan, akár egy szertefoszlott felhő. Néha az égen egy kis felhőből egy darab leválik, s egy nagyobbhoz csatlakozik. Ha azonban nem sikerül elérnie a nagyobb felhőt, a szél szétoszlatja, és semmivé válik a hatalmas égen. A *brahmaṇaḥ pathi* a transzcendentális megvalósítás útja, amit az ember azon keresztül ér el, hogy tudja: természete lelki, s ő maga a Brahmanként, Paramātmāként és Bhagavānként megnyilvánuló Legfelsőbb Úr szerves része. Az Úr Śrī Kṛṣṇa a Legfelsőbb Abszolút Igazság legteljesebb megnyilvánulása, ezért az a sikeres transzcendentalista, aki meghódol Előtte. Ezt, az élet célját a Brahman és a Paramātmā felé való törekvéssel csak sok-sok születés után lehet elérni (*bahūnāṁ janmanām ante*). Ezért hát a transzcendentális önmegvalósítás legkiválóbb útja a *bhakti-yoga* – azaz a Kṛṣṇa-tudat, a közvetlen folyamat.

39. VERS

एतन्मे संशयं कृष्ण छेत्तुमर्हस्यशेषतः ।
त्वदन्यः संशयस्यास्य छेत्ता न ह्युपपद्यते ॥३९॥

etan me saṁśayaṁ kṛṣṇa chettum arhasy aśeṣataḥ
tvad-anyaḥ saṁśayasyāsya chettā na hy upapadyate

etat – ezt; *me* – enyém; *saṁśayam* – kétséget; *kṛṣṇa* – ó, Kṛṣṇa; *chettum* – elűzni; *arhasi* – légy szíves; *aśeṣataḥ* – teljesen; *tvat* – mint Te; *anyaḥ* – más; *saṁśayasya* – a kétségnek; *asya* – ennek; *chettā* – eltávolítója; *na* – nem; *hi* – bizony; *upapadyate* – található.

Ó, Kṛṣṇa, ez az én kétségem! Kérlek, oszlasd el teljesen, mert Rajtad kívül senki sem pusztíthatja el!

MAGYARÁZAT: Kṛṣṇa a múlt, a jelen és a jövő tökéletes ismerője. A *Bhagavad-gītā* elején az Úr kijelentette, hogy minden élőlény egyénként létezett a múltban, így létezik a jelenben is, és egyéni létét a jövőben is folytatni fogja, még az anyagi fogságból való felszabadulás után is. Így tehát már tisztázta a kérdést az egyéni élőlény jövőjét illetően. Most Arjuna a sikertelen transzcendentalista jövőjéről szeretne többet megtudni. Senki sem egyenlő Kṛṣṇával vagy nagyobb Nála. Még a magukat nagy bölcseknek és filozófusoknak tartó emberek, akik az anyagi természet befolyása alatt állnak, sem lehetnek egyenrangúak Vele. Őt nem ismeri senki, Ő azonban tökéletesen ismeri a múltat, a jelent és a jövőt, ezért az Ő véleménye a végső és teljes válasz minden kétségre. Egyedül Kṛṣṇa és a Kṛṣṇa-tudatú *bhakták* tudhatnak mindent.

40. VERS

श्रीभगवानुवाच
पार्थ नैवेह नामुत्र विनाशस्तस्य विद्यते ।
न हि कल्याणकृत्कश्चिद् दुर्गतिं तात गच्छति ॥४०॥

śrī-bhagavān uvāca
pārtha naiveha nāmutra vināśas tasya vidyate
na hi kalyāṇa-kṛt kaścid durgatiṁ tāta gacchati

śrī-bhagavān uvāca – az Istenség Legfelsőbb Személyisége mondta; *pārtha* – ó, Pṛthā fia; *na eva* – soha nincs így; *iha* – ebben az anyagi világban; *na* – sohasem; *amutra* – a következő életben; *vināśaḥ* – megsemmisülés; *tasya* – az övé; *vidyate* – létezik; *na* – sohasem; *hi* – bizony; *kalyāṇa-kṛt* – aki kedvező tetteket végez; *kaścit* – bárki; *durgatim* – degradálódásba; *tāta* – barátom; *gacchati* – megy.

Az Istenség Legfelsőbb Személyisége így válaszolt: Ó, Pṛthā fia! A kedvező tetteket végző transzcendentalistát nem éri elmúlás sem ebben, sem a lelki világban. A jótevőt, barátom, sohasem győzi le a gonosz.

MAGYARÁZAT: A *Śrīmad-Bhāgavatamban* (1.5.17) Śrī Nārada Muni a következőképpen oktatja Vyāsadevát:

tyaktvā sva-dharmaṁ caraṇāmbujaṁ harer
bhajann apakvo 'tha patet tato yadi

yatra kva vābhadram abhūd amuṣya kiṁ
ko vārtha āpto 'bhajatāṁ sva-dharmataḥ

„Ha valaki felhagy minden anyagi reménnyel, és teljes menedéket keres az Istenség Legfelsőbb Személyiségénél, számára nincs veszteség vagy kudarc, semmilyen értelemben. Ellenben aki nem *bhakta,* az még akkor sem nyer semmit, ha tökéletesen hajtja végre a kötelességeit." Az anyagi remények teljesüléséhez számtalan, az írások javasolta vagy hagyományos tett vezet. Egy transzcendentalistának a Kṛṣṇa-tudat, a lelki életbeli fejlődés kedvéért meg kell válnia minden anyagi tettől. Felmerülhet itt az az ellenérv, hogy noha az utat végigjárva az ember a Kṛṣṇa-tudat segítségével elérheti a tökéletesség csúcsát, ha azonban nem éri el ezt a tökéletes szintet, akkor anyagi és lelki szempontból egyaránt kudarcot vall. Az írások kijelentik, hogy aki előírt kötelességét nem teljesíti, annak szenvednie kell ennek visszahatásaitól; így aztán ha az ember nem végzi megfelelően transzcendentális tevékenységét, akkor kénytelen elszenvedni a visszahatásokat. A *Bhāgavatam* megnyugtatja a sikertelen transzcendentalistát, hogy nincs oka aggodalomra. Talán el kell viselnie azokat a visszahatásokat, melyek előírt kötelességei elhanyagolásából származnak, ám még így sem tekinthető vesztesnek, mert a kedvező Kṛṣṇa-tudatú tettek sohasem merülnek feledésbe, s egy idő után visszatér ezekhez, még akkor is, ha következő életében esetleg alacsony rangú családban születik meg. Ezzel szemben aki szigorúan eleget tesz előírt kötelességeinek, ám nem Kṛṣṇa-tudatú, nem érhet el semmi jó eredményt.

Ennek magyarázata a következő: Az emberek két csoportra oszthatók. Vannak, akik követik a szabályokat, és vannak, akik nem. Akiket csupán az állatias érzékkielégítés érdekel, s mit sem tudnak a következő életről vagy a lelki felszabadulásról, azok a szabályokat nem követők csoportjába tartoznak. A szabályokat követőkhöz azok tartoznak, akik betartják a szentírások elveit az előírt kötelességekkel kapcsolatban. A szabályokat nem követő embereket – legyenek civilizáltak vagy civilizálatlanok, műveltek vagy műveletlenek, erősek vagy gyöngék – állatias hajlamok jellemzik. Tetteik sohasem kedvezőek, mert miközben az evés, alvás, védekezés és párzás állatias hajlamai vezérlik őket, örökre az anyagi létben maradnak, ami mindig szenvedéssel teli. Akik azonban követik az írások utasításait, s így fokozatosan felemelkednek a Kṛṣṇa-tudat szintjére, azok kétségtelenül fejlődnek az életben.

A jó úton járó embereket három csoportba sorolhatjuk: 1. akik azért követik a szentírások szabályait és parancsolatait, hogy az anyagi jólétet élvezhessék, 2. akik arra törekszenek, hogy végleg kiszabaduljanak az anyagi létezésből, valamint 3. a Kṛṣṇa-tudatú *bhakták*. Az írások szabályait és utasításait az anyagi boldogság reményében követők két további csoportra oszthatók: a munka gyümölcsére vágyók, valamint akik munkájuk eredményét nem arra akarják felhasználni, hogy érzékeiknek elégedettséget okozzanak. Akik az érzékkielégítés reményében tetteik gyümölcséért dolgoznak, fejlettebb életszínvonalra emelkedhetnek, sőt a felsőbb bolygókra is eljuthatnak, ám nem az igazán kedvező utat járják, mert nem szabadultak meg az anyagi léttől. Egyedül a felszabaduláshoz vezető tettek nevezhetők kedvezőeknek, míg azok, melyeknek célja nem a végső önmegvalósítás vagy az anyagi, testi életfelfogástól való felszabadulás, egyáltalán nem kedvezőek. A Kṛṣṇa-tudatban végzett cselekedet az egyetlen kedvező tett, s azokat, akik a Kṛṣṇa-tudatbeli fejlődés kedvéért önként vállalják a testi kényelmetlenségeket, szigorú lemondásokat végző, tökéletes transzcendentalistáknak nevezhetjük. A nyolcfokú *yoga*-rendszer célja a Kṛṣṇa-tudat végső megvalósítása, így ez a folyamat is kedvező. Aki minden tőle telhetőt megtesz, hogy haladjon ezen az úton, annak nem kell félnie a visszaeséstől.

41. VERS

प्राप्य पुण्यकृतां लोकानुषित्वा शाश्वतीः समाः ।
शुचीनां श्रीमतां गेहे योगभ्रष्टोऽभिजायते ॥४१॥

prāpya puṇya-kṛtāṁ lokān uṣitvā śāśvatīḥ samāḥ
śucīnāṁ śrīmatāṁ gehe yoga-bhraṣṭo 'bhijāyate

prāpya – miután elérte; *puṇya-kṛtām* – azoknak, akik jámbor tetteket hajtottak végre; *lokān* – a bolygóit; *uṣitvā* – azután, hogy ott tartózkodott; *śāśvatīḥ* – sok; *samāḥ* – évet; *śucīnām* – a jámboroknak; *śrī-matām* – a jómódúaknak; *gehe* – házában; *yoga-bhraṣṭaḥ* – aki letért az önmegvalósítás útjáról; *abhijāyate* – megszületik.

A sikertelen yogī sok-sok évig fogja a jámbor élőlények bolygóin élvezni az életet, majd becsületes emberek családjában vagy gazdag, előkelő családban fog újra megszületni.

MAGYARÁZAT: Kétféle sikertelen *yogī* van: aki kis előrehaladás után és aki a *yoga* hosszú időn át tartó gyakorlása után esik vissza. Az első a felsőbb bolygókra jut, ahová csak jámbor élőlények kerülhetnek. Hosszú-hosszú ideig élhet ott, majd ismét visszakerül erre a bolygóra, ahol jámbor *brāhmaṇa-vaiṣṇavák* vagy előkelő származású kereskedők családjában fog megszületni.

A *yoga* gyakorlásának igazi célja a Kṛṣṇa-tudat legmagasabb rendű tökéletességének elérése, ahogyan azt a fejezet utolsó verse elmagyarázza. Akik azonban nem eléggé kitartóak, s az anyagi csábításnak engedve visszaesnek, azok az Úr kegyéből teljesen átadhatják magukat anyagi hajlamaiknak. Ezután jámbor vagy előkelő családokban megszületve lehetőséget kapnak a jómódú életre. Ebben a helyzetben módjukban áll kihasználni az előnyös születés nyújtotta lehetőségeket, hogy teljesen Kṛṣṇa-tudatúvá váljanak.

42. VERS

अथ वा योगिनामेव कुले भवति धीमताम् ।
एतद्धि दुर्लभतरं लोके जन्म यदीदृशम् ॥४२॥

atha vā yoginām eva kule bhavati dhīmatām
etad dhi durlabhataraṁ loke janma yad īdṛśam

atha vā – vagy; *yoginām* – művelt transzcendentalistáknak; *eva* – bizony; *kule* – a családjában; *bhavati* – megszületik; *dhī-matām* – nagyon bölcseknek; *etat* – ez; *hi* – bizony; *durlabha-taram* – nagyon ritka; *loke* – ebben a világban; *janma* – születés; *yat* – ami; *īdṛśam* – ilyen.

Az is lehet [ha azután válik sikertelenné, hogy hosszú ideig gyakorolta a yogát], hogy nagy tudású transzcendentalisták családjában születik meg, ami ebben a világban bizony ritka dolog.

MAGYARÁZAT: Ez a vers dicsőségesnek tartja, ha valaki *yogīk* vagy bölcs transzcendentalisták családjában születik meg, mert az ilyen gyermek már élete kezdetén lelki indíttatást kap. Ez különösen igaz abban az esetben, ha valaki *ācāryák* vagy *gosvāmīk* családjában születik meg. Ezek a családok a hagyományaiknak és neveltetésüknek köszönhetően nagyon művelt, Istenben hívő emberek, s ezért lelki tanítómesterek lesznek. Indiában számtalan *ācārya* család él, de közülük jó néhány sajnos a megfelelő műveltség és képzés hiányában visszaesett. Kṛṣṇa kegyének köszönhetően azonban még mindig vannak olyanok, akiknek fiaiból nemzedékről nemzedékre transzcendentalisták válnak. Megszületni egy ilyen családban kétségtelenül nagy szerencse. Az Úr kegyéből lelki tanítómesterünk, Oṁ Viṣṇupāda Śrī Śrīmad Bhaktisiddhānta Sarasvatī Gosvāmī Mahārāja és jómagam is lehetőséget kaptunk arra, hogy ilyen családba szülessünk. Mindkettőnket az Úr odaadó szolgálatára tanítottak, kora gyermekkorunktól kezdve, s később a transzcendens elrendelése folytán találkoztunk.

43. VERS

तत्र तं बुद्धिसंयोगं लभते पौर्वदेहिकम् ।
यतते च ततो भूयः संसिद्धौ कुरुनन्दन ॥४३॥

tatra taṁ buddhi-saṁyogaṁ labhate paurva-dehikam
yatate ca tato bhūyaḥ saṁsiddhau kuru-nandana

tatra – ezután; *tam* – azt; *buddhi-saṁyogam* – a tudat újraéledését; *labhate* – visszanyeri; *paurva-dehikam* – az előző testből; *yatate* – törekszik; *ca* – is; *tataḥ* – ezután; *bhūyaḥ* – ismét; *saṁsiddhau* – a tökéletességre; *kuru-nandana* – ó, Kuru fia.

Ó, Kuru fia! Születése után ismét felébred benne előző életének isteni tudata, s a teljes siker érdekében újra fejlődni próbál.

MAGYARÁZAT: Bharata király, aki harmadszorra egy kiváló *brāhmaṇa* családban született meg, jó példa arra, hogyan ébred fel újra az emberben az előző élet transzcendentális tudata. Az egész világ uralkodója volt, s a Földet, amelyet azelőtt Ilāvṛta-varṣának hívtak, az ő uralkodását követően nevezték el a félistenek Bhārata-varṣának. Az uralkodó fiatal korában visszavonult, hogy lelki tökéletességet érjen el, de nem járt sikerrel. Következő életében egy kiváló *brāhmaṇa* családjában született meg, s mivel mindig a magányt kereste és senkihez nem beszélt, Jaḍa Bharatának nevezték. Később aztán Rahūgaṇa király felismerte, hogy a legnagyobb transzcendentalisták közé tartozik. Életéből megtanulhatjuk, hogy a transzcendentális törekvés, a *yoga* gyakorlása sohasem hiábavaló. A transzcendentalista az Úr kegyéből újra és újra lehetőséget kap, hogy elérhesse a Kṛṣṇa-tudat teljes tökéletességét.

44. VERS

पूर्वाभ्यासेन तेनैव ह्रियते ह्यवशोऽपि सः ।
जिज्ञासुरपि योगस्य शब्दब्रह्मातिवर्तते ॥४४॥

pūrvābhyāsena tenaiva hriyate hy avaśo 'pi saḥ
jijñāsur api yogasya śabda-brahmātivartate

pūrva – előző; *abhyāsena* – gyakorlata által; *tena* – azáltal; *eva* – bizony; *hriyate* – vonzódik; *hi* – biztosan; *avaśaḥ* – természetes módon; *api* – is; *saḥ* – ő; *jijñāsuḥ* – kíváncsi; *api* – még; *yogasya* – a *yogáról; śabda-brahma* – a szentírások rituális elvei; *ativartate* – felett áll.

Előző élete isteni tudata folytán természetes módon vonzódni kezd a yoga elveihez, anélkül hogy kutatna utánuk. Az ilyen tudásra vágyó transzcendentalista mindig felette áll a szentírások rituális elveinek.

MAGYARÁZAT: Az emelkedett *yogīk* nem sokat törődnek az írások rítusaival, ám a *yoga* elveit, melyek a tökéletes Kṛṣṇa-tudathoz, a *yoga* legtökéletesebb szintjének eléréséhez segíthetik őket, természetes módon vonzónak találják. A *Śrīmad-Bhāgavatam* (3.33.7) így ír azzal kapcsolatban, hogy a fejlett transzcendentalisták figyelmen kívül hagyják a védikus rítusokat:

aho bata śva-paco 'to garīyān
yaj-jihvāgre vartate nāma tubhyam
tepus tapas te juhuvuḥ sasnur āryā
brahmānūcur nāma gṛṇanti ye te

„Ó, Uram! Akik szent nevedet éneklik, rendkívül magas szinten állnak a lelki életben, még akkor is, ha kutyaevők családjában születtek. Nem férhet hozzá kétség, hogy elvégeztek már minden vezeklést és áldozatot, megfürödtek valamennyi szent helyen, s áttanulmányozták az összes szentírást."

Híres példa erre Haridāsa Ṭhākura esete, akit az Úr Caitanya egyik legfontosabb tanítványaként fogadott el. Haridāsa Ṭhākurát, noha muszlim családban született, az Úr Caitanya a *nāmācārya* helyzetébe emelte, amiatt, hogy szigorúan betartotta fogadalmát, s mindennap háromszázezerszer mondta ki az Úr szent nevét: Hare Kṛṣṇa, Hare Kṛṣṇa, Kṛṣṇa Kṛṣṇa, Hare Hare, Hare Rāma, Hare Rāma, Rāma Rāma, Hare Hare. Örökké az Úr szent nevét énekelte, s ez bizonyítja, hogy előző életében már elvégezte a Védák által előírt összes rítust, amit *śabda-brahmának* hívnak. Amíg tehát az ember nem tisztul meg, addig nem képes sem a Kṛṣṇa-tudat elveit követni, sem pedig az Úr szent nevét, a Hare Kṛṣṇa *mantrát* énekelni.

45. VERS

प्रयत्नाद्यतमानस्तु योगी संशुद्धकिल्बिषः ।
अनेकजन्मसंसिद्धस्ततो याति परां गतिम् ॥४५॥

prayatnād yatamānas tu yogī saṁśuddha-kilbiṣaḥ
aneka-janma-saṁsiddhas tato yāti parāṁ gatim

prayatnāt – szigorú gyakorlással; *yatamānaḥ* – törekedve; *tu* – és; *yogī* – az ilyen transzcendentalista; *saṁśuddha* – megtisztult; *kilbiṣaḥ* – minden bűnétől; *aneka* – sok-sok; *janma* – születés után; *saṁsiddhaḥ* – elérte a tökéletességet; *tataḥ* – ezután; *yāti* – eléri; *parām* – a legfelsőbb; *gatim* – célt.

Amikor a yogī minden szennyeződéstől megtisztulva őszintén törekszik a további fejlődésre, a sok-sok életen át tartó gyakorlás után tökéletessé válik, s végül eléri a legfelsőbb célt.

MAGYARÁZAT: A jámbor, arisztokrata vagy szent családban megszülető ember felismeri, hogy helyzete kedvezően segíti a *yoga* gyakorlásában, ezért nagy elszántsággal lát hozzá befejezetlen feladatához, s így teljesen megtisztul minden anyagi szennyeződéstől. Amikor végül megszabadul minden szennyeződéstől, szert tesz a legmagasabb rendű tökéletességre, a Kṛṣṇa-tudatra. A Kṛṣṇa-tudat a megtisztulás tökéletes szintje. Ezt a *Bhagavad-gītā* (7.28) a következőképpen erősíti meg:

yeṣāṁ tv anta-gataṁ pāpaṁ janānāṁ puṇya-karmaṇām
te dvandva-moha-nirmuktā bhajante māṁ dṛḍha-vratāḥ

„Aki hosszú életeken keresztül jámboran cselekedett, aki teljesen megszabadult minden szennyeződéstől és az illúzió kettősségeitől, az az Úr transzcendentális szerető szolgálatához lát."

46. VERS

तपस्विभ्योऽधिको योगी ज्ञानिभ्योऽपि मतोऽधिकः ।
कर्मिभ्यश्चाधिको योगी तस्माद्योगी भवार्जुन ॥४६॥

tapasvibhyo 'dhiko yogī jñānibhyo 'pi mato 'dhikaḥ
karmibhyaś cādhiko yogī tasmād yogī bhavārjuna

tapasvibhyaḥ – az aszkétáknál; *adhikaḥ* – kiválóbb; *yogī* – a *yogī; jñānibhyaḥ* – a bölcsnél; *api* – is; *mataḥ* – tekintik; *adhikaḥ* – kiválóbbnak; *karmibhyaḥ* – a munka gyümölcseiért dolgozónál; *ca* – is; *adhikaḥ* – kiválóbb; *yogī* – a *yogī; tasmāt* – ezért; *yogī* – transzcendentalista; *bhava* – legyél; *arjuna* – ó, Arjuna.

A yogī jobb az aszkétánál, az empirikus filozófusnál és a tettei gyümölcseire törekvőnél is. Ó, Arjuna, légy hát yogī minden körülmények között!

MAGYARÁZAT: *Yoga* alatt azt értjük, amikor tudatunk összekapcsolódik a Legfelsőbb Abszolút Igazsággal. Az ennek elérését szolgáló folyamatokat gyakorlóik az adott módszernek megfelelően különféle nevekkel illetik. Ha az összekapcsoló folyamat legfőképpen gyümölcsöző cselekedetekből áll, akkor *karma-yogának,* ha inkább empirikus tudásra épül, akkor *jñāna-yogának,* s ha leginkább a Legfelsőbb Úrral való odaadó kapcsolat jellemzi, akkor *bhakti-yogának* nevezik. Ahogyan azt a következő vers elmagyarázza, valamennyi *yoga* végső tökéletessége a Kṛṣṇa-tudat, a *bhakti-yoga.* Ebben a versben az Úr megerősítette a *yoga* felsőbbrendűségét, ám arra nem utal, hogy ez jobb lenne a *bhakti-yogánál.* A *bhakti-yoga* a teljes lelki tudás, ezért semmi sem múlhatja felül. Az önvaló ismerete nélkül az aszketizmus tökéletlen, és nem lehet tökéletes az empirikus tudás sem, ha mellőzi a Legfelsőbb Úr előtti meghódolást. A gyümölcsöző munka szintén csak idővesztegetés, ha Kṛṣṇa-tudat nélkül végezzük. Ezért minden *yoga*-folyamat közül a *bhakti-yoga* a legdicsőségesebb, amelyről ez a vers beszél. Ezt a következő vers még világosabban elmagyarázza.

47. VERS

योगिनामपि सर्वेषां मद्गतेनान्तरात्मना ।
श्रद्धावान् भजते यो मां स मे युक्ततमो मतः ॥४७॥

yoginām api sarveṣāṁ mad-gatenāntar-ātmanā
śraddhāvān bhajate yo māṁ sa me yuktatamo mataḥ

yoginām – a *yogīk* közül; *api* – is; *sarveṣām* – valamennyi közül; *mat-gatena* – Bennem lakozva, mindig Rám gondolva; *antaḥ-ātmanā* – magában; *śraddhā-vān* – teljes hittel; *bhajate* – transzcendentális szerető szolgálatot végez; *yaḥ* – aki; *mām* – Nekem (a Legfelsőbb Úrnak); *saḥ* – ő; *me* – Általam; *yukta-tamaḥ* – a legnagyobb *yogīnak; mataḥ* – tekintett.

Aki nagy hittel mindig Bennem lakozik, magában Énrám gondol, s transzcendentális szerető szolgálatot végez Nekem, az a legmeghittebben egyesül Velem a yogában, s minden yogī közül ő a legkiválóbb. Ez az Én véleményem.

MAGYARÁZAT: Ebben a versben a *bhajate* szónak nagy jelentősége van. Töve a *bhaj* ige, amit a szolgálattal kapcsolatban használnak. A magyar „imádat" szó nem egészen ugyanazt jelenti, mint a *bhaj.* Imádat alatt csodálatot, tiszteletet és megbecsülést értünk egy arra méltó személy iránt. A szeretettel és hűséggel végzett szolgálat azonban legfőképpen az Istenség Legfelsőbb Személyiségét illeti meg. Ha valaki elmulasztja egy tiszteletre méltó ember vagy egy félisten imádatát, legfeljebb udvariatlannak nevezhető, ám a Legfelsőbb Úr szolgálatát senki sem kerülheti el anélkül, hogy ez súlyos ítéletet ne vonna maga után. Minden élőlény az Istenség Legfelsőbb Személyiségének szerves része, ezért eredeti természetéből adódóan az a feladata, hogy a Legfelsőbb Urat szolgálja. Aki nem tesz ennek eleget, az elbukik. Ezt a *Bhāgavatam* (11.5.3) az alábbi versben erősíti meg:

ya eṣāṁ puruṣaṁ sākṣād ātma-prabhavam īśvaram
na bhajanty avajānanti sthānād bhraṣṭāḥ patanty adhaḥ

„Aki nem szolgálja az elsődleges Urat, minden élőlény eredetét, s elhanyagolja kötelességét Vele szemben, az biztosan visszaesik eredeti helyzetéből."

Ez a vers szintén a *bhajanti* szót használja. Ez a szó tehát egyedül a Legfelsőbb Személyre vonatkozhat, míg az „imádat" szó a félistenekkel vagy bármilyen közönséges élőlénnyel kapcsolatban használható. A *Śrīmad-Bhāgavatam* e versében említett *avajānanti* szó a *Bhagavad-gītāban* is előfordul. *Avajānanti māṁ mūḍhāḥ:* „Csupán az ostobák és a gazemberek gúnyolják ki az Istenség Legfelsőbb Személyiségét, az Úr Kṛṣṇát." Ezek az ostobák arra vetemednek, hogy magyarázatokat írjanak a *Bhagavad-gītāhoz,* ám semmi hajlandóságot nem mutatnak az Úr odaadó szolgálatára. Így természetesen nem tudnak megfelelő módon különbséget tenni a *bhajanti* és az „imádat" szó között.

Valamennyi *yoga* a *bhakti-yogában* tetőzik, s ezen kívül minden más *yoga* csupán eszköz arra, hogy az ember elérje a *bhaktit* a *bhakti-yogában.* A *yoga* valójában *bhakti-yogát* jelent, mert minden *yoga* fokozatosan az igazi cél, a *bhakti-yoga* felé vezeti az embert. A *karma-yoga* elejétől a *bhakti-yoga* végéig hosszú út vezet az önmegvalósításig. Ennek az útnak az eleje a tettek gyümölcséről lemondó cselekvés, vagyis a *karma-yoga*. Ha ehhez később tudás és lemondás járul, akkor *jñāna-yogának* hívják. Amikor az ember a *jñāna-yogában* a különböző testgyakorlatokkal a Felsőlelken meditál, s elméjét Rá szögezi, azt *aṣṭāṅga-yogának* hívják. A csúcsot a *bhakti-yoga* jelenti, amikor a *yogī* – az *aṣṭāṅga-yogán* túlhaladva – eléri az Istenség Legfelsőbb Személyiségét, Kṛṣṇát. Valójában a *bhakti-yoga* a legvégső cél, de ahhoz, hogy a *bhakti-yogát* valaki részletesen elemezni tudja, meg kell értenie a többi *yoga*-folyamatot. A fejlődő *yogī* ezért az örök szerencséhez vezető igazi utat járja. Aki megáll egy bizonyos ponton, s nem halad tovább, annak neve ennek alapján *karma-yogī, jñāna-yogī, dhyāna-yogī, rāja-yogī, haṭha-yogī* stb. Ám ha valaki olyan szerencsés, hogy eljut a *bhakti-yogáig,* tudhatjuk, hogy minden más *yoga*-folyamaton túlhaladt már. Kṛṣṇa-tudatúvá válni ezért a *yoga* legmagasabb fokának elérését jelenti, éppen úgy, mint amikor a Himalájáról szólva a világ legmagasabb hegységére utalunk, melynek a Mount Everest a csúcsa.

Aki a *bhakti-yoga* útját járva elérkezik a Kṛṣṇa-tudathoz, s a Védák útmutatását követve jó helyzetbe kerül, az nagyon szerencsésnek mondható. Az ideális *yogī* figyelmét Kṛṣṇára összpontosítja, akit Śyāmasundarának hívnak, és akinek színe épp oly gyönyörű, mint a felhőé. Lótuszvirághoz hasonlatos arca ragyog, mint a nap, s öltözékét csillogó ékkövek, testét virágfüzérek díszítik. Minden oldalról fenséges lelki fény, a *brahmajyoti* veszi körül. Különböző formákban száll alá e világba, mint például Rāma, Nṛsiṁha, Varāha és Kṛṣṇa, az Istenség Legfelsőbb Személyisége. Emberhez hasonló formájában Yaśodā anya gyermekeként jelenik meg, és Kṛṣṇának, Govindának és Vāsudevának nevezik. Ő a tökéletes gyermek, férj, barát és mester, és minden fenséggel és transzcendentális tulajdonsággal teljes mértékben rendelkezik. Aki örökké tudatában van az Úr e tulajdonságainak, azt a legkiválóbb *yogīnak* nevezik.

Valamennyi védikus írás megerősíti, hogy a *yoga* legtökéletesebb szintjét csakis a *bhakti-yogával* lehet elérni:

yasya deve parā bhaktir yathā deve tathā gurau
tasyaite kathitā hy arthāḥ prakāśante mahātmanaḥ

„A védikus tudás igazi jelentése csak azon nagy lelkek előtt tárul fel magától, akiknek rendíthetetlen hitük van mind az Úrban, mind a lelki tanítómesterben" (*Śvetāśvatara-upaniṣad* 6.23).

Bhaktir asya bhajanaṁ tad ihāmutropādhi-nairāsyenāmuṣmin manaḥ-kalpanam, etad eva naiṣkarmyam. „A *bhakti* azt az Úrnak végzett odaadó szolgálatot jelenti, amikor valaki mentes attól a vágytól, hogy jelenlegi vagy elkövetkező életében anyagi haszonra tegyen szert. Az ember az ilyen hajlamoktól megszabadulva merítse elméjét teljesen a Legfelsőbbe. Ez a *naiṣkarmya* célja" (*Gopāla-tāpanī-upaniṣad* 1.15).

Ez tehát néhány olyan folyamat, ami a *bhakti,* vagyis a Kṛṣṇa-tudat végzését segíti, amely a *yoga*-rendszer legtökéletesebb szintje.

Így végződnek a Bhaktivedanta-magyarázatok a Śrīmad Bhagavad-gītā *hatodik fejezetéhez, melynek címe:* „Dhyāna-yoga".

HETEDIK FEJEZET

Az Abszolútról szóló tudás

1. VERS

श्रीभगवानुवाच
मय्यासक्तमनाः पार्थ योगं युञ्जन्मदाश्रयः ।
असंशयं समग्रं मां यथा ज्ञास्यसि तच्छृणु ॥१॥

śrī-bhagavān uvāca
mayy āsakta-manāḥ pārtha yogaṁ yuñjan mad-āśrayaḥ
asaṁśayaṁ samagraṁ māṁ yathā jñāsyasi tac chṛṇu

śrī-bhagavān uvāca – a Legfelsőbb Úr mondta; *mayi* – Hozzám; *āsakta-manāḥ* – ragaszkodó elme; *pārtha* – ó, Pṛthā fia; *yogam* – önmegvalósítást; *yuñjan* – gyakorolva; *mat-āśrayaḥ* – tudatodat Rám irányítva (Kṛṣṇa-tudatban); *asaṁśayam* – kétség nélkül; *samagram* – teljesen; *mām* – Engem; *yathā* – hogyan; *jñāsyasi* – ismerhetsz meg; *tat* – azt; *śṛṇu* – halld.

Az Istenség Legfelsőbb Személyisége így szólt: Halld most, ó, Pṛthā fia, hogyan ismerhetsz meg Engem teljesen, kétségektől mentesen, ha tudatodat Bennem elmerítve, elmédet Rám szögezve gyakorlod a yogát!

MAGYARÁZAT: A *Bhagavad-gītā* hetedik fejezete teljes leírást ad a Kṛṣṇa-tudat természetéről. Kṛṣṇa minden fenséges jellemvonással a legteljesebb mértékben rendelkezik, s hogy ezeket hogyan nyilvánítja ki, arról ebben a fejezetben olvashatunk. Ezenkívül leírást találhatunk a négyféle szerencsés emberről, akik kapcsolatba kerülnek Kṛṣṇával, illetve a négyféle szerencsétlen emberről, akik sohasem fordulnak Hozzá.

A *Bhagavad-gītā* első hat fejezete nem anyagi természetű lelki lényként írta le az élőlényt, aki a különféle *yoga*-folyamatok révén az önmegvalósítás síkjára emelkedhet. A hatodik fejezet vége egyértelműen kijelenti, hogy az elme Kṛṣṇára való rendíthetetlen összpontosítása – vagyis a Kṛṣṇa-tudat – a *yoga* valamennyi formája közül a legmagasabb rendű. Az ember csakis akkor ismerheti meg az Abszolút Igazságot teljesen, ha elméjét Kṛṣṇára függeszti. Tudatára ébredni a személytelen *brahmajyotinak* vagy a helyhez kötött Paramātmānak részlegessége miatt nem nevezhető az Abszolút Igazság tökéletes ismeretének. Kṛṣṇa ismerete jelenti a teljes és megvalósított tudást, s a Kṛṣṇa-tudatú ember előtt minden feltárul. Aki teljesen Kṛṣṇa-tudatú, az belátja, hogy minden kétséget kizáróan Kṛṣṇa a végső tudás. A különféle *yoga*-folyamatok csupán lépcsőfokok a Kṛṣṇa-tudat útján. Aki közvetlenül a Kṛṣṇa-tudathoz fordul, az minden külön erőfeszítés nélkül teljes ismeretet szerez a *brahmajyotiról* és a Paramātmāról is. A Kṛṣṇa-tudat *yogájának* gyakorlásával az ember mindent a maga teljességében ismerhet meg: az Abszolút Igazságot, az élőlényeket, az anyagi természetet és mindezek megnyilvánulásait, minden hozzájuk tartozó dologgal együtt.

Ezért az embernek a hatodik fejezet utolsó versének utasítása értelmében el kell kezdenie a *yoga* gyakorlását. Az elme összpontosítása Kṛṣṇára, a Legfelsőbbre az odaadó szolgálat kilenc formájának előírásos végzése által válik lehetségessé. Ezek közül a *śravaṇam* az első és legfontosabb. Ezért mondja az Úr Arjunának: *tac chṛṇu,* azaz „Halld Tőlem!". Senki sem lehet hitelesebb szaktekintély, mint Kṛṣṇa, ezért Őt hallgatva kapja meg az ember a legjobb lehetőséget arra, hogy tökéletesen Kṛṣṇa-tudatossá váljon. Vagy közvetlenül Kṛṣṇától, vagy Kṛṣṇa tiszta *bhaktájától* kell tanulnunk tehát, nem pedig holmi csaló *abhaktától,* aki fölöttébb büszke tudományos műveltségére.

A *Śrīmad-Bhāgavatam* első énekének második fejezete leírja Kṛṣṇa, az Istenség Legfelsőbb Személyisége, az Abszolút Igazság megismerésének módját (1.2.17–21):

śṛṇvatāṁ sva-kathāḥ kṛṣṇaḥ puṇya-śravaṇa-kīrtanaḥ
hṛdy antaḥ-stho hy abhadrāṇi vidhunoti suhṛt satām

naṣṭa-prāyeṣv abhadreṣu nityaṁ bhāgavata-sevayā
bhagavaty uttama-śloke bhaktir bhavati naiṣṭhikī

tadā rajas-tamo-bhāvāḥ kāma-lobhādayaś ca ye
ceta etair anāviddhaṁ sthitaṁ sattve prasīdati

evaṁ prasanna-manaso bhagavad-bhakti-yogataḥ
bhagavat-tattva-vijñānaṁ mukta-saṅgasya jāyate

bhidyate hṛdaya-granthiś chidyante sarva-saṁśayāḥ
kṣīyante cāsya karmāṇi dṛṣṭa evātmanīśvare

„Ha valaki a védikus irodalomból hall Kṛṣṇáról, vagy ha közvetlenül a *Bhagavad-gītāból* hallja az Ő szavait, az már magában is jámbor tettnek számít. Az Úr Kṛṣṇa mindenki szívében ott lakozik, s jóakaró barátként segíti, valamint megtisztítja azt a *bhaktát,* aki állandóan Róla hall. A *bhakta* szunnyadó transzcendentális tudása így természetes módon felébred. Ahogy egyre többet hall Kṛṣṇáról a *Bhāgavatamból* és a *bhaktáktól,* egyre szilárdabb lesz az Úr odaadó szolgálatában. Az odaadó szolgálat kifejlesztésével megszabadul a szenvedély és a tudatlanság kötőerőitől, s így megtisztul az anyagi vágyaktól és a mohóságtól. E tisztátalanságok lemosása után szilárdan megállapodik a tiszta jóságban, majd az odaadó szolgálatot végezve újjáéled, és tökéletesen megérti az Istenről szóló tudományt. A *bhakti-yoga* tehát kettévágja az anyagi ragaszkodás erős csomóját, és egyszerre az *asaṁśayam samagram,* vagyis a Legfelsőbb Abszolút Igazság, az Istenség Személyisége megismerésének síkjára emeli az embert."

A Kṛṣṇáról szóló tudományt tehát csakis akkor értheti meg az ember, ha Kṛṣṇától vagy Kṛṣṇa-tudatos *bhaktájától* hallja.

2. VERS

ज्ञानं तेऽहं सविज्ञानमिदं वक्ष्याम्यशेषतः ।
यज्ज्ञात्वा नेह भूयोऽन्यज्ज्ञातव्यमवशिष्यते ॥ २ ॥

jñānaṁ te 'haṁ sa-vijñānam idaṁ vakṣyāmy aśeṣataḥ
yaj jñātvā neha bhūyo 'nyaj jñātavyam avaśiṣyate

jñānam – a jelenségvilágról szóló tudást; *te* – neked; *aham* – Én; *sa* – azzal; *vijñānam* – a lelki tudást; *idam* – ezt; *vakṣyāmi* – el fogom magyarázni; *aśeṣataḥ* – teljességében; *yat* – amit; *jñātvā* – megismerve; *na* – nem; *iha* – ebben a világban; *bhūyaḥ* – tovább; *anyat* – bármi más; *jñātavyam* – tudnivaló; *avaśiṣyate* – marad.

Most teljességében átadom neked a jelenségvilágra vonatkozó és a lelki tudományt; ha ezeket megérted, nem lesz már semmi, amit tudnod kellene.

MAGYARÁZAT: A teljes tudás a látható világnak, a mögötte álló léleknek, valamint mindkettő forrásának az ismeretét jelenti. Ez a transzcendentális tudás. Az Úr azért akarja elmagyarázni az említett tudásrendszert Arjunának, mert az bizalmas *bhaktája* és barátja. Ezt az Úr elmondta már a negyedik fejezet elején is, és most újra megerősíti: teljes tudáshoz csakis az Ő *bhaktája,* a közvetlenül Tőle eredő tanítványi lánc tagja juthat. Az embernek éppen ezért kellőképpen okosnak kell lennie ahhoz, hogy felismerje minden tudás eredetét, aki minden ok oka és valamennyi *yoga*-rendszer meditációjának egyetlen középpontja. Ha valaki megismeri minden ok okát, azzal mindent megtud, és semmi nem marad előtte ismeretlen. A Védák (*Muṇḍaka-upaniṣad* 1.1.3) kijelentik: *kasminn u bhagavo vijñāte sarvam idaṁ vijñātaṁ bhavatīti.*

3. VERS

मनुष्याणां सहस्रेषु कश्चिद्यतति सिद्धये ।
यततामपि सिद्धानां कश्चिन्मां वेत्ति तत्त्वतः ॥ ३ ॥

manuṣyāṇāṁ sahasreṣu kaścid yatati siddhaye
yatatām api siddhānāṁ kaścin māṁ vetti tattvataḥ

manuṣyāṇām – az embereknek; *sahasreṣu* – ezrei közül; *kaścit* – valaki; *yatati* – törekszik; *siddhaye* – tökéletességre; *yatatām* – a törekvők közül; *api* – valóban; *siddhānām* – a tökéletességet elértek közül; *kaścit* – valaki; *mām* – Engem; *vetti* – ismer; *tattvataḥ* – igazán.

Sok ezer ember közül talán egy törekszik a tökéletességre, s a tökéletességet elértek közül igazán alig ismer Engem egy is.

MAGYARÁZAT: Az embereknek számos típusa létezik, és sok ezer ember közül talán egy akad, akit érdekel annyira a transzcendentális önmegvalósítás, hogy megpróbálja megérteni, mi az én, mi a test, és mi az Abszolút Igazság. Az emberek általában csak állatias hajlamaik kielégítésével foglalkoznak – az evéssel, az alvással, a védekezéssel és a nemi élettel –, s nagyon ritka az, akit a transzcendentális tudás érdekel. A *Gītā* első hat fejezete azoknak szól, akiket érdekel a transzcendentális tudás, az önvaló és a Felsőlélek megismerése, az önmegvalósítás folyamata a *jñāna-yogán,* a *dhyāna-yogán,* valamint az önvaló és az anyag különbözőségének megállapításán keresztül. Kṛṣṇát azonban csak azok ismerhetik meg, akik Kṛṣṇa-tudatúak. A többi transzcendentalista csak a személytelen Brahmant illető tudatosságra tehet szert, mert ez könnyebb, mint

Kṛṣṇa megismerése. Kṛṣṇa a Legfelsőbb Személy, de ugyanakkor túl van a Brahmanról és a Paramātmāról szóló tudáson. A *yogīk* és a *jñānīk* zavarban vannak, amikor megpróbálják megérteni Kṛṣṇát. Noha Śrīpāda Śaṅkarācārya, a legkiválóbb imperszonalista a *Gītāhoz* fűzött magyarázatában elfogadta, hogy Kṛṣṇa az Istenség Legfelsőbb Személyisége, követői nem ismerik el ugyanezt Kṛṣṇáról, hiszen Őt még annak is nagyon nehéz megértenie, aki már eljutott a személytelen Brahmant illető transzcendentális tudatosságig.

Kṛṣṇa az Istenség Legfelsőbb Személyisége, minden ok oka, az eredeti Úr, Govinda. *Īśvaraḥ paramaḥ kṛṣṇaḥ sac-cid-ānanda-vigrahaḥ / anādir ādir govindaḥ sarva-kāraṇa-kāraṇam.* Az *abhakták* számára nagyon nehéz feladat megismerni Őt. Az ilyen emberek kijelentik, hogy a *bhakti,* vagyis az odaadó szolgálat útja nagyon könnyű, mégsem képesek követni. Ha a *bhakti* útja olyan könnyű, mint ahogyan azt az *abhakták* állítják, akkor ők miért választják a nehezebb utat? Valójában a *bhakti* útja nem könnyű. Lehet, hogy az az út, melyet az igazi *bhaktiról* mit sem tudó, semmilyen hiteles felhatalmazással nem rendelkező emberek járnak és *bhaktinak* neveznek, könnyű, ám az ilyen spekuláló tudósok és filozófusok kudarcot vallanak, ha a szabályok és előírások szerint kell haladniuk az igazi *bhakti* ösvényén. Śrīla Rūpa Gosvāmī *Bhakti-rasāmṛta-sindhu* című művében (1.2.101) így ír:

śruti-smṛti-purāṇādi- pañcarātra-vidhiṁ vinā
aikāntikī harer bhaktir utpātāyaiva kalpate

„Ha valaki úgy szolgálja odaadóan az Urat, hogy közben nem veszi figyelembe a védikus írásokat, például az *upaniṣadokat,* a *purāṇákat* és a *Nārada-pañcarātrát,* csupán fölösleges zavart okoz a társadalomban."

A Brahman-tudatosságra szert tett imperszonalista vagy a Paramātmā-tudatosságot elért *yogī* képtelen megérteni Kṛṣṇát, az Istenség Legfelsőbb Személyiségét Yaśodā anya gyermekeként vagy Arjuna kocsihajtójaként. Néha még a nagy félistenek is zavarban vannak Kṛṣṇát illetően (*muhyanti yat sūrayaḥ*). *Māṁ tu veda na kaścana:* „Senki sem ismer Engem igazán" – mondja az Úr. S ha valaki ismeri Őt: *sa mahātmā su-durlabhaḥ* – „Az ilyen nagy lélek nagyon ritka." Mindaddig, amíg az ember nem végez odaadó szolgálatot az Úrnak, legyen akármilyen nagy tudós vagy filozófus, nem ismerheti meg Őt úgy, ahogy van, a maga valójában (*tattvataḥ*). Egyedül a tiszta *bhakták* tudhatnak valamennyit Kṛṣṇa felfoghatatlan, transzcendentális természetéről – arról, hogy Ő minden ok oka, mindenható, fenséges, gazdag, híres, erős, bölcs és semmihez nem ragaszkodó –, mert Kṛṣṇa nagy jóakarattal fordul feléjük. Ő a Brahman-tudatosság utolsó lépcsőfoka, akit csakis *bhaktái* érthetnek meg teljes valójában. A *Bhakti-rasāmṛta-sindhuban* (1.2.234) éppen ezért ez áll:

ataḥ śrī-kṛṣṇa-nāmādi na bhaved grāhyam indriyaiḥ
sevonmukhe hi jihvādau svayam eva sphuraty adaḥ

„Tompa anyagi érzékeivel senki sem értheti meg Kṛṣṇát, Ő azonban felfedi magát *bhaktái* előtt, mert nagyon elégedett transzcendentális szerető szolgálatukkal."

4. VERS

भूमिरापोऽनलो वायुः खं मनो बुद्धिरेव च ।
अहङ्कार इतीयं मे भिन्ना प्रकृतिरष्टधा ॥ ४ ॥

bhūmir āpo 'nalo vāyuḥ khaṁ mano buddhir eva ca
ahaṅkāra itīyaṁ me bhinnā prakṛtir aṣṭadhā

bhūmiḥ – föld; *āpaḥ* – víz; *analaḥ* – tűz; *vāyuḥ* – levegő; *kham* – éter; *manaḥ* – elme; *buddhiḥ* – értelem; *eva* – bizony; *ca* – és; *ahaṅkāraḥ* – hamis ego; *iti* – így; *iyam* – mindezek; *me* – Enyém; *bhinnā* – különálló; *prakṛtiḥ* – energiák; *aṣṭadhā* – nyolc részből álló.

Föld, víz, tűz, levegő, éter, elme, értelem és hamis ego – e nyolc együtt képezi az Én különálló anyagi energiáimat.

MAGYARÁZAT: Az Istenről szóló tudomány Isten örök természetét és különféle energiáit tanulmányozza. Az anyagi természetet *prakṛtinek* hívják, ami nem más, mint az Úr különféle *puruṣa*-inkarnációinak (kiterjedéseinek) energiája, ahogy azt a *Sātvata-tantra* leírja:

viṣṇos tu trīṇi rūpāṇi puruṣākhyāny atho viduḥ
ekaṁ tu mahataḥ sraṣṭṛ dvitīyaṁ tv aṇḍa-saṁsthitam
tṛtīyaṁ sarva-bhūta-sthaṁ tāni jñātvā vimucyate

„Az anyagi teremtés érdekében az Úr Kṛṣṇa teljes értékű kiterjedése három Viṣṇu-formában nyilvánul meg. Az első Mahā-viṣṇu, aki a *mahattattvának* nevezett totális anyagi energiát teremti meg. A második Garbhodakaśāyī Viṣṇu, aki behatol minden kozmoszba, hogy sokféleséget teremtsen valamennyiben,a harmadik pedig Kṣīrodakaśāyī Viṣṇu, aki mindent átható Felsőlélekként szétterjed a világmindenségben. Őt Paramātmānak nevezik, s még az atomokban is jelen van. Aki ismeri e három Viṣṇut, az megszabadulhat az anyagi kötelékektől."

Az anyagi világ a Legfelsőbb Személy egyik energiájának ideiglenes megnyilvánulása, s teljes működését az Úr Kṛṣṇa e három Viṣṇu-kiterjedése irányítja. Ezeket a *puruṣákat* inkarnációknak hívják. Akik nem ismerik az Istenről (Kṛṣṇáról) szóló tudományt, azok általában úgy vélik, hogy ez az anyagi világ az élőlények élvezetét szolgálja, s hogy maguk az élőlények a *puruṣák,* az anyagi energia okai, irányítói és élvezői. A *Bhagavad-gītā* véleménye szerint ez az ateista következtetés hamis. Ez a vers rámutat: Kṛṣṇa az anyagi megnyilvánulás eredeti oka. A *Śrīmad-Bhāgavatam* szintén megerősíti ezt. Az anyagi megnyilvánulás alkotóelemei az Úr különálló energiái. Még az imperszonalisták végső célja, a *brahmajyoti* is egy lelki energia, amely a lelki világban nyilvánul meg. A *brahmajyotiban* a Vaikuṇṭhalokákkal ellentétben nincsen lelki változatosság, s az imperszonalisták ezt a *brahmajyotit* tekintik a végső, örök célnak. A Paramātmā-megnyilvánulás szintén Kṣīrodakaśāyī Viṣṇu ideiglenes, mindent átható aspektusa, melynek a lelki világban nincsen örök léte. A valódi Abszolút Igazság ezért az Istenség Legfelsőbb Személyisége, Kṛṣṇa. Ő a teljes energiát szolgáltató személy, aki számtalanféle különálló és belső energiával rendelkezik.

Ahogyan a vers említette, az anyagi energia nyolc fő megnyilvánulásból áll. Ezek közül az első ötöt, azaz a földet, a vizet, a tüzet, a levegőt és az étert az öt durvafizikai elemnek nevezik. Hozzájuk tartozik az öt érzéktárgy is. Ezek a fizikai hang, a tapintás, a forma, az íz és az illat megnyilvánulásai. Az anyagi tudomány csupán ezzel a tíz dologgal foglalkozik, semmi mással. A másik hármat, az elmét, az értelmet és a hamis egót a materialisták figyelmen kívül hagyják. Az elme működésével foglalkozó filozófusok ismerete sem teljes, mert nem ismerik a végső forrást, Kṛṣṇát. Az anyagi lét alapelvét képező hamis ego – az „én vagyok" és „az enyém" tudata – magában foglalja az anyagi tettekhez szükséges tíz érzékszervet. Az intelligencia a totális anyagi teremtésnek, a *mahat-tattvának* felel meg. Az Úr nyolc különálló energiájából nyilvánul meg tehát az anyagi világ huszonnégy eleme, amelyekkel az ateista *sāṅkhya* filozófia foglalkozik. Ezek eredetileg Kṛṣṇa energiáinak termékei, melyek Tőle különállóak, ám az ateista *sāṅkhya* filozófusok csekély tudásuk következtében nem tudják, hogy Kṛṣṇa minden ok oka. A *sāṅkhya* filozófia csupán Kṛṣṇa külső energiájának megnyilvánulásait tárgyalja, ahogyan azt a *Bhagavad-gītā* leírja.

5. VERS

अपरेयमितस्त्वन्यां प्रकृतिं विद्धि मे पराम् ।
जीवभूतां महाबाहो ययेदं धार्यते जगत् ॥ ५ ॥

apareyam itas tv anyāṁ prakṛtiṁ viddhi me parām
jīva-bhūtāṁ mahā-bāho yayedaṁ dhāryate jagat

aparā – alsóbbrendű; *iyam* – ez; *itaḥ* – e mögött; *tu* – de; *anyām* – egy másik; *prakṛtim* – energia; *viddhi* – próbáld megérteni; *me* – Enyém; *parām* – felsőbbrendűt; *jīva-bhūtām* – az élőlényeket tartalmazót; *mahā-bāho* – ó, erős karú; *yayā* – aki által; *idam* – ez; *dhāryate* – használt vagy kihasznált; *jagat* – az anyagi világ.

Ó, erős karú Arjuna, ezeken kívül van egy másik, felsőbbrendű energiám is: az élőlények, akik kihasználják az anyagi, alsóbbrendű természet forrásait.

MAGYARÁZAT: Ebből a versből egyértelműen kiderül, hogy az élőlény a Legfelsőbb Úr felsőbb természetéhez (energiájához) tartozik. Az alsóbbrendű energia az anyag, ami a különféle elemekben, név szerint a földben, a vízben, a tűzben, a levegőben, az éterben, az elmében, az értelemben és a hamis egóban nyilvánul meg. Az anyagi természet mindkét formája – a durvafizikai, amihez többek között a föld tartozik, valamint a finomfizikai, amihez például az elme tartozik – az alsóbbrendű energia terméke. Az élőlények, akik különféle célokból ezeket az alacsonyabb rendű energiákat használják, a Legfelsőbb Úr felsőbbrendű energiáját képezik. Az egész anyagi világ működése ennek az energiának köszönhető. A kozmikus megnyilvánulás mindaddig nem képes működni, amíg a felsőbbrendű energia, vagyis az élőlény erre nem készteti. Az energiákat mindig az energiaforrás tartja a kezében. Az élőlényeket is az Úr irányítja, s így nincs független létük. Hatalmuk sohasem lehet egyenlő az Ő hatalmával – ezt csak az ostobák gondolják. A *Śrīmad-Bhāgavatam* (10.87.30) a következőképpen ír az Úr és az élőlények közötti különbségről:

aparimitā dhruvās tanu-bhṛto yadi sarva-gatās
tarhi na śāsyateti niyamo dhruva netarathā
ajani ca yan-mayaṁ tad avimucya niyantṛ bhavet
samam anujānatāṁ yad amataṁ mata-duṣṭatayā

„Ó, Legfelsőbb Örökkévaló! Ha a testet öltött élőlények Hozzád hasonlóan örökkévalóak és mindent áthatóak lennének, akkor nem állnának a Te irányításod alatt. De ha elfogadjuk, hogy az élőlények a Te parányi energiáid, azt is azonnal el kell fogadnunk, hogy legfelsőbb irányításodnak kényszerülnek engedelmeskedni. Az igazi felszabadulás ezért azt jelenti, hogy az élőlények meghódolnak irányításod előtt, s ez boldoggá teszi őket. Csak ebben az örök helyzetükben lehetnek irányítók. Akik tehát korlátolt tudásuk következtében a monizmus eszméjét hirdetik, miszerint Isten és az élőlények minden tekintetben egyek, azok valójában egy hibás és szennyezett nézetet követnek."

A Legfelsőbb Úr, Kṛṣṇa az egyedüli irányító, és minden élőlény az Ő irányítása alatt áll. Ezek az élőlények alkotják az Ő felsőbbrendű energiáját, mert létük minősége megegyezik a Legfelsőbbével. A hatalom mértékében azonban sohasem egyenlőek Vele. A durva- és a finomfizikai alsóbbrendű energia (az anyag) kihasználása közben a felsőbbrendű energia (az élőlény) megfeledkezik valódi lelki elméjéről és értelméről. Ez a feledékenység annak az eredménye, hogy az anyag hatással van az élőlényekre. Amikor az élőlény megszabadul az illúziókeltő anyagi energia befolyásától, akkor eléri a *mukti,* vagyis a felszabadulás síkját. Az anyagi illúzió hatása alatt az élőlény hamis egója ekképpen gondolkodik: „Anyag vagyok, az anyagi javak pedig az én tulajdonomban állnak." Valódi helyzetét akkor ismerheti föl, ha megszabadul minden materialista gondolattól, beleértve azt a felfogást is, hogy Istennel minden tekintetben eggyé válhat. Levonhatjuk tehát azt a végkövetkeztetést, hogy a *Gītā* megerősíti: az élőlény csupán Kṛṣṇa számtalan energiáinak egyike, s amikor ez az energia megtisztul az anyagi szennyeződéstől, teljesen Kṛṣṇa-tudatúvá válik, azaz felszabadul.

6. VERS

एतद्योनीनि भूतानि सर्वाणीत्युपधारय ।
अहं कृत्स्नस्य जगतः प्रभवः प्रलयस्तथा ॥ ६ ॥

etad-yonīni bhūtāni sarvāṇīty upadhāraya
ahaṁ kṛtsnasya jagataḥ prabhavaḥ pralayas tathā

etat – ez a két természet; *yonīni* – születésük forrása; *bhūtāni* – a teremtett lényeknek; *sarvāṇi* – mindnek; *iti* – így; *upadhāraya* – tudd meg; *aham* – Én; *kṛtsnasya* – a mindent magában foglaló; *jagataḥ* – világnak; *prabhavaḥ* – megnyilvánulási forrása; *pralayaḥ* – megsemmisülése; *tathā* – úgyszintén.

Minden teremtett lénynek ez a két természet a forrása. Tudd meg, hogy Én vagyok az eredete és a feloszlása minden anyaginak és lelkinek ebben a világban.

MAGYARÁZAT: Minden, ami létezik, az anyag és a lélek terméke. A lélek a teremtés alapja és az anyag teremtője, tehát nem az anyag fejlődésének egy bizonyos szintjén keletkezett. Ellenkezőleg, ez az anyagi világ egyedül a lelki energia révén nyilvánult meg. Az anyagi test fejlődése a benne lévő léleknek tudható be, s a gyermek fokozatosan serdülővé, majd felnőtt emberré válik, mert a felsőbbrendű energia, a lélek jelen van benne. Éppen így a gigantikus univerzum teljes kozmikus megnyilvánulása is a Felsőlélek, Viṣṇu jelenlétének köszönhetően alakult ki. A lélek és az anyag, melynek kombinációja révén a hatalmas univerzális forma megnyilvánul, eredetileg az Úr két energiája, s ebből következően Ő az eredeti oka mindennek. Az Úr parányi szerves része, az élőlény oka lehet egy hatalmas felhőkarcolónak, egy nagy gyárnak vagy egy nagyvárosnak, ám egy univerzumnak nem. A hatalmas univerzum oka a hatalmas lélek, a Felsőlélek, és Kṛṣṇa, a Legfelsőbb az oka a nagy és a kis lelkeknek egyaránt. Ő tehát minden ok eredeti oka. Ezt a *Kaṭha-upaniṣad* (2.2.13) is megerősíti: *nityo nityānāṁ cetanaś cetanānām.*

7. VERS

मत्तः परतरं नान्यत्किञ्चिदस्ति धनञ्जय ।
मयि सर्वमिदं प्रोतं सूत्रे मणिगणा इव ॥ ७ ॥

mattaḥ parataraṁ nānyat kiñcid asti dhanañjaya
mayi sarvam idaṁ protaṁ sūtre maṇi-gaṇā iva

mattaḥ – Rajtam kívül; *para-taram* – felsőbb; *na* – nem; *anyat kiñcit* – bármi más; *asti* – van; *dhanañjaya* – ó, gazdagság meghódítója; *mayi* – Bennem; *sarvam* – minden létező; *idam* – amit láthatunk; *protam* – felfűzve; *sūtre* – fonálra; *maṇi-gaṇāḥ* – gyöngyök; *iva* – mint.

Ó, gazdagság meghódítója, nincs igazság, ami magasabb rendű lenne Nálam! Minden Rajtam nyugszik, mint gyöngysor a fonálon.

MAGYARÁZAT: Azzal kapcsolatban, hogy a Legfelsőbb Abszolút Igazság személy-e vagy személytelen létező, ellentmondó vélemények vannak. A *Bhagavad-gītā* álláspontja az, hogy az Abszolút Igazság az Istenség Személyisége, Śrī Kṛṣṇa, s ezt erősíti meg minden lépésnél. Ez a vers különösen hangsúlyozza, hogy az Abszolút Igazság egy személy. A *Brahma-saṁhitā* szintén alátámasztja, hogy a Legfelsőbb Abszolút Igazság az Istenség Legfelsőbb Személyisége: *īśvaraḥ paramaḥ kṛṣṇaḥ sac-cid-ānanda-vigrahaḥ* – a Legfelsőbb Abszolút Igazság az Istenség Személyisége, az Úr Kṛṣṇa, aki az eredeti Úr, minden gyönyör forrása, Govinda, a teljes boldogság és tudás örökkévaló formája. Ezek a hiteles források minden kétséget kizáróan állítják, hogy az Abszolút Igazság a Legfelsőbb Személy, minden ok oka. Az imperszonalisták azonban a Védákra hivatkozva a *Śvetāśvatara-upaniṣad* (3.10) versével érvelnek: *tato yad uttarataraṁ tad arūpam anāmayam / ya etad vidur amṛtās te bhavanti athetare duḥkham evāpiyanti.* „Az anyagi világban Brahmā, az univerzum első élőlénye a leghatalmasabb valamennyi félisten, emberi lény és alacsonyabb rendű állat közül. De Brahmān túl ott van a Transzcendens, akinek nincsen anyagi formája, s aki minden anyagi szennyeződéstől mentes. Akik képesek megismerni Őt, azok szintén transzcendentálissá válnak, míg akik nem ismerik, szenvednek az anyagi világ gyötrelmeitől."

Az imperszonalisták nagyobb hangsúlyt fektetnek az *arūpam* szóra. Az *arūpam* azonban nem személytelenséget jelent. Csupán arra az örökkévaló, gyönyörrel és tudással teli transzcendentális formára utal, melyet a fentiekben idézett *Brahma-saṁhitā* ír le. A *Śvetāśvatara-upaniṣad* más versei (3.8–9) szintén alátámasztják ezt:

vedāham etaṁ puruṣaṁ mahāntam
āditya-varṇaṁ tamasaḥ parastāt
tam eva viditvāti mṛtyum eti
nānyaḥ panthā vidyate 'yanāya

yasmāt paraṁ nāparam asti kiñcid
yasmān nāṇīyo no jyāyo 'sti kiñcit
vṛkṣa iva stabdho divi tiṣṭhaty ekas
tenedaṁ pūrṇaṁ puruṣeṇa sarvam

„Ismerem az Istenség Legfelsőbb Személyiségét, aki transzcendentálisan fölötte áll a sötétség minden anyagi felfogásának. Egyedül az szabadulhat ki a születés és halál kötelékeiből, aki ismeri Őt. E Legfelsőbb Személyről szóló tudáson kívül nem vezet más út a felszabaduláshoz.

Nincsen magasabb rendű igazság, mint Ő, mert Ő a legfelsőbb. Kisebb Ő a legkisebbnél és nagyobb a legnagyobbnál. Olyan, mint egy csendes fa, s beragyogja a transzcendentális világot, s miként a fa terjeszti szét gyökereit, úgy árasztja szét Ő is energiáit mindenhová."

Ezekből a versekből az ember levonhatja azt a következtetést, hogy a Legfelsőbb Abszolút Igazság az Istenség Legfelsőbb Személyisége, aki számtalan anyagi és lelki energiája révén mindent áthat.

8. VERS

रसोऽहमप्सु कौन्तेय प्रभास्मि शशिसूर्ययोः ।
प्रणवः सर्ववेदेषु शब्दः खे पौरुषं नृषु ॥८॥

raso 'ham apsu kaunteya prabhāsmi śaśi-sūryayoḥ
praṇavaḥ sarva-vedeṣu śabdaḥ khe pauruṣaṁ nṛṣu

rasaḥ – íz; *aham* – Én; *apsu* – a vízben; *kaunteya* – ó, Kuntī fia; *prabhā* – fénye; *asmi* – vagyok; *śaśi-sūryayoḥ* – a napnak és a holdnak; *praṇavaḥ* – a három hang: a-u-m; *sarva* – mindben; *vedeṣu* – a Védákban; *śabdaḥ* – hangvibráció; *khe* – az éterben; *pauruṣam* – képesség; *nṛṣu* – az emberben.

Ó, Kuntī fia! Én vagyok a víz íze, a nap és a hold fénye, az oṁ szótag a védikus mantrákban, a hang az éterben, a képesség az emberben.

MAGYARÁZAT: Ez a vers megmagyarázza, hogyan hat át mindent az Úr különféle anyagi és lelki energiái révén. A Legfelsőbb Urat kezdetben különféle energiáin keresztül lehet érzékelni – ez személytelen megtapasztalásának módja. Ahogyan a Napon élő félisten egy személy, és mindent átható energiája, a napfény által lehet felfogni őt, az Urat is hasonlóképpen lehet érzékelni mindent átható, mindent átfogó energiái révén, noha Ő maga örökké saját hajlékán tartózkodik. A víz megkülönböztető sajátsága az íze. Senki sem szereti a tengervizet, mert a víz tiszta íze sóval keveredik. Minél tisztább ízű a víz, annál jobban szeretjük, s ez a tiszta íz az Úr energiáinak egyike. Az imperszonalisták az ízéről ismerik fel az Úr jelenlétét a vízben, s a perszonalista filozófia hívei szintén dicsőítik az Urat, amiért a szomjas embert kedvesen finom vízzel látja el. Így ismerhetjük fel a Legfelsőbbet. Valójában a személyes és személytelen felfogás között nincs ellentét. Aki ismeri Istent, az tudja, hogy a személytelen és a személyes aspektus egyidejűleg mindenben jelen van, s ebben nincsen ellentmondás. Az Úr Caitanya ezért alapozta meg nagyszerű tanítását, az *acintya bhedābheda-tattva* (egyidejű azonosság és különbözőség) elméletét.

Eredetileg a Nap és a Hold fénye is a *brahmajyotiból,* az Úr személytelen ragyogásából árad. A *praṇava,* vagyis a transzcendentális *oṁkāra* hang, amellyel minden védikus himnusz kezdődik, a Legfelsőbb Úr megszólítására szolgál. Az imperszonalisták nagyon félnek attól, hogy a Legfelsőbb Urat, Kṛṣṇát számtalan nevének valamelyikén szólítsák meg, ezért inkább a transzcendentális hang, az *oṁkāra* ismétlését választják. Azt azonban nem ismerik fel, hogy az *oṁkāra* Isten hangképviselője. A Kṛṣṇa-tudat hatása mindenhová eljut. Aki ismeri a Kṛṣṇa-tudatot, az áldott, míg a Kṛṣṇát nem ismerők illúzióban vannak. A Kṛṣṇáról szóló tudás tehát felszabadulást, a tudatlanság pedig rabságot jelent.

9. VERS

पुण्यो गन्धः पृथिव्यां च तेजश्चास्मि विभावसौ ।
जीवनं सर्वभूतेषु तपश्चास्मि तपस्विषु ॥ ९ ॥

puṇyo gandhaḥ pṛthivyāṁ ca tejaś cāsmi vibhāvasau
jīvanaṁ sarva-bhūteṣu tapaś cāsmi tapasviṣu

puṇyaḥ – eredeti; *gandhaḥ* – illat; *pṛthivyām* – a földben; *ca* – szintén; *tejaḥ* – hő; *ca* – is; *asmi* – vagyok; *vibhāvasau* – a tűzben; *jīvanam* – élet;

sarva – minden; *bhūteṣu* – élőlényben; *tapaḥ* – vezeklés; *ca* – is; *asmi* – vagyok; *tapasviṣu* – a vezeklőkben.

Én vagyok a föld eredeti illata, a tűz heve, minden élő élete és minden aszkéta vezeklése.

MAGYARÁZAT: A *puṇya* szó arra utal, ami nem oszlik fel, ami eredeti. Az anyagi világban mindennek van valamilyen íze és illata: a virágnak, a földnek, a víznek, a tűznek, a levegőnek stb. A szennyezetlen, eredeti, mindent átható illat Kṛṣṇa. Mindennek van egy sajátságos, eredeti íze is, amely kémiai anyagok hozzáadásával megváltoztatható. Eredetileg tehát mindennek van illata, szaga és íze. A *vibhāvasu* szó tüzet jelent. Tűz nélkül nem működnek a gyárak, nem tudunk főzni stb., és ez a tűz Kṛṣṇa. A tűz heve szintén Kṛṣṇa. A védikus orvostudomány szerint az emésztési zavarokat a gyomor túl alacsony hőmérséklete okozza. Tűzre tehát még az emésztéshez is szükség van. Kṛṣṇa-tudatban az ember rádöbben arra, hogy Kṛṣṇa az eredete a földnek, a víznek, a tűznek, a levegőnek, minden hatóanyagnak, kémiai molekulának és anyagi elemnek. Az emberi élet hossza is Kṛṣṇa kegyétől függ, így aztán Kṛṣṇa kegyéből az ember meghosszabbíthatja vagy lerövidítheti az életét. A Kṛṣṇa-tudat az élet minden területén érvényes.

10. VERS

बीजं मां सर्वभूतानां विद्धि पार्थ सनातनम् ।
बुद्धिर्बुद्धिमतामस्मि तेजस्तेजस्विनामहम् ॥१०॥

bījaṁ māṁ sarva-bhūtānāṁ viddhi pārtha sanātanam
buddhir buddhimatām asmi tejas tejasvinām aham

bījam – a magjaként; *mām* – Engem; *sarva-bhūtānām* – minden élőlénynek; *viddhi* – próbálj megérteni; *pārtha* – ó, Pṛthā fia; *sanātanam* – eredeti, örökkévaló; *buddhiḥ* – értelme; *buddhi-matām* – az értelmesnek; *asmi* – vagyok; *tejaḥ* – hatalma; *tejasvinām* – a hatalmasnak; *aham* – Én.

Ó, Pṛthā fia, tudd meg hát, hogy Én vagyok minden lét eredeti magja, az értelmesek értelme, a hatalmasok bátorsága!

MAGYARÁZAT: A *bīja* magot jelent – Kṛṣṇa a magja mindennek. Sokféle élőlény van, mozgó és mozdulatlan egyaránt. Az állatok és az ember sok más teremtménnyel együtt mozgó élőlények, míg a fák és a többi növény mozdulatlanok; egy helyben állnak, nem tudnak helyet változtatni. Minden élőlény a nyolcmillió-négyszázezer faj egyikébe tartozik. Némelyik tud mozogni, a másik nem, ám mindnyájuk életének Kṛṣṇa a magja. A védikus irodalom szerint a Brahman, a Legfelsőbb Abszolút Igazság az, amiből minden kiárad. Kṛṣṇa a Parabrahman, a Legfelsőbb Lélek. A Brahman egy személytelen létező, míg a Parabrahman egy személy. A *Bhagavad-gītā* leírja, hogy a személytelen Brahman a személyes arculat része. Kṛṣṇa tehát az eredeti forrása mindennek. Ő a gyökér, s mint minden dolog eredeti gyökere, Ő tart fenn mindent ebben az anyagi megnyilvánulásban, éppen úgy, ahogyan a gyökér táplálja az egész fát. Ezt a védikus irodalom is megerősíti (*Kaṭha-upaniṣad* 2.2.13):

nityo nityānāṁ cetanaś cetanānām
eko bahūnāṁ yo vidadhāti kāmān

Az örök életűek közül Ő az elsődleges örökkévaló. Minden élőlény közül a Legfelsőbb, s egyedül Ő tart fenn minden életet. Értelem nélkül semmit sem tehetünk, és Kṛṣṇa azt is mondja, hogy Ő minden értelem gyökere. Aki nem intelligens, nem értheti meg az Istenség Legfelsőbb Személyiségét, Kṛṣṇát.

11. VERS

बलं बलवतां चाहं कामरागविवर्जितम् ।
धर्माविरुद्धो भूतेषु कामोऽस्मि भरतर्षभ ॥११॥

balaṁ balavatāṁ cāhaṁ kāma-rāga-vivarjitam
dharmāviruddho bhūteṣu kāmo 'smi bharatarṣabha

balam – erő; *bala-vatām* – az erősé; *ca* – és; *aham* – Én vagyok; *kāma* – a szenvedélytől; *rāga* – és ragaszkodástól; *vivarjitam* – mentes; *dharma-aviruddhaḥ* – a vallásos elvekkel nem ellenkező; *bhūteṣu* – minden élőlényben; *kāmaḥ* – nemi élet; *asmi* – Én vagyok; *bharata-ṛṣabha* – ó, Bhāraták ura.

Ó, Bhāraták ura [Arjuna]! Én vagyok a szenvedély és vágy nélküli erő az erősekben, és Én vagyok az a nemi élet, amely nem ellenkezik a vallásos elvekkel.

MAGYARÁZAT: Az erős embernek a gyengék megvédésében kell használnia az erejét, s nem a saját érdekeit szolgáló agresszióban. A vallásos elvek (*dharma*) szerinti nemi élet célja kizárólag a gyermeknemzés, s azután a szülőkre hárul az a feladat, hogy gyermeküket Kṛṣṇa-tudatúvá neveljék.

12. VERS

ये चैव सात्त्विका भावा राजसास्तामसाश्च ये ।
मत्त एवेति तान् विद्धि न त्वहं तेषु ते मयि ॥१२॥

ye caiva sāttvikā bhāvā rājasās tāmasāś ca ye
matta eveti tān viddhi na tv ahaṁ teṣu te mayi

ye – mindazok; *ca* – és; *eva* – bizony; *sāttvikāḥ* – a jóságban lévő; *bhāvāḥ* – állapotok; *rājasāḥ* – a szenvedély kötőerejében lévő; *tāmasāḥ* – a tudatlanság kötőerejében lévő; *ca* – szintén; *ye* – mindazok; *mattaḥ* – Tőlem; *eva* – bizony; *iti* – így; *tān* – azokat; *viddhi* – próbáld megérteni; *na* – nem; *tu* – de; *aham* – Én; *teṣu* – azokban; *te* – ők; *mayi* – Bennem.

Tudd meg, hogy mindegyik létállapot az Én energiám által nyilvánul meg, legyen az a jóság, a szenvedély vagy a tudatlanság kötőerejében. Bizonyos értelemben Én vagyok minden, mégis független vagyok. Rám nem hatnak az anyagi természet kötőerői, mivel azok – épp ellenkezőleg – Bennem vannak.

MAGYARÁZAT: A világban minden anyagi tettet az anyagi természet három kötőereje irányít. Habár a természet anyagi kötőerői a Legfelsőbb Úrból, Kṛṣṇából áradnak, Ő nem az alárendeltjük. Az embereket például meg lehet büntetni az állam törvényei alapján, ám a király, a törvényhozó nem tartozik engedelmességgel a törvénynek. Ehhez hasonlóan az anyagi természet valamennyi kötőereje – a jóság, a szenvedély és a tudatlanság – a Legfelsőbb Úrból, Kṛṣṇából árad, Rá azonban nincs hatással az anyagi természet. Ő *nirguṇa*, ami azt jelenti, hogy ezek a *guṇák*, vagyis kötőerők annak ellenére, hogy Tőle származnak, nem befolyásolják. Ez Bhagavānnak, az Istenség Legfelsőbb Személyiségének egyik sajátos jellemvonása.

13. VERS

त्रिभिर्गुणमयैर्भावैरेभिः सर्वमिदं जगत् ।
मोहितं नाभिजानाति मामेभ्यः परमव्ययम् ॥१३॥

tribhir guṇa-mayair bhāvair ebhiḥ sarvam idaṁ jagat
mohitaṁ nābhijānāti mām ebhyaḥ param avyayam

tribhiḥ – a három; *guṇa-mayaiḥ* – *guṇából* álló; *bhāvaiḥ* – létállapotok által; *ebhiḥ* – mindezek által; *sarvam* – egész; *idam* – ez; *jagat* – univerzum; *mohitam* – megtévesztett; *na abhijānāti* – nem ismer; *mām* – Engem; *ebhyaḥ* – ezek fölött; *param* – a Legfelsőbbet; *avyayam* – a kimeríthetetlent.

A három kötőerőtől [a jóságtól, a szenvedélytől és a tudatlanságtól] megtévesztett világ nem ismer Engem, aki a kötőerők felett állok és kimeríthetetlen vagyok.

MAGYARÁZAT: Az egész világot az anyagi természet három kötőereje tartja bűvöletében. Akiket megtévesztett a három kötőerő, nem érthetik meg, hogy a Legfelsőbb Úr, Kṛṣṇa transzcendentálisan az anyagi természet fölött áll.

Az anyagi természet hatása alatt álló élőlények mindegyikét sajátos test és ennek megfelelően sajátos pszichikai és biológiai működés jellemzi. Az anyagi természet három kötőereje szerint az emberek négy csoportba sorolhatók. Akik tisztán a jóság minőségében élnek, azokat *brāhmaṇáknak* hívják. A *kṣatriyák* azok, akik tisztán a szenvedély kötőereje alatt állnak. A *vaiśyákat* a szenvedély és a tudatlanság köti meg, akik pedig teljes tudatlanságban vannak, azokat *śūdráknak* hívják. Akik ennél is alacsonyabb szinten állnak, azok vagy állatok, vagy állatias életet élnek. Ezek a megjelölések azonban nem állandóak. Lehet valaki *brāhmaṇa, kṣatriya, vaiśya* vagy bármi más, ez az élet minden esetben csupán egy ideig tart. Annak ellenére azonban, hogy az élet ideiglenes, és nem tudjuk, mik leszünk következő életünkben, az illúziókeltő energia varázsa alatt a testi felfogás szerint tekintünk magunkra, s így azt hisszük, hogy amerikaiak, indiaiak, oroszok, *brāhmaṇák,* hinduk, muszlimok stb. vagyunk. Ha pedig az anyagi természet kötőerőinek rabjaivá válunk, megfeledkezünk az Istenség Legfelsőbb Személyiségéről, aki e kötőerők mögött áll. Az Úr Kṛṣṇa ezért azt mondja, hogy az anyagi természet e három kötőerejétől megtévesztett élőlények nem tudják, hogy az anyagi háttér mögött az Istenség Legfelsőbb Személyisége áll.

Sokféle élőlény létezik: emberek, félistenek, állatok stb. Mindegyikük az anyagi természet hatása alatt áll, s mindannyian elfelejtették a transzcendentális Istenség Személyiségét. Akikre a szenvedély és a tudatlanság kötőereje hat – sőt még azok is, akik a jóság kötőerejében vannak – nem juthatnak túl az Abszolút Igazság személytelen Brahman-felfogásán. A Legfelsőbb Úr személyes aspektusa, amely minden szépséggel, gazdagsággal, tudással, erővel, hírnévvel és lemondással teli, megtéveszti őket. Ha még a jóság minőségében lévők sem érthetik meg Őt, akkor mit remélhetnek a szenvedély és a tudatlanság kötőerejében élők? A Kṛṣṇa-tudat transzcendentális az anyagi természet e három kötőerejéhez képest, ezért akik igazán Kṛṣṇa-tudatúak, azok valóban felszabadultak.

14. VERS

दैवी ह्येषा गुणमयी मम माया दुरत्यया ।
मामेव ये प्रपद्यन्ते मायामेतां तरन्ति ते ॥१४॥

daivī hy eṣā guṇa-mayī mama māyā duratyayā
mām eva ye prapadyante māyām etāṁ taranti te

daivī – transzcendentális; *hi* – bizony; *eṣā* – ez; *guṇa-mayī* – az anyagi természet három kötőerejéből álló; *mama* – Enyém; *māyā* – energia; *duratyayā* – nagyon nehezen legyőzhető; *mām* – Nekem; *eva* – bizony; *ye* – akik; *prapadyante* – meghódolnak; *māyām etām* – ezt az illúziókeltő energiát; *taranti* – átszelik; *te* – ők.

Az anyagi természet három kötőerejéből álló isteni energiámat nagyon nehéz legyőzni. De akik átadták magukat Nekem, azok könnyen túllépnek rajta.

MAGYARÁZAT: Az Istenség Legfelsőbb Személyiségének megszámlálhatatlanul sok energiája van, amelyek mind isteni energiák. Noha az élőlények szintén részei energiáinak, s ezért isteniek, az anyagi energiával kapcsolatba kerülve eredeti, felsőbbrendű természetüket az anyagi energia befedi. Ilyen állapotban az ember nem képes megszabadulni ennek hatásától. Ahogyan korábban olvastuk, mind az anyagi, mind a lelki természet örökkévaló, mert az Istenség Legfelsőbb Személyiségéből árad. Az élőlények az Úr örökkévaló felsőbbrendű természetéhez tartoznak, ám az alsóbbrendű természettel – az anyaggal – beszennyezve illúziójuk szintén örökké tart. A feltételekhez kötött lelket éppen ezért *nitya-baddhának,* örökké feltételekhez kötöttnek nevezik. Senki sem járhat utána az anyagi világ történelmében, hogy mikor vált feltételekhez kötötté. Következésképpen az anyagi természet karmai közül – annak ellenére, hogy az az alsóbbrendű energiához tartozik – nagyon nehezen szabadulhat ki az ember, mert az anyagi energiát végeredményben a Legfelsőbb akarata irányítja, amit az élőlény nem képes legyőzni. Az alsóbbrendű anyagi természetet ez a vers isteni természetként említi, mert Isten irányítja, s az Ő akarata működteti. Noha alsórendű, annak köszönhetően, hogy isteni akarat irányítja, csodálatra méltóan működik, felépítve és lerombolva a kozmikus megnyilvánulást. A Védák (*Śvetāśvatara-upaniṣad.* 4.10) így erősítik meg ezt: *māyāṁ tu prakṛtiṁ vidyān māyinaṁ tu maheśvaram.* „Habár a *māyā* [az illúzió] hamis és ideiglenes, mögötte mégis az Istenség Személyisége, a legfelsőbb mágus áll, akit Maheśvarának, a legfelsőbb irányítónak hívnak."

A *guṇa* másik jelentése kötél. Köztudott, hogy az anyagi világba került lelket az illúzió kötelei szorosan lekötözik. Az az ember, akinek kezelába meg van kötve, nem tudja kiszabadítani magát. Csak olyantól remélhet segítséget, aki nincs megkötve. Egy lekötözött ember nem segíthet a hozzá hasonlónak, ezért a megmentő nem lehet más, csak egy szabad ember. Az anyagi világ feltételekhez kötött lelkeit csakis az Úr Kṛṣṇa vagy hiteles képviselője, a lelki tanítómester szabadíthatja fel. Ilyen felsőbb segítség nélkül senki sem kerülhet ki az anyagi természet rabságából. Az odaadó szolgálat vagy Kṛṣṇa-tudat segíthet e felszabadulásban. Mivel Kṛṣṇa az illúziókeltő energia Ura, utasíthatja ezt a legyőzhetetlen energiát a megkötött lelkek szabadon bocsátására. Mindezt a meghódolt lélek iránt érzett indokolatlan kegyéből teszi, valamint annak az atyai vonzalomnak köszönhetően, mely az élőlényhez fűzi, aki eredetileg az Ő szeretett fia. A kérlelhetetlen anyagi természet kötelékeiből ezért csakis akkor kerülhet ki az ember, ha meghódol az Úr lótuszlába előtt.

A *mām eva* szavaknak szintén jelentőségük van. A *mām* szó azt jelenti, hogy nem Brahmā vagy Śiva, hanem kizárólag Kṛṣṇa (Viṣṇu) előtt kell meghódolnunk. Igaz, hogy Brahmā és Śiva nagyon emelkedett személyiségek, akik majdnem egy szinten állnak Viṣṇuval, ám a *rajo-guṇa* (szenvedély) és a *tamo-guṇa* (tudatlanság) ezen inkarnációi mégsem képesek megszabadítani a feltételekhez kötött lelket a *māyā* kötelékeitől. Más szóval tehát Brahmā és Śiva is a *māyā* befolyása alatt állnak. A *māyā* mestere egyedül Viṣṇu, ezért egyedül Ő szabadíthatja fel a feltételekhez kötött lelkeket. A Védák (*Śvetāśvatara-upaniṣad* 3.8) megerősítik ezt: *tam eva viditvā.* „A felszabadulást csakis Kṛṣṇa megismerésével lehet elérni." Még az Úr Śiva is elismeri, hogy a felszabadulást egyedül Viṣṇu kegye teszi lehetővé. *Mukti-pradātā sarveṣāṁ viṣṇur eva na saṁśayaḥ* – mondja. „Minden kétséget kizáróan mindenkinek Viṣṇu adományozza a felszabadulást."

15. VERS

न मां दुष्कृतिनो मूढाः प्रपद्यन्ते नराधमाः ।
माययापहृतज्ञाना आसुरं भावमाश्रिताः ॥१५॥

na māṁ duṣkṛtino mūḍhāḥ prapadyante narādhamāḥ
māyayāpahṛta-jñānā āsuraṁ bhāvam āśritāḥ

na – nem; *mām* – Nekem; *duṣkṛtinaḥ* – a gonosztevők; *mūḍhāḥ* – az ostobák; *prapadyante* – meghódolnak; *nara-adhamāḥ* – az emberiség legalja; *māyayā* – az illúziókeltő energia által; *apahṛta* – megfosztott;

jñānāḥ – tudásúak; *āsuram* – démonikus; *bhāvam* – természetet; *āśritāḥ* – elfogadók.

Az alábbi bűnös emberek nem hódolnak meg Előttem: a felettébb ostobák, az emberiség alja, akiket az illúzió megfosztott tudásuktól, s azok, akik a démonok ateista természetével rendelkeznek.

MAGYARÁZAT: A *Bhagavad-gītā* elmondja, hogy az ember legyőzheti az anyagi természet szigorú törvényeit csupán azáltal, hogy meghódol az Istenség Személyisége, Kṛṣṇa lótuszlába előtt. Itt felmerülhet a kérdés, hogyan lehetséges az, hogy a művelt filozófusok, tudósok, üzletemberek, a vezető tisztségeket betöltők és az emberek vezetői nem hódolnak meg Śrī Kṛṣṇa, a mindenható Istenség Személyisége lótuszlába előtt. Az emberiség vezetői számtalan formában akarják elérni a *muktit* – azaz felül szeretnének kerekedni az anyagi természet törvényein –, és ennek érdekében hosszú-hosszú éveken és életeken át kitartóan szövögetik terveiket. De ha a felszabadulás elérhető csupán azáltal, hogy az ember meghódol az Istenség Legfelsőbb Személyisége lótuszlába előtt, akkor miért nem fogadják el ezt az egyszerű módszert ezek az értelmes és szorgalmas vezetők?

A *Gītā* nagyon egyenesen válaszol erre a kérdésre. A társadalom valóban művelt vezetői, például Brahmā, Śiva, Kapila, a Kumārák, Manu, Vyāsa, Devala, Asita, Janaka, Prahlāda, Bali, illetve később Madhvācārya, Rāmānujācārya, Śrī Caitanya és sokan mások, akik hívő filozófusok, politikusok, tanítók, tudósok voltak, mind meghódoltak a mindenható tekintély, a Legfelsőbb Személy lótuszlába előtt. Akik nem igazi filozófusok, tudósok, tanítók, vezetők, hanem csupán az anyagi haszon reményében tetszelegnek ebben a szerepben, azok nem fogadják el a Legfelsőbb Úr tervét vagy útját. Istenről mit sem tudnak, csupán saját világi terveiket szövögetik, hogy megoldják az anyagi lét problémáit, ám hiábavaló kísérleteikkel csak szaporítják azokat. Mivel az anyagi energia (az anyagi természet) rendkívül hatalmas, ellenáll az ateisták önkényes terveinek, és túljár az úgynevezett „tervezőbizottságok" eszén.

Ez a vers az ateista vezetőket a *duṣkṛtinaḥ* szóval jellemzi, aminek jelentése: „gonosztevők". A *kṛtī* olyan ember, aki mögött dicséretre méltó tettek sorakoznak. Az ateista tervezgetők olykor nagyon okosak, sőt jó szándékúak is, mert minden nagy terv – legyen az jó vagy rossz – végrehajtásához intelligenciára van szükség. Mivel azonban helytelenül, a Legfelsőbb Úr tervével ellenkező célra használják értelmüket, *duṣkṛtīknek* nevezik őket, ami azt jelenti, hogy értelmük és törekvéseik rossz irányba haladnak.

A *Gītāból* egyértelműen megtudhatjuk, hogy az anyagi energia teljesen a Legfelsőbb Úr irányítása alatt áll, nem rendelkezik független hatalommal. Úgy cselekszik, akár az árnyék, amely a tárgy mozgását követi.

Az anyagi energia hatalma azonban mégis óriási. Az ateisták – istentagadó természetüknek köszönhetően – nem tudják, hogyan működik, s a Legfelsőbb Úr tervét sem ismerik. Az illúzió, a szenvedély és a tudatlanság hatása alatt minden tervük meghiúsul. Ez történt Hiraṇyakaśipu és Rāvaṇa esetében is, akiknek tervei egytől egyig füstbe mentek, noha anyagi szempontból nézve mindkettő művelt tudós, filozófus, vezető és tanító volt. Négyféle *duṣkṛtin* vagy gonosztevő van. Ezek a következők:

1. A *mūḍhák* rendkívül ostoba emberek, olyanok, mint az igavonó állatok. Munkájuk gyümölcseit maguk akarják élvezni, s nem akarják megosztani a Legfelsőbbel. Az igavonó állatokra a legjellemzőbb példa a szamár. Ezt az alázatos állatot gazdája nagyon kemény munkára fogja. A szamár tulajdonképpen nem is tudja, kinek dolgozik éjjel-nappal, erejét megfeszítve. Megelégszik azzal, hogy bendőjét megtömheti egy marék fűvel, hogy aludhat egy kicsit, miközben mestere ütlegeitől kell rettegnie, és hogy kielégítheti nemi vágyát, még akkor is, ha a nőstény szamár időnként jól megrúgja. Néha filozófiáról és költészetről énekel, ám mások fülének ez csupán zavaró iázás. Ilyen helyzetben van az ostoba, munkája gyümölcséért dolgozó ember is, akinek fogalma sincs arról, hogy kinek kell dolgoznia, és azt sem tudja, hogy a *karmának* (tettnek) a *yajña* (áldozat) célját kell szolgálnia.

Akik éjt nappallá téve dolgoznak, hogy a saját maguk kiszabta kötelességek súlyán könnyítsenek, azok általában azt mondják, hogy nincs idejük az élőlény halhatatlanságáról hallani. Az ilyen *mūḍhák* számára a pusztulásra ítélt anyagi nyereség a minden, noha munkájuk gyümölcsének csupán parányi töredékét élvezhetik. A haszon reményében néha napokon át dolgoznak alvás nélkül, s bár lehet, hogy fekélytől vagy emésztési zavaroktól szenvednek, a legszerényebb élelemmel is beérik, s éjjel-nappal a hamis uraik javát szolgáló kíméletlen robotba merülnek. Ezek az ostobák mit sem tudnak igazi Urukról, így értékes idejüket a mammon szolgálatában, telhetetlen pénzszerzésre vesztegetik. Szerencsétlenségükre sohasem hódolnak meg az urak legfelsőbb Ura előtt, s arra sem szánnak időt, hogy halljanak Róla a megfelelő forrásokból. Az ürülékevő disznó ügyet sem vet a cukorból és ghíből (tisztított vajból) készült édességre. Ugyanígy ezek az ostoba munkások sem unják meg, hogy az állandóan változó anyagi világ híreit hallgassák, melyek oly élvezetesek az érzékek számára, arra azonban nincs idejük, hogy az anyagi világot mozgató örök élő erőről halljanak.

2. A *duṣkṛtīk,* gazemberek másik rétegét *narādhamának,* az emberiség aljának nevezik. A *nara* embert jelent, az *adhama* pedig legalacsonyabbat. A nyolcmillió-négyszázezer különböző faj közül az emberi fajok száma négyszázezer. Ezek között számos alacsonyabb rendű, többnyire civilizálatlan emberfajta van. A civilizált emberek közé azok tartoznak,

akiknek társadalmi, politikai és vallási életét a szabályozó elvek betartása jellemzi. A társadalom és a politika terén fejlett, ám a vallás elveit mellőző embereket *narādhamáknak* kell tekinteni. A vallás nem vallás Isten nélkül, mert a vallási elvek követésének célja a Legfelsőbb Igazság és Hozzá fűződő kapcsolatunk megismerése. A *Gītāban* az Istenség Személyisége érthetően kijelenti, hogy nincs Nála felsőbbrendű tekintély, s hogy Ő a Legfelsőbb Igazság. A civilizált emberi létforma arra szolgál, hogy *visszanyerjük elvesztett tudásunkat* a Legfelsőbb Igazsághoz, az Istenség Személyiségéhez, a mindenható Śrī Kṛṣṇához fűződő kapcsolatunkról. Aki elmulasztja ezt a lehetőséget, az a *narādhamákhoz* tartozik. A kinyilatkoztatott szentírások arról tájékoztatnak bennünket, hogy az anyaméhben lévő magzat (aki rendkívül kényelmetlen helyzetben van) Istenhez imádkozik, hogy szabadítsa ki őt, s megfogadja, hogy ha egyszer kijut onnan, csak Őt fogja imádni. Az élőlény kapcsolata Istennel örökkévaló, így a nehéz helyzetekben ösztönösen Istenhez imádkozik. A születés után azonban a gyermek a *māyā,* vagyis az illúziókeltő energia befolyása alá kerül, s nemcsak a születés kínjairól, de szabadítójáról is megfeledkezik.

Azoknak, akik gyermekeket nevelnek, kötelességük felébreszteni védenceikben a bennük szunnyadó isteni tudatot. A *Manu-smṛti,* a vallásos elveket lefektető könyv tíz megújító ceremóniáról ír, melyek célja, hogy a *varṇāśrama* rendszerén belül ismét életre keltsék az Isten-tudatot. Manapság azonban a világ egyetlen részén sem követik szigorúan ezt a gyakorlatot, ezért az emberek 99,9%-a *narādhama.*

Ha az emberiség *narādhamává* válik, akkor természetes, hogy a fizikai természet teljhatalmú energiája érvényteleníti minden úgynevezett tudásukat. A *Gītā* szerint tanult ember az, aki egyenlőnek látja a képzett *brāhmaṇát,* a kutyát, a tehenet, az elefántot és a kutyaevőt. Ilyen az igazi *bhakta* látásmódja. Śrī Nityānanda Prabhu, aki isteni mesterként Isten inkarnációja volt, felszabadította a *narādhamák* két jellegzetes képviselőjét, Jagāit és Mādhāit, a két testvért, s megmutatta, hogyan részesíti kegyében egy tiszta *bhakta* még azokat is, akik az emberiség legalját képviselik. Az Istenség Személyisége által elítélt *narādhamák* tehát csakis egy *bhakta* kegyéből nyerhetik vissza lelki tudatukat.

Amikor Śrī Caitanya Mahāprabhu a *bhāgavata-dharmáról* – a *bhakták* tevékenységéről – prédikált, azt ajánlotta, hogy az emberek alázatosan hallgassák az Istenség Személyiségének üzenetét. Ennek az üzenetnek a lényege a *Bhagavad-gītā.* Az emberiség alja csakis az alázatos hallás módszerével szabadulhat fel, sajnos azonban még erre sem hajlandóak, arról nem is beszélve, hogy meghódolnának a Legfelsőbb Úr akarata előtt. A *narādhamák,* az emberiség söpredéke szándékosan elhanyagolja az ember elsődleges kötelességét.

3. A *duṣkṛtīk* következő csoportját *māyayāpahṛta-jñānāḥnak* hívják. Ez olyan embereket jelöl, akiknek magas szintű képzettségét az illúziókeltő anyagi energia megsemmisítette. Többnyire nagyon műveltek: híres filozófusok, költők, írók, tudósok stb., ám az illúziókeltő energia félrevezeti őket, ezért nem engedelmeskednek a Legfelsőbb Úrnak.

Napjainkban nagyon sok *māyayāpahṛta-jñāna* ember van, még a *Bhagavad-gītā* tudósai között is. A *Gītāban* egyszerűen és érthetően az áll, hogy Śrī Kṛṣṇa az Istenség Legfelsőbb Személyisége, és senki sem lehet Vele egyenlő vagy Nála nagyobb. Ő Brahmānak, az emberek eredeti atyjának atyja. Valójában Śrī Kṛṣṇa nemcsak Brahmā, hanem minden faj eredeti atyja. Ő a személytelen Brahman és Paramātmā gyökere, s a minden élőlényben jelen lévő Paramātmā az Ő teljes része. Ő a kútfeje mindennek, ezért ajánlatos mindenkinek meghódolnia az Ő lótuszlába előtt. A *māyayāpahṛta-jñāna* emberek azonban e nyilvánvaló kijelentések ellenére kigúnyolják a Legfelsőbb Úr személyiségét, és csupán közönséges embernek tekintik. Nem tudják, hogy az áldott emberi test a Legfelsőbb Úr örökkévaló és transzcendentális formája szerint lett teremtve.

A *māyayāpahṛta-jñāna* emberek *Gītāhoz* fűzött, minden hitelességet nélkülöző magyarázatai, melyek nem egyeznek meg a *paramparā* rendszer nézeteivel, akadályt jelentenek a lelki megvilágosodás útján. A tévhitben élő magyarázók nem hódolnak meg Śrī Kṛṣṇa lótuszlába előtt, és másokat sem tanítanak ennek az elvnek a követésére.

4. A *duṣkṛtīk* utolsó csoportját az *āsuraṁ bhāvam āśritāḥnak* nevezett emberek alkotják, akik démoni elveket követnek. Ez a csoport nyíltan ateista. Némelyikük azzal érvel, hogy a Legfelsőbb Úr sohasem szállhat alá ebbe az anyagi világba, de hogy miért nem, azt már nem tudják kézzelfogható bizonyítékokkal alátámasztani. Mások azt mondják Róla, hogy alacsonyabb rendű, mint a személytelen forma, noha a *Gītā* ennek épp az ellenkezőjét tanítja. Az Istenség Legfelsőbb Személyiségére irigykedő ateisták saját maguk kitalálta, hamis inkarnációk hosszú sorával hozakodnak elő. Az ilyen emberek, akik számára az Istenség Személyiségének becsmérlése jelenti az élet lényegét, képtelenek meghódolni Śrī Kṛṣṇa lótuszlába előtt.

A dél-indiai Śrī Yāmunācārya Albandaru ekképp fohászkodott: „Ó, Uram! Az ateista elveket valló emberek nem ismerhetnek meg Téged, annak ellenére, hogy rendkívüli tulajdonságokkal, vonásokkal és tettekkel rendelkezel, hogy a jóság minőségében lévő valamennyi kinyilatkoztatott szentírás valóságosnak írja le személyiségedet, s hogy a transzcendentális tudomány tudósaiként híres, isteni jellemmel rendelkező hiteles szaktekintélyek mind elismernek Téged."

Ahogyan tehát említettük, 1. a felettébb ostoba emberek, 2. az emberiség alja, 3. a tévúton járó spekulálók és 4. a megrögzött ateisták valamenynyi szentírás és hiteles tekintély tanácsának ellenére sohasem hódolnak meg az Istenség Személyiségének lótuszlába előtt.

16. VERS

चतुर्विधा भजन्ते मां जनाः सुकृतिनोऽर्जुन ।
आर्तो जिज्ञासुरर्थार्थी ज्ञानी च भरतर्षभ ॥१६॥

catur-vidhā bhajante māṁ janāḥ sukṛtino 'rjuna
ārto jijñāsur arthārthī jñānī ca bharatarṣabha

catuḥ-vidhāḥ – négyféle; *bhajante* – szolgálatot végeznek; *mām* – Nekem; *janāḥ* – emberek; *su-kṛtinaḥ* – jámborok; *arjuna* – ó, Arjuna; *ārtaḥ* – a szenvedő; *jijñāsuḥ* – a kíváncsi; *artha-arthī* – aki anyagi nyereségre vágyik; *jñānī* – aki a valóságnak megfelelően ismeri a dolgokat; *ca* – és; *bharata-ṛṣabha* – ó, Bharata sarjainak legkiválóbbja.

Ó, Bhāraták legjobbja! Négyféle jámbor ember kezd hozzá odaadó szolgálatomhoz: a szenvedő, a gazdagságra vágyó, a kíváncsi, és aki az Abszolútról szóló tudás után kutat.

MAGYARÁZAT: A hitetlenekkel ellentétben ezek az emberek követik az írások szabályozó elveit, s emiatt, valamint mert engedelmeskednek az erkölcsi és társadalmi törvényeknek, s többé-kevésbé odaadással fordulnak a Legfelsőbb Úr felé, nevük *sukṛtinaḥ*. Négy csoportjuk van: akik boldogtalanok, akik szűkében vannak a pénznek, akik kíváncsiak, és akik az Abszolút Igazságról szóló tudás után kutatnak. Ezek az emberek tehát különféle körülmények hatására fordulnak a Legfelsőbb Úrhoz, hogy odaadó szolgálatát végezzék. Nem tiszta *bhakták*, mert az odaadó szolgálatért cserébe vágyaik teljesülését akarják. A tiszta odaadó szolgálat mentes a törekvéstől és az anyagi haszonvágytól. A *Bhakti-rasāmṛta-sindhu* (1.1.11) az alábbi módon határozza meg a tiszta odaadást:

anyābhilāṣitā-śūnyaṁ jñāna-karmādy-anāvṛtam
ānukūlyena kṛṣṇānu- śīlanaṁ bhaktir uttamā

„Az embernek jó szándékkal, a gyümölcsöző cselekedetekben és a filozófiai spekulációban megnyilvánuló anyagi nyereségvágy nélkül kell a Legfelsőbb Úr, Kṛṣṇa transzcendentális szerető szolgálatát végeznie. Ezt nevezik tiszta odaadó szolgálatnak.”

Amikor a négy csoport egyikéhez tartozó ember a Legfelsőbb Úr odaadó szolgálatához lát, s egy tiszta *bhakta* társaságában teljesen megtisztul, akkor ő is tiszta *bhaktává* válik. Ami pedig a bűnösöket illeti, számukra az odaadó szolgálat rendkívül nehéz, mert életük önző, szabályozatlan és lelki célok nélküli. Ha azonban a véletlen folytán egy tiszta *bhaktával* kapcsolatba kerülnek, ők is tiszta *bhaktákká* válnak.

Az örökké gyümölcsöző tettekbe merülő emberek anyagi szenvedésük miatt fordulnak az Úrhoz, majd a tiszta *bhakták* társaságában szenvedéseik közepette ők is az Úr *bhaktáivá* válnak. A kiábrándult, csalódott emberek is a tiszta *bhakták* társaságába kerülhetnek, s felébredhet bennük a kíváncsiság, hogy Istent megismerjék. Az unalmas filozófia művelői szintén hallani akarnak Istenről, miután a tudás minden területén kudarcot vallottak, s a Legfelsőbb Úrhoz fordulnak, hogy odaadó szolgálatot végezzenek Neki. Így túljutnak a személytelen Brahmanról és a helyhez kötött Paramātmāról szóló tudáson, és a Legfelsőbb Úrnak vagy tiszta *bhaktájának* a kegyéből eljutnak a személyes Isten-felfogásig. Amikor tehát a szenvedő, a kíváncsi, a tudást kereső és a pénzre vágyó emberek megszabadulnak minden anyagi vágytól, s teljesen megértik, hogy a lelki fejlődésnek semmi köze az anyagi ellenszolgáltatáshoz, akkor tiszta *bhaktákká* válnak. Amíg az Urat transzcendentálisan szolgáló *bhakta* nem éri el ezt a szintet, addig tetteit gyümölcsöző cselekedetek, világi tudásvágy és hasonlók szennyezik be. Annak, aki el akar jutni a tiszta odaadó szolgálat szintjére, felül kell emelkednie ezeken.

17. VERS

तेषां ज्ञानी नित्ययुक्त एकभक्तिर्विशिष्यते ।
प्रियो हि ज्ञानिनोऽत्यर्थमहं स च मम प्रियः ॥१७॥

teṣāṁ jñānī nitya-yukta eka-bhaktir viśiṣyate
priyo hi jñānino 'tyartham ahaṁ sa ca mama priyaḥ

teṣām – közülük; *jñānī* – a teljes tudással rendelkező; *nitya-yuktaḥ* – mindig elfoglalt; *eka* – csak; *bhaktiḥ* – odaadó szolgálattal; *viśiṣyate* – kiemelkedik; *priyaḥ* – nagyon kedves; *hi* – bizony; *jñāninaḥ* – a tudással rendelkezőnek; *atyartham* – nagyon; *aham* – Én vagyok; *saḥ* – ő; *ca* – is; *mama* – Nekem; *priyaḥ* – kedves.

Ezek közül a teljes tudással rendelkező a legjobb, aki mindig a tiszta odaadó szolgálatba merül, mert nagyon kedves vagyok neki, és ő is kedves Nekem.

Ő Isteni Kegyelme
A. C. Bhaktivedanta Swami Prabhupāda
a Krisna-tudatú Hívők Nemzetközi Közösségének alapító ācāryája

Śrīla Bhaktisiddhānta Sarasvatī Ṭhākura, Ő Isteni Kegyelme A. C. Bhaktivedanta Swami Prabhupāda lelki tanítómestere

Śrīla Gaurakiśora Dāsa Bābājī, Śrīla Bhaktisiddhānta Sarasvatī lelki tanítómestere

Śrīla Bhaktivinoda Ṭhākura, a Kṛṣṇa-tudat angol nyelvű terjesztésének úttörője

Śrī Rūpa és Śrī Sanātana Gosvāmī, az Úr Caitanya legbizalmasabb *bhaktái*

Pañca-tattva

Śrī Kṛṣṇa Caitanya, a *Śrīmad Bhagavad-gītā* tökéletes tanítója, legbensőségesebb társai körében

„Dhṛtarāṣṭra így szólt: Ó, Sañjaya, mit tettek fiaim és Pāṇḍu fiai, miután harcra vágyva összegyűltek a kurukṣetrai zarándokhelyen?" (1.1)

„A másik oldalon, a fehér ménektől vont nagy harci szekéren az Úr Kṛṣṇa és Arjuna is megszólaltatták transzcendentális kagylókürtjüket." (1.14)

„Nem volt olyan idő, amikor Én nem léteztem, és öröktől fogva vagy te és ezek a királyok is; a jövőben sem fog megszűnni életünk." (2.12)

„…A *yoga* eme örök tudományát Én tanítottam a napistennek, Vivasvānnak, aki később Manut, az emberiség atyját, Manu pedig Ikṣvākut oktatta erről." (4.1)

„Amint a megtestesült lélek állandóan vándorol ebben a testben a gyermekkortól a serdülőkoron át az öregkorig, a halál pillanatában is egy másik testbe költözik. A józan embert azonban nem téveszti meg az efféle változás." (2.13)

„Ahogy az ember leveti elnyűtt ruháit, s újakat ölt magára, úgy válik meg a lélek is az öreg és hasznavehetetlen testektől, hogy újakat fogadjon el helyükbe." (2.22)

„Az alázatos bölcsek igaz tudásuk révén ugyanúgy tekintenek a tanult és szelíd *brāhmaṇára,* a tehénre, az elefántra, a kutyára és a kutyaevőre [a kaszton kívülire] is." (5.18)

„Ahogy a szélcsendes helyen nem lobog a mécses lángja, úgy az elméjét szabályozó transzcendentalista is mindig rendületlen marad, miközben a transzcendentális önvalón meditál." (6.19)

„Ó, univerzum Ura, ó, kozmikus forma, testedben tengernyi kart, hasat, szájat és szemet látok, melyek mindenhová kiterjednek, határtalanul! Sem véget, sem közepet, sem kezdetet nem látok Benned." (11.16)

„Az igazán intelligens emberek a Kali-korszakban a *saṅkīrtana-yajña* végzésével imádják majd a társaival együtt megjelenő Urat."
(3.10, magyarázat)

„Az anyagi világban az élőlény különböző életfelfogásait úgy viszi egyik testből a másikba, mint ahogyan a szél szállítja az illatot. Felvesz egy testet, majd kilép belőle, hogy egy újat öltsön magára." (15.8)

„…egy újabb durvafizikai testet kap, bizonyos fajta füllel, szemmel, nyelvvel, orral és érintésérzékkel, melyeket az elme fog össze, s így élvezheti az érzékek tárgyainak egy adott csoportját." (15.9)

„Gondolj mindig Rám, légy az Én hívem! Imádj Engem, és ajánld tiszteletedet Előttem, s így kétségtelenül el fogsz jutni Hozzám! Ezt megígérem neked, mert nagyon kedves barátom vagy.” (18.65)

MAGYARÁZAT: Az anyagi vágyak minden szennyeződésétől megszabadulva a boldogtalanok, a kíváncsiak, a nincstelenek és a legfelsőbb tudás után kutatók mind tiszta *bhaktákká* válhatnak. Közülük azonban az válik igazán az Úr tiszta *bhaktájává,* aki teljes tudással rendelkezik az Abszolút Igazságról, s mentes minden anyagi vágytól. Az Úr azt mondja, hogy a négy csoport közül a teljes tudással rendelkező *bhakta* a legjobb, aki ugyanakkor odaadóan szolgálja Őt. Tudás után kutatva az ember felismeri, hogy éne különbözik az anyagi testtől, majd még tovább fejlődve eljut a személytelen Brahmanról és a Paramātmāról szóló tudáshoz. A teljes megtisztulás után megérti, hogy eredeti természetének megfelelően Isten örök szolgája. A tiszta *bhaktákkal* kapcsolatba kerülve tehát a kíváncsiak, a boldogtalanok, az anyagi jólétre vágyakozók és a tudással rendelkezők is valamennyien megtisztulnak. Az Úrnak azonban az a legkedvesebb, aki a kezdeti szinten teljes tudással rendelkezik a Legfelsőbb Úrról, s ugyanakkor odaadó szolgálatot végez Neki. Aki tiszta tudással rendelkezik az Istenség Legfelsőbb Személyiségének transzcendentális természetéről, az odaadó szolgálata során védelmet élvez, így az anyag nem fertőzheti meg.

18. VERS

उदाराः सर्व एवैते ज्ञानी त्वात्मैव मे मतम् ।
आस्थितः स हि युक्तात्मा मामेवानुत्तमां गतिम् ॥१८॥

udārāḥ sarva evaite jñānī tv ātmaiva me matam
āsthitaḥ sa hi yuktātmā mām evānuttamāṁ gatim

udārāḥ – nemesek; *sarve* – mind; *eva* – bizony; *ete* – ezek; *jñānī* – a tudással rendelkező; *tu* – de; *ātmā eva* – mint Én magam; *me* – Enyém; *matam* – vélemény; *āsthitaḥ* – megállapodva; *saḥ* – ő; *hi* – bizony; *yukta-ātmā* – odaadó szolgálatot végezve; *mām* – Engem; *eva* – bizony; *anuttamām* – a legfelsőbb; *gatim* – célt.

Ezek a bhakták kétségtelenül mind nemes lelkek, de aki a Rólam szóló tudással rendelkezik, arra úgy tekintek, mint saját magamra. Transzcendentális szolgálata által biztosan elér Engem, a legfelsőbb, legtökéletesebb célt.

MAGYARÁZAT: Nem arról van szó, hogy a tudásban kevésbé jeleskedő *bhakták* nem kedvesek az Úrnak. Az Úr azt mondja: mindegyikük nemes lélek, mert bárki, bármilyen célból jön Hozzá, azt *mahātmānak,* nagy léleknek hívják. Azokat a *bhaktákat* is elfogadja, akik az odaadó szolgálat ellenében valamilyen nyereségre vágynak, mert szeretetteljes viszony áll fenn közöttük. Szeretetből anyagi javakat kérnek az Úrtól, s amikor megkapják, elégedettség tölti el őket, s ők is fejlődnek az odaadó szolgálatban. Az Úr számára mindamellett a teljes tudással rendelkező *bhakta* a legkedvesebb, mert az ő célja csupán az, hogy szeretettel és odaadással szolgálja a Legfelsőbb Urat. Az ilyen *bhakta* egyetlen másodpercig sem képes tovább élni, ha nincs kapcsolatban az Úrral vagy nem szolgálhatja Őt. A Legfelsőbb Úr szintén nagyon ragaszkodik *bhaktájához,* s nem lehet elválasztani Tőle.

A *Śrīmad-Bhāgavatamban* (9.4.68) az Úr így szól:

sādhavo hṛdayaṁ mahyaṁ sādhūnāṁ hṛdayaṁ tv aham
mad-anyat te na jānanti nāhaṁ tebhyo manāg api

„A *bhaktákat* örökre a szívembe zárom, s Én is mindig a *bhakták* szívében élek. A *bhakta* Rajtam kívül nem ismer semmit, s Én sem tudom őt elfelejteni. Nagyon bensőséges viszony van közöttünk. A teljes tudással rendelkező tiszta *bhakták* mindig kapcsolatban állnak Velem, és nagyon kedvesek Nekem."

19. VERS

बहूनां जन्मनामन्ते ज्ञानवान्मां प्रपद्यते ।
वासुदेवः सर्वमिति स महात्मा सुदुर्लभः ॥१९॥

bahūnāṁ janmanām ante jñānavān māṁ prapadyate
vāsudevaḥ sarvam iti sa mahātmā su-durlabhaḥ

bahūnām – sok; *janmanām* – ismétlődő születés és halál; *ante* – után; *jñāna-vān* – a teljes tudással rendelkező; *mām* – Nekem; *prapadyate* – meghódol; *vāsudevaḥ* – az Istenség Személyisége, Kṛṣṇa; *sarvam* – minden; *iti* – így; *saḥ* – az; *mahā-ātmā* – nagy lélek; *su-durlabhaḥ* – nagyon ritka.

Sok-sok születés és halál után az igazi tudást elsajátító ember átadja magát Nekem, mert tudja, hogy Én vagyok minden ok oka, és Rajtam kívül nem létezik semmi. Az ilyen nagy lélek bizony ritka.

MAGYARÁZAT: Sok-sok életen keresztül odaadó szolgálatot vagy transzcendentális cselekedeteket végezve az élőlény végül elsajátíthatja azt a transzcendentális, tiszta tudást, mely szerint az Istenség Legfelsőbb Személyisége a lelki felemelkedés végső célja. A lelki önmegvalósítás kezdetén, amikor az ember próbál megválni a materializmushoz fűződő ragaszkodásától, hajlamos az imperszonalizmusra, ám ha tovább fejlődik, megértheti, hogy a lelki életet tevékenység jellemzi, s ez a tevékenység nem más, mint az odaadó szolgálat. Ezt felismerve vonzódni kezd az Istenség Legfelsőbb Személyiségéhez, s meghódol Előtte. Ekkor megértheti, hogy az Úr Śrī Kṛṣṇa kegye minden, Ő minden ok oka, s ez az anyagi megnyilvánulás nem független Tőle. Rádöbben, hogy az anyagi világ a lelki változatosság eltorzult tükörképe, és mindennek kapcsolata van a Legfelsőbb Úrral, Kṛṣṇával. Így aztán mindent Vāsudevával, Śrī Kṛṣṇával kapcsolatban kezd látni. Ez a Vāsudevára vonatkozó egyetemes szemlélet egyre közelebb viszi ahhoz, hogy teljesen meghódoljon a Legfelsőbb Úr, Śrī Kṛṣṇa előtt, akit a legfelsőbb célnak tekint. Az ilyen meghódolt, nagy lélek nagyon ritka.

A *Śvetāśvatara-upaniṣad* harmadik fejezete (14–15. vers) nagyon szépen megmagyarázza ezt a verset:

sahasra-śīrṣā puruṣaḥ sahasrākṣaḥ sahasra-pāt
sa bhūmiṁ viśvato vṛtvā- tyātiṣṭhad daśāṅgulam

puruṣa evedaṁ sarvaṁ yad bhūtaṁ yac ca bhavyam
utāmṛtatvasyeśāno yad annenātirohati

A *Chāndogya-upaniṣadban* (5.1.15) ez áll: *na vai vāco na cakṣūṁṣi na śrotrāṇi na manāṁsīty ācakṣate prāṇa iti evācakṣate prāṇo hy evaitāni sarvāṇi bhavanti.* „Az élőlény testében az elsődleges tényező nem a beszéd képessége, nem a látás képessége, nem a hallás képessége és nem is a gondolkodás képessége. Az élet az, amely minden tevékenység középpontja." Ehhez hasonlóan mindenben az Úr Vāsudeva, az Istenség Személyisége, az Úr Śrī Kṛṣṇa az elsődleges lény. A testünk rendelkezik beszélő, látó, halló, gondolkodó és egyéb képességekkel, ezeknek azonban semmi jelentőségük, ha nem állnak kapcsolatban a Legfelsőbb Úrral. És mivel Vāsudeva mindent átható, s mivel minden Vāsudeva, a *bhakta* teljes tudással meghódol Előtte (vö. *Bhagavad-gītā* 7.17 és 11.40).

20. VERS

कामैस्तैस्तैर्हृतज्ञानाः प्रपद्यन्तेऽन्यदेवताः ।
तं तं नियममास्थाय प्रकृत्या नियताः स्वया ॥२०॥

kāmais tais tair hṛta-jñānāḥ prapadyante 'nya-devatāḥ
taṁ taṁ niyamam āsthāya prakṛtyā niyatāḥ svayā

kāmaiḥ – vágyak által; *taiḥ taiḥ* – különféle; *hṛta* – megfosztva; *jñānāḥ* – tudástól; *prapadyante* – meghódolnak; *anya* – más; *devatāḥ* – félisteneknek; *tam tam* – megfelelő; *niyamam* – szabályokat; *āsthāya* – követve; *prakṛtyā* – természetük által; *niyatāḥ* – szabályozva; *svayā* – sajátjuk által.

Akiket az anyagi vágyak megfosztottak értelmüktől, meghódolnak a félistenek előtt, és követik a saját természetük szerint kiszabott imádatszabályokat.

MAGYARÁZAT: Akik mentesek minden anyagi szennyeződéstől, azok meghódolnak a Legfelsőbb Úr előtt, és odaadóan szolgálják Őt. Addig, amíg nem tisztulnak meg teljesen az anyagi fertőzéstől, az emberek természetüknél fogva *abhakták*. De még ha anyagi vágyai is vannak valakinek, ha a Legfelsőbb Úrhoz fordul, már nem vonzódik többé túlságosan a külső természethez. Mivel a helyes cél felé halad, hamarosan teljesen megtisztul az anyagi kéjtől. A *Śrīmad-Bhāgavatam* azt ajánlja, hogy akár tiszta *bhakta* valaki, s mentes minden anyagi vágytól, akár tele van ilyen vágyakkal, akár az anyagi szennyeződésektől akar megszabadulni, minden esetben hódoljon meg Vāsudeva előtt, s imádja Őt. A *Bhāgavatam* (2.3.10) kijelenti:

akāmaḥ sarva-kāmo vā mokṣa-kāma udāra-dhīḥ
tīvreṇa bhakti-yogena yajeta puruṣaṁ param

A lelki ítélőképességüket elvesztett, nem túl intelligens emberek anyagi vágyaik azonnali teljesülése reményében a félisteneknél keresnek menedéket. Ezek az emberek általában nem fordulnak az Istenség Legfelsőbb Személyiségéhez, mert az alacsonyabb rendű kötőerők (a tudatlanság és a szenvedély) tartják fogva őket, így a különféle félisteneket imádják, s az imádat előírásszerű követése elégedetté teszi őket. A félistenek imádóit kicsinyes vágyak hajtják, és nem tudják, hogyan érhetnék el a legfelsőbb célt. A Legfelsőbb Úr *bhaktája* azonban a helyes úton jár. Mivel a védikus irodalom a különféle célok érdekében különféle félistenek imádatát javasolja (egy beteg embernek például azt tanácsolja, imádja a Napot), az *abhakták* úgy vélik, hogy a félistenek bizonyos szempontból jobbak a Legfelsőbb Úrnál. A tiszta *bhakta* azonban tudja, hogy a Legfelsőbb Úr, Kṛṣṇa mindennek a mestere. A *Caitanya-caritāmṛta* (*Ādi-līlā* 5.142) azt mondja: *ekale īśvara kṛṣṇa, āra saba bhṛtya* – egyedül az Istenség Legfelsőbb Személyisége, Kṛṣṇa az Úr, mindenki más szolga. Éppen ezért a tiszta *bhakta* sohasem fordul a félistenekhez anyagi szükségletei kielégítéséért. A Legfelsőbb Úrra bízza magát, s elégedett mindennel, amit az Úr ad neki.

21. VERS

यो यो यां यां तनुं भक्तः श्रद्धयार्चितुमिच्छति ।
तस्य तस्याचलां श्रद्धां तामेव विदधाम्यहम् ॥२१॥

yo yo yāṁ yāṁ tanuṁ bhaktaḥ śraddhayārcitum icchati
tasya tasyācalāṁ śraddhāṁ tām eva vidadhāmy aham

yaḥ yaḥ – bárki; *yām yām* – bármit; *tanum* – egy félisten formáját; *bhaktaḥ* – hívő; *śraddhayā* – hittel; *arcitum* – imádni; *icchati* – kívánja; *tasya tasya* – neki; *acalām* – szilárd; *śraddhām* – hitet; *tām* – azt; *eva* – biztosan; *vidadhāmi* – adok; *aham* – Én.

Felsőlélekként mindenki szívében ott lakozom. Amint valaki egy félistent kíván imádni, Én megszilárdítom hitét, hogy átadhassa magát annak az istenségnek.

MAGYARÁZAT: Isten függetlenséget adott mindenkinek, ezért ha valaki az anyagi élvezetre vágyik, és őszintén az anyagi világ félisteneihez fordul, hogy teljesítsék óhaját, akkor a Legfelsőbb Úr, aki Felsőlélekként mindenki szívében jelen van, megérti vágyát, s biztosítja számára a lehetőséget az anyagi élvezetre. Ő minden élőlény legfelsőbb atyja, ezért nem korlátozza függetlenségüket, hanem minden lehetőséget megad nekik, hogy anyagi vágyaik teljesülhessenek. Felmerülhet a kérdés, miért ad meg a mindenható Isten minden lehetőséget az élőlényeknek az anyagi világ élvezetére, ha ezzel az illúziókeltő energia csapdájába engedi esni őket. A válasz az, hogy ha a Legfelsőbb Úr mint Felsőlélek nem adna esélyt minderre, nem beszélhetnénk függetlenségről. Így aztán mindenkinek teljes függetlenséget biztosít – mindenki azt tesz, amit akar –, ám végső utasítását megtaláljuk a *Bhagavad-gītāban:* hagyjunk fel minden más elfoglaltsággal, és teljesen hódoljunk meg Neki. Ez az, ami boldoggá teszi majd az embert.

A félistenek és az élőlények egyaránt az Istenség Legfelsőbb Személyisége akaratától függenek. Az élőlény akarata önmagában nem elegendő a félisten imádatához, s a Legfelsőbb beleegyezése nélkül egyetlen félisten sem adhat áldást. Ahogyan a mondás tartja, még egy fűszál sem mozdulhat az Istenség Legfelsőbb Személyiségének akarata nélkül. Az anyagi világban szenvedők a védikus irodalom tanácsát megfogadva általában a félistenekhez fordulnak. A valamilyen anyagi dologra vágyakozó ember imádhatja azt a bizonyos félistent, aki teljesíteni tudja vágyait. A beteg embernek például a napisten imádatát javasolják. A műveltségre vágyó a tudás istennőjét, Sarasvatīt imádhatja, annak pedig, aki szép feleségre vágyik, Umā istennőt, az Úr Śiva hitvesét kell imádnia. A *śāstrák* (a védikus szentírások) tehát a különféle félistenek imádásának különböző módjait javasolják. S ha egy élőlény egy bizonyos anyagi lehetőséget akar élvezni, az Úr erős vágyat ad neki, hogy félistenétől megkaphassa, amit akar, s így valóban elnyeri az áldást. Az az odaadó hozzáállás, mellyel az élőlény a kiválasztott félisten felé fordul, szintén a Legfelsőbb Úrnak köszönhető. A félistenek képtelenek ilyen vonzódást kelteni az élőlényekben, de mivel Kṛṣṇa a Legfelsőbb Úr, a minden élőlény szívében jelen lévő Felsőlélek, Ő ösztönzi az embert egy bizonyos félisten imádatára. A félistenek tulajdonképpen a Legfelsőbb Úr univerzális testének részei, következésképp nem függetlenek. A védikus irodalomban ez áll: „Az Istenség Legfelsőbb Személyisége Felsőlélekként az adott félisten szívében is jelen van, ezért a félistenen keresztül Ő gondoskodik az élőlény vágyainak teljesítéséről. Ám a félistenek és az élőlények egyaránt a Legfelsőbb akaratának engedelmeskednek, s nem függetlenek."

22. VERS

स तया श्रद्धया युक्तस्तस्याराधनमीहते ।
लभते च ततः कामान्मयैव विहितान् हि तान् ॥२२॥

sa tayā śraddhayā yuktas tasyārādhanam īhate
labhate ca tataḥ kāmān mayaiva vihitān hi tān

saḥ – ő; *tayā* – azzal; *śraddhayā* – a lelkesedéssel; *yuktaḥ* – megáldott; *tasya* – annak a félistennek; *ārādhanam* – az imádata iránt; *īhate* – vágyik; *labhate* – eléri; *ca* – és; *tataḥ* – azáltal; *kāmān* – vágyait; *mayā* – Általam; *eva* – egyedül; *vihitān* – teljesítetteket; *hi* – bizony; *tān* – azokat.

Ilyen hittel megáldva egy bizonyos félisten imádatára törekszik, s vágyai teljesülnek. Valójában azonban egyedül Én vagyok az, aki ezeket az áldásokat megadja.

MAGYARÁZAT: A Legfelsőbb Úr engedélye nélkül a félistenek nem tudják megjutalmazni imádójukat. Az élőlény elfelejtheti, hogy minden a Legfelsőbb Úr tulajdona, ám a félistenek sohasem. A félistenek imádata és a kívánt eredmények elérése tehát nem a félistenektől, hanem az Istenség Legfelsőbb Személyisége elrendelésétől függ. A kevésbé értelmes élőlények ezt nem tudják, ezért némi nyereség reményében ostoba módon a félistenekhez fordulnak. A tiszta *bhakta* azonban csakis a Legfelsőbb Úrhoz imádkozik, ha szüksége van valamire, de valójában nem is jellemző rá, hogy anyagi javakat kérjen az Úrtól. Az élőlények általában azért fordulnak a félistenekhez, mert őrült módjára vágynak kéjes vágyaik kielégülésére. Ez történik, amikor az élőlény valami jogtalan dolgot kíván, amit az Úr nem teljesít. A *Caitanya-caritāmṛta* írja, hogy ha az ember a Legfelsőbb Urat imádja, ám ezzel egyidejűleg anyagi élvezetre vágyik, akkor vágyai ellentmondásba kerülnek. A Legfelsőbb Úr odaadó szolgálata és a félistenek imádata nem állhat ugyanazon a szinten, mert egy félisten imádata anyagi, míg a Legfelsőbb Úr odaadó szolgálata teljesen lelki természetű.

Az Istenhez visszatérni kívánó élőlény számára az anyagi vágyak akadályokat jelentenek. Az Úr tiszta *bhaktája* éppen ezért nem kapja meg azt az anyagi áldást, amelyet azok a csekély értelmű élőlények kívánnak, akik a Legfelsőbb Úr odaadó szolgálata helyett az anyagi világ félisteneinek imádatát választják.

23. VERS

अन्तवत्तु फलं तेषां तद्भवत्यल्पमेधसाम् ।
देवान्देवयजो यान्ति मद्भक्ता यान्ति मामपि ॥२३॥

antavat tu phalaṁ teṣāṁ tad bhavaty alpa-medhasām
devān deva-yajo yānti mad-bhaktā yānti mām api

anta-vat – mulandó; *tu* – de; *phalam* – gyümölcs; *teṣām* – az övéké; *tat* – az; *bhavati* – lesz; *alpa-medhasām* – a kevésbé értelmeseké; *devān* – a félistenekhez; *deva-yajaḥ* – a félistenek imádói; *yānti* – mennek; *mat* – Enyém; *bhaktāḥ* – *bhakták; yānti* – mennek; *mām* – Hozzám; *api* – szintén.

A csekély értelmű emberek a félisteneket imádják, ám ennek gyümölcsei korlátozottak és mulandók. A félistenek imádói a félistenek bolygóira kerülnek, bhaktáim azonban végül az Én legfelsőbb bolygómra jutnak.

MAGYARÁZAT: A *Bhagavad-gītā* néhány magyarázója azt állítja, hogy a félisteneket imádó ember is elérheti a Legfelsőbb Urat, ám ez a vers félreérthetetlenül kijelenti, hogy a félistenek imádói abba a bolygórendszerbe kerülnek, ahol a különféle félistenek lakoznak. A Nap imádója a Napra, a Holdé pedig a Holdra jut. Ha valaki egy félistent akar imádni, például Indrát, akkor az adott félisten bolygójára kerül. Nem igaz, hogy bármelyik félistent imádva az Istenség Legfelsőbb Személyiségéhez jut el az ember. Ez a vers tagadja ezt az elméletet, egyértelműen kijelentve, hogy a félistenek imádóira az anyagi világ különféle bolygói várnak, míg a Legfelsőbb Úr *bhaktái* közvetlenül az Istenség Személyiségének legfelsőbb bolygójára kerülnek.

Felmerülhetne most az az érv, hogy ha a félistenek a Legfelsőbb Úr testének különféle részei, akkor imádatukkal ugyanazt az eredményt kellene elérni. A félistenek imádói azonban nem rendelkeznek túl sok értelemmel, mert még azt sem tudják, hogy a test melyik részébe kell juttatni a táplálékot. Némelyikük annyira ostoba, hogy azt állítja: a testnek sok tagja van, és számtalan módon lehet táplálni. Ez azonban nem logikus. Hogyan lehetne a testet a szemen vagy a fülön keresztül táplálni? Ezek az emberek nem tudják, hogy a félistenek a Legfelsőbb Úr kozmikus testének különféle részei, és tudatlanságukban azt hiszik, hogy minden egyes félisten egy külön Isten, a Legfelsőbb Úr vetélytársa.

Nemcsak a félistenek, hanem a közönséges élőlények is a Legfelsőbb Úr részei. A *Śrīmad-Bhāgavatam* elmondja, hogy a *brāhmaṇák* a Legfelsőbb Úr fejét, a *kṣatriyák* a karját, a *vaiśyák* a derekát, a *śūdrák* pedig a lábát alkotják, s mindegyiküknek más a feladata. Ha valaki tudja, hogy a helyzettől függetlenül ő maga és a félistenek egyaránt a Legfelsőbb Úr szerves részei, akkor tudása tökéletes. Ha azonban nem érti ezt meg, akkor a félistenek lakta különféle bolygókra jut, ám ez nem az a hely, ahová a *bhakták* kerülnek.

A félistenek imádatával elért eredmények mulandóak, mert ebben az anyagi világban a bolygók, a félistenek és imádóik is mind ideiglenesek. Ezért mutat rá világosan ez a vers arra, hogy a félistenek imádatából nyert áldás mulandó, s ezért csakis a kevésbé értelmes élőlények végzik ezt a fajta imádatot. Mivel a Kṛṣṇa-tudatban élő, a Legfelsőbb Urat odaadóan szolgáló tiszta *bhakta* örökkévaló, boldog és tudással teljes létet nyer, neki más áldásban van része, mint a közönséges félistenimádóknak. A Legfelsőbb Úr határtalan, s határtalan a jóindulata és a kegye is. Így tehát az a kegy, melyet a Legfelsőbb Úr tiszta *bhaktái* iránt tanúsít, szintén végtelen.

24. VERS

अव्यक्तं व्यक्तिमापन्नं मन्यन्ते मामबुद्धयः ।
परं भावमजानन्तो ममाव्ययमनुत्तमम् ॥२४॥

avyaktaṁ vyaktim āpannaṁ manyante mām abuddhayaḥ
paraṁ bhāvam ajānanto mamāvyayam anuttamam

avyaktam – meg nem nyilvánultként; *vyaktim* – személyiséget; *āpannam* – elértnek; *manyante* – gondolnak; *mām* – Engem; *abuddhayaḥ* – a kevésbé értelmesek; *param* – legfelsőbb; *bhāvam* – létet; *ajānantaḥ* –

nem ismerők; *mama* – Enyémet; *avyayam* – az elpusztíthatatlant; *anuttamam* – a legkiválóbbat.

Az ostobák, akik nem ismernek Engem tökéletesen, azt hiszik, hogy Én, az Istenség Legfelsőbb Személyisége, Kṛṣṇa, korábban személytelen voltam, és csak most öltöttem fel ezt a személyiséget. Csekély tudásuk miatt nem ismerik felsőbb természetemet, mely elpusztíthatatlan és mindenek fölött való.

MAGYARÁZAT: A félistenek imádóit csekély értelműekként jellemeztük, s most ez a vers ugyanezt mondja az imperszonalistákról. Az Úr Kṛṣṇa személyes alakjában beszél Arjunához, de tudatlanságuk következtében az imperszonalisták azt hangoztatják, hogy a Legfelsőbb Úrnak végső soron nincsen formája. Yāmunācārya, az Úr nagy *bhaktája,* aki Rāmānujācārya tanítványi láncolatának tagja volt, egy nagyon ideillő verset írt ezzel kapcsolatban (*Stotra-ratna* 12):

tvāṁ śīla-rūpa-caritaiḥ parama-prakṛṣṭaiḥ
sattvena sāttvikatayā prabalaiś ca śāstraiḥ
prakhyāta-daiva-paramārtha-vidāṁ mataiś ca
naivāsura-prakṛtayaḥ prabhavanti boddhum

„Drága Uram! A *bhakták* – köztük Vyāsadeva és Nārada – tudják, hogy Te vagy az Istenség Személyisége. A különféle védikus írások tanulmányozásával az ember megismerheti tulajdonságaidat, formádat és tetteidet, s így megértheti, hogy Te vagy az Istenség Legfelsőbb Személyisége. A szenvedély és tudatlanság kötőerőinek rabjai, a démonok és az *abhakták* azonban nem érthetnek meg Téged, egyszerűen képtelenek erre. Bármennyire jártasak is a *Vedānta,* az *upaniṣadok* és a többi védikus írás megvitatásában, nem érthetik meg az Istenség Személyiségét."

A *Brahma-saṁhitāban* az áll, hogy csupán a *vedānta*-irodalom tanulmányozásával nem lehet megérteni az Istenség Személyiségét – ez csakis a Legfelsőbb Úr kegyéből lehetséges. Ez a vers éppen ezért egyértelműen kijelenti: nemcsak a félistenek imádói, hanem a *vedāntát* tanulmányozó és a védikus írásokon spekuláló *abhakták* – akiknek parányi valódi Kṛṣṇa-tudatuk sincs – sem rendelkeznek túl sok intelligenciával. Számukra lehetetlen, hogy megértsék Isten személyes mivoltát. Azokat, akik azt gondolják, hogy az Abszolút Igazság személytelen, *abuddhayának* hívják, ami az Abszolút Igazság végső arculatát nem ismerő emberekre utal. A *Śrīmad-Bhāgavatam* szerint a Legfelsőbb megismerése a személytelen Brahmannal kezdődik, majd a helyhez kötött Felsőlélekkel folytatódik, ám az Abszolút Igazság végső megtapasztalása az Istenség Személyisége. Napjainkban az imperszonalisták még ennél is kevésbé értelmesek, mert még nagy elődjüket, Śaṅkarācāryát sem követik, aki nyomatékosan kijelentette, hogy Kṛṣṇa az Istenség Legfelsőbb Személyisége. Mivel nem ismerik a Legfelsőbb Igazságot, az imperszonalisták Kṛṣṇát csupán Devakī és Vasudeva fiának, egy hercegnek, esetleg egy rendkívüli élőlénynek tekintik. A *Bhagavad-gītā* (9.11) ezt is elítéli. *Avajānanti māṁ mūḍhā mānuṣīṁ tanum āśritam:* „Csupán az ostobák hisznek Engem közönséges halandónak."

Tény, hogy senki sem értheti meg Kṛṣṇát, ha nem végez odaadó szolgálatot és nem válik Kṛṣṇa-tudatúvá. Ezt a *Bhāgavatam* (10.14.29) is megerősíti:

athāpi te deva padāmbuja-dvaya-
prasāda-leśānugṛhīta eva hi
jānāti tattvaṁ bhagavan mahimno
na cānya eko 'pi ciraṁ vicinvan

„Uram! Ha valaki lótuszlábad legparányibb kegyében részesül, meg fogja érteni személyiséged nagyságát. Aki azonban csak spekulál, hogy megértse az Istenség Legfelsőbb Személyiségét, képtelen megismerni Téged, habár sok éven át tanulmányozza a Védákat." Elmebeli spekulációval vagy a védikus irodalom elemzésével az ember nem ismerheti meg sem az Istenség Legfelsőbb Személyiségét, Kṛṣṇát, sem formáját, természetét vagy nevét. Őt az odaadó szolgálat révén kell megismerni. Ez csak akkor válik lehetővé, ha a *mahā-mantrát* énekelve – Hare Kṛṣṇa, Hare Kṛṣṇa, Kṛṣṇa Kṛṣṇa, Hare Hare, Hare Rāma, Hare Rāma, Rāma Rāma, Hare Hare – az ember teljesen elmerül a Kṛṣṇa-tudatban. Az imperszonalista *abhakták* azt hiszik, hogy Kṛṣṇa teste az anyagi természet terméke, s tettei, formája, mindene *māyā*. Ezeket az imperszonalistákat *māyāvādīknak* hívják. Ők semmit sem tudnak a végső igazságról.

A huszadik vers egyértelműen azt mondja (*kāmais tais tair hṛta-jñānāḥ prapadyante 'nya-devatāḥ*): „Akiket elvakítanak az anyagi vágyak, azok meghódolnak a különféle félistenek előtt." Elfogadott tény, hogy az Istenség Legfelsőbb Személyiségén kívül a félistenek is léteznek, akik az Úrhoz hasonlóan szintén saját bolygóval rendelkeznek. Ahogyan azt a huszonharmadik versből megtudhattuk (*devān deva-yajo yānti mad-bhaktā yānti mām api*), a félistenek imádói azok különféle bolygóira, míg az Úr Kṛṣṇa *bhaktái* a Kṛṣṇaloka-bolygóra jutnak. E nyilvánvaló kijelentés ellenére az ostoba imperszonalisták továbbra is azt állítják, hogy az Úrnak nincs formája, s hogy formáit kényszerből ölti fel. De hol tanítja azt a *Gītā,* hogy a félistenek és hajlékaik személytelenek? Egyértelmű, hogy sem a félistenek, sem Kṛṣṇa, az Istenség Legfelsőbb Személyisége nem személytelenek. Valamennyien személyek. Az Úr Kṛṣṇa az Istenség Legfelsőbb Személyisége, aki saját bolygóval rendelkezik, akárcsak a félistenek.

Láthatjuk tehát, mennyire nem bizonyul helytállónak a monista állítás, miszerint a végső igazság forma nélküli, s formáját kényszerből ölti fel. Ez a vers világosan leírja: Kṛṣṇát nem kényszeríti semmi arra, hogy formát öltsön. A *Bhagavad-gītāból* félreérthetetlenül kiderül, hogy a félistenek formái és a Legfelsőbb Úr teste egyidejűleg léteznek, s hogy az Úr Kṛṣṇa *sac-cid-ānanda,* vagyis örökkévaló, gyönyörteljes tudás. A Védák szintén megerősítik, hogy a Legfelsőbb Abszolút Igazság *ānanda-mayo 'bhyāsāt,* azaz természeténél fogva gyönyörrel teli, s megszámlálhatatlan kedvező tulajdonság tárháza. A *Gītāban* az Úr kijelenti, hogy noha Ő *aja* (megszületetlen), mégis megjelenik. Ezeket a tényeket a *Bhagavad-gītāból* kell megértenünk. Mi nem tudjuk felfogni, hogyan lehet az Istenség Legfelsőbb Személyisége személytelen. A *Gītā* szerint a személytelen monisták elmélete, mely szerint a Legfelsőbb Úr kényszerből formát ölt, hamis. Ez a vers egyértelműen kijelenti: a legfelsőbb Abszolút Igazság, az Úr Kṛṣṇa formával és személyiséggel egyaránt rendelkezik.

25. VERS

नाहं प्रकाशः सर्वस्य योगमायासमावृतः ।
मूढोऽयं नाभिजानाति लोको मामजमव्ययम् ॥२५॥

nāhaṁ prakāśaḥ sarvasya yoga-māyā-samāvṛtaḥ
mūḍho 'yaṁ nābhijānāti loko mām ajam avyayam

na – sem; *aham* – Én; *prakāśaḥ* – megnyilvánulok; *sarvasya* – mindenkinek; *yoga-māyā* – a belső energia által; *samāvṛtaḥ* – befedett; *mūḍhaḥ* – ostoba; *ayam* – ez; *na* – nem; *abhijānāti* – megérthetnek; *lokaḥ* – a világ; *mām* – Engem; *ajam* – megszületetlent; *avyayam* – kimeríthetetlent.

Én sohasem nyilvánulok meg a balgák és az értelem nélküliek előtt. Számukra rejtve maradok belső energiám által, így nem tudják, hogy megszületetlen és tévedhetetlen vagyok.

MAGYARÁZAT: Felmerülhet a kérdés, hogy ha Kṛṣṇát mindenki láthatta, amikor jelen volt a Földön, akkor miért mondjuk, hogy nem nyilvánul meg mindenki előtt. Igazság szerint nem volt mindenki számára látható. Mialatt itt járt, csupán néhányan értették meg, hogy Ő az Istenség Legfelsőbb Személyisége. A Kuruk tanácsában például – amikor Śiśupāla ellenezte, hogy Kṛṣṇát a tanácskozás vezetőjének válasszák – Bhīṣma Kṛṣṇát támogatta, és kijelentette: Ő a Legfelsőbb Isten. A Pāṇḍavák és még néhányan tisztában voltak vele, hogy Ő a Legfelsőbb, de ezt nem tudta mindenki. Kṛṣṇa nem fedte fel magát az *abhakták* és a közönséges emberek előtt. Ezért mondja a *Bhagavad-gītāban,* hogy tiszta *bhaktáin* kívül mindenki más saját magához hasonlónak véli Őt. Kizárólag *bhaktái* előtt tárta fel magát mint minden öröm forrását. Mások, az ostoba *abhakták* számára azonban belső, lelki energiája révén rejtve maradt.

A *Śrīmad-Bhāgavatamban* (1.8.19), Kuntī imáiban azt olvashatjuk, hogy az Urat a *yoga-māyā* leple fedi be, s így a közönséges emberek nem érthetik Őt meg. A *yoga-māyā* lepléről az *Īśopaniṣad* (15) is beszél, ahol a *bhakta* így imádkozik:

hiraṇmayena pātreṇa satyasyāpihitaṁ mukham
tat tvaṁ pūṣann apāvṛṇu satya-dharmāya dṛṣṭaye

„Ó, Uram! Te vagy a világmindenség fenntartója, s a Neked végzett odaadó szolgálat a legfelsőbb vallásos elv. Kérlek hát, gondoskodj rólam is! Transzcendentális formádat a *yoga-māyā* fedi, a belső energia, ami a *brahmajyotival* burkol be. Kérlek, kegyesen távolítsd el ezt a vakító ragyogást, amely megakadályozza, hogy lássam *sac-cid-ānanda-vigrahád,* örök, tudással és boldogsággal teli formád!" Az Istenség Legfelsőbb Személyiségének gyönyörből és tudásból álló transzcendentális formáját a *brahmajyoti,* a belső energia takarja el, ezért a csekély értelmű imperszonalisták nem láthatják Őt, a Legfelsőbbet.

A *Śrīmad-Bhāgavatamban* (10.14.7) egy másik imát is találunk, amit Brahmā mond el: „Ó, Istenség Legfelsőbb Személyisége, ó, Felsőlélek, ó, minden misztérium mestere! Ki tudná felfogni energiáidat és kedvteléseidet ebben a világban? Belső energiád állandóan terjed, ezért senki sem képes megérteni Téged. A művelt tudósok és a nagy tudású bölcsek tanulmányozhatják az anyagi világ, sőt a bolygók atomi felépítését is, energiádat és hatalmadat azonban képtelenek felbecsülni, noha jelen vagy előttük." Az Istenség Legfelsőbb Személyisége, az Úr Kṛṣṇa nemcsak megszületetlen, de *avyaya,* vagyis kimeríthetetlen is. Örökkévaló formája gyönyörből és tudásból áll, energiái pedig mind kimeríthetetlenek.

26. VERS

वेदाहं समतीतानि वर्तमानानि चार्जुन ।
भविष्याणि च भूतानि मां तु वेद न कश्चन ॥२६॥

vedāhaṁ samatītāni vartamānāni cārjuna
bhaviṣyāṇi ca bhūtāni māṁ tu veda na kaścana

veda – ismerem; *aham* – Én; *samatītāni* – a régmúltakat; *vartamānāni* – a jelenlegieket; *ca* – és; *arjuna* – ó, Arjuna; *bhaviṣyāṇi* – a jövőbenieket; *ca* – is; *bhūtāni* – élőlényeket; *mām* – Engem; *tu* – azonban; *veda* – ismer; *na* – nem; *kaścana* – senki.

Ó, Arjuna! Az Istenség Legfelsőbb Személyiségeként Én tudok mindenről, ami a múltban történt, ami most történik, s ami a jövőben történni fog. Az összes élőlényt is ismerem, Engem azonban nem ismer senki.

MAGYARÁZAT: Ez a vers egyértelműen választ ad a „személyes vagy személytelen?" kérdésére. Ha Kṛṣṇának, az Istenség Legfelsőbb Személyiségének formája *māyā,* vagyis anyagi lenne – ahogyan az imperszonalisták hiszik –, akkor a többi élőlényhez hasonlóan Ő is cserélné a testét, s elfelejtené előző életét. Aki anyagi testtel rendelkezik, az nem képes előző életére emlékezni, s következő életéről vagy jelen életének jövőjéről sem tud semmit, így tehát nem tudhatja, mi történt a múltban, mi folyik jelenleg, és milyen lesz a jövő. Senki sem ismerheti a múltat, a jelent és a jövőt, amíg meg nem tisztult az anyagi szennyeződéstől.

Az Úr Kṛṣṇa világosan kijelenti, hogy Ő – a közönséges emberektől eltérően – tökéletesen ismeri a múltat, a jelent és a jövőt. A negyedik fejezetben láthattuk, hogy az Úr Kṛṣṇa emlékezik arra, ahogy millió és millió évvel ezelőtt Vivasvānt, a napistent oktatta. Kṛṣṇa Felsőlélekként minden élőlény szívében jelen van, ezért ismer minden élőlényt. Ám annak ellenére, hogy Felsőlélekként jelen van minden élőlényben, és jelen van az Istenség Legfelsőbb Személyiségeként is, a csekély értelműek, még ha el is jutottak a személytelen Brahman tudatos megértéséig, annak már képtelenek a tudatára ébredni, hogy Śrī Kṛṣṇa a Legfelsőbb Személy. Śrī Kṛṣṇa transzcendentális teste egyértelműen nem mulandó. Olyan Ő, mint a nap, a *māyā* pedig egy felhőhöz hasonló. Az anyagi világban láthatjuk a napot, láthatunk felhőket, különféle csillagokat és bolygókat. Lehet, hogy a felhők egy időre eltakarják ezeket az égitesteket, ez azonban csupán a mi korlátolt látásunknak tudható be. A nap, a hold és a csillagok valójában nincsenek elfedve. Éppen így a *māyā* sem fedheti el a Legfelsőbb Urat, aki belső energiája segítségével megnyilvánulatlan marad a kevésbé értelmes emberek előtt. E fejezet harmadik verse szerint sok-sok millió ember közül csupán néhány törekszik arra, hogy elérje az emberi élet tökéletességét, és sok ezer tökéletessé vált ember közül alig akad egy, aki megérti, ki az Úr Kṛṣṇa. Még ha valaki azáltal, hogy tudatosságra ébredt a személytelen Brahmant vagy a helyhez kötött Paramātmāt illetően, el is érte a tökéletességet, ha nem Kṛṣṇa-tudatú, akkor nincs esélye arra, hogy megértse az Istenség Legfelsőbb Személyiségét, Śrī Kṛṣṇát.

27. VERS

इच्छाद्वेषसमुत्थेन द्वन्द्वमोहेन भारत ।
सर्वभूतानि सम्मोहं सर्गे यान्ति परन्तप ॥२७॥

icchā-dveṣa-samutthena dvandva-mohena bhārata
sarva-bhūtāni sammohaṁ sarge yānti parantapa

icchā – vágyból; *dveṣa* – és gyűlöletből; *samutthena* – született; *dvandva* – kettősség; *mohena* – illúziója által; *bhārata* – ó, Bharata leszármazottja; *sarva* – minden; *bhūtāni* – élőlények; *sammoham* – illúzióba; *sarge* – születés közben; *yānti* – mennek; *parantapa* – ó, ellenség legyőzője.

Ó, Bharata leszármazottja, ó, ellenség legyőzője! Minden élőlény illúzióba születik, megzavarodva a vágyból és a gyűlöletből eredő kettősségektől.

MAGYARÁZAT: Az élőlény valódi, eredeti természete az, hogy alárendeltje a Legfelsőbb Úrnak, aki maga a tiszta tudás. Ha tévhite következtében eltávolodik ettől a tiszta tudástól, akkor az illúziókeltő energia irányítása alá kerül, s nem ismerheti meg az Istenség Legfelsőbb Személyiségét. Az illúziókeltő energia a vágy és a gyűlölet kettősségében nyilvánul meg. A tudatlan ember a vágy és a gyűlölet következtében eggyé akar válni a Legfelsőbb Úrral, Kṛṣṇával, s irigy Rá, amiért Ő az Istenség Legfelsőbb Személyisége. A tiszta *bhakták,* akiket nem vezetett félre vagy szennyezett be a vágy és a gyűlölet, megérthetik, hogy az Úr Śrī Kṛṣṇa saját belső energiái által jelenik meg. A kettősségtől és tudatlanságtól megtévesztett élőlények azonban azt hiszik, hogy az anyagi energiák teremtik az Istenség Legfelsőbb Személyiségét. Ez az ő balszerencséjük. E félrevezetett emberek jellemző módon a kettősségek – szégyen és tisztelet, szenvedés és boldogság, nő és férfi, jó és rossz, boldogság és szenvedés stb. – rabjai, és azt gondolják: „Ő az én feleségem; ez az én házam; én vagyok e ház ura; én vagyok e nő férje." Ezek az illúzió ellentétpárjai. A kettősségektől ily módon félrevezetett emberek teljesen ostobák, így nem érhetik meg az Istenség Legfelsőbb Személyiségét.

28. VERS

येषां त्वन्तगतं पापं जनानां पुण्यकर्मणाम् ।
ते द्वन्द्वमोहनिर्मुक्ता भजन्ते मां दृढव्रताः ॥२८॥

yeṣāṁ tv anta-gataṁ pāpaṁ janānāṁ puṇya-karmaṇām
te dvandva-moha-nirmuktā bhajante māṁ dṛḍha-vratāḥ

yeṣām – akiknek; *tu* – de; *anta-gatam* – teljesen megsemmisített; *pāpam* – bűne; *janānām* – azoknak az embereknek; *puṇya* – jámbor; *karmaṇām* – kiknek előző tettei; *te* – ők; *dvandva* – kettősségtől; *moha* – illúziótól;

nirmuktāḥ – megszabadulva; *bhajante* – odaadó szolgálatot végeznek; *mām* – Nekem; *dṛḍha-vratāḥ* – eltökélten.

Akik jámboran cselekedtek ebben és előző életeikben, s akik teljes mértékben beszüntették a bűnös tetteket, azok megszabadulnak az illúzió ellentétpárjaitól, és nagy elszántsággal szolgálnak Engem.

MAGYARÁZAT: Ez a vers azokról beszél, akik alkalmasak a transzcendentális sík elérésére. A bűnös, ateista, ostoba és álnok emberek nagyon nehezen lépnek túl a vágy és a gyűlölet kettősségén. Egyedül azok képesek az odaadó szolgálatot elfogadni s ezáltal fokozatosan felemelkedni az Istenség Legfelsőbb Személyiségéről szóló tiszta tudás szintjére, akik előző életeikben követték a vallás szabályozó elveit, jámboran cselekedtek, s legyőzték a bűnös cselekedetek visszahatásait. Ezután lassanként eljutnak oda, hogy transzba merülve meditálni tudnak az Istenség Legfelsőbb Személyiségén. Ez a folyamat vezet el a lelki síkhoz. Ez a felemelkedés a Kṛṣṇa-tudatban, a tiszta *bhakták* társaságában lehetséges, mert a nagy *bhakták* hatására az ember megszabadulhat az illúziótól.

A *Śrīmad-Bhāgavatam* (5.5.2) azt írja, hogy ha valaki valóban fel akar szabadulni, akkor szolgálnia kell a *bhaktákat* (*mahat-sevāṁ dvāram āhur vimukteḥ*). Aki viszont a materialista emberek társaságát keresi, az a lét legsötétebb régióiba vezető úton halad (*tamo-dvāraṁ yoṣitāṁ saṅgi-saṅgam*). Az Úr *bhaktái* a világ minden táját bejárják, hogy a feltételekhez kötött lelkeket kiszabadítsák az illúzióból. Az imperszonalisták mit sem tudnak arról, hogy ha megfeledkeznek eredeti természetükről, miszerint mindannyian a Legfelsőbb Úr alárendeltjei, azzal a legnagyobb kihágást követik el Isten törvényeivel szemben. Az ember mindaddig nem értheti meg a Legfelsőbb Személyiséget, s nem merülhet teljesen, eltökélten és transzcendentális szeretettel a szolgálatába, amíg vissza nem nyeri eredeti természetét.

29. VERS

जरामरणमोक्षाय मामाश्रित्य यतन्ति ये ।
ते ब्रह्म तद्विदुः कृत्स्नमध्यात्मं कर्म चाखिलम् ॥२९॥

jarā-maraṇa-mokṣāya mām āśritya yatanti ye
te brahma tad viduḥ kṛtsnam adhyātmaṁ karma cākhilam

jarā – öregségtől; *maraṇa* – és haláltól; *mokṣāya* – megszabadulásért; *mām* – Hozzám; *āśritya* – menedéket keresve; *yatanti* – törekszenek; *ye* – mindazok; *te* – az ilyen emberek; *brahma* – Brahman; *tat* – azt; *viduḥ* –

ismerik; *kṛtsnam* – mindent; *adhyātmam* – a transzcendentális; *karma* – tetteket; *ca* – is; *akhilam* – teljesen.

Az okos emberek, akik igyekeznek megszabadulni az öregségtől és a haláltól, Nálam keresnek menedéket odaadó szolgálatukban. Ők valójában Brahman, mert mindent tudnak a transzcendentális tettekről.

MAGYARÁZAT: A születés, halál, öregség és betegség csupán az anyagi testre hat, a lelkire nem. A lelki test számára nem létezik sem születés, sem halál, sem öregkor, sem betegség. Arról tehát, aki kifejlesztette lelki testét, az Istenség Legfelsőbb Személyiségének társává vált, és örök odaadó szolgálatot végez Neki, elmondhatjuk, hogy valóban felszabadult. *Ahaṁ brahmāsmi:* lélek vagyok. Az embernek meg kell értenie, hogy ő Brahman, lélek. Ez a Brahman-életfelfogás jellemzi az odaadó szolgálatot is, ahogy arról ez a vers ír. A tiszta *bhakták* transzcendentálisan a Brahman síkján vannak, s így mindent tudnak a transzcendentális tettekről.

Az a négyféle *bhakta,* aki még nem tisztult meg, de transzcendentális szolgálatot végez az Úrnak, eléri saját céljait, majd amikor teljesen Kṛṣṇa-tudatúvá vált, a Legfelsőbb Úr kegyéből valóban élvezheti az Ő lelki társaságát. A félistenek imádói azonban sohasem érhetik el a Legfelsőbb Urat legfelsőbb bolygóján. Még a kevésbé értelmes, a Brahman-tudatosságra szert tett emberek sem juthatnak el Kṛṣṇa Goloka-Vṛndāvana nevű legfelsőbb bolygójára. Brahmannak csak azt lehet hívni, aki Kṛṣṇa-tudatú tetteket végez (*mām āśritya*), mert ő valóban arra törekszik, hogy eljusson Kṛṣṇa bolygójára. Az ilyen embereknek nincsenek kétségeik Kṛṣṇát illetően, ezért ők valóban Brahman.

Akik az Úr *arcā* formáját imádják, vagy akik arra vágyva, hogy kiszabaduljanak az anyagi rabságból, Rajta meditálnak, azok az Úr kegyéből megismerhetik a Brahman jelentését (*adhibhūta* stb.), melyet az Úr a következő fejezetben magyaráz el.

30. VERS

साधिभूताधिदैवं मां साधियज्ञं च ये विदुः ।
प्रयाणकालेऽपि च मां ते विदुर्युक्तचेतसः ॥३०॥

sādhibhūtādhidaivaṁ māṁ sādhiyajñaṁ ca ye viduḥ
prayāṇa-kāle 'pi ca māṁ te vidur yukta-cetasaḥ

sa-adhibhūta – és az anyagi megnyilvánulás irányító elveként; *adhidaivam* – az összes félisten irányítójaként; *mām* – Engem; *sa-adhiyajñam* –

és minden áldozat irányítójaként; *ca* – is; *ye* – akik; *viduḥ* – ismernek; *prayāṇa* – a halálnak; *kāle* – idején; *api* – még; *ca* – és; *mām* – Engem; *te* – ők; *viduḥ* – ismernek; *yukta-cetasaḥ* – Bennem elmerülő elmével.

Akiknek tudata teljesen elmerül Bennem, akik úgy ismernek Engem, a Legfelsőbb Urat, mint az anyagi megnyilvánulás, a félistenek és valamennyi áldozati folyamat irányító elvét, azok képesek megérteni és megismerni Engem, az Istenség Legfelsőbb Személyiségét még a halál pillanatában is.

MAGYARÁZAT: A Kṛṣṇa-tudatban cselekvők sohasem térnek le az Istenség Legfelsőbb Személyisége teljes megismerésének útjáról. A Kṛṣṇa-tudat transzcendentális hatásának köszönhetően az ember megértheti, hogy a Legfelsőbb Úr a valódi irányítója az anyagi megnyilvánulásnak, sőt a félisteneknek is. E transzcendentális közösségben fokozatosan teljes hite alakul ki az Istenség Legfelsőbb Személyiségében, s ebben a Kṛṣṇa-tudatban a halál pillanatában sem felejti el Kṛṣṇát. Ennek következtében természetesen a Legfelsőbb Úr bolygójára, Goloka-Vṛndāvanára kerül.

A hetedik fejezet főként azt magyarázza el, miképpen válhat az ember teljesen Kṛṣṇa-tudatúvá. A Kṛṣṇa-tudat azzal kezdődik, hogy azok társaságát keressük, akik Kṛṣṇa-tudatúak. Ez a kapcsolat lelki természetű. Általa közvetlenül kapcsolatba kerülünk a Legfelsőbb Úrral, majd az Ő kegyéből megérthetjük, hogy Kṛṣṇa az Istenség Legfelsőbb Személyisége. Ezzel egy időben az ember valóban megértheti az élőlény eredeti helyzetét is, valamint azt, hogyan felejti el az élőlény Kṛṣṇát, s hogyan válik az anyagi tettek rabjává. A megfelelő társaságban fokozatosan fejlődünk a Kṛṣṇa-tudatban, s ezáltal megérthetjük, hogy az anyagi természet törvényeinek azért kényszerülünk engedelmeskedni, mert megfeledkeztünk Kṛṣṇáról. Azt is felismerhetjük, hogy a Kṛṣṇa-tudat visszanyerésére ez az emberi létforma ad esélyt, ezért emberi életünket teljes mértékben arra kell használnunk, hogy elnyerjük a Legfelsőbb Úr indokolatlan kegyét.

Ez a fejezet számtalan témát tárgyalt. Beszélt a szenvedő, a kíváncsi és az anyagi javakra vágyó emberről; a Brahmanról és a Paramātmāról szóló tudásról; arról, hogyan szabadulhat meg valaki a születéstől, a haláltól és a betegségtől; valamint a Legfelsőbb Úr imádatáról. Az igazán emelkedett gondolkodású Kṛṣṇa-tudatú embert azonban nem érdeklik a különféle ösvények. Közvetlenül a Kṛṣṇa-tudat tetteit végzi, s így valóban visszatér eredeti helyzetébe, az Úr Kṛṣṇa örök szolgálatába. Ezen a síkon nagy örömét leli a Legfelsőbb Úr tiszta odaadó szolgálatában, abban, hogy Róla hall és Őt dicsőíti, s meggyőződése, hogy ha így cselekszik, minden vágya teljesülni fog. Ezt az eltökélt hitet nevezik *dṛḍha-vratának,* s ez a *bhakti-yoga,* vagyis a transzcendentális szerető szolgálat kezdete. Ez valamennyi szentírás véleménye. A *Bhagavad-gītā* hetedik fejezete ennek a meggyőződésnek a lényegét tárja fel.

Így végződnek a Bhaktivedanta-magyarázatok a Śrīmad Bhagavad-gītā *hetedik fejezetéhez, melynek címe: „Az Abszolútról szóló tudás”.*

NYOLCADIK FEJEZET

A Legfelsőbb elérése

1. VERS

अर्जुन उवाच
किं तद् ब्रह्म किमध्यात्मं किं कर्म पुरुषोत्तम ।
अधिभूतं च किं प्रोक्तमधिदैवं किमुच्यते ॥ १ ॥

arjuna uvāca
kiṁ tad brahma kim adhyātmaṁ kiṁ karma puruṣottama
adhibhūtaṁ ca kiṁ proktam adhidaivaṁ kim ucyate

arjunaḥ uvāca – Arjuna mondta; *kim* – mi; *tat* – az; *brahma* – Brahman; *kim* – mi; *adhyātmam* – az önvaló; *kim* – mi; *karma* – a gyümölcsöző cselekedetek; *puruṣa-uttama* – ó, Legfelsőbb Személy; *adhibhūtam* – az anyagi megnyilvánulást; *ca* – és; *kim* – minek; *proktam* – hívják; *adhidaivam* – a félisteneket; *kim* – minek; *ucyate* – hívják.

Arjuna így kérdezett: Ó, Uram, ó, Legfelsőbb Személy, mi a Brahman? Mit értsek az önvaló és a gyümölcsöző cselekedetek alatt? Mi ez az

anyagi megnyilvánulás, és kik a félistenek? Kérlek, mindezt magyarázd el nekem!

MAGYARÁZAT: Ebben a fejezetben az Úr Kṛṣṇa választ ad Arjuna különböző kérdéseire, melyek közül az első: „Mi a Brahman?" Az Úr elmagyarázza a *karmát* (a gyümölcsöző cselekedeteket), az odaadó szolgálatot, a *yoga* elveit, valamint a tiszta odaadó szolgálatot. A *Śrīmad-Bhāgavatam* kifejti, hogy a Legfelsőbb Abszolút Igazságot Brahmannak, Paramātmānak és Bhagavānnak hívják. Az élőlényt, az egyéni lelket szintén Brahmannak nevezik. Arjuna a testre, az elmére és a lélekre utaló *ātmāról* is kérdez. A védikus értelmező szótár szerint az *ātmā* jelenthet elmét, lelket, testet, sőt érzékeket is.

Arjuna Puruṣottamának, vagyis Legfelsőbb Személynek szólítja Kṛṣṇát, ami azt jelenti, hogy kérdéseit nemcsak barátjához, hanem a Legfelsőbb Személyhez is intézi, jól tudván, hogy Ő a leghitelesebb forrás, aki határozott választ tud adni.

2. VERS

अधियज्ञः कथं कोऽत्र देहेऽस्मिन्मधुसूदन ।
प्रयाणकाले च कथं ज्ञेयोऽसि नियतात्मभिः ॥ २ ॥

adhiyajñaḥ kathaṁ ko 'tra dehe 'smin madhusūdana
prayāṇa-kāle ca kathaṁ jñeyo 'si niyatātmabhiḥ

adhiyajñaḥ – az áldozat Ura; *katham* – hogyan; *kaḥ* – ki; *atra* – itt; *dehe* – a testben; *asmin* – ebben; *madhusūdana* – ó, Madhusūdana; *prayāṇa-kāle* – a halál idejekor; *ca* – és; *katham* – hogyan; *jñeyaḥ asi* – megismerhető vagy; *niyata-ātmabhiḥ* – az önfegyelmezettek által.

Ó, Madhusūdana, ki az áldozat Ura, és hogyan él a testben? Miként tudhatnak Rólad a halál pillanatában azok, akik odaadó szolgálatot végeztek?

MAGYARÁZAT: Az „áldozat Ura" Indrára és Viṣṇura is vonatkozhat. Viṣṇu a fő félistenek (Brahmā, Śiva és mások) vezére, Indra pedig az irányító félisteneké. A *yajña* végrehajtásával Indrát és Viṣṇut egyaránt imádják. Arjuna ebben a versben azonban azt kérdezi: ki a *yajña* (áldozat) valódi Ura, s miképpen lakozik az Úr az élőlény testében?

Arjuna Madhusūdanának szólítja az Urat, mert Kṛṣṇa egyszer megölt egy Madhu nevű démont. Arjuna Kṛṣṇa-tudatú *bhakta,* ezért efféle kételkedésről árulkodó kérdéseknek nem lett volna szabad felmerülniük benne. Ezeket a kétségeket ezért démonokhoz lehet hasonlítani. Kṛṣṇa nagyon ügyes a démonok elpusztításában, ezért Arjuna itt Madhusūdanának nevezi Őt, azt remélve, hogy Kṛṣṇa az elméjében támadt démoni kételyekkel is végez.

A versben a *prayāṇa-kāle* szavak nagyon jelentőségteljesek, mert ebben az életben végzett tetteink a halál pillanatában mérettetnek meg. Arjuna azokról akar hallani, akik állandóan elmerülnek a Kṛṣṇa-tudatban. Milyen helyzetben kell lenniük a végső pillanatban? Amikor a halál bekövetkezik, a test működése leáll, s az elme állapota többé nem kielégítő. A test állapota megzavarhatja az embert, s így lehetséges, hogy nem tud a Legfelsőbb Úrra emlékezni. Kulaśekhara Mahārāja, az Úr nagy *bhaktája* így imádkozik: „Kedves Uram! Most még egészséges vagyok, jobb hát, ha azonnal meghalok, addig, amíg elmém hattyúja még képes lótuszlábad szárába hatolni." Ezt a metaforát Kulaśekhara Mahārāja azért használja, mert a hattyú, a vizek lakója abban leli örömét, hogy fejével a lótuszvirágba hatol – ez játékos kedvtelése. Kulaśekhara Mahārāja így szól az Úrhoz: „Elmémet most semmi nem zavarja meg, s egészséges vagyok. Ha most halok meg, lótuszlábadra emlékezve, akkor biztos, hogy odaadó szolgálatom eléri a tökéletességet. De ha addig kell várnom, míg a halál magától el nem ragad, nem tudom, mi lesz, mert akkor a test működése leáll, torkom elszorul, s nem tudom, képes leszek-e arra, hogy nevedet énekeljem. Hadd haljak hát meg most azonnal!" Arjuna azt szeretné tehát megtudni, hogyan rögzítheti elméjét az ember rendületlenül Kṛṣṇa lótuszlábára a halál pillanatában.

3. VERS

श्रीभगवानुवाच
अक्षरं ब्रह्म परमं स्वभावोऽध्यात्ममुच्यते ।
भूतभावोद्भवकरो विसर्गः कर्मसंज्ञितः ॥ ३ ॥

śrī-bhagavān uvāca
akṣaraṁ brahma paramaṁ svabhāvo 'dhyātmam ucyate
bhūta-bhāvodbhava-karo visargaḥ karma-saṁjñitaḥ

śrī-bhagavān uvāca – az Istenség Legfelsőbb Személyisége mondta; *akṣaram* – elpusztíthatatlant; *brahma* – Brahmannak; *paramam* – transzcendentálist; *svabhāvaḥ* – örök természetet; *adhyātmam* – önvalónak; *ucyate* – hívják; *bhūta-bhāva-udbhava-karaḥ* – az élőlények anyagi testét létrehozó; *visargaḥ* – teremtést; *karma* – gyümölcsöző cselekedeteknek; *saṁjñitaḥ* – hívják.

Az Istenség Legfelsőbb Személyisége így szólt: Az elpusztíthatatlan, transzcendentális élőlényt Brahmannak, örök természetét pedig adhyātmānak, önvalónak hívják. Az élőlények anyagi testének fejlődését szolgáló tetteket karmának, gyümölcsöző cselekedeteknek nevezik.

MAGYARÁZAT: A Brahman elpusztíthatatlan, örökké létező, és természete sohasem változik. A Brahmanon túl azonban ott van a Parabrahman. A Brahman az élőlényekre utal, a Parabrahman pedig az Istenség Legfelsőbb Személyiségére. Az élőlény eredeti természete különbözik az anyagi világban felvett természetétől. Anyagi tudatára az jellemző, hogy az anyag ura akar lenni, lelki vagy Kṛṣṇa-tudatában pedig a Legfelsőbb szolgálatára vágyik. Amikor az élőlény tudata anyagi, különféle testeket kell felöltenie az anyagi világban. Ezt *karmának* nevezik, az anyagi tudat erejének hatására létrejött változatos teremtésnek.

A védikus irodalom az élőlényt *jīvātmānak* és Brahmannak hívja, de sohasem Parabrahmannak. Az élőlény (*jīvātmā*) helyzete változó: néha a sötét anyagi természetbe merül, s az anyaggal azonosítja magát, míg máskor a felsőbbrendű lelki természettel azonosul. Éppen ezért a Legfelsőbb Úr határenergiájának nevezik. Attól függően, hogy az anyagi vagy a lelki természettel azonosítja magát, anyagi vagy lelki testet kaphat. Az anyagi világban a létező nyolcmillió-négyszázezer létforma közül bármelyikben testet ölthet, de a lelki világban csak egy lelki teste van. *Karmája* szerint az anyagi természetben néha emberként, félistenként, állatként – ragadozóként, madárként stb. születik meg. Az anyagi mennyei bolygók elérésének és az ottani lehetőségek élvezetének reményében néha áldozatokat (*yajñákat*) hajt végre, de jutalmának felhasználása után ismét visszatér a földre emberi formában. Ezt a folyamatot nevezik *karmának.*

A *Chāndogya-upaniṣad* leírást ad a védikus áldozat folyamatáról. Az áldozati oltáron ötféle tűzbe ötféle felajánlást tesznek. Az ötféle tűz a mennyei bolygókat, a felhőket, a földet, a férfit és a nőt képviseli, az ötféle áldozati felajánlás pedig a hitet, az élvezőt a holdon, az esőt, a gabonát és a spermiumot.

Az áldozat során az élőlény különféle áldozatokat hajt végre, hogy bizonyos mennyei bolygókra eljuthasson, s így el is éri azokat. Amikor az áldozatok végzéséből nyert jutalom véget ér, az élőlény eső alakjában ismét a földre száll, majd gabona formájában jelenik meg. A gabonát az ember megeszi és spermává alakítja át, majd egy nő megtermékenyítésekor az élőlény újra emberi formát ölt, hogy áldozatot hajthasson végre, azaz elölről kezdi ugyanazt a körfolyamatot. Ily módon jön és megy az élőlény szünet nélkül az anyagi lét ösvényén. Aki azonban Kṛṣṇa-tudatú, az elkerüli ezeket az áldozatokat. Közvetlenül a Kṛṣṇa-tudatba fog, s így felkészül, hogy visszatérjen Istenhez.

A *Bhagavad-gītā* imperszonalista magyarázói minden ok nélkül azt állítják, hogy a Brahman *jīva* formát ölt az anyagi világban. Hogy ezt alátámasszák, a *Gītā* tizenötödik fejezetének hetedik versére hivatkoznak. Ebben a versben azonban az Úr szintén „örökkévaló, töredék résznek" nevezi az élőlényt. Isten töredék része, az élőlény alábukhat az anyagi világba, de ez sohasem történik meg a Legfelsőbb Úrral, Acyutával. Így hát ez az elmélet, miszerint a Legfelsőbb Brahman a *jīva* formáját ölti magára, elfogadhatatlan. Emlékezzünk mindig arra, hogy a védikus irodalom különbséget tesz a Brahman (az élőlény) és a Parabrahman (a Legfelsőbb Úr) között.

4. VERS

अधिभूतं क्षरो भावः पुरुषश्चाधिदैवतम् ।
अधियज्ञोऽहमेवात्र देहे देहभृतां वर ॥ ४ ॥

adhibhūtaṁ kṣaro bhāvaḥ puruṣaś cādhidaivatam
adhiyajño 'ham evātra dehe deha-bhṛtāṁ vara

adhibhūtam – fizikai megnyilvánulás; *kṣaraḥ* – állandóan változó; *bhāvaḥ* – természet; *puruṣaḥ* – a kozmikus forma, beleértve valamennyi félistent, pl. a napot és a holdat is; *ca* – és; *adhidaivatam* – *adhidaivának* nevezett; *adhiyajñaḥ* – a Felsőlélek; *aham* – Én (Kṛṣṇa); *eva* – bizony; *atra* – ebben; *dehe* – a testben; *deha-bhṛtām* – a megtestesültnek; *vara* – ó, legkiválóbb.

Ó, legkiválóbb a megtestesült lények között! Az állandóan változó fizikai természetet adhibhūtának [anyagi megnyilvánulásnak] hívják. Az Úr kozmikus formáját, amely magában foglalja a félistenek mindegyikét, köztük a nap és a hold istenét is, adhidaivának nevezik. Engem, a Legfelsőbb Urat, akit a Felsőlélek képvisel minden megtestesült lény szívében, adhiyajñának [az áldozat Urának] hívnak.

MAGYARÁZAT: A fizikai természet mindig változik. Az anyagi testek általában hat állapoton mennek keresztül: születés, növekedés, rövid ideig tartó állandósulás, utódok létrehozása, sorvadás és végül pusztulás. Ezt a fizikai természetet *adhibhūtának* hívják. Egy adott időben megteremtődik, s egy adott időpontban meg is semmisül. A Legfelsőbb Úr kozmikus formáját, amely magában foglalja az összes félistent és azok különféle bolygóit is, *adhidaivatának* hívják. Az egyéni lélekkel együtt a testben jelen van a Felsőlélek is, az Úr Kṛṣṇa teljes értékű képviselője. A Felsőlelket Paramātmānak vagy *adhiyajñának* nevezik, s a szívben lakozik. Az *eva* szó különösen fontos ebben a versben, mert az Úr ezzel nyomatékosítja, hogy a Paramātmā nem különbözik Tőle. A Felsőlélek, az Istenség Legfelsőbb Személyisége, aki az egyéni lélek mellett foglal helyet, tanúja a lélek tetteinek, s Ő a forrása különféle tudatállapotainak is. A Felsőlélek lehetőséget ad az egyéni léleknek, hogy függetlenül cselekedjen, és csupán tanúja tetteinek. Az Úr transzcendentális szerető szolgálatában élő, tiszta Kṛṣṇa-tudatú *bhakta* akaratlanul is megérti a Legfelsőbb Úr különféle megnyilvánulásainak szerepét. Az Úr gigantikus kozmikus formáján, az *adhidaivatán* a kezdők meditálnak, akik képtelenek a Legfelsőbb Úr Felsőlélek-megnyilvánulásához közeledni. Egy kezdő számára tehát ajánlatos, hogy a kozmikus formán, a *virāṭ-puruṣán* elmélkedjen. A *virāṭ-puruṣa* lábának az alsóbb bolygókat tekintik, szemének a Holdat és a Napot, fejének pedig a felsőbb bolygórendszert.

5. VERS

अन्तकाले च मामेव स्मरन्मुक्त्वा कलेवरम् ।
यः प्रयाति स मद्भावं याति नास्त्यत्र संशयः ॥५॥

anta-kāle ca mām eva smaran muktvā kalevaram
yaḥ prayāti sa mad-bhāvaṁ yāti nāsty atra saṁśayaḥ

anta-kāle – az élet végén; *ca* – is; *mām* – Rám; *eva* – bizony; *smaran* – emlékezve; *muktvā* – elhagyva; *kalevaram* – a testet; *yaḥ* – aki; *prayāti* – megy; *saḥ* – ő; *mat-bhāvam* – az Én természetemet; *yāti* – eléri; *na* – nem; *asti* – van; *atra* – itt; *saṁśayaḥ* – kétely.

Bárki legyen is az, ha élete végén egyedül Rám emlékezve hagyja el testét, minden kétséget kizárva azonnal eléri az Én természetemet.

MAGYARÁZAT: Ez a vers a Kṛṣṇa-tudat fontosságát hangsúlyozza. Aki Kṛṣṇa-tudatban hagyja el testét, az azonnal a Legfelsőbb Úr transzcendentális hajlékára kerül. A Legfelsőbb Úr a tiszták legtisztábbbja, ezért akik mindig Kṛṣṇa-tudatosak, azok szintén a legtisztábbak a tiszták között. A *smaran* („emlékezve") szónak nagy jelentősége van. A tisztátalan lélek, aki élete során nem gyakorolta a Kṛṣṇa-tudatot, azaz nem végzett odaadó szolgálatot, nem tud Kṛṣṇára emlékezni. A Kṛṣṇa-tudat gyakorlását kora gyermekkorunkban kell elkezdenünk. Ha valaki élete végén sikert akar elérni, elengedhetetlen, hogy gyakorolja a Kṛṣṇára való emlékezés módszerét. Állandóan, szünet nélkül a *mahā-mantrát* kell énekelnie: Hare Kṛṣṇa, Hare Kṛṣṇa, Kṛṣṇa Kṛṣṇa, Hare Hare, Hare Rāma, Hare Rāma, Rāma Rāma, Hare Hare. Az Úr Caitanya azt tanácsolta, legyünk olyan béketűrőek, mint egy fa (*taror iva sahiṣṇunā*). Számtalan akadály állhat annak az útjában, aki a Hare Kṛṣṇát énekli, ám e nehézségeket eltűrve az embernek folytatnia kell a Hare Kṛṣṇa, Hare Kṛṣṇa, Kṛṣṇa Kṛṣṇa, Hare Hare, Hare Rāma, Hare Rāma, Rāma Rāma, Hare Hare éneklését, hogy élete végén a Kṛṣṇa-tudat teljes áldásában részesülhessen.

6. VERS

यं यं वापि स्मरन् भावं त्यजत्यन्ते कलेवरम् ।
तं तमेवैति कौन्तेय सदा तद्भावभावितः ॥ ६ ॥

yaṁ yaṁ vāpi smaran bhāvaṁ tyajaty ante kalevaram
taṁ tam evaiti kaunteya sadā tad-bhāva-bhāvitaḥ

yam yam – bármilyenre; *vā api* – egyáltalán; *smaran* – emlékezve; *bhāvam* – természetre; *tyajati* – elhagyja; *ante* – a végén; *kalevaram* – ezt a testet; *tam tam* – hasonlót; *eva* – bizony; *eti* – kap; *kaunteya* – ó, Kuntī fia; *sadā* – mindig; *tat* – arra; *bhāva* – a létállapotra; *bhāvitaḥ* – emlékezve.

Ó, Kuntī fia! Amilyen létállapotra emlékezik az ember teste elhagyásakor, azt éri majd el kétségtelenül.

MAGYARÁZAT: Ez a vers elmagyarázza, hogyan történik a testcsere a halál válságos pillanatában. Aki élete végén Kṛṣṇára gondolva hagyja el a testét, eléri a Legfelsőbb Úr transzcendentális természetét. Az azonban nem igaz, hogy aki nem Kṛṣṇára gondol, szintén eljut e transzcendentális szintre. Ezt nagyon jól meg kell jegyeznünk. Hogyan hagyhatja el a testét az ember a megfelelő elmeállapotban? Bharata Mahārāja nagyszerű személyiség volt, halála pillanatában mégis egy őzre gondolt, s így következő életében egy őztestbe került. Noha őzként is vissza tudott emlékezni előző élete tetteire, el kellett fogadnia ezt az állati testet. Az ember elmeállapotát a halál pillanatában természetesen azok a gondolatok határozzák meg, melyek élete során foglalkoztatták. A következő életet tehát a jelenlegi lét teremti meg. Ha valaki életében a jóság kötőerejének hatása alatt állt, s mindig Kṛṣṇára gondolt, akkor élete végén is emlékezni tud majd Kṛṣṇára. Ez segíti majd abban, hogy elérje Kṛṣṇa transzcendentális természetét. Ha valaki transzcendentálisan elmerül Kṛṣṇa szolgálatában, következő teste transzcendentális (lelki) test lesz, nem pedig anyagi. A Hare Kṛṣṇa, Hare Kṛṣṇa, Kṛṣṇa Kṛṣṇa, Hare Hare, Hare Rāma, Hare Rāma, Rāma Rāma, Hare Hare éneklése a legjobb módszer, amelynek segítségével az ember élete végén sikeresen változtathatja meg létállapotát.

7. VERS

तस्मात्सर्वेषु कालेषु मामनुस्मर युध्य च ।
मय्यर्पितमनोबुद्धिर्मामेवैष्यस्यसंशयः ॥ ७ ॥

tasmāt sarveṣu kāleṣu   mām anusmara yudhya ca
mayy arpita-mano-buddhir   mām evaiṣyasy asaṁśayaḥ

tasmāt – ezért; *sarveṣu* – minden; *kāleṣu* – időben; *mām* – Rám; *anusmara* – állandóan emlékezz; *yudhya* – harcolj; *ca* – és; *mayi* – Nekem; *arpita* – meghódolt; *manaḥ* – elmével; *buddhiḥ* – értelemmel; *mām* – Engem; *eva* – biztosan; *eṣyasi* – el fogsz érni; *asaṁśayaḥ* – kétségtelenül.

Ezért, Arjuna, gondolj mindig Rám Kṛṣṇa-formámban, s ezzel egy időben hajtsd végre előírt kötelességed, és harcolj! Tetteid Nekem ajánlva, elméd és értelmed Rám függesztve kétségtelenül elérsz majd Engem.

MAGYARÁZAT: Amit Kṛṣṇa tanácsol ebben a versben Arjunának, az nagyon fontos minden olyan ember számára, aki anyagi tetteket végez. Az Úr nem mondja, hogy az ember hagyjon fel előírt kötelessége vagy munkája végzésével. Folytathatja őket, ugyanakkor a Hare Kṛṣṇa *mantra* éneklésével Kṛṣṇára gondolhat. Ez megtisztítja majd az anyagi szennyeződéstől, s elméjét és értelmét Kṛṣṇáról szóló gondolatokkal foglalja el. Kṛṣṇa neveit énekelve minden kétséget kizáróan eljut a legfelsőbb bolygóra, Kṛṣṇalokára.

8. VERS

अभ्यासयोगयुक्तेन चेतसा नान्यगामिना ।
परमं पुरुषं दिव्यं याति पार्थानुचिन्तयन् ॥ ८ ॥

abhyāsa-yoga-yuktena   cetasā nānya-gāminā
paramaṁ puruṣaṁ divyaṁ   yāti pārthānucintayan

abhyāsa-yoga – gyakorlással; *yuktena* – meditálva; *cetasā* – az elme és az értelem segítségével; *na anya-gāminā* – anélkül, hogy ezek elkalandoznának; *paramam* – a Legfelsőbbet; *puruṣam* – az Istenség Személyiségét; *divyam* – a transzcendentálisat; *yāti* – eléri; *pārtha* – ó, Pṛthā fia; *anucintayan* – állandóan Rá gondolva.

Ó, Pārtha! Aki Rajtam mint az Istenség Legfelsőbb Személyiségén meditál, elméjében mindig Rám emlékezik, s nem tér le az útról, az biztosan elér Engem.

MAGYARÁZAT: Ebben a versben az Úr Kṛṣṇa azt hangsúlyozza, milyen fontos, hogy emlékezzünk Rá. Ezt az emlékezőképességet a *mahā-mantra,* a Hare Kṛṣṇa éneklésével nyerhetjük vissza. A Legfelsőbb Úr nevét énekelve és hallgatva fülünk, nyelvünk és elménk egyaránt tevékeny. Ez a misztikus meditáció nagyon könnyű, és segíti az embert a Legfelsőbb Úr elérésében. A *puruṣam* élvezőt jelent. Noha az élőlények a Legfelsőbb Úr határenergiájához tartoznak, az anyag megfertőzte őket. Azt hiszik magukról, hogy ők az élvezők, ám nem ők a legfelsőbb élvezők. Ez a vers érthetően kijelenti, hogy a legfelsőbb élvező az Istenség Legfelsőbb Személyisége, különböző megnyilvánulásaiban és teljes értékű kiterjedéseiben, például Nārāyaṇaként, Vāsudevaként stb.

A *bhakta* képes a Hare Kṛṣṇa éneklésével örökké az imádata középpontjában álló Legfelsőbb Úrra vagy valamelyik formájára (Nārāyaṇára, Kṛṣṇára, Rāmára stb.) gondolni. Ez megtisztítja majd, és annak köszönhetően, hogy szüntelenül az Úr neveit énekli, élete végén eljut Isten birodalmába. A *yoga* nem más, mint meditálás a szívben lakozó Felsőlelken, s az ember éppen így a Hare Kṛṣṇa éneklésével is mindig a Legfelsőbb Úrra irányíthatja elméjét. Az elme csapongó, ezért erőszakkal kell rávenni, hogy Kṛṣṇára gondoljon. Ezzel kapcsolatban gyakran említik a hernyó példáját, ami egyre csak azon meditál, hogy pillangó lesz, ezért kívánsága még abban az életében teljesül. Ha állandóan Kṛṣṇára gondolunk, éppen így biztosra vehetjük, hogy jelenlegi életünk után Kṛṣṇáéhoz hasonló testet kapunk.

9. VERS

कविं पुराणमनुशासितार-
मणोरणीयांसमनुस्मरेद्यः ।
सर्वस्य धातारमचिन्त्यरूप-
मादित्यवर्णं तमसः परस्तात् ॥ ९ ॥

kaviṁ purāṇam anuśāsitāram
aṇor aṇīyāṁsam anusmared yaḥ

sarvasya dhātāram acintya-rūpam
āditya-varṇaṁ tamasaḥ parastāt

kavim – a mindent tudóra; *purāṇam* – a legidősebbre; *anuśāsitāram* – az irányítóra; *aṇoḥ* – az atomnál; *aṇīyāṁsam* – kisebbre; *anusmaret* – mindig Rám emlékezzen; *yaḥ* – aki; *sarvasya* – mindennek; *dhātāram* – fenntartójára; *acintya* – felfoghatatlan; *rūpam* – formájúra; *āditya-varṇam* – a napként ragyogóra; *tamasaḥ* – a sötétséghez képest; *parastāt* – transzcendentálisra.

Az ember úgy meditáljon a Legfelsőbb Személyen, mint olyanon, aki mindentudó, a legősibb, az irányító, kisebb a legkisebbnél, a fenntartója mindennek, minden anyagi érzékelés fölött áll, felfoghatatlan, s mindig személy. Ragyogó Ő, mint a nap, és transzcendentális – túl van ezen az anyagi természeten.

MAGYARÁZAT: Ez a vers arról ír, hogyan gondoljunk a Legfelsőbbre. A legfontosabb, hogy Ő nem személyiség nélküli, s nem valamiféle üresség. Senki sem meditálhat valami személytelenen vagy a semmin – az efféle meditáció rendkívül nehéz. Kṛṣṇára gondolni azonban nagyon könnyű, s ez a vers is ezt ajánlja. Az Úr mindenekelőtt *puruṣa,* személy – gondolhatunk Rāma és Kṛṣṇa személyére. S akár Rāmára, akár Kṛṣṇára gondol valaki, a *Bhagavad-gītānak* ez a verse leírja, milyen Ő. Az Úr *kavi,* ami azt jelenti, hogy ismeri a múltat, a jelent és a jövőt, azaz mindentudó. Mint mindennek az eredete, Ő a legősibb személy; minden Belőle születik. Az univerzum legfelsőbb irányítója, valamint az emberiség fenntartója és tanítója is Ő, s kisebb a legkisebbnél. Az élőlény a haj keresztmetszete átmérőjének tízezred része, ám az Úr felfoghatatlanul olyan parányi, hogy még e kicsiny részecske szívébe is behatol. Ezért mondják Rá, hogy kisebb a legkisebbnél. Legfelsőbbként be tud hatolni az atomba és a legkisebb lény szívébe is, és mint Felsőlélek, irányítani képes őket. Parányi léte ellenére mégis mindent átható, és Ő tart fenn mindent, valamennyi bolygórendszerrel együtt. Gyakran elcsodálkozunk, hogyan lebegnek a hatalmas égitestek az űrben. Ez a vers elmondja, hogy a Legfelsőbb Úr felfoghatatlan energiája révén fenntartja a hatalmas bolygókat és galaxisokat. Ezzel kapcsolatban az *acintya* („felfoghatatlan") szó nagyon fontos. Isten energiáját azért nevezik felfoghatatlannak (*acintya*), mert fölötte áll felfogó- és gondolkodóképességünknek. Ki tudná ezt cáfolni? Az Úr áthatja az egész anyagi világot, és mégis túl van azon. Hogyan foghatnánk fel a lelki világot, ha még az ahhoz képest elenyészően parányi anyagi világ nagyságát sem tudjuk elképzelni? Az *acintya* szó olyan valamire utal, ami az anyagi világon túl van, s amit érveléssel, logikával és filozófiai spekulációval nem érhetünk el, ami felfoghatatlan.

Az okos embernek tehát el kell kerülnie a hiábavaló vitát és spekulációt, s ehelyett el kell fogadnia az olyan szentírásokat, mint a Védák, a *Bhagavad-gītā* és a *Śrīmad-Bhāgavatam,* s követnie kell a bennük lefektetett elveket. Ez elvezeti majd a megvilágosodáshoz.

10. VERS

प्रयाणकाले मनसाचलेन
भक्त्या युक्तो योगबलेन चैव ।
भ्रुवोर्मध्ये प्राणमावेश्य सम्यक्
स तं परं पुरुषमुपैति दिव्यम् ॥१०॥

prayāṇa-kāle manasācalena
bhaktyā yukto yoga-balena caiva
bhruvor madhye prāṇam āveśya samyak
sa taṁ paraṁ puruṣam upaiti divyam

prayāṇa-kāle – a halál pillanatában; *manasā* – az elmével; *acalena* – eltérés nélkül; *bhaktyā* – teljes odaadással; *yuktaḥ* – elmerülve; *yoga-balena* – a misztikus *yoga* erejével; *ca* – szintén; *eva* – bizony; *bhruvoḥ* – a két szemöldök; *madhye* – között; *prāṇam* – az életlevegőt; *āveśya* – rögzítve; *samyak* – teljesen; *saḥ* – ő; *tam* – azt; *param* – transzcendentális; *puruṣam* – az Istenség Személyiségét; *upaiti* – eléri; *divyam* – a lelki világban.

Aki a halál beálltakor életlevegőjét a két szemöldöke közé rögzíti, és a yoga erejével teljes odaadással, megingathatatlan elmével a Legfelsőbb Úrra emlékezik, az minden kétséget kizárva eljut az Istenség Legfelsőbb Személyiségéhez.

MAGYARÁZAT: Ez a vers egyértelműen kimondja, hogy a halál pillanatában az elmét odaadással az Istenség Legfelsőbb Személyiségére kell irányítani. A *yogát* gyakorlók számára azt ajánlják, hogy emeljék az életerőt a két szemöldökük közé (az *ājñā-cakrához*). Ez a vers a *ṣaṭ-cakra-yogát* javasolja, amely a hat *cakrán* való meditációt jelenti. Egy tiszta *bhakta* nem gyakorolja ezt, de mivel mindig elmerül a Kṛṣṇa-tudatban, a halál pillanatában az Ő kegyéből képes az Istenség Legfelsőbb Személyiségére emlékezni. Ezt a tizennegyedik vers magyarázza el.

Annak, hogy a vers a *yoga-balena* szót használja, jelentősége van, mert a *yoga* – akár a *ṣaṭ-cakra-yoga,* akár a *bhakti-yoga* – gyakorlása nélkül a halál pillanatában az ember nem érheti el ezt a transzcendentális állapotot. A halál eljövetelekor az ember nem képes arra, hogy hirtelen a Legfelsőbb Úrra emlékezzen; valamelyik *yogát,* különösen a *bhakti-yogát* kell ehhez gyakorolnia egész életében. Mivel a halál pillanatában az elme rendkívül zavart, még életünkben kell a lelki életet gyakorolnunk a *yoga* segítségével.

11. VERS

यदक्षरं वेदविदो वदन्ति
विशन्ति यद्यतयो वीतरागाः ।
यदिच्छन्तो ब्रह्मचर्यं चरन्ति
तत्ते पदं सङ्ग्रहेण प्रवक्ष्ये ॥११॥

yad akṣaraṁ veda-vido vadanti
viśanti yad yatayo vīta-rāgāḥ
yad icchanto brahmacaryaṁ caranti
tat te padaṁ saṅgraheṇa pravakṣye

yat – amelyiket; *akṣaram* – az *oṁ* szótagot; *veda-vidaḥ* – akik ismerik a Védákat; *vadanti* – mondják; *viśanti* – behatolnak; *yat* – amibe; *yatayaḥ* – a nagy bölcsek; *vīta-rāgāḥ* – a lemondott életrendben; *yat* – amit; *icchantaḥ* – kívánva; *brahmacaryam* – cölibátust; *caranti* – gyakorolnak; *tat* – azt; *te* – neked; *padam* – helyzetet; *saṅgraheṇa* – összefoglalva; *pravakṣye* – meg fogom magyarázni.

A Védákat jól ismerő bölcsek, akik az oṁkārát ismétlik, valamint a lemondás rendjének nagy szentjei a Brahmanba hatolnak. Az ilyen tökéletességre vágyakozók cölibátusban élnek. Most röviden elmagyarázom neked azt a folyamatot, amely által felszabadulhat az ember.

MAGYARÁZAT: Az Úr Śrī Kṛṣṇa azt javasolja Arjunának, hogy gyakorolja a *ṣaṭ-cakra-yogát,* amelynek során az ember az életlevegőjét a két szemöldöke közé rögzíti. Arra gondolva, hogy Arjuna esetleg nem ismeri ezt a *yogát,* az Úr a következő versekben elmagyarázza a módszert. Elmondja, hogy bár a Brahman egyetlen, mégis különféle megnyilvánulásai és aspektusai vannak. Az *akṣara* vagy *oṁkāra* – az *oṁ* szótag – különösen az imperszonalisták számára azonos Brahmannal. Kṛṣṇa itt arról a személytelen Brahmanról beszél, amelybe a lemondott életrend bölcsei hatolnak.

A védikus oktatási rendszerben a cölibátust fogadott tanítványokat, akik a lelki tanítómesterrel élnek, kezdettől fogva az *oṁ* ismétlésére és a végső, személytelen Brahman ismeretére tanítják, s így a Brahman két aspektusának ébredhetnek tudatára. Ez a gyakorlat nagyon lényeges a lelki életben fejlődni kívánó tanítványok számára, ám korunkban ez a *brahmacārī* élet (a cölibátus) egyáltalán nem lehetséges. Napjaink társadalma olyannyira megváltozott, hogy az embernek nincs lehetősége arra, hogy fiatal éveitől kezdve cölibátusban éljen. A tudás különféle területeinek világszerte számtalan intézménye létezik, ám olyan elismert intézmény nincsen, ahol a tanítványok elsajátíthatnák a *brahmacārī* elveket. Mindaddig, amíg az ember nem fogad cölibátust, nagyon nehezen fejlődhet a lelki életben. Az Úr Caitanya ezért az írások Kali-korszakra vonatkozó parancsolatai alapján azt hirdette, hogy ebben a korban nincs más módszer a Legfelsőbb elérésére, mint az Úr Kṛṣṇa szent nevének éneklése: Hare Kṛṣṇa, Hare Kṛṣṇa, Kṛṣṇa Kṛṣṇa, Hare Hare, Hare Rāma, Hare Rāma, Rāma Rāma, Hare Hare.

12. VERS

सर्वद्वाराणि संयम्य मनो हृदि निरुध्य च ।
मूर्ध्न्याधायात्मनः प्राणमास्थितो योगधारणाम् ॥१२॥

sarva-dvārāṇi saṁyamya mano hṛdi nirudhya ca
mūrdhny ādhāyātmanaḥ prāṇam āsthito yoga-dhāraṇām

sarva-dvārāṇi – a test minden kapuját; *saṁyamya* – szabályozva; *manaḥ* – az elmét; *hṛdi* – a szívben; *nirudhya* – bezárva; *ca* – is; *mūrdhni* – a fejen; *ādhāya* – rögzítve; *ātmanaḥ* – a léleknek; *prāṇam* – életlevegőjét; *āsthitaḥ* – elhelyezkedik; *yoga-dhāraṇām* – a *yoga* állapotában.

A yoga állapota eltávolodást jelent minden érzéki tevékenységtől. Érzékeinek összes ajtaját bezárva, elméjét a szívre összpontosítva, életlevegőjét a koponya felső részében tartva az ember megszilárdulhat a yogában.

MAGYARÁZAT: A *yoga* gyakorlásához – ahogyan ez a vers ajánlja – az embernek először el kell zárnia az érzékkielégítés minden ajtaját. Ezt *pratyāhārának* nevezik, ami azt jelenti, hogy az ember visszavonja az érzékeket az érzéktárgyaktól. A tudásszerző érzékszerveket – a szemet, a fület, az orrot, a nyelvet, a tapintást – teljes uralma alatt kell tartania, és nem szabad érzékkielégítésre használnia azokat. Ily módon elméjét a szívben lévő Felsőlélekre összpontosítja, az életerőt pedig a fej felső részébe emeli. Ezt a folyamatot a hatodik fejezet részletesen leírja. Ahogyan azonban korábban is említettük, ebben a korszakban ez a folyamat a gyakorlatban nem célszerű. A legjobb módszer a Kṛṣṇa-tudat. Ha valaki az elméjét az odaadó szolgálatban állandóan Kṛṣṇára tudja rögzíteni, annak nagyon könnyű zavartalan transzcendentális transzban, azaz *samādhiban* maradnia.

13. VERS

ॐ इत्येकाक्षरं ब्रह्म व्याहरन्मामनुस्मरन् ।
यः प्रयाति त्यजन्देहं स याति परमां गतिम् ॥१३॥

oṁ ity ekākṣaraṁ brahma vyāharan mām anusmaran
yaḥ prayāti tyajan dehaṁ sa yāti paramāṁ gatim

oṁ – az *oṁ* hangkombináció (*oṁkāra*); *iti* – így; *eka-akṣaram* – az egyetlen szótagot; *brahma* – abszolútat; *vyāharan* – zengve; *mām* – Rám (Kṛṣṇára); *anusmaran* – emlékezve; *yaḥ* – bárki; *prayāti* – eltávozik; *tyajan* – elhagyva; *deham* – ezt a testet; *saḥ* – ő; *yāti* – eléri; *paramām* – a legfelsőbbet; *gatim* – célt.

Ha a yoga e gyakorlatát elsajátító és a hangok tökéletes kombinációját, a szent oṁ szótagot zengő személy teste elhagyásakor az Istenség Legfelsőbb Személyiségére gondol, bizonyosan a lelki bolygókra kerül.

MAGYARÁZAT: Ez a vers világosan kijelenti: az *oṁ,* a Brahman és az Úr Kṛṣṇa nem különböznek egymástól. Az *oṁ* Kṛṣṇa személytelen hangvibrációja, de a Hare Kṛṣṇa hang tartalmazza az *oṁot.* Az írások erre a korszakra félreérthetetlenül a Hare Kṛṣṇa *mantra* éneklését javasolják. Ha valaki a Hare Kṛṣṇa, Hare Kṛṣṇa, Kṛṣṇa Kṛṣṇa, Hare Hare, Hare Rāma, Hare Rāma, Rāma Rāma, Hare Hare éneklése közben hagyja el a testét, akkor minden kétséget kizárva az egyik lelki bolygóra jut, attól függően, milyen utat követett. Kṛṣṇa *bhaktái* az Ő bolygójára, vagyis Goloka-Vṛndāvanára kerülnek. A személyes filozófia hívei a lelki világ megszámlálhatatlan sokaságú bolygóinak egyikére, valamelyik Vaikuṇṭha-bolygóra kerülnek, míg az imperszonalisták a *brahmajyotiban* maradnak.

14. VERS

अनन्यचेताः सततं यो मां स्मरति नित्यशः ।
तस्याहं सुलभः पार्थ नित्ययुक्तस्य योगिनः ॥१४॥

ananya-cetāḥ satataṁ yo māṁ smarati nityaśaḥ
tasyāhaṁ sulabhaḥ pārtha nitya-yuktasya yoginaḥ

ananya-cetāḥ – az elme elkalandozása nélkül; *satatam* – mindig; *yaḥ* – bárki; *mām* – Rám (Kṛṣṇára); *smarati* – emlékezik; *nityaśaḥ* – rendszeresen; *tasya* – számára; *aham* – Én vagyok; *su-labhaḥ* – nagyon könnyen elérhető; *pārtha* – ó, Pṛthā fia; *nitya* – a szakadatlanul; *yuktasya* – elmerülő; *yoginaḥ* – *bhakta* számára.

Ó, Pṛthā fia, aki szüntelenül csak Rám gondol, az szakadatlan odaadó szolgálata miatt könnyen elérhet Engem.

MAGYARÁZAT: Ez a vers azt írja le, hová kerülnek az Istenség Legfelsőbb Személyiségét a *bhakti-yogában* szolgáló tiszta *bhakták.* A korábbi versek négyféle *bhaktáról* tettek említést: a szenvedőről, a kíváncsiról, az anyagi javakra vágyóról és a spekuláló filozófusról. A felszabaduláshoz vezető különféle folyamatokról is olvashattunk, a *karma-, jñāna-* és *haṭha-yogáról.* E *yoga*-rendszerek a *bhaktit* is magukban foglalják, ám ez a vers a tiszta *bhakti-yogáról* beszél, ami nem keveredik sem *jñānával,* sem *karmával,* sem *haṭhával.* Ahogyan arra az *ananya-cetāḥ* szó utal, a tiszta *bhakti-yogát* gyakorló *bhaktának* Kṛṣṇán kívül nincs más kívánsága. A tiszta *bhakta* nem akar eljutni az anyagi világ felsőbb bolygóira, nem akar eggyé válni a *brahmajyotival,* sőt arra sem vágyik, hogy kiszabaduljon az anyagi kötelékek közül – egyszóval vágyak nélküli. A *Caitanya-caritāmṛta niṣkāmának* nevezi őt, ami azt jelenti, hogy nincs önző érdeke. Csak ő érhet el tökéletes békét, s nem az, aki személyes nyereségre törekszik. Míg a *jñāna-yogī,* a *karma-yogī* és a *haṭha-yogī* saját céljainak elérésére vágyik, a tökéletes *bhakta* egyetlen kívánsága az, hogy az Istenség Legfelsőbb Személyiségének örömet szerezzen. Az Úr ezért azt mondja, hogy akik rendíthetetlen odaadással szolgálják Őt, azok könnyen elérhetik.

Egy tiszta *bhakta* örökké odaadóan szolgálja Kṛṣṇát valamelyik személyes formájában. Kṛṣṇának számtalan teljes kiterjedése és inkarnációja van – például Rāma és Nṛsiṁha –, s a *bhakta* választhat, hogy elméjét a szerető szolgálatban a Legfelsőbb Úr melyik transzcendentális formájára rögzíti. Neki nem kell szembenéznie azokkal a nehézségekkel, amelyekkel a többi *yoga*-folyamat gyakorlóinak kell megküzdeniük. A *bhakti-yoga* nagyon egyszerű, tiszta és könnyen végezhető. Bárki elkezdheti egyszerűen a Hare Kṛṣṇa éneklésével. Az Úr kegyes mindenkihez, de ahogyan azt már elmondtuk, különösen azokat kedveli, akik örökké, megingathatatlanul Őt szolgálják. Az Úr sokféleképpen segíti az ilyen *bhaktákat.* Ahogyan a Védák (*Kaṭha-upaniṣad* 1.2.23) mondják, *yam evaiṣa vṛṇute tena labhyas / tasyaiṣa ātmā vivṛṇute tanuṁ svām:* aki teljesen meghódolt a Legfelsőbb Úrnak, s az Ő odaadó szolgálatát végzi, az megértheti a Legfelsőbb Urat úgy, ahogyan van. És ahogy az a *Bhagavad-gītāban* (10.10) áll, *dadāmi buddhi-yogaṁ tam:* az Úr megadja a kellő értelmet *bhaktájának,* hogy az végül eljuthasson Hozzá a lelki világba.

A tiszta *bhakta* különleges jellemzője, hogy az időtől és a helytől függetlenül örökké csakis Kṛṣṇára gondol, s ebben semmi nem akadályozhatja meg. Feladatát mindig, mindenhol kész végrehajtani. Vannak, akik azt mondják, hogy egy *bhaktának* a szent helyek valamelyikén kell élnie, például Vṛndāvanában vagy egy olyan szent városban, ahol azelőtt az Úr is élt, a tiszta *bhakta* azonban bárhol élhet, mert odaadó szolgálata révén mindenhol képes Vṛndāvana-hangulatot teremteni. Śrī Advaita azt mondta az Úr Caitanyának: „Ó, Uram! Bárhol vagy, *ott* van Vṛndāvana."

A *satatam* és a *nityaśaḥ* szavak – melyek jelentése „mindig", „rendszeresen" vagy „mindennap" – arra utalnak, hogy egy tiszta *bhakta* örökké Kṛṣṇára gondol és Rajta meditál. Ezek egy tiszta *bhakta* tulajdonságai, akinek számára az Úr nagyon könnyen elérhető. A *Gītā* minden más ösvénynél jobban ajánlja a *bhakti-yogát.* A *bhakti-yogīk* ötféle viszonyban végezhetnek odaadó szolgálatot: 1. a *śānta-bhakta* semleges kapcsolatban végez odaadó szolgálatot, 2. a *dāsya-bhakta* szolgaként, 3. a *sakhya-bhakta* barátként, 4. a *vātsalya-bhakta* szülőként, 5. a *mādhurya-bhakta* pedig bensőséges szerelmesként szolgálja a Legfelsőbb Urat. A tiszta *bhakta* az öt kapcsolat valamelyikében végez transzcendentális szerető szolgálatot a Legfelsőbb Úrnak. Sohasem feledkezik meg Róla, így számára az Úr könnyen elérhető. Egy tiszta *bhakta* egy pillanatra sem tudja elfelejteni a Legfelsőbb Urat, s ugyanígy a Legfelsőbb Úr sem feledkezik meg tiszta *bhaktájáról* soha. Ezt a nagy áldást adja a *mahā-mantra* – Hare Kṛṣṇa, Hare Kṛṣṇa, Kṛṣṇa Kṛṣṇa, Hare Hare, Hare Rāma, Hare Rāma, Rāma Rāma, Hare Hare – éneklésének Kṛṣṇa-tudatos gyakorlata.

15. VERS

मामुपेत्य पुनर्जन्म दुःखालयमशाश्वतम् ।
नाप्नुवन्ति महात्मानः संसिद्धिं परमां गताः ॥१५॥

mām upetya punar janma duḥkhālayam aśāśvatam
nāpnuvanti mahātmānaḥ saṁsiddhiṁ paramāṁ gatāḥ

mām – Engem; *upetya* – elérve; *punaḥ* – ismét; *janma* – a születés; *duḥkha-ālayam* – és szenvedések helyére; *aśāśvatam* – ideiglenesre; *na* – sohasem; *āpnuvanti* – eljönnek; *mahā-ātmānaḥ* – a nagy lelkek; *saṁsiddhim* – a tökéletességet; *paramām* – a végsőt; *gatāḥ* – akik elérték.

Miután elértek Engem, a nagy lelkek, az odaadó yogīk soha többé nem térnek vissza ebbe az átmeneti, szenvedésekkel teli világba, mert már elérték a legfőbb tökéletességet.

MAGYARÁZAT: Ez az ideiglenes anyagi világ a születés, az öregség, a betegség és a halál okozta szenvedések birodalma, így hát érthető, hogy aki egyszer elérte a legfőbb tökéletességet, s eljutott a legfelsőbb bolygóra, Kṛṣṇalokára, Goloka-Vṛndāvanára, az nem akar többé visszatérni ide. A legfelsőbb lelki bolygóról azt írják a Védák, hogy *avyakta, akṣara* és *paramā gati,* ami azt jelenti, hogy meghaladja anyagi látásunkat és felfoghatatlan, ám mégis a legfelsőbb cél, ahová a *mahātmāk* (nagy lelkek) igyekeznek. A *mahātmāk* a megvilágosodást elért *bhaktáktól* kapják meg a transzcendentális üzenetet, s így fokozatosan a Kṛṣṇa-tudatú odaadó szolgálathoz látnak, s annyira elmélyednek e transzcendentális szolgálatban, hogy nemcsak az anyagi, de a lelki bolygókra sem akarnak többé eljutni. Egyedül Kṛṣṇát akarják, s egyedül Kṛṣṇa társaságára vágynak. Ez az élet legmagasabb rendű tökéletessége. A vers a Legfelsőbb Úr, Kṛṣṇa híveiről beszél, akik személyként fogadják el Őt. Ezek a Kṛṣṇa-tudatos *bhakták* az élet legfőbb tökéletességét érik el, ezért ők a legmagasabb szinten álló lelkek.

16. VERS

आब्रह्मभुवनाल्लोकाः पुनरावर्तिनोऽर्जुन ।
मामुपेत्य तु कौन्तेय पुनर्जन्म न विद्यते ॥१६॥

ā-brahma-bhuvanāl lokāḥ punar āvartino 'rjuna
mām upetya tu kaunteya punar janma na vidyate

ā-brahma-bhuvanāt – a Brahmaloka bolygóig bezárólag; *lokāḥ* – a bolygórendszerekben; *punaḥ* – újra; *āvartinaḥ* – visszatérés; *arjuna* – ó, Arjuna; *mām* – Engem; *upetya* – elérve; *tu* – de; *kaunteya* – ó, Kuntī fia; *punaḥ janma* – újraszületés; *na* – sohasem; *vidyate* – történik.

Az anyagi világ a legfelső bolygótól a legalsóig a szenvedés birodalma, ahol az ismétlődő születés és halál az úr. Aki azonban, ó, Kuntī fia, eljut az Én hajlékomra, az sohasem születik meg újra!

MAGYARÁZAT: Mielőtt eljutna Kṛṣṇa transzcendentális hajlékára, ahonnan sohasem kell visszatérnie, minden *yogīnak* (legyen bár *karma-, jñāna-* vagy *haṭha-yogī* stb.) el kell érnie az odaadás tökéletességét a *bhakti-yogában,* azaz a Kṛṣṇa-tudatban. Akik a legfelsőbb anyagi bolygókra, a félistenek bolygóira kerülnek, azoknak újra vissza kell térniük a születés és halál ismétlődő körforgásába. Ahogyan a Földön élő emberek a felsőbb bolygókra jutnak, úgy az ott élők, Brahmaloka, Candraloka és Indraloka lakói visszakerülnek a Földre. A *Chāndogya-upaniṣad* által ajánlott *pañcāgni-vidyā* áldozatot végző ember elérheti a Brahmalokát, ám ha ott nem gyakorolja a Kṛṣṇa-tudatot, vissza kell térnie a Földre. Akik azonban a felsőbb bolygókon tovább fejlődnek a Kṛṣṇa-tudatban, azok egyre fejlettebb égitestekre kerülnek, majd az univerzum megsemmisülésekor az örökkévaló lelki világba jutnak. Baladeva Vidyābhūṣaṇa a *Bhagavad-gītāhoz* írt magyarázatában idézi a következő verset:

brahmaṇā saha te sarve samprāpte pratisañcare
parasyānte kṛtātmānaḥ praviśanti paraṁ padam

„Az anyagi univerzum megsemmisülésekor Brahmā és hívei, akik a Kṛṣṇa-tudatba merülnek, valamennyien a lelki világba kerülnek, a vágyaiknak megfelelő lelki bolygóra."

17. VERS

सहस्रयुगपर्यन्तमहर्यद् ब्रह्मणो विदुः ।
रात्रिं युगसहस्रान्तां तेऽहोरात्रविदो जनाः ॥१७॥

sahasra-yuga-paryantam ahar yad brahmaṇo viduḥ
rātriṁ yuga-sahasrāntāṁ te 'ho-rātra-vido janāḥ

sahasra – ezer; *yuga* – korszak; *paryantam* – összesen; *ahaḥ* – nappala; *yat* – ami; *brahmaṇaḥ* – Brahmānak; *viduḥ* – tudják; *rātrim* – éjszaka; *yuga* – korszakok; *sahasra-antām* – ezrének végeztével; *te* – ők; *ahaḥ-rātra* – nappal és éjszaka; *vidaḥ* – akik megértik; *janāḥ* – emberek.

Ezer földi korszak Brahmā egy napja, másik ezer egy éjszakája.

MAGYARÁZAT: Az anyagi univerzum létének ideje véges, és *kalpák* ciklusaiból áll. Egy *kalpa* Brahmā egy napja, ami ezerszer négy *yugából,* vagyis korszakból áll (Satya-, Tretā-, Dvāpara- és Kali-yuga). A Satya-yugát erkölcsi tisztaság, bölcsesség és vallásosság jellemzi, mivel a tudatlanságnak és a bűnnek szinte nyoma sincs benne. Ez a korszak egymillió-hétszázhuszonnyolcezer évig tart. A bűn a Tretā-yugában kezdődik, ami egymillió-kétszázkilencvenhatezer évig tart. A Dvāparayugában még nagyobb méreteket ölt, s ezzel párhuzamosan hanyatlik az erkölcsösség és a vallásosság. Ez a korszak nyolcszázhatvannégyezer évig tart. A negyedik a Kali-yuga, amely ötezer éve kezdődött el, s négyszázharminckétezer évig tart. Tengernyi küzdelem, tudatlanság, vallástalanság és bűn jellemzi, valamint az igazi erény szinte teljes hiánya. Ebben a korszakban a bűn olyan hatalmas méreteket ölt, hogy a *yuga* végén maga a Legfelsőbb Úr jelenik meg mint Kalki *avatāra,* hogy elpusztítsa a démonokat, megmentse *bhaktáit,* s elindítsa a következő Satya-yugát. Így folytatódik tovább a *yugák* körforgása. A négy *yuga* ezer ciklusa alkotja tehát Brahmā egy napját, s ugyanennyiből áll egy éjszakája is. Brahmā száz ilyen „évig" él, azután ő is meghal. Ez a „száz év" a mi éveinkkel számolva háromszáztizenegybillió-negyvenmilliárd évet tesz ki. E számítás alapján Brahmā élete csodálatosnak és véget nem érőnek tűnik, ám az örökkévalóság szemszögéből csupán egy villanás az egész. Az Okozatióceánban megszámlálhatatlanul sok Brahmā kel életre s tűnik el ismét, akárcsak az Atlanti-óceán megannyi buborékja. Brahmā és teremtése egyaránt az anyagi univerzum része, ezért mindkettő örökké változik.

Az anyagi univerzumban még Brahmā sem kerülheti el a születést, az öregkort, a betegséget és a halált. Ugyanakkor azonban a kozmosz igazgatásával közvetlenül szolgálja a Legfelsőbb Urat, ezért azonnal felszabadul. A legkiválóbb *sannyāsīk* az anyagi univerzum legmagasabb rendű bolygójára, Brahmā lakhelyére, a Brahmalokára kerülnek, ami mindegyik felsőbb bolygórendszerbe tartozó mennyei égitestnél hosszabb ideig létezik. Az anyagi természet törvényei alapján azonban idővel Brahmānak és bolygója minden lakójának is meg kell halnia.

18. VERS

अव्यक्ताद्व्यक्तयः सर्वाः प्रभवन्त्यहरागमे ।
रात्र्यागमे प्रलीयन्ते तत्रैवाव्यक्तसंज्ञके ॥१८॥

avyaktād vyaktayaḥ sarvāḥ prabhavanty ahar-āgame
rātry-āgame pralīyante tatraivāvyakta-saṁjñake

avyaktāt – a megnyilvánulatlanból; *vyaktayaḥ* – élőlények; *sarvāḥ* – mind; *prabhavanti* – megnyilvánulnak; *ahaḥ-āgame* – a nap kezdetén; *rātri-āgame* – alkonyatkor; *pralīyante* – megsemmisülnek; *tatra* – abba; *eva* – bizony; *avyakta* – a megnyilvánulatlanba; *saṁjñake* – amit úgy hívnak.

Brahmā napjának hajnalán minden élőlény megnyilvánul a megnyilvánulatlan állapotból, alkonyán pedig ismét a megnyilvánulatlanba merül.

19. VERS

भूतग्रामः स एवायं भूत्वा भूत्वा प्रलीयते ।
रात्र्यागमेऽवशः पार्थ प्रभवत्यहरागमे ॥१९॥

bhūta-grāmaḥ sa evāyaṁ bhūtvā bhūtvā pralīyate
rātry-āgame 'vaśaḥ pārtha prabhavaty ahar-āgame

bhūta-grāmaḥ – az élőlények összessége; *saḥ* – az; *eva* – bizony; *ayam* – ez; *bhūtvā bhūtvā* – újra meg újra megszületve; *pralīyate* – megsemmisülve; *rātri* – éjszakának; *āgame* – kezdetével; *avaśaḥ* – automatikusan; *pārtha* – ó, Pṛthā fia; *prabhavati* – megnyilvánul; *ahaḥ* – a napnak; *āgame* – kezdetével.

Brahmā nappalával újra és újra létrejönnek az élőlények, amikor pedig éjszakája beköszönt, eltűnnek mind, tehetetlenül.

MAGYARÁZAT: A csekély értelemmel megáldott emberek, akik itt akarnak maradni az anyagi világban, eljuthatnak a felsőbb bolygókra, ám onnan újra csak vissza kell térniük a Földre. Brahmā nappalának idején az anyagi világ magasabb vagy alacsonyabb rendű bolygóin tevékenykednek, ám az éjszaka eljöttével valamennyiükre a megsemmisülés vár. Nappal anyagi tetteik végrehajtásához különféle testeket kapnak, de az éjszaka eljöttével testük elpusztul, s megnyilvánulatlan formában Viṣṇu testében maradnak, hogy aztán Brahmā napjának hajnalán ismét megnyilvánuljanak. *Bhūtvā bhūtvā pralīyate:* nappal megnyilvánulnak, éjjel pedig újra megsemmisülnek. Brahmā életének végén mindannyian megsemmisülnek, és sok millió évig megnyilvánulatlan állapotban maradnak. Amikor Brahmā egy új korszakban újra megszületik, ismét megnyilvánulnak. Ily módon tartja fogságban őket az anyagi világ. Ám az okos emberek, akik a Kṛṣṇa-tudathoz fordulnak, emberi életüket a Hare Kṛṣṇa, Hare Kṛṣṇa, Kṛṣṇa Kṛṣṇa, Hare Hare, Hare Rāma, Hare Rāma, Rāma Rāma, Hare Hare *mantrát* énekelve teljesen az Úr odaadó szolgálatának szentelik. Így még ebben az életükben Kṛṣṇa lelki bolygójára juthatnak, ahol örökkévaló boldogság vár rájuk, s nem kényszerülnek arra, hogy újra és újra megszülessenek.

20. VERS

परस्तस्मात्तु भावोऽन्योऽव्यक्तोऽव्यक्तात्सनातनः ।
यः स सर्वेषु भूतेषु नश्यत्सु न विनश्यति ॥२०॥

paras tasmāt tu bhāvo 'nyo 'vyakto 'vyaktāt sanātanaḥ
yaḥ sa sarveṣu bhūteṣu naśyatsu na vinaśyati

paraḥ – transzcendentális; *tasmāt* – ahhoz képest; *tu* – de; *bhāvaḥ* – természet; *anyaḥ* – másik; *avyaktaḥ* – megnyilvánulatlan; *avyaktāt* – a megnyilvánulatlanhoz képest; *sanātanaḥ* – örökkévaló; *yaḥ saḥ* – ami; *sarveṣu* – minden; *bhūteṣu* – megnyilvánulás; *naśyatsu* – megsemmisülésekor; *na* – sohasem; *vinaśyati* – elpusztul.

Ám létezik egy másik, megnyilvánulatlan természet is, amely ehhez a megnyilvánult és megnyilvánulatlan anyaghoz képest örök és transzcendentális. Ez a legfelsőbb világ, ami sohasem semmisül meg, s még akkor is megőrzi eredeti létét, amikor ebben a világban már minden megsemmisült.

MAGYARÁZAT: Kṛṣṇa felsőbbrendű, lelki energiája transzcendentális és örökkévaló; nem hatnak rá a Brahmā nappalán és éjjelén hol megnyilvánuló, hol megnyilvánulatlan anyagi természet változásai. Kṛṣṇa felsőbbrendű energiája minőség szempontjából teljes ellentéte az anyagi természetnek. A felsőbb- és alsóbbrendű természetet a hetedik fejezet magyarázza el.

21. VERS

अव्यक्तोऽक्षर इत्युक्तस्तमाहुः परमां गतिम् ।
यं प्राप्य न निवर्तन्ते तद्धाम परमं मम ॥२१॥

avyakto 'kṣara ity uktas tam āhuḥ paramāṁ gatim
yaṁ prāpya na nivartante tad dhāma paramaṁ mama

avyaktaḥ – megnyilvánulatlan; *akṣaraḥ* – csalhatatlan; *iti* – így; *uktaḥ* – mondják; *tam* – amit; *āhuḥ* – ismernek; *paramām* – végső; *gatim* – célként; *yam* – amit; *prāpya* – elérve; *na* – sohasem; *nivartante* – visszajönnek; *tat* – az; *dhāma* – hajlék; *paramam* – legfelsőbb; *mama* – Enyém.

Amiről a vedāntisták azt mondják, megnyilvánulatlan és csalhatatlan, amit legfelsőbb célként ismernek, s ahonnan soha többé nem tér vissza az, aki egyszer eljutott oda – az az Én legfelsőbb hajlékom.

MAGYARÁZAT: Az Istenség Személyisége, Kṛṣṇa hajlékát a *Brahma-saṁhitā cintāmaṇi-dhāmának*, olyan helynek írja le, ahol minden kívánság teljesül. Az Úr Kṛṣṇa legfelsőbb lakhelyén, amit Goloka-Vṛndāvanának neveznek, csodatévő drágakőből épült paloták sorakoznak. A fák „kívánságfák", melyek olyan étellel látják el az embert, amilyenre vágyik, a tehenek pedig *surabhi*-tehenek, s korlátlan mennyiségű tejet adnak. Sok százezer szerencseistennő (Lakṣmī) szolgálja itt az Urat, akit Govindának hívnak, aki az eredeti Úr, minden ok oka, s aki fuvoláján játszik (*veṇuṁ kvaṇantam*). Transzcendentális formájánál nincs vonzóbb az anyagi és a lelki világban. Szeme olyan, mint a lótuszvirág szirma, testének színe a felhőéhez hasonló. Olyan vonzó, hogy szépsége túltesz sok ezer Kāmadeva együttes szépségén is. Sáfrányszínű ruhát visel, nyakát virágfüzér öleli körül, hajában pávatollat hord. A *Bhagavad-gītāban* az Úr Kṛṣṇa nem mond sokat személyes hajlékáról, Goloka-Vṛndāvanáról, a lelki birodalom legfelsőbb bolygójáról. Részletes leírást a *Brahma-saṁhitāban* találhatunk róla. A védikus irodalom (*Kaṭha-upaniṣad* 1.3.11) kijelenti: semmi sem magasabb rendű a Legfelsőbb Istenség hajlékánál, ami egyben a legvégső cél is (*puruṣān na paraṁ kiñcit sā kāṣṭhā paramā gatiḥ*). Ha valaki eljut oda, sohasem fog többé visszatérni az anyagi világba. Kṛṣṇa legfelsőbb hajléka és maga Kṛṣṇa között nincs különbség, mert mindkettő azonos természetű. Földünkön, Delhitől mintegy százötven kilométernyire délkeletre szintén van egy Vṛndāvana, a lelki világ legfelsőbb Goloka-Vṛndāvanájának mása. Amikor Kṛṣṇa alászállt a Földre, e Vṛndāvana nevű helyen (amely körülbelül kétszáztizenöt négyzetkilométernyi területen fekszik Mathurā körzetében, Indiában) mutatta be kedvteléseit.

22. VERS

पुरुषः स परः पार्थ भक्त्या लभ्यस्त्वनन्यया ।
यस्यान्तःस्थानि भूतानि येन सर्वमिदं ततम् ॥२२॥

puruṣaḥ sa paraḥ pārtha bhaktyā labhyas tv ananyayā
yasyāntaḥ-sthāni bhūtāni yena sarvam idaṁ tatam

puruṣaḥ – a Legfelsőbb Személyiség; *saḥ* – Ő; *paraḥ* – a Legfelsőbb, akinél senki sem hatalmasabb; *pārtha* – ó, Pṛthā fia; *bhaktyā* – odaadó szolgálat által; *labhyaḥ* – elérhető; *tu* – de; *ananyayā* – vegyítetlen, kizárólagos; *yasya* – akinek; *antaḥ-sthāni* – belül; *bhūtāni* – ebben az egész anyagi megnyilvánulásban; *yena* – aki által; *sarvam* – minden; *idam* – amit láthatunk; *tatam* – áthatott.

A mindenkinél hatalmasabb Istenség Legfelsőbb Személyiségét tiszta odaadással lehet elérni. Noha lelki hajlékán tartózkodik, áthat mindent, és Őbenne van minden.

MAGYARÁZAT: Ez a vers félreérthetetlenül kijelenti, hogy a legvégső cél Kṛṣṇa, a Legfelsőbb Személy hajléka, ahonnan nem kell többé visszatérnünk. A *Brahma-saṁhitā* e legfelső hajlékot *ānanda-cinmaya-rasának* nevezi, olyan helynek, ahol minden lelki gyönyörrel teljes. Minden változatosságot a lelki boldogság jellemez ott, és semmi sem anyagi. Az a változatosság a Legfelsőbb Istenség lelki kiterjedése, mert minden megnyilvánulás lelki energiából áll, ahogy azt a hetedik fejezet elmagyarázta. Ami ezt az anyagi világot illeti, annak ellenére, hogy az Úr mindig legfelsőbb hajlékán marad, anyagi energiája által mindent áthat. Lelki és anyagi energiái révén tehát mindenhol, az anyagi és a lelki univerzumokban is jelen van. A *yasyāntaḥ-sthāni* kifejezés azt jelenti, hogy lelki vagy anyagi energiájával Ő tart fenn mindent. Az Úr e két energiája révén mindent áthat.

Ez a vers a *bhaktyā* szóval egyértelműen arra utal, hogy csakis a *bhakti,* az odaadó szolgálat által juthat el az ember Kṛṣṇa legfelsőbb hajlékára vagy a megszámlálhatatlan sokaságú Vaikuṇṭha-bolygók egyikére. Egyetlen más módszer sem segíthet a legfelsőbb hajlék elérésében. A Védák (*Gopāla-tāpanī-upaniṣad* 1.21) szintén írnak a legfelsőbb hajlékról és az Istenség Legfelsőbb Személyiségéről. *Eko vaśī sarva-gaḥ kṛṣṇaḥ.* Azon a helyen egyetlen Istenség Legfelsőbb Személyisége van, akit Kṛṣṇának hívnak. Ő a legfelsőbb, kegyes Istenség, s noha egyként van ott jelen, millió és millió teljes értékű formába terjeszti ki magát. A Védák az Urat egy fához hasonlítják, ami egy helyben áll, mégis számtalan gyümölcs, virág és levél terem rajta. A Vaikuṇṭha-bolygókon uralkodó teljes értékű kiterjedései négykarúak, s mindegyiket másképpen nevezik: Puruṣottama, Trivikrama, Keśava, Mādhava, Aniruddha, Hṛṣīkeśa, Saṅkarṣaṇa, Pradyumna, Śrīdhara, Vāsudeva, Dāmodara, Janārdana, Nārāyaṇa, Vāmana, Padmanābha és így tovább.

A *Brahma-saṁhitā* (5.37) szintén megerősíti, hogy bár az Úr mindig legfelsőbb lakhelyén, Goloka-Vṛndāvanán tartózkodik, mégis mindent áthat, hogy minden rendben működjön (*goloka eva nivasaty akhilātma-bhūtaḥ*). Ahogy a Védák (*Śvetāśvatara-upaniṣad* 6.8) kijelentik, *parāsya śaktir vividhaiva śrūyate / svābhāvikī jñāna-bala-kriyā ca:* energiái olyannyira kiterjedtek, hogy hibátlanul, a legnagyobb rendben irányítanak mindent a kozmikus megnyilvánulásban, noha a Legfelsőbb Úr végtelenül távol van.

23. VERS

यत्र काले त्वनावृत्तिमावृत्तिं चैव योगिनः ।
प्रयाता यान्ति तं कालं वक्ष्यामि भरतर्षभ ॥२३॥

yatra kāle tv anāvṛttim āvṛttiṁ caiva yoginaḥ
prayātā yānti taṁ kālaṁ vakṣyāmi bharatarṣabha

yatra – abban; *kāle* – az időben; *tu* – és; *anāvṛttim* – nincs visszatérés; *āvṛttim* – visszatérés; *ca* – is; *eva* – bizony; *yoginaḥ* – a különféle misztikusok; *prayātāḥ* – eltávozottak; *yānti* – elérik; *tam* – azt; *kālam* – az időt; *vakṣyāmi* – le fogom írni; *bharata-ṛṣabha* – ó, Bhāraták legjobbja.

Ó, Bhāraták legkiválóbbja, most elmagyarázom neked, melyek azok az időpontok, amikor a yogī úgy hagyhatja el ezt a világot, hogy nem kell többé visszatérnie, s melyek azok, amikor úgy hagyja el, hogy vissza kell jönnie.

MAGYARÁZAT: A Legfelsőbb Úr tiszta *bhaktái,* a teljesen meghódolt lelkek nem törődnek azzal, hogy mikor, milyen módon hagyják el testüket. Mindent Kṛṣṇára bíznak, s így könnyen és boldogan visszatérnek Istenhez. A nem tiszta *bhaktáknak* azonban, akik ehelyett valamilyen lelki megvilágosodást célzó egyéb folyamatra hagyatkoznak, mint például a *karma-yoga,* a *jñāna-yoga* vagy a *haṭha-yoga,* a megfelelő időben kell elhagyniuk testüket, máskülönben vissza kell térniük a születés és halál világába.

A tökéletes *yogī* képes kiválasztani a megfelelő időt és helyzetet az anyagi világ elhagyásához. Ha azonban nem elég jártas ebben, sikere a véletlenen múlik, azon, hogy megfelelő pillanatban távozik-e vagy sem. A következő versben az Úr leírja a test elhagyására legmegfelelőbb időpontokat, amikor az ember nem kényszerül majd visszatérni többé. Az *ācārya,* Baladeva Vidyābhūṣaṇa szerint az itt használt *kāla* szanszkrit szó az idő uralkodó istenségére utal.

24. VERS

अग्निर्ज्योतिरहः शुक्लः षण्मासा उत्तरायणम् ।
तत्र प्रयाता गच्छन्ति ब्रह्म ब्रह्मविदो जनाः ॥२४॥

agnir jyotir ahaḥ śuklaḥ ṣaṇ-māsā uttarāyaṇam
tatra prayātā gacchanti brahma brahma-vido janāḥ

agniḥ – tűz; *jyotiḥ* – fény; *ahaḥ* – nappal; *śuklaḥ* – a telő hold két hete; *ṣaṭ-māsāḥ* – a hat hónap; *uttara-ayanam* – amikor a Nap az északi féltekén jár; *tatra* – ott; *prayātāḥ* – akik eltávoznak; *gacchanti* – elmennek; *brahma* – az Abszolúthoz; *brahma-vidaḥ* – akik ismerik az Abszolútat; *janāḥ* – személyek.

A Legfelsőbb Brahmant ismerők úgy érik el e Legfelsőbbet, hogy vagy nappal egy kedvező pillanatban, vagy a tűzisten befolyásának idején, vagy a fényben, vagy a telő hold két hetében, vagy a Nap északi pályájának hat hónapja alatt távoznak el a világból.

MAGYARÁZAT: Amikor a tűzről, a fényről, a nappalról és a telő hold két hetéről olvasunk, tudnunk kell, hogy mindegyik fölött egy félisten uralkodik, s ők engednek szabad utat a léleknek. A halál pillanatában az elme visz el bennünket új életünkhöz. Ha valaki az említett időpontokban hagyja el testét, akár véletlenül, akár szándékosan, az eljuthat a személytelen *brahmajyotiba*. A *yogában* jártas misztikusok képesek kiválasztani a megfelelő időpontot és helyet testük elhagyására. Mások erre nem képesek – ha véletlenül egy kedvező pillanatban távoznak el, akkor nem térnek vissza a születés és halál körfolyamatába, másképp azonban minden esélyük megvan erre. Ám a tiszta Kṛṣṇa-tudatú *bhaktának* – akár kedvező, akár kedvezőtlen időpontban, akár saját akaratából, akár véletlenül hagyja el a testét – nem kell félnie attól, hogy visszatér.

25. VERS

धूमो रात्रिस्तथा कृष्णः षण्मासा दक्षिणायनम् ।
तत्र चान्द्रमसं ज्योतिर्योगी प्राप्य निवर्तते ॥२५॥

dhūmo rātris tathā kṛṣṇaḥ ṣaṇ-māsā dakṣiṇāyanam
tatra cāndramasaṁ jyotir yogī prāpya nivartate

dhūmaḥ – füst; *rātriḥ* – éjszaka; *tathā* – is; *kṛṣṇaḥ* – a fogyó hold két hete; *ṣaṭ-māsāḥ* – a hat hónap; *dakṣiṇa-ayanam* – amikor a Nap a déli féltekén jár; *tatra* – ott; *cāndra-masam* – a Hold bolygót; *jyotiḥ* – a fényt; *yogī* – a misztikus; *prāpya* – elérve; *nivartate* – visszatér.

Az a misztikus, aki a füst, az éjszaka, a fogyó hold két hete vagy a Nap déli pályájának hat hónapja alatt hagyja el ezt a világot, eljut a Holdra, de újra vissza kell térnie.

MAGYARÁZAT: A *Śrīmad-Bhāgavatam* harmadik énekében Kapila Muni megemlíti, hogy a gyümölcsöző cselekedetekben és a különféle áldozatok végrehajtásában jártas emberek haláluk után a Holdra kerülnek. Ezek az emelkedett lelkek a félistenek időszámításával mérve körülbelül tízezer évig élnek a Holdon, és a *soma-rasa* italt fogyasztva élvezik az életet. Végül azonban visszatérnek a Földre. Mindez azt jelenti, hogy a

Holdon fejlettebb civilizációjú élőlények laknak, ám durvafizikai érzékszervekkel nem lehet észlelni őket.

26. VERS

शुक्लकृष्णे गती ह्येते जगतः शाश्वते मते ।
एकया यात्यनावृत्तिमन्ययावर्तते पुनः ॥२६॥

śukla-krsne gatī hy ete jagatah śāśvate mate
ekayā yāty anāvṛttim anyayāvartate punaḥ

śukla – fény; *kṛṣṇe* – és sötétség; *gatī* – az eltávozás módjai; *hi* – bizony; *ete* – ez a kettő; *jagataḥ* – az anyagi világnak; *śāśvate* – a Védák; *mate* – véleménye szerint; *ekayā* – az egyik által; *yāti* – megy; *anāvṛttim* – oda, ahonnan nincs visszatérés; *anyayā* – a másik által; *āvartate* – visszatér; *punaḥ* – ismét.

A Védák szerint két úton lehet elhagyni ezt a világot: világosságban és sötétségben. A világosságban távozó nem jön vissza, míg a sötétségben elmenőnek vissza kell térnie.

MAGYARÁZAT: *Ācāryánk,* Baladeva Vidyābhūṣaṇa a *Chāndogya-upaniṣadból* (5.10.3–5) egy hasonló leírást idéz az eltávozásról és a visszatérésről. A munkájuk gyümölcséért dolgozók és a spekuláló filozófusok időtlen idők óta jönnek és mennek szüntelenül. A végső felszabadulásig sohasem jutnak el, mert nem hódolnak meg Kṛṣṇa előtt.

27. VERS

नैते सृती पार्थ जानन् योगी मुह्यति कश्चन ।
तस्मात्सर्वेषु कालेषु योगयुक्तो भवार्जुन ॥२७॥

naite sṛtī pārtha jānan yogī muhyati kaścana
tasmāt sarveṣu kāleṣu yoga-yukto bhavārjuna

na – sohasem; *ete* – ezt a két; *sṛtī* – különböző utat; *pārtha* – ó, Pṛthā fia; *jānan* – még ha ismeri is; *yogī* – az Úr *bhaktája; muhyati* – megtéved; *kaścana* – bárki; *tasmāt* – ezért; *sarveṣu kāleṣu* – mindig; *yoga-yuktaḥ* – Kṛṣṇa-tudatban cselekvő; *bhava* – legyél; *arjuna* – ó, Arjuna.

Bár a bhakták ismerik e két utat, ó, Arjuna, ezek nem tévesztik meg őket. Légy hát rendíthetetlen az odaadásban!

MAGYARÁZAT: Kṛṣṇa azt tanácsolja Arjunának, hogy ne tévesszék meg azok a különféle utak, amelyeken a lélek elhagyhatja az anyagi világot. A Legfelsőbb Úr *bhaktájának* nem szabad aggódnia amiatt, hogy felkészülve vagy véletlenül hagyja-e majd el a testét. Rendíthetetlenül el kell mélyülnie a Kṛṣṇa-tudatban, s énekelnie kell a Hare Kṛṣṇát. Tudnia kell, hogy ha e két út miatt nyugtalankodik, az számtalan aggodalommal jár. Ha el akarunk merülni a Kṛṣṇa-tudatban, a legjobb, ha mindig Kṛṣṇát szolgáljuk. Ez teszi majd a lelki világba vezető utunkat biztonságossá és egyenessé. Ebben a versben a *yoga-yukta* szónak különösen nagy jelentősége van. Aki szilárd a *yogában,* az mindig, minden tettében Kṛṣṇa-tudatú. Śrī Rūpa Gosvāmī azt tanácsolja: *anāsaktasya viṣayān yathārham upayuñjataḥ,* az embernek el kell határolnia magát az anyagi világtól, és mindent Kṛṣṇa-tudatban kell végeznie. Ezzel a módszerrel, melyet *yukta-vairāgyának* neveznek, elérheti a tökéletességet. A *bhaktát* ezért nem zavarják meg e leírások, mert tudja, hogy az odaadó szolgálat biztosítja eljutását a legfelsőbb hajlékra.

28. VERS

वेदेषु यज्ञेषु तपःसु चैव
दानेषु यत्पुण्यफलं प्रदिष्टम् ।
अत्येति तत्सर्वमिदं विदित्वा
योगी परं स्थानमुपैति चाद्यम् ॥२८॥

vedeṣu yajñeṣu tapaḥsu caiva
dāneṣu yat puṇya-phalaṁ pradiṣṭam
atyeti tat sarvam idaṁ viditvā
yogī paraṁ sthānam upaiti cādyam

vedeṣu – a Védák tanulmányozásában; *yajñeṣu* – a *yajñák,* áldozatok végrehajtásában; *tapaḥsu* – a különféle vezeklések végzésében; *ca* – is; *eva* – bizony; *dāneṣu* – az adományozásban; *yat* – ami; *puṇya-phalam* – jámbor eredményt; *pradiṣṭam* – megszabott; *atyeti* – túlszárnyalja; *tat sarvam* – mindazt; *idam* – ezt; *viditvā* – tudván; *yogī* – a *bhakta; param* – legfelsőbb; *sthānam* – hajlékot; *upaiti* – eléri; *ca* – is; *ādyam* – az eredetit.

Aki az odaadó szolgálat útját járja, nincs megfosztva azoktól az áldásoktól, melyek a Védák tanulmányozásából, az áldozatok végzésé-

ből, a vezeklésből, az adományozásból vagy a filozófiai és gyümölcsöző cselekedetekből származnak. Pusztán az odaadó szolgálat végzésével megkapja mindezt, s végül eljut a legfelsőbb, örök lakhelyre.

MAGYARÁZAT: Ez a vers a hetedik és nyolcadik fejezetet foglalja össze, amelyek legfőképpen a Kṛṣṇa-tudatról és az odaadó szolgálatról szólnak. A Védákat az embernek egy hiteles lelki tanítómester vezetése alatt kell tanulmányoznia, és az ő irányításával számos önfegyelmező gyakorlatot és lemondást kell végeznie. Egy *brahmacārīnak* a lelki tanítómester házában kell élnie, mint egy szolga, s házról házra járva koldulnia kell, majd a kapott adományokat át kell adnia lelki tanítómesterének. Csak mestere felszólítására ehet, s ha a mester netán egész nap nem hívná enni, a tanítványnak böjtölnie kell. Ez csupán néhány azokból a védikus parancsolatokból, melyeket egy *brahmacārīnak* be kell tartania.

Miután valaki egy ideig – öt éves korától legalább húsz éves koráig – lelki tanítómesterétől a Védákat tanulta, jelleme tökéletessé válik. A Védákat nem puszta szórakozásból kell tanulmányozni, ahogyan azt holmi kávéházi filozófusok teszik. A Védák tanulmányozásának célja a jellemformálás. Tanulóévei után a *brahmacārī* megházasodhat. Házasemberként számtalan áldozatot kell végrehajtania, hogy további megvilágosodásra tegyen szert. Adományoznia is kell, figyelembe véve a helyet, az időpontot és a megajándékozandó személyt, s tudnia kell különbséget tenni a jóság, a szenvedély és a tudatlanság kötőerejében végrehajtott adományozás között, ahogyan azt a *Bhagavad-gītā* leírja. Amikor visszavonul a családi élettől, a *vānaprastha*-rendbe lép, amely szigorú lemondásokkal jár: az erdőben kell élnie, faháncs ruhát kell viselnie, nem szabad borotválkoznia, és így tovább. A *brahmacarya-,* a *gṛhastha-,* a *vānaprastha-* és végül a *sannyāsa*-rendet végigjárva az ember az élet tökéletes síkjára emelkedik. Ezután néhányan a felsőbb bolygók valamelyikére kerülnek, s ha tovább fejlődnek, felszabadulnak, s eljutnak a lelki világba, vagy a személytelen *brahmajyotiba,* vagy a Vaikuṇṭha-bolygókra, esetleg Kṛṣṇalokára. Ez a védikus írások által kijelölt út.

A Kṛṣṇa-tudatban ezzel szemben az a csodálatos, hogy az ember az odaadó szolgálat végzésével egy csapásra túllép a különféle életrendek számára előírt minden rítuson.

Az *idaṁ viditvā* szavak arra utalnak, hogy meg kell értenünk Śrī Kṛṣṇa utasításait, melyeket a *Bhagavad-gītā* hetedik és nyolcadik fejezetében mond el. Ezeket a fejezeteket nem tudományos alapon vagy elméleti spekuláció útján, hanem a *bhaktákat* hallgatva kell megpróbálnunk megérteni. A *Bhagavad-gītā* lényegét a hetedik fejezettel kezdődő és a tizenkettedik fejezettel záródó rész alkotja. Az első hat és az utolsó hat fejezet közrefogja a középső hatot, melyet az Úr különösen óv. Ha valaki elég szerencsés ahhoz, hogy a *bhakták* társaságában megértse a *Bhagavad-gītāt* – különösen e középső hat fejezetet –, élete azon nyomban dicsővé válik, túl a lemondás, az áldozat, az adományozás, a spekuláció stb. által elérhető dicsőségen, hiszen pusztán a Kṛṣṇa-tudattal ezek valamennyi eredményére szert tesz.

Akinek egy parányi hite van a *Bhagavad-gītāban,* az hallgassa azt a *bhaktáktól,* mert a negyedik fejezet elején egyértelműen azt olvashatjuk, hogy a *Bhagavad-gītāt* csakis a *bhakták* érthetik meg. Senki más nem értheti meg tökéletesen a *Bhagavad-gītā* célját. Kṛṣṇa *bhaktájától* kell tehát megtanulnunk, nem pedig az elméjükben spekulálóktól. Ez a hit jele. Ha valaki találkozni akar egy *bhaktával,* s végül sikerrel jár, akkor valóban elkezdheti tanulmányozni és megérteni a *Bhagavad-gītāt*. A *bhakták* társaságában fejlődve az ember elkezdi odaadó szolgálatát, ennek következtében pedig minden kétsége szertefoszlik Kṛṣṇát – Istent – és tetteit, formáját, kedvteléseit, nevét és más jellemzőit illetően. Amikor minden kételyétől megszabadult, állhatatosan folytatja tovább a tanulást. Megízleli a *Bhagavad-gītā* tanulmányozásának nektárját, és eljut arra a szintre, amikor mindig Kṛṣṇa-tudatosnak érzi magát. A fejlett síkot elérve a *bhakta* teljesen szerelmes lesz Kṛṣṇába, s az élet e legtökéletesebb állapota képessé teszi arra, hogy eljusson Kṛṣṇa lelki világbeli hajlékára, Goloka-Vṛndāvanába, ahol örökkévaló boldogságban lesz része.

Így végződnek a Bhaktivedanta-magyarázatok a Śrīmad Bhagavad-gītā *nyolcadik fejezetéhez, melynek címe: „A Legfelsőbb elérése”.*

KILENCEDIK FEJEZET

A legbizalmasabb tudás

1. VERS

श्रीभगवानुवाच
इदं तु ते गुह्यतमं प्रवक्ष्याम्यनसूयवे ।
ज्ञानं विज्ञानसहितं यज्ज्ञात्वा मोक्ष्यसेऽशुभात् ॥ १ ॥

śrī-bhagavān uvāca
idaṁ tu te guhyatamaṁ pravakṣyāmy anasūyave
jñānaṁ vijñāna-sahitaṁ yaj jñātvā mokṣyase 'śubhāt

śrī-bhagavān uvāca – az Istenség Legfelsőbb Személyisége mondta; *idam* – ezt; *tu* – de; *te* – neked; *guhya-tamam* – legbizalmasabb; *pravakṣyāmi* – el fogom mondani; *anasūyave* – a nem irigynek; *jñānam* – tudást; *vijñāna* – megvalósított tudással; *sahitam* – együtt; *yat* – amit;

jñātvā – megismerve; *mokṣyase* – meg fogsz szabadulni; *aśubhāt* – e gyötrelmes anyagi léttől.

Az Istenség Legfelsőbb Személyisége így szólt: Kedves Arjunám, mivel te sohasem irigykedsz Rám, átadom neked e legtitkosabb tudást és bölcsességet, melyet megismerve megszabadulsz az anyagi lét gyötrelmeitől.

MAGYARÁZAT: Minél többet hall a *bhakta* a Legfelsőbb Úrról, annál inkább megvilágosodik. A hallásnak ezt a módját ajánlja a *Śrīmad-Bhāgavatam:* „Az Istenség Legfelsőbb Személyiségének üzenetei teli vannak energiával. Ezen energiák léte akkor tudatosulhat a *bhaktákban,* ha maguk között a Legfelsőbb Istenségről beszélgetnek." Ez megélt tudás, ezért az elméleti síkon spekulálók és a világi tudósok között lehetetlen elsajátítani.

A *bhakták* örökké a Legfelsőbb Urat szolgálják. Az Úr megérti a Kṛṣṇa-tudatot gyakorló élőlény gondolkodását és őszinteségét, és megadja neki azt az értelmet, mellyel a *bhakták* társaságában megértheti a Róla szóló tudományt. Ha Kṛṣṇáról beszélgetünk, annak rendkívüli hatása van. Ha egy szerencsés embernek módjában áll kapcsolatba kerülni a *bhaktákkal,* és megpróbálja befogadni ezt a tudást, kétségtelenül elindulhat a lelki megvilágosodás útján. Az Úr Kṛṣṇa lelkesíteni akarja Arjunát, hogy egyre magasabbra és magasabbra emelkedjen a Neki végzett igazi szolgálatban, ezért a kilencedik fejezetben feltárja előtte azt a tudást, ami még az eddigieknél is titkosabb.

A *Bhagavad-gītā* eleje, az első fejezet többé-kevésbé bevezetése a könyvnek, a második és harmadik fejezetben leírt lelki tudást pedig bizalmas tudásnak nevezik. A hetedik és nyolcadik fejezet témája főként az odaadó szolgálatra vonatkozik, s mivel a Kṛṣṇa-tudatról világosítja fel az embert, még bizalmasabbnak nevezhető. A kilencedik fejezet témája azonban a vegyítetlen, tiszta odaadás, ezért ezt a fejezetet a legbizalmasabbnak nevezik. Aki rendelkezik ezzel a Kṛṣṇáról szóló legbizalmasabb tudással, annak helyzete transzcendentális, ezért – noha az anyagi világban van – nincsenek anyagi fájdalmai. A *Bhakti-rasāmṛta-sindhu* írja, hogy a Legfelsőbb Úr szerető szolgálatára őszintén vágyó *bhaktát,* noha még az anyagi lét feltételekhez kötött állapotában van, mégis felszabadultnak kell tekinteni. A *Bhagavad-gītā* tizedik fejezete szintén kijelenti, hogy aki ebben a helyzetben van, az már elérte a felszabadulást.

Ennek az első versnek különösen nagy jelentősége van. Az *idaṁ jñānam* („ez a tudás") szavak a tiszta odaadó szolgálatra utalnak, ami kilenc különböző tevékenységből áll: hallás, ismétlés, emlékezés, szolgálat, imádat, imádkozás, engedelmeskedés, barátkozás és meghódolás minden tulajdonunkkal. Az odaadó szolgálat e kilenc formájának gyakorlásával az ember felemelkedik a lelki tudat, a Kṛṣṇa-tudat síkjára. Ezt a Kṛṣṇáról szóló tudományt akkor lehet megérteni, ha az ember szíve megtisztult minden anyagi szennyeződéstől. Nem elegendő csupán azt megérteni, hogy az élőlény nem anyagi – ez mindössze a lelki önmegvalósítás kezdete lehet. Fel kell ismernünk, hogy különbség van a testi cselekedetek és az olyan ember lelki cselekedetei között, aki megértette, hogy nem ez a test.

A hetedik fejezetben már szó volt az Istenség Legfelsőbb Személyiségének fenséges hatalmáról, különféle energiáiról, az alsóbb- és felsőbbrendű természetről, valamint erről az egész anyagi megnyilvánulásról. A kilencedik fejezet az Úr dicsőségéről fog szólni.

A versben a szanszkrit *anasūyave* szó szintén nagyon fontos. A *Bhagavad-gītā* magyarázói – sokszor rendkívüli műveltségük ellenére is – általában mind irigyek Kṛṣṇára, az Istenség Legfelsőbb Személyiségére. Még a nagy tudású értelmiségiek is rendkívül pontatlanul írnak a *Bhagavad-gītāról.* Mivel irigyek Kṛṣṇára, magyarázataik hasznavehetetlenek, míg az Úr *bhaktái* által írt magyarázatok hitelesek. Senki sem képes elmagyarázni a *Bhagavad-gītāt,* és senki sem képes tökéletesen átadni másoknak a Kṛṣṇáról szóló tudást, ha irigy Kṛṣṇára. Aki nem tud róla semmit, mégis becsmérli Kṛṣṇa jellemét, az ostoba. Az ilyen emberek magyarázatait messze el kell kerülnünk. Ezek a fejezetek nagy hasznára válnak azoknak, akik megértik, hogy Kṛṣṇa az Istenség Legfelsőbb Személyisége, a tiszta és transzcendentális Személyiség.

2. VERS

राजविद्या राजगुह्यं पवित्रमिदमुत्तमम् ।
प्रत्यक्षावगमं धर्म्यं सुसुखं कर्तुमव्ययम् ॥२॥

rāja-vidyā rāja-guhyaṁ pavitram idam uttamam
pratyakṣāvagamaṁ dharmyaṁ su-sukhaṁ kartum avyayam

rāja-vidyā – a tudás királya; *rāja-guhyam* – a bizalmas tudomány királya; *pavitram* – a legtisztább; *idam* – ez; *uttamam* – transzcendentális; *pratyakṣa* – közvetlen tapasztalat által; *avagamam* – megértett; *dharmyam* – a vallás elve; *su-sukham* – nagyon boldogan; *kartum* – végezni; *avyayam* – örökkévaló.

Ez a tudás a bölcsesség királya, a legnagyobb titok az összes titok közül. Ez a legtisztább tudás, és mivel megvalósítása révén közvetlen tapaszta-

latot nyújt az önvalóról, ez a vallás tökéletessége; örökkévaló és örömmel végezhető.

MAGYARÁZAT: A *Bhagavad-gītānak* ezt a fejezetét minden tudás királyának nevezik, mert ez a lényege minden előzőleg ismertetett tannak és filozófiának. India legfontosabb filozófusai Gautama, Kaṇāda, Kapila, Yājñavalkya, Śāṇḍilya, Vaiśvānara és végül Vyāsadeva, a *Vedānta-sūtra* szerzője. A filozófia vagy transzcendentális tudás terén tehát bővelkedünk ismeretekben. Az Úr most kijelenti: ez a kilencedik fejezet minden bölcsesség királya, s minden olyan tudomány lényege, melyet a Védák és a különféle filozófiák tanulmányozásával lehet elsajátítani. Ez a legtitkosabb tudás, mert a bizalmas vagy transzcendentális tudás magában foglalja a test és a lélek közötti különbség megértését. E legtitkosabb tudomány az odaadó szolgálatban tetőzik.

Az embereket általában nem tanítják e bizalmas tudományra, így csupán felszínes tudásra tehetnek szert. Az általános oktatás során a tudomány számtalan ágát tanulmányozzák: politika, szociológia, fizika, kémia, matematika, asztronómia, technika stb. Szerte a világon számtalan tudományágnak vannak tanszékei a nagynevű egyetemeken, ám sajnálatos módon egyetlen egyetem vagy oktatási intézmény sincs, ahol a lélek tudományát tanítanák, pedig a lélek a test legfontosabb része, s jelenléte nélkül a test semmit sem ér. Az emberek azonban mégis a testi létszükségletek fontosságát hangsúlyozzák, mit sem törődve a létfontosságú lélekkel.

A *Bhagavad-gītā* a lélekre helyezi a hangsúlyt, különösen a második fejezettől kezdve. Az Úr rögtön az elején kijelenti, hogy a test mulandó, ám a lélek elpusztíthatatlan (*antavanta ime dehā nityasyoktāḥ śarīriṇaḥ*). Ez a tudás egyik bizalmas része: egyszerűen megérteni, hogy a lélek különbözik a testtől, s hogy természeténél fogva változtathatatlan, elpusztíthatatlan és örökkévaló. Ez a leírás azonban még nem ad pozitív információt a lélekről. Néha az emberek abban a tévhitben élnek, hogy a lélek különbözik ugyan a testtől, ám amikor elhagyja a testet, azaz amikor a test meghal, a semmibe merül, és elveszti személyiségét. Ez azonban nem igaz. Hogyan válhatna tétlenné a lélek a test elhagyása után, amikor a testben olyannyira tevékeny volt? A lélek mindig aktív. Ha léte örökkévaló, akkor aktivitása is az, s a lelki világban végzett tettei képezik a transzcendentális tudás legmeghittebb részét. Ahogyan ez a vers is utal rá, a lélek tettei alkotják minden tudás királyát, a legbizalmasabb tudást.

A védikus irodalom szerint ez a tudás minden tett legtisztább formája. A *Padma-purāṇa* az ember bűnös tetteit elemzi, és elmagyarázza, hogy azok a korábbi sorozatos bűnök következményei. A gyümölcsöző tetteket végzőket a bűnös visszahatások különféle formái több lépésben kötözik meg. Egy fa elvetett magja például nem azonnal hajt ki, hanem egy bizonyos idő után. Először megjelenik egy piciny, csírázó hajtás, majd kifejlődik belőle a fa, s csak akkor virágzik és hoz gyümölcsöt. Amikor teljesen kifejlődött, a mag elültetője élvezheti a fa gyümölcseit és virágait. A bűnös tett ehhez hasonlóan szintén nem azonnal hozza meg gyümölcsét. Folyamatában különböző szintek figyelhetők meg. Valaki talán már nem is követ el többé bűnt, korábbi bűneinek eredményeit vagy gyümölcseit azonban még megkapja. Vannak bűnök, melyek visszahatásai magként várnak a kihajtásra, míg mások már meghozták boldogtalanság és fájdalom formájában a termésüket.

Ahogy azt a hetedik fejezet huszonnyolcadik verse elmagyarázta, aki bűnös tetteinek minden visszahatását elszenvedte már, valamint csak jámbor tetteket végez, s mentes az anyagi világ kettősségeitől, az az Istenség Legfelsőbb Személyisége, Kṛṣṇa odaadó szolgálatához lát. Más szóval akik valóban a Legfelsőbb Úr odaadó szolgálatában élnek, azok már megszabadultak minden visszahatástól. Ezt erősíti meg a *Padma-purāṇa:*

aprārabdha-phalaṁ pāpaṁ kūṭaṁ bījaṁ phalonmukham
krameṇaiva pralīyeta viṣṇu-bhakti-ratātmanām

Akik az Istenség Legfelsőbb Személyisége odaadó szolgálatát végzik, azok számára minden bűnös visszahatás – mag, éretlen vagy érett gyümölcs formájában egyaránt – fokozatosan megszűnik. Az odaadó szolgálat tisztító ereje tehát nagyon hatásos, ezért ezt *pavitram uttamamnak,* a legtisztábbnak nevezik. Az *uttama* szó jelentése: transzcendentális. A *tamas* szó az anyagi világra vagy a sötétségre utal, az *uttama* pedig azt jelenti, ami transzcendentális az anyagi tettekhez képest. Néha úgy tűnik, mintha a *bhakták* közönséges emberekhez hasonlóan cselekednének, ám az odaadó tetteket sohasem szabad anyagiaknak tekinteni. Aki tisztán lát, s jól ismeri az odaadó szolgálatot, az tudja, hogy a *bhakták* tettei nem anyagi tettek: lelkiek, melyeket nagy odaadással hajtanak végre, s mentesek az anyagi természet kötőerőinek szennyeződésétől.

Azt mondják, az odaadó szolgálat végrehajtása olyannyira tökéletes, hogy az ember közvetlenül tapasztalhatja az eredményét. Ez az azonnali hatás valóban érzékelhető. A mindennapi életben számtalanszor láttuk, hogy a Kṛṣṇa szent neveit (a Hare Kṛṣṇa, Hare Kṛṣṇa, Kṛṣṇa Kṛṣṇa, Hare Hare, Hare Rāma, Hare Rāma, Rāma Rāma, Hare Hare *mantrát*) sértések elkövetése nélkül éneklő ember transzcendentális örömöt érez, s nagyon hamar megtisztul minden anyagi szennyeződéstől. Ezt valóban láthatjuk is. Ezenkívül ha valaki nemcsak hallja, de megpróbálja terjeszteni is az odaadó szolgálat üzenetét, azaz segíti a Kṛṣṇa-tudat missziós tevékenységét, akkor érezni fogja, hogy egyre jobban fejlődik a lelki életben. A lelki életben elért fejlődés nem függ semmiféle előzetes iskolázottságtól vagy képességtől. Maga a folyamat olyannyira tiszta, hogy csupán a végzésével megtisztul az ember.

A *Vedānta-sūtra* (3.2.26) ezt az alábbi szavakkal írja le: *prakāśaś ca karmaṇy abhyāsāt.* „Az odaadó szolgálat annyira hatásos, hogy általa az ember kétségkívül megvilágosodik." Jó példa erre Nārada, aki előző életében egy cseléd fiaként látta meg a napvilágot. Nem taníttatták, és nem származott előkelő családból. Amikor azonban anyja a nagy *bhaktákat* szolgálta, Nārada segített neki, s anyja távollétében egyedül szolgálhatta őket. Maga Nārada így beszél erről:

ucchiṣṭa-lepān anumodito dvijaiḥ
sakṛt sma bhuñje tad-apāsta-kilbiṣaḥ
evaṁ pravṛttasya viśuddha-cetasas
tad-dharma evātma-ruciḥ prajāyate

Nārada a *Śrīmad-Bhāgavatamnak* ebben a versében (1.5.25) előző életéről beszél Vyāsadevának. Elmondja, hogy gyerekkorában egyszer négy hónapon keresztül szolgálta a tiszta *bhaktákat,* s nagyon bensőséges kapcsolatba került velük. A szentek néha maradékot hagytak a tányérjukon, amit az edényeket elmosogató fiú nagyon szeretett volna megkóstolni. Megkérdezte a nagy *bhaktákat,* ehet-e belőle, s ők beleegyeztek. Nārada megette hát ételmaradékukat, s megtisztult minden bűnös visszahatástól. Ezentúl mindig megette, amit a szentek a tányérjukon hagytak, s lassanként az ő szíve is olyan tiszta lett, mint az övék. E nagy *bhakták* az Úr szakadatlan odaadó szolgálatának ízét élvezték a hallgatás és az éneklés tettei révén, s lassan Nārada is megérezte ugyanazt az ízt. Később így beszélt:

tatrānvahaṁ kṛṣṇa-kathāḥ pragāyatām
anugraheṇāśṛṇavaṁ manoharāḥ
tāḥ śraddhayā me 'nupadaṁ viśṛṇvataḥ
priyaśravasy aṅga mamābhavad ruciḥ

A nagy szentek társaságában megérezte az Úr dicsősége hallásának és éneklésének ízét, s heves vágy ébredt benne az odaadó szolgálatra. Ezért – ahogyan az a *Vedānta-sūtrában* áll – *prakāśaś ca karmaṇy abhyāsāt:* ha valaki egyszerűen az odaadó szolgálat tetteibe merül, minden magától feltárul előtte, s mindent meg fog érteni. Ezt nevezik *pratyakṣának,* azonnali érzékelésnek.

A *dharmyam* szó jelentése: „a vallás útja". Nāradának egy cseléd fiaként sohasem volt lehetősége iskolába járni. Anyjának segített, aki szerencsés módon a *bhaktákat* szolgálta. Így a gyermek Nārada is lehetőséget kapott a szolgálatra, és pusztán e kapcsolat eredményeképpen elérte minden vallás legfelsőbb célját. A *Śrīmad-Bhāgavatam* elmondja: minden vallás legmagasabb rendű célja az odaadó szolgálat (*sa vai puṁsāṁ paro dharmo yato bhaktir adhokṣaje*). A vallásos emberek általában nem tudják ezt. Ahogyan azt a nyolcadik fejezet utolsó versével kapcsolatban már elmondtuk (*vedeṣu yajñeṣu tapaḥsu caiva*), az önmegvalósításhoz általában szükség van a védikus tudásra. Most azonban azt látjuk, hogy Nārada úgy érte el a Védák tanulmányozásának legfőbb eredményét, hogy nem járt egy lelki tanítómester iskolájába, ahol a védikus elvekre tanították volna. Ennek a folyamatnak olyan ereje van, hogy az ember a vallásos folyamat rendszeres végzése nélkül is elérheti a legfelsőbb tökéletességet. Hogyan lehetséges ez? A védikus írások megerősítik: *ācāryavān puruṣo veda.* Még ha valaki nem is részesült kellő oktatásban, és soha nem tanulmányozta a Védákat, szert tehet mindarra a tudásra, ami a megvilágosodáshoz szükséges, ha a nagy *ācāryák* társaságát keresi.

Az odaadó szolgálat folyamata nagyon örömteli (*su-sukham*). Hogy miért? Az odaadó szolgálat *śravaṇaṁ kīrtanaṁ viṣṇoḥ,* azaz főképpen abból áll, hogy az Úr dicsőségéről hallunk és énekelünk, s meghallgatjuk a hiteles *ācāryák* filozófiai előadásait a transzcendentális tudásról. Csupán azzal, hogy ott ül az ember, tanulhat, aztán pedig fogyaszthatja az Istennek felajánlott étel maradékait, a finomabbnál finomabb fogásokat. Az odaadó szolgálat minden pillanatban örömteli, s még a legszegényebb ember is végezheti. Az Úr azt mondja: *patraṁ puṣpaṁ phalaṁ toyam,* Ő bármit elfogad a *bhaktától.* Egy levelet, egy virágot, néhány gyümölcsöt vagy egy kevés vizet, ami mindenhol a világon megtalálható, amit *bárki* fel tud ajánlani Neki, társadalmi helyzetétől függetlenül, s az Úr elfogadja tőle, ha szeretettel adja. A történelemben számtalan példa van erre. Nagy bölcsek – köztük Sanat-kumāra – váltak *bhaktákká* az Úr lótuszlábának felajánlott *tulasī*-levél megízlelése után. Az odaadó szolgálat folyamata nagyon csodálatos, s boldogan végezhető. Isten csak a szeretetet fogadja el, amivel felajánlunk Neki valamit.

Ez a vers megemlíti, hogy az odaadó szolgálat örök. Ez nem egyezik meg a *māyāvādī* filozófusok elképzelésével. Ők néha belekezdenek egyfajta állítólagos odaadó szolgálatba, s úgy gondolják, addig folytatják, amíg fel nem szabadulnak, amikor azonban végül felszabadulnak, akkor „eggyé válnak Istennel". Az efféle ideiglenes, köpönyegforgató szolgálatot nem lehet tiszta odaadó szolgálatnak tekinteni. Az igazi odaadó szolgálat még a felszabadulás után is folytatódik. A *bhakta* akkor is szolgálja a Legfelsőbb Urat, miután eljutott Isten birodalmának lelki bolygójára, s nem próbál eggyé válni Vele.

Ahogyan látni fogjuk, a *Bhagavad-gītā* azt írja: a valódi odaadó szolgálat a felszabadulás után kezdődik. Miután az ember felszabadult és megállapodik a Brahman szintjén (*brahma-bhūta*), megkezdi odaadó szolgálatát (*samaḥ sarveṣu bhūteṣu mad-bhaktiṁ labhate parām*). Senki sem ismerheti meg az Istenség Legfelsőbb Személyiségét csupán a *karma-yoga,* a *jñāna-yoga,* az *aṣṭāṅga-yoga* vagy bármilyen más *yoga* gyakorlásával. Az efféle *yoga*-folyamatokkal az ember tehet néhány lépést a *bhakti-yoga* felé, ám ha nem éri el az odaadó szolgálat szintjét, nem értheti meg az Istenség Személyiségét. A *Śrīmad-Bhāgavatam* is megerősíti, hogy az ember csak akkor értheti meg a Kṛṣṇáról, Istenről szóló tudományt, ha az odaadó szolgálat végzése – különösen a *Śrīmad-Bhāgavatam* és a *Bhagavad-gītā* megvalósított lelkek ajkairól való hallgatása – által megtisztul. *Evaṁ prasanna-manaso bhagavad-bhakti-yogataḥ.* Ha az ember szíve megtisztul minden ostobaságtól, megértheti, kicsoda Isten. Láthatjuk tehát, hogy az odaadó szolgálat folyamata, vagyis a Kṛṣṇa-tudat minden műveltség és minden titkos tudás királya. Ez a vallás legtisztább formája, amit minden nehézség nélkül, boldogan lehet végezni. Mindenkinek el kellene fogadnia ezt a folyamatot.

3. VERS

अश्रद्दधानाः पुरुषा धर्मस्यास्य परन्तप ।
अप्राप्य मां निवर्तन्ते मृत्युसंसारवर्त्मनि ॥ ३ ॥

aśraddadhānāḥ puruṣā dharmasyāsya parantapa
aprāpya māṁ nivartante mṛtyu-saṁsāra-vartmani

aśraddadhānāḥ – a hit nélküli; *puruṣāḥ* – emberek; *dharmasya* – a vallás folyamatában; *asya* – ebben; *parantapa* – ó, ellenség elpusztítója; *aprāpya* – nem érve el; *mām* – Engem; *nivartante* – visszatérnek; *mṛtyu* – a halálnak; *saṁsāra* – az anyagi létnek; *vartmani* – az útjára.

Ó, ellenség legyőzője! Akiknek nincs hitük az odaadó szolgálatban, azok nem érhetnek el Engem, hanem visszatérnek az anyagi világbeli születés és halál ösvényére.

MAGYARÁZAT: Aki nem rendelkezik hittel, nem képes végigjárni az odaadó szolgálat útját – ez a mondanivalója ennek a versnek. A hit a *bhakták* társaságában ébred fel. A szerencsétlen emberek még azután sem hisznek Istenben, hogy a legkiválóbb személyiségektől hallották a védikus irodalom bizonyítékait. Határozatlanok, s nem tudnak szilárdan megállapodni az Úr odaadó szolgálatában. A hit tehát a legfontosabb tényező, ami szükséges ahhoz, hogy fejlődhessünk a Kṛṣṇa-tudatban. A *Caitanya-caritāmṛta* szerint a hit az a teljes meggyőződés, hogy csupán a Legfelsőbb Úr, Śrī Kṛṣṇa szolgálatával teljes tökéletességet lehet elérni. Ezt hívják igazi hitnek. A *Śrīmad-Bhāgavatam* (4.31.14) így ír:

yathā taror mūla-niṣecanena
tṛpyanti tat-skandha-bhujopaśākhāḥ
prāṇopahārāc ca yathendriyāṇāṁ
tathaiva sarvārhaṇam acyutejyā

„A fa gyökerét öntözve az ágak és a levelek is elégedetté válnak, s ha az étel a gyomorba jut, kielégül a test minden érzéke. Éppen így a Legfelsőbb Úr transzcendentális szolgálatával is minden félistent és élőlényt elégedetté teszünk." A *Bhagavad-gītā* elolvasása után azonnal megérthetjük annak végkövetkeztetését: fel kell hagynunk minden más tevékenységgel, s el kell kezdenünk a Legfelsőbb Úr, Kṛṣṇa, az Istenség Személyisége szolgálatát. Ha valakinek meggyőződésévé vált ez az életfilozófia, annak igazi hite van.

A Kṛṣṇa-tudat e hit kifejlesztésének módszere. A Kṛṣṇa-tudatú emberek három csoportba sorolhatók. A harmadik csoportba azok tartoznak, akiknek nincs hitük. Ha felszínesen gyakorolják is az odaadó szolgálatot, nem tudnak a legtökéletesebb szintre eljutni. Egy bizonyos idő után minden valószínűség szerint elbuknak. Hozzákezdenek az odaadó szolgálathoz, de mivel nincsen teljes meggyőződésük és hitük, nagyon nehezen tudják folytatni a Kṛṣṇa-tudat gyakorlását. Missziós tevékenységünk során sokszor tapasztaltuk, hogy vannak, akik valamilyen rejtett szándékkal csatlakoznak a Kṛṣṇa-tudathoz, s gyakorlásába kezdenek, amint azonban anyagi helyzetük javul, abbahagyják, s visszatérnek régi szokásaikhoz. A Kṛṣṇa-tudatban csakis a hit által lehet fejlődni. Ami a hit kialakulását illeti, aki jól ismeri az odaadó szolgálatról szóló írásokat, és szilárd hite van, azt a legkiválóbb Kṛṣṇa-tudatú embernek tekintik. A második osztályba azok tartoznak, akik nem nagyon értik még az odaadás szentírásait, de természetes, rendületlen hitük van abban, hogy a *kṛṣṇa-bhakti,* azaz Kṛṣṇa szolgálata a legjobb folyamat, ezért nagy hittel végzik. Magasabb szinten állnak, mint a harmadik csoportbeliek, akik nem ismerik tökéletesen az írások tudományát, s nincs erős hitük, ám akik a *bhakták* társaságában, egyszerűségük folytán mégis gyakorolni próbálják a módszert. A Kṛṣṇa-tudatúak harmadik csoportjába tartozók elbukhatnak, ám aki elérte a második szintet, az nem esik vissza, az elsőrangú *bhakta* számára pedig a bukás egyszerűen nem létezik. Ő minden kétséget kizáróan fejlődni fog, és végül eléri a kívánt eredményt. A harmadik csoportba tartozó *bhakták,* még ha meggyőződésük is, hogy Kṛṣṇa odaadó szolgálata jó, az írások – például a *Śrīmad-Bhāgavatam* és a *Bhagavad-gītā* – tanulmányozásával nem tettek szert elegendő tudásra Kṛṣṇáról. Olykor a *karma-yoga* és a *jñāna-yoga* felé tekintgetnek, néha pedig teljesen összezavarodnak, de amint kigyógyulnak a *karma-yoga* és a *jñāna-yoga* fertőzéséből, ők is másod- vagy első rangú *bhaktákká* válnak a Kṛṣṇa-tudatban. A Kṛṣṇába vetett hit – melyről a *Śrīmad-Bhāgavatam* ír – három kategóriába sorolható. A *Śrīmad-Bhāgavatam* tizenegyedik énekében a Kṛṣṇához fűződő első, másod- és harmadosztályú vonzódásról is olvashatunk. Akiknek még azután sincs hitük, hogy Kṛṣṇáról és az odaadó szolgálat nagyszerűségéről hallottak, s akik az egészet csupán eltúlzott dicshimnusznak tekintik, azok annak ellenére, hogy többé-kevésbé odaadó szolgálatot végeznek, nagyon nehéznek találják ezt az utat. Számukra nagyon kevés remény van arra, hogy elérik a tökéletességet. A hit tehát nagyon fontos az odaadó szolgálat végzéséhez.

4. VERS

मया ततमिदं सर्वं जगदव्यक्तमूर्तिना ।
मत्स्थानि सर्वभूतानि न चाहं तेष्ववस्थितः ॥ ४ ॥

mayā tatam idaṁ sarvaṁ jagad avyakta-mūrtinā
mat-sthāni sarva-bhūtāni na cāhaṁ teṣv avasthitaḥ

mayā – Általam; *tatam* – áthatott; *idam* – ez; *sarvam* – az egész; *jagat* – kozmikus megnyilvánulás; *avyakta-mūrtinā* – a megnyilvánulatlan forma által; *mat-sthāni* – Bennem; *sarva-bhūtāni* – minden élőlény; *na* – nem; *ca* – is; *aham* – Én; *teṣu* – bennük; *avasthitaḥ* – lakozom.

Megnyilvánulatlan formámban ezt az egész univerzumot áthatom. Minden lény Bennem van, de Én nem vagyok bennük.

MAGYARÁZAT: Az Istenség Legfelsőbb Személyiségét nem lehet durvafizikai érzékekkel felfogni. Az írások kijelentik:

ataḥ śrī-kṛṣṇa-nāmādi na bhaved grāhyam indriyaiḥ
sevonmukhe hi jihvādau svayam eva sphuraty adaḥ
(*Bhakti-rasāmṛta-sindhu* 1.2.234)

Az Úr Śrī Kṛṣṇa nevét, dicsőségét, kedvteléseit stb. anyagi érzékekkel lehetetlen felfogni. Ő csak azok előtt tárja fel magát, akik megfelelő vezetés alatt tiszta odaadó szolgálatot végeznek Neki. A *Brahma-saṁhitā* (5.38) azt írja, *premāñjana-cchurita-bhakti-vilocanena santaḥ sadaiva hṛdayeṣu vilokayanti:* csak az láthatja mindig, testén belül és testén kívül is az Istenség Legfelsőbb Személyiségét, Govindát, akiben transzcendentális szeretet ébredt Iránta. Az átlagemberek tehát nem láthatják Őt. E vers szerint az Úr mindent átható, tehát jelen van mindenhol, anyagi érzékekkel mégsem érzékelhető. Erre utal ebben a versben az *avyakta-mūrtinā* szó. Ám annak ellenére, hogy nem látjuk Őt, valójában minden Benne nyugszik. A hetedik fejezetben már szó esett arról, hogy az egész anyagi kozmikus megnyilvánulás csupán az Ő két energiájának, a felsőbbrendű, lelki és az alsóbbrendű, anyagi energiának a kombinációja. A napfényhez hasonlóan az Úr energiája is szétterjed az egész teremtésben, és minden ebben az energiában nyugszik.

Nem szabad ugyanakkor arra a következtetésre jutnunk, hogy mivel áthatja az egész megnyilvánulást, elveszti személyes létét. Az Úr éppen ezt az értelmezést akarja megcáfolni, amikor így szól: „Én mindenhol jelen vagyok, és minden Bennem van, mégis különállóan létezem." A király például kormányozza az államot, amely nem más, mint energiájának megnyilvánulása. Az államirányítás különféle részlegei különböző energiáit képviselik, ám mindegyikük teljes mértékben a király hatalmának van alárendelve. Senki sem várja azonban, hogy a király személyesen legyen jelen az államvezetés különféle területein. Ez egy nyers példa, ám ehhez hasonlóan minden, ami az anyagi és a lelki világban látható és létezik, az Istenség Legfelsőbb Személyiségének energiáján nyugszik. A teremtés az Ő különféle energiáinak szétáradásával megy végbe, és ahogyan a *Bhagavad-gītā* is kifejti, *viṣṭabhyāham idaṁ kṛtsnam:* Ő mindenütt jelen van személyes képviselője, különféle energiáinak kiterjedése révén.

5. VERS

न च मत्स्थानि भूतानि पश्य मे योगमैश्वरम् ।
भूतभृन्न च भूतस्थो ममात्मा भूतभावनः ॥५॥

na ca mat-sthāni bhūtāni paśya me yogam aiśvaram
bhūta-bhṛn na ca bhūta-stho mamātmā bhūta-bhāvanaḥ

na – sohasem; *ca* – is; *mat-sthāni* – Bennem van; *bhūtāni* – az egész teremtés; *paśya* – lásd hát; *me* – Enyém; *yogam aiśvaram* – felfoghatatlan misztikus hatalmamat; *bhūta-bhṛt* – minden élőlény fenntartójaként; *na* – sohasem; *ca* – is; *bhūta-sthaḥ* – a kozmikus megnyilvánulásban; *mama* – Enyém; *ātmā* – Személyem; *bhūta-bhāvanaḥ* – minden megnyilvánulás forrása.

És mégsem nyugszik Bennem minden teremtett. Íme misztikus hatalmam! Habár Én vagyok az összes élőlény fenntartója, s jelen vagyok mindenhol, Én magam mégsem vagyok része e kozmikus megnyilvánulásnak, mert Én vagyok a teremtés eredeti forrása.

MAGYARÁZAT: Nem szabad félreértenünk, amikor az Úr kijelenti, hogy minden Rajta nyugszik (*mat-sthāni sarva-bhūtāni*). Ő nem közvetlenül gondoskodik az anyagi megnyilvánulás fenntartásáról és ellátásáról.

Gyakran láthatjuk az Atlaszt ábrázoló képeken, hogy szinte összeroskad a vállain nyugvó hatalmas földgolyó súlyától. Amikor Kṛṣṇa azt mondja, hogy Ő a teremtett univerzum fenntartója, nem szabad ezt Atlasz mintájára elképzelnünk. Kṛṣṇa azt mondja, hogy bár minden Rajta nyugszik, Ő mégis különálló. A különféle bolygórendszerek az űrben lebegnek, s az űr a Legfelsőbb Úr energiája, ám Ő nem azonos azzal, azon kívül áll. „Bár minden az Én elképzelhetetlen energiámon nyugszik – mondja ezért az Úr –, az Istenség Legfelsőbb Személyiségeként mégis különállóként létezem." Ez az Úr felfoghatatlan fensége.

A *Nirukti* védikus értelmező szótár azt mondja: *yujyate 'nena durghaṭeṣu kāryeṣu.* „A Legfelsőbb Úr energiáját megnyilvánítva elképzelhetetlenül csodálatos kedvteléseket hajt végre." Az Ő személyisége mindenféle hatalmas energiával van teli, akarata pedig eleve megvalósult tény. Ily módon kell tekintenünk az Istenség Személyiségére. Ha mi szeretnénk tenni valamit, sok akadályba ütközünk, és néha lehetetlen végrehajtanunk a terveinket. Kṛṣṇa azonban pusztán az akaratával olyan tökéletesen képes megtenni bármit, amit kíván, hogy lehetetlen felfogni, miképpen történt. Ezt az Úr maga így magyarázza: noha Ő az egész anyagi megnyilvánulás fenntartója és ellátója, mégsem áll közvetlen kapcsolatban vele. Mindent pusztán legfelsőbb akarata teremt, tart fenn és semmisít meg. Mivel Ő abszolút lélek, nincsen különbség elméje és saját maga között (míg a mi jelenlegi anyagi elménk különbözik tőlünk). Az Úr egyszerre jelen van mindenben, a közönséges ember azonban képtelen megérteni, hogyan van jelen személyesen is. Nem azonos ezzel az anyagi megnyilvánulással, mégis minden Rajta nyugszik. Ez a vers mint *yogam aiśvaramról,* az Istenség Legfelsőbb Személyisége misztikus hatalmáról beszél erről.

6. VERS

यथाकाशस्थितो नित्यं वायुः सर्वत्रगो महान् ।
तथा सर्वाणि भूतानि मत्स्थानीत्युपधारय ॥ ६ ॥

yathākāśa-sthito nityaṁ vāyuḥ sarvatra-go mahān
tathā sarvāṇi bhūtāni mat-sthānīty upadhāraya

yathā – ahogyan; *ākāśa-sthitaḥ* – az égben nyugodva; *nityam* – mindig; *vāyuḥ* – a szél; *sarvatra-gaḥ* – mindenhol fújó; *mahān* – nagy; *tathā* – hasonlóan; *sarvāṇi bhūtāni* – minden teremtett lény; *mat-sthāni* – Bennem van; *iti* – ily módon; *upadhāraya* – próbáld megérteni.

Tudd meg, hogy minden teremtett lény úgy nyugszik Bennem, miként a mindenhol fújó erős szél nyugszik állandóan az űrben.

MAGYARÁZAT: A közönséges ember számára szinte elképzelhetetlen, hogyan nyugszik az Úrban a hatalmas anyagi teremtés. Ő azonban egy példával segít nekünk ezt megérteni. Az űr számunkra a felfoghatóság határain belül a legnagyobb megnyilvánulás, s ebben az űrben a szél vagy a levegő a kozmikus világ legnagyobb megnyilvánulása. A levegő mozgása befolyásolja minden más mozgását. A szél azonban annak ellenére, hogy hatalmas, az űrben van, s nem azon túl. Ehhez hasonlóan a csodálatos kozmikus megnyilvánulások is mind Isten legfelsőbb akarata által léteznek, s annak alárendeltjei. Ahogy mondani szokás, egy fűszál sem mozdulhat az Istenség Legfelsőbb Személyiségének akarata nélkül. Minden az Ő akarata szerint mozog. Az Ő akarata teremt, tart fenn és semmisít meg mindent, Ő mégis kívül áll mindenen, mint ahogyan az égre sincs hatással a szélfúvás.

Az *upaniṣadok* kijelentik: *yad-bhīṣā vātaḥ pavate.* „A szél a Legfelsőbb Úrtól rettegve fúj" (*Taittirīya-upaniṣad* 2.8.1). A *Bṛhad-āraṇyaka-upaniṣadban* (3.8.9) az áll: *etasya vā akṣarasya praśāsane gārgi sūrya-candramasau vidhṛtau tiṣṭhata etasya vā akṣarasya praśāsane gārgi dyāv-āpṛthivyau vidhṛtau tiṣṭhataḥ.* „A Hold, a Nap és a többi hatalmas bolygó az Istenség Legfelsőbb Személyiségének felügyelete alatt, az Ő legfelsőbb parancsára kering." Ezt a *Brahma-saṁhitā* (5.52) is megerősíti.

yac-cakṣur eṣa savitā sakala-grahāṇāṁ
rājā samasta-sura-mūrtir aśeṣa-tejāḥ
yasyājñayā bhramati sambhṛta-kāla-cakro
govindam ādi-puruṣaṁ tam ahaṁ bhajāmi

Ez a vers a Nap mozgását írja le. A Napot a Legfelsőbb Úr egyik szemének tekintik, s hevét és fényét óriási energiával árasztja szét, mégis Govinda utasítására, az Ő legfelsőbb akaratából kering pályáján. A védikus írásokban tehát bizonyítékot találunk arra, hogy ez a számunkra rendkívül csodálatosnak és hatalmasnak tűnő anyagi megnyilvánulás teljesen az Istenség Legfelsőbb Személyiségének irányítása alatt áll. Ezt a fejezet későbbi versei még részletesebben kifejtik majd.

7. VERS

सर्वभूतानि कौन्तेय प्रकृतिं यान्ति मामिकाम् ।
कल्पक्षये पुनस्तानि कल्पादौ विसृजाम्यहम् ॥ ७ ॥

sarva-bhūtāni kaunteya prakṛtiṁ yānti māmikām
kalpa-kṣaye punas tāni kalpādau visṛjāmy aham

sarva-bhūtāni – a teremtett élőlények mind; *kaunteya* – ó, Kuntī fia; *prakṛtim* – a természetbe; *yānti* – behatolnak; *māmikām* – az Enyémbe; *kalpa-kṣaye* – a korszak végén; *punaḥ* – újra; *tāni* – mindazokat; *kalpa-ādau* – a korszak kezdetén; *visṛjāmi* – megteremtem; *aham* – Én.

Ó, Kuntī fia, a korszak végével minden anyagi megnyilvánulás visszatér az Én természetembe, de a következő korszak hajnalán újra megteremtem őket energiám által.

MAGYARÁZAT: Az anyagi kozmikus megnyilvánulás teremtése, fenntartása és megsemmisülése teljesen az Istenség Személyiségének legfelsőbb akaratától függ. A „korszak végén" kifejezés azt jelenti: Brahmā halálakor. Brahmā száz évig él. Egy napja a mi időszámításunk szerint négymilliárd-háromszázmillió évből áll, s éjszakája is ugyanilyen hosszú. Számára harminc ilyen nap és éjszaka jelent egy hónapot, tizenkét hónap pedig egy évet. Száz év után Brahmā meghal, s ekkor megkezdődik az univerzum megsemmisülése. Ez azt jelenti, hogy a Legfelsőbb Úr megnyilvánított energiáját újra visszavonja magába. Amikor újra szükségessé válik a kozmikus világ teremtése, az is akarata által történik. *Bahu syām:* „Egy vagyok, mégis sok leszek." Ez a Védák aforizmája (*Chāndogya-upaniṣad* 6.2.3). Az Úr kiterjed az anyagi energiába, és így ismét létrejön az egész kozmikus megnyilvánulás.

8. VERS

प्रकृतिं स्वामवष्टभ्य विसृजामि पुनः पुनः ।
भूतग्राममिमं कृत्स्नमवशं प्रकृतेर्वशात् ॥ ८ ॥

prakṛtiṁ svām avaṣṭabhya visṛjāmi punaḥ punaḥ
bhūta-grāmam imaṁ kṛtsnam avaśaṁ prakṛter vaśāt

prakṛtim – az anyagi természetbe; *svām* – saját magaméba; *avaṣṭabhya* – behatolva; *visṛjāmi* – teremtek; *punaḥ punaḥ* – újra meg újra; *bhūta-grāmam* – minden kozmikus megnyilvánulást; *imam* – ezeket; *kṛtsnam* – teljesen; *avaśam* – automatikusan; *prakṛteḥ* – a természet ereje által; *vaśāt* – kényszerítve.

A teljes kozmikus megnyilvánulás Nekem van alárendelve. Akaratomból újra meg újra megnyilvánul, s végül akaratomból semmisül meg.

MAGYARÁZAT: Ez az anyagi világ az Istenség Legfelsőbb Személyisége alsóbbrendű energiájának megnyilvánulása. Ezt már korábban is többször elmagyaráztuk. A teremtés idején az anyagi energia mint *mahat-tattva* kiárad, s ebbe a *mahat-tattvába* hatol be az Úr első *puruṣa-*

inkarnációjában, Mahā-viṣṇuként. Az Okozati-óceánra hever, és megszámlálhatatlan univerzumot lélegez ki. Aztán Garbhodakaśāyī Viṣṇuként az Úr újra behatol minden egyes univerzumba – így teremt meg minden univerzumot. Ezek után Kṣīrodakaśāyī Viṣṇuként nyilvánul meg, s behatol mindenbe, még a legkisebb atomba is. Ezt magyarázza meg ez a vers. Az Úr mindenbe behatol.

Az anyagi természet megtermékenyül, s élőlények népesítik be, akik korábbi tetteiknek megfelelően különböző körülmények közé kerülnek. Így veszi kezdetét az anyagi világ működése. A különféle fajokhoz tartozó élőlények tettei a teremtés pillanatától kezdődnek, s nem fokozatosan alakulnak ki. Az élőlények különböző fajai az univerzummal egy időben jönnek létre. Az emberek, a vadállatok, a madarak stb. egyidejűleg teremtődnek meg, mert az élőlényeknek az előző megsemmisüléskor létező vágyai újra megnyilvánulnak. Ebben a versben az *avaśam* szó egyértelműen arra utal, hogy az élőlényeknek nincs közük ehhez a folyamathoz. Ők csupán azt a létállapotot nyerik vissza, amely az előző teremtésben jellemezte őket, s minden egyedül az Úr akarata által történik. Ilyen Isten Legfelsőbb Személyiségének felfoghatatlan hatalma. A különféle létformák megteremtése után az Úrnak nincsen tovább kapcsolata azokkal. A teremtés azért következik be, hogy lehetőséget biztosítson a különféle élőlényeknek hajlamaik kielégítésére, s ebbe az Úr nem avatkozik bele.

9. VERS

न च मां तानि कर्माणि निबध्नन्ति धनञ्जय ।
उदासीनवदासीनमसक्तं तेषु कर्मसु ॥ ९ ॥

na ca māṁ tāni karmāṇi nibadhnanti dhanañjaya
udāsīna-vad āsīnam asaktaṁ teṣu karmasu

na – sohasem; *ca* – szintén; *mām* – Engem; *tāni* – mindazok; *karmāṇi* – a tettek; *nibadhnanti* – megkötnek; *dhanañjaya* – ó, gazdagság meghódítója; *udāsīna-vat* – semlegesként; *āsīnam* – létezem; *asaktam* – vonzódás nélkül; *teṣu* – azokhoz; *karmasu* – a tettekhez.

Ó, Dhanañjaya, ezek a tettek nem köthetnek meg Engem. Mindig kívül állok mindezen anyagi tetteken, mintha semleges lenne helyzetem.

MAGYARÁZAT: Ne gondolja senki e vers alapján, hogy az Istenség Legfelsőbb Személyisége teljesen tétlen. Lelki világában Ő mindig tevékeny. A *Brahma-saṁhitā* (5.6) elmondja: *ātmārāmasya tasyāsti prakṛtyā na samāgamaḥ.* „Mindig örökkévaló, gyönyörrel teli lelki tetteit végzi, ám az anyagi tettekhez nincs köze." Az anyagi tetteket különféle energiái végzik. Az Úr a teremtett világ anyagi tetteiben mindig semleges. Ebben a versben az *udāsīna-vat* szó utal arra, hogy Ő semleges. Noha Ő irányítja a legparányibb anyagi működést is, mégis semleges marad. Ezzel kapcsolatban a bírói székben ülő bíró példáját lehet megemlíteni, akinek parancsára oly sok minden történik: valakit felakasztanak, másvalakit börtönbe zárnak, megint másokat pénzzel jutalmaznak. Maga a bíró azonban pártatlan, akár nyereségről, akár veszteségről van szó. Hozzá hasonlóan az Úr is mindig semleges, noha keze minden tettben benne van. A *Vedānta-sūtra* (2.1.34) szerint – *vaiṣamya-nairghṛṇye na* – Ő nem az anyagi világ kettősségeiben él, hanem transzcendentális azokhoz képest. Az anyagi világ teremtéséhez és megsemmisítéséhez sem ragaszkodik – az élőlények előző tetteik szerint születnek meg a különböző létformákban, s az Úr nem avatkozik közbe.

10. VERS

मयाध्यक्षेण प्रकृतिः सूयते सचराचरम् ।
हेतुनानेन कौन्तेय जगद्विपरिवर्तते ॥१०॥

mayādhyakṣeṇa prakṛtiḥ sūyate sa-carācaram
hetunānena kaunteya jagad viparivartate

mayā – az Én; *adhyakṣeṇa* – felügyeletem által; *prakṛtiḥ* – az anyagi természet; *sūyate* – megnyilvánul; *sa* – mindkettő; *cara-acaram* – a mozgó és a mozdulatlan; *hetunā* – ebből a célból; *anena* – ez; *kaunteya* – ó, Kuntī fia; *jagat* – a kozmikus megnyilvánulás; *viparivartate* – működik.

Ó, Kuntī fia! Ez az anyagi természet, ami egyike energiáimnak, az Én irányításom alatt működik, létrehozva a mozgó és mozdulatlan lények mindegyikét. Az anyagi természet törvénye alapján újra és újra megteremtődik és megsemmisül ez a megnyilvánulás.

MAGYARÁZAT: Ebből a versből kiderül, hogy noha a Legfelsőbb Úr távol áll az anyagi világ tetteitől, mindig Ő marad a legfelsőbb irányító. A Legfelsőbb Úr a legfelsőbb akarat, s Ő áll az anyagi megnyilvánulás hátterében, de az irányítást az anyagi természet végzi. Kṛṣṇa azt is mondja a *Bhagavad-gītāban,* hogy a különféle fajokban és formákban megjelenő élőlényeknek „Én vagyok az atyjuk". Ahogyan az apa az anyaméhbe juttatja magját, hogy a gyermek megfoganjon, a Legfelsőbb Úr csupán pillantása által valamennyi élőlényt az anyagi természet méhébe juttatja, megtermékenyítve azt. Az élőlények korábbi vágyaik és tetteik alapján a különféle fajok különféle formáit öltik magukra. A Legfelsőbb Úr pillantásának hatására születnek meg, testet mégis korábbi vágyaik és tetteik szerint kapnak. Az Úr tehát nem áll közvetlen kapcsolatban az anyagi teremtéssel. Csupán rápillant az anyagi természetre, ezzel működésre készteti, ezáltal pedig egyszerre létrejön minden. A Legfelsőbb Úr kétségtelenül cselekszik, mivel rápillant az anyagi természetre, de nincs közvetlen kapcsolata az anyagi világ megnyilvánulásával. A *smṛti* ezzel kapcsolatban az alábbi példát hozza fel: egy illatos virághoz hajolva az illat eléri az ember szaglóérzékét, noha a szaglásnak és a virágnak nincs kapcsolata egymással. Ehhez hasonló viszony létezik az anyagi világ és az Istenség Legfelsőbb Személyisége között. Az Úrnak valójában semmi kapcsolata nincs az anyagi világgal, mégis – pillantása és akarata által – Ő teremti meg azt. Egyszóval tehát az anyagi természet semmire sem képes az Istenség Legfelsőbb Személyiségének felügyelete nélkül, Ő azonban távol áll minden anyagi tettől.

11. VERS

अवजानन्ति मां मूढा मानुषीं तनुमाश्रितम् ।
परं भावमजानन्तो मम भूतमहेश्वरम् ॥११॥

avajānanti māṁ mūḍhā mānuṣīṁ tanum āśritam
paraṁ bhāvam ajānanto mama bhūta-maheśvaram

avajānanti – kigúnyolnak; *mām* – Engem; *mūḍhāḥ* – az ostobák; *mānuṣīm* – emberi formájú; *tanum* – testet; *āśritam* – felöltve; *param* – transzcendentális; *bhāvam* – természetet; *ajānantaḥ* – nem ismerve; *mama* – Enyém; *bhūta* – minden létezőnek; *mahā-īśvaram* – legfelsőbb birtokosát.

Az ostobák kigúnyolnak, mikor alászállok emberi alakomban. Nem ismerik transzcendentális természetem, s nem tudják, hogy mindenek Legfelsőbb Ura vagyok.

MAGYARÁZAT: A fejezet előző verseinek magyarázataiból kitűnik, hogy az Istenség Legfelsőbb Személyisége nem egy közönséges ember, noha emberi formában jelenik meg. A teljes kozmikus megnyilvánulás teremtését, fenntartását és megsemmisítését irányító Istenség Személyisége nem lehet emberi lény. Ennek ellenére számtalan olyan ostoba van, aki Kṛṣṇát csupán egy nagy hatalmú embernek hiszi. A valóságban Kṛṣṇa maga az eredeti Legfelsőbb Személyiség. Ezt a *Brahma-saṁhitā* is megerősíti (*īśvaraḥ paramaḥ kṛṣṇaḥ*): Ő a Legfelsőbb Úr.

Sok *īśvara,* azaz irányító van, s van köztük hatalmasabb és kevésbé hatalmas. Az anyagi világban a társadalom mindennapi irányításában is tapasztalhatjuk, hogy egy tisztviselő vagy vezető fölött a titkár, afölött a miniszter, a miniszter fölött pedig az államelnök áll. Mindegyikük irányító, de az egyik a másik irányítása alatt áll. A *Brahma-saṁhitā* szerint Kṛṣṇa a legfelsőbb irányító. Kétségtelenül számtalan vezető létezik az anyagi és a lelki világban, mégis Kṛṣṇa a legfelsőbb irányító (*īśvaraḥ paramaḥ kṛṣṇaḥ*), akinek teste *sac-cid-ānanda,* vagyis nem anyagi.

Azokat a csodálatos tetteket, melyekről az előző versek írtak, lehetetlen anyagi testtel végrehajtani. Kṛṣṇa teste örökkévaló, gyönyörrel és tudással teli. Nem egy közönséges ember Ő, az ostobák mégis kigúnyolják, s embernek hiszik. Testét ez a vers *mānuṣīmnak* írja le, mert emberi szerepben, Arjuna barátjaként és politikusként vett részt a kurukṣetrai csatában. Sok esetben úgy cselekszik, mintha közönséges ember lenne, ám ez csak a látszat, mert az Ő teste valójában *sac-cid-ānanda-vigraha* (abszolút, örökkévaló, gyönyörrel és teljes tudással teli). Ezt több védikus szentírás is megerősíti. *Sac-cid-ānanda rūpāya kṛṣṇāya:* „Hódolatomat ajánlom az Istenség Legfelsőbb Személyisége, Kṛṣṇa előtt, aki a tudás örökkévaló, gyönyörteli formája" (*Gopāla-tāpanī-upaniṣad* 1.1). *Tam ekaṁ govindam:* „Te vagy Govinda, az érzékek és a tehenek boldogságának forrása." *Sac-cid-ānanda-vigraham:* „A Te tested transzcendentális, tudással, gyönyörrel és örökkévalósággal teljes" (*Gopāla-tāpanī-upaniṣad* 1.38).

Annak ellenére, hogy az Úr Kṛṣṇa testét transzcendentális tulajdonságok jellemzik, valamint gyönyörrel és tudással teli, számtalan olyan botcsinálta tudós és *Bhagavad-gītā*-magyarázó akad, aki közönséges embernek gondolja Kṛṣṇát, s kigúnyolja Őt. Lehet, hogy ezek a tanult emberek előző életük jámbor cselekedetei következtében nem közönséges emberek, ám ez a felfogásuk Śrī Kṛṣṇáról szegényes tudásuknak tudható be. *Mūḍháknak* nevezik őket, hiszen csakis az ostobák tekintik Kṛṣṇát közönséges emberi lénynek, amiatt, hogy nem ismerik a Legfelsőbb Úr bensőséges cselekedeteit és különféle energiáit. Nem tudják, hogy Kṛṣṇa teste a teljes tudás és boldogság szimbóluma, hogy Ő minden létező tulajdonosa, s hogy képes bárkit felszabadítani. Mivel nem tudnak Kṛṣṇa számtalan transzcendentális tulajdonságáról, kigúnyolják Őt.

Azt sem tudják, hogy az Istenség Legfelsőbb Személyiségének megjelenése ebben az anyagi világban belső energiájának megnyilvánulása. Ő az Ura az anyagi energiának. Kṛṣṇa több helyen elmagyarázza (*mama māyā duratyayā*), hogy bár az anyagi energia rendkívül hatalmas, mégis az irányítása alatt áll, s bárki, aki meghódol Előtte, kiszabadulhat börtönéből. Ha a feltételekhez kötött lelkek Neki meghódolva megszabadulhatnak az anyagi energia befolyásától, akkor hogyan lenne a Legfelsőbb Úrnak, az egész kozmikus természet teremtő, fenntartó és megsemmisítő irányítójának hozzánk hasonlóan anyagi teste? A Kṛṣṇáról alkotott efféle elképzelés teljes mértékben ostobaság. Az ostobák nem tudják felfogni, hogyan lehet a látszólag közönséges emberként megjelenő Kṛṣṇa, az Istenség

Személyisége minden atom és a kozmikus forma gigantikus megnyilvánulásának irányítója. A legnagyobb és a legkisebb fogalma meghaladja elképzelésüket, ezért nem képesek felfogni, hogyan tudja egyszerre hatalmában tartani egy emberhez hasonló test a végtelenül nagyot és a végtelenül parányit. Annak ellenére, hogy Ő a végső irányítója a parányinak és a végtelennek, valójában távol marad az egész megnyilvánulástól. Korábban már kiderült, hogy elképzelhetetlen transzcendentális energiája, a *yogam aiśvaram* képes egyidejűleg irányítani a végtelent és a parányit is, de Ő mégis távol tud maradni mindkettőtől. Bár az ostobák nem tudják elképzelni, hogy Kṛṣṇa, aki emberi lényként jelenik meg, hogyan tudja irányítani a végtelent és a végest, a tiszta *bhakták* elfogadják és megértik azt, mert tudják, hogy Kṛṣṇa az Istenség Legfelsőbb Személyisége. Ezért a *bhakták* teljesen meghódolnak Előtte, és odaadóan szolgálják Őt Kṛṣṇa-tudatban.

A személytelen és a személyes filozófia hívei között sok vitára adott alkalmat az Úr emberi formában való megjelenése. Azonban a Kṛṣṇáról szóló tudomány hiteles forrásait, a *Bhagavad-gītāt* és a *Śrīmad-Bhāgavatamot* tanulmányozva megérthetjük, hogy Kṛṣṇa az Istenség Legfelsőbb Személyisége. Ő nem közönséges ember, annak ellenére, hogy a Földön közönséges emberként jelent meg. A *Śrīmad-Bhāgavatam* első énekének első fejezetében (1.1.20) a Śaunaka vezette bölcsek Kṛṣṇa tetteiről kérdeznek:

kṛtavān kila karmāṇi saha rāmeṇa keśavaḥ
ati-martyāni bhagavān gūḍhaḥ kapaṭa-mānuṣaḥ

„Az Úr Śrī Kṛṣṇa, az Istenség Legfelsőbb Személyisége Balarāmával együtt emberi lény szerepében jelent meg, s e szerepet felöltve számtalan emberfölötti tettet hajtott végre." Az Úr emberhez hasonló megjelenése megtéveszti az ostobákat. Egyetlen ember sem képes olyan csodálatos tettekre, mint amilyeneket Kṛṣṇa hajtott végre földi jelenléte idején. Apja és anyja, Vasudeva és Devakī előtt négykarú formában jelent meg, de imáik után közönséges gyermekké változott. Ahogy a *Bhāgavatam* (10.3.46) elmondja, *babhūva prākṛtaḥ śiśuḥ:* közönséges gyermekké, közönséges emberi lénnyé változott. Ez a vers szintén arra utal, hogy az Úr közönséges emberi lényként való megjelenése transzcendentális testének egyik jellegzetessége. A *Bhagavad-gītā* tizenegyedik fejezetében az áll, hogy Arjuna azért imádkozott, hogy láthassa Kṛṣṇa négykarú formáját (*tenaiva rūpeṇa catur-bhujena*). Miután Kṛṣṇa Arjuna kérésére megmutatta ezt a formát, újra felvette eredeti, emberhez hasonló formáját (*mānuṣaṁ rūpam*). A Legfelsőbb Úrnak ezek a tulajdonságai a közönséges emberi lényre egyáltalán nem jellemzőek.

A Kṛṣṇát kigúnyolók közül egyesek, akiket megfertőzött a *māyāvāda* filozófia, a *Śrīmad-Bhāgavatam* egyik versére (3.29.21) hivatkoznak, hogy bebizonyítsák: Kṛṣṇa is csupán ember. *Ahaṁ sarveṣu bhūteṣu bhūtātmāvasthitaḥ sadā:* „A Legfelsőbb jelen van minden élőlényben." Ezt a verset azonban nem a minden szakértelmet nélkülöző, Kṛṣṇát kigúnyoló emberek félremagyarázása alapján, hanem a hiteles *vaiṣṇava ācāryák,* például Jīva Gosvāmī és Viśvanātha Cakravartī Ṭhākura segítségével kell megérteni. E vershez fűzött magyarázatában Jīva Gosvāmī azt mondja, hogy Kṛṣṇa teljes értékű kiterjedéseként, Paramātmáként, azaz Felsőlélekként jelen van a mozgó és a mozdulatlan élőlényekben. Annak a kezdő *bhaktának* tehát, aki nem tiszteli a többi élőlényt, hanem figyelmét egyedül a Legfelsőbb Úr templomi *arcā-mūrti* formájára rögzíti, igyekezete hiábavaló. Az Úr *bhaktáinak* három csoportja van, melyek közül a kezdők a legalsó szinten állnak. Ők többet törődnek a templomi *mūrtival,* mint a *bhaktákkal,* ezért Viśvanātha Cakravartī Ṭhākura figyelmeztet bennünket, hogy az ilyen szemléleten változtatni kell. Egy *bhaktának* látnia kell, hogy mivel Kṛṣṇa Paramātmáként mindenki szívében jelen van, minden test a Legfelsőbb Úr templomának vagy megtestesülésének számít. Éppúgy kell tehát tisztelnünk minden egyes testet, melyben a Paramātmā lakozik, mint ahogyan az Úr templomát tiszteljük. Mindenkinek meg kell adnunk a kellő tiszteletet, és senkit sem szabad semmibe vennünk.

Számtalan olyan imperszonalista van, aki gúnyt űz a templomi imádatból. Az ilyen emberek szerint Isten mindenhol megtalálható; miért kellene hát csak a templomban imádni? Ha azonban Isten mindenhol jelen van, akkor miért ne lenne jelen templomában vagy a *mūrtiban* is? A személyes és a személytelen filozófia hívei között szüntelenül dúló vita ellenére a Kṛṣṇa-tudatú, tökéletes *bhakta* tudja, hogy bár Kṛṣṇa a Legfelsőbb Személyiség, mégis mindent áthat. Ezt a *Brahma-saṁhitā* is megerősíti. Habár Kṛṣṇa mindig saját hajlékán, Goloka-Vṛndāvanán tartózkodik, különféle energiáinak megnyilvánulásai és teljes értékű kiterjedése révén mégis jelen van mindenhol az anyagi és a lelki teremtésben.

12. VERS

मोघाशा मोघकर्माणो मोघज्ञाना विचेतसः ।
राक्षसीमासुरीं चैव प्रकृतिं मोहिनीं श्रिताः ॥१२॥

moghāśā mogha-karmāṇo mogha-jñānā vicetasaḥ
rākṣasīṁ āsurīṁ caiva prakṛtiṁ mohinīṁ śritāḥ

mogha-āśāḥ – azok, akiknek reményei meghiúsultak; *mogha-karmāṇaḥ* – azok, akiknek gyümölcsöző cselekedeteik meghiúsultak; *mogha-jñānāḥ* –

azok, akik kudarcot vallottak a tudás terén; *vicetasaḥ* – a megzavarodottak; *rākṣasīm* – a démoni; *āsurīm* – ateista; *ca* – és; *eva* – bizony; *prakṛtim* – természetnél; *mohinīm* – megtévesztőnél; *śritāḥ* – menedéket keresve.

Ezek a megzavarodott emberek a démoni és ateista nézetekhez vonzódnak. Ebben az illuzórikus állapotban a felszabaduláshoz, a gyümölcsöző tettekhez és a tudomány műveléséhez fűzött összes reményük meghiúsul.

MAGYARÁZAT: Sok hívő van, aki csupán színleli, hogy Kṛṣṇa-tudatú és odaadó szolgálatot végez, ám a valóságban nem hiszi tiszta szívből, hogy az Abszolút Igazság az Istenség Legfelsőbb Személyisége, Kṛṣṇa. Az ilyen emberek sohasem fogják az odaadó szolgálat gyümölcsét megízlelni, és sohasem térhetnek haza Istenhez. A gyümölcsöző jámbor cselekedeteket végzők – akik végső soron arra vágynak, hogy megszabaduljanak az anyagi kötelékektől – sem lesznek soha sikeresek, mert gúnyt űznek az Istenség Legfelsőbb Személyiségéből, Kṛṣṇából. A Kṛṣṇát kigúnyolókról tehát tudnunk kell, hogy démonikusak és ateisták. A *Bhagavad-gītā* hetedik fejezete szerint az ilyen démonikus bűnösök sohasem hódolnak meg Kṛṣṇának. Elmebeli spekulációval akarják elérni az Abszolút Igazságot, ezért arra a téves következtetésre jutnak, hogy a közönséges élőlény és Kṛṣṇa egy és ugyanaz. E téves meggyőződésre alapozva úgy vélik, hogy bár az emberek testét pillanatnyilag befedi az anyagi természet, a felszabadulás után azonnal megszűnik minden különbség Isten és őközöttük. Kísérletük, hogy eggyé váljanak Kṛṣṇával, illuzórikus, ezért kudarccal fog végződni. Mint ahogy ez a vers is rámutat, a lelki tudásra ateista és démoni módszerekkel törekvők erőfeszítése mindig meddő marad. Ezek az emberek mindig kudarcot vallanak, ha megpróbálják elsajátítani a védikus irodalom, például a *Vedānta-sūtra* és az *upaniṣadok* tudományát.

Kṛṣṇát, az Istenség Legfelsőbb Személyiségét közönséges embernek tekinteni tehát nagy sértés. Akik így tesznek, azok minden bizonnyal az illúzió rabjai, mert képtelenek megérteni Kṛṣṇa örökkévaló formáját. A *Bṛhad-viṣṇu-smṛti* félreérthetetlenül kijelenti:

yo vetti bhautikaṁ dehaṁ kṛṣṇasya paramātmanaḥ
sa sarvasmād bahiṣ-kāryaḥ śrauta-smārta-vidhānataḥ
mukhaṁ tasyāvalokyāpi sa-celaṁ snānam ācaret

„Annak az embernek, aki Kṛṣṇa testét anyaginak tekinti, tilos a *śrutiban* és a *smṛtiben* leírt rítusokat és szertartásokat végeznie. Ha pedig valaki véletlenül megpillantja egy ilyen ember arcát, annak azonnal meg kell fürödnie a Gangeszben, hogy megtisztuljon a fertőzéstől." Az emberek azért űznek gúnyt Kṛṣṇából, az Istenség Legfelsőbb Személyiségéből, mert irigyek Rá. Rájuk kétségtelenül az vár, hogy ateista és démoni fajokban kell újra és újra megszületniük. Igazi tudásukat örökre illúzió fedi be, s így lassanként a teremtés legsötétebb régióiba süllyednek.

13. VERS

महात्मानस्तु मां पार्थ दैवीं प्रकृतिमाश्रिताः ।
भजन्त्यनन्यमनसो ज्ञात्वा भूतादिमव्ययम् ॥१३॥

mahātmānas tu māṁ pārtha daivīṁ prakṛtim āśritāḥ
bhajanty ananya-manaso jñātvā bhūtādim avyayam

mahā-ātmānaḥ – a nagy lelkek; *tu* – de; *mām* – Nekem; *pārtha* – ó, Pṛthā fia; *daivīm* – isteni; *prakṛtim* – természetnél; *āśritāḥ* – védelmet keresve; *bhajanti* – szolgálatot végeznek; *ananya-manasaḥ* – rendületlen elmével; *jñātvā* – ismerve; *bhūta* – teremtésnek; *ādim* – az eredeteként; *avyayam* – kimeríthetetlennek.

Ó, Pṛthā fia, a nagy lelkek, akik nincsenek illúzióban, az isteni természet védelme alatt állnak. Teljesen elmerülnek az odaadó szolgálatban, mert az Istenség Legfelsőbb Személyiségeként, mindennek az eredeteként és kimeríthetetlennek ismernek Engem.

MAGYARÁZAT: Ez a vers egyértelműen meghatározza, ki a *mahātmā*. A *mahātmā* első ismertetőjele, hogy már elérte az isteni természetet, s nem áll az anyagi természet irányítása alatt. Hogy ez miképpen lehetséges, azt a hetedik fejezet már elmagyarázta: aki meghódol az Istenség Legfelsőbb Személyisége, Śrī Kṛṣṇa előtt, az azon nyomban felszabadul az anyagi természet irányítása alól. Ez az a tulajdonság, ami szükséges hozzá. Amint az ember átadja lelkét az Istenség Legfelsőbb Személyiségének, azonnal kiszabadul az anyagi természet rabságából. Ez az előkészítő lépés. Az élőlény az Úr határenergiáját képezi, ezért ha megszabadul az anyagi természet befolyásától, rögtön a lelki természet irányítása alá kerül. A lelki természet irányítását *daivī prakṛtinek,* isteni természetnek nevezik. Amikor tehát az ember azáltal, hogy meghódol az Istenség Legfelsőbb Személyisége előtt, magasabbra emelkedik, eléri a nagy lélek, a *mahātmā* szintjét.

A *mahātmā* figyelmét semmi nem tudja elterelni Kṛṣṇáról, mert jól tudja, hogy Ő az eredeti Legfelsőbb Személy, minden ok oka, s efelől semmi kétsége nincs. Ilyen *mahātmává,* nagy lélekké más *mahātmāk* vagy tiszta *bhakták* társaságában válhat valaki. A tiszta *bhaktákat* még Kṛṣṇa más formái – köztük a négykarú Mahā-viṣṇu – sem érdeklik. Egyedül

Kṛṣṇa kétkarú formájához vonzódnak, nem pedig Kṛṣṇa más formáihoz, s nem törődnek semmilyen félisten vagy ember imádatával sem. Kizárólag Kṛṣṇán meditálnak, Kṛṣṇa-tudatban, és szakadatlanul az Úr rendíthetetlen szolgálatát végzik.

14. VERS

सततं कीर्तयन्तो मां यतन्तश्च दृढव्रताः ।
नमस्यन्तश्च मां भक्त्या नित्ययुक्ता उपासते ॥१४॥

satataṁ kīrtayanto māṁ yatantaś ca dṛḍha-vratāḥ
namasyantaś ca māṁ bhaktyā nitya-yuktā upāsate

satatam – mindig; *kīrtayantaḥ* – énekelve; *mām* – Rólam; *yatantaḥ* – teljes igyekezettel; *ca* – is; *dṛḍha-vratāḥ* – elszántsággal; *namasyantaḥ* – hódolatot ajánlva; *ca* – és; *mām* – Nekem; *bhaktyā* – odaadással; *nitya-yuktāḥ* – örökké végezve; *upāsate* – imádatot.

Ezek a nagy lelkek állandóan az Én dicsőségemet zengik, nagy elszántsággal igyekeznek, s leborulva Előttem szüntelenül odaadóan imádnak Engem.

MAGYARÁZAT: A *mahātmā* címmel nem lehet egy közönséges embert felruházni. Ez a vers leírja a nagy lélek jellemzőit: egy *mahātmā* mindig a Legfelsőbb Úr, Kṛṣṇa, az Istenség Személyisége dicsőségét zengi. Semmi mást nem tesz, mint állandóan az Urat dicsőíti, tehát nem imperszonalista. Ha dicsőítésről van szó, a Legfelsőbb Urat kell dicsőítenünk, valamint szent nevét, örökkévaló formáját, transzcendentális tulajdonságait és rendkívüli kedvteléseit. Ezeket kell dicsőíteni, s a *mahātmā* ezért ragaszkodik az Istenség Legfelsőbb Személyiségéhez.

A *Bhagavad-gītā* nem nevezi *mahātmānak* a Legfelsőbb Úr személytelen arculatához, a *brahmajyotihoz* vonzódó embert. Róla egészen mást ír a következő vers. A *Śrīmad-Bhāgavatam* szerint egy *mahātmā* mindig az odaadó szolgálat különféle tevékenységeibe merül, s nem egy félistenről vagy emberről, hanem Viṣṇuról hall és énekel. Ezt jelenti az odaadás: *śravaṇaṁ kīrtanaṁ viṣṇoḥ;* valamint az Őrá való emlékezést, a *smaraṇamot. Az ilyen mahātmā* rendíthetetlen elhatározásában, hogy végül elnyerje a Legfelsőbb Úr társaságát az öt transzcendentális *rasa* valamelyikében. Ennek érdekében tetteit, gondolatait, testét és szavait, azaz mindenét a Legfelsőbb Úr, Śrī Kṛṣṇa szolgálatába állítja. Ezt hívják tökéletes Kṛṣṇa-tudatnak.

Az odaadó szolgálatban vannak bizonyos tettek, melyeket feltétlenül végre kell hajtani. Ide sorolható a böjtölés bizonyos napokon, például a telő és a fogyó hold tizenegyedik napján, *ekādasīn,* vagy az Úr megjelenési napján. Ezeket a szabályokat és előírásokat a nagy *ācāryák* ajánlják azok számára, akik valóban szeretnék elnyerni az Istenség Legfelsőbb Személyisége társaságát a transzcendentális világban. A *mahātmāk,* a nagy lelkek szigorúan betartják e szabályokat és előírásokat, s ezért kétségtelenül elérik a kívánt eredményt.

Mint ahogyan e fejezet második verse írta, az odaadó szolgálat nemcsak könnyű, de örömteli is. Az embernek nem szükséges szigorú vezeklést és önmegtartóztatást vállalnia. A hozzáértő lelki tanítómester vezetése alatt az odaadó szolgálatot ebben az életében bármilyen helyzetben gyakorolhatja: házasemberként, *sannyāsīként* vagy *brahmacārīként* egyaránt. Életkörülményeitől függetlenül bárhol, a világ bármelyik részén odaadással szolgálhatja az Istenség Legfelsőbb Személyiségét, s ezáltal igazi *mahātmāvá,* nagy lélekké válhat.

15. VERS

ज्ञानयज्ञेन चाप्यन्ये यजन्तो मामुपासते ।
एकत्वेन पृथक्त्वेन बहुधा विश्वतोमुखम् ॥१५॥

jñāna-yajñena cāpy anye yajanto mām upāsate
ekatvena pṛthaktvena bahudhā viśvato-mukham

jñāna-yajñena – a tudás művelésével; *ca* – is; *api* – bizony; *anye* – mások; *yajantaḥ* – áldozók; *mām* – Engem; *upāsate* – imádnak; *ekatvena* – egységben; *pṛthaktvena* – kettősségben; *bahudhā* – sokféleségben; *viśvataḥ-mukham* – a kozmikus formaként.

Mások, akik a tudás művelésével hajtanak végre áldozatot, a Legfelsőbb Urat mint az egyetlent, a sokban jelenlévőt és a kozmikus formát imádják.

MAGYARÁZAT: Ez a vers a korábbi versek összefoglalása. Az Úr azt mondja Arjunának, hogy aki tisztán Kṛṣṇa-tudatú, s akit nem érdekel más, mint Kṛṣṇa, azt *mahātmānak* hívják. Vannak azonban mások, akik nem érték el teljesen a *mahātmā* szintet, és szintén Kṛṣṇát imádják, de más úton. Ezek közül a boldogtalanról, a szegényről, a kíváncsiról és a tudásra vágyóról már volt szó. Vannak azonban olyanok, akik még náluk is alacsonyabb szinten állnak. Három csoportra oszthatók: 1. az önmagát imádó, aki magát a Legfelsőbb Úrral azonosítja, 2. az, aki saját elképzelése szerint kitalál egy formát a Legfelsőbb Úrról, és azt imádja, valamint 3. az, aki az Istenség Legfelsőbb Személyisége *viśva-rūpáját,* kozmikus formáját fogadja el és imádja. A három közül a legalacsonyabb szinten az áll – s egyben az a leggyakoribb is –, aki monistának vallja magát, s abban a hiszemben, hogy ő a Legfelsőbb Úr, saját magát imádja. Az ilyen emberek azt hiszik, hogy azonosak a Legfelsőbb Úrral, s ezzel a mentalitással saját magukat imádják. Ez is egyfajta Isten-imádat, mert megértették, hogy nem az anyagi test, hanem a lélek az énjük – legalább eddig a felfogásig eljutottak. Az imperszonalisták általában ily módon imádják a Legfelsőbb Urat. A második csoportot a félistenek imádói alkotják, akik bármilyen elképzelt formát a Legfelsőbb Úr formájának vélnek. A harmadik csoportba azok tartoznak, akik a megnyilvánult anyagi univerzumon túl semmit sem képesek felfogni. Magát az univerzumot hiszik a legfelsőbb létezőnek, s azt imádják. Az univerzum szintén az Úr egyik formája.

16. VERS

अहं क्रतुरहं यज्ञः स्वधाहमहमौषधम् ।
मन्त्रोऽहमहमेवाज्यमहमग्निरहं हुतम् ॥१६॥

ahaṁ kratur ahaṁ yajñaḥ svadhāham aham auṣadham
mantro 'ham aham evājyam aham agnir ahaṁ hutam

aham – Én; *kratuḥ* – a védikus rítus; *aham* – Én; *yajñaḥ* – a *smṛti* áldozat; *svadhā* – a felajánlás; *aham* – Én; *aham* – Én; *auṣadham* – a gyógynövény; *mantraḥ* – a transzcendentális hangvibráció; *aham* – Én; *aham* – Én; *eva* – bizony; *ājyam* – az olvasztott vaj; *aham* – Én; *agniḥ* – a tűz; *aham* – Én; *hutam* – a felajánlás.

Ám Én vagyok a szertartás, az áldozat, az ősatyáknak szóló felajánlás, a gyógyító fű és a transzcendentális mantra. Én vagyok a vaj, a tűz és a felajánlás is.

MAGYARÁZAT: A *jyotiṣṭoma* nevű védikus áldozat és a *smṛtiben* említett *mahā-yajña* szintén Kṛṣṇa. A Pitṛlokának tett felajánlások, azaz a Pitṛloka elégedettsége érdekében felajánlott áldozat – ami a tisztított vaj formájában egyfajta gyógyszernek tekinthető – szintén Kṛṣṇa. Az ez alkalommal énekelt valamennyi *mantra* is Kṛṣṇa. A sokféle étel, amit felajánlás céljából tejtermékekből készítenek, szintén Kṛṣṇa. A tűz is Kṛṣṇa, mert egyike az öt anyagi elemnek, s ezért az Ő különálló energiáját képezi. A Védák *karma-kāṇḍa* fejezetében ajánlott áldozatok tehát mind Kṛṣṇa. Akik odaadó szolgálatukkal imádják Kṛṣṇát, azok már előző életeikben végrehajtották a Védák ajánlotta valamennyi áldozatot.

17. VERS

पिताहमस्य जगतो माता धाता पितामहः ।
वेद्यं पवित्रमोंकार ऋक्साम यजुरेव च ॥१७॥

pitāham asya jagato mātā dhātā pitāmahaḥ
vedyaṁ pavitram oṁkāra ṛk sāma yajur eva ca

pitā – az atya; *aham* – Én; *asya* – ennek; *jagataḥ* – az univerzumnak; *mātā* – az anya; *dhātā* – a fenntartó; *pitāmahaḥ* – a nagyatya; *vedyam* – az, amit ismerni kell; *pavitram* – az, ami megtisztít; *oṁ-kāraḥ* – az *oṁ* szótag; *ṛk* – a *Ṛg-veda; sāma* – a *Sāma-veda; yajuḥ* – a *Yajur-veda; eva* – bizony; *ca* – és.

Én vagyok az univerzum atyja, az anya, a fenntartó és az ősatya. Én vagyok a tudás tárgya, Én vagyok az, ami megtisztít, és Én vagyok az oṁ szótag. A Ṛg-, a Sāma- és a Yajur-veda szintén Én vagyok.

MAGYARÁZAT: Az egész kozmikus megnyilvánulás, mozdulatlan és mozgó lényeivel együtt, Kṛṣṇa energiájának különféle tevékenységei által nyilvánul meg. Az anyagi létben különböző kapcsolatokat teremtünk a különféle élőlényekkel, akik nem mások, mint Kṛṣṇa határenergiái. A *prakṛti* befolyása alatt apánknak, anyánknak, nagyatyánknak, teremtőnknek stb. hisszük őket, valójában azonban csupán Kṛṣṇa szerves részei. Ily módon ezek az élőlények, akik apánknak, anyánknak stb. tűnnek, nem mások, mint Kṛṣṇa. Ebben a versben a *dhātā* szó „teremtőt" jelent. Nemcsak anyánk és apánk szerves része Kṛṣṇának, de a teremtő, a nagyanya, a nagyapa stb. is Kṛṣṇa. Tulajdonképpen minden élőlény Kṛṣṇa, mert mindenki az Ő szerves része. Éppen ezért valamennyi Véda egyedül Kṛṣṇát tartja végső céljának. A bennük ismertetett különféle tudományágak mind Kṛṣṇa megismeréséhez segítik hozzá az embert. Különösen az a téma tekinthető Kṛṣṇának, ami segít bennünket, hogy felélesszük eredeti természetünket. A védikus elvek megértésére törekvő élőlény ugyanígy Kṛṣṇa szerves része, tehát szintén Kṛṣṇa. A valamennyi védikus *mantrában* előforduló *oṁ* szó, a *praṇava* egy transzcendentális hangvibráció, és szintén Kṛṣṇa. A négy Véda (*Sāma, Yajur, Ṛg* és *Atharva*) himnuszaiban nagyon gyakori a *praṇava* vagy más néven *oṁkāra,* ezért ez is Kṛṣṇának tekinthető.

18. VERS

गतिर्भर्ता प्रभुः साक्षी निवासः शरणं सुहृत् ।
प्रभवः प्रलयः स्थानं निधानं बीजमव्ययम् ॥१८॥

gatir bhartā prabhuḥ sākṣī nivāsaḥ śaraṇaṁ suhṛt
prabhavaḥ pralayaḥ sthānaṁ nidhānaṁ bījam avyayam

gatiḥ – cél; *bhartā* – ellátó; *prabhuḥ* – Úr; *sākṣī* – tanú; *nivāsaḥ* – hajlék; *śaraṇam* – menedék; *su-hṛt* – legbensőségesebb barát; *prabhavaḥ* – teremtés; *pralayaḥ* – megsemmisülés; *sthānam* – alap; *nidhānam* – nyugvóhely; *bījam* – mag; *avyayam* – elpusztíthatatlan.

Én vagyok a cél, az ellátó, az Úr, a tanú, a hajlék, a menedék és a legkedvesebb barát. Én vagyok a teremtés és a megsemmisülés, mindennek az alapja, a nyugvóhely és az örök mag.

MAGYARÁZAT: A *gati* célállomást jelent, ahová el szeretnénk jutni. A végső cél azonban Kṛṣṇa, noha az emberek nem tudják ezt. Aki nem ismeri Kṛṣṇát, az tévúton jár, és látszólagos haladása vagy nagyon jelentéktelen, vagy csupán képzelődés. Sokan a különféle félisteneket tekintik céljuknak, s a megfelelő gyakorlat szigorú végrehajtásával el is jutnak a félistenek bolygóira – Candralokára, Sūryalokára, Indralokára, Maharlokára és így tovább. Ezek a *lokák,* vagyis bolygók azonban mind Kṛṣṇa teremtései, ezért egyidejűleg tekinthetők Kṛṣṇának is, meg nem is. Mint Kṛṣṇa energiájának megnyilvánulásai, ezek a bolygók is egy bizonyos értelemben Kṛṣṇa, de valójában elérésük csupán egy lépést jelent a Kṛṣṇa eléréséhez vezető úton. Ha Kṛṣṇa különféle energiái felé haladunk, azáltal közvetve Kṛṣṇa felé haladunk. Hozzá azonban közvetlenül kell mennünk, mert ezzel időt és energiát takarítunk meg. Miért választanánk például a lépcsőt, hogy feljussunk a legfelső emeletre, ha lift is van? Minden Kṛṣṇa energiáján nyugszik, ezért az Ő oltalma nélkül semmi sem létezhet. Kṛṣṇa a legfelsőbb uralkodó, mert minden az Ő tulajdonát képezi, s minden az Ő energiáján nyugszik. Ő a végső tanú is, mert mindenki szívében jelen van. Otthonaink, hazánk, bolygónk, melyen élünk, szintén Kṛṣṇa. Ő a végső, oltalmat nyújtó cél, ezért az embernek Nála kell menedéket keresnie, hogy védelmét élvezhesse, s megszabadulhasson a szenvedéstől. Bármikor van szükségünk védelemre, tudnunk kell, hogy azt csakis egy élő erő nyújthatja. Kṛṣṇa a legfelsőbb élőlény. Ő létünk forrása, Legfelsőbb Atyánk, ezért Nála senki sem lehet jobb barát vagy őszintébb jóakaró. Kṛṣṇa a teremtés eredeti forrása, és a megsemmisülés után minden létező végső nyugvóhelye. Ő tehát minden ok örökkévaló oka.

19. VERS

तपाम्यहमहं वर्षं निगृह्णाम्युत्सृजामि च ।
अमृतं चैव मृत्युश्च सदसच्चाहमर्जुन ॥१९॥

tapāmy aham ahaṁ varṣaṁ nigṛhṇāmy utsṛjāmi ca
amṛtaṁ caiva mṛtyuś ca sad asac cāham arjuna

tapāmi – hőt adok; *aham* – Én; *aham* – Én; *varṣam* – esőt; *nigṛhṇāmi* – visszatartom; *utsṛjāmi* – küldöm; *ca* – és; *amṛtam* – halhatatlanság; *ca* – és; *eva* – bizony; *mṛtyuḥ* – halál; *ca* – és; *sat* – lélek; *asat* – anyag; *ca* – és; *aham* – Én; *arjuna* – ó, Arjuna.

Ó, Arjuna! Én adom a hőt, s Én tartom vissza vagy küldöm az esőt. Én vagyok a halhatatlanság és a halál megszemélyesítője is. Lélek és anyag egyaránt Bennem van.

MAGYARÁZAT: Kṛṣṇa különféle energiái révén, az elektromosságon és a napon keresztül hőt és fényt áraszt. Ő az, aki nyáron meggátolja a csapadék hullását, majd az esős évszak ideje alatt szakadatlan esővel árasztja el a földet. Az az energia, ami az életünket meghosszabbítva fenntartja létünket, szintén Kṛṣṇa, s életünk végén, a halál formájában szintén Vele találkozunk. Kṛṣṇa e különféle energiáit tanulmányozva az ember rájöhet arra, hogy az Ő számára nincs különbség anyag és lélek között, vagyis Ő az anyag és a lélek is. Aki tehát fejlett a Kṛṣṇa-tudatban, az nem lát ilyen különbséget. Mindenben csupán Kṛṣṇát látja.

Mivel Kṛṣṇa az eredete a léleknek és az anyagnak is, az egész anyagi megnyilvánulást alkotó hatalmas kozmikus forma szintén Kṛṣṇa. Vṛndāvanai kedvtelései, melyeknek a kétkarú, fuvoláján játszó Śyāmasundaraként hódolt, az Istenség Legfelsőbb Személyiségének kedvtelései.

20. VERS

त्रैविद्या मां सोमपाः पूतपापा
यज्ञैरिष्ट्वा स्वर्गतिं प्रार्थयन्ते ।
ते पुण्यमासाद्य सुरेन्द्रलोक-
मश्नन्ति दिव्यान्दिवि देवभोगान् ॥२०॥

trai-vidyā māṁ soma-pāḥ pūta-pāpā
yajñair iṣṭvā svar-gatiṁ prārthayante
te puṇyam āsādya surendra-lokam
aśnanti divyān divi deva-bhogān

trai-vidyāḥ – a három Véda ismerői; *mām* – Engem; *soma-pāḥ* – a *soma* ital fogyasztói; *pūta* – megtisztulva; *pāpāḥ* – bűnöktől; *yajñaiḥ* – áldozatok által; *iṣṭvā* – imádva; *svaḥ-gatim* – a mennyei bolygókra való eljutásért; *prārthayante* – imádkoznak; *te* – ők; *puṇyam* – jámbor; *āsādya* –

elérve; *sura-indra* – Indrának; *lokam* – a világát; *aśnanti* – élvezik; *divyān* – mennyei; *divi* – a mennyekben; *deva-bhogān* – az istenek örömeit.

Akik a mennyei bolygókra vágyva a Védákat tanulmányozzák, és a soma italt fogyasztják, azok közvetve imádnak Engem. Ők a bűnös visszahatásoktól megtisztulva Indra jámbor, mennyei bolygóján fognak megszületni, hogy isteni élvezetekben legyen részük.

MAGYARÁZAT: A *trai-vidyāḥ* szó a három Védát, a *Sāma-,* a *Yajur-* és a *Ṛg-vedát* jelenti. Azt a *brāhmaṇát,* aki már áttanulmányozta e három Védát, *tri-vedīnek* nevezik. A társadalomban nagy megbecsülésnek örvend az, aki nagyon ragaszkodik a három Védából származó tudáshoz. Sajnálatos módon azonban sok olyan, a Védákat tanulmányozó tudós is akad, aki nem tudja, mi ennek a végső célja. Ezért aztán Kṛṣṇa ebben a versben kijelenti, hogy Ő maga a *tri-vedīk* végső célja. Az igazi *tri-vedīk* Kṛṣṇa lótuszlábánál keresnek menedéket, és tiszta odaadó szolgálatukkal járnak a kedvében. Az odaadó szolgálat a Hare Kṛṣṇa *mantra* éneklésével kezdődik, de ezzel egy időben arra is törekednünk kell, hogy valóban megértsük Kṛṣṇát. Sajnos azonban a Védákat kizárólag hivatalból tanulmányozókat jobban érdeklik a különféle félisteneknek – Indrának, Candrának és másoknak – bemutatott áldozatok. A különböző félistenek imádói törekvéseiknek köszönhetően megtisztulnak a természet alacsonyabb rendű kötőerői okozta szennyeződésektől, s így a felsőbb bolygórendszerekbe, azaz a mennyei bolygókra kerülnek (Maharlokára, Janalokára, Tapolokára stb.). Ott az embernek százezerszer jobb lehetősége van az érzékei kielégítésére, mint ezen a bolygón.

21. VERS

ते तं भुक्त्वा स्वर्गलोकं विशालं
क्षीणे पुण्ये मर्त्यलोकं विशन्ति ।
एवं त्रयीधर्ममनुप्रपन्ना
गतागतं कामकामा लभन्ते ॥२१॥

te taṁ bhuktvā svarga-lokaṁ viśālaṁ
kṣīṇe puṇye martya-lokaṁ viśanti
evaṁ trayī-dharmam anuprapannā
gatāgataṁ kāma-kāmā labhante

te – ők; *tam* – azt; *bhuktvā* – élvezve; *svarga-lokam* – a mennyet; *viśālam* – hatalmasat; *kṣīṇe* – kimerítvén; *puṇye* – jámbor tetteik eredményét; *martya-lokam* – a halandók földjére; *viśanti* – visszaesnek; *evam* –

ily módon; *trayī* – a három Védának; *dharmam* – törvényeit; *anuprapannāḥ* – követve; *gata-āgatam* – születést és halált; *kāma-kāmāḥ* – érzékkielégítésre vágyva; *labhante* – elérik.

A mennyei érzéki örömök korlátlan élvezete után, amikor jámbor tetteik eredményei elfogynak, ismét visszatérnek a halandók bolygójára. Így akik a Védák törvényeit követve keresik az érzékkielégítést, azokra csak ismétlődő születés és halál vár.

MAGYARÁZAT: A felsőbb bolygókra eljutó ember hosszabb életet élvez, s ott a körülmények is sokkal kedvezőbbek az érzékkielégítésre. Mindezek ellenére az ember nem maradhat ott örökre. Korábbi jámbor tettei gyümölcseinek elfogyasztása után ismét visszakerül a Földre. Aki nem tesz szert tökéletes tudásra, melyre a *Vedānta-sūtra* utal (*janmādy asya yataḥ*), azaz nem érti meg Kṛṣṇát, minden ok okát, az sikertelenül törekszik az élet végső céljának elérésére, s így abba a körfolyamatba kényszerül, amely óriáskerékként hol a felsőbb, hol ismét az alsóbb bolygókra juttatja el. Ennek az a magyarázata, hogy az ember ahelyett, hogy a lelki világba jutna, ahonnan a visszatérés veszélye nem fenyegeti többé, a születés és halál körforgásában vándorol az alsóbb és felsőbb bolygókon. Jobban tesszük, ha a lelki világot választjuk, ahol örökkévaló, tudással és boldogsággal teljes létet élvezhetünk, s ahonnan soha nem kell már visszatérnünk ebbe a szenvedésekkel teli anyagi létbe.

22. VERS

अनन्याश्चिन्तयन्तो मां ये जनाः पर्युपासते ।
तेषां नित्याभियुक्तानां योगक्षेमं वहाम्यहम् ॥२२॥

ananyāś cintayanto māṁ ye janāḥ paryupāsate
teṣāṁ nityābhiyuktānāṁ yoga-kṣemaṁ vahāmy aham

ananyāḥ – minden más tárgy nélkül; *cintayantaḥ* – összpontosítva; *mām* – Rám; *ye* – akik; *janāḥ* – emberek; *paryupāsate* – helyesen imádnak; *teṣām* – nekik; *nitya* – mindig; *abhiyuktānām* – azoknak, akik rendületlenek az odaadásban; *yoga* – amire szükség van; *kṣemam* – védelmet; *vahāmi* – elhozom; *aham* – Én.

De akik kizárólagos odaadással mindig Engem imádnak, transzcendentális formámon meditálva, azoknak elhozom, amire szükségük van, s megőrzöm, amijük van.

MAGYARÁZAT: Aki egy pillanatig sem képes Kṛṣṇa-tudat nélkül élni, az napi huszonnégy órán át csak Kṛṣṇára tud gondolni, hiszen odaadó szolgálatot végez: hall Róla, dicsőíti Őt, emlékezik Rá, imákat zeng Neki, imádja Őt, lótuszlábát szolgálja s egyéb szolgálatot is végez, barátságot köt Vele, s mindenét átadja Neki. Ezek a tettek mind nagyon kedvezőek, mind lelki erővel vannak teli, s ezek teszik olyan tökéletessé a *bhaktát* az önmegvalósításban, hogy egyetlen kívánsága az lesz, hogy elnyerje az Istenség Legfelsőbb Személyiségének társaságát. Az ilyen *bhakta* kétségtelenül minden nehézség nélkül eljut az Úrhoz. Ezt nevezik *yogának*. Az Úr kegyéből az ilyen *bhakta* sohasem tér vissza többé az anyagi életfeltételek közé. A *kṣema* szó Kṛṣṇa kegyes védelmére utal. Az Úr segíti a *bhaktát,* hogy a *yoga* segítségével Kṛṣṇa-tudatúvá válhasson, s amikor a *bhakta* teljesen Kṛṣṇa-tudatúvá vált, az Úr megvédi őt attól, hogy visszaessen a szenvedésekkel teli, feltételekhez kötött életbe.

23. VERS

येऽप्यन्यदेवताभक्ता यजन्ते श्रद्धयान्विताः ।
तेऽपि मामेव कौन्तेय यजन्त्यविधिपूर्वकम् ॥२३॥

ye 'py anya-devatā-bhaktā yajante śraddhayānvitāḥ
te 'pi mām eva kaunteya yajanty avidhi-pūrvakam

ye – akik; *api* – is; *anya* – más; *devatā* – istenek; *bhaktāḥ* – *bhaktái; yajante* – imádják; *śraddhayā anvitāḥ* – hittel; *te* – ők; *api* – is; *mām* – Engem; *eva* – csak; *kaunteya* – ó, Kuntī fia; *yajanti* – imádnak; *avidhi-pūrvakam* – rosszul.

Ó, Kuntī fia! Akik más istenek hívei, s őket imádják nagy hittel, azok valójában egyedül Engem imádnak, de helytelen módon.

MAGYARÁZAT: „A félistenek imádói csekély értelműek, noha imádatuk közvetve Nekem szól" – mondja Kṛṣṇa. Ha egy ember a fa leveleit és ágait öntözi, s nem a gyökerét, azt vagy azért teszi, mert nem rendelkezik kellő tudással, vagy azért, mert nem tartja be az előírásokat. A test különféle tagjait is úgy szolgáljuk megfelelően, ha az ételt a gyomorba juttatjuk. A félistenek – mondhatjuk így – különféle vezető tisztségeket töltenek be a Legfelsőbb Úr államigazgatásában. Az embernek végső soron az állam, nem pedig a különféle tisztviselők és igazgatók törvényeinek kell engedelmeskednie. Éppen így mindenkinek egyedül a Legfelsőbb Urat kell imádnia, s ezáltal az Úr különféle tisztségviselőinek és vezetőinek is a kedvében jár. Ezek a tisztségviselők és vezetők az állam képviselői, s megvesztegetésüket tiltják a törvények. Ez az *avidhi-pūrvakam* jelentése ebben a versben. Kṛṣṇa tehát nem helyesli a félistenek felesleges imádatát.

24. VERS

अहं हि सर्वयज्ञानां भोक्ता च प्रभुरेव च ।
न तु मामभिजानन्ति तत्त्वेनातश्च्यवन्ति ते ॥२४॥

ahaṁ hi sarva-yajñānāṁ bhoktā ca prabhur eva ca
na tu mām abhijānanti tattvenātaś cyavanti te

aham – Én; *hi* – bizony; *sarva* – minden; *yajñānām* – áldozatnak; *bhoktā* – élvezője; *ca* – és; *prabhuḥ* – Ura; *eva* – is; *ca* – és; *na* – nem; *tu* – de; *mām* – Engem; *abhijānanti* – ismernek; *tattvena* – igazi valómban; *ataḥ* – ezért; *cyavanti* – visszaesnek; *te* – ők.

Én vagyok minden áldozat egyetlen élvezője és Ura. Akik nem ismerik fel igazi, transzcendentális természetemet, elbuknak.

MAGYARÁZAT: A vers érthetően kimondja, hogy bár a védikus irodalom sokféle *yajña* végrehajtását ajánlja, valójában mindegyiknek a Legfelsőbb Úr elégedettsége a célja. A *yajña* szó Viṣṇut jelenti. A *Bhagavad-gītā* harmadik fejezetében egyértelműen az áll, hogy az embernek csakis Yajña, azaz Viṣṇu öröméért kell dolgoznia. A *varṇāśrama-dharmának* nevezett tökéletes emberi társadalom célja Viṣṇu elégedetté tétele. Ezért mondja Kṛṣṇa ebben a versben: „Mivel Én vagyok a legfelsőbb Úr, Én vagyok minden áldozat élvezője." A csekély értelműek azonban nem tudják ezt, s az ideiglenes nyereség reményében a félisteneket imádják. Éppen ezért nem érik el az élet hőn vágyott célját, hanem az anyagi létbe süllyednek. Ha azonban valakinek anyagi vágyai vannak, akkor jobb, ha a Legfelsőbb Úrhoz imádkozik (annak ellenére, hogy ez nem tiszta odaadás), mert így elérheti a kívánt eredményt.

25. VERS

यान्ति देवव्रता देवान् पितॄन् यान्ति पितृव्रताः ।
भूतानि यान्ति भूतेज्या यान्ति मद्याजिनोऽपि माम् ॥२५॥

yānti deva-vratā devān pitṝn yānti pitṛ-vratāḥ
bhūtāni yānti bhūtejyā yānti mad-yājino 'pi mām

yānti – mennek; *deva-vratāḥ* – a félistenek imádói; *devān* – a félistenekhez; *pitṝn* – az ősatyákhoz; *yānti* – mennek; *pitṛ-vratāḥ* – az ősatyák imádói; *bhūtāni* – a szellemekhez és kísértetekhez; *yānti* – mennek; *bhūta-ijyāḥ* – a szellemek és kísértetek imádói; *yānti* – mennek; *mat* – Enyém; *yājinaḥ* – *bhakták; api* – de; *mām* – Hozzám.

A félisteneket imádók a félistenek között fognak újraszületni, az ősatyák imádói az ősatyákhoz jutnak; akik a szellemeket és kísérteteket imádják, azok közéjük születnek, s akik Engem imádnak, azok Velem fognak élni.

MAGYARÁZAT: Ha valaki a Holdra, a Napra vagy bármelyik másik bolygóra akar eljutni, elérheti célját, ha az erre vonatkozó védikus előírásokat, pl. a szakkifejezéssel *darśa-paurṇamāsīnak* nevezett módszert követi. Ezekről a Védák gyümölcsöző cselekedetekkel foglalkozó részében találhatunk leírást, amely a különféle felsőbb bolygókon lakozó félistenek sajátos imádatát ajánlja. Hasonló módon lehet elérni a *pitā* bolygókat is, az ehhez ajánlott *yajña* végzésével. Az ember a számtalan szellembolygó valamelyikére is eljuthat, hogy ott *yakṣa, rakṣa* vagy *piśāca* legyen. A *piśāca*-imádatot nevezik boszorkányságnak vagy fekete mágiának. Nagyon sok ember űz fekete mágiát, azt hívén, hogy ez a lelki élet, ám ezek a cselekedetek teljes mértékben anyagiak. Az Istenség Legfelsőbb Személyiségét imádó tiszta *bhakta* biztosan a Vaikuṇṭha-bolygókra vagy Kṛṣṇalokára jut. Ebből a fontos versből könnyen megérthetjük, hogy ha a félistenek imádói elérhetik a felsőbb, mennyei bolygókat, vagy ha a *pitāk* imádója a Pitā bolygókra kerül, a fekete mágiát űzők pedig a szellembolygókra, akkor a tiszta *bhakta* ugyanígy eljuthat Kṛṣṇa vagy Viṣṇu bolygójára. Sajnos azonban a legtöbb ember nem tud Kṛṣṇa és Viṣṇu csodálatos bolygóiról, és mivel nem tudnak róluk, vissza kell jönniük. Még az imperszonalisták is visszatérnek a *brahmajyotiból.* A Kṛṣṇa-tudat mozgalma ezért az egész emberi társadalmat megtanítja arra a csodálatos dologra, hogy csupán a Hare Kṛṣṇa *mantra* éneklésével bárki tökéletessé teheti életét, s hazatérhet, vissza Istenhez.

26. VERS

पत्रं पुष्पं फलं तोयं यो मे भक्त्या प्रयच्छति ।
तदहं भक्त्युपहृतमश्नामि प्रयतात्मनः ॥२६॥

patraṁ puṣpaṁ phalaṁ toyaṁ yo me bhaktyā prayacchati
tad ahaṁ bhakty-upahṛtam aśnāmi prayatātmanaḥ

patram – egy levelet; *puṣpam* – egy virágot; *phalam* – egy gyümölcsöt; *toyam* – vizet; *yaḥ* – bárki; *me* – Nekem; *bhaktyā* – odaadással; *prayacchati* – felajánl; *tat* – azt; *aham* – Én; *bhakti-upahṛtam* – odaadással ajánlottat; *aśnāmi* – elfogadom; *prayata-ātmanaḥ* – attól, aki tiszta tudatú.

Ha valaki szeretettel és odaadással áldoz Nekem egy levelet, egy virágot, egy gyümölcsöt vagy egy kevés vizet, Én elfogadom azt.

MAGYARÁZAT: Egy intelligens ember számára elengedhetetlen, hogy Kṛṣṇa-tudatú legyen, s az Úr transzcendentális szerető szolgálatát végezze, hogy eljusson egy örök, gyönyörteli lakhelyre, ahol örök boldogság vár rá. E csodálatos eredményt bárki nagyon könnyen elérheti, s még a legszegényebb, legképzetlenebb ember is törekedhet rá. Az egyetlen dolog, ami szükséges, hogy az ember az Úr tiszta *bhaktája* legyen – nem számít, hogy kicsoda, s hogy milyen helyzetben van. Ez a módszer annyira könnyű, hogy akár egy levelet, egy kis vizet vagy egy gyümölcsöt is felajánlhatunk a Legfelsőbb Úrnak igaz szeretettel, s az Úr örömmel elfogadja azt. Senki sincs tehát kizárva a Kṛṣṇa-tudatból – ez egy rendkívül egyszerű és egyetemes folyamat. Ki olyan ostoba hát, hogy ne akarna Kṛṣṇa-tudatossá válni általa, s ne szeretne egy örökkévaló, boldogsággal és tudással teli, legtökéletesebb életet élni? Kṛṣṇa csak szerető szolgálatot akar tőlünk, semmi mást. Még egy apró virágot is elfogad tiszta *bhaktájától*. Egy *abhaktától* azonban nem akar semmit – nincs szüksége arra, hogy bárki bármit adjon Neki. Ő teljes Önmagában, szeretetteljes kapcsolatukban azonban *bhaktája* felajánlását mégis elfogadja. A Kṛṣṇa-tudat kifejlesztésével az élet legmagasabb rendű tökéletességét érjük el. Ez a vers kétszer is megemlíti a *bhakti* szót, hogy kihangsúlyozza: Kṛṣṇához kizárólag a *bhakti,* vagyis az odaadó szolgálat által lehet eljutni. Semmi más nem veheti rá Kṛṣṇát, hogy elfogadja, amit felajánlanak Neki – legyen bár valaki *brāhmaṇa,* művelt tudós, gazdag ember vagy nagy filozófus. A *bhakti* alapelve nélkül semmi sem tudja az Urat arra késztetni, hogy bárkitől bármit is elfogadjon. A *bhakti* mindig indokolatlan, s ez a módszer örök. Ez az abszolút egész közvetlen szolgálata.

Az Úr Kṛṣṇa ebben a versben – miután kijelentette, hogy Ő az egyedüli élvező, az elsődleges Úr és minden áldozati felajánlás igazi célja – felfedi, milyen áldozatokat kíván. Ha valaki odaadóan akarja szolgálni a Legfelsőbbet, hogy megtisztuljon, s elérje az élet végső célját – az Úr transzcendentális szerető szolgálatát –, akkor meg kell tudnia, mit kíván tőle az Úr. Aki szereti Kṛṣṇát, az azt adja Neki, amit Ő akar, s nem ajánl fel olyat, amit Kṛṣṇa nem akar. Így tehát húst, halat és tojást nem szabad felajánlanunk. Ha az Úr ezt akarta volna, megmondta volna. Ehelyett azonban egyértelműen azt kéri, hogy leveleket, gyümölcsöt, virágot és vizet adjunk Neki, s ha valaki ezeket ajánlja fel Neki, azt mondja, hogy „Én örömmel elfogadom azt”. Ebből meg kell értenünk, hogy a húst, a halat és a tojást elutasítja. A zöldségeket, a gabona- és gyümölcsféléket, a tejtermékeket, valamint a vizet írja elő az emberek számára megfelelő táplálékként. Ezen kívül semmi mást nem ajánlhatunk fel Neki, mert nem fogadja el. Ha tehát más ételt ajánlunk fel, nem állunk a szeretetteljes odaadás szintjén.

A harmadik fejezet tizenharmadik versében Śrī Kṛṣṇa elmagyarázza, hogy akik fejlődni akarnak a lelki életben, s meg szeretnének szabadulni az anyagi kötelékektől, azok számára kizárólag az áldozat megtisztított maradékai jelentik a helyénvaló táplálékot. Ugyanebben a versben azt is hozzáteszi, hogy akik nem ajánlják fel ételüket, azok csak bűnt esznek – más szóval minden egyes falattal egyre jobban az anyagi természet útvesztőjébe bonyolódnak. Ha azonban valaki egyszerű, finom vegetáriánus ételeket főz, amit leborulva felajánl az Úr Kṛṣṇa képe vagy *mūrtija* előtt, kérve Őt, hogy fogadja el szerény felajánlását, az segíti majd, hogy biztos fejlődést érjen el a lelki életben, a test megtisztításában, és a finom agyszövetek létrehozásában, melyek tiszta gondolkodást eredményeznek. A legfontosabb az, hogy a felajánlást szeretet hassa át. Kṛṣṇa a tulajdonosa mindennek, ezért Neki nincs szüksége ételre. Ám attól, aki így akar a kedvében járni, mégis elfogadja a felajánlást. Az étel készítésében, tálalásában és felajánlásában tehát a Kṛṣṇa iránti szeretet a legfontosabb tényező.

Az imperszonalista filozófusok, akik azt állítják, hogy az Abszolút Igazság érzékszervek nélküli, nem tudják felfogni a *Bhagavad-gītā* e versét. Számukra ez metaforának tűnik, vagy úgy gondolják, Kṛṣṇának, a *Bhagavad-gītā* elbeszélőjének világi természetét bizonyítja. Az igazság azonban az, hogy Kṛṣṇának, a Legfelsőbb Istenségnek vannak érzékszervei, melyek felcserélhetők, azaz mindegyik képes a többi feladatát is ellátni. Ezt jelenti az, hogy Kṛṣṇa abszolút. Őt nem lehetne minden fenséggel teljesnek tekinteni, ha nem rendelkezne érzékszervekkel. Kṛṣṇa a hetedik fejezetben elmagyarázta: Ő termékenyíti meg élőlényekkel az anyagi természetet. Ez úgy történik, hogy rápillant az anyagi természetre. A felajánlás esetében Kṛṣṇa hallja, amint a *bhakta* szeretetteljes szavakkal kínálja Neki az ételt, s ez a hallás *teljesen* ugyanaz, mintha enne, s megkóstolná az ételt. Ezt a gondolatot nagyon fontos kihangsúlyoznunk: Ő abszolút, ezért hallása teljesen azonos evésével és ízlelésével. Egyedül az a *bhakta,* aki Kṛṣṇát minden félreértelmezés nélkül olyannak fogadja el, amilyennek Ő leírja magát, értheti meg, hogy a Legfelsőbb Abszolút Igazság képes arra, hogy egyen és az étel élvezetet nyújtson Neki.

27. VERS

यत्करोषि यदश्नासि यज्जुहोषि ददासि यत् ।
यत्तपस्यसि कौन्तेय तत्कुरुष्व मदर्पणम् ॥२७॥

yat karoṣi yad aśnāsi yaj juhoṣi dadāsi yat
yat tapasyasi kaunteya tat kuruṣva mad-arpaṇam

yat – bármit; *karoṣi* – teszel; *yat* – bármit; *aśnāsi* – eszel; *yat* – bármit; *juhoṣi* – felajánlasz; *dadāsi* – elajándékozol; *yat* – bármit; *yat* – bármilyen; *tapasyasi* – lemondást végzel; *kaunteya* – ó, Kuntī fia; *tat* – azt; *kuruṣva* – tedd; *mat* – Nekem; *arpaṇam* – felajánlásként.

Ó, Kuntī fia, ajánld fel Nekem mindazt, amit cselekszel, eszel, felajánlasz vagy elajándékozol, valamennyi lemondásoddal együtt!

MAGYARÁZAT: Láthatjuk, hogy mindenkinek úgy kell alakítania az életét, hogy Kṛṣṇát soha, semmilyen körülmények között ne felejtse el. A test és a lélek együtt tartása érdekében mindenkinek dolgoznia kell, de Kṛṣṇa ebben a versben azt ajánlja, hogy Őérte dolgozzunk. Aki élni akar, annak ennie kell, ezért fogyasszuk csupán a Kṛṣṇának felajánlott étel maradékait. Minden civilizált embernek végeznie kell valamiféle vallásos szertartást, ezért Kṛṣṇa azt ajánlja: „Végezd azt Nekem!" Ezt *arcanának* hívják. Mindenkiben van hajlam az adományozásra, ezért Kṛṣṇa azt mondja: „Add azt Nekem!" Ez azt jelenti, hogy minden fölösleges pénzünket a Kṛṣṇa-tudat mozgalmának terjesztésére kell fordítanunk. Manapság az emberek egyre jobban érdeklődnek a különféle meditációs folyamatok iránt, ám ezek végzése ebben a korszakban egyáltalán nem célravezető. Ha azonban valaki napi huszonnégy órán át meditál Kṛṣṇán a *japa,* a Hare Kṛṣṇa *mantra* imafüzéren történő éneklése segítségével, az minden kétséget kizáróan a legkiválóbb meditáló és a legkiválóbb *yogī,* ahogyan azt a *Bhagavad-gītā* hatodik fejezete leírja.

28. VERS

शुभाशुभफलैरेवं मोक्ष्यसे कर्मबन्धनैः ।
सन्न्यासयोगयुक्तात्मा विमुक्तो मामुपैष्यसि ॥२८॥

śubhāśubha-phalair evaṁ mokṣyase karma-bandhanaiḥ
sannyāsa-yoga-yuktātmā vimukto mām upaiṣyasi

śubha – a kedvező; *aśubha* – és kedvezőtlen; *phalaiḥ* – eredményektől; *evam* – így; *mokṣyase* – megszabadulsz; *karma* – tettek; *bandhanaiḥ* – kötelékeitől; *sannyāsa* – a lemondásra; *yoga* – *yogára; yukta-ātmā* – rögzített elmével; *vimuktaḥ* – felszabadultként; *mām* – Hozzám; *upaiṣyasi* – el fogsz jutni.

Ily módon megszabadulsz a tettekhez fűző kötelékektől, s annak kedvező és kedvezőtlen eredményeitől. A lemondás ezen elvével elmédet Rám szögezve felszabadulsz, s eljutsz Hozzám.

MAGYARÁZAT: Aki felsőbb vezetés alatt a Kṛṣṇa-tudatban cselekszik, azt *yuktának* nevezik. A szakkifejezés erre a *yukta-vairāgya*. Ezt Rūpa Gosvāmī részletesebben is elmagyarázza:

anāsaktasya viṣayān yathārham upayuñjataḥ
nirbandhaḥ kṛṣṇa-sambandhe yuktaṁ vairāgyam ucyate
(*Bhakti-rasāmṛta-sindhu* 1.2.255)

Rūpa Gosvāmī azt mondja, hogy amíg az anyagi világban vagyunk, addig cselekednünk kell; nem hagyhatunk fel a tettekkel. Ha cselekszünk, és munkánk gyümölcseit Kṛṣṇának adjuk, akkor azt *yukta-vairāgyának* nevezik. Valódi lemondásban élve az ilyen tettek megtisztítják az elme tükrét, s amint a cselekvő fokozatosan fejlődik a lelki élet ösvényén, lassanként teljesen meghódol az Istenség Legfelsőbb Személyisége előtt. Végül felszabadul, s felszabadulása nagyon különleges. Nem a *brahmajyotival* válik eggyé, hanem a Legfelsőbb Úr lelki bolygójára kerül. Ez a vers nagyon érthetően fejezi ki ezt: *mām upaiṣyasi,* „Hozzám jön", haza, vissza Istenhez. A felszabadulásnak öt szintje van. A vers szerint az, aki egész életében a Legfelsőbb Úr irányítását követve élt, az eljut oda, hogy teste elhagyása után visszatérhet Istenhez, s közvetlen társaságában szolgálhatja Őt, a Legfelsőbb Urat.

Igazi *sannyāsīnak* azt nevezik, aki nem akar mást, mint életét az Úr szolgálatának szentelni. Mindig örök szolgának tekinti magát, aki teljesen meghódolt az Úr legfelsőbb akaratának. Ezért hát bármit is tesz, azt az Úrért teszi, s minden tettét az Úr szolgálatában végzi. Nem törődik sokat a Védákban említett gyümölcsöző cselekedetekkel vagy az ott leírt kötelességek végrehajtásával. A közönséges ember számára elengedhetetlen, hogy eleget tegyen a Védákban előírt kötelességeknek, s ezeket a teljesen az Úr szolgálatába merülő tiszta *bhakta* elvégzi, noha néha úgy tűnik, hogy épp ellenkezőleg cselekszik.

A hiteles *vaiṣṇava* szaktekintélyek ezért azt tanítják, hogy még a legokosabb ember sem értheti meg egy tiszta *bhakta* terveit és tetteit: *tāṅra vākya, kriyā, mudrā vijñeha nā bujhaya* (*Caitanya-caritāmṛta, Madhya-līlā* 23.39). Aki mindig az Úr szolgálatába merül, aki állandóan azon gondolkozik és azt tervezgeti, hogyan szolgálja Őt, arra úgy kell tekinteni, hogy elérte a teljes felszabadulást, s a jövőben minden kétséget kizárva hazatér, vissza Istenhez. Kṛṣṇához hasonlóan róla sem lehet semmi rosszat mondani.

29. VERS

समोऽहं सर्वभूतेषु न मे द्वेष्योऽस्ति न प्रियः ।
ये भजन्ति तु मां भक्त्या मयि ते तेषु चाप्यहम् ॥२९॥

samo 'haṁ sarva-bhūteṣu na me dveṣyo 'sti na priyaḥ
ye bhajanti tu māṁ bhaktyā mayi te teṣu cāpy aham

samaḥ – egyenlő; *aham* – Én; *sarva-bhūteṣu* – minden élőlénnyel szemben; *na* – senki; *me* – Nekem; *dveṣyaḥ* – gyűlöletes; *asti* – van; *na* – sem; *priyaḥ* – kedves; *ye* – akik; *bhajanti* – transzcendentális szolgálatot végeznek; *tu* – de; *mām* – Nekem; *bhaktyā* – odaadással; *mayi* – Bennem; *te* – az ilyen személyek; *teṣu* – bennük; *ca* – is; *api* – bizony; *aham* – Én.

Én senkire sem irigykedem, és olyan sincs, akivel szemben elfogult lennék – mindenkivel egyenlően bánok. De aki odaadással szolgál Engem, az a barátom, Bennem van, s Én is a barátja vagyok.

MAGYARÁZAT: Felmerülhet a kérdés, hogy ha Kṛṣṇa egyformán bánik mindenkivel, és senkit sem tekint a barátjának, akkor miért mutat megkülönböztetett érdeklődést azok iránt a *bhakták* iránt, akik mindig az Ő transzcendentális szolgálatát végzik? Ez azonban nem részrehajlás, hanem természetes jelenség. Az anyagi világban is láthatjuk, hogy még a mindenkivel jó szándékú ember is többet törődik a saját gyermekeivel. Az Úr minden élőlényt – legyenek bármilyen testben – saját fiának tekint, ezért mindenkit bőségesen ellát mindazzal, amire életében szüksége van. Olyan Ő, mint a felhő, ami megkülönböztetés nélkül mindent megöntöz esővel, a sziklákat, a szárazföldet és a tengereket egyaránt. *Bhaktáiról* azonban mégis külön gondoskodik. Ezekről a *bhaktákról* tesz említést ez a vers: mindig Kṛṣṇa-tudatosak, s ezért transzcendentálisan valamennyien Kṛṣṇában vannak. Maga a „Kṛṣṇa-tudat" kifejezés is arra utal, hogy akiknek ilyen a tudatuk, azok igazi transzcendentalisták, akik Őbenne vannak. Az Úr itt félreérthetetlenül azt mondja: *mayi te,* „Bennem vannak". Így hát természetes, hogy az Úr is bennük van – a viszony kölcsönös. Ez megmagyarázza a következő szavakat is: *ye yathā māṁ prapadyante tāṁs tathaiva bhajāmy aham.* „Mindenkinek úgy viselem gondját, amilyen mértékben átadja magát Nekem." Ez a transzcendentális, kölcsönös viszony azért létezik, mert az Úr és a *bhaktája* egyaránt tudatosak. Amikor egy gyémántot aranygyűrűbe foglalnak, nagyon szépen mutat – a gyémánt és az arany egyformán tündöklik. Az Úr és az élőlény örökké ragyogóak. Amikor az élőlény a Legfelsőbb Úr szolgálatába kezd, akkor az aranyhoz hasonlítható, az Úr pedig olyan, mint a gyémánt, így kettőjük kombinációja nagyon szép. *Bhaktáknak* azokat az élőlényeket nevezzük, akik elérték a tiszta szintet. A Legfelsőbb Úr *bhaktái bhaktájává* válik. Személyes filozófia csakis az Úr és *bhaktái* közötti kölcsönös viszony esetén létezik. Az imperszonalista filozófia tagadja a Legfelsőbb és az élőlény közötti kölcsönös kapcsolatot, de a perszonalista filozófia nem.

Az Urat gyakran hasonlítják kívánságteljesítő fához, amitől az ember bármit kérhet és megkaphat. Ez a vers azonban még többet mond erről, amikor azt írja, hogy az Úr elfogult a *bhaktáival* szemben. Így nyilvánítja ki *bhaktái* iránti különleges kegyét. Ezt azonban nem szabad a *karma* törvénye következményének tekintenünk. Ez ahhoz a transzcendentális természethez tartozik, ami az Urat és *bhaktáit* jellemzi. A Neki végzett odaadó szolgálat nem az anyagi, hanem a lelki világ része, ahol örökkévalóság, boldogság és tudás uralkodik.

30. VERS

अपि चेत्सुदुराचारो भजते मामनन्यभाक् ।
साधुरेव स मन्तव्यः सम्यग्व्यवसितो हि सः ॥३०॥

api cet su-durācāro bhajate mām ananya-bhāk
sādhur eva sa mantavyaḥ samyag vyavasito hi saḥ

api – még; *cet* – ha; *su-durācāraḥ* – a legszörnyűbb tetteket végrehajtó; *bhajate* – odaadó szolgálatot végez; *mām* – Nekem; *ananya-bhāk* – kizárólagosan; *sādhuḥ* – szentnek; *eva* – bizony; *saḥ* – ő; *mantavyaḥ* – tekintendő; *samyak* – teljesen; *vyavasitaḥ* – eltökélt; *hi* – bizony; *saḥ* – ő.

Még ha valaki a legszörnyűbb tettet követi is el, ha odaadó szolgálatot végez, szentnek kell tekinteni, mert eltökéltsége a helyes irányba vezeti.

MAGYARÁZAT: Ebben a versben a *su-durācāraḥ* szónak nagy jelentősége van, amit helyesen kell értelmeznünk. Feltételekhez kötött helyzetében az élőlény kétféle tettet hajt végre: az egyiket a körülmények hatására, a másikat pedig örök természete szerint. A test védelme vagy a társadalom és az állam törvényeinek betartása érdekében még a *bhaktáknak* is kétségtelenül számtalan tettet kell végrehajtaniuk feltételekhez kötött életüknek köszönhetően, s ezeket feltételes cselekedeteknek nevezik. Ezenkívül az élőlény, aki tudatában van lelki természetének, és a Kṛṣṇa-tudatban, az Úr odaadó szolgálatában él, transzcendentálisnak nevezett tetteket is végez. Ezeket – melyeket szaknyelven odaadó szolgálatnak neveznek – örök helyzetének megfelelően végzi. A feltételekhez kötött létállapotban az odaadó és a testtel kapcsolatos feltételes szolgálat néha párhuzamosan történik, ugyanakkor azonban néha teljes ellentétben állhat egymással. Egy *bhakta* ügyel rá, hogy amennyire csak lehet, ne tegyen semmi olyat, ami felborítaná ezt az egyensúlyt.

Tudja: tetteinek tökéletessége azon múlik, mennyire fejlődik a Kṛṣṇa-tudat elérésében. Néha azonban azt tapasztaljuk, hogy egy Kṛṣṇa-tudatú ember olyan tettet hajt végre, amit társadalmi vagy politikai szempontból elítélendőnek tekintenek. Az ilyen ideiglenes visszaesés azonban nem jelenti azt, hogy az illető nem *bhakta* többé. A *Śrīmad-Bhāgavatam* szerint ha valaki visszaesik, de szívvel-lélekkel részt vállal a Legfelsőbb Úr transzcendentális szolgálatában, azt a szívében jelen lévő Úr megtisztítja, s megbocsátja szörnyű tettét. Az anyagi szennyeződés annyira erős, hogy néha még az Úr szolgálatában teljesen elmerülő *yogī* is megtéved, ám a Kṛṣṇa-tudat olyan hatásos, hogy általa az efféle ideiglenes visszaesést azonnal jóvá lehet tenni. Az odaadó szolgálat módszere ezért mindig sikeres. Az ideális útról véletlenül letérő *bhaktát* tehát senkinek sem szabad kigúnyolnia, mert ahogyan a következő vers elmagyarázza, az ilyen alkalmi visszaesések egy idő után megszűnnek, amint a *bhakta* teljesen Kṛṣṇa-tudatúvá válik.

Ezért a Kṛṣṇa-tudatban élő ember helyzetét, aki nagy eltökéltséggel énekli a Hare Kṛṣṇa, Hare Kṛṣṇa, Kṛṣṇa Kṛṣṇa, Hare Hare, Hare Rāma, Hare Rāma, Rāma Rāma, Hare Hare *mantrát,* transzcendentálisnak kell tekintenünk még akkor is, ha véletlenül vagy akaratlanul letért az útról. A vers kihangsúlyozza: *sādhur eva,* „az ilyen ember szent". Ez arra figyelmezteti az *abhaktákat,* hogy nem szabad kigúnyolniuk a véletlen folytán visszaesett *bhaktát;* továbbra is szentnek kell tekinteniük őt, véletlen bukása ellenére is. A *mantavyaḥ* szó pedig még nyomatékosabb: ha valaki nem tartja be ezt a szabályt, és ideiglenes visszaesése miatt kigúnyolja a *bhaktát,* az a Legfelsőbb Úr parancsát szegi meg. Az egyetlen tulajdonság, ami szükséges ahhoz, hogy valaki *bhakta* legyen, az, hogy rendíthetetlenül és kizárólagosan végezze az odaadó szolgálatot.

A *Nṛsiṁha-purāṇában* a következő kijelentéssel találkozhatunk:

bhagavati ca harāv ananya-cetā
bhṛśa-malino 'pi virājate manuṣyaḥ
na hi śaśa-kaluṣa-cchabiḥ kadācit
timira-parābhavatām upaiti candraḥ

Ez azt jelenti, hogy ha valaki teljesen elmerül az Úr odaadó szolgálatában, de néha mégis elítélendő tetteket követ el, ezeket úgy kell tekinteni, mint a hold foltjait, amelyek egy nyúlra emlékeztetnek. A holdon látható folt nem akadályozza a holdfény áradását, s éppen így a szent jellemhez véletlenül méltatlanná vált *bhaktát* sem teszi vétke förtelmessé.

Nem szabad ugyanakkor azt hinnünk, hogy a transzcendentális odaadó szolgálatot végző *bhakta* bármilyen bűnt elkövethet. Ez a vers csak a véletlen esetekre vonatkozik, melyek az anyagi kötelékek erős befolyásának köszönhetően következnek be. Az odaadó szolgálat többé-kevésbé hadüzenet az illúziókeltő energia ellen. Mindaddig, amíg az ember nem elég erős az illúziókeltő energiával vívott harcban, fennáll a veszélye, hogy véletlenül visszaesik. Ha azonban kellőképpen megerősödik, akkor többé nem kell visszaesnie, ahogyan azt már korábban megmagyaráztuk. Senkinek sem szabad ezt a verset arra használnia, hogy mindenféle ostobaságot elkövessen, s ugyanakkor *bhaktának* higgye magát. Ha az odaadó szolgálat által nem javít jellemén, akkor megérthetjük, hogy nem túlságosan fejlett *bhakta.*

31. VERS

क्षिप्रं भवति धर्मात्मा शश्वच्छान्तिं निगच्छति ।
कौन्तेय प्रतिजानीहि न मे भक्तः प्रणश्यति ॥३१॥

kṣipraṁ bhavati dharmātmā śaśvac-chāntiṁ nigacchati
kaunteya pratijānīhi na me bhaktaḥ praṇaśyati

kṣipram – hamarosan; *bhavati* – válik; *dharma-ātmā* – erényessé; *śaśvat-śāntim* – maradandó békét; *nigacchati* – elér; *kaunteya* – ó, Kuntī fia; *pratijānīhi* – hirdesd; *na* – sohasem; *me* – az Én; *bhaktaḥ* – *bhaktám; praṇaśyati* – megsemmisül.

Hamarosan tisztességessé válik és maradandó békét ér el. Ó, Kuntī fia, hirdesd bátran: az Én hívem nem vész el soha!

MAGYARÁZAT: Ezt a verset szintén nem szabad félreértenünk. A hetedik fejezetben azt mondja az Úr Kṛṣṇa, hogy aki bűnös tetteket követ el, az nem lehet az Úr *bhaktája,* aki pedig nem *bhakta,* annak nincsenek jó tulajdonságai. Felmerülhet a kérdés, hogy a véletlenül vagy akarattal bűnt elkövető ember hogyan lehet tiszta *bhakta*? A kérdés jogos. A hetedik fejezet és a *Śrīmad-Bhāgavatam* egyaránt kijelenti: a bűnös tettek elkövetői, akik sohasem kezdik el az Úr odaadó szolgálatát, nem rendelkeznek jó tulajdonságokkal. Az odaadó szolgálat kilenc tevékenységével a *bhakta* általában minden anyagi szennyeződéstől megtisztítja a szívét. Szívébe zárja az Istenség Legfelsőbb Személyiségét, s így természetesen minden bűnös szennyeződéstől megszabadul, s örökké a Legfelsőbb Úrra gondolva jelleme is megtisztul. A Védák bizonyos szabályokat, adott rítusok végrehajtását írják elő a fejlett síkról visszaeső ember számára, hogy megtisztulhasson. A *bhaktának* azonban nincs szüksége arra, hogy e tisztító rítusokat végrehajtsa, mert mivel állandóan az Istenség Legfelsőbb Személyiségére gondol, a tisztító folyamatokat a szívében végzi. Ezért kell szünet nélkül a Hare Kṛṣṇa, Hare Kṛṣṇa, Kṛṣṇa Kṛṣṇa, Hare

Hare, Hare Rāma, Hare Rāma, Rāma Rāma, Hare Hare *mantrát* énekelnie. Ez meg fogja védeni minden alkalmi visszaeséstől, s így végleg megszabadul minden anyagi fertőzéstől.

32. VERS

मां हि पार्थ व्यपाश्रित्य येऽपि स्युः पापयोनयः ।
स्त्रियो वैश्यास्तथा शूद्रास्तेऽपि यान्ति परां गतिम् ॥३२॥

māṁ hi pārtha vyapāśritya ye 'pi syuḥ pāpa-yonayaḥ
striyo vaiśyās tathā śūdrās te 'pi yānti parāṁ gatim

mām – Nálam; *hi* – bizony; *pārtha* – ó, Pṛthā fia; *vyapāśritya* – védelmet keresve; *ye* – azok, akik; *api* – szintén; *syuḥ* – vannak; *pāpa-yonayaḥ* – alacsony rangú család szülöttei; *striyaḥ* – nők; *vaiśyāḥ* – kereskedők; *tathā* – is; *śūdrāḥ* – alacsony sorú emberek; *te api* – még ők is; *yānti* – mennek; *parām* – a legfelsőbb; *gatim* – célhoz.

Ó, Pṛthā fia! Aki Nálam keres menedéket, az még ha alacsony sorban született is – nő, vaiśya [kereskedő] vagy śūdra [munkás] –, elérheti a legfelsőbb célt.

MAGYARÁZAT: A Legfelsőbb Úr egyértelműen kimondja ebben a versben, hogy az odaadó szolgálatban nincsen különbség a magasabb és alacsonyabb osztályba tartozó emberek között. Materialista életfelfogással szemlélve vannak ilyen csoportok, ám aki az Úr transzcendentális odaadó szolgálatában él, az nem tesz ilyen különbséget. Mindenki alkalmas a végső cél elérésére. A *Śrīmad-Bhāgavatam* (2.4.18) szerint még a *caṇḍālák* (kutyaevők), azaz a legalacsonyabb rendű emberek is megtisztulhatnak a tiszta *bhakták* társaságában. Az odaadó szolgálatnak és a tiszta *bhakták* vezetésének tehát olyan nagy ereje van, hogy eltöröl minden különbséget az emberek magasabb és alacsonyabb rendű csoportjai között, s bárki hozzákezdhet a végzéséhez. A tiszta *bhaktánál* menedéket keresve, a megfelelő vezetés alatt még a legegyszerűbb ember is megtisztulhat. Az emberek az anyagi természet különféle kötőerői szerint négy csoportra oszthatók: akikre a jóság kötőereje hat (*brāhmaṇák*), akikre a szenvedély (*kṣatriyák,* vagyis vezetők), akik a szenvedély és a tudatlanság kötőerejének hatása alatt állnak (*vaiśyák,* vagyis kereskedők), és akik a tudatlanság kötőerejében élnek (*śūdrák,* vagyis kétkezi munkások). Az ennél alacsonyabb szinten álló embereket, akik bűnös családokban születtek, *caṇḍāláknak* nevezik. A rangosabb osztályok általában kerülik az ilyen bűnös családok szülötteinek társaságát. Az odaadó szolgálat folyamata azonban olyannyira hatásos, hogy a Legfelsőbb Úr tiszta *bhaktája* még az alacsonyabb rendű osztályok tagjait is képessé teheti arra, hogy elérjék az élet legfőbb tökéletességét. Ez csak akkor lehetséges, ha az ember Kṛṣṇánál keres menedéket. Ahogyan azt a *vyapāśritya* szó jelzi, teljes mértékben Kṛṣṇánál kell menedéket keresnünk, s így az ember még a nagy *jñānīknál* és *yogīknál* is sokkal fejlettebbé válhat.

33. VERS

किं पुनर्ब्राह्मणाः पुण्या भक्ता राजर्षयस्तथा ।
अनित्यमसुखं लोकमिमं प्राप्य भजस्व माम् ॥३३॥

kiṁ punar brāhmaṇāḥ puṇyā bhaktā rājarṣayas tathā
anityam asukhaṁ lokam imaṁ prāpya bhajasva mām

kim – mennyire; *punaḥ* – megint; *brāhmaṇāḥ* – *brāhmaṇák; puṇyāḥ* – jámborak; *bhaktāḥ* – *bhakták; rāja-ṛṣayaḥ* – szent királyok; *tathā* – is; *anityam* – ideiglenes; *asukham* – gyötrelemmel teli; *lokam* – bolygót; *imam* – ezt; *prāpya* – elnyerve; *bhajasva* – végezz szerető szolgálatot; *mām* – Nekem.

S mennyivel inkább igaz ez a jámbor brāhmaṇák, a bhakták és a szent királyok esetében! Ezért hát, miután ebbe az ideiglenes és nyomorúságos világba kerültél, szolgálj Engem szeretettel!

MAGYARÁZAT: Ebben az anyagi világban sokféle ember él, ám senki sem találja meg itt a boldogságot. Ezt mondja ki félreérthetetlenül ez a vers: *anityam asukhaṁ lokam,* ez a világ ideiglenes és szenvedésekkel teli, ezért egyetlen józan úriember sem találja lakhatónak. Az Istenség Legfelsőbb Személyisége kijelentette, hogy ez a világ átmeneti és gyötrelemmel teli. Néhány filozófus, különösen a *māyāvādīk* azt mondják, hogy ez a világ hamis, a *Bhagavad-gītából* azonban megtudhatjuk, hogy a világ nem hamis, hanem ideiglenes. Az ideiglenes és a hamis nem ugyanazt jelenti. Ez a világ átmeneti, de létezik egy másik világ, amely örökkévaló. Ez a szenvedések helye, míg a másik örökkévaló és gyönyörteljes.

Arjuna egy szent királyi családban született. Az Úr őt is felszólítja: „Kezdd el odaadó szolgálatodat, s minél előbb térj haza, vissza Istenhez!" Senkinek sem szabad ebben az ideiglenes, szenvedésekkel teli világban maradnia. Mindenkinek az Istenség Legfelsőbb Személyiségénél kell menedéket keresnie, hogy elérje az örök boldogságot. A Legfelsőbb Úr odaadó szolgálata az egyetlen módszer, amely által az emberek különféle csoportjainak minden problémája megoldódhat. Mindenkinek Kṛṣṇa-tudatúvá kell tehát válnia, hogy életét tökéletessé tehesse.

34. VERS

मन्मना भव मद्भक्तो मद्याजी मां नमस्कुरु ।
मामेवैष्यसि युक्त्वैवमात्मानं मत्परायणः ॥३४॥

man-manā bhava mad-bhakto mad-yājī māṁ namas-kuru
mām evaiṣyasi yuktvaivam ātmānaṁ mat-parāyaṇaḥ

mat-manāḥ – gondolj mindig Rám; *bhava* – legyél; *mat* – Enyém; *bhaktaḥ – bhakta; mat* – Engem; *yājī* – imádóként; *mām* – Nekem; *namaskuru* – ajánld hódolatodat; *mām* – Hozzám; *eva* – teljesen; *eṣyasi* – el fogsz jönni; *yuktvā* – elmélyülve; *evam* – így; *ātmānam* – lelkedet; *matparāyaṇaḥ* – Nekem átadva.

Gondolj mindig Rám, légy a bhaktám, ajánld hódolatodat Nekem, és imádj Engem! Ha teljesen elmerülsz Bennem, biztosan eljutsz Hozzám.

MAGYARÁZAT: Ez a vers világosan kijelenti, hogy egyedül a Kṛṣṇa-tudat által lehet kiszabadulni a fertőzött anyagi világ csapdájából. A felelőtlen magyarázók néha eltorzítják e vers egyértelmű mondanivalóját, miszerint minden odaadó szolgálatot az Istenség Legfelsőbb Személyiségének, Kṛṣṇának kell felajánlani. Sajnálatos módon valami másra terelik az olvasó figyelmét, arra, ami egyáltalán nem megvalósítható. Nem tudják, hogy nincsen különbség Kṛṣṇa elméje és maga Kṛṣṇa között. Kṛṣṇa nem egy közönséges ember, hanem az Abszolút Igazság. Teste, elméje és Ő maga mind egy és abszolút. *Anubhāṣya* című művében Bhaktisiddhānta Sarasvatī Gosvāmī a *Caitanya-caritāmṛtát* (*Ādi-līlā* 5.41–48) magyarázva a *Kūrma-purāṇából* idéz: *deha-dehi-vibhedo 'yaṁ neśvare vidyate kvacit*. Ez azt jelenti, hogy Kṛṣṇa, a Legfelsőbb Úr teste és Ő maga között nincs különbség. A magyarázók azonban nem ismerik ezt a Kṛṣṇáról szóló tudományt, így elrejtik Kṛṣṇát, és személyét különválasztják a testétől és az elméjétől. Ez csak azt mutatja, hogy teljesen járatlanok Kṛṣṇa tudományában, néhányan közülük mégis pénzhez jutnak az emberek félrevezetésével.

Vannak olyan emberek is, akik démonikusak. Ők is Kṛṣṇára gondolnak, de irigyek Rá. Ilyen volt például Kaṁsa király, Kṛṣṇa nagybátyja, aki szintén örökké Kṛṣṇára gondolt, de ellenségének tekintette Őt. Állandóan attól rettegett, mikor jön el Kṛṣṇa, hogy megölje őt. Az ilyen meditáció nem segít rajtunk. Az embernek odaadó szeretettel kell gondolnia Kṛṣṇára – ez a *bhakti* –, és szakadatlanul tanulmányoznia kell a Kṛṣṇáról szóló tudományt. Mi is ez a kedvező folyamat, melyet követnünk kell? Egy hiteles lelki tanítómestertől kell tanulnunk. Kṛṣṇa az Istenség Legfelsőbb Személyisége, és ahogyan jó néhányszor elmondtuk már, az Ő teste nem anyagi, hanem örökkévaló, tudással és boldogsággal teli. Így kell tehát Kṛṣṇáról beszélnünk, s ez segít majd abban, hogy *bhaktákká* váljunk. Ha másképp akarjuk megismerni Őt, a rossz forrásra hallgatva, törekvésünk nem járhat sikerrel.

Elménket irányítsuk Kṛṣṇa örökkévaló, elsődleges formájára, s azzal a szívből jövő meggyőződéssel, hogy Kṛṣṇa a Legfelsőbb, imádjuk Őt. Indiában ezer és ezer templomban imádják Kṛṣṇát, s végeznek Neki odaadó szolgálatot. E gyakorlat során hódolatunkat kell ajánlanunk Kṛṣṇának. Meg kell hajtanunk a fejünket a *mūrti* előtt, s elménkkel, testünkkel, tetteinkkel, azaz mindenünkkel Őt kell szolgálnunk. Ez segít majd abban, hogy teljesen, megingathatatlanul Kṛṣṇába merüljünk, s eljussunk Kṛṣṇalokára. Nem szabad hagynunk, hogy a lelkiismeretlen magyarázók tévútra vezessenek bennünket. Végeznünk kell az odaadó szolgálat kilenc folyamatát, amely azzal kezdődik, hogy hallunk Kṛṣṇáról és beszélünk Róla. A tiszta odaadó szolgálat a legtökéletesebb szint az emberi társadalomban.

A *Bhagavad-gītā* hetedik és nyolcadik fejezete az Úr tiszta odaadó szolgálatáról beszélt, ami mentes a spekulatív tudástól, a misztikus *yogától* és a gyümölcsöző cselekedetektől. Akik még nem tisztultak meg teljesen, azok vonzódhatnak az Úr különféle aspektusaihoz, például a személytelen *brahmajyotihoz* és a helyhez kötött Paramātmāhoz, ám a tiszta *bhakták* közvetlenül a Legfelsőbb Úr szolgálatába fognak.

Egy Kṛṣṇáról szóló gyönyörű vers egyértelműen kimondja, hogy aki a félisteneket imádja, az végtelenül ostoba, és sohasem kaphatja meg Kṛṣṇától a legnagyobb jutalmat. Kezdetben, fejlődése elején a *bhakta* néha visszaesik, s nem tudja tartani a kívánt szintet, de még akkor is magasabb rendűnek kell tekinteni őt a többi filozófusnál és *yogīnál.* Arról, aki mindig Kṛṣṇa-tudatban cselekszik, tudnunk kell, hogy tökéletes szent. Fokozatosan elhagyja azokat a világi tetteket, melyeket véletlenül elkövet, s kétségtelenül hamarosan teljes tökéletességet ér el. Valójában a tiszta *bhaktákkal* nem fordulhat elő, hogy visszaesnek, mert a Legfelsőbb Istenség személyesen gondoskodik róluk. Az okos embernek ezért azonnal el kell kezdenie a Kṛṣṇa-tudat folyamatát, hogy boldogan élhessen ebben az anyagi világban, s így végül megkapja majd Kṛṣṇától a legnagyobb jutalmat.

Így végződnek a Bhaktivedanta-magyarázatok a Śrīmad Bhagavad-gītā *kilencedik fejezetéhez, melynek címe: „A legbizalmasabb tudás”.*

TIZEDIK FEJEZET

Az Abszolút fensége

1. VERS

श्रीभगवानुवाच
भूय एव महाबाहो शृणु मे परमं वचः ।
यत्तेऽहं प्रीयमाणाय वक्ष्यामि हितकाम्यया ॥१॥

śrī-bhagavān uvāca
bhūya eva mahā-bāho śṛṇu me paramaṁ vacaḥ
yat te 'haṁ prīyamāṇāya vakṣyāmi hita-kāmyayā

śrī-bhagavān uvāca – az Istenség Legfelsőbb Személyisége mondta; *bhūyaḥ* – ismét; *eva* – bizony; *mahā-bāho* – ó, erős karú; *śṛṇu* – halld hát; *me* – az Én; *paramam* – legfelsőbb; *vacaḥ* – utasításomat; *yat* – amit; *te* – neked; *aham* – Én; *prīyamāṇāya* – aki kedves Nekem; *vakṣyāmi* – el fogok mondani; *hita-kāmyayā* – a te érdekedben.

Az Istenség Legfelsőbb Személyisége így szólt: Ó, erős karú Arjuna, figyelj ismét szavaimra! Mivel kedves barátom vagy, a te érdekedben

most tovább tanítalak, s átadom neked azt a tudást, ami magasabb rendű mindannál, amit eddig elmondtam.

MAGYARÁZAT: Parāśara Muni a *bhagavān* szóhoz a következő magyarázatot fűzte: Bhagavānnak, az Istenség Legfelsőbb Személyiségének azt lehet nevezni, aki teljességében rendelkezik a hat fenséges tulajdonsággal, azaz minden erővel, hírnévvel, gazdagsággal, tudással, szépséggel és lemondással teljes. Földi jelenléte idején Kṛṣṇa megmutatta mind a hat dicső jellemvonást, ezért Parāśara Muni és a hozzá hasonló nagy bölcsek mind elfogadták, hogy Kṛṣṇa az Istenség Legfelsőbb Személyisége. Kṛṣṇa most egy még bizalmasabb tudást ad át Arjunának fenségével és tetteivel kapcsolatban. A hetedik fejezettel kezdődően az Úr különféle energiáiról s azok működéséről adott érthető leírást. Ebben a fejezetben saját fenségéről beszél Arjunának. Az előző fejezetben különféle energiáit magyarázta el rendkívül világosan, hogy megalapozza a szilárd meggyőződés jellemezte odaadást. Ebben a fejezetben tehát megnyilvánulásairól és különféle fenségeiről beszél Arjunának.

Minél többet hall valaki a Legfelsőbb Istenről, annál szilárdabb lesz a helyzete az odaadó szolgálatban. Az Úrról mindig a *bhakták* társaságában kell hallanunk, mert ennek eredményeképpen több odaadó szolgálatot végzünk majd. A *bhakták* közötti beszélgetésekben és előadásokon azonban csak azok tudnak részt venni, akik valóban vágynak arra, hogy Kṛṣṇa-tudatúak legyenek. Az Úr érthetően kijelenti Arjunának, hogy csupán az ő érdekében beszél erről a témáról, mivel Arjuna nagyon kedves Neki.

2. VERS

न मे विदुः सुरगणाः प्रभवं न महर्षयः ।
अहमादिर्हि देवानां महर्षीणां च सर्वशः ॥२॥

na me viduḥ sura-gaṇāḥ prabhavaṁ na maharṣayaḥ
aham ādir hi devānāṁ maharṣīṇāṁ ca sarvaśaḥ

na – sohasem; *me* – az Én; *viduḥ* – ismerik; *sura-gaṇāḥ* – a félistenek; *prabhavam* – eredetemet, fenségemet; *na* – sohasem; *mahā-ṛṣayaḥ* – a nagy bölcsek; *aham* – Én vagyok; *ādiḥ* – az eredete; *hi* – bizony; *devānām* – a félisteneknek; *mahā-ṛṣīṇām* – a nagy bölcseknek; *ca* – is; *sarvaśaḥ* – minden tekintetben.

Sem a félistenek serege, sem a kiváló szentek nem ismerik származásomat és fenségemet, mert Én vagyok mindnyájuk eredete minden tekintetben.

MAGYARÁZAT: A *Brahma-saṁhitā* kijelenti, hogy az Úr Kṛṣṇa a Legfelsőbb Úr. Senki sem nagyobb Nála, s Ő minden ok oka. Ebben a versben maga az Úr mondja, hogy Ő az eredete az összes félistennek és bölcsnek. Ha még a félistenek és a nagy bölcsek sem képesek megérteni Kṛṣṇát, nevét és személyiségét, mit mondhatnánk parányi bolygónk állítólagos tudósairól? Senki sem foghatja fel, miért jelenik meg a Földön a Legfelsőbb Isten közönséges emberként, s miért hajt végre csodálatos és szokatlan tetteket. Tudnunk kell tehát, hogy a Kṛṣṇa megismeréséhez szükséges tulajdonság nem az anyagi műveltség. Elméleti filozofálás útján még a félisteneknek és a nagy bölcseknek sem sikerült megismerniük Őt. A *Śrīmad-Bhāgavatam* is világosan kijelenti, hogy még a hatalmas félistenek sem képesek megismerni az Istenség Legfelsőbb Személyiségét. Spekulálással csak annyit tudhatnak meg, amennyit tökéletlen érzékeik megengednek, de így egy teljesen téves, imperszonalista következtetésre jutnak, miszerint Isten valamiféle személytelen dolog, ami nem az anyagi természet három kötőerejének megnyilvánulása. Az is lehet, hogy magukban elképzelnek valamit, ám Kṛṣṇát lehetetlen megismerni ilyen ostoba spekulálással.

Azoknak, akik meg akarják ismerni az Abszolút Igazságot, az Úr burkoltan azt mondja e versben: „Jelen vagyok az Istenség Legfelsőbb Személyiségeként, s Én vagyok a Legfelsőbb." Ezt mindannyiunknak tudnunk kell. Annak ellenére, hogy valaki nem tudja felfogni a személyesen jelen lévő, felfoghatatlan Urat, Ő létezik. Az örökkévaló, tudással és boldogsággal teljes Kṛṣṇát akkor ismerhetjük meg igazán, ha tanulmányozzuk szavait a *Bhagavad-gītāban* és a *Śrīmad-Bhāgavatamban.* Istent uralkodó hatalomként vagy a személytelen Brahmanként azok is megérthetik, akik alsóbbrendű energiájában vannak, ám az Istenség Személyiségét csak a transzcendentális síkra jutott ember foghatja fel.

Kṛṣṇa indokolatlan kegyéből alászáll, hogy segítsen a sok spekuláló emberen, aki képtelen megérteni az Ő valódi helyzetét. A Legfelsőbb Úr rendkívüli tettei ellenére azonban az anyagi energiával megfertőzött spekulálók továbbra is azt hiszik, hogy a személytelen Brahman a Legfelsőbb. Egyedül a Legfelsőbb Úr előtt teljesen meghódolt *bhakták* érthetik meg a Legfelsőbb Személyiség kegyéből, hogy Ő Kṛṣṇa. A *bhakták* nem törődnek Isten személytelen Brahman arculatával. Hitüknek és odaadásuknak köszönhetően azonnal a Legfelsőbb Úr előtt hódolnak meg, s így Kṛṣṇa indokolatlan kegyéből képesek megérteni Őt. Senki más nem értheti meg Őt. A nagy bölcsek véleménye is ez: Mi az *ātmā,* mi a Legfelsőbb? Ő, akit imádnunk kell.

3. VERS

यो मामजमनादिं च वेत्ति लोकमहेश्वरम् ।
असम्मूढः स मर्त्येषु सर्वपापैः प्रमुच्यते ॥ ३ ॥

yo māṁ ajam anādiṁ ca vetti loka-maheśvaram
asammūḍhaḥ sa martyeṣu sarva-pāpaiḥ pramucyate

yaḥ – aki; *mām* – Engem; *ajam* – megszületetlenként; *anādim* – kezdet nélküliként; *ca* – és; *vetti* – ismer; *loka* – a bolygók; *mahā-īśvaram* – legfelsőbb irányítójaként; *asammūḍhaḥ* – nincs illúzióban; *saḥ* – az; *martyeṣu* – a halandók között; *sarva-pāpaih* – minden bűnös visszahatástól; *pramucyate* – megszabadul.

Aki nincs illúzióban, az tudja, hogy megszületetlen, kezdet nélküli és az összes világ Legfelsőbb Ura vagyok. Egyedül ő mentes minden bűntől az emberek közül.

MAGYARÁZAT: Ahogyan a hetedik fejezet (7.3) írja, *manusyāṇāṁ sahasreṣu kaścid yatati siddhaye:* akik megpróbálják elérni a lelki megvilágosodás síkját, nem közönséges emberek. Ők jobbak annál a sok millió közönséges embernél, akik mit sem tudnak a lelki önmegvalósításról. A lelki önazonosságukat valóban megérteni próbálók közül azonban azok a legsikeresebb, lelki megvilágosodást elért emberek, akik megértették, hogy Kṛṣṇa az Istenség Legfelsőbb Személyisége, mindennek a tulajdonosa, a megszületetlen. Csakis ezen a szinten, Kṛṣṇa legfelsőbb helyzetét tökéletesen felismerve tisztulhatunk meg valamennyi bűnös visszahatástól.

Ebben a versben az *aja* – megszületetlen – szó az Úrra utal, aki azonban különbözik az élőlényektől, akiket a második fejezet szintén *ajának* nevez. Az Úr különbözik az élőlényektől, akik anyagi ragaszkodásaik miatt születnek és halnak meg. A feltételekhez kötött lelkek állandóan cserélik testüket, de az Övé nem változik. Ha alá is száll ebbe az anyagi világba, akkor is ugyanúgy megszületetlenként jön el. Ezért mondja a negyedik fejezet, hogy az Úr, belső energiája révén, nem áll az alsóbbrendű, anyagi energia irányítása alatt, hanem mindig a felsőbbrendűben marad.

E versben a *vetti loka-maheśvaram* szavak azt jelentik, hogy az Úr Kṛṣṇáról tudnunk kell: Ő az univerzum bolygórendszereinek legfelsőbb birtokosa, Aki létezett a teremtés előtt is, és különbözik a teremtett világtól. A félistenek mindegyike az anyagi világban teremtődött, de Kṛṣṇát az írások szerint senki sem teremtette. Kṛṣṇa tehát még a nagy félistenektől, például Brahmātól és Śivától is különbözik. S mivel Ő Brahmā, Śiva és a többi félisten létrehozója, Ő a Legfelsőbb Személy minden bolygón.

Śrī Kṛṣṇa tehát különbözik minden teremtett dologtól. Aki ezt tudja Róla, az azonnal megszabadul minden bűnös visszahatástól. Az embernek meg kell tisztulnia minden bűnös tettétől, ha szert akar tenni a Legfelsőbb Úrról szóló tudásra. A *Bhagavad-gītā* tanítása szerint Őt kizárólag az odaadó szolgálat által lehet megismerni, más módon nem.

Nem szabad Kṛṣṇáról olyan felfogást kialakítanunk, hogy Ő emberi lény. Korábban olvashattuk, hogy csak az ostobák gondolkoznak így. Ugyanezt mondja ki ez a vers is más szavakkal. Aki nem ostoba, azaz aki kellőképpen értelmes ahhoz, hogy megértse Isten örök helyzetét, az mindig mentes minden bűnös visszahatástól.

Hogyan lehet Kṛṣṇa megszületetlen, ha köztudottan Devakī fia? A *Śrīmad-Bhāgavatam* erre is választ ad: amikor az Úr megjelent Devakī és Vasudeva előtt, nem közönséges gyermek módjára született. Először eredeti alakjában jelent meg, s csak azután változott át közönséges gyermekké.

Bármi történjék is Kṛṣṇa irányítása alatt, az transzcendentális, és nem fertőzhetik be az anyagi visszahatások, melyek lehetnek kedvezőek és kedvezőtlenek is. Az a nézet, miszerint az anyagi világban vannak kedvező és kedvezőtlen dolgok, többé-kevésbé puszta spekuláció, mert az anyagi világban semmi sem kedvező. Itt minden kedvezőtlen, mert maga az anyagi természet is kedvezőtlen – csak képzeljük, hogy kedvező. Igazi áldás csakis a teljes odaadással végzett Kṛṣṇa-tudatú tettekből és szolgálatból származik. Ezért ha azt akarjuk, hogy tetteink valóban áldásosak legyenek, akkor a Legfelsőbb Úr utasításai szerint kell cselekednünk. Ezekről az utasításokról a *Śrīmad-Bhāgavatamból,* a *Bhagavad-gītāból* vagy egy hiteles lelki tanítómestertől hallhatunk. A lelki tanítómester a Legfelsőbb Urat képviseli, ezért utasításai nem különböznek az Övéitől. A lelki tanítómester, a szentek és az írások tanítása között nincs különbség; e három forrás nem mond ellent egymásnak. Ha irányításuk szerint cselekszünk, akkor tetteink mentesek lesznek az anyagi világ jámbor és bűnös tetteinek visszahatásaitól. Tetteit a *bhakta* a transzcendentális lemondás szellemében hajtja végre, amit *sannyāsának* neveznek. A *Bhagavad-gītā* hatodik fejezetének első verse szerint valódi lemondásban az él, aki kötelességből cselekszik, azért, mert a Legfelsőbb Úr úgy rendelte el, nem pedig tetteinek gyümölcsében bízva (*anāśritaḥ karma-*

phalam). Valódi *yogī* és *sannyāsī* az, aki a Legfelsőbb Úr parancsát követve cselekszik, s nem az ál-*yogī* vagy az, aki csupán *sannyāsīnak* öltözik.

4–5. VERS

बुद्धिर्ज्ञानमसम्मोहः क्षमा सत्यं दमः शमः ।
सुखं दुःखं भवोऽभावो भयं चाभयमेव च ॥ ४ ॥

अहिंसा समता तुष्टिस्तपो दानं यशोऽयशः ।
भवन्ति भावा भूतानां मत्त एव पृथग्विधाः ॥ ५ ॥

buddhir jñānam asammohaḥ kṣamā satyaṁ damaḥ śamaḥ
sukhaṁ duḥkhaṁ bhavo 'bhāvo bhayaṁ cābhayam eva ca

ahiṁsā samatā tuṣṭis tapo dānaṁ yaśo 'yaśaḥ
bhavanti bhāvā bhūtānāṁ matta eva pṛthag-vidhāḥ

buddhiḥ – értelem; *jñānam* – tudás; *asammohaḥ* – kételyektől való mentesség; *kṣamā* – megbocsátás; *satyam* – igazmondás; *damaḥ* – az érzékek szabályozása; *śamaḥ* – az elme szabályozása; *sukham* – boldogság; *duḥkham* – boldogtalanság; *bhavaḥ* – születés; *abhāvaḥ* – halál; *bhayam* – félelem; *ca* – és; *abhayam* – félelemnélküliség; *eva* – is; *ca* – és; *ahiṁsā* – erőszaknélküliség; *samatā* – egyensúly; *tuṣṭiḥ* – elégedettség; *tapaḥ* – lemondás; *dānam* – adományozás; *yaśaḥ* – hírnév; *ayaśaḥ* – szégyen; *bhavanti* – vannak; *bhāvāḥ* – természetei; *bhūtānām* – élőlényeknek; *mattaḥ* – Tőlem; *eva* – bizony; *pṛthak-vidhāḥ* – különféleképpen származóak.

Értelem, tudás, mentesség a kétségtől és a tévhittől, megbocsátás, igazmondás, az érzékek szabályozása, az elme szabályozása, boldogság és szenvedés, születés, halál, félelem, félelemnélküliség, erőszakmentesség, kiegyensúlyozottság, elégedettség, lemondás, adományozás, hírnév és szégyen – egyedül Tőlem származnak az élőlények e tulajdonságai.

MAGYARÁZAT: Az élőlények különféle tulajdonságait – a jókat és a rosszakat egyaránt – Kṛṣṇa teremtette. Erről ír ez a vers.

Az értelem az a képesség, melynek segítségével a dolgokat helyes nézőpontból elemezzük, a tudás pedig azt jelenti, hogy megértjük, mi a lélek és mi az anyag. Az egyetemeken oktatott közönséges tudás csupán az anyagot érinti, s ezért itt nem tekintjük tudásnak. Tudás az, ha ismerjük a különbséget a lélek és az anyag között. A modern oktatás kizárólag az anyagi elemekről és a testi szükségletekről tanít, s mellőzi a lélekről szóló tudományt. Az akadémikus tudás ezért nem teljes.

Asammohává, félelem- és illúziónélkülivé akkor lehet válni, ha az ember nem határozatlan, s megértette a transzcendentális filozófiát. Ily módon lassan, de biztosan megszabadul a zavarodottságtól. Semmit sem szabad vakon elfogadnunk; először mindent nagy figyelemmel és elővigyázatossággal mérlegelnünk kell. A *kṣamā,* a türelem és a megbocsátás tulajdonságát el kell sajátítanunk, s eszerint kell élnünk: az embernek türelmesnek kell lennie, és meg kell tudnia bocsátani mások apró bűneit. A *satyam,* az igazmondás azt jelenti, hogy a tényeket mások érdekében változtatás nélkül kell közölnünk, s nem szabad azokat eltorzítanunk. A társadalomban az a szokás, hogy az embernek csak akkor szabad megmondania az igazságot, ha azzal örömet szerez másoknak. Ez azonban nem igazmondás. Az igazat mindig nyíltan meg kell mondani, hogy mások a valósághoz hűen ismerhessék meg a tényeket. Ha egy emberről tudjuk, hogy tolvaj, s ezt elmondjuk másoknak is, akkor igazat mondunk. Az igazság néha fáj, ám ez ne tántorítson el senkit a kimondásától. Az igazmondás megköveteli, hogy változatlanul közöljük a tényeket embertársainkkal, az ő érdekükben. Ez az igazmondás definíciója.

Az érzékek szabályozása azt jelenti, hogy nem szabad azokat szükségtelenül saját élvezetünkre használni. Az érzékeket a szükséges mértékben elégedetté kell tennünk, ez nem tilos, de a fölösleges érzéki élvezet hátráltatja a lelki fejlődést. Az érzékeket vissza kell tartanunk a fölösleges tevékenységtől. Ehhez hasonlóan az elmét is korlátoznunk kell, hogy ne merüljön el haszontalan gondolatokban. Ezt nevezik *śamának*. Senkinek sem szabad arra vesztegetnie az idejét, hogy a pénzszerzésen törje a fejét; ha így tesz, rossz célra használja gondolkodóképességét. Az elménket arra kell használnunk, hogy megértsük azt, amire az emberiségnek a leginkább szüksége van, s ezt aztán hitelesen, változtatás nélkül átadjuk másoknak is. Gondolkodóképességünket a szentírások szakértői, a szentek, a lelki tanítómesterek és az emelkedett gondolkodásúak társaságában kell fejlesztenünk.

A *sukhát,* a gyönyört vagy boldogságot mindig olyan dolgokban kell megtalálnunk, melyek kedvezően hatnak a Kṛṣṇa-tudat lelki tudományának művelésére, a boldogtalanság, a fájdalom pedig az, ami nem kedvez a Kṛṣṇa-tudatbeli fejlődésnek. Mindazt, ami elősegíti haladásunkat a Kṛṣṇa-tudatban, el kell fogadnunk, mindazt pedig, ami akadályozza, el kell utasítanunk.

A *bhava,* a születés a testre utal. Még a *Bhagavad-gītā* elején kifejtettük, hogy a lélek számára nem létezik sem születés, sem halál. Ezek csupán az anyagi világbeli testekre jellemzőek. Ha félünk, az azért van, mert aggódunk a jövő miatt. A Kṛṣṇa-tudatú ember azonban nem fél, mert tudja: tettei révén biztosan visszatér a transzcendentális világba, haza Istenhez. Rá tehát fényes jövő vár. Mások azonban nem tudják, mit tartogat számukra a jövő, s a következő életükről sem tudnak semmit, így aztán örök aggodalomban élnek. Ha valaki meg akar szabadulni az aggodalomtól, a legjobb, ha megismeri Kṛṣṇát, s állandóan elmerül a Kṛṣṇa-tudatban. Így szabadulhatunk meg minden félelemtől. A *Śrīmad-Bhāgavatam* (11.2.37) elmondja: *bhayaṁ dvitīyābhiniveśataḥ syāt,* a félelmet az okozza, hogy az illúziókeltő energiába merülünk. Ám akik megszabadultak az illúziókeltő energiától, akik meggyőződtek arról, hogy nem azonosak az anyagi testtel, hanem az Istenség Legfelsőbb Személyiségének lelki részei, s akik ezért transzcendentális szolgálatot végeznek a Legfelsőbb Istenségnek, azoknak nincs mitől rettegniük. Az ő jövőjük ragyogó. A félelem azokra jellemző, akik nem Kṛṣṇa-tudatúak. Az *abhayam,* a félelemnélküliség csak a Kṛṣṇa-tudatúak számára elérhető.

Az *ahiṁsā,* az erőszakmentesség azt jelenti, hogy nem szabad semmi olyat tennünk, ami másoknak fájdalmat okoz, vagy amivel megzavarunk másokat. A politikusok, szociológusok, filantrópusok stb. által ígért anyagi tettek nem eredményeznek semmi jót, mert a politikusok és filantrópok nem rendelkeznek transzcendentális látásmóddal, s nem tudják, mi az, ami valóban az emberi társadalom javát szolgálja. Az *ahiṁsā* azt jelenti, hogy az embereket úgy kell tanítanunk, hogy képesek legyenek teljes mértékben kihasználni az emberi test adta lehetőségeket. Az emberi test a lelki célok megvalósítására való, így minden ezt hátráltató tettet vagy parancsolatot az emberi test elleni erőszaknak lehet tekinteni. Erőszaknélküliségnek tehát azt nevezzük, ami az emberek eljövendő lelki boldogságát segíti elő.

A *samatā,* a kiegyensúlyozottság azt jelenti, hogy az ember mentes a vonzódástól és a gyűlölettől. Nem szabad semmihez sem túlzottan ragaszkodnunk, de a túlzott ellenszenv sem jó. Az anyagi világhoz ragaszkodás és gyűlölet nélkül kell viszonyulnunk. Ami előnyös a Kṛṣṇa-tudat végzéséhez, azt el kell fogadnunk, ami pedig kedvezőtlen, azt el kell utasítanunk. Ezt nevezik *samatānak,* kiegyensúlyozottságnak. Aki Kṛṣṇa-tudatban él, semmit sem utasít vissza és semmit nem fogad el anélkül, hogy előbb ne mérlegelné, hasznos-e az a Kṛṣṇa-tudat végzése során vagy sem.

A *tuṣṭi,* az elégedettség arra utal, hogy az embernek nem szabad arra törekednie, hogy felesleges tettekkel egyre több anyagi javat halmozzon fel. Érjük be azzal, amit a Legfelsőbb Úr kegyéből megkapunk. Ezt nevezik elégedettségnek. A *tapas* lemondást vagy vezeklést jelent. Ezzel kapcsolatban a Védákban számtalan szabályt és előírást találunk: hajnalban kell felkelnünk, meg kell fürödnünk stb. Néha nagyon nehéz korán felkelni, de bármilyen nehézséget vállal az ember magára önszántából, azt lemondásnak hívják. Ehhez hasonlóan vannak előírások a hó bizonyos napjain betartandó böjtre is. Lehetséges, hogy valakinek nincs ínyére a böjt, de ha eltökélte, hogy fejlődni akar a Kṛṣṇa-tudat tudományában, akkor el kell fogadnia azokat a testi kényelmetlenségeket, melyeket a Védák ajánlanak. Nem szabad azonban szükségtelenül vagy a védikus előírásoknak ellentmondva böjtölni. A politikai célokat szolgáló böjt szintén tilos. Erről a *Bhagavad-gītā* mint a tudatlanság kötőerejébe tartozó koplalásról ír, a tudatlanság vagy szenvedély kötőerejében végzett tettek pedig sohasem vezetnek lelki fejlődéshez. Bármit teszünk azonban a jóság minőségében, az segíti majd fejlődésünket, s a védikus utasítások értelmében betartott böjt gyarapítja az ember lelki tudását.

Ami az adományozást illeti, az embernek keresete ötven százalékát jó célokra kell áldoznia. S hogy mi a jó cél? Ami megegyezik a Kṛṣṇa-tudat céljával – s ez nemcsak jó, de a legjobb is. Mivel Kṛṣṇa jó, ezért az Ő ügye is az. Adományt tehát annak kell adnunk, aki a Kṛṣṇa-tudatban tevékenykedik. A védikus irodalom szerint az adomány a *brāhmaṇákat* illeti. Ezt a szokást mind a mai napig betartják, noha nem egészen a védikus utasításokkal összhangban. A parancs mégis úgy szól, hogy az adomány a *brāhmaṇákat* illeti meg. Miért? Mert ők egy magasabb rendű lelki tudással foglalkoznak. Egy *brāhmaṇának* egész életét a Brahman megismerésére kell szentelnie. *Brahma jānātīti brāhmaṇaḥ: brāhmaṇának* azt nevezik, aki ismeri a Brahmant. Azért kell tehát adakoznunk nekik, mert a felsőbbrendű lelki szolgálatba merülnek, s nincs idejük arra, hogy megkeressék a kenyerüket. A védikus irodalom szerint a *sannyāsīnak,* vagyis a lemondott rendben élőnek is illik adakozni. A *sannyāsīk* házról házra járva kéregetnek, nem azért, hogy vagyont gyűjtsenek, hanem küldetéstudatból. Az a szokás, hogy minden házba bekopognak, s felrázzák a tudatlanság álmában szendergő családosokat. A családosokat a családi ügyek kötik le, s megfeledkeznek az élet igazi céljáról (Kṛṣṇa-tudatuk felébresztéséről), ezért a *sannyāsīk* dolga, hogy koldusként felkeressék a családosokat, és biztassák őket a Kṛṣṇa-tudat gyakorlására. A Védák azt írják: ébredjünk fel, és érjük el azt, ami jár nekünk ebben az emberi létformában. A *sannyāsīk* az ehhez szükséges tudást és módszert ismertetik. Nem szabad tehát szeszélyesen és meggondolatlanul adományoznunk. Az adományok csak a lemondott életrend tagjait, a *brāhmaṇákat* és a hasonló jó ügyek képviselőit illetik meg.

A *yaśas* hírnevet jelent. Az Úr Caitanya Mahāprabhu szerint akkor leszünk igazán híresek, ha nagy *bhaktává* válunk. Ez az igazi hírnév. Aki arról ismert, hogy a Kṛṣṇa-tudat kiváló egyénisége, az valóban híres. Akinek nincs ilyen hírneve, az rossz hírű.

Ezek a tulajdonságok szerte az univerzumban, az emberek és a félistenek társadalmában egyaránt jellemzőek. A többi bolygón számtalanféle emberi társadalom létezik, ám ezek a tulajdonságok mindenhol megtalálhatók. Azok számára, akik fejlődni szeretnének a Kṛṣṇa-tudatban, Kṛṣṇa teremti meg e jellemzőket, de kifejleszteni nekünk magunknak kell őket belülről. A Legfelsőbb Úr akaratából a Neki odaadó szolgálatot végző emberben valamennyi jó tulajdonság kialakul.

Kṛṣṇa az eredete mindennek, jónak és rossznak egyaránt. Ebben az anyagi világban semmi olyan nem nyilvánulhat meg, ami nincs jelen Kṛṣṇában. Ezt jelenti a tudás: tudjuk, hogy a dolgok különböznek egymástól, mégis meg kell értenünk, hogy minden Kṛṣṇából árad.

6. VERS

महर्षयः सप्त पूर्वे चत्वारो मनवस्तथा ।
मद्भावा मानसा जाता येषां लोक इमाः प्रजाः ॥ ६ ॥

maharṣayaḥ sapta pūrve catvāro manavas tathā
mad-bhāvā mānasā jātā yeṣāṁ loka imāḥ prajāḥ

mahā-ṛṣayaḥ – a nagy bölcsek; *sapta* – hét; *pūrve* – előzőleg; *catvāraḥ* – négy; *manavaḥ* – Manuk; *tathā* – is; *mat-bhāvāḥ* – Tőlem születtek; *mānasāḥ* – az elméből; *jātāḥ* – születtek; *yeṣām* – az övék; *loke* – a világon; *imāḥ* – mindez; *prajāḥ* – a népesség.

A hét nagy bölcs, előzőleg pedig másik négy bölcs, valamint a Manuk [az emberiség ősnemzői] Belőlem, az Én elmémből születtek, s a különféle bolygókat benépesítő élőlények mind tőlük származnak.

MAGYARÁZAT: Az Úr az univerzum népességének származását foglalja itt össze. Brahmā az eredeti teremtmény, aki a Hiraṇyagarbhának is nevezett Legfelsőbb Úr energiájából született. Brahmāból nyilvánult meg a négy bölcs, Sanaka, Sananda, Sanātana és Sanat-kumāra, majd hét másik nagy bölcs és a tizennégy Manu. Ezt a huszonöt nagy bölcset az univerzum élőlényeinek ősatyáiként ismerik. Megszámlálhatatlanul sok univerzum van, és mindegyikben végtelen számú bolygó lebeg. Mindegyik égitestet különféle élőlények sokasága lepi el, akik e huszonöt ősatyától származnak. Brahmā előbb ezer félisteni évig vezekelt, mielőtt Kṛṣṇa kegyéből megvilágosodott a teremtés tudományát illetően. Aztán Brahmātól létrejött Sanaka, Sananda, Sanātana és Sanat-kumāra, majd Rudra és a hét bölcs, és ily módon minden *brāhmaṇa* és *kṣatriya* az Istenség Legfelsőbb Személyiségének energiájából született. Brahmāt Pitāmahának, nagyatyának is hívják, Kṛṣṇát pedig Prapitāmahának, a nagyatya atyjának. Erről a *Bhagavad-gītā* tizenegyedik fejezetében olvashatunk (11.39).

7. VERS

एतां विभूतिं योगं च मम यो वेत्ति तत्त्वतः ।
सोऽविकल्पेन योगेन युज्यते नात्र संशयः ॥ ७ ॥

etāṁ vibhūtiṁ yogaṁ ca mama yo vetti tattvataḥ
so 'vikalpena yogena yujyate nātra saṁśayaḥ

etām – mindezt; *vibhūtim* – a fenséget; *yogam* – misztikus hatalmat; *ca* – és; *mama* – az Enyémet; *yaḥ* – aki; *vetti* – ismeri; *tattvataḥ* – igazán; *saḥ* – ő; *avikalpena* – töretlen; *yogena* – odaadó szolgálatban; *yujyate* – tevékenykedik; *na* – sohasem; *atra* – itt; *saṁśayaḥ* – kétség.

Aki igazán ismeri fenségemet és misztikus hatalmamat, az tiszta odaadó szolgálatba fog – ehhez semmi kétség sem fér.

MAGYARÁZAT: A lelki tökéletesség csúcsát az Istenség Legfelsőbb Személyiségéről szóló tudás jelenti. Senki sem kezdheti el az odaadó szolgálatot addig, amíg szilárd meggyőződéssel el nem fogadja a Legfelsőbb Úr különféle fenséges tulajdonságait. Az emberek általában tudják, hogy Isten hatalmas, de nem tudják pontosan, mennyire hatalmas. Itt erről is hallhatunk. Aki valóban tisztában van Isten nagyságával, az automatikusan meghódol, s az Úr odaadó szolgálatához lát. A Legfelsőbb fenségét igazán megismerve nincsen más választása, mint meghódolni Előtte. Ehhez a tényleges tudáshoz a *Śrīmad-Bhāgavatam,* a *Bhagavad-gītā* és a hasonló szentírások leírásaiból juthatunk.

Szerte a különféle bolygórendszerekben számtalan félisten él, akiknek feladata az univerzum irányítása. Közülük a legfőbbek Brahmā, az Úr Śiva, a négy Kumāra és a többi ősatya. Az univerzumban sok ősatya él, akik mind a Legfelsőbb Úrtól, Kṛṣṇától születtek. Minden ősatyának az Istenség Legfelsőbb Személyisége, Kṛṣṇa az eredeti ősatyja.

Ez csupán néhány a Legfelsőbb Úr fenséges tulajdonságai közül. Ha valaki szilárd meggyőződéssel elfogadja ezeket, akkor rendületlen hittel, minden kétely nélkül elfogadja Kṛṣṇát, és hozzákezd az odaadó szolgálathoz. E különleges tudásra szükség van ahhoz, hogy az embernek fokozódjon az érdeklődése Kṛṣṇa szeretetteljes odaadó szolgálata iránt. Nem szabad elhanyagolnunk azt a kötelességünket, hogy Kṛṣṇa nagyságát teljesen megértsük, mert csakis ennek ismeretében leszünk képesek megszilárdulni az őszinte odaadó szolgálatban.

8. VERS

अहं सर्वस्य प्रभवो मत्तः सर्वं प्रवर्तते ।
इति मत्वा भजन्ते मां बुधा भावसमन्विताः ॥ ८ ॥

ahaṁ sarvasya prabhavo mattaḥ sarvaṁ pravartate
iti matvā bhajante māṁ budhā bhāva-samanvitāḥ

aham – Én; *sarvasya* – mindennek; *prabhavaḥ* – származásának forrása; *mattaḥ* – Tőlem; *sarvam* – minden; *pravartate* – árad; *iti* – így; *matvā* – tudván; *bhajante* – odaadóan imádnak; *mām* – Engem; *budhāḥ* – a műveltek; *bhāva-samanvitāḥ* – nagy figyelemmel.

Én vagyok az eredete a lelki és az anyagi világnak, minden Belőlem árad. A bölcsek, akik tudva tudják ezt, odaadóan szolgálnak és teljes szívből imádnak Engem.

MAGYARÁZAT: A művelt bölcs, aki behatóan tanulmányozta a Védákat, s olyan hiteles forrástól tett szert tudására, mint az Úr Caitanya, valamint tudja, hogyan alkalmazza ezeket az ismereteket, megérti, hogy Kṛṣṇa az eredete mindennek, a lelki és az anyagi világokban egyaránt, s így rendíthetetlenné válik a Legfelsőbb Úr odaadó szolgálatában. Egyetlen ostoba ember és semmilyen képtelen magyarázat nem térítheti le útjáról. Valamennyi védikus írás egyetért abban, hogy Kṛṣṇa az eredete Brahmānak, Śivának és az összes többi félistennek. Az *Atharva-vedában* (*Gopāla-tāpanī-upaniṣad* 1.24) ez áll: *yo brahmāṇaṁ vidadhāti pūrvaṁ yo vai vedāṁś ca gāpayati sma kṛṣṇaḥ.* „Kṛṣṇa volt az, aki kezdetben Brahmāt a védikus tudományra tanította, s aki a múltban elterjesztette a védikus tudást." A *Nārāyaṇa-upaniṣad* (1) pedig így ír: *atha puruṣo ha vai nārāyaṇo 'kāmayata prajāḥ sṛjeyeti.* „Aztán az Istenség Személyisége, Nārāyaṇa élőlényeket kívánt teremteni." *Nārāyaṇād brahmā jāyate, nārāyaṇād prajāpatiḥ prajāyate, nārāyaṇād indro jāyate, nārāyaṇād aṣṭau vasavo jāyante, nārāyaṇād ekādaśa rudrā jāyante, nārāyaṇād dvādaśādityāḥ* – folytatja az *upaniṣad.* „Nārāyaṇától született Brahmā, Nārāyaṇától születtek meg az ősatyák, Nārāyaṇától született Indra, Nārāyaṇától született a nyolc *vasu,* Nārāyaṇától született a tizenegy *rudra,* és Nārāyaṇától jött világra a tizenkét *āditya.*" Ez a Nārāyaṇa Kṛṣṇa egyik kiterjedése.

A Védák azt is kijelentik: *brahmaṇyo devakī-putraḥ.* „Devakī fia, Kṛṣṇa a Legfelsőbb Személyiség" (*Nārāyaṇa-upaniṣad* 4). Aztán pedig azt olvashatjuk: *eko vai nārāyaṇa āsīn na brahmā na īśāno nāpo nāgni-somau neme dyāv-āpṛthivī na nakṣatrāṇi na sūryaḥ.* „A teremtés kezdetén csak a Legfelsőbb Személyiség, Nārāyaṇa létezett. Nem létezett sem Brahmā, sem Śiva, nem volt sem víz, sem tűz, sem hold; nem volt föld és nem volt menny; nem voltak csillagok az égen, s nem volt nap sem" (*Mahā-upaniṣad* 1.2). A *Mahā-upaniṣadból* azt is megtudhatjuk, hogy az Úr Śiva a Legfelsőbb Úr homlokából született. Ezért a Védák azt mondják, hogy a Legfelsőbb Urat, Brahmā és Śiva teremtőjét kell imádni.

A *Mokṣa-dharmában* Kṛṣṇa szintén így szól:

prajāpatiṁ ca rudraṁ cāpy aham eva sṛjāmi vai
tau hi māṁ na vijānīto mama māyā-vimohitau

„Az ősatyákat, Śivát és a többieket mind Én teremtettem, bár ők ezt nem tudják, mert illúziókeltő energiám megtéveszti őket." A *Varāha-purāṇában* is ez áll:

nārāyaṇaḥ paro devas tasmāj jātaś caturmukhaḥ
tasmād rudro 'bhavad devaḥ sa ca sarva-jñatāṁ gataḥ

„Az Istenség Legfelsőbb Személyisége Nārāyaṇa. Tőle született Brahmā, akitől Śiva született."

Az Úr Kṛṣṇa minden teremtmény forrása, akit minden dolog legvégső ható okának neveznek. Ő mondja: „Mivel minden Tőlem származik, Én vagyok az eredeti forrása mindennek. Minden az Én irányításom alatt áll, de Felettem nincs senki." Kṛṣṇán kívül nincs másik legfelsőbb irányító. Aki mindezt megérti Kṛṣṇával kapcsolatban egy hiteles lelki tanítómester segítségével, a védikus írások alapján, az minden energiáját a Kṛṣṇa-tudat végzésére fordítja, és valóban műveltté válik. Hozzá képest mindenki más, aki nem ismeri Kṛṣṇát úgy, ahogy van, ostoba. Csak egy ostoba vélheti Kṛṣṇát közönséges lénynek. A Kṛṣṇa-tudatú embernek nem szabad hagynia, hogy az ostobák megzavarják. El kell kerülnie a *Bhagavad-gītā* hamis magyarázatait és értelmezéseit, s elszántan, rendületlenül kell haladnia a Kṛṣṇa-tudat útján.

9. VERS

मच्चित्ता मद्गतप्राणा बोधयन्तः परस्परम् ।
कथयन्तश्च मां नित्यं तुष्यन्ति च रमन्ति च ॥ ९ ॥

mac-cittā mad-gata-prāṇā bodhayantaḥ parasparam
kathayantaś ca māṁ nityaṁ tuṣyanti ca ramanti ca

mat-cittāḥ – akik elméjüket teljesen Rám irányították; *mat-gata-prāṇāḥ* – életüket Nekem szentelve; *bodhayantaḥ* – prédikálva; *paras-*

param – maguk között; *kathayantaḥ* – beszélgetve; *ca* – és; *mām* – Rólam; *nityam* – mindig; *tuṣyanti* – elégedetté válnak; *ca* – és; *ramanti* – transzcendentális örömöt élveznek; *ca* – és.

Tiszta híveim gondolatai Bennem lakoznak, életüket teljesen az Én szolgálatomnak szentelték. Nagy örömet és elégedettséget éreznek ők, amikor felvilágosítják egymást, és Rólam beszélgetnek.

MAGYARÁZAT: A tiszta *bhakták,* akiknek jellemzőiről ez a vers ír, teljesen elmerülnek az Úr transzcendentális szerető szolgálatában. Gondolataikat sohasem lehet eltéríteni Kṛṣṇa lótuszlábáról, és csakis transzcendentális témákról beszélgetnek. Ez a vers kifejezetten a tiszta *bhakták* ismertetőjeleiről beszél. A Legfelsőbb Úr *bhaktái* a nap huszonnégy órájában örökké a Legfelsőbb Úr tulajdonságait és tetteit magasztalják. Szívük és lelkük állandóan Kṛṣṇába merül, és örömüket abban lelik, hogy a többi *bhaktával* Róla beszélgetnek.

Az odaadó szolgálat kezdő fokán a *bhakták* magából a szolgálatból merítenek transzcendentális örömet, fejlettebb szinten pedig az Isten iránti szeretetben állapodnak meg. Ezt a transzcendentális állapotot elérve tapasztalhatják meg azt a legmagasabb rendű tökéletességet, amit az Úr saját hajlékán nyilvánít ki. Az Úr Caitanya a transzcendentális odaadó szolgálatot egy maghoz hasonlítja, melyet az élőlény szívében ültetnek el. A megszámlálhatatlanul sok élőlény bolygóról bolygóra vándorol az univerzumban, de közülük csak néhány szerencsés találkozik egy tiszta *bhaktával,* lehetőséget kapva az odaadó szolgálat megértésére. Ez az odaadó szolgálat olyan, mint egy mag. Ha elültetjük a szívünkben, és hallgatjuk, énekeljük a Hare Kṛṣṇa, Hare Kṛṣṇa, Kṛṣṇa Kṛṣṇa, Hare Hare, Hare Rāma, Hare Rāma, Rāma Rāma, Hare Hare *mantrát,* akkor a mag később gyümölcsöt hoz, ahogyan egy fa magjából is gyümölcs lesz, ha rendszeresen öntözzük. Az odaadó szolgálat lelki palántája egyre növekszik, majd áttöri az anyagi univerzum burkát, és behatol a *brahmajyoti* ragyogásába, a lelki égbe. Ott tovább nő, míg el nem éri a legfelsőbb lelki bolygót, Goloka-Vṛndāvanát, Kṛṣṇa legfelsőbb bolygóját. Végül az Úr Kṛṣṇa lótuszlábánál keres menedéket, s ott megállapodik. Ahogyan egy növény gyümölcsöt és virágot hoz, úgy az odaadó szolgálat növénye is gyümölcsöket terem, s öntözése a hallás és éneklés formájában folytatódik. A *Caitanya-caritāmṛta* (*Madhya-līlā,* 19. fejezet) részletes leírást közöl az odaadó szolgálat növényéről. Elmagyarázza, hogy amikor az egész növény védelmet keres a Legfelsőbb Úr lótuszlábánál, az embert teljesen eltölti az Isten iránti szeretet, s egy pillanatig sem tud tovább élni úgy, hogy ne lenne kapcsolatban a Legfelsőbb Úrral, ahogyan a hal sem képes víz nélkül élni. Ebben az állapotban a *bhakta* a Legfelsőbb Úrral való kapcsolat hatására szert tesz minden transzcendentális tulajdonságra.

A *Śrīmad-Bhāgavatam* szintén olyan elbeszélésekkel van teli, melyek a Legfelsőbb Úr és *bhaktái* közötti kapcsolatról szólnak, éppen ezért nagy kincs a *bhakták* számára, ahogyan azt maga a *Bhāgavatam* is leírja (12.13.18). *Śrīmad-bhāgavataṁ purāṇam amalaṁ yad vaiṣṇavānāṁ priyam.* Ez a mű egyáltalán nem beszél a materialista tettekről, az anyagi gyarapodásról, az érzékkielégítésről vagy a felszabadulásról. A *Śrīmad-Bhāgavatam* az egyetlen olyan szentírás, amely teljes leírást ad a Legfelsőbb Úr és *bhaktái* transzcendentális természetéről. A lelki megvilágosodást elért, Kṛṣṇa-tudatú emberek tehát mindig örömüket lelik az ilyen transzcendentális irodalom tanulmányozásában, ahogyan egy fiatal fiúnak és lánynak is örömet ad a másik társasága.

10. VERS

तेषां सततयुक्तानां भजतां प्रीतिपूर्वकम् ।
ददामि बुद्धियोगं तं येन मामुपयान्ति ते ॥१०॥

teṣāṁ satata-yuktānāṁ bhajatāṁ prīti-pūrvakam
dadāmi buddhi-yogaṁ taṁ yena māṁ upayānti te

teṣām – nekik; *satata-yuktānām* – akik mindig teljesen elmerülnek; *bhajatām* – az odaadó szolgálat végzésében; *prīti-pūrvakam* – szerető extázisban; *dadāmi* – adok; *buddhi-yogam* – igazi értelmet; *tam* – azt; *yena* – ami által; *mām* – Hozzám; *upayānti* – jönnek; *te* – ők.

Akik szüntelen odaadással és szeretettel szolgálnak Engem, azoknak megadom azt az értelmet, amellyel eljuthatnak Hozzám.

MAGYARÁZAT: Ebben a versben a *buddhi-yogam* szó nagyon fontos. Talán emlékszünk még arra, hogy a második fejezetben az Úr Arjunát oktatva megemlíti: sok dologról beszélt, és a *buddhi-yoga* útjáról is szólni fog. Erre most kerül sor. A *buddhi-yoga* nem más, mint Kṛṣṇa-tudatbeli cselekvés, s ez jelenti a legfejlettebb intelligenciát. A *buddhi* értelmet, a *yoga* pedig misztikus tetteket vagy misztikus felemelkedést jelent. Ha valaki megpróbál hazatérni, vissza Istenhez, és szívvel-lélekkel Kṛṣṇa-tudatú odaadó szolgálathoz kezd, akkor cselekvését *buddhi-yogának* hívják. Más szóval ez az a módszer, amellyel az ember kiszabadulhat az anyagi világ börtönéből. A fejlődés végső célja Kṛṣṇa, ám az emberek ezt nem tudják. Ezért rendkívül fontos, hogy egy hiteles lelki tanítómester és a *bhakták* társaságát keressük. Tudnunk kell, hogy Kṛṣṇa a cél. Ha látjuk a célt, akkor lassan, de biztosan haladni kezdünk felé az úton, s végül el is érjük.

Karma-yogában az cselekszik, aki ismeri az élet célját, de ragaszkodik tettei gyümölcséhez. Aki pedig tudja, hogy a cél Kṛṣṇa, ám elmebeli spekulálással akarja Őt megérteni, s ebből merít örömet, az a *jñāna-yogában* cselekszik. A *bhakti-* vagy *buddhi-yoga* azt jelenti, hogy az ember ismeri a célt, és Kṛṣṇát egyedül az odaadó szolgálattal, a Kṛṣṇa-tudat folyamatával kívánja elérni. Ez a teljes *yoga,* s ez jelenti az élet legtökéletesebb szintjét.

Ha valakinek van egy hiteles lelki tanítómestere, és tagja egy lelki mozgalomnak, ám mégsem eléggé okos ahhoz, hogy fejlődjön, akkor Kṛṣṇa belülről látja el utasításokkal, hogy végül könnyen elérhesse Őt. Az ehhez szükséges tulajdonság az, hogy az ember mindig Kṛṣṇa-tudatban cselekedjen, és szeretettel, odaadással végezze a számtalanféle szolgálatot. Dolgozzon Kṛṣṇáért, és tegye ezt szeretettel. Ha a *bhakta* nem elég értelmes ahhoz, hogy fejlődjön az önmegvalósítás útján, ám őszinte, s odaadóan végzi szolgálatát, akkor az Úr megadja neki az esélyt a fejlődésre, s arra, hogy végül elérje Őt.

11. VERS

तेषामेवानुकम्पार्थमहमज्ञानजं तमः ।
नाशयाम्यात्मभावस्थो ज्ञानदीपेन भास्वता ॥११॥

teṣām evānukampārtham aham ajñāna-jaṁ tamaḥ
nāśayāmy ātma-bhāva-stho jñāna-dīpena bhāsvatā

teṣām – nekik; *eva* – bizony; *anukampā-artham* – hogy különleges kegyből; *aham* – Én; *ajñāna-jam* – a tudatlanságból születő; *tamaḥ* – sötétséget; *nāśayāmi* – szétoszlatom; *ātma-bhāva* – a szívükben; *sthaḥ* – elhelyezkedő; *jñāna* – tudásnak; *dīpena* – lámpásával; *bhāsvatā* – ragyogó.

Különleges kegyemből Én, aki szívükben lakozom, a tudás fénylő lámpásával szétoszlatom a tudatlanságból származó sötétséget.

MAGYARÁZAT: Amikor az Úr Caitanya Benáreszben volt, hogy a Hare Kṛṣṇa, Hare Kṛṣṇa, Kṛṣṇa Kṛṣṇa, Hare Hare, Hare Rāma, Hare Rāma, Rāma Rāma, Hare Hare éneklését tanítsa, több ezer ember követte Őt. Prakāśānanda Sarasvatī, korának egyik igen befolyásos és művelt tudósa, aki szintén Benáreszben élt, szentimentálisnak tartotta és kigúnyolta az Úr Caitanyát. A *māyāvādī* filozófusok néha bírálják a *bhaktákat,* rendkívül tudatlanoknak és filozófiai téren naiv szentimentalistáknak nevezve őket. Tévednek. Számtalan művelt, tudós *bhakta* létezik, akik az odaadás filozófiáját vallják. De még ha van is olyan *bhakta,* aki nem képes tanulni a műveikből vagy a lelki tanítómesterétől, ha őszintén, odaadással szolgálja Kṛṣṇát, Kṛṣṇa megsegíti őt a szívén keresztül. A Kṛṣṇa-tudatban tevékenykedő, őszinte *bhakta* tehát nem lehet tudatlan. Az egyetlen szükséges feltétel, hogy teljes Kṛṣṇa-tudatban odaadó szolgálatot végezzen.

A *māyāvādī* filozófusok véleménye szerint megkülönböztető képesség nélkül az ember nem juthat tiszta tudáshoz. Nekik válaszolja a Legfelsőbb Úr ebben a versben azt, hogy segít a tiszta odaadó szolgálatot végzőkön, még akkor is, ha azok nem rendelkeznek kellő műveltséggel, és nincs elegendő tudásuk a védikus elvekről sem.

Az Úr azt mondja Arjunának, hogy pusztán spekulálással nincs remény a Legfelsőbb Igazság, az Abszolút Igazság, az Istenség Legfelsőbb Személyisége megismerésére, mert a Legfelsőbb Igazság olyan hatalmas, hogy kizárólag szellemi erőfeszítéssel senki sem értheti meg Őt. Ha az ember nem híve a Legfelsőbb Igazságnak, s nem szereti Őt, akkor sohasem fogja megérteni Kṛṣṇát, a Legfelsőbb Igazságot, még ha millió és millió éven át spekulálgat, akkor sem. A Legfelsőbb Igazságot, Kṛṣṇát csakis az odaadó szolgálat teszi elégedetté, és így Ő – felfoghatatlan energiája révén – feltárja magát a tiszta *bhakta* szívében. A tiszta *bhaktának* Kṛṣṇa mindig a szívében van, s Kṛṣṇa – aki olyan, mint a nap – jelenlétével azonnal szétoszlatja a tudatlanság sötétségét. Ez az a különleges kegy, melyben Kṛṣṇa tiszta *bhaktáját* részesíti.

Annak következtében, hogy sok-sok millió születés óta áll kapcsolatban az anyaggal, az ember szívét belepi a materializmus pora, ám ha hozzákezd az odaadó szolgálathoz, s örökké a Hare Kṛṣṇát énekli, hamarosan megtisztul, s eljut a tiszta tudás síkjára. Viṣṇut, a legvégső célt egyedül ezzel az énekléssel és odaadó szolgálattal lehet elérni, nem pedig elméleti spekulációval vagy vitával. A tiszta *bhaktának* nem kell aggódnia az anyagi létszükségletek miatt, mert ha a szívében szétoszlott a sötétség, akkor a Legfelsőbb Úr – aki nagyon örül a *bhakta* szerető, odaadó szolgálatának – ellátja mindennel. Ez a *Bhagavad-gītā* tanításának lényege. A *Bhagavad-gītāt* tanulmányozva az ember képessé válik arra, hogy teljesen meghódoljon a Legfelsőbb Úr előtt, és tiszta odaadó szolgálatot végezzen Neki. Az Úr visel rá gondot, s így megszabadul minden materialista törekvéstől.

12–13. VERS

अर्जुन उवाच
परं ब्रह्म परं धाम पवित्रं परमं भवान् ।
पुरुषं शाश्वतं दिव्यमादिदेवमजं विभुम् ॥१२॥

आहुस्त्वामृषयः सर्वे देवर्षिर्नारदस्तथा ।
असितो देवलो व्यासः स्वयं चैव ब्रवीषि मे ॥१३॥

arjuna uvāca
paraṁ brahma paraṁ dhāma pavitraṁ paramaṁ bhavān
puruṣaṁ śāśvataṁ divyam ādi-devam ajaṁ vibhum

āhus tvām ṛṣayaḥ sarve devarṣir nāradas tathā
asito devalo vyāsaḥ svayaṁ caiva bravīṣi me

arjunaḥ uvāca – Arjuna mondta; *param* – a legfelsőbb; *brahma* – igazságnak; *param* – a legfelsőbb; *dhāma* – hajléknak; *pavitram* – tisztának; *paramam* – a legfelsőbb; *bhavān* – Téged; *puruṣam* – személyiségnek; *śāśvatam* – az örök; *divyam* – transzcendentális; *ādi-devam* – eredeti Úrnak; *ajam* – megszületetlennek; *vibhum* – a legnagyobbnak; *āhuḥ* – mondanak; *tvām* – Téged; *ṛṣayaḥ* – a bölcsek; *sarve* – mindegyik; *devarṣiḥ* – a félistenek bölcsei; *nāradaḥ* – Nārada; *tathā* – is; *asitaḥ* – Asita; *devalaḥ* – Devala; *vyāsaḥ* – Vyāsa; *svayam* – személyesen; *ca* – szintén; *eva* – bizony; *bravīṣī* – mondod; *me* – nekem.

Arjuna így szólt: Te vagy az Istenség Legfelsőbb Személyisége, a legvégső hajlék, a legtisztább, az Abszolút Igazság. Te vagy az örök, transzcendentális és eredeti személy, a megszületetlen, a leghatalmasabb. Nārada, Asita, Devala, Vyāsa és minden más nagy bölcs megerősíti ezt az igazságot Rólad, és most Te magad is ezt mondod nekem.

MAGYARÁZAT: Ebben a két versben a Legfelsőbb Úr esélyt ad a *māyāvādī* filozófusoknak, mert félreérthetetlenül kiderül belőlük, hogy a Legfelsőbb különbözik az egyéni lélektől. Miután Arjuna hallotta e fejezetben a *Bhagavad-gītā* négy leglényegesebb versét, teljesen megszabadult minden kételytől, és elfogadta Kṛṣṇát az Istenség Legfelsőbb Személyiségének. Azon nyomban lelkesen kijelentette: „Te vagy a *paraṁ brahma,* az Istenség Legfelsőbb Személyisége." Korábban Kṛṣṇa azt mondta, Ő az eredete mindennek és mindenkinek. Minden félisten és minden emberi lény Tőle függ, ám tudatlanságuk következtében az emberek és a félistenek magukat abszolútnak és az Istenség Legfelsőbb Személyiségétől függetlennek gondolják. Az odaadó szolgálat végzése tökéletesen eloszlatja ezt a tudatlanságot. Ezt az Úr már az előző versben elmagyarázta, s kegyéből most Arjuna – a védikus tanításokkal összhangban – a Legfelsőbb Igazságnak fogadja el Őt. Nem szabad azt hinnünk, hogy mivel Arjuna Kṛṣṇa meghitt barátja, csupán hízelgésképpen szólítja Őt az Istenség Legfelsőbb Személyiségének és az Abszolút Igazságnak. A védikus írások alátámasztják mindazt, amit Arjuna e két versben elmond. Megerősítik, hogy egyedül az értheti meg a Legfelsőbb Urat, aki odaadó szolgálatot végez Neki, senki más. A Védák megerősítik Arjuna minden egyes szavát ebben a versben.

A *Kena-upaniṣad* szerint a Legfelsőbb Brahman az alapja mindennek, s az előzőekben Kṛṣṇa már elmagyarázta, hogy minden Őrajta nyugszik. A *Muṇḍaka-upaniṣad* megerősíti, hogy a Legfelsőbb Urat, akin minden nyugszik, csak azok érhetik el, akik állandóan Rá gondolnak. Azt, amikor valaki állandóan Kṛṣṇára gondol, *smaraṇának* nevezik, s ez az odaadó szolgálat kilenc folyamatának egyike. Az ember egyedül a Kṛṣṇa iránti odaadó szolgálat által értheti meg helyzetét, s ily módon szabadulhat meg az anyagi testétől.

A Védák a Legfelsőbb Urat a tiszták közül is a legtisztábbnak nevezik. Aki megérti, hogy Kṛṣṇa a legtisztább, az megtisztulhat minden bűnös tettől. Az ember azonban mindaddig nem tud megszabadulni a bűnös tettektől, amíg meg nem hódol a Legfelsőbb Úr előtt. Arjuna a legtisztábbként tekint Kṛṣṇára, és ez megegyezik a védikus írások tanításával. Ezt a nagy személyiségek is megerősítik, akik közül Nārada a legfőbb.

Kṛṣṇa az Istenség Legfelsőbb Személyisége, s az embernek mindig Rajta kell meditálnia, élveznie transzcendentális kapcsolatát Vele. Ő a legfelsőbb létezés. Testének nincs szüksége semmire, nem születik és nem hal meg. Ezt nemcsak Arjuna mondja, hanem a teljes védikus irodalom, a *purāṇák* és a történelmi elbeszélések is. Minden védikus írás így jellemzi Kṛṣṇát, s Ő maga is azt mondja a negyedik fejezetben: „Habár megszületetlen vagyok, mégis megjelenek ezen a Földön, hogy megszilárdítsam a vallás elveit." Ő a legfelsőbb eredet; Neki nincs oka, mert Ő minden ok oka, s minden Belőle árad. Erre a tökéletes tudásra a Legfelsőbb Úr kegyéből lehet szert tenni.

Arjuna csakis Kṛṣṇa kegyéből képes kifejezni magát. Ha meg akarjuk érteni a *Bhagavad-gītāt,* akkor el kell fogadnunk e két vers kijelentéseit. Ezt nevezik a *paramparā* rendszernek, a tanítványi lánc elfogadásának. Senki sem értheti meg a *Bhagavad-gītāt* mindaddig, amíg nem tagja a tanítványi láncnak – a világi műveltség mit sem segít. A védikus szentírásokban található számtalan bizonyíték ellenére a tudományos képzettségükre büszke emberek sajnálatos módon kitartanak önfejű meggyőződésük mellett, miszerint Kṛṣṇa egy közönséges ember.

14. VERS

सर्वमेतदृतं मन्ये यन्मां वदसि केशव ।
न हि ते भगवन् व्यक्तिं विदुर्देवा न दानवाः ॥१४॥

sarvam etad ṛtaṁ manye yan māṁ vadasi keśava
na hi te bhagavan vyaktiṁ vidur devā na dānavāḥ

sarvam – mindet; *etat* – ezt; *ṛtam* – igazságot; *manye* – elfogadom; *yat* – amiket; *mām* – nekem; *vadasi* – mondasz; *keśava* – ó, Kṛṣṇa; *na* – sohasem; *hi* – bizony; *te* – a Te; *bhagavan* – ó, Istenség Személyisége; *vyaktim* – kinyilatkoztatásodat; *viduḥ* – ismerhetik; *devāḥ* – a félistenek; *na* – sem; *dānavāḥ* – a démonok.

Ó, Kṛṣṇa, teljes igazságként fogadom el mindazt, amit elmondtál! Sem a félistenek, sem a démonok nem érthetik meg személyiségedet, ó, Uram!

MAGYARÁZAT: Arjuna itt megerősíti, hogy a hitetlen és démonikus természetű emberek nem érthetik meg Kṛṣṇát. Őt még a félistenek sem ismerik; mit mondhatnánk akkor napjaink állítólagos tudósairól? Arjuna a Legfelsőbb Úr kegyéből megértette, hogy a Legfelsőbb Igazság Kṛṣṇa, és Ő az egyetlen, aki tökéletes. Kövessük hát Arjuna nyomdokait, aki a *Bhagavad-gītā* szakértőjévé vált! A negyedik fejezet leírása szerint a *Bhagavad-gītā* tanításának tanítványi láncolata, a *paramparā* rendszer megszakadt, ezért Kṛṣṇa új tanítványi láncot indított el Arjunával, s azért épp vele, mert Arjunát meghitt barátjának és kiváló *bhaktájának* tekintette. Ezért ahogy azt a *Gītopaniṣad* bevezetésében elmondtuk, a *Bhagavad-gītāt* a *paramparā* rendszerén keresztül kell megérteni. Amikor a *paramparā* láncolat megszakadt, Arjunára esett a választás, hogy állítsa azt helyre. Követnünk kell Arjuna példáját, aki elfogadott mindent, amit Kṛṣṇa mondott, s ily módon mi is képesek leszünk majd megérteni a *Bhagavad-gītā* lényegét. Csak ezután érthetjük meg, hogy Kṛṣṇa az Istenség Legfelsőbb Személyisége.

15. VERS

स्वयमेवात्मनात्मानं वेत्थ त्वं पुरुषोत्तम ।
भूतभावन भूतेश देवदेव जगत्पते ॥१५॥

svayam evātmanātmānaṁ vettha tvaṁ puruṣottama
bhūta-bhāvana bhūteśa deva-deva jagat-pate

svayam – személyesen; *eva* – bizony; *ātmanā* – magad által; *ātmānam* – magadat; *vettha* – ismered; *tvam* – Te; *puruṣa-uttama* – ó, leghatalmasabb személyiség; *bhūta-bhāvana* – ó, mindenek eredete; *bhūta-īśa* – ó, mindenek Ura; *deva-deva* – ó, minden félisten Ura; *jagat-pate* – ó, egész univerzum Ura.

Bizony egyedül csak Te ismered magad belső energiád által, ó, Legfelsőbb Személy, mindenek eredete, minden lény Ura, istenek Istene, világegyetem Ura!

MAGYARÁZAT: A Legfelsőbb Urat, Kṛṣṇát csak azok ismerhetik meg, akik az odaadó szolgálaton keresztül, Arjunához és követőihez hasonlóan kapcsolatban állnak Vele. A démoni vagy ateista mentalitású emberek nem érthetik meg Őt. Az elmebeli spekuláció, amely eltéríti az embert a Legfelsőbb Úrtól, komoly bűn, ezért aki nem ismeri Kṛṣṇát, annak tilos a *Bhagavad-gītā* magyarázásával próbálkoznia. A *Bhagavad-gītā* Kṛṣṇa kinyilatkoztatása, s mivel a Kṛṣṇáról szóló tudományt tartalmazza, az Ő segítségével kell megértenünk, ahogyan azt Arjuna is tette, s nem szabad az ateistákat meghallgatnunk.

A *Śrīmad-Bhāgavatam* (1.2.11) kijelenti:

vadanti tat tattva-vidas tattvaṁ yaj jñānam advayam
brahmeti paramātmeti bhagavān iti śabdyate

A Legfelsőbb Igazságnak három aspektusában ébredhetünk a tudatára: mint személytelen Brahman, mint helyhez kötött Paramātmā, s végül mint az Istenség Legfelsőbb Személyisége. Ha tehát az ember megérti az Abszolút Igazság végső arculatát, akkor eljut az Istenség Legfelsőbb Személyiségéhez. Egy közönséges ember vagy egy felszabadult személy, aki elérte a személytelen Brahmant vagy a helyhez kötött Paramātmāt, talán nem érti meg, hogy Isten egy személy. Ezek az emberek a Legfelsőbb Személyt a *Bhagavad-gītā* verseiből próbálhatják megérteni, melyek e személy, Kṛṣṇa szavai. Néha az imperszonalisták is elfogadják, hogy Kṛṣṇa Bhagavān, vagy elismerik, hogy Ő a legfelső tekintély. Azonban sokan vannak, akik felszabadultak ugyan, ám nem képesek megérteni, hogy Kṛṣṇa Puruṣottama, a Legfelsőbb Személy – Arjuna ezért szólítja Őt Puruṣottamának. Lehet, hogy valaki nem érti meg azt sem, hogy Kṛṣṇa minden élőlény atyja, így Arjuna Bhūta-bhāvanának nevezi Kṛṣṇát. És ha valaki tudja Róla, hogy Ő minden élőlény atyja, lehet, hogy azt nem tudja, hogy Ő a legfelsőbb irányító, ezért ez a vers Őt Bhūteśának, mindenki legfelsőbb irányítójának nevezi. És még ha valaki tudja is Kṛṣṇáról, hogy Ő minden élőlény legfelsőbb irányítója, lehetséges, hogy azt nem tudja, hogy Ő valamennyi félisten eredete. Ez a vers ezért Devadevának, vagyis az összes félisten imádott Istenének nevezi Őt. S ha valaki tudja, hogy Ő minden félisten imádott Istene, azt talán nem tudja, hogy Ő minden dolog legfelsőbb birtokosa is – ezért Arjuna Jagatpatinak szólítja Őt. Ebben a versben tehát Arjuna tapasztalati tudása megalapozza a Kṛṣṇáról szóló igazságot, ezért ha teljes valóságában akarjuk Őt megérteni, Arjuna nyomdokaiba kell lépnünk.

16. VERS

वक्तुमर्हस्यशेषेण दिव्या ह्यात्मविभूतयः ।
याभिर्विभूतिभिर्लोकानिमांस्त्वं व्याप्य तिष्ठसि ॥१६॥

vaktum arhasy aśeṣeṇa divyā hy ātma-vibhūtayaḥ
yābhir vibhūtibhir lokān imāṁs tvaṁ vyāpya tiṣṭhasi

vaktum – elmondani; *arhasi* – érdemes; *aśeṣeṇa* – részletesen; *divyāḥ* – isteni; *hi* – bizony; *ātma* – saját; *vibhūtayaḥ* – fenségeidet; *yābhiḥ* – melyek által; *vibhūtibhiḥ* – fenségek által; *lokān* – minden bolygót; *imān* – ezeket; *tvam* – Te; *vyāpya* – átható; *tiṣṭhasi* – maradsz.

Kérlek, beszélj nekem részletesen isteni fenségeidről, amely által áthatod e világok mindegyikét!

MAGYARÁZAT: Ebből a versből kiderül, hogy Arjuna már elégedett azzal, amit az Istenség Legfelsőbb Személyiségéről, Kṛṣṇáról megértett. Kṛṣṇa kegyéből Arjuna személyes tapasztalattal, értelemmel és tudással rendelkezik, valamint minden mással, melyre egy ember szert tehet, s ezek segítségével megértette, hogy Kṛṣṇa az Istenség Legfelsőbb Személyisége. Nem kételkedik, mégis megkéri Kṛṣṇát, beszéljen mindent átható természetéről. Az emberek nagy része, különösen pedig az imperszonalisták, leginkább a Legfelsőbb mindent átható természetével foglalkoznak. Arjuna tehát arról kérdezi Kṛṣṇát, hogyan létezik Ő mindent átható aspektusában különféle energiái révén. Tudnunk kell azonban, hogy Arjuna csupán a közönséges emberek érdekében kérdezi ezt.

17. VERS

कथं विद्यामहं योगिंस्त्वां सदा परिचिन्तयन् ।
केषु केषु च भावेषु चिन्त्योऽसि भगवन्मया ॥१७॥

kathaṁ vidyām ahaṁ yogiṁs tvāṁ sadā paricintayan
keṣu keṣu ca bhāveṣu cintyo 'si bhagavan mayā

katham – hogyan; *vidyām aham* – ismerjelek; *yogin* – ó, legfelsőbb misztikus; *tvām* – Téged; *sadā* – mindig; *paricintayan* – gondolva; *keṣu* – melyikben; *keṣu* – mely; *ca* – is; *bhāveṣu* – dolgokban; *cintyaḥ asi* – emlékezni kell Rád; *bhagavan* – ó, Legfelsőbb; *mayā* – általam.

Ó, Kṛṣṇa, ó, Legfelsőbb Misztikus, hogyan gondolhatok állandóan Rád, és hogyan ismerhetlek meg Téged? Ó, Istenség Legfelsőbb Személyisége, milyen formákban emlékezzek Rád?

MAGYARÁZAT: Ahogyan azt az előző fejezet elmondta, az Istenség Legfelsőbb Személyiségét a *yoga-māyā* függönye takarja el. Csak a meghódolt lelkek és a *bhakták* láthatják Őt. Arjuna meggyőződött arról, hogy barátja, Kṛṣṇa a Legfelsőbb Isten, de meg szeretné ismerni azt az általános módszert is, melynek segítségével a közönséges emberek megérthetik a mindent átható Urat. Az átlagemberek – beleértve a démonokat és az ateistákat is – nem ismerhetik Kṛṣṇát, mert Őt *yoga-māyā* energiája védelmezi. Arjuna most ismét az ő érdekükben kérdez. A fejlett *bhaktát* nemcsak a saját előrehaladása érdekli, hanem másoké is. Arjuna *vaiṣṇava,* vagyis *bhakta,* ezért kegyesen lehetőséget ad az egyszerű embereknek, hogy megértsék a Legfelsőbb Úr mindent átható természetét. Kṛṣṇát azért szólítja *yoginnak,* mert Ő a *yoga-māyā* energia mestere, amely hol eltakarja Őt az egyszerű emberek elől, hol láthatóvá teszi számukra. A közönséges ember, akiben nincs szeretet Isten iránt, képtelen állandóan Kṛṣṇára emlékezni, s így elméje mindig anyagi gondolatokkal teli. Arjuna számol azzal, hogyan gondolkoznak a világ materialista emberei. A *keṣu keṣu ca bhāveṣu* szavak az anyagi természetre utalnak (a *bhāva* szó jelentése: „fizikai dolgok”). A materialisták nem tudják megérteni Kṛṣṇa lelki természetét, ezért számukra a legjobb, ha gondolataikat fizikai dolgokra összpontosítják, s megpróbálják felismerni, hogyan jelenik meg Kṛṣṇa anyagi képviselőiben.

18. VERS

विस्तरेणात्मनो योगं विभूतिं च जनार्दन ।
भूयः कथय तृप्तिर्हि शृण्वतो नास्ति मेऽमृतम् ॥१८॥

vistareṇātmano yogaṁ vibhūtiṁ ca janārdana
bhūyaḥ kathaya tṛptir hi śṛṇvato nāsti me 'mṛtam

vistareṇa – részletesen; *ātmanaḥ* – a Te; *yogam* – misztikus hatalmadat; *vibhūtim* – fenségeidet; *ca* – is; *jana-ardana* – ó, ateisták elpusztítója; *bhūyaḥ* – ismét; *kathaya* – írd le; *tṛptiḥ* – elégedettség; *hi* – bizony; *śṛṇvataḥ* – hallván; *na asti* – nincs; *me* – enyém; *amṛtam* – nektár.

Ó, Janārdana, kérlek, beszélj még egyszer részletesen fenséged misztikus hatalmáról! Sohasem fáradok bele, ha Rólad hallhatok, mert minél többet hallom nektári szavaidat, annál jobban vágyom megízlelni őket.

MAGYARÁZAT: Naimiṣāranya erdejében a Śaunaka által vezetett *ṛṣik* hasonlóan szóltak Sūta Gosvāmīhoz (*Śrīmad-Bhāgavatam* 1.1.19):

vayaṁ tu na vitṛpyāma uttama-śloka-vikrame
yac chṛṇvatāṁ rasa-jñānāṁ svādu svādu pade pade

„Ha szüntelenül hallja valaki a legkiválóbb imákkal magasztalt Kṛṣṇa transzcendentális kedvteléseit, akkor sem fárad bele soha. Akik transzcendentális kapcsolatba kerülnek az Úrral, azok minden pillanatban nagy élvezettel ízlelik meg kedvteléseinek leírását." Arjuna hallani akar Kṛṣṇáról, s leginkább arról, hogyan hat át mindent a Legfelsőbb Úrként.

Ami az *amṛtam* – nektár – szót illeti, minden Kṛṣṇával kapcsolatos kijelentés vagy elbeszélés olyan, mint a nektár, melyet csakis a valós tapasztalat által lehet megízlelni. A modern regények, elbeszélések, novellák és a tudományos-fantasztikus regényirodalom mind abban különböznek az Úr transzcendentális kedvteléseitől, hogy a világi irodalom olvasását megunja az ember, ám ha Kṛṣṇáról hall, abba sohasem fárad bele. Az univerzum történelmének leírása éppen emiatt teli van Isten inkarnációi kedvteléseinek elbeszéléseivel. A *purāṇák* például az előző korszakok történelméről írnak, s beszélnek az Úr különféle inkarnációinak kedvteléseiről. Ezek az olvasmányok örökké érdekesek maradnak, még akkor is, ha többször olvassuk őket.

19. VERS

श्रीभगवानुवाच
हन्त ते कथयिष्यामि दिव्या ह्यात्मविभूतयः ।
प्राधान्यतः कुरुश्रेष्ठ नास्त्यन्तो विस्तरस्य मे ॥१९॥

śrī-bhagavān uvāca
hanta te kathayiṣyāmi divyā hy ātma-vibhūtayaḥ
prādhānyataḥ kuru-śreṣṭha nāsty anto vistarasya me

śrī-bhagavān uvāca – az Istenség Legfelsőbb Személyisége mondta; *hanta* – igen; *te* – neked; *kathayiṣyāmi* – el fogom beszélni; *divyāḥ* – isteni; *hi* – bizony; *ātma-vibhūtayaḥ* – saját fenségeimet; *prādhānyataḥ* – a lényegeseket; *kuru-śreṣṭha* – ó, legkiválóbb a Kuruk között; *na asti* – nincs; *antaḥ* – határa; *vistarasya* – terjedelmének; *me* – Enyém.

Az Istenség Legfelsőbb Személyisége így szólt: Jól van, beszélek neked, ó, Arjuna, csodálatos megnyilvánulásaimról, de csak a legfontosabbakról, mert fenségemnek nincsen határa.

MAGYARÁZAT: Kṛṣṇa nagyságát és fenségét lehetetlen felfogni. Az egyéni lélek érzékei végesek, és nem teszik lehetővé számára, hogy teljességében megértse mindazt, ami Kṛṣṇával kapcsolatos. A *bhakták* mégis megpróbálják megismerni Kṛṣṇát, de közben nem képzelik, hogy valaha is, az életük bármely szakaszában képesek lesznek egészen megérteni Őt. Azért tesznek így, mert a Kṛṣṇáról szóló elbeszélések annyira élvezetesek, hogy a *bhakták* számára nektárnak tűnnek, s nagy örömet szereznek nekik. A tiszta *bhakták* transzcendentális boldogságot éreznek, amikor Kṛṣṇa fenségéről vagy számtalanféle energiájáról beszélgetnek. Éppen ezért csakis ilyen témákról akarnak hallani és beszélni. Kṛṣṇa tudta, hogy az élőlények képtelenek teljességében felfogni fenségét, ezért úgy döntött, hogy különféle energiáinak csupán legfontosabb megnyilvánulásairól beszél. A *prādhānyataḥ* („legfőbb") szó nagyon fontos, mert a Legfelsőbb Úr legfőbb sajátságai közül csak néhányat érthetünk meg, hiszen vonásai korlátlanok, s lehetetlen mindet megérteni. A versben használt *vibhūti* szó Kṛṣṇa fenségére utal, amely által az egész megnyilvánulást irányítja. Az *Amara-kośa* értelmező szótár szerint a *vibhūti* kivételes fenséget jelent.

Az imperszonalisták, azaz panteisták sem a Legfelsőbb Úr kivételes fenségét, sem pedig isteni energiáinak megnyilvánulásait nem képesek felfogni. Az Úr energiái a lelki és az anyagi világban egyaránt minden megnyilvánulásban jelen vannak. Kṛṣṇa most azt írja le, amit a közönséges ember közvetlenül is felfoghat, s így mi is megismerhetjük változatos energiáinak egy részét.

20. VERS

अहमात्मा गुडाकेश सर्वभूताशयस्थितः ।
अहमादिश्च मध्यं च भूतानामन्त एव च ॥२०॥

aham ātmā guḍākeśa sarva-bhūtāśaya-sthitaḥ
aham ādiś ca madhyaṁ ca bhūtānām anta eva ca

aham – Én; *ātmā* – a lélek; *guḍākeśa* – ó, Arjuna; *sarva-bhūta* – minden élőlénynek; *āśaya-sthitaḥ* – a szívében elhelyezkedve; *aham* – Én vagyok; *ādiḥ* – az eredet; *ca* – is; *madhyam* – a közép; *ca* – is; *bhūtānām* – minden élőlénynek; *antaḥ* – a vége; *eva* – bizony; *ca* – és.

Ó, Arjuna! Én vagyok a Felsőlélek, aki ott lakozik minden élőlény szívében. Én vagyok minden lény kezdete, közepe és vége.

MAGYARÁZAT: Kṛṣṇa ebben a versben Guḍākeśának szólítja Arjunát, aminek jelentése: „aki legyőzte az álom sötétségét". Akik a tudatlanság sötétségében alszanak, képtelenek megérteni, hogyan nyilvánul meg oly sokféleképpen az Istenség Legfelsőbb Személyisége a lelki és az anyagi világban. Ezért annak, hogy Kṛṣṇa így szólítja Arjunát, nagy jelentősége van. Az Istenség Személyisége azért egyezett bele különféle fenségeinek leírásába, mert Arjuna fölötte állt e sötétségnek.

Kṛṣṇa először azt mondja el Arjunának, hogy elsődleges kiterjedése által Ő az egész kozmikus megnyilvánulás lelke. Az anyagi teremtés előtt a Legfelsőbb Úr teljes értékű kiterjedésében a *puruṣa*-inkarnációkban jelenik meg, és Tőle származik minden. Ő ezért *ātmā,* a *mahat-tattvának,* az univerzum elemeinek lelke. A teremtést nem a totális anyagi energia idézi elő: Mahā-viṣṇu az, aki behatol a *mahat-tattvába,* a teljes anyagi energiába. Ő a lélek. Miután behatol a megnyilvánult univerzumokba, Felsőlélekként újra megnyilvánul minden élőlényben. Mindannyian tapasztalhatjuk, hogy az élőlények teste azért él, mert jelen van benne a lélekszikra. A lélekszikra nélkül a test nem alakulhat ki. Éppen így az anyagi megnyilvánulás sem fejlődhet ki addig, amíg a Legfelsőbb Lélek, Kṛṣṇa bele nem hatol. Ahogyan a *Subāla-upaniṣad* elmondja: *prakṛty-ādi-sarva-bhūtāntar-yāmi sarva-śeṣī ca nārāyaṇaḥ.* „Az Istenség Legfelsőbb Személyisége Felsőlélekként minden megnyilvánult univerzumban jelen van."

A három *puruṣa-avatārāról* a *Śrīmad-Bhāgavatam* ír, illetve a *Sātvata-tantrában* is találunk róluk leírást. *Viṣṇos tu trīṇi rūpāṇi puruṣākhyāny atho viduḥ:* az Istenség Legfelsőbb Személyisége az anyagi megnyilvánulásban három arculatban – Kāraṇodakaśāyī Viṣṇuként, Garbhodakaśāyī Viṣṇuként és Kṣīrodakaśāyī Viṣṇuként – nyilvánul meg. Mahā-viṣṇuról, vagyis Kāraṇodakaśāyī Viṣṇuról a *Brahma-saṁhitā* (5.47) így ír: *yaḥ kāraṇārṇava-jale bhajati sma yoga-nidrām* – a Legfelsőbb Úr, Kṛṣṇa, minden ok oka Mahā-viṣṇuként fekszik a kozmikus óceánon. Ezért az Istenség Legfelsőbb Személyisége az univerzum kezdete, megnyilvánulásainak fenntartója, valamint minden energia vége.

21. VERS

आदित्यानामहं विष्णुर्ज्योतिषां रविरंशुमान् ।
मरीचिर्मरुतामस्मि नक्षत्राणामहं शशी ॥२१॥

ādityānām ahaṁ viṣṇur jyotiṣāṁ ravir aṁśumān
marīcir marutām asmi nakṣatrāṇām ahaṁ śaśī

ādityānām – az *ādityák* közül; *aham* – Én vagyok; *viṣṇuḥ* – a Legfelsőbb Úr; *jyotiṣām* – a világító égitestek közül; *raviḥ* – a Nap; *aṁśu-*

mān – ragyogó; *marīciḥ* – Marīci; *marutām* – a *marutok* közül; *asmi* – Én vagyok; *nakṣatrāṇām* – a csillagok közül; *aham* – Én; *śaśī* – a Hold.

Az ādityák közül Viṣṇu, a fények közül a ragyogó Nap, a marutok közül Marīci, a csillagok közül pedig a Hold vagyok.

MAGYARÁZAT: Tizenkét *āditya* van, akik közül Kṛṣṇa a legfőbb. Az égen ragyogó valamennyi égitest közül a Nap a legfontosabb, amit a *Brahma-saṁhitā* a Legfelsőbb Úr ragyogó szemének nevez. Az űrben ötvenféle szél fúj, s e szelek közül az uralkodó istenség, Marīci képviseli Kṛṣṇát.

A csillagok közül éjszaka a Hold látható a legjobban, és így a Hold képviseli Kṛṣṇát. Ebből a versből megtudhatjuk, hogy a Hold egy csillag; az égen ragyogó csillagok szintén a Nap fényét verik vissza. A védikus írások nem fogadják el azt az elméletet, miszerint sok Nap van az univerzumban. Egy Nap van, s ahogyan a Hold a Nap fényét visszatükrözve ragyog, úgy világítanak a csillagok is. A *Bhagavad-gītā* arra utal, hogy a Hold a csillagok egyike, ezért a ragyogó csillagok nem napok, hanem a Holdhoz hasonló égitestek.

22. VERS

वेदानां सामवेदोऽस्मि देवानामस्मि वासवः ।
इन्द्रियाणां मनश्चास्मि भूतानामस्मि चेतना ॥२२॥

vedānāṁ sāma-vedo 'smi devānām asmi vāsavaḥ
indriyāṇāṁ manaś cāsmi bhūtānām asmi cetanā

vedānām – minden Véda közül; *sāma-vedaḥ* – a *Sāma-veda; asmi* – Én vagyok; *devānām* – valamennyi félisten közül; *asmi* – Én vagyok; *vāsavaḥ* – a mennyek királya; *indriyāṇām* – az érzékszervek közül; *manaḥ* – az elme; *ca* – szintén; *asmi* – vagyok; *bhūtānām* – az élőlényeknek; *asmi* – Én vagyok; *cetanā* – az életereje.

A Védák közül a Sāma-veda, a félistenek közül Indra, a mennyek királya, az érzékek közül pedig az elme vagyok, s Én vagyok az életerő [a tudat] minden élőlényben.

MAGYARÁZAT: Az anyag és a lélek között az a különbség, hogy az anyagnak az élőlénnyel ellentétben nincsen tudata. A tudat tehát felsőbbrendű és örökkévaló, s az anyagi elemek kombinációja nem hozhatja létre.

23. VERS

रुद्राणां शङ्करश्चास्मि वित्तेशो यक्षरक्षसाम् ।
वसूनां पावकश्चास्मि मेरुः शिखरिणामहम् ॥२३॥

rudrāṇāṁ śaṅkaraś cāsmi vitteśo yakṣa-rakṣasām
vasūnāṁ pāvakaś cāsmi meruḥ śikhariṇām aham

rudrāṇām – minden *rudra* közül; *śaṅkaraḥ* – az Úr Śiva; *ca* – is; *asmi* – Én vagyok; *vitta-īśaḥ* – a félistenek kincstárának ura; *yakṣa-rakṣasām* – a *yakṣák* és *rākṣasák* közül; *vasūnām* – a *vasuk* közül; *pāvakaḥ* – a tűz; *ca* – is; *asmi* – Én vagyok; *meruḥ* – Meru; *śikhariṇām* – a hegyek közül; *aham* – Én vagyok.

A rudrák közül az Úr Śiva, a yakṣák és rākṣasák közül a vagyon ura [Kuvera], a vasuk közül a tűz [Agni], a hegyek közül pedig Meru vagyok.

MAGYARÁZAT: Tizenegy *rudra* van, akik közül Śaṅkara, az Úr Śiva a legfontosabb. Ő a Legfelsőbb Úr inkarnációja, aki az univerzumban a tudatlanság kötőerejéért felel. A *yakṣák* és *rākṣasák* vezére Kuvera, a félistenek kincstárnoka, s ő a Legfelsőbb Úr képviselője. A Meru-hegy gazdag természeti kincseiről híres.

24. VERS

पुरोधसां च मुख्यं मां विद्धि पार्थ बृहस्पतिम् ।
सेनानीनामहं स्कन्दः सरसामस्मि सागरः ॥२४॥

purodhasāṁ ca mukhyaṁ māṁ viddhi pārtha bṛhaspatim
senānīnām ahaṁ skandaḥ sarasām asmi sāgaraḥ

purodhasām – a papok közül; *ca* – is; *mukhyam* – a legfőbb; *mām* – Engem; *viddhi* – értsd meg; *pārtha* – ó, Pṛthā fia; *bṛhaspatim* – Bṛhaspati; *senānīnām* – a hadvezérek közül; *aham* – Én vagyok; *skandaḥ* – Kārtikeya; *sarasām* – a vízgyűjtők közül; *asmi* – Én vagyok; *sāgaraḥ* – az óceán.

Ó, Arjuna, tudd meg, hogy a papok közül én vagyok a legfőbb, Bṛhaspati. A hadvezérek közül Kārtikeya, a vízgyűjtők közül pedig az óceán vagyok.

MAGYARÁZAT: Indra a felsőbb bolygók legfőbb félistene, aki a félistenek királyaként híres. Bolygóját, melyen uralkodik, Indralokának nevezik. Bṛhaspati Indra papja, s mivel Indra a legfőbb király, így Bṛhaspati a legfőbb pap. És ahogy Indra a királyok közül a legfőbb, hasonló módon Skanda, vagyis Kārtikeya, Pārvatī és az Úr Śiva fia a legkiválóbb minden hadvezér közül. A vizek közül az óceán a legnagyobb. Kṛṣṇa felsorolt képviselői csupán utalnak nagyságára.

25. VERS

महर्षीणां भृगुरहं गिरामस्म्येकमक्षरम् ।
यज्ञानां जपयज्ञोऽस्मि स्थावराणां हिमालयः ॥२५॥

maharṣīṇāṁ bhṛgur ahaṁ girām asmy ekam akṣaram
yajñānāṁ japa-yajño 'smi sthāvarāṇāṁ himālayaḥ

mahā-ṛṣīṇām – a nagy bölcsek közül; *bhṛguḥ* – Bhṛgu; *aham* – Én vagyok; *girām* – a vibrációk közül; *asmi* – Én vagyok; *ekam akṣaram* – a *praṇava; yajñānām* – az áldozatok közül; *japa-yajñaḥ* – a *japa; asmi* – Én vagyok; *sthāvarāṇām* – a mozdíthatatlan dolgok közül; *himālayaḥ* – a Himalája-hegység.

A nagy bölcsek közül Bhṛgu, a hangvibrációk közül a transzcendentális oṁ vagyok. Az áldozatok között a szent nevek éneklése [japa], a mozdíthatatlan dolgok közül pedig a Himalája vagyok.

MAGYARÁZAT: Brahmā, az univerzum első teremtménye a különféle fajok elterjesztése érdekében több fiat nemzett. Közülük Bhṛgu a leghatalmasabb bölcs. A transzcendentális hangvibrációk közül az *oṁ* (*oṁkāra*) képviseli Kṛṣṇát. Az áldozatok közül a Hare Kṛṣṇa, Hare Kṛṣṇa, Kṛṣṇa Kṛṣṇa, Hare Hare, Hare Rāma, Hare Rāma, Rāma Rāma, Hare Hare *mantra* Kṛṣṇa legtisztább képviselője. A Védák néha állatáldozatot is ajánlanak, de a Hare Kṛṣṇa, Hare Kṛṣṇa áldozatban nincsen erőszak. Ez a legegyszerűbb és legtisztább folyamat. Ebben a világban minden nagyszerű dolog Kṛṣṇát képviseli, így a világ legnagyobb hegysége, a Himalája is. Egy korábbi vers a Meru-hegyről tett említést, ám az néha mozog, míg a Himalája sohasem. Így hát a Himalája felülmúlja a Meru-hegyet.

26. VERS

अश्वत्थः सर्ववृक्षाणां देवर्षीणां च नारदः ।
गन्धर्वाणां चित्ररथः सिद्धानां कपिलो मुनिः ॥२६॥

aśvatthaḥ sarva-vṛkṣāṇāṁ devarṣīṇāṁ ca nāradaḥ
gandharvāṇāṁ citrarathaḥ siddhānāṁ kapilo muniḥ

aśvatthaḥ – a banjanfa; *sarva-vṛkṣāṇām* – minden fa közül; *deva-ṛṣīṇām* – a félistenek minden bölcse közül; *ca* – és; *nāradaḥ* – Nārada; *gandharvāṇām* – a Gandharva-bolygó lakói közül; *citrarathaḥ* – Citraratha; *siddhānām* – a tökéletességet elértek közül; *kapilaḥ muniḥ* – Kapila Muni.

Valamennyi fa közül a banjan, a félistenek bölcsei közül Nārada, a gandharvák közül Citraratha, a tökéletes lények közül pedig a bölcs Kapila vagyok.

MAGYARÁZAT: A banjanfa (*aśvattha*) egyike a legmagasabb és legszebb fáknak. Indiában az emberek gyakran imádják ezt a fát reggeli szertartásaik során. A félistenek között Nāradát is imádják, akit az univerzum legkiválóbb *bhaktájának* tekintenek, s így a *bhakták* közül ő képviseli Kṛṣṇát. A Gandharva-bolygón olyan élőlények laknak, akik gyönyörűen énekelnek, s közülük Citraratha a legjobb énekes. A tökéletes lények közül Kapila, Devahūti fia képviseli Kṛṣṇát. Őt Kṛṣṇa inkarnációjának tekintik, és filozófiájáról a *Śrīmad-Bhāgavatam* ír. Később egy másik Kapila is híressé vált, de az ő filozófiája ateista filozófia volt, így kettőjük között nagy különbség van.

27. VERS

उच्चैःश्रवसमश्वानां विद्धि माममृतोद्भवम् ।
ऐरावतं गजेन्द्राणां नराणां च नराधिपम् ॥२७॥

uccaiḥśravasam aśvānāṁ viddhi mām amṛtodbhavam
airāvataṁ gajendrāṇāṁ narāṇāṁ ca narādhipam

uccaiḥśravasam – Uccaiḥśravānak; *aśvānām* – a lovak közül; *viddhi* – ismerj; *mām* – Engem; *amṛta-udbhavam* – az óceán köpüléséből keletkezett; *airāvatam* – Airāvatának; *gaja-indrāṇām* – a királyi elefántok közül; *narāṇām* – az emberek közül; *ca* – és; *nara-adhipam* – a királynak.

Tudd meg, hogy a lovak közül a nektáróceán köpüléséből született Uccaiḥśravā vagyok. A királyi elefántok közül Airāvata, az emberek közül a király vagyok.

MAGYARÁZAT: A *bhakta*-félistenek és a démonok (*asurák*) egyszer mindannyian a tengert köpülték, amiből így nektár és méreg keletkezett. A mérget az Úr Śiva megitta, a nektárból pedig számtalan lény született, köztük az Uccaiḥśravā nevű ló, valamint Airāvata, az elefánt. E két állat a nektárból született, ezért nagyon fontos élőlények, akik Kṛṣṇát képviselik.

Az emberek közül a király képviseli Kṛṣṇát, mert ahogyan Kṛṣṇa az univerzum fenntartója, úgy a király – akit isteni tulajdonságai alapján ültettek a trónra – a birodalomé. Az olyan uralkodók, mint például Yudhiṣṭhira Mahārāja, Parīkṣit Mahārāja és az Úr Rāma mind nagyon igazságos királyok voltak, s mindig alattvalóik jólétét tartották a legfontosabbnak. A védikus irodalom tehát a királyt Isten képviselőjének tekinti. Korszakunkban azonban a vallás elveinek hanyatlásával a monarchiák is felbomlottak, napjainkra pedig már végleg el is tűntek. Tudnunk kell azonban, hogy a múltban az emberek az igazságos királyok uralkodása alatt sokkal boldogabbak voltak.

28. VERS

आयुधानामहं वज्रं धेनूनामस्मि कामधुक् ।
प्रजनश्चास्मि कन्दर्पः सर्पाणामस्मि वासुकिः ॥२८॥

āyudhānām ahaṁ vajraṁ dhenūnām asmi kāmadhuk
prajanaś cāsmi kandarpaḥ sarpāṇām asmi vāsukiḥ

āyudhānām – a fegyverek közül; *aham* – Én vagyok; *vajram* – a villám; *dhenūnām* – a tehenek közül; *asmi* – Én vagyok; *kāma-dhuk* – a *surabhi*-tehén; *prajanaḥ* – a gyermekek nemzésének előidézője; *ca* – és; *asmi* – Én vagyok; *kandarpaḥ* – Kāmadeva; *sarpāṇām* – a kígyók közül; *asmi* – Én vagyok; *vāsukiḥ* – Vāsuki.

A fegyverek közül a villám, a tehenek közül a surabhi, a nemzést okozók közül Kandarpa, a szerelem istene, a kígyók közül pedig Vāsuki vagyok.

MAGYARÁZAT: A villám hatalmas erejű fegyver, s Kṛṣṇa hatalmát képviseli. A lelki világban, Kṛṣṇalokán olyan tehenek vannak, amiket bármikor meg lehet fejni, és annyi tejet adnak, amennyit csak kíván az ember. Ilyen tehén természetesen az anyagi világban nem létezik, de a Védák megemlítik, hogy Kṛṣṇalokán igen. Az Úr tengernyi ilyen *surabhi*-tehenet tart, s az írásokban azt olvashatjuk, hogy Ő a *surabhi*-tehenek pásztora. Kandarpa a jó fiak nemzéséhez szükséges nemi vágy, ezért ő is Kṛṣṇát képviseli. A nemi élet néha csak az érzékkielégítést szolgálja, s az ilyen szexualitás nem képviseli Kṛṣṇát. A jó gyermekek nemzése érdekében történő nemi kapcsolatot nevezik Kandarpának, s csak ez képviseli Kṛṣṇát.

29. VERS

अनन्तश्चास्मि नागानां वरुणो यादसामहम् ।
पितॄणामर्यमा चास्मि यमः संयमतामहम् ॥२९॥

anantaś cāsmi nāgānāṁ varuṇo yādasām aham
pitṝṇām aryamā cāsmi yamaḥ saṁyamatām aham

anantaḥ – Ananta; *ca* – szintén; *asmi* – Én vagyok; *nāgānām* – a sokcsuklyás kígyók közül; *varuṇaḥ* – a vizek fölött uralkodó félisten; *yādasām* – a vízi élőlények közül; *aham* – Én vagyok; *pitṝṇām* – az ősatyák közül; *aryamā* – Aryamā; *ca* – is; *asmi* – Én vagyok; *yamaḥ* – a halál irányítója; *saṁyamatām* – minden szabályozó közül; *aham* – Én vagyok.

A sokcsuklyás Nāgák közül Ananta, a vízi lények közül Varuṇa félisten, az eltávozott ősök közül Aryamā, s a törvényvégrehajtók közül Yama, a halál ura vagyok.

MAGYARÁZAT: A sokcsuklyás *nāga*-kígyók közül Ananta a leghatalmasabb, a vízi lények közül pedig a félisten Varuṇa. Mindketten Kṛṣṇát képviselik. Létezik egy olyan bolygó is, ahol a *pitāk,* az ősatyák élnek, és ahol Aryamā, Kṛṣṇa képviselője uralkodik. Számtalan élőlény van, akinek feladata a gonosztevők megbüntetése, s közülük Yama a legfőbb. Yama egy Földünkhöz közeli bolygón él. A különösen bűnös élőlények haláluk után az ő bolygójára kerülnek, ahol különféle büntetéseket ró ki rájuk.

30. VERS

प्रह्लादश्चास्मि दैत्यानां कालः कलयतामहम् ।
मृगाणां च मृगेन्द्रोऽहं वैनतेयश्च पक्षिणाम् ॥३०॥

prahlādaś cāsmi daityānāṁ kālaḥ kalayatām aham
mṛgāṇāṁ ca mṛgendro 'haṁ vainateyaś ca pakṣiṇām

prahlādaḥ – Prahlāda; *ca* – is; *asmi* – Én vagyok; *daityānām* – a démonok közül; *kālaḥ* – idő; *kalayatām* – a hódítók közül; *aham* – Én vagyok; *mṛgāṇām* – az állatok közül; *ca* – és; *mṛga-indraḥ* – az oroszlán; *aham* – Én vagyok; *vainateyaḥ* – Garuḍa; *ca* – is; *pakṣiṇām* – a madarak közül.

A daitya démonok közül az odaadó Prahlāda, a hódítók közül az idő, a vadállatok közül az oroszlán, a madarak közül pedig Garuḍa vagyok.

MAGYARÁZAT: Diti és Aditi nővérek. Aditi gyermekeit *ādityáknak,* Ditiét pedig *daityáknak* hívják. Az *ādityák* mind az Úr *bhaktái,* a *daityák* pedig mind ateisták. Noha Prahlāda a *daityák* családjában született, gyermekkorától kezdve kiváló *bhakta* volt. Odaadó szolgálata és isteni természete miatt Kṛṣṇa képviselőjének tekintik.

Sok olyan dolog van, ami leigáz más dolgokat, ám egyedül az idő képes mindent felemészteni ebben az anyagi univerzumban, s ezért Kṛṣṇát képviseli. Az állatok közül az oroszlán a leghatalmasabb és a legveszedelmesebb, a sok millió madárfaj közül pedig az Úr Viṣṇu szállítója, Garuḍa a legkiválóbb.

31. VERS

पवनः पवतामस्मि रामः शस्त्रभृतामहम् ।
झषाणां मकरश्चास्मि स्रोतसामस्मि जाह्नवी ॥३१॥

pavanaḥ pavatām asmi rāmaḥ śastra-bhṛtām aham
jhaṣāṇāṁ makaraś cāsmi srotasām asmi jāhnavī

pavanaḥ – a szél; *pavatām* – a tisztítók közül; *asmi* – Én vagyok; *rāmaḥ* – Rāma; *śastra-bhṛtām* – a fegyvert viselők közül; *aham* – Én vagyok; *jhaṣāṇām* – a halak közül; *makaraḥ* – a cápa; *ca* – is; *asmi* – Én vagyok; *srotasām* – a folyóvizek közül; *asmi* – Én vagyok; *jāhnavī* – a Gangesz folyó.

A tisztító dolgok közül a szél, a fegyverforgatók közül Rāma, a halak közül a cápa, a folyóvizek közül pedig a Gangesz vagyok.

MAGYARÁZAT: A vízi élőlények közül a cápa az egyik legnagyobb, s az emberre nézve minden bizonnyal a legveszélyesebb is. Így aztán a cápa is Kṛṣṇát képviseli.

32. VERS

सर्गाणामादिरन्तश्च मध्यं चैवाहमर्जुन ।
अध्यात्मविद्या विद्यानां वादः प्रवदतामहम् ॥३२॥

sargāṇām ādir antaś ca madhyaṁ caivāham arjuna
adhyātma-vidyā vidyānāṁ vādaḥ pravadatām aham

sargāṇām – minden teremtmény közül; *ādiḥ* – a kezdet; *antaḥ* – a vég; *ca* – és; *madhyam* – a közép; *ca* – is; *eva* – bizony; *aham* – Én vagyok;

arjuna – ó, Arjuna; *adhyātma-vidyā* – a lelki tudás; *vidyānām* – minden tudás közül; *vādaḥ* – a természetes végkövetkeztetés; *pravadatām* – az érvek közül; *aham* – Én vagyok.

Ó, Arjuna, valamennyi teremtésben Én vagyok a kezdet, a vég és a közép is! A tudományok közül az önvalóról szóló lelki tudomány, a logika művelői közül pedig a végső igazság vagyok.

MAGYARÁZAT: A teremtett megnyilvánulások közül először az anyagi elemek összessége jön létre. Ahogyan azt korábban már említettük, a kozmikus megnyilvánulást Mahā-viṣṇu, Garbhodakaśāyī Viṣṇu és Kṣīrodakaśāyī Viṣṇu teremti és irányítja, majd az Úr Śiva semmisíti meg. Brahmā másodlagos teremtő. Ők, a teremtés, fenntartás és megsemmisítés ügynökei a Legfelsőbb Úr anyagi kötőerőinek különféle inkarnációi, ezért Ő minden teremtés kezdete, közepe és vége.

A tudás fejlődését számtalan könyv segíti, például a négy Véda, a Védák hat kiegészítője, a *Vedānta-sūtra,* a logika könyvei, a vallás könyvei és a *purāṇák*. A tudomány könyveinek tehát összesen tizennégy csoportja van. Ezek közül Kṛṣṇát az a könyv képviseli, amely az *adhyātma-vidyáról,* a lelki tudásról szól, ez pedig a *Vedānta-sūtra.*

A logika művelői az érvelés különféle módszereit alkalmazzák. Ha érvüket olyan bizonyítékkal támasztják alá, amely az ellenérvet is támogatja, azt *jalpának* nevezik. *Vitaṇḍának* azt hívják, amikor valaki csak megpróbálja legyőzni a szemben álló felet. A valódi végkövetkeztetést azonban *vādának* nevezik, s ez a végső igazság Kṛṣṇát képviseli.

33. VERS

अक्षराणामकारोऽस्मि द्वन्द्वः सामासिकस्य च ।
अहमेवाक्षयः कालो धाताहं विश्वतोमुखः ॥३३॥

akṣarāṇām a-kāro 'smi dvandvaḥ sāmāsikasya ca
aham evākṣayaḥ kālo dhātāhaṁ viśvato-mukhaḥ

akṣarāṇām – a betűk közül; *a-kāraḥ* – az első betű; *asmi* – Én vagyok; *dvandvaḥ* – a kettős; *sāmāsikasya* – összetételek közül; *ca* – és; *aham* – Én vagyok; *eva* – bizony; *akṣayaḥ* – örökkévaló; *kālaḥ* – idő; *dhātā* – a teremtő; *aham* – Én vagyok; *viśvataḥ-mukhaḥ* – Brahmā.

A betűk közül az „a”, az összetett szavak közül pedig a mellérendelő összetétel vagyok. Én vagyok a kimeríthetetlen idő is, s a teremtők közül Brahmā vagyok.

MAGYARÁZAT: A védikus irodalom az *a-kārával,* a szanszkrit ábécé első betűjével kezdődik. Az *a-kāra* nélkül semmit sem lehet kiejteni, ezért ez a hang kezdete. A szanszkrit nyelvben sok összetett szó van, melyek közül a mellérendelő összetételt *dvandvának* nevezik. Ilyen összetett szó például a *rāma-kṛṣṇa* is, amelyben a *rāma* és a *kṛṣṇa* szavak formája megegyezik, s ezért nevezik mellérendelőnek.

A különféle pusztító erők közül az idő a leghatalmasabb, mert mindent megöl. Kṛṣṇát képviseli, mivel az idő múlásával egyszer nagy tűz keletkezik, amely mindent megsemmisít majd.

A teremtő élőlények közül a négyfejű Brahmā a legfőbb, s ezért a Legfelsőbb Urat, Kṛṣṇát képviseli ő is.

34. VERS

मृत्युः सर्वहरश्चाहमुद्भवश्च भविष्यताम् ।
कीर्तिः श्रीर्वाक्च नारीणां स्मृतिर्मेधा धृतिः क्षमा ॥३४॥

mṛtyuḥ sarva-haraś cāham udbhavaś ca bhaviṣyatām
kīrtiḥ śrīr vāk ca nārīṇāṁ smṛtir medhā dhṛtiḥ kṣamā

mṛtyuḥ – halál; *sarva-haraḥ* – mindent elpusztító; *ca* – is; *aham* – Én vagyok; *udbhavaḥ* – nemzedék; *ca* – is; *bhaviṣyatām* – az eljövendő megnyilvánulások közül; *kīrtiḥ* – hírnév; *śrīḥ* – fenség és szépség; *vāk* – kellemes beszéd; *ca* – is; *nārīṇām* – a nők közül; *smṛtiḥ* – emlékezet; *medhā* – értelem; *dhṛtiḥ* – határozottság; *kṣamā* – türelem.

Én vagyok a mindent elpusztító halál, és a jövőbeni megnyilvánulások teremtő elve. A nők közül a hírnév, szerencse, finom beszéd, memória, értelem, állhatatosság és türelem vagyok.

MAGYARÁZAT: Az ember születésétől kezdve minden pillanattal közelebb kerül a halálhoz. A halál tehát minden másodpercben pusztítja az élőlényeket, de csupán a végső kegyelemdöfést hívják halálnak. Ez a halál Kṛṣṇa. Fejlődése során minden élőlény hat alapvető változáson megy keresztül: megszületik, növekedik, egy ideig változatlan, sokasodik, sorvad és végül elpusztul. Ezek közül az első a születés az anyaméhből, s ez Kṛṣṇa. Az első születés a kezdete minden jövőbeli tettnek.

A hét felsorolt fenséges tulajdonságot – hírnév, szerencse, finom beszéd, emlékezet, értelem, állhatatosság és türelem – női tulajdonságnak tekintik. Aki rendelkezik e tulajdonságok mindegyikével vagy néhánnyal közülük, az dicsővé válik. Ha egy ember becsületességéről híres, dicsőségesnek kell tekinteni. A szanszkrit tökéletes nyelv, és ezért nagyon magasztos.

Ha egy témát tanulmányozva valaki képes emlékezni arra, akkor jó emlékezőképességgel, vagyis *smṛtivel* rendelkezik. Azt a képességet, amellyel az ember nemcsak el tud olvasni számtalan különféle témájú könyvet, de meg is érti azokat, s tudását alkalmazni is tudja, amikor szüksége van rá, értelemnek (*medhānak*) nevezik, ami szintén egy nagyszerű tulajdonság. Azt a képességet, amellyel valaki legyőzi a bizonytalanságot, határozottságnak vagy állhatatosságnak (*dhṛtinek*) nevezik. Ha pedig valakiben teljes mértékben megtalálható minden jó tulajdonság, mégis alázatos és szelíd, s kiegyensúlyozott marad akkor is, ha szomorúság éri vagy az öröm eksztázisa árasztja el, arról elmondhatjuk, hogy rendelkezik a türelem (*kṣamā*) jó tulajdonságával.

35. VERS

बृहत्साम तथा साम्नां गायत्री छन्दसामहम् ।
मासानां मार्गशीर्षोऽहमृतूनां कुसुमाकरः ॥३५॥

bṛhat-sāma tathā sāmnāṁ gāyatrī chandasām aham
māsānāṁ mārga-śīrṣo 'ham ṛtūnāṁ kusumākaraḥ

bṛhat-sāma – a *Bṛhat-sāma; tathā* – is; *sāmnām* – a *Sāma-veda* himnuszai közül; *gāyatrī* – a *gāyatrī* himnuszok; *chandasām* – a versformák közül; *aham* – Én vagyok; *māsānām* – a hónapok közül; *mārga-śīrṣaḥ* – a november–december hónap; *aham* – Én vagyok; *ṛtūnām* – az évszakok közül; *kusuma-ākaraḥ* – a tavasz.

A Sāma-veda himnuszai közül a Bṛhat-sāma vagyok, a versformák közül pedig a gāyatrī. A hónapok közül a mārgaśīrṣa [november–december], az évszakok közül pedig a virágot fakasztó tavasz vagyok.

MAGYARÁZAT: Az Úr már elmagyarázta, hogy a Védák közül Ő a *Sāma-veda*. Ez a Véda gyönyörű énekekkel van teli, melyeket különféle félistenek adnak elő. Egyik ezek közül a rendkívül csodálatos dallamú *Bṛhat-sāma,* melyet éjfélkor énekelnek.

A szanszkrit nyelvben a költészetre szigorú előírások vonatkoznak. Szigorú szabályok határozzák meg a ritmust és a versmértéket, nem úgy, mint a modern lírában. E versformák közül a képzett *brāhmaṇák* által énekelt *gāyatrī mantra* a legfontosabb. A *gāyatrī mantrát* a *Śrīmad-Bhāgavatam* említi meg. Ez a *mantra* főleg Isten elérését szolgálja, ezért a Legfelsőbb Urat képviseli. A lelkileg emelkedett embereknek való, s ha valaki megtanulta sikeresen énekelni, szert tehet az Úr transzcendentális természetére. Ahhoz azonban, hogy a *gāyatrī mantrát* énekelhesse, először el kell sajátítania a tökéletes ember tulajdonságait, azaz a jóság kötőerejének tulajdonságait. A védikus civilizációban ennek a *mantrának* nagy jelentősége van, s a Brahman hanginkarnációjának tekintik. Brahmā az első, aki kiejtette ezt a *mantrát,* és aztán a tanítványi láncon keresztül tőle szállt alá az emberek közé.

A hónapok közül a november-december hónapot tartják a legjobbnak, mert Indiában ez az aratás ideje, s ilyenkor az emberek nagyon boldogok. A tavaszt természetesen mindenhol szeretik, mert ez az évszak nem is túl meleg, nem is túl hideg, s a növények – fák, bokrok – gyönyörű virágköntösben pompáznak. Tavasszal sok-sok ünneppel emlékeznek az emberek Kṛṣṇa kedvteléseire, ezért ezt az évszakot tartják a legvidámabbnak, s ez is a Legfelsőbb Úr, Kṛṣṇa képviselője.

36. VERS

द्यूतं छलयतामस्मि तेजस्तेजस्विनामहम् ।
जयोऽस्मि व्यवसायोऽस्मि सत्त्वं सत्त्ववतामहम् ॥३६॥

dyūtaṁ chalayatām asmi tejas tejasvinām aham
jayo 'smi vyavasāyo 'smi sattvaṁ sattvavatām aham

dyūtam – szerencsejáték; *chalayatām* – az összes csaló közül; *asmi* – Én vagyok; *tejaḥ* – ragyogás; *tejasvinām* – minden ragyogóé; *aham* – Én vagyok; *jayaḥ* – győzelem; *asmi* – Én vagyok; *vyavasāyaḥ* – vállalkozás vagy kaland; *asmi* – Én vagyok; *sattvam* – az erő; *sattva-vatām* – az összes erősé; *aham* – Én vagyok.

A csalások közül a szerencsejáték, a ragyogók között a legragyogóbb vagyok, de Én vagyok a győzelem, a kaland és az erősek ereje is.

MAGYARÁZAT: Szerte a világon sokféle csaló létezik. A csalások közül a szerencsejáték a legnépszerűbb, ezért Kṛṣṇát képviseli az is. Kṛṣṇa a Legfelsőbb, ezért Ő csalárdságban is képes minden emberen túltenni. Ha Kṛṣṇa rá akar szedni valakit, ravaszságban senki sem vetekedhet Vele. Az Ő nagysága igen sokoldalú.

A győzedelmeskedők közül Ő a győzelem, a ragyogó dolgok közül a legragyogóbb. A nagy vállalkozók és törekvők közül Ő a legvállalkozóbb és legtörekvőbb. Ő a kalandvágyó emberek közül a legnagyobb kalandor, s az erősek közül a legerősebb. Amikor Kṛṣṇa jelen volt a Földön, senki sem tudta felülmúlni erejét: kicsi gyermek volt még, amikor felemelte a Govardhana-hegyet. Kṛṣṇán senki nem tehet túl sem csalásban, sem nagyszerűségben, sem győzelemben, sem merészségben, sem erőben.

37. VERS

वृष्णीनां वासुदेवोऽस्मि पाण्डवानां धनञ्जयः ।
मुनीनामप्यहं व्यासः कवीनामुशना कविः ॥३७॥

vṛṣṇīnāṁ vāsudevo 'smi pāṇḍavānāṁ dhanañjayaḥ
munīnām apy ahaṁ vyāsaḥ kavīnām uśanā kaviḥ

vṛṣṇīnām – Vṛṣṇi leszármazottai közül; *vāsudevaḥ* – a dvārakāi Kṛṣṇa; *asmi* – Én vagyok; *pāṇḍavānām* – a Pāṇḍavák közül; *dhanañjayaḥ* – Arjuna; *munīnām* – a bölcsek közül; *api* – is; *aham* – Én vagyok; *vyāsaḥ* – Vyāsa, a teljes védikus irodalom szerkesztője; *kavīnām* – a nagy gondolkodók közül; *uśanā* – Uśanā; *kaviḥ* – a gondolkodó.

Vṛṣṇi leszármazottai közül Vāsudeva, a Pāṇḍavák közül Arjuna, a bölcsek közül Vyāsa, a nagy gondolkodók közül pedig Uśanā vagyok.

MAGYARÁZAT: Kṛṣṇa az eredeti Istenség Legfelsőbb Személyisége, Baladeva pedig az Ő közvetlen kiterjedése. Mindketten Vasudeva fiaként jelentek meg, tehát mindkettőjüket lehet Vāsudevának nevezni. Egy másik szemszögből nézve, mivel Kṛṣṇa sohasem hagyja el Vṛndāvanát, máshol megjelenő formái mind a kiterjedései. Vāsudeva Kṛṣṇa közvetlen kiterjedése, tehát nem különbözik Kṛṣṇától. Tudnunk kell, hogy az a Vāsudeva, akire a *Bhagavad-gītānak* ez a verse utal, Baladeva, vagyis Balarāma, mert Ő minden inkarnáció eredeti forrása, és így Ő Vāsudeva egyetlen forrása is. Az Úr közvetlen kiterjedéseit *svāṁśának* (személyes kiterjedéseknek) nevezik. Rajtuk kívül léteznek *vibhinnāṁśának* nevezett különálló kiterjedések is.

Pāṇḍu fiai közül Arjuna Dhanañjayaként híres. Valójában ő a legjobb az emberek között, ezért Kṛṣṇát képviseli. A *munik,* vagyis a védikus tudásban jártas bölcsek közül Vyāsa a legkiválóbb, mert annak érdekében, hogy e Kali-korszak egyszerű tömegei is megérthessék, számtalan formában elmagyarázta a védikus tudást. Vyāsát Kṛṣṇa inkarnációjaként is ismerik, ezért ő is Kṛṣṇa képviselője. *Kaviknak* azokat hívják, akik képesek alaposan átgondolni bármilyen témát. Közülük Uśanā, Śukrācārya, a rendkívül eszes, előrelátó politikus a démonok lelki tanítómestere volt. Śukrācārya tehát szintén Kṛṣṇa fenségét képviseli.

38. VERS

दण्डो दमयतामस्मि नीतिरस्मि जिगीषताम् ।
मौनं चैवास्मि गुह्यानां ज्ञानं ज्ञानवतामहम् ॥३८॥

daṇḍo damayatām asmi nītir asmi jigīṣatām
maunaṁ caivāsmi guhyānāṁ jñānaṁ jñānavatām aham

daṇḍaḥ – büntetés; *damayatām* – az akadályozás eszközei közül; *asmi* – Én vagyok; *nītiḥ* – erkölcsösség; *asmi* – Én vagyok; *jigīṣatām* – a győzelmet keresők közül; *maunam* – a csend; *ca* – és; *eva* – is; *asmi* – Én vagyok; *guhyānām* – a titkok közül; *jñānam* – a tudás; *jñāna-vatām* – a bölcsek közül; *aham* – Én vagyok.

A törvénytelenséget visszaszorító eszközök közül a büntetés, a győzelemre vágyók között az erkölcs, a titkok közül a csend, a bölcsek között pedig a bölcsesség vagyok.

MAGYARÁZAT: A büntetésnek számtalan formája van, melyek közül azok a legfontosabbak, amelyek a gonosztevőkre sújtanak le. Az őket megbüntető fenyítés eszköze Kṛṣṇát képviseli. Akik sikert akarnak elérni valamilyen területen, azoknak a győzelemhez az erényre van a legnagyobb szükségük. A bizalmas hallás, gondolkodás és meditálás folyamatában a csend a legfontosabb, mert ezáltal az ember rendkívül gyorsan fejlődhet. Bölcsnek azt nevezzük, aki képes különbséget tenni az anyag és a lélek, azaz Isten felsőbbrendű és alsóbbrendű természete között. Az ilyen tudás maga Kṛṣṇa.

39. VERS

यच्चापि सर्वभूतानां बीजं तदहमर्जुन ।
न तदस्ति विना यत्स्यान्मया भूतं चराचरम् ॥३९॥

yac cāpi sarva-bhūtānāṁ bījaṁ tad aham arjuna
na tad asti vinā yat syān mayā bhūtaṁ carācaram

yat – bármi; *ca* – is; *api* – lehet; *sarva-bhūtānām* – minden teremtményé; *bījam* – mag; *tat* – az; *aham* – Én vagyok; *arjuna* – ó, Arjuna; *na* – nem; *tat* – az; *asti* – van; *vinā* – nélkülem; *yat* – ami; *syāt* – létezhetne; *mayā* – Én; *bhūtam* – teremtett lény; *cara-acaram* – mozgó és mozdulatlan.

Ó, Arjuna, minden lét teremtő magja is Én vagyok! Nincsen olyan mozgó vagy mozdulatlan lény, ami létezhetne Nélkülem.

MAGYARÁZAT: Minden megnyilvánulásnak van oka, s ez az ok vagy mag Kṛṣṇa. Kṛṣṇa energiája nélkül semmi sem létezhet, ezért hívják Őt Mindenhatónak. Az Ő energiája nélkül sem mozgó, sem mozdulatlan nem létezhet. Minden olyan létezést, aminek alapja nem Kṛṣṇa energiája, *māyānak* neveznek („ami nem az").

40. VERS

नान्तोऽस्ति मम दिव्यानां विभूतीनां परन्तप ।
एष तूद्देशतः प्रोक्तो विभूतेर्विस्तरो मया ॥४०॥

nānto 'sti mama divyānāṁ vibhūtīnāṁ parantapa
eṣa tūddeśataḥ prokto vibhūter vistaro mayā

na – sem; *antaḥ* – határ; *asti* – van; *mama* – Enyém; *divyānām* – isteni; *vibhūtīnām* – fenségeimnek; *parantapa* – ó, ellenség legyőzője; *eṣaḥ* – mindez; *tu* – de; *uddeśataḥ* – példaként; *proktaḥ* – elmondott; *vibhūteḥ* – a fenségeknek; *vistaraḥ* – sokasága; *mayā* – Általam.

Ó, ellenség hatalmas legyőzője, isteni megnyilvánulásaim végtelenek! Amit elmondtam neked, az csupán jelzi végtelen fenségemet.

MAGYARÁZAT: A védikus írások szerint a Legfelsőbb fenségét és energiáit sokféleképpen lehet felfogni, mégis végtelenek, ezért nem lehet valamennyit megmagyarázni. Śrī Kṛṣṇa csupán néhány példát említ Arjunának, hogy kielégítse kíváncsiságát.

41. VERS

यद्यद्विभूतिमत्सत्त्वं श्रीमदूर्जितमेव वा ।
तत्तदेवावगच्छ त्वं मम तेजोंऽशसम्भवम् ॥४१॥

yad yad vibhūtimat sattvaṁ śrīmad ūrjitam eva vā
tat tad evāvagaccha tvaṁ mama tejo-'ṁśa-sambhavam

yat yat – bármi; *vibhūti* – fenséggel; *mat* – rendelkező; *sattvam* – lét; *śrī-mat* – gyönyörű; *ūrjitam* – dicső; *eva* – bizony; *vā* – vagy; *tat tat* – mindazok; *eva* – bizony; *avagaccha* – tudd; *tvam* – te; *mama* – az Én; *tejaḥ* – pompámnak; *aṁśa* – egy részéből; *sambhavam* – származó.

Tudd meg, hogy minden fenséges, gyönyörű és dicsőséges teremtmény pompám szikrájából születik csupán!

MAGYARÁZAT: Tudnunk kell, hogy minden dicső vagy gyönyörű dolog – legyen akár az anyagi, akár a lelki világban – Kṛṣṇa fenségének csupán töredék megnyilvánulása. Mindent, ami különlegesen fenséges, Kṛṣṇa fensége képviselőjének kell tekintenünk.

42. VERS

अथ वा बहुनैतेन किं ज्ञातेन तवार्जुन ।
विष्टभ्याहमिदं कृत्स्नमेकांशेन स्थितो जगत् ॥४२॥

atha vā bahunaitena kiṁ jñātena tavārjuna
viṣṭabhyāham idaṁ kṛtsnam ekāṁśena sthito jagat

atha vā – vagy; *bahunā* – sok; *etena* – ilyennel; *kim* – mi; *jñātena* – megismerttel; *tava* – tiéd; *arjuna* – ó, Arjuna; *viṣṭabhya* – áthatva; *aham* – Én; *idam* – ezt; *kṛtsnam* – egészet; *eka* – egyetlen; *aṁśena* – résszel; *sthitaḥ* – vagyok; *jagat* – univerzumot.

De mire való ez a részletes tudomány, Arjuna? Énem parányi töredékével áthatom és fenntartom ezt az egész univerzumot.

MAGYARÁZAT: A Legfelsőbb Úr szerte az anyagi univerzumokban jelen van azáltal, hogy mindenbe behatol mint Felsőlélek. Az Úr itt azt mondja Arjunának, hogy semmi haszna megértenie, hogyan léteznek a dolgok különálló fenségükben és pompájukban. Tudnia kell, hogy minden azért létezik, mert Kṛṣṇa Felsőlélekként mindenbe behatol. Brahmától, a leghatalmasabb élőlénytől kezdve a legparányibb hangyáig mindenki csak annak köszönhetően létezik, hogy az Úr bennük van és fenntartja őket.

Van egy missziós csoport, amely rendszeresen azt hirdeti, hogy bármelyik félisten imádata az Istenség Legfelsőbb Személyiségéhez, a legfelsőbb célhoz vezeti el az embert. Ám ez a vers egyáltalán nem biztat a félistenek imádatára, hiszen még a legnagyobb félistenek, köztük Brahmā és Śiva is csupán töredék részét képviselik a Legfelsőbb Úr fenségének. Ő az eredete minden megszületettnek, és Nála senki sem nagyobb. *Asamaurdhvának* is nevezik, ami azt jelenti, hogy senki sem hatalmasabb Nála, és senki sem egyenlő Vele. A *Padma-purāṇa* azt írja, hogy aki a Legfelsőbb Urat, Kṛṣṇát a félistenek kategóriájába sorolja (még ha Brahmāval vagy Śivával véli is egyenlőnek), az rögtön ateistává válik. Ha azonban valaki behatóan tanulmányozza a Kṛṣṇa energiájának fenségéről és kiterjedéséről szóló különféle leírásokat, akkor minden kétségen felül megértheti az Úr Śrī Kṛṣṇa helyzetét, és elméjét képes lesz szüntelenül Kṛṣṇa imádatára rögzíteni. Az Úr részleges képviselője, a Felsőlélek által (aki minden létezőbe behatol) mindent átható. A tiszta *bhakták* ezért elméjüket Kṛṣṇa-tudatosan a teljes odaadó szolgálatra rögzítik, és így mindig transzcendentális helyzetben maradnak. Ez a fejezet a 8. verstől a 11. versig határozottan az odaadó szolgálatra és Kṛṣṇa imádatára utal. Ez a tiszta odaadó szolgálat útja. Ez a fejezet tehát részletesen elmagyarázta, hogyan érheti el az ember az odaadás legtökéletesebb szintjét, az Istenség Legfelsőbb Személyiségének társaságát. Śrī Baladeva Vidyābhūṣaṇa, a Kṛṣṇától alászálló tanítványi láncolat nagy *ācāryája* a fejezethez fűzött magyarázatát a következőkkel zárja:

yac-chakti-leśāt suryādyā bhavanty aty-ugra-tejasaḥ
yad-aṁśena dhṛtaṁ viśvaṁ sa kṛṣṇo daśame 'rcyate

Még a hatalmas Nap is az Úr Kṛṣṇa rendkívüli energiájából nyeri hatalmát, s az egész világot Kṛṣṇa részleges kiterjedése tartja fenn. Az Úr Śrī Kṛṣṇa ezért méltó az imádatra.

Így végződnek a Bhaktivedanta-magyarázatok a Śrīmad Bhagavad-gītā *tizedik fejezetéhez, melynek címe: „Az Abszolút fensége".*

TIZENEGYEDIK FEJEZET

A kozmikus forma

1. VERS

अर्जुन उवाच

मदनुग्रहाय परमं गुह्यमध्यात्मसंज्ञितम् ।
यत्त्वयोक्तं वचस्तेन मोहोऽयं विगतो मम ॥१॥

arjuna uvāca
mad-anugrahāya paramaṁ guhyam adhyātma-saṁjñitam
yat tvayoktaṁ vacas tena moho 'yaṁ vigato mama

arjunaḥ uvāca – Arjuna mondta; *mat-anugrahāya* – irántam való kedvességből; *paramam* – legfelsőbb; *guhyam* – bizalmas téma; *adhyātma* – a lélekkel; *saṁjñitam* – kapcsolatos; *yat* – ami; *tvayā* – Általad; *uktam* – elmondott; *vacaḥ* – szavak; *tena* – ami által; *mohaḥ* – illúzió; *ayam* – ez; *vigataḥ* – eltűnt; *mama* – enyém.

Arjuna így szólt: Hallottam a legtitkosabb lelki témákról szóló tanításod, melyet kedvesen átadtál nekem, s illúzióm mostanra szertefoszlott.

MAGYARÁZAT: Ez a fejezet felfedi, hogy Kṛṣṇa minden ok oka. Ő az eredete még Mahā-viṣṇunak is, akiből az anyagi univerzumok áradnak.

Kṛṣṇa nem inkarnáció, hanem minden inkarnáció forrása. Ezt az előző fejezet alaposan elmagyarázta.

Arjuna kijelenti, hogy illúziója szertefoszlott. Ez azt jelenti, hogy már nem hiszi Kṛṣṇát emberi lénynek csak azért, mert a barátja, hanem minden létező forrásának tekinti. Arjuna megvilágosodott, s boldog, hogy olyan nagyszerű barátja van, mint Kṛṣṇa. Ugyanakkor azonban arra is gondol, hogy ő ugyan elfogadta Kṛṣṇát a mindenség forrásának, de mások talán nem. Ezért ebben a fejezetben arra kéri Kṛṣṇát, mutassa meg kozmikus formáját, hogy mindenki megbizonyosodhasson isteni természetéről. Kṛṣṇa kozmikus alakját megpillantva az ember éppúgy megijedne, mint Arjuna, ám Kṛṣṇa olyannyira kedves, hogy utána azonnal felölti eredeti formáját. Arjuna egyetért azzal, amit Kṛṣṇa már többször elmondott: hogy csakis Arjuna érdekében beszél. Arjuna tehát elismeri, hogy mindez egyedül Kṛṣṇa kegyéből történik vele. Meg van győződve róla, hogy Kṛṣṇa minden ok oka, és Felsőlélekként jelen van mindenki szívében.

2. VERS

भवाप्ययौ हि भूतानां श्रुतौ विस्तरशो मया ।
त्वत्तः कमलपत्राक्ष माहात्म्यमपि चाव्ययम् ॥ २ ॥

bhavāpyayau hi bhūtānāṁ śrutau vistaraśo mayā
tvattaḥ kamala-patrākṣa māhātmyam api cāvyayam

bhava – megjelenése; *apyayau* – eltávozása; *hi* – bizony; *bhūtānām* – minden élőlénynek; *śrutau* – hallott; *vistaraśaḥ* – részletesen; *mayā* – általam; *tvattaḥ* – Tőled; *kamala-patra-akṣa* – ó, lótuszszemű; *māhātmyam* – dicsőséged; *api* – is; *ca* – és; *avyayam* – kimeríthetetlen.

Ó, lótuszszemű! Részletesen hallottam Tőled minden élőlény megjelenéséről és eltűnéséről, és megértettem kimeríthetetlen dicsőséged.

MAGYARÁZAT: Arjuna az Úr Kṛṣṇát örömében lótuszszeműnek szólítja (Kṛṣṇa szeme olyan, mint a lótuszvirág szirma), mert egy korábbi fejezetben Kṛṣṇa meggyőzte arról, hogy *ahaṁ kṛtsnasya jagataḥ prabhavaḥ pralayas tathā:* „Én vagyok a forrása az egész anyagi megnyilvánulás megjelenésének és eltűnésének." Hallotta az Úrtól ennek részletes magyarázatát, s azt is megtanulta, hogy bár Kṛṣṇa a forrása minden teremtésnek és megsemmisülésnek, mégis fölöttük áll. Ahogyan azt az Úr a kilencedik fejezetben elmondta, Ő mindent átható, de személyesen még sincs jelen mindenhol. Ez Kṛṣṇa felfoghatatlan fensége, amit most Arjuna saját bevallása szerint alaposan megértett.

3. VERS

एवमेतद्यथात्थ त्वमात्मानं परमेश्वर ।
द्रष्टुमिच्छामि ते रूपमैश्वरं पुरुषोत्तम ॥ ३ ॥

evam etad yathāttha tvam ātmānaṁ parameśvara
draṣṭum icchāmi te rūpam aiśvaraṁ puruṣottama

evam – így; *etat* – ezt; *yathā* – ahogyan van; *āttha* – elmondtad; *tvam* – Te; *ātmānam* – Téged; *parama-īśvara* – ó, Legfelsőbb Úr; *draṣṭum* – látni; *icchāmi* – kívánom; *te* – a Te; *rūpam* – formádat; *aiśvaram* – istenit; *puruṣa-uttama* – ó, legkiválóbb személyiség.

Ó, legkiválóbb személyiség, ó, legfelsőbb forma! Bár valódi helyzetedben látlak magam előtt, úgy, ahogyan beszéltél magadról, mégis szeretném látni, miképpen hatoltál ebbe a kozmikus megnyilvánulásba. Látni szeretném azt a formád!

MAGYARÁZAT: Az Úr elmondta, hogy a kozmikus megnyilvánulás azért jöhetett létre, s csak azért működhet, mert Ő személyes képviselője által behatolt az anyagi univerzumba. Arjunát fellelkesítette Kṛṣṇa kijelentése, de hogy másokat is meggyőzzön, akik a jövőben talán közönséges embernek hinnék Kṛṣṇát, látni akarja Őt kozmikus formájában. Látni akarja, hogyan cselekszik az univerzumon belül, holott Ő maga különáll tőle. Annak, hogy Arjuna *puruṣottamának* szólítja az Urat, szintén nagy jelentősége van. Az Úr az Istenség Legfelsőbb Személyisége, ezért Felsőlélekként az ő szívében is jelen van, s így tud vágyáról. Tudja, hogy Arjuna nem vágyik különösképpen kozmikus formájának megpillantására, mert teljesen elégedett eredeti, személyes formájának látványával, és csupán mások meggyőzése érdekében kéri ezt, hiszen neki nincs szüksége semmiféle bizonyítékra. Kṛṣṇa azt is megértette, hogy Arjuna azért is vágyik arra, hogy láthassa a kozmikus formát, hogy feltételt szabjon a jövő szélhámosai számára, akik Isten inkarnációjának kiáltják ki magukat. Az ember tehát legyen elővigyázatos: aki Kṛṣṇának adja ki magát, az bizonyítékul legyen kész megmutatni a kozmikus formát is.

4. VERS

मन्यसे यदि तच्छक्यं मया द्रष्टुमिति प्रभो ।
योगेश्वर ततो मे त्वं दर्शयात्मानमव्ययम् ॥ ४ ॥

manyase yadi tac chakyaṁ mayā draṣṭum iti prabho
yogeśvara tato me tvaṁ darśayātmānam avyayam

manyase – gondolod; *yadi* – ha; *tat* – azt; *śakyam* – lehetséges; *mayā* – általam; *draṣṭum* – látni; *iti* – így; *prabho* – ó, Uram; *yoga-īśvara* – ó, minden misztikus képesség Ura; *tataḥ* – akkor; *me* – nekem; *tvam* – Te; *darśaya* – mutasd meg; *ātmānam* – magadat; *avyayam* – az örökkévalót.

Ó, Uram, ó, minden misztikus hatalom mestere! Ha úgy gondolod, hogy képes vagyok meglátni kozmikus formádat, kérlek, mutasd meg nekem végtelen kozmikus Éned!

MAGYARÁZAT: A Védák szerint anyagi érzékekkel senki sem láthatja, hallhatja, értheti meg vagy foghatja fel a Legfelsőbb Urat, Kṛṣṇát. Ám az előtt, aki kezdettől fogva teljesen átadja magát az Úr szerető, transzcendentális szolgálatának, az Úr feltárja magát. Minden élőlény lelki szikra csupán, ezért nem láthatja, nem értheti meg a Legfelsőbb Urat. Arjuna *bhakta,* ezért nem próbál meg spekulálni, hanem elismeri, hogy mint élőlény, képességei korlátozottak, s felismeri Kṛṣṇa felmérhetetlen helyzetét. Megérti, hogy az élőlény nem foghatja fel a határtalan végtelenséget. A végtelen természetét csakis akkor lehet megérteni, ha az kegyesen felfedi magát. A *yogeśvara* szó is nagyon jelentőségteljes, mert az Úr felfoghatatlan hatalmára utal. Ha Ő úgy gondolja, akkor kegyesen felfedi magát, végtelensége ellenére is. Arjuna Kṛṣṇa felfoghatatlan kegyéért könyörög. Nem ad utasításokat Kṛṣṇának. Az Úr nem köteles megmutatni magát az ember előtt, amíg az teljes Kṛṣṇa-tudatban meg nem hódol és el nem kezdi az odaadó szolgálatot. Azok tehát, akik saját spekulációikra hagyatkoznak, nem láthatják meg Kṛṣṇát.

5. VERS

श्रीभगवानुवाच
पश्य मे पार्थ रूपाणि शतशोऽथ सहस्रशः ।
नानाविधानि दिव्यानि नानावर्णाकृतीनि च ॥५॥

śrī-bhagavān uvāca
paśya me pārtha rūpāṇi śataśo 'tha sahasraśaḥ
nānā-vidhāni divyāni nānā-varṇākṛtīni ca

śrī-bhagavān uvāca – az Istenség Legfelsőbb Személyisége mondta; *paśya* – lásd; *me* – az Én; *pārtha* – ó, Pṛthā fia; *rūpāṇi* – formáimat; *śataśaḥ* – sok száz; *atha* – is; *sahasraśaḥ* – sok ezer; *nānā-vidhāni* – változatos; *divyāni* – isteni; *nānā* – változatos; *varṇa* – színű; *ākṛtīni* – formájú; *ca* – és.

Az Istenség Legfelsőbb Személyisége így szólt: Kedves Arjunám, ó, Pṛthā fia, lásd hát fenségem, a sok százezernyi változó, isteni és sokszínű formát!

MAGYARÁZAT: Arjuna Kṛṣṇa kozmikus formáját kívánta látni, ami transzcendentális forma ugyan, mégis csupán a kozmikus világban nyilvánul meg, s ezért alárendeltje az anyagi természetben uralkodó múló időnek. Az anyagi természethez hasonlóan Kṛṣṇa kozmikus formája szintén hol megnyilvánul, hol megnyilvánulatlan állapotban van. Nincsen állandó léte a lelki világban, ellentétben Kṛṣṇa többi formájával. A *bhakták* nem nagyon törekszenek arra, hogy a kozmikus formát megpillantsák, de mivel Arjuna így akarja látni Őt, Kṛṣṇa felfedi előtte ezt a formáját. Ezt egyetlen közönséges ember sem pillanthatja meg. Csak akkor lehet látni, ha Kṛṣṇa megadja hozzá a kellő képességet.

6. VERS

पश्यादित्यान् वसून् रुद्रानश्विनौ मरुतस्तथा ।
बहून्यदृष्टपूर्वाणि पश्याश्चर्याणि भारत ॥ ६ ॥

paśyādityān vasūn rudrān aśvinau marutas tathā
bahūny adṛṣṭa-pūrvāṇi paśyāścaryāṇi bhārata

paśya – lásd; *ādityān* – Aditi tizenkét fiát; *vasūn* – a nyolc *vasut; rudrān* – a tizenegy *rudrát; aśvinau* – a két Aśvinīt; *marutaḥ* – a negyvenkilenc *marutot* (a szél félisteneit); *tathā* – szintén; *bahūni* – sokat; *adṛṣṭa* – amit nem láttak; *pūrvāṇi* – ezelőtt; *paśya* – lásd; *āścaryāṇi* – minden csodát; *bhārata* – ó, Bhāraták legjobbja.

Ó, Bhāraták ékessége! Lásd hát az ādityák, vasuk, rudrák, az Aśvinī-kumārák és a többi félisten különféle megnyilvánulásait! Lásd a számtalan csodát, amit még senki sem látott, amiről még senki nem hallott ezelőtt!

MAGYARÁZAT: Noha Arjuna Kṛṣṇa jó barátja és a legműveltebb ember volt, mégsem tudhatott mindent Róla. E vers szerint az emberek nem hallottak és nem is tudtak ezekről a csodálatos formákról és megnyilvánulásokról. Kṛṣṇa most megmutatja ezeket.

7. VERS

इहैकस्थं जगत्कृत्स्नं पश्याद्य सचराचरम् ।
मम देहे गुडाकेश यच्चान्यद्द्रष्टुमिच्छसि ॥ ७ ॥

ihaika-sthaṁ jagat kṛtsnaṁ paśyādya sa-carācaram
mama dehe guḍākeśa yac cānyad draṣṭum icchasi

iha – ezen; *eka-stham* – az egy helyen; *jagat* – az univerzumot; *kṛtsnam* – teljesen; *paśya* – lásd; *adya* – azonnal; *sa* – együtt; *cara* – a mozgókkal; *acaram* – és mozdulatlanokkal; *mama* – az Én; *dehe* – testemben; *guḍākeśa* – ó, Arjuna; *yat* – amit; *ca* – is; *anyat* – mást; *draṣṭum* – látni; *icchasi* – kívánsz.

Ó, Arjuna, bármit is kívánj látni, azon nyomban megpillanthatod e testemben! Ez a kozmikus forma képes megmutatni neked mindazt, amit akár most, akár a jövőben látni akarsz. Minden mozgó és mozdulatlan teljességében, egy helyen jelen van Benne.

MAGYARÁZAT: A hatalmas univerzumot senki sem képes meglátni egy helyben ülve. Még a legképzettebb tudósok sem láthatják, mi történik az univerzum távoli részeiben. Egy olyan *bhakta* azonban, mint Arjuna, láthat mindent, legyen az a világegyetem bármely részén. Kṛṣṇa megadja neki azt a képességet, hogy megpillanthasson bármit, amit akar: múltat, jelent és jövőt egyaránt. Így tehát Arjuna Kṛṣṇa kegyéből képes meglátni mindent.

8. VERS

न तु मां शक्यसे द्रष्टुमनेनैव स्वचक्षुषा ।
दिव्यं ददामि ते चक्षुः पश्य मे योगमैश्वरम् ॥ ८ ॥

na tu māṁ śakyase draṣṭum anenaiva sva-cakṣuṣā
divyaṁ dadāmi te cakṣuḥ paśya me yogam aiśvaram

na – sohasem; *tu* – de; *mām* – Engem; *śakyase* – képes; *draṣṭum* – meglátni; *anena* – ezzel; *eva* – bizony; *sva-cakṣuṣā* – saját szemeddel; *divyam* – isteni; *dadāmi* – adok; *te* – neked; *cakṣuḥ* – szemet; *paśya* – lásd; *me* – az Én; *yogam aiśvaram* – felfoghatatlan misztikus hatalmamat.

Mostani szemeddel azonban nem láthatsz meg Engem – isteni szemet adok hát neked. Csak lásd misztikus fenségem!

MAGYARÁZAT: A tiszta *bhakta* Kṛṣṇát csak a kétkarú formájában szereti látni. A kozmikus formát csak Kṛṣṇa kegyéből láthatja meg, s nem az elmével, hanem lelki szemekkel. Arjunának sem az elméjén, hanem a látásmódján kellett változtatnia ahhoz, hogy Kṛṣṇa kozmikus alakját megpillanthassa. A következő versekből érthetővé válik, hogy Kṛṣṇának ez a formája nem túlságosan fontos. Az Úr azonban mégis megadja a szükséges látóképességet Arjunának, mert Arjuna látni akarja a kozmikus formát.

Azok a *bhakták,* akik a megfelelő transzcendentális kapcsolatban állnak Kṛṣṇával, az Ő szeretetre méltó tulajdonságaihoz vonzódnak, nem pedig fenségének nem isteni megnyilvánulásához. Kṛṣṇa játszótársai, barátai és szülei sohasem akarják fenségét látni. Annyira eltölti őket a tiszta szeretet, hogy még azt sem tudják, hogy Kṛṣṇa az Istenség Legfelsőbb Személyisége. Szeretetteljes kapcsolatuk közben megfeledkeznek arról, hogy Kṛṣṇa a Legfelsőbb Úr. A *Śrīmad-Bhāgavatam* szerint a Kṛṣṇával játszó fiúk mind nagyon jámbor lelkek, akik sok-sok születés után érdemelték ki ezt a lehetőséget. Nem tudják, hogy Kṛṣṇa az Istenség Legfelsőbb Személyisége, és a barátjukként bánnak Vele. Ezért mondja Śukadeva Gosvāmī a következő verset a *Śrīmad-Bhāgavatamban* (10.12.11):

itthaṁ satāṁ brahma-sukhānubhūtyā
dāsyaṁ gatānāṁ para-daivatena
māyāśritānāṁ nara-dārakeṇa
sākaṁ vijahruḥ kṛta-puṇya-puñjāḥ

„Íme a Legfelsőbb Személy, akit a bölcsek a személytelen Brahmannak, a *bhakták* az Istenség Legfelsőbb Személyiségének, a közönséges emberek pedig az anyagi természet szülöttének tekintenek. Ezek a fiúk, akik sok-sok jámbor tettet végrehajtottak előző életeik során, most ezzel az Istenség Legfelsőbb Személyiségével játszanak."

Valójában a *bhakta* nem vágyik arra, hogy megpillantsa a *viśva-rūpát,* vagyis a kozmikus formát. Arjuna mégis látni szerette volna, hogy ezzel támassza alá Kṛṣṇa kijelentéseit, s hogy a jövő emberei is megérthessék: Kṛṣṇa nemcsak elméletileg és filozófiailag, hanem a valóságban is megmutatta Arjunának, hogy Ő a Legfelsőbb. Arjunának bizonyítania kell ezt, mert ő a *paramparā* láncolat első tagja. Akik valóban szeretnék megismerni az Istenség Legfelsőbb Személyiségét, Kṛṣṇát, s akik Arjuna nyomdokaiban haladnak, azoknak meg kell érteniük, hogy Kṛṣṇa nemcsak tanításaiban, hanem a valóságban is a Legfelsőbbként tárta fel magát.

Az Úr megadta Arjunának a kozmikus forma megpillantásához szükséges képességet, mert – ahogyan korábban már elmondtuk – tudta, hogy Arjuna nem vágyott túlságosan arra, hogy meglássa azt.

9. VERS

सञ्जय उवाच
एवमुक्त्वा ततो राजन्महायोगेश्वरो हरिः ।
दर्शयामास पार्थाय परमं रूपमैश्वरम् ॥ ९ ॥

sañjaya uvāca
evaṁ uktvā tato rājan mahā-yogeśvaro hariḥ
darśayām āsa pārthāya paramaṁ rūpam aiśvaram

sañjayaḥ uvāca – Sañjaya mondta; *evam* – így; *uktvā* – szólván; *tataḥ* – ezután; *rājan* – ó, király; *mahā-yoga-īśvaraḥ* – a leghatalmasabb misztikus; *hariḥ* – az Istenség Legfelsőbb Személyisége, Kṛṣṇa; *darśayām āsa* – megmutatta; *pārthāya* – Arjunának; *paramam* – az isteni; *rūpam aiśvaram* – kozmikus formát.

Sañjaya mondta: Ó, király! Így szólt minden misztikus erő Legfelsőbb Ura, az Istenség Személyisége, majd feltárta Arjuna előtt kozmikus formáját.

10–11. VERS

अनेकवक्त्रनयनमनेकाद्भुतदर्शनम् ।
अनेकदिव्याभरणं दिव्यानेकोद्यतायुधम् ॥१०॥

दिव्यमाल्याम्बरधरं दिव्यगन्धानुलेपनम् ।
सर्वाश्चर्यमयं देवमनन्तं विश्वतोमुखम् ॥११॥

aneka-vaktra-nayanam anekādbhuta-darśanam
aneka-divyābharaṇaṁ divyānekodyatāyudham

divya-mālyāmbara-dharaṁ divya-gandhānulepanam
sarvāścarya-mayaṁ devam anantaṁ viśvato-mukham

aneka – különféle; *vaktra* – szájak; *nayanam* – szemek; *aneka* – különféle; *adbhuta* – csodálatos; *darśanam* – látvány; *aneka* – sok; *divya* – isteni; *ābharaṇam* – ékességek; *divya* – isteni; *aneka* – különféle; *udyata* – felemelt; *āyudham* – fegyverek; *divya* – isteni; *mālya* – virágfüzéreket; *ambara* – öltözékeket; *dharam* – viselő; *divya* – isteni; *gandha* – illatokkal; *anulepanam* – bekent; *sarva* – minden; *āścarya-mayam* – csodálatos; *devam* – fénylő; *anantam* – végtelen; *viśvataḥ-mukham* – mindent átható.

Arjuna a kozmikus formában végtelen sok szájat, végtelen sok szemet és végtelen sok csodálatos látomást pillantott meg. A formát számtalan mennyei ékesség díszítette, s isteni fegyvereit a magasba tartotta. Isteni virágfüzéreket és ruhákat viselt, teste balzsamoktól illatozott. Az egész csodálatos, ragyogó, végtelen és mindenhová kiterjedő volt.

MAGYARÁZAT: E két versben a *sok* szó gyakori használata arra utal, hogy Arjuna végtelen sok kezet, szájat, lábat és más megnyilvánulást látott. Az egész univerzumba kiterjedtek, ám Arjuna az Úr kegyéből egy helyről láthatta mindezt. Ezt egyedül Kṛṣṇa felfoghatatlan hatalmának köszönhette.

12. VERS

दिवि सूर्यसहस्रस्य भवेद्युगपदुत्थिता ।
यदि भाः सदृशी सा स्याद्भासस्तस्य महात्मनः ॥१२॥

divi sūrya-sahasrasya bhaved yugapad utthitā
yadi bhāḥ sadṛśī sā syād bhāsas tasya mahātmanaḥ

divi – az égen; *sūrya* – nap; *sahasrasya* – sok ezer; *bhavet* – lenne; *yugapat* – egyidejűleg; *utthitā* – jelen; *yadi* – ha; *bhāḥ* – fény; *sadṛśī* – ahhoz hasonló; *sā* – az; *syāt* – lehetett; *bhāsaḥ* – ragyogása; *tasya* – az Övé; *mahā-ātmanaḥ* – a hatalmas Úrnak.

Ha ezer és ezer nap egyszerre lángolna fel az égen, az közelítené csak meg a Legfelsőbb Személy kozmikus formájának ragyogását.

MAGYARÁZAT: Az Arjuna elé táruló látvány leírhatatlan volt, Sañjaya azonban mégis megpróbál képet alkotni Dhṛtarāṣṭra elméjében e hatalmas megnyilvánulásról. Sem Sañjaya, sem Dhṛtarāṣṭra nem volt jelen, de Sañjaya Vyāsa kegyéből láthatta mindazt, ami történt. Hogy valamelyest képet alkothassunk róla, a jelenséget egy elképzelhető tüneményhez (sok ezer naphoz) hasonlítja.

13. VERS

तत्रैकस्थं जगत्कृत्स्नं प्रविभक्तमनेकधा ।
अपश्यद्देवदेवस्य शरीरे पाण्डवस्तदा ॥१३॥

tatraika-sthaṁ jagat kṛtsnaṁ pravibhaktam anekadhā
apaśyad deva-devasya śarīre pāṇḍavas tadā

tatra – ott; *eka-stham* – egy helyben; *jagat* – az univerzumot; *kṛtsnam* – a teljeset; *pravibhaktam* – felosztottat; *anekadhā* – sokká; *apaśyat* – láthatta; *deva-devasya* – az Istenség Legfelsőbb Személyiségének; *śarīre* – kozmikus formájában; *pāṇḍavaḥ* – Arjuna; *tadā* – akkor.

Ekkor Arjuna az Úr kozmikus formájában megláthatta a világegyetem sok ezer részre osztott, mégis egy helyen megjelenő, végtelen kiterjedéseit.

MAGYARÁZAT: A *tatra* („ott") szó nagyon fontos. Arra utal, hogy Arjuna és Kṛṣṇa a harci szekéren ültek, amikor Arjuna megpillantotta a kozmikus formát. Kṛṣṇa csak Arjunának adta meg a kellő látóképességet, ezért a csatatéren senki más nem láthatott semmit. Arjuna Kṛṣṇa testében ezer és ezer bolygót látott. A védikus írásokból megtudhatjuk, hogy számtalan univerzum és számtalan bolygó létezik. Némelyik földből, némelyik aranyból vagy drágakőből van, vannak közöttük nagyobbak és kisebbek stb. Arjuna a harci szekerén ülve látta mindezt. Ám hogy mi játszódik le Arjuna és Kṛṣṇa között, azt senki sem tudta.

14. VERS

ततः स विस्मयाविष्टो हृष्टरोमा धनञ्जयः ।
प्रणम्य शिरसा देवं कृताञ्जलिरभाषत ॥१४॥

tataḥ sa vismayāviṣṭo hṛṣṭa-romā dhanañjayaḥ
praṇamya śirasā devaṁ kṛtāñjalir abhāṣata

tataḥ – ezután; *saḥ* – ő; *vismaya-āviṣṭaḥ* – csodálattól lenyűgözve; *hṛṣṭa-romā* – a nagy eksztázis következtében egész testében borzongva; *dhanañjayaḥ* – Arjuna; *praṇamya* – hódolatát ajánlva; *śirasā* – fejével; *devam* – az Istenség Legfelsőbb Személyiségének; *kṛta-añjaliḥ* – összetett kézzel; *abhāṣata* – mondani kezdte.

Arjuna zavarodottan, döbbenettel hajtotta meg fejét, hogy hódolatát ajánlja, s testét borzongás járta át. Aztán összetett kézzel imádkozni kezdett a Legfelsőbb Úrhoz.

MAGYARÁZAT: Amikor az isteni látvány feltárult Arjuna előtt, Kṛṣṇa és Arjuna viszonya azonnal megváltozott. Kapcsolatuk korábban a barátságon alapult, de most, a kinyilatkoztatás után Arjuna nagy tisztelettel ajánlja hódolatát, s a kozmikus formát magasztalva összetett kézzel imádkozik Kṛṣṇához. Arjuna barátsága tehát csodáló imádattá alakult át. A nagy *bhakták* Kṛṣṇát a különféle kapcsolatok tárházának látják. Az írások tizenkét fő kapcsolatról tesznek említést, melyek mindegyike jelen van Kṛṣṇában. Úgy is nevezik Őt, mint minden olyan kapcsolat óceánja, amely két élőlény között, az istenek között vagy a Legfelsőbb Úr és a *bhaktái* között fennállhat.

Arjunát megihlette ez a csodálattal teli kapcsolat, és noha nagyon józan, nyugodt és csendes természetű volt, hirtelen eksztázis töltötte el, testét borzongás járta át, s összetett kézzel tiszteletét ajánlotta a Legfelsőbb Úrnak. Természetesen azonban mindezt nem félelemből tette, hanem a Legfelsőbb Úr iránti csodálatból. A látvány ámulattal töltötte el, s ez felülkerekedett a természetes, szeretetteljes baráti viszonyon.

15. VERS

अर्जुन उवाच
पश्यामि देवांस्तव देव देहे
सर्वांस्तथा भूतविशेषसङ्घान् ।
ब्रह्माणमीशं कमलासनस्थ-
मृषींश्च सर्वानुरगांश्च दिव्यान् ॥१५॥

arjuna uvāca
paśyāmi devāṁs tava deva dehe
sarvāṁs tathā bhūta-viśeṣa-saṅghān
brahmāṇam īśaṁ kamalāsana-stham
ṛṣīṁś ca sarvān uragāṁś ca divyān

arjunaḥ uvāca – Arjuna mondta; *paśyāmi* – látom; *devān* – az összes félistent; *tava* – a Te; *deva* – ó, Uram; *dehe* – testedben; *sarvān* – mindet; *tathā* – szintén; *bhūta* – élőlényeket; *viśeṣa-saṅghān* – összegyűlteket; *brahmāṇam* – az Úr Brahmāt; *īśam* – az Úr Śivát; *kamala-āsana-stham* – a lótuszvirágon ülve; *ṛṣīn* – nagy bölcseket; *ca* – is; *sarvān* – mindet; *uragān* – kígyókat; *ca* – is; *divyān* – istenieket.

Arjuna szólt: Kedves Uram, ó, Kṛṣṇa! Testedben látom egybegyűlve mind a félisteneket és a különféle élőlényeket. Látom Brahmāt, amint a lótuszvirágon ül, és látom az Úr Śivát, valamennyi bölccsel és isteni kígyóval együtt.

MAGYARÁZAT: Arjuna mindent lát az univerzumban, s így látja Brahmāt is, az univerzum első teremtményét, valamint az isteni kígyót, melyen Garbhodakaśāyī Viṣṇu pihen az univerzum alsó régióiban. Ezt a kígyóágyat Vāsukinak hívják. Vannak más kígyók is, melyeknek szintén Vāsuki a nevük. Arjuna egyszerre látja Garbhodakaśāyī Viṣṇut és az univerzum legtetejét, a lótuszvirág bolygót, ahol Brahmā, az univerzum első teremtménye él. Ez azt jelenti, hogy Arjuna harci szekerén egy helyben ülve egyszerre pillanthatott meg mindent, a kezdettől egészen a végig. Ez a Legfelsőbb Úr, Kṛṣṇa kegyéből vált lehetségessé.

16. VERS

अनेकबाहूदरवक्त्रनेत्रं
पश्यामि त्वां सर्वतोऽनन्तरूपम् ।
नान्तं न मध्यं न पुनस्तवादिं
पश्यामि विश्वेश्वर विश्वरूप ॥१६॥

aneka-bāhūdara-vaktra-netraṁ
paśyāmi tvāṁ sarvato 'nanta-rūpam
nāntaṁ na madhyaṁ na punas tavādiṁ
paśyāmi viśveśvara viśva-rūpa

aneka – sok; *bāhu* – kart; *udara* – hasat; *vaktra* – szájat; *netram* – szemet; *paśyāmi* – látok; *tvām* – Téged; *sarvataḥ* – minden oldalról; *ananta-rūpam* – végtelen formát; *na antam* – sem végedet; *na madhyam* – sem közepedet; *na punaḥ* – újra nem; *tava* – a Te; *ādim* – kezdetedet; *paśyāmi* – látom; *viśva-īśvara* – ó, univerzum Ura; *viśva-rūpa* – ó, kozmikus forma.

Ó, univerzum Ura, ó, kozmikus forma, testedben tengernyi kart, hasat, szájat és szemet látok, melyek mindenhová kiterjednek, határtalanul! Sem véget, sem közepet, sem kezdetet nem látok Benned.

MAGYARÁZAT: Kṛṣṇa az Istenség Legfelsőbb Személyisége. Végtelen Ő, ezért Rajta keresztül minden látható.

17. VERS

किरीटिनं गदिनं चक्रिणं च
तेजोराशिं सर्वतो दीप्तिमन्तम् ।
पश्यामि त्वां दुर्निरीक्ष्यं समन्ताद्
दीप्तानलार्कद्युतिमप्रमेयम् ॥१७॥

kirīṭinaṁ gadinaṁ cakriṇaṁ ca
tejo-rāśiṁ sarvato dīptimantam
paśyāmi tvāṁ durnirīksyaṁ samantād
dīptānalārka-dyutim aprameyam

kirīṭinam – sisakost; *gadinam* – buzogányost; *cakriṇam* – *cakrákkal* ékesített; ca – és; *tejaḥ-rāśim* – ragyogót; *sarvataḥ* – minden oldalról; *dīptimantam* – izzót; *paśyāmi* – látlak; *tvām* – Téged; *durnirīkṣyam* – akit nehéz látni; *samantāt* – mindenhol; *dīpta-anala* – lobogó tűz; *arka* – nap; *dyutim* – fényűt; *aprameyam* – felmérhetetlent.

Nehéz formádra pillantani, melynek vakító ragyogása minden irányba kiterjed, s olyan, mint a lángoló tűz vagy a nap mérhetetlen sugárzása. Mégis mindenhol e ragyogó formádat látom, melyet különféle koronák, buzogányok és cakrák ékesítenek.

18. VERS

त्वमक्षरं परमं वेदितव्यं
त्वमस्य विश्वस्य परं निधानम् ।
त्वमव्ययः शाश्वतधर्मगोप्ता
सनातनस्त्वं पुरुषो मतो मे ॥१८॥

tvam akṣaraṁ paramaṁ veditavyaṁ
tvam asya viśvasya paraṁ nidhānam
tvam avyayaḥ śāśvata-dharma-goptā
sanātanas tvaṁ puruṣo mato me

tvam – Te; *akṣaram* – a csalhatatlan; *paramam* – legfelsőbb; *veditavyam* – megértendő; *tvam* – Te; *asya* – ennek; *viśvasya* – az univerzumnak; *param* – a legfelsőbb; *nidhānam* – alapja; *tvam* – Te; *avyayaḥ* – kimeríthetetlen; *śāśvata-dharma-goptā* – az örök vallás fenntartója; *sanātanaḥ* – örökkévaló; *tvam* – Te; *puruṣaḥ* – a Legfelsőbb Személyiség; *mataḥ me* – ez az én véleményem.

Te vagy a legfelső, legfőbb cél, s az egész univerzum végső nyugvóhelye. Kimeríthetetlen vagy, a legősibb, s Te vagy az örök vallás fenntartója, az Istenség Személyisége. Ez az én véleményem.

19. VERS

अनादिमध्यान्तमनन्तवीर्य-
मनन्तबाहुं शशिसूर्यनेत्रम् ।
पश्यामि त्वां दीप्तहुताशवक्त्रं
स्वतेजसा विश्वमिदं तपन्तम् ॥१९॥

anādi-madhyāntam ananta-vīryam
ananta-bāhuṁ śaśi-sūrya-netram

paśyāmi tvāṁ dīpta-hutāśa-vaktraṁ
sva-tejasā viśvam idaṁ tapantam

anādi – a kezdet; *madhya* – a közép; *antam* – és vég nélkülit; *ananta* – végtelen; *vīryam* – dicsőségűt; *ananta* – végtelen; *bāhum* – karút; *śaśi* – a Hold; *sūrya* – és Nap; *netram* – szeműt; *paśyāmi* – látlak; *tvām* – Téged; *dīpta* – a lobogó; *hutāśa-vaktram* – tüzet lövellő szájút; *sva-tejasā* – saját ragyogásod által; *viśvam* – az univerzum; *idam* – ez; *tapantam* – perzselt.

Kezdet, közép és vég nélküli vagy, s dicsőséged határtalan. Számtalan karod van, s a Nap és a Hold a szemeid. Látom, amint szádból izzó láng tör elő, és sugaraid az egész univerzumot perzselik.

MAGYARÁZAT: Az Istenség Legfelsőbb Személyisége hat fenséges jellemvonásának nincsen határa. Ebben az írásban itt is és sok más helyen ismétléssel találkozunk, ám a szentírások szerint nem tekinthető stílusbeli hibának, ha Kṛṣṇa dicsőségét ismételjük újra és újra. Azt mondják, ha valaki zavarban van, vagy döbbenet tölti el, vagy nagyfokú eksztázis keríti hatalmába, újra és újra elismétli kijelentéseit. Ez tehát nem hiba.

20. VERS

द्यावापृथिव्योरिदमन्तरं हि
व्याप्तं त्वयैकेन दिशश्च सर्वाः ।
दृष्ट्वाद्भुतं रूपमुग्रं तवेदं
लोकत्रयं प्रव्यथितं महात्मन् ॥२०॥

dyāv ā-pṛthivyor idam antaraṁ hi
vyāptaṁ tvayaikena diśaś ca sarvāḥ
dṛṣṭvādbhutaṁ rūpam ugraṁ tavedaṁ
loka-trayaṁ pravyathitaṁ mahātman

dyau – az űrtől; *ā-pṛthivyoḥ* – a Földig; *idam* – ez; *antaram* – közötti; *hi* – bizony; *vyāptam* – áthatott; *tvayā* – Általad; *ekena* – egyedül; *diśaḥ* – irányok; *ca* – és; *sarvāḥ* – minden; *dṛṣṭvā* – látván; *adbhutam* – csodálatos; *rūpam* – formádat; *ugram* – szörnyű; *tava* – Tiédet; *idam* – ez; *loka* – bolygórendszer; *trayam* – három; *pravyathitam* – zavart; *mahā-ātman* – ó, hatalmas.

Noha egyetlen vagy, szétáradsz az égben, a bolygókon és a köztük lévő űrben. Ó, hatalmas! Csodálatos és félelmetes formád látványa minden bolygórendszerben nyugtalanságot okoz.

MAGYARÁZAT: A *dyāv ā-pṛthivyoḥ* („a mennyek és a Föld közötti űr") és a *loka-trayam* („a három világ") szavak nagyon fontosak ebben a versben, mert ezekből kitűnik, hogy nemcsak Arjuna látta az Úr kozmikus formáját, hanem más bolygórendszerek lakói is. Arjuna nem álmodott, amikor a csatatéren megpillantotta a kozmikus formát. Mindenki láthatta, akinek az Úr isteni látóképességet adott.

21. VERS

अमी हि त्वां सुरसङ्घा विशन्ति
केचिद्भीताः प्राञ्जलयो गृणन्ति ।
स्वस्तीत्युक्त्वा महर्षिसिद्धसङ्घाः
स्तुवन्ति त्वां स्तुतिभिः पुष्कलाभिः ॥२१॥

amī hi tvāṁ sura-saṅghā viśanti
kecid bhītāḥ prāñjalayo gṛṇanti
svastīty uktvā maharṣi-siddha-saṅghāḥ
stuvanti tvāṁ stutibhiḥ puṣkalābhiḥ

amī – mindazok; *hi* – bizony; *tvām* – Beléd; *sura-saṅghāḥ* – a félistenek csoportjai; *viśanti* – behatolnak; *kecit* – némelyikük; *bhītāḥ* – félelmükben; *prāñjalayaḥ* – összetett kézzel; *gṛṇanti* – imádkoznak; *svasti* – békesség; *iti* – így; *uktvā* – szólva; *mahā-ṛṣi* – nagy bölcsek; *siddha-saṅghāḥ* – tökéletes lények; *stuvanti* – himnuszokat énekelnek; *tvām* – Neked; *stutibhiḥ* – imákkal; *puṣkalābhiḥ* – védikus himnuszokkal.

A félistenek seregei meghódolnak Előtted, s testedbe áramlanak. Néhányan szörnyű félelmükben összetett kézzel imákat mondanak Neked. „Békesség!" – kiáltanak a nagy bölcsek és a tökéletes lények seregei, s a Védák himnuszait zengve imádkoznak Hozzád.

MAGYARÁZAT: A különféle bolygórendszerek félisteneit megrémítette a kozmikus forma rettentő látványa és izzó ragyogása, így oltalomért könyörögtek.

22. VERS

रुद्रादित्या वसवो ये च साध्या
विश्वेऽश्विनौ मरुतश्चोष्मपाश्च ।

गन्धर्वयक्षासुरसिद्धसङ्घा
वीक्षन्ते त्वां विस्मिताश्चैव सर्वे ॥२२॥

rudrādityā vasavo ye ca sādhyā
viśve 'śvinau marutaś coṣmapāś ca
gandharva-yakṣāsura-siddha-saṅghā
vīkṣante tvāṁ vismitāś caiva sarve

rudra – az Úr Śiva megnyilvánulásai; *ādityāḥ* – az *ādityák; vasavaḥ* – a *vasuk; ye* – mindazok; *ca* – és; *sādhyāḥ* – a *sādhyák; viśve* – a *viśvedevák; aśvinau* – az Aśvinī-kumārák; *marutaḥ* – a *marutok; ca* – és; *uṣmapāḥ* – az ősatyák; *ca* – és; *gandharva* – a *gandharvák; yakṣa* – a *yakṣák; asura* – a démonok; *siddha* – és a tökéletessé vált félistenek; *saṅghāḥ* – gyülekezetek; *vīkṣante* – látnak; *tvām* – Téged; *vismitāḥ* – csodálattal; *ca* – is; *eva* – bizony; *sarve* – mind.

Csodálattal látnak Téged az Úr Śiva különféle megnyilvánulásai, az ādityák, a vasuk, a sādhyák, a viśvedevák, a két Aśvī, a marutok, az ősatyák, a gandharvák, a yakṣák, az asurák és a tökéletessé vált félistenek.

23. VERS

रूपं महत्ते बहुवक्त्रनेत्रं
महाबाहो बहुबाहूरुपादम् ।
बहूदरं बहुदंष्ट्राकरालं
दृष्ट्वा लोकाः प्रव्यथितास्तथाहम् ॥२३॥

rūpaṁ mahat te bahu-vaktra-netraṁ
mahā-bāho bahu-bāhūru-pādam
bahūdaraṁ bahu-daṁṣṭrā-karālaṁ
dṛṣṭvā lokāḥ pravyathitās tathāham

rūpam – a formát; *mahat* – nagyon nagyot; *te* – Tiédet; *bahu* – sok; *vaktra* – arcút; *netram* – és szeműt; *mahā-bāho* – ó, erős karú; *bahu* – sok; *bāhu* – karút; *ūru* – combút; *pādam* – és lábút; *bahu-udaram* – sok hasút; *bahu-daṁṣṭrā* – sok fogút; *karālam* – szörnyűt; *dṛṣṭvā* – látván; *lokāḥ* – az összes bolygó; *pravyathitāḥ* – zaklatott; *tathā* – mint; *aham* – én.

Ó, erős karú! A bolygók félistenei zaklatottan szemlélik hatalmas formád, számtalan arcod, szemed, karod, combod, lábad, hasad és rettenetes fogaid. Én is megdöbbentem, akárcsak ők.

24. VERS

नभःस्पृशं दीप्तमनेकवर्णं
व्यात्ताननं दीप्तविशालनेत्रम् ।
दृष्ट्वा हि त्वां प्रव्यथितान्तरात्मा
धृतिं न विन्दामि शमं च विष्णो ॥२४॥

nabhaḥ-spṛśaṁ dīptam aneka-varṇaṁ
vyāttānanaṁ dīpta-viśāla-netram
dṛṣṭvā hi tvāṁ pravyathitāntar-ātmā
dhṛtiṁ na vindāmi śamaṁ ca viṣṇo

nabhaḥ-spṛśam – az eget érintőt; *dīptam* – az izzót; *aneka* – sok; *varṇam* – színt; *vyātta* – nyitott; *ānanam* – szájakat; *dīpta* – izzó; *viśāla* – nagyon nagy; *netram* – szemeket; *dṛṣṭvā* – látván; *hi* – bizony; *tvām* – Téged; *pravyathita* – zavartan; *antaḥ* – bensőmben; *ātmā* – lelki; *dhṛtim* – határozottságot; *na* – nem; *vindāmi* – ismerek; *śamam* – az elme egyensúlyát; *ca* – és; *viṣṇo* – ó, Uram, Viṣṇu.

Ó, mindent átható Viṣṇu! Az eget betöltő ragyogó színeid, tátott szájaid, valamint hatalmas, izzó szemeid láttán elmémet félelem tölti el. Nem vagyok képes tovább megőrizni rendíthetetlenségemet és elmém egyensúlyát.

25. VERS

दंष्ट्राकरालानि च ते मुखानि
दृष्ट्वैव कालानलसन्निभानि ।
दिशो न जाने न लभे च शर्म
प्रसीद देवेश जगन्निवास ॥२५॥

daṁṣṭrā-karālāni ca te mukhāni
dṛṣṭvaiva kālānala-sannibhāni
diśo na jāne na labhe ca śarma
prasīda deveśa jagan-nivāsa

daṁṣṭrā – fogaidat; *karālāni* – szörnyű; *ca* – is; *te* – Tiéd; *mukhāni* – arcaidat; *dṛṣṭvā* – látván; *eva* – ily módon; *kāla-anala* – a halál tüze; *sannibhāni* – akárcsak; *diśaḥ* – az irányokat; *na* – nem; *jāne* – ismerem; *na* – nem; *labhe* – kapok; *ca* – és; *śarma* – menedéket; *prasīda* – légy elégedett; *deva-īśa* – ó, urak Ura; *jagat-nivāsa* – ó, világok menedéke.

Ó, urak Ura, ó, világok menedéke, kérlek, légy kegyes hozzám! Lángoló halotti arcaid és félelmetes fogaid látványa elűzte lelki békémet. Bármerre nézek, zavarodottság lesz úrrá rajtam.

26–27. VERS

अमी च त्वां धृतराष्ट्रस्य पुत्राः
सर्वे सहैवावनिपालसङ्घैः ।
भीष्मो द्रोणः सूतपुत्रस्तथासौ
सहास्मदीयैरपि योधमुख्यैः ॥२६॥

वक्त्राणि ते त्वरमाणा विशन्ति
दंष्ट्राकरालानि भयानकानि ।
केचिद्विलग्ना दशनान्तरेषु
सन्दृश्यन्ते चूर्णितैरुत्तमाङ्गैः ॥२७॥

amī ca tvāṁ dhṛtarāṣṭrasya putrāḥ
sarve sahaivāvani-pāla-saṅghaiḥ
bhīṣmo droṇaḥ sūta-putras tathāsau
sahāsmadīyair api yodha-mukhyaiḥ

vaktrāṇi te tvaramāṇā viśanti
daṁṣṭrā-karālāni bhayānakāni
kecid vilagnā daśanāntareṣu
sandṛśyante cūrṇitair uttamāṅgaiḥ

amī – ezek; *ca* – szintén; *tvām* – Hozzád; *dhṛtarāṣṭrasya* – Dhṛtarāṣṭrának; *putrāḥ* – fiai; *sarve* – mind; *saha* – velük; *eva* – valóban; *avani-pāla* – a harcos királyoknak; *saṅghaiḥ* – a seregeivel együtt; *bhīṣmaḥ* – Bhīṣmadeva; *droṇaḥ* – Droṇācārya; *sūta-putraḥ* – Karṇa; *tathā* – is; *asau* – az; *saha* – velük; *asmadīyaiḥ* – a mieinkkel; *api* – szintén; *yodha-mukhyaiḥ* – a harcosok vezéreivel együtt; *vaktrāṇi* – szájaidba; *te* – Tiéd; *tvaramāṇāḥ* – sietnek; *viśanti* – behatolnak; *daṁṣṭrā* – fogak közé; *karālāni* – szörnyű; *bhayānakāni* – nagyon félelmetesek; *kecit* – némelyikük; *vilagnāḥ* – odatapadnak; *daśana-antareṣu* – a fogak közé; *sandṛśyante* – láthatóak; *cūrṇitaiḥ* – szétmorzsolt; *uttama-aṅgaiḥ* – fejeikkel.

Dhṛtarāṣṭra minden fia, a velük szövetséges királyok, valamint Bhīṣma, Droṇa, Karṇa és a mi kiváló harcosaink egytől egyig félelmetes szájadba özönlenek. Látom, amint némelyikük koponyája szétmorzsolódik fogaid között.

MAGYARÁZAT: Egy korábbi versben az Úr azt ígérte, hogy olyan dolgokat mutat majd Arjunának, amiket nagyon érdekesnek fog találni. Arjuna most láthatja, amint az ellenség vezérei (Bhīṣma, Droṇa, Karṇa, és Dhṛtarāṣṭra összes fia) saját harcosaikkal együtt mind megsemmisülnek. Ez arra utal, hogy a Kurukṣetránál összegyűltek szinte mind elesnek, s Arjuna győztesen fog kikerülni a csatából. Ez a vers azt is megemlíti, hogy a legyőzhetetlennek tartott Bhīṣma is el fog esni, Karṇával együtt. Nemcsak az ellenfél nagy harcosai, például Bhīṣma, hanem az Arjuna oldalán küzdő, kiváló vitézek közül is jó néhányan oda fognak veszni.

28. VERS

यथा नदीनां बहवोऽम्बुवेगाः
समुद्रमेवाभिमुखा द्रवन्ति ।
तथा तवामी नरलोकवीरा
विशन्ति वक्त्राण्यभिविज्वलन्ति ॥२८॥

yathā nadīnāṁ bahavo 'mbu-vegāḥ
samudram evābhimukhā dravanti
tathā tavāmī nara-loka-vīrā
viśanti vaktrāṇy abhivijvalanti

yathā – miképpen; *nadīnām* – a folyóknak; *bahavaḥ* – sok; *ambu-vegāḥ* – víz hullámai; *samudram* – az óceánba; *eva* – bizony; *abhimukhāḥ* – felé; *dravanti* – rohannak; *tathā* – hasonlóan; *tava* – Tiéd; *amī* – mindezek; *nara-loka-vīrāḥ* – az emberi társadalom királyai; *viśanti* – belépnek; *vaktrāṇi* – a szájakba; *abhivijvalanti* – és elégnek.

Mint a folyók hullámai az óceánba, úgy ömlenek e nagy harcosok lángolva szájaidba.

29. VERS

यथा प्रदीप्तं ज्वलनं पतङ्गा
विशन्ति नाशाय समृद्धवेगाः ।
तथैव नाशाय विशन्ति लोका-
स्तवापि वक्त्राणि समृद्धवेगाः ॥२९॥

yathā pradīptaṁ jvalanaṁ pataṅgā
viśanti nāśāya samṛddha-vegāḥ

tathaiva nāśāya viśanti lokās
tavāpi vaktrāṇi samṛddha-vegāḥ

yathā – ahogy; *pradīptam* – lobogó; *jvalanam* – tűzbe; *pataṅgāḥ* – éjjeli lepkék; *viśanti* – belerepülnek; *nāśāya* – hogy elpusztuljanak; *samṛddha* – teljes; *vegāḥ* – sebességgel; *tathā eva* – hasonlóan; *nāśāya* – hogy megsemmisüljenek; *viśanti* – behatolnak; *lokāḥ* – minden ember; *tava* – Tiéd; *api* – is; *vaktrāṇi* – szájakba; *samṛddha-vegāḥ* – teljes sebességgel.

Látom az embereket sebesen szájaidba rohanni, miként az éjjeli lepkék szállnak vesztükbe, a lángoló tűzbe.

30. VERS

लेलिह्यसे ग्रसमानः समन्ता-
ल्लोकान् समग्रान् वदनैर्ज्वलद्भिः ।
तेजोभिरापूर्य जगत्समग्रं
भासस्तवोग्राः प्रतपन्ति विष्णो ॥३०॥

lelihyase grasamānaḥ samantāl
lokān samagrān vadanair jvaladbhiḥ
tejobhir āpūrya jagat samagraṁ
bhāsas tavogrāḥ pratapanti viṣṇo

lelihyase – nyaldosod; *grasamānaḥ* – elnyelve; *samantāt* – minden oldalról; *lokān* – embereket; *samagrān* – mindet; *vadanaiḥ* – szájakkal; *jvaladbhiḥ* – lángolókkal; *tejobhiḥ* – ragyogással; *āpūrya* – beborítva; *jagat* – az univerzumot; *samagram* – mindent; *bhāsaḥ* – sugarak; *tava* – Tiéd; *ugrāḥ* – szörnyű; *pratapanti* – perzselnek; *viṣṇo* – ó, mindent átható Úr.

Ó, Viṣṇu, látom, amint lángoló szájaiddal minden irányban elnyelsz mindenkit. Fényed beragyogja az egész univerzumot, s rettenetes, perzselő sugarak áradnak Belőled!

31. VERS

आख्याहि मे को भवानुग्ररूपो
नमोऽस्तु ते देववर प्रसीद ।
विज्ञातुमिच्छामि भवन्तमाद्यं
न हि प्रजानामि तव प्रवृत्तिम् ॥३१॥

ākhyāhi me ko bhavān ugra-rūpo
namo 'stu te deva-vara prasīda
vijñātum icchāmi bhavantam ādyaṁ
na hi prajānāmi tava pravṛttim

ākhyāhi – kérlek, magyarázd meg; *me* – nekem; *kaḥ* – ki; *bhavān* – Te; *ugra-rūpaḥ* – félelmetes forma; *namaḥ astu* – hódolatom; *te* – Neked; *deva-vara* – ó, félistenek leghatalmasabbja; *prasīda* – légy kegyes; *vijñātum* – megismerni; *icchāmi* – vágyom; *bhavantam* – Téged; *ādyam* – az eredetit; *na* – nem; *hi* – bizony; *prajānāmi* – ismerem; *tava* – a Te; *pravṛttim* – küldetésedet.

Ó, urak Ura, félelmetes forma, kérlek, áruld el nekem, ki vagy! Hódolatom ajánlom Neked, s könyörgöm, légy kegyes hozzám! Te vagy az eredeti Úr, s én hallani szeretnék Rólad, mert nem ismerem küldetésed!

32. VERS

श्रीभगवानुवाच
कालोऽस्मि लोकक्षयकृत्प्रवृद्धो
लोकान् समाहर्तुमिह प्रवृत्तः ।
ऋतेऽपि त्वां न भविष्यन्ति सर्वे
येऽवस्थिताः प्रत्यनीकेषु योधाः ॥३२॥

śrī-bhagavān uvāca
kālo 'smi loka-kṣaya-kṛt pravṛddho
lokān samāhartum iha pravṛttaḥ
ṛte 'pi tvāṁ na bhaviṣyanti sarve
ye 'vasthitāḥ pratyanīkeṣu yodhāḥ

śrī-bhagavān uvāca – az Istenség Személyisége mondta; *kālaḥ* – idő; *asmi* – vagyok; *loka* – a világoknak; *kṣaya-kṛt* – a megsemmisítője; *pravṛddhaḥ* – hatalmas; *lokān* – minden embert; *samāhartum* – elpusztítani; *iha* – ebben a világban; *pravṛttaḥ* – készen; *ṛte* – kivéve; *api* – még; *tvām* – téged; *na* – nem; *bhaviṣyanti* – lesznek; *sarve* – mindenki; *ye* – akik; *avasthitāḥ* – vannak; *prati-anīkeṣu* – az ellenkező oldalon; *yodhāḥ* – a harcosok.

Az Istenség Legfelsőbb Személyisége így szólt: Idő vagyok, világok hatalmas pusztítója. Azért jöttem, hogy megsemmisítsek minden embert. Rajtatok [a Pāṇḍavákon] kívül valamennyi harcos el fog esni, mindkét oldalon.

MAGYARÁZAT: Arjuna tudta ugyan, hogy Kṛṣṇa a barátja, s hogy Ő az Istenség Legfelsőbb Személyisége, mégis zavarba hozták a különféle formák, melyeket Kṛṣṇa megnyilvánított. Éppen ezért tovább kérdez e pusztító erő valódi szándékáról. A Védák azt írják, hogy a Legfelsőbb Igazság mindent megsemmisít, még a *brāhmaṇákat* is. A *Kaṭha-upaniṣad* (1.2.25) kijelenti:

yasya brahma ca kṣatraṁ ca ubhe bhavata odanaḥ
mṛtyur yasyopasecanaṁ ka itthā veda yatra saḥ

A Legfelsőbb végül mindenkit, a *brāhmaṇákat* és a *kṣatriyákat* is felfalja, mint az ételt. A Legfelsőbb Úrnak ez a formája egy mindent elnyelő óriás, s most Kṛṣṇa a mindent felemésztő idő alakjában mutatja meg magát. Néhány Pāṇḍavát kivéve mindenkit meg fog semmisíteni a csatatéren.

Arjuna nem örült a harcnak. Azt gondolta, jobb lenne, ha elkerülnék a csatát, s akkor senkit nem érne csalódás. Válaszként azonban az Úr közli vele, hogy a harcosok mindenképpen el fognak pusztulni, mert ez az Ő terve. Ha Arjuna visszautasítja a harcot, akkor is meg fognak halni. Halálukat nem tudja megakadályozni még akkor sem, ha nem harcol, mert valójában már valamennyien halottak. Az idő maga a pusztulás, és a Legfelsőbb Úr akaratából minden megnyilvánulás pusztulásra ítéltetett – ez a természet törvénye.

33. VERS

तस्मात्त्वमुत्तिष्ठ यशो लभस्व
जित्वा शत्रून् भुङ्क्ष्व राज्यं समृद्धम् ।
मयैवैते निहताः पूर्वमेव
निमित्तमात्रं भव सव्यसाचिन् ॥३३॥

tasmāt tvam uttiṣṭha yaśo labhasva
jitvā śatrūn bhuṅkṣva rājyaṁ samṛddham
mayaivaite nihatāḥ pūrvam eva
nimitta-mātraṁ bhava savya-sācin

tasmāt – ezért; *tvam* – Te; *uttiṣṭha* – kelj fel; *yaśaḥ* – hírnevet; *labhasva* – szerezz; *jitvā* – legyőzvén; *śatrūn* – az ellenségeket; *bhuṅkṣva* – élvezed; *rājyam* – a királyságot; *samṛddham* – virágzót; *mayā* – Általam; *eva* – bizony; *ete* – mindezek; *nihatāḥ* – már megölettek; *pūrvam eva* – egy korábbi elrendezés által; *nimitta-mātram* – csak az ok; *bhava* – legyél; *savya-sācin* – ó, Savyasācī.

Kelj fel hát! Készülj a harcra, és szerezz dicsőséget! Győzd le ellenségeid, s élvezd a virágzó királyságot! Ó, Savyasācī, Én már halálra ítéltem őket, te csupán eszköz lehetsz a harcban.

MAGYARÁZAT: A *savya-sācin* olyan emberre utal, aki a csatatéren nagyon kiválóan bánik az íjjal. Az Úr ezzel kiváló harcosnak nevezi Arjunát, aki nyilaival képes elpusztítani ellenségeit. *Nimitta-mātram:* „Válj csupán eszközzé!" Ez a szó szintén nagyon fontos. Az egész világ az Istenség Legfelsőbb Személyiségének terve szerint működik. Az ostobák, akik nem rendelkeznek elegendő intelligenciával, azt hiszik, hogy az anyagi természet működése mögött nem áll semmilyen terv, s hogy minden megnyilvánulása csupán a véletlennek köszönhető. „Talán így volt", „Lehet, hogy úgy történt", mondják az állítólagos tudósok, de „talán"-oknak és „lehet"-eknek itt nincs helye. Az anyagi világ egy meghatározott terv szerint működik. S hogy mi ez a terv? A kozmikus megnyilvánulás lehetőséget nyújt a feltételekhez kötött lelkek számára, hogy hazatérjenek, vissza Istenhez. Feltételekhez kötött állapotuk addig tart, amíg meg nem válnak attól a hatalmaskodó mentalitástól, mely az anyagi természet fölötti uralkodásra ösztönzi őket. Az okos ember azonban képes megérteni a Legfelsőbb Úr tervét, s a Kṛṣṇa-tudat folyamatába kezd. A kozmikus megnyilvánulás megteremtése és megsemmisítése Isten felsőbbrendű irányításával történik, s így a kurukṣetrai csatát is az Ő terveinek megfelelően vívták meg. Arjuna először nem akart harcolni, de a Legfelsőbb Úr arra utasította, hogy küzdjön az Ő kedvéért, akkor boldog lesz. Az ember akkor válik tökéletessé, ha teljesen Kṛṣṇa-tudatú, s életét az Úr transzcendentális szolgálatának szenteli.

34. VERS

द्रोणं च भीष्मं च जयद्रथं च
कर्णं तथान्यानपि योधवीरान् ।
मया हतांस्त्वं जहि मा व्यथिष्ठा
युध्यस्व जेतासि रणे सपत्नान् ॥३४॥

droṇaṁ ca bhīṣmaṁ ca jayadrathaṁ ca
karṇaṁ tathānyān api yodha-vīrān
mayā hatāṁs tvaṁ jahi mā vyathiṣṭhā
yudhyasva jetāsi raṇe sapatnān

droṇam ca – Droṇát is; *bhīṣmam ca* – Bhīṣmát is; *jayadratham ca* – Jayadrathát is; *karṇam* – Karṇát; *tathā* – szintén; *anyān* – másokat; *api* –

bizony; *yodha-vīrān* – nagy harcosokat; *mayā* – Általam; *hatān* – már megölteket; *tvam* – te; *jahi* – pusztítsd; *mā* – sohase; *vyathiṣṭhāḥ* – nyugtalankodj; *yudhyasva* – csak harcolj; *jetā asi* – le fogod győzni; *raṇe* – a csatában; *sapatnān* – ellenségeket.

Droṇát, Bhīṣmát, Jayadrathát, Karṇát és a többi hatalmas vitézt már megsemmisítettem. Pusztítsd el hát őket, s ne aggódj miattuk! Csak harcolj, s a csatában győzedelmeskedni fogsz ellenségeid felett!

MAGYARÁZAT: Az Istenség Legfelsőbb Személyisége készít minden tervet, de olyannyira kedves és kegyes *bhaktáihoz,* akik kívánsága szerint végrehajtják azokat, hogy azt akarja, övék legyen minden elismerés. Életünket ezért úgy kell alakítanunk, hogy Kṛṣṇa-tudatban cselekedhessünk, s a lelki tanítómesteren keresztül megismerhessük az Istenség Legfelsőbb Személyiségét. Az Istenség Legfelsőbb Személyisége terveit az Ő kegyéből lehet megérteni, s a *bhakták* tervei ugyanolyan jók, mint Kṛṣṇáéi. E tervek szerint kell cselekednünk, hogy győztesen kerülhessünk ki a létért folyó küzdelemből.

35. VERS

सञ्जय उवाच
एतच्छ्रुत्वा वचनं केशवस्य
कृताञ्जलिर्वेपमानः किरीती ।
नमस्कृत्वा भूय एवाह कृष्णं
सगद्गदं भीतभीतः प्रणम्य ॥३५॥

sañjaya uvāca
etac chrutvā vacanaṁ keśavasya
kṛtāñjalir vepamānaḥ kirītī
namaskṛtvā bhūya evāha kṛṣṇaṁ
sa-gadgadaṁ bhīta-bhītaḥ praṇamya

sañjayaḥ uvāca – Sañjaya mondta; *etat* – így; *śrutvā* – hallván; *vacanam* – beszédet; *keśavasya* – Kṛṣṇáét; *kṛta-añjaliḥ* – összetett kezekkel; *vepamānaḥ* – reszketve; *kirītī* – Arjuna; *namaskṛtvā* – hódolatát ajánlva; *bhūyaḥ* – ismét; *eva* – is; *āha* – mondta; *kṛṣṇam* – Kṛṣṇának; *sa-gadgadam* – elcsukló hangon; *bhīta-bhītaḥ* – nagy félelemmel; *praṇamya* – tiszteletét ajánlva.

Így szólt Sañjaya Dhṛtarāṣṭrához: Ó, király! Miután Arjuna hallotta e szavakat az Istenség Legfelsőbb Személyiségétől, remegve, összetett kéz-

zel újra és újra a hódolatát ajánlotta. Félelemmel telve, elcsukló hangon ekképpen szólt az Úr Kṛṣṇához:

MAGYARÁZAT: Korábban már beszéltünk arról, hogy Arjunát az Istenség Legfelsőbb Személyiségének kozmikus formája láttán csodálat és zavar töltötte el. Újra és újra tiszteletteljes hódolatát ajánlotta hát Kṛṣṇának, s elcsukló hangon, ezúttal nem barátként, hanem az Urat csodáló *bhaktaként* imádkozni kezdett Hozzá.

36. VERS

अर्जुन उवाच
स्थाने हृषीकेश तव प्रकीर्त्या
जगत्प्रहृष्यत्यनुरज्यते च ।
रक्षांसि भीतानि दिशो द्रवन्ति
सर्वे नमस्यन्ति च सिद्धसङ्घाः ॥३६॥

arjuna uvāca
sthāne hṛṣīkeśa tava prakīrtyā
jagat prahṛṣyaty anurajyate ca
rakṣāṁsi bhītāni diśo dravanti
sarve namasyanti ca siddha-saṅghāḥ

arjunaḥ uvāca – Arjuna mondta; *sthāne* – helyesen; *hṛṣīka-īśa* – ó, érzékszervek Ura; *tava* – a Te; *prakīrtyā* – dicsőséged miatt; *jagat* – az egész világ; *prahṛṣyati* – örül; *anurajyate* – vonzódni kezd; *ca* – és; *rakṣāṁsi* – a démonok; *bhītāni* – félelemből; *diśaḥ* – minden irányba; *dravanti* – menekülnek; *sarve* – mind; *namasyanti* – tiszteletüket ajánlják; *ca* – és; *siddha-saṅghāḥ* – a tökéletes emberi lények.

Arjuna így szólt: Ó, érzékek Ura! Neved hallatán öröm tölti el a világot, s mindenki vonzódni kezd Hozzád. A tökéletessé vált lények tiszteletteljes hódolatukat ajánlják, ám a démonok félelmükben minden irányba menekülnek. Mindez így van rendjén.

MAGYARÁZAT: Miután Kṛṣṇától a kurukṣetrai csata kimeneteléről hallott, Arjuna megvilágosodott, s az Istenség Legfelsőbb Személyisége nagy *bhaktájaként* és barátjaként kijelenti, hogy minden, amit Kṛṣṇa tesz, tökéletes. Megerősíti, hogy Kṛṣṇa a *bhakták* fenntartója, Ő áll imádatuk középpontjában, s Ő minden nemkívánatos dolog megsemmisítője, akinek tettei mindenki számára egyformán áldásosak. Arjuna most megértette, hogy a kurukṣetrai csata végének közeledtével számtalan félisten (*siddha*) lesz jelen, s a felsőbb bolygók bölcsei is mindnyájan a harcot nézik majd, mert Kṛṣṇa is ott van. Amikor Arjuna látta az Úr kozmikus formáját, a félisteneket is öröm töltötte el, de a démonok és ateisták nem tudták elviselni az Úr dicsőítését. Az Istenség Legfelsőbb Személyiségének pusztító formájától érthető módon nagyon féltek, s így valamennyien elmenekültek. Arjuna azt magasztalja, ahogyan Kṛṣṇa bánik a *bhaktákkal* és az ateistákkal. Történjen bármi, egy *bhakta* örökké magasztalja az Urat, mert tudja, hogy amit Ő tesz, az mindenkinek jó.

37. VERS

कस्माच्च ते न नमेरन्महात्मन्
गरीयसे ब्रह्मणोऽप्यादिकर्त्रे ।
अनन्त देवेश जगन्निवास
त्वमक्षरं सदसत्तत्परं यत् ॥३७॥

kasmāc ca te na nameran mahātman
garīyase brahmaṇo 'py ādi-kartre
ananta deveśa jagan-nivāsa
tvam akṣaraṁ sad-asat tat paraṁ yat

kasmāt – miért; *ca* – is; *te* – Neked; *na* – ne; *nameran* – ajánlják megfelelő tiszteletüket; *mahā-ātman* – ó, hatalmas; *garīyase* – aki jobb; *brahmaṇaḥ* – Brahmānál; *api* – habár; *ādi-kartre* – a legfelsőbb teremtőnek; *ananta* – ó, végtelen; *deva-īśa* – ó, istenek Istene; *jagat-nivāsa* – ó, univerzum oltalma; *tvam* – Te vagy; *akṣaram* – elpusztíthatatlan; *sat-asat* – ok és okozat; *tat param* – transzcendentális; *yat* – mert.

Ó, leghatalmasabb, ki még Brahmānál is hatalmasabb vagy, Te vagy az eredeti teremtő! Miért ne ajánlanák hát tiszteletteljes hódolatukat Neked? Ó, határtalan, istenek Istene, univerzum menedéke! Te vagy a legyőzhetetlen forrás, minden ok oka, aki transzcendentális ehhez az anyagi megnyilvánuláshoz képest.

MAGYARÁZAT: Hódolatteljes köszöntésével Arjuna arra utal, hogy Kṛṣṇa mindenki számára imádandó. Ő mindent átható, s Ő minden lélek Lelke. Arjuna itt *mahātmānak* szólítja Kṛṣṇát, ami azt jelenti, hogy a legnagylelkűbb, s határtalan. Az *ananta* szó arra utal, hogy nincs semmi, amire a Legfelsőbb Úr energiája ne hatna, a *deveśa* szó pedig azt jelenti, hogy Ő minden félisten irányítója, s Ő áll valamennyiük fölött. Ő az egész univerzum menedéke is. Arjuna úgy gondolta, hogy a tökéletes élőlények és hatalmas félistenek jogosan ajánlják tiszteletteljes hódolatukat Kṛṣṇa előtt, mert Nála senki sem nagyobb. Külön megemlíti, hogy Kṛṣṇa még Brahmānál is hatalmasabb, hiszen Ő teremtette Brahmāt. Brahmā annak a lótusznak a szárából született, amely Garbhodakaśāyī Viṣṇunak, Kṛṣṇa teljes értékű kiterjedésének köldökéből hajtott ki. Éppen ezért Brahmānak, az Úr Śivának (aki Brahmātól született) s a többi félistennek tiszteletteljes hódolatukat kell ajánlaniuk Kṛṣṇa előtt. A *Śrīmad-Bhāgavatamban* az áll, hogy az Úr Śiva, Brahmā és a hozzájuk hasonló félistenek mindannyian tisztelik az Urat. Az *akṣaram* szónak nagy jelentősége van, mert arra utal, hogy bár ez az anyagi teremtés pusztulásra ítéltetett, az Úr túl van az anyagi teremtésen. Ő minden ok oka, s így az anyagi természetben feltételekhez kötött lelkek és az anyagi kozmikus megnyilvánulás fölött áll. Ő tehát a leghatalmasabb, a Legfelsőbb Úr.

38. VERS

त्वमादिदेवः पुरुषः पुराण-
स्त्वमस्य विश्वस्य परं निधानम् ।
वेत्तासि वेद्यं च परं च धाम
त्वया ततं विश्वमनन्तरूप ॥३८॥

tvam ādi-devaḥ puruṣaḥ purāṇas
tvam asya viśvasya paraṁ nidhānam
vettāsi vedyaṁ ca paraṁ ca dhāma
tvayā tataṁ viśvam ananta-rūpa

tvam – Te; *ādi-devaḥ* – az eredeti Legfelsőbb Isten; *puruṣaḥ* – személyiség; *purāṇaḥ* – ősi; *tvam* – Te; *asya* – ennek; *viśvasya* – az univerzumnak; *param* – transzcendentális; *nidhānam* – menedéke; *vettā* – a tudó; *asi* – Te vagy; *vedyam* – a megismerendő; *ca* – és; *param* – transzcendentális; *ca* – és; *dhāma* – menedék; *tvayā* – Általad; *tatam* – áthatott; *viśvam* – az univerzum; *ananta-rūpa* – ó, végtelen forma.

Te vagy az eredeti Istenség Személyisége, a legősibb, a megnyilvánult kozmikus világ végső szentélye. Tudsz mindent, s Te vagy mindaz, amit meg kell ismerni. Te vagy a legfelsőbb menedék, s felette állsz az anyagi kötőerőknek. Ó, határtalan forma, Te hatod át ezt az egész kozmikus megnyilvánulást!

MAGYARÁZAT: Minden az Istenség Legfelsőbb Személyiségén nyugszik, ezért Ő a végső menedék. A *nidhānam* szó azt jelenti, hogy minden, még a Brahman-ragyogás is az Istenség Legfelsőbb Személyiségén, Kṛṣṇán nyugszik. Ő az, aki mindenről tud, ami ebben a világban történik, s ha a tudásnak van vége, akkor Ő a vége minden tudásnak is; Ő tehát mindaz, amit eddig megismertünk, és minden, ami egyáltalán megismerhető. Ő a tudás tárgya, mert mindent átható. Ő a lelki világ eredete, ezért transzcendentális, és Ő a transzcendentális világ legfelsőbb személyisége is.

39. VERS

वायुर्यमोऽग्निर्वरुणः शशाङ्कः
प्रजापतिस्त्वं प्रपितामहश्च ।
नमो नमस्तेऽस्तु सहस्रकृत्वः
पुनश्च भूयोऽपि नमो नमस्ते ॥३९॥

vāyur yamo 'gnir varuṇaḥ śaśāṅkaḥ
prajāpatis tvaṁ prapitāmahaś ca
namo namas te 'stu sahasra-kṛtvaḥ
punaś ca bhūyo 'pi namo namas te

vāyuḥ – a levegő; *yamaḥ* – az irányító; *agniḥ* – a tűz; *varuṇaḥ* – a víz; *śaśa-aṅkaḥ* – a hold; *prajāpatiḥ* – Brahmā; *tvam* – Te; *prapitāmahaḥ* – a dédatya; *ca* – is; *namaḥ* – hódolatom; *namaḥ* – újra hódolatom; *te* – Neked; *astu* – legyen; *sahasra-kṛtvaḥ* – ezerszer; *punaḥ ca* – és ismét; *bhūyaḥ* – újra; *api* – szintén; *namaḥ* – tiszteletem ajánlom; *namaḥ te* – tiszteletem ajánlom Neked.

Te vagy a levegő, és Te vagy a legfelsőbb irányító! Te vagy a tűz, a víz, Te vagy a hold! Te vagy Brahmā, az első teremtett lény, és Te vagy a dédatya. Tisztelettel borulok hát le Előtted újra meg újra – ezerszeresen!

MAGYARÁZAT: Az Urat itt Arjuna azért szólítja levegőnek, mert mindent átható természete miatt a levegő a félistenek legfontosabb képviselője, dédatyának pedig azért nevezi, mert Ő az atyja Brahmānak, az univerzum első élőlényének.

40. VERS

नमः पुरस्तादथ पृष्ठतस्ते
नमोऽस्तु ते सर्वत एव सर्व ।

अनन्तवीर्यामितविक्रमस्त्वं
सर्वं समाप्नोषि ततोऽसि सर्वः ॥४०॥

namaḥ purastād atha pṛṣṭhatas te
namo 'stu te sarvata eva sarva
ananta-vīryāmita-vikramas tvaṁ
sarvaṁ samāpnoṣi tato 'si sarvaḥ

namaḥ – hódolat ajánlása; *purastāt* – elölről; *atha* – is; *pṛṣṭhataḥ* – hátulról; *te* – Neked; *namaḥ astu* – tiszteletemet ajánlom; *te* – Neked; *sarvataḥ* – minden oldalról; *eva* – valóban; *sarva* – mert Te vagy minden; *ananta-vīrya* – végtelen hatalom; *amita-vikramaḥ* – és végtelen erő; *tvam* – Te; *sarvam* – mindent; *samāpnoṣi* – beborítasz; *tataḥ* – ezért; *asi* – Te vagy; *sarvaḥ* – minden.

Hódolatom ajánlom Neked elölről, hátulról és minden oldalról! Ó, vég nélküli erő, Te vagy a korlátlan hatalom mestere! Mindent áthatóként Te vagy minden!

MAGYARÁZAT: Arjuna szerető eksztázisában minden oldalról hódolatát ajánlja barátjának, Kṛṣṇának. Elfogadja, hogy Ő a mestere minden erőnek, minden hatalomnak, s hogy a csatatéren összesereglett nagy harcosok mindegyike fölött áll. A *Viṣṇu-purāṇa* (1.9.69) így ír:

yo 'yaṁ tavāgato deva samīpaṁ devatā-gaṇaḥ
sa tvam eva jagat-sraṣṭā yataḥ sarva-gato bhavān

„Ó, Istenség Legfelsőbb Személyisége, bárki járuljon Eléd, a Te teremtményed ő, még ha félisten is!"

41–42. VERS

सखेति मत्वा प्रसभं यदुक्तं
हे कृष्ण हे यादव हे सखेति ।
अजानता महिमानं तवेदं
मया प्रमादात्प्रणयेन वापि ॥४१॥

यच्चावहासार्थमसत्कृतोऽसि
विहारशय्यासनभोजनेषु ।

एकोऽथ वाप्यच्युत तत्समक्षं
तत्क्षामये त्वामहमप्रमेयम् ॥४२॥

sakheti matvā prasabhaṁ yad uktaṁ
he kṛṣṇa he yādava he sakheti
ajānatā mahimānaṁ tavedaṁ
mayā pramādāt praṇayena vāpi

yac cāvahāsārtham asat-kṛto 'si
vihāra-śayyāsana-bhojaneṣu
eko 'tha vāpy acyuta tat-samakṣaṁ
tat kṣāmaye tvām aham aprameyam

sakhā – barát; *iti* – így; *matvā* – gondolván; *prasabham* – öntelten; *yat* – bármi; *uktam* – mondatott; *he kṛṣṇa* – ó, Kṛṣṇa; *he yādava* – ó, Yādava; *he sakhe* – ó, kedves barátom; *iti* – ily módon; *ajānatā* – anélkül, hogy ismertem volna; *mahimānam* – dicsőséged; *tava* – Tiéd; *idam* – ez; *mayā* – általam; *pramādāt* – ostobaságból; *praṇayena* – szeretetből; *vā api* – vagy; *yat* – bármi; *ca* – is; *avahāsa-artham* – tréfálkozva; *asat-kṛtaḥ* – nem tisztelt; *asi* – voltál; *vihāra* – pihenés közben; *śayyā* – lefeküdve; *āsana* – ülve; *bhojaneṣu* – vagy amikor együtt ettünk; *ekaḥ* – egyedül; *atha vā* – vagy; *api* – is; *acyuta* – ó, csalhatatlan; *tat-samakṣam* – társak között; *tat* – mindazért; *kṣāmaye* – bocsánatot kérek; *tvām* – Tőled; *aham* – én; *aprameyam* – mérhetetlen.

Nem ismertem dicsőségedet, s mivel barátomnak tekintettelek, így szólítottalak: „Ó, Kṛṣṇa!", „Ó, Yādava!", „Ó, barátom!" Kérlek, nézd el, bármit is tettem őrültségemben vagy szeretetemben! Tréfálkozván sokszor voltam tiszteletlen Veled, miközben együtt pihentünk, egy ágyon hevertünk, együtt ültünk vagy együtt ettünk, néha kettesben, néha pedig más barátaink előtt. Ó, csalhatatlan, kérlek, bocsásd meg minden vétkem!

MAGYARÁZAT: Noha Kṛṣṇa megmutatta Arjunának kozmikus formáját, Arjuna mégis baráti kapcsolatukra gondol, s ezért arra kéri, bocsássa meg neki barátságból elkövetett tiszteletlenségeit. Elismeri, azelőtt nem hitte, hogy Kṛṣṇa képes felölteni egy ilyen kozmikus formát, pedig Kṛṣṇa bizalmas barátként korábban már beszélt neki erről. Arjuna nem tudja, hányszor volt tiszteletlen Vele, amikor fenségét figyelmen kívül hagyva ekképp szólította meg az Urat: „Ó, barátom!"; „Ó, Kṛṣṇa!"; „Ó, Yādava!" stb. Kṛṣṇa azonban olyan kedves és kegyes, hogy minden fensége ellenére barátként bánt Arjunával. Ilyen az Úr és a *bhaktája* közötti kölcsönös transzcendentális szeretet. Az élőlény és Kṛṣṇa közötti kapcsolat örökkévaló, s Arjuna viselkedéséből kiderül, hogy nem lehet elfelejteni. Arjuna a kozmikus forma pompájának megpillantása után sem feledkezett meg Kṛṣṇához fűződő baráti viszonyáról.

43. VERS

पितासि लोकस्य चराचरस्य
त्वमस्य पूज्यश्च गुरुर्गरीयान् ।
न त्वत्समोऽस्त्यभ्यधिकः कुतोऽन्यो
लोकत्रयेऽप्यप्रतिमप्रभाव ॥४३॥

pitāsi lokasya carācarasya
tvam asya pūjyaś ca gurur garīyān
na tvat-samo 'sty abhyadhikaḥ kuto 'nyo
loka-traye 'py apratima-prabhāva

pitā – az atyja; *asi* – vagy; *lokasya* – az egész világnak; *cara* – mozgó; *acarasya* – és mozdulatlan; *tvam* – Te vagy; *asya* – ennek; *pūjyaḥ* – imádandó; *ca* – is; *guruḥ* – mestere; *garīyān* – dicső; *na* – sohasem; *tvat-samaḥ* – Veled egyenlő; *asti* – van; *abhyadhikaḥ* – nagyobb; *kutaḥ* – hogyan lehetne; *anyaḥ* – más; *loka-traye* – a három bolygórendszerben; *api* – is; *apratima-prabhāva* – ó, mérhetetlen hatalom.

Te vagy az atyja a teljes kozmikus megnyilvánulásnak, minden mozgónak és mozdulatlannak. Te vagy a legfőbb imádandó, a legfelsőbb lelki tanítómester. Senki sem nagyobb Nálad, és senki sem válhat eggyé Veled. Ó, felmérhetetlen hatalom Ura, hogyan lehetne bárki is hatalmasabb Nálad a három világban?

MAGYARÁZAT: Az Istenség Legfelsőbb Személyisége, Kṛṣṇa éppen úgy imádandó, ahogyan az atya imádandó a fiú számára. Ő a lelki tanítómester, mert Ő az, aki hajdanán átadta a Védák tanítását Brahmānak, s aki most a *Bhagavad-gītāt* tanítja Arjunának. Ő tehát az eredeti lelki tanítómester, s minden jelenkori hiteles lelki tanítómester a Tőle eredő tanítványi láncolat tagja. Senki sem lehet a transzcendentális tudomány tanítója vagy lelki tanítómestere, ha nem Kṛṣṇa képviselője.

Az élőlények számtalan formában ajánlják hódolatukat az Úrnak, akinek nagysága határtalan. Senki sem lehet hatalmasabb az Istenség Legfelsőbb Személyiségénél, Kṛṣṇánál, mert az anyagi és lelki megnyilvánulásban senki sem egyenlő Vele vagy nagyobb Nála. Mindenki az Ő irányítása alatt áll, Rajta senki sem tehet túl. Ezt a *Śvetāśvatara-upaniṣad* (6.8) is leírja:

na tasya kāryaṁ karaṇaṁ ca vidyate
na tat-samaś cābhyadhikaś ca dṛśyate

A Legfelsőbb Úrnak, Kṛṣṇának a közönséges emberhez hasonlóan van teste és vannak érzékszervei, ám az Ő esetében nincsen különbség érzékszervei, teste, elméje és önmaga között. Azok az ostobák, akik nem ismerik Őt tökéletesen, azt mondják, Kṛṣṇa különbözik a lelkétől, az elméjétől, a szívétől és minden mástól. Kṛṣṇa abszolút, ezért hatalma és tettei a legfelsőbb rendűek. A Védák azt is megemlítik, hogy bár az Ő érzékszervei nem olyanok, mint a mieink, mégis képes minden érzékműködésre; ezért érzékszervei se nem tökéletlenek, se nem korlátozottak. Senki sem lehet tehát nagyobb Nála vagy egyenlő Vele, s mindenki az Ő alárendeltje.

A Legfelsőbb Személyiség tudása, ereje és cselekedetei mind transzcendentálisak. A *Bhagavad-gītā* (4.9) azt mondja:

janma karma ca me divyam evaṁ yo vetti tattvataḥ
tyaktvā dehaṁ punar janma naiti mām eti so 'rjuna

Aki ismeri Kṛṣṇa transzcendentális testét, tetteit és tökéletességét, az teste elhagyása után visszatér Hozzá, és többé soha nem kell visszajönnie e szenvedésekkel teli világba. Tudnunk kell tehát, hogy Kṛṣṇa tettei nem hasonlíthatók össze mások tetteivel. A legjobb, ha követjük Kṛṣṇa utasításait, mert ezáltal tökéletessé válhatunk. Azt is sok írás kijelenti, hogy senki sem lehet Kṛṣṇa ura, mindenki az Ő szolgája. A *Caitanya-caritāmṛta* (*Ādi-līlā* 5.142) megerősíti: *ekale īśvara kṛṣṇa, āra saba bhṛtya,* egyedül Kṛṣṇa az Isten, mindenki más az Ő szolgája. Valamennyiünknek engedelmeskednünk kell parancsainak; senki sem tagadhatja meg utasítását. Mindenki az Ő irányítását követve cselekszik, az Ő felügyelete alatt áll. Ahogyan a *Brahma-saṁhitā* írja, Ő minden ok oka.

44. VERS

तस्मात्प्रणम्य प्रणिधाय कायं
प्रसादये त्वामहमीशमीड्यम् ।
पितेव पुत्रस्य सखेव सख्युः
प्रियः प्रियायार्हसि देव सोढुम् ॥४४॥

tasmāt praṇamya praṇidhāya kāyaṁ
prasādaye tvām aham īśam īḍyam
piteva putrasya sakheva sakhyuḥ
priyaḥ priyāyārhasi deva soḍhum

tasmāt – ezért; *praṇamya* – hódolatot ajánlva; *praṇidhāya* – leborulva; *kāyam* – testtel; *prasādaye* – kegyért könyörgöm; *tvām* – Hozzád; *aham* – én; *īśam* – a Legfelsőbb Úrhoz; *īḍyam* – imádandóhoz; *pitā iva* – mint egy apa; *putrasya* – a fiúval; *sakhā iva* – mint egy barát; *sakhyuḥ* – a baráttal; *priyaḥ* – szerető; *priyāyāḥ* – a legkedvesebbel; *arhasi* – legyél; *deva* – Uram; *soḍhum* – türelmes.

Te vagy a Legfelsőbb Úr, aki minden élőlény számára imádandó. Leborulok hát, hogy tiszteletteljes hódolatomat ajánljam Neked, s hogy kegyedért esedezzem. Kérlek, nézd el, bármilyen hibát is követtem el Veled szemben, s légy türelmes hozzám, mint ahogy az apa tűri el fia szemtelenségét, barát a pajtásáét, férj a feleségéét!

MAGYARÁZAT: A *bhakták* többféle kapcsolatban állhatnak az Úrral. Van, aki fiaként, más a férjeként, barátjaként vagy uraként bánik Vele. Kṛṣṇa és Arjuna között baráti kapcsolat állt fenn. Kṛṣṇa épp olyan elnéző, mint egy apa, férj vagy mester.

45. VERS

अदृष्टपूर्वं हृषितोऽस्मि दृष्ट्वा
भयेन च प्रव्यथितं मनो मे ।
तदेव मे दर्शय देव रूपं
प्रसीद देवेश जगन्निवास ॥४५॥

adṛṣṭa-pūrvaṁ hṛṣito 'smi dṛṣṭvā
bhayena ca pravyathitaṁ mano me
tad eva me darśaya deva rūpaṁ
prasīda deveśa jagan-nivāsa

adṛṣṭa-pūrvam – azelőtt sohasem látott; *hṛṣitaḥ* – boldog; *asmi* – vagyok; *dṛṣṭvā* – látván; *bhayena* – félelemtől; *ca* – is; *pravyathitam* – zavart; *manaḥ* – elmém; *me* – enyém; *tat* – azt; *eva* – bizony; *me* – nekem; *darśaya* – mutasd; *deva* – ó, Uram; *rūpam* – a formát; *prasīda* – légy kegyes; *deva-īśa* – ó, urak Ura; *jagat-nivāsa* – univerzum oltalma.

Boldog vagyok, hogy megpillanthattam ezt a kozmikus formát, melyet sohasem láttam ezelőtt, de ugyanakkor félelem gyötri elmémet. Kérlek hát, részesíts kegyedben, s fedd fel ismét formádat mint az Istenség Személyisége, ó, urak Ura, univerzum hajléka!

MAGYARÁZAT: Arjuna jó barátja Kṛṣṇának, ezért kapcsolatuk nagyon bensőséges. Ahogyan egy kedves barát fenséges jellemvonásainak látványa örömmel tölti el az embert, Arjuna is nagyon boldog volt, amikor látta, hogy barátja, Kṛṣṇa nem más, mint az Istenség Legfelsőbb Személyisége, aki képes megmutatni egy ilyen csodálatos kozmikus formát. Ugyanakkor azonban e forma láttán megijedt, hogy tiszta barátságuk következtében biztosan számtalanszor megsértette Kṛṣṇát. Elméjét így félelem gyötri, noha nincs oka rá. Éppen ezért most arra kéri Kṛṣṇát, mutassa meg neki Nārāyaṇa-formáját, hiszen bármilyen alakot felölthet, ahogyan csak kívánja. A kozmikus forma anyagi és ideiglenes, akárcsak az anyagi világ, ám a Vaikuṇṭha-bolygókon az Úr a transzcendentális, négykarú Nārāyaṇa-formájában van jelen. A lelki világban megszámlálhatatlanul sok bolygó van, s Kṛṣṇa mindegyiken jelen van teljes kiterjedései által, melyeket mind másképpen neveznek. Arjuna a Vaikuṇṭha-bolygókon uralkodó formák egyikét szerette volna látni. A Vaikuṇṭha-bolygókon Nārāyaṇa négykarú, s mindegyik kezében más-más jelet tart: kagylókürtöt, buzogányt, lótuszvirágot és *cakrát*. A Nārāyaṇa-formák aszerint kapják a nevüket, hogy milyen sorrendben tartják kezükben ezeket a jelképeket. Mindegyik forma azonos Kṛṣṇával, ezért kéri Őt Arjuna arra, hogy mutassa meg négykarú formáját.

46. VERS

किरीटिनं गदिनं चक्रहस्त-
मिच्छामि त्वां द्रष्टुमहं तथैव ।
तेनैव रूपेण चतुर्भुजेन
सहस्रबाहो भव विश्वमूर्ते ॥४६॥

kirīṭinaṁ gadinaṁ cakra-hastam
icchāmi tvāṁ draṣṭum ahaṁ tathaiva
tenaiva rūpeṇa catur-bhujena
sahasra-bāho bhava viśva-mūrte

kirīṭinam – sisakkal; *gadinam* – buzogánnyal; *cakra-hastam* – *cakrával* a kézben; *icchāmi* – szeretnélek; *tvām* – Téged; *draṣṭum* – látni; *aham* – én; *tathā eva* – abban a helyzetben; *tena eva* – abban; *rūpeṇa* – a formában; *catuḥ-bhujena* – négykarú; *sahasra-bāho* – ó, ezerkarú; *bhava* – légy; *viśva-mūrte* – ó, kozmikus forma.

Ó, kozmikus forma, ó, ezerkarú Úr, látni szeretnélek négykarú formádban, sisakkal fejeden, kezeidben buzogányt, cakrát, kagylókürtöt és lótuszvirágot tartva! Nagyon vágyom rá, hogy ebben a formádban megpillanthassalak!

MAGYARÁZAT: A *Brahma-saṁhitā* (5.39) szerint *rāmādi-mūrtiṣu kalā-niyamena tiṣṭhan:* az Úrnak száz- és százezer örökké létező formája van, melyek közül Rāma, Nṛsiṁha, Nārāyaṇa stb. a legkiemelkedőbbek. Megszámlálhatatlanul sok alakban létezik, ám Arjuna tudta, hogy Kṛṣṇa az eredeti Istenség Személyisége, aki felöltötte ideiglenes, kozmikus formáját. Most arra kéri, mutassa meg a lelki, Nārāyaṇa-formáját is. Ez a vers kétségtelenül alátámasztja a *Śrīmad-Bhāgavatam* állítását, miszerint Kṛṣṇa az eredeti Istenség Személyisége, s Tőle származik minden más forma. Ő nem különbözik teljes értékű kiterjedéseitől; számtalan formájának mindegyikében Ő Isten, s üde, mint egy ifjú. Ez az Istenség Legfelsőbb Személyiségének örök jellemzője. Aki ismeri Kṛṣṇát, az nyomban megszabadul az anyagi világ minden szennyeződésétől.

47. VERS

श्रीभगवानुवाच
मया प्रसन्नेन तवार्जुनेदं
रूपं परं दर्शितमात्मयोगात् ।
तेजोमयं विश्वमनन्तमाद्यं
यन्मे त्वदन्येन न दृष्टपूर्वम् ॥४७॥

śrī-bhagavān uvāca
mayā prasannena tavārjunedaṁ
rūpaṁ paraṁ darśitam ātma-yogāt
tejo-mayaṁ viśvam anantam ādyaṁ
yan me tvad anyena na dṛṣṭa-pūrvam

śrī-bhagavān uvāca – az Istenség Legfelsőbb Személyisége mondta; *ma-yā* – Általam; *prasannena* – boldogan; *tava* – neked; *arjuna* – ó, Arjuna; *idam* – ez; *rūpam* – a forma; *param* – transzcendentális; *darśitam* – megmutatott; *ātma-yogāt* – belső energiám által; *tejaḥ-mayam* – ragyogó; *viś-vam* – az egész univerzum; *anantam* – végtelen; *ādyam* – eredeti; *yat* – ami; *me* – Enyém; *tvat anyena* – rajtad kívül; *na dṛṣṭa-pūrvam* – más által eddig soha nem látott.

Az Istenség Legfelsőbb Személyisége így szólt: Kedves Arjunám! Boldogan mutattam meg neked belső energiámon keresztül ezt az anyagi világban létező legfelsőbb kozmikus formát. Előtted még senki sem látta ezt a végtelen, vakítóan ragyogó, eredeti formát.

MAGYARÁZAT: Arjuna vágya az volt, hogy megpillanthassa a Legfelsőbb Úr kozmikus formáját, ezért *bhaktája* iránti kegyéből az Úr Kṛṣṇa feltárta előtte vakítóan sugárzó és fenséges kozmikus alakját. E forma úgy ragyogott, mint a nap, és számtalan arca állandóan változott. Kṛṣṇa csak azért mutatta meg ezt a formát – amelyet az emberi ész számára felfoghatatlan belső energiája révén nyilvánított ki –, hogy teljesítse barátja, Arjuna kívánságát. Arjuna előtt senki sem látta az Úrnak ezt a kozmikus formáját, de vele egy időben a mennyei bolygókon és a kozmosz más bolygóin élő *bhakták* szintén láthatták. Azelőtt nem volt lehetőségük erre, de most Arjuna révén ők is megpillanthatták. Mindez azt jelenti, hogy az Úr *bhaktái,* akik a tanítványi láncolat tagjai, valamennyien láthatták a kozmikus formát, amit Kṛṣṇa kegyesen megmutatott Arjunának. Egy magyarázó szerint Kṛṣṇa Duryodhana előtt is felfedte ezt a formát, amikor a békekötés szándékával meglátogatta őt. Duryodhana sajnálatos módon nem fogadta el a békejavaslatot, Kṛṣṇa azonban kinyilvánította neki néhány kozmikus formáját. Azok a formák azonban különböztek attól, amit Arjuna látott. A vers félreérthetetlenül azt mondja, hogy ezt senki sem látta azelőtt.

48. VERS

न वेदयज्ञाध्ययनैर्न दानै-
र्न च क्रियाभिर्न तपोभिरुग्रैः ।
एवंरूपः शक्य अहं नृलोके
द्रष्टुं त्वदन्येन कुरुप्रवीर ॥४८॥

na veda-yajñādhyayanair na dānair
na ca kriyābhir na tapobhir ugraiḥ
evaṁ-rūpaḥ śakya ahaṁ nṛ-loke
draṣṭuṁ tvad anyena kuru-pravīra

na – sohasem; *veda-yajña* – áldozat által; *adhyayanaiḥ* – vagy a Védák tanulmányozása által; *na* – sohasem; *dānaiḥ* – adományozás által; *na* – soha; *ca* – is; *kriyābhiḥ* – jámbor tettek által; *na* – soha; *tapobhiḥ* – vezeklések által; *ugraiḥ* – szigorú; *evam-rūpaḥ* – ebben a formában; *śakyaḥ* – lehet; *aham* – Engem; *nṛ-loke* – ebben az anyagi világban; *draṣṭum* – látni; *tvat* – rajtad kívül; *anyena* – más által; *kuru-pravīra* – ó, legkiválóbb Kuru harcos.

Ó, Kuru harcosok legjobbja! Előtted senki sem láthatta ezt a kozmikus formámat, mert sem a Védák tanulmányozásával, sem áldozatok végrehajtásával, sem adományozással, sem jámbor cselekedetekkel, sem szi-

gorú lemondásokkal nem lehet meglátni Engem ebben a formában az anyagi világban.

MAGYARÁZAT: Jól meg kell értenünk ezzel kapcsolatban, hogy mit jelent az isteni látóképesség, s ki rendelkezhet azzal. Az „isteni" szó jelentése: „Istenhez hasonló". Csak az rendelkezhet tehát vele, akinek isteni tulajdonságai vannak, mint egy félistennek. S hogy kik a félistenek? A védikus irodalom szerint az Úr Viṣṇu *bhaktái* (*viṣṇu-bhaktāḥ smṛtā devāḥ*). Az ateisták, akik nem hisznek Viṣṇuban, vagy Kṛṣṇa személytelen aspektusát tartják a Legfelsőbbnek, nem rendelkezhetnek isteni látással. Ha valaki Kṛṣṇát becsmérli, nem lehet isteni látóképessége. Az ember csak akkor tehet erre szert, ha előbb isteni tulajdonságokat sajátított el. Csakis az isteni látással rendelkezők láthatnak tehát úgy, mint Arjuna.

A *Bhagavad-gītā* leírást ad a kozmikus formáról. Mielőtt Arjuna megpillanthatta a *viśva-rūpát,* senki nem ismerte azt, most azonban lehet róla valamilyen elképzelésünk. Csak az láthatja az Úr kozmikus formáját, aki valóban isteni természettel rendelkezik, ez azonban csak Kṛṣṇa tiszta *bhaktája* számára lehetséges. Ám az isteni természetű és isteni látóképességgel rendelkező *bhakták* nem vágynak különösebben arra, hogy meglássák az Úrnak ezt a formáját. Egy korábbi vers leírása szerint Arjunát félelem töltötte el, amikor megpillantotta, s inkább négykarú Viṣṇu formájában szerette volna látni az Úr Kṛṣṇát.

Ebben a versben jó néhány fontos kifejezéssel találkozunk. Az egyik a *veda-yajñādhyayanaiḥ,* ami a védikus irodalom tanulmányozására és az áldozati szabályokra utal. Védák alatt az egész védikus irodalmat értjük, név szerint a négy Védát (*Ṛg, Yajur, Sāma* és *Atharva*), a tizennyolc *purāṇát,* az *upaniṣadokat* és a *Vedānta-sūtrát*. Ezeket az ember bárhol – otthon vagy máshol is – tanulmányozhatja. Ezenkívül vannak olyan *sūtrák,* például a *kalpa-sūtrák* és a *mīmāṁsā-sūtrák,* melyekből az áldozat bemutatásának módját lehet elsajátítani. A *dānaiḥ* olyan adományt jelent, melyet arra méltó embereknek adnak, például azoknak, akik transzcendentális szerető szolgálattal imádják az Urat (a *brāhmaṇák* és a *vaiṣṇavák*). Jámbor cselekedetek alatt az *agni-hotrát* és a különféle kasztok előírt kötelességeit értjük. A testi fájdalmak önkéntes vállalását *tapasyának* nevezik. Vállalhat az ember testi lemondást, adományozhat, tanulmányozhatja a Védákat és így tovább, de mindaddig nem láthatja meg a kozmikus formát, amíg – Arjunához hasonlóan – *bhaktává* nem válik. Az imperszonalisták azt hiszik, hogy látják az Úr kozmikus formáját, a *Bhagavad-gītából* azonban megérthetjük, hogy az imperszonalisták nem *bhakták,* s így nem pillanthatják azt meg.

Sok olyan ember van, aki inkarnációkat talál ki. Közönséges emberekről állítják, hogy Isten inkarnációi, ez azonban nagy ostobaság.

A *Bhagavad-gītā* elveit kell követnünk, másképp nem tehetünk szert tökéletes lelki tudásra. A *Bhagavad-gītāt* az Istenről szóló tudomány bevezető tanulmányának tekintik, mégis olyan tökéletes, hogy segítségével az ember különbséget tehet a dolgok között. Hiába állítják egy hamis inkarnáció hívei, hogy ők is látták Isten transzcendentális inkarnációját, a kozmikus formát, kijelentésük nem fogadható el, hiszen egyértelműen azt olvashatjuk itt, hogy senki sem láthatja azt mindaddig, míg Kṛṣṇa *bhaktája* nem lesz. Először is tehát az embernek Kṛṣṇa tiszta *bhaktájává* kell válnia, s akkor mondhatja, hogy képes megmutatni másoknak azt a kozmikus formát, amit látott. Kṛṣṇa *bhaktája* nem fogadja el a hamis inkarnációkat és azok követőit.

49. VERS

मा ते व्यथा मा च विमूढभावो
दृष्ट्वा रूपं घोरमीदृङ्ममेदम् ।
व्यपेतभीः प्रीतमनाः पुनस्त्वं
तदेव मे रूपमिदं प्रपश्य ॥४९॥

mā te vyathā mā ca vimūḍha-bhāvo
dṛṣṭvā rūpaṁ ghoram īdṛṅ mamedam
vyapeta-bhīḥ prīta-manāḥ punas tvaṁ
tad eva me rūpam idaṁ prapaśya

mā – ne legyen; *te* – neked; *vyathā* – aggodalom; *mā* – ne legyen; *ca* – is; *vimūḍha-bhāvaḥ* – zavarodottság; *dṛṣṭvā* – látván; *rūpam* – formát; *ghoram* – szörnyűt; *īdṛk* – ahogy van; *mama* – az Enyém; *idam* – ezt; *vyapeta-bhīḥ* – mentesen minden félelemtől; *prīta-manāḥ* – nyugodt elmével; *punaḥ* – ismét; *tvam* – te; *tat* – azt; *eva* – így; *me* – az Én; *rūpam* – formámat; *idam* – ezt; *prapaśya* – lásd hát.

E szörnyű alakom látványa felzaklatott s megzavart téged. Legyen ennek vége! Kedves bhaktám, szabadulj meg ismét minden aggodalomtól! Megbékélt elmével most azt a formát láthatod, amelyikre vágysz.

MAGYARÁZAT: A *Bhagavad-gītā* elején Arjuna amiatt aggódott, hogy meg kell ölnie Bhīṣmát és Droṇát, imádott nagyatyját és tanítóját. Kṛṣṇa azonban kijelentette, hogy nem kell félnie nagyatyja elpusztításától. Amikor Dhṛtarāṣṭra fiai megpróbálták levetkőztetni Draupadīt a Kuruk tanácskozásán, Bhīṣma és Droṇa hallgattak, így hát kötelességük elhanyagolásáért halált érdemeltek. Kṛṣṇa azért mutatta meg kozmikus formáját

Arjunának, hogy az láthassa: ezek az emberek már mind halálra vannak ítélve bűnös tetteik miatt. A *bhakták* mindig békések, s nem képesek ilyen szörnyű cselekedetekre, ezért Kṛṣṇa Arjuna szeme elé tárta a látványt. Arjuna megtudta hát, mi a célja Kṛṣṇának a kozmikus forma feltárásával, s most a négykarú formát kívánta látni. Kṛṣṇa azt is megmutatta neki. A *bhaktát* azért nem érdekli különösebben a kozmikus forma, mert az nem teszi lehetővé a szeretetteljes kapcsolatot. A *bhakta* tiszteletteljes, imádattal átitatott érzéseit akarja kimutatni, vagy Kṛṣṇa kétkarú formáját kívánja látni, hogy így szerető szolgálata révén kapcsolatban lehessen az Istenség Legfelsőbb Személyiségével.

50. VERS

सञ्जय उवाच
इत्यर्जुनं वासुदेवस्तथोक्त्वा
स्वकं रूपं दर्शयामास भूयः ।
आश्वासयामास च भीतमेनं
भूत्वा पुनः सौम्यवपुर्महात्मा ॥५०॥

sañjaya uvāca
ity arjunaṁ vāsudevas tathoktvā
svakaṁ rūpaṁ darśayām āsa bhūyaḥ
āśvāsayām āsa ca bhītam enaṁ
bhūtvā punaḥ saumya-vapur mahātmā

sañjayaḥ uvāca – Sañjaya mondta; *iti* – így; *arjunam* – Arjunának; *vāsudevaḥ* – Kṛṣṇa; *tathā* – így; *uktvā* – mondván; *svakam* – saját; *rūpam* – formáját; *darśayām āsa* – megmutatta; *bhūyaḥ* – ismét; *āśvāsayām āsa* – bátorította; *ca* – szintén; *bhītam* – rettegő; *enam* – őt; *bhūtvā* – lett; *punaḥ* – ismét; *saumya-vapuḥ* – gyönyörű forma; *mahā-ātmā* – a hatalmas.

Sañjaya e szavakkal fordult Dhṛtarāṣṭrához: Így beszélt Kṛṣṇa, az Istenség Legfelsőbb Személyisége Arjunához, majd felfedte előbb a négykarú, majd a kétkarú formáját, ily módon öntve bátorságot a megrettent Arjunába.

MAGYARÁZAT: Szülei, Vasudeva és Devakī előtt Kṛṣṇa először négykarú Nārāyaṇa-formájában jelent meg, majd kérésükre egy látszólag közönséges gyermekké változott. Éppen így azt is tudta, hogy Arjunát nem érdekli különösebben a négykarú alakja, kérésére azonban azt is megmutatta neki, azután ismét átváltozott a kétkarú formájába. A *saumya-*

vapuḥ szó nagyon fontos. A *saumya-vapuḥ* egy rendkívül gyönyörű forma, a hiteles források szerint a leggyönyörűbb. Amikor Kṛṣṇa jelen volt, mindenkit elbűvölt külsejével, és mivel Ő az univerzum irányítója, eloszlatta *bhaktája,* Arjuna félelmét, s újból megmutatta neki gyönyörűséges Kṛṣṇa-formáját. A *Brahma-saṁhitā* (5.38) kijelenti: *premāñjana-cchurita-bhakti-vilocanena,* Śrī Kṛṣṇa szépséges alakját csak azok láthatják, akiknek szemét az Isten iránti szeretet írja borítja.

51. VERS

अर्जुन उवाच
दृष्ट्वेदं मानुषं रूपं तव सौम्यं जनार्दन ।
इदानीमस्मि संवृत्तः सचेताः प्रकृतिं गतः ॥५१॥

arjuna uvāca
dṛṣṭvedaṁ mānuṣaṁ rūpaṁ tava saumyaṁ janārdana
idānīm asmi saṁvṛttaḥ sa-cetāḥ prakṛtiṁ gataḥ

arjunaḥ uvāca – Arjuna mondta; *dṛṣṭvā* – látván; *idam* – ezt; *mānuṣam* – emberi; *rūpam* – formát; *tava* – Tiédet; *saumyam* – nagyon gyönyörűt; *janārdana* – ó, ellenség fenyítője; *idānīm* – most; *asmi* – vagyok; *saṁvṛttaḥ* – helyreállt; *sa-cetāḥ* – tudatú; *prakṛtim* – saját természetemhez; *gataḥ* – visszatért.

Amikor Arjuna megpillantotta Kṛṣṇát eredeti formájában, így szólt: Ó, Janārdana! Emberhez hasonló, gyönyörű formád láttán elmém megnyugodott, s lelkiállapotom újra a régi.

MAGYARÁZAT: Ebben a versben a *mānuṣaṁ rūpam* szavak egyértelműen azt jelzik, hogy az Istenség Legfelsőbb Személyisége eredetileg kétkarú. Akik Kṛṣṇát közönséges embernek tartják és kigúnyolják, azok nincsenek tisztában isteni természetével. Ha Kṛṣṇa egy közönséges emberi lény lenne, hogyan tudná megmutatni a kozmikus formát, majd újra megjelenni négykarú Nārāyaṇa-formájában? A *Bhagavad-gītā* nagyon világosan kijelenti, hogy aki közönséges embernek véli Kṛṣṇát, s félrevezeti az olvasót, mondván, hogy nem Kṛṣṇa, hanem a Benne lévő személytelen Brahman beszél, az a legnagyobb igazságtalanságot követi el. Kṛṣṇa valóban megmutatta kozmikus formáját és a négykarú Viṣṇu-formát. Hogyan lehetne hát közönséges ember? A tiszta *bhaktát* nem tévesztik meg a *Bhagavad-gītāhoz* írt félrevezető magyarázatok, mert mindent tud. A *Bhagavad-gītā* eredeti versei olyan világosak, mint a nap, ezért az ostoba magyarázók lámpafényére nincs szükség.

52. VERS

श्रीभगवानुवाच
सुदुर्दर्शमिदं रूपं दृष्टवानसि यन्मम ।
देवा अप्यस्य रूपस्य नित्यं दर्शनकाङ्क्षिणः ॥५२॥

śrī-bhagavān uvāca
su-durdarśam idaṁ rūpaṁ dṛṣṭavān asi yan mama
devā apy asya rūpasya nityaṁ darśana-kāṅkṣiṇaḥ

śrī-bhagavān uvāca – az Istenség Legfelsőbb Személyisége mondta; *su-durdarśam* – nagyon nehéz meglátni; *idam* – ezt; *rūpam* – formát; *dṛṣṭavān asi* – ahogyan te láttad; *yat* – amit; *mama* – Enyém; *devāḥ* – a félistenek; *api* – is; *asya* – ennek; *rūpasya* – a formának; *nityam* – örökké; *darśana-kāṅkṣiṇaḥ* – a látványára vágyók.

Az Istenség Legfelsőbb Személyisége így szólt: Kedves Arjunám! Azt az alakomat, melyet most látsz, nagyon nehéz megpillantani. Még a félistenek is állandóan az alkalmat keresik, hogy megláthassák ezt az oly kedves formát.

MAGYARÁZAT: E fejezet negyvennyolcadik versében az Úr Kṛṣṇa röviden beszélt kozmikus formájának megnyilvánításáról, s tudatta Arjunával, hogy nem lehet csupán jámbor tettek, áldozatok stb. végzésével meglátni azt. Ez a vers a *su-durdarśam* szó használatával arra utal, hogy Kṛṣṇa kétkarú formája még bizalmasabb jellegű. A kozmikus formát megláthatja az ember, ha a különféle tettekhez, például az aszkézishez, a védikus irodalom tanulmányozásához, a filozófiai spekulációhoz stb. hozzáad egy kis odaadó szolgálatot. Ez tehát lehetséges, ám a *bhakti* hozzáadása nélkül az ember semmit nem láthat. Ezt már előzőleg Kṛṣṇa is megmagyarázta. Kṛṣṇa eredeti, kétkarú formáját azonban még a kozmikus alakjánál is nehezebb megpillantani, még az olyan félistenek számára is, mint Brahmā és az Úr Śiva. Ők is látni szeretnék az Urat, és ezt a *Śrīmad-Bhāgavatam* is tanúsítja: amikor Kṛṣṇa anyja, Devakī méhében volt, a felsőbb bolygók összes félistene alászállt, hogy megcsodálhassa Őt, és szép imákat intéztek Hozzá, noha akkor még nem is láthatták. Csak arra vártak, hogy megpillanthassák az Urat. Az ostobák közönséges embernek vélvén kigúnyolhatják Őt, s megtehetik, hogy tiszteletüket nem Neki, hanem a Benne lévő személytelen „valaminek" ajánlják, ez azonban ostobaság. Kṛṣṇát kétkarú formájában még a legnagyobb félistenek – Brahmā és Śiva – is szeretnék látni.

A *Bhagavad-gītā* (9.11) szintén megerősíti: *avajānanti māṁ mūḍhā mānuṣīṁ tanum āśritam,* a gúnyolódó, ostoba emberek számára Ő nem látható. Kṛṣṇa maga mondja a *Bhagavad-gītāban* – s a *Brahma-saṁhitā* is megerősíti ezt –, hogy teste teljesen lelki, gyönyörrel teli és örökkévaló, és semmilyen anyagi testhez nem hasonlítható. Azok számára azonban, akik úgy tanulmányozzák Őt, hogy olvassák a *Bhagavad-gītāt* és más hasonló védikus írásokat, Kṛṣṇa nehezen érthető. Akik Istent valamilyen anyagi módszerrel kísérlik megérteni, azok Kṛṣṇát csak egy nagy történelmi személyiségnek, művelt filozófusnak, mégis közönséges embernek tekintik, akinek hatalma ellenére anyagi testet kellett felöltenie. Az ilyen emberek végső soron úgy vélik, hogy az Abszolút Igazság személytelen, s ezért azt gondolják, hogy a személytelen arculat öltött fel egy személyes formát, amely kapcsolatban áll az anyagi természettel. Ez a materialisták felfogása a Legfelsőbb Úrról. Van egy másik, spekuláló feltevés is. A tudás keresői szintén Kṛṣṇán elmélkednek, de személyes formáját kevésbé tartják fontosnak, mint a Legfelsőbb kozmikus formáját. Vannak tehát, akik azt gondolják, hogy a kozmikus forma, melyet Kṛṣṇa Arjunának kinyilvánított, fontosabb Kṛṣṇa személyes formájánál. Szerintük a Legfelsőbb személyes formája csupán a képzelet szüleménye, mert az Abszolút Igazság végső soron nem személy. A transzcendentális folyamatról azonban a *Bhagavad-gītā* negyedik fejezete ír: Kṛṣṇáról a hiteles forrásoktól kell hallani. Ez az igazi védikus folyamat. Akik valóban a védikus utat követik, azok az autentikus forrásoktól hallanak Kṛṣṇáról, s ha újra és újra hallanak Róla, nagyon kedvessé válik számukra. Ahogyan már többször elmondtuk, Kṛṣṇát *yoga-māyā* energiája fedi el, s nem látható mindenki számára, nem tárja fel magát mindenki előtt. Egyedül az pillanthatja meg, akinek ezt Ő megengedi. Ezt a védikus irodalom is alátámasztja: a meghódolt lélek valóban megértheti az Abszolút Igazságot. Mivel a transzcendentalisták szüntelenül elmerülnek a Kṛṣṇa-tudatban és odaadó szolgálatot végeznek, ki tudják nyitni lelki szemüket, és megláthatják a feltárulkozó Kṛṣṇát. Ez még a félistenek számára sem adatott meg, így aztán még nekik is nagyon nehéz megérteniük Őt. Még a lelkileg fejlettebb félistenek is állandóan abban reménykednek, hogy egyszer megpillanthatják Kṛṣṇát kétkarú formájában. A végkövetkeztetés tehát az, hogy Kṛṣṇa kozmikus formáját rendkívül nehéz megpillantani, s nem lehetséges bárki számára, ám személyes Śyāmasundara-formáját még ennél is nehezebb megérteni.

53. VERS

नाहं वेदैर्न तपसा न दानेन न चेज्यया ।
शक्य एवंविधो द्रष्टुं दृष्टवानसि मां यथा ॥५३॥

nāhaṁ vedair na tapasā na dānena na cejyayā
śakya evaṁ-vidho draṣṭuṁ dṛṣṭavān asi māṁ yathā

na – sohasem; *aham* – Én; *vedaiḥ* – a Védák tanulmányozásával; *na* – sohasem; *tapasā* – szigorú aszkézis által; *na* – sohasem; *dānena* – adományozással; *na* – sohasem; *ca* – is; *ijyayā* – imádat által; *śakyaḥ* – lehetséges; *evam-vidhaḥ* – mint ez; *draṣṭum* – látni; *dṛṣṭavān* – látó; *asi* – te vagy; *mām* – Engem; *yathā* – amint.

Amit most transzcendentális szemeddel látsz, azt nem lehet megérteni sem a Védák tanulmányozásával, sem komoly lemondások révén, sem adományozással, sem imádattal. Az efféle módszerek segítségével nem lehet Engem igaz valómban megpillantani.

MAGYARÁZAT: Kṛṣṇa először négykarú Viṣṇu-formájában jelent meg szülei, Devakī és Vasudeva előtt, majd kétkarú formájává változott. Az ateisták vagy az odaadó szolgálatot megtagadó emberek nagyon nehezen értik meg ezt a misztériumot. Kṛṣṇát lehetetlen megérteniük azoknak a tudósoknak, akik csupán nyelvészeti tudásukra vagy akadémiai ismereteikre támaszkodva tanulmányozzák a védikus irodalmat. Azok sem érhetik meg Őt, akik csupán a szokás kedvéért látogatják a templomot és végeznek imádatot. Templomba járnak, ám ennek ellenére képtelenek Kṛṣṇát a maga valójában megismerni. Az csak az odaadó szolgálat folyamata révén lehetséges, ahogyan ezt maga Kṛṣṇa is elmagyarázza a következő versben.

54. VERS

भक्त्या त्वनन्यया शक्य अहमेवंविधोऽर्जुन ।
ज्ञातुं द्रष्टुं च तत्त्वेन प्रवेष्टुं च परन्तप ॥५४॥

bhaktyā tv ananyayā śakya aham evaṁ-vidho 'rjuna
jñātuṁ draṣṭuṁ ca tattvena praveṣṭuṁ ca parantapa

bhaktyā – odaadó szolgálat által; *tu* – de; *ananyayā* – anélkül, hogy gyümölcsöző cselekedetekkel vagy spekulálás útján szerzett tudással keveredne; *śakyaḥ* – lehetséges; *aham* – Én; *evam-vidhaḥ* – így; *arjuna* – ó, Arjuna; *jñātum* – megismerni; *draṣṭum* – látni; *ca* – és; *tattvena* – a valóságnak megfelelően; *praveṣṭum* – behatolni; *ca* – is; *parantapa* – ó, ellenség legyőzője.

Kedves Arjunám, Engem csakis az osztatlan odaadó szolgálat révén lehet igazán megérteni úgy, ahogyan előtted állok, s így lehet közvetlenül meglátni Engem. Csak ily módon tudsz behatolni a Rólam szóló tudás misztériumába.

MAGYARÁZAT: Kṛṣṇát csakis az osztatlan odaadó szolgálat segítségével lehet megérteni. Ez a vers határozottan ki is jelenti ezt, hogy a *Bhagavad-gītāt* a spekulálás módszerével felfogni próbáló önkényes magyarázók beláthassák: csupán idejüket vesztegetik. Senki sem értheti meg Kṛṣṇát és azt, hogyan jelent meg szülei előtt előbb négykarú formájában, hogy azután egyszerre átváltozzon kétkarú formájává. Ezeket a dolgokat nagyon nehéz megérteni a Védák tanulmányozása vagy filozófiai spekuláció segítségével, ezért e vers világosan kijelenti: Őt senki sem láthatja, és ezeket a dolgokat senki sem értheti meg. Ám azok, akik elmélyülten tanulmányozzák a védikus irodalmat, sokféleképpen szerezhetnek ismereteket Róla. Számtalan szabály és előírás van, s ha az ember valóban meg akarja érteni Kṛṣṇát, követnie kell a hiteles szentírásokban lefektetett irányadó elveket. Vezeklést szintén ezeknek az elveknek megfelelően kell végezni. Ha szigorú lemondást akarunk végezni, böjtölhetünk *janmāṣṭamīn,* Kṛṣṇa megjelenésének napján, valamint a két *ekādaśī* napon (minden újhold és telihold utáni tizenegyedik napon). Ami pedig az adományozást illeti, az magától értetődően mindig Kṛṣṇa *bhaktáit* illeti, akik az Ő odaadó szolgálatát végzik, hogy a Kṛṣṇáról szóló filozófiát, vagyis a Kṛṣṇa-tudatot világszerte elterjesszék. A Kṛṣṇa-tudat áldás az emberiség számára. Rūpa Gosvāmī úgy dicsőítette az Úr Caitanyát, mint a legönzetlenebb adakozót, mert ingyen osztotta azt, amit egyébként oly nehéz elérni: a Kṛṣṇa iránti szeretetet. Ha valaki tehát pénzének egy részét azoknak adja, akik a Kṛṣṇa-tudat terjesztésével foglalkoznak, ez a Kṛṣṇa-tudat terjesztésére szánt adomány a legnagyobb adomány a világon. És ha valaki a templomi előírások szerint végez imádatot (az indiai templomokban mindig áll egy szobor, általában Viṣṇu vagy Kṛṣṇa), az fejlődést érhet el azzal, hogy imádja és tiszteli az Istenség Legfelsőbb Személyiségét. Azok számára, akik még kezdők az Úr odaadó szolgálatában, nagyon fontos a templomi imádat. Ezt a védikus irodalom (*Śvetāśvatara-upaniṣad* 6.23) is megerősíti:

yasya deve parā bhaktir yathā deve tathā gurau
tasyaite kathitā hy arthāḥ prakāśante mahātmanaḥ

Akinek megingathatatlan hite van a Legfelsőbb Úrban, s követi a lelki tanítómester útmutatását, akiben szintén rendíthetetlenül hisz, az előtt az Istenség Legfelsőbb Személyisége felfedi magát. Elmebeli spekuláció útján nem lehet megérteni Kṛṣṇát. Aki nem részesül személyesen egy hiteles lelki tanítómester oktatásában, az semmit nem érthet meg Kṛṣṇából. A *tu* szó használatával ez a vers kifejezetten arra utal, hogy Kṛṣṇa megismeréséhez ezen kívül nem vezet más út, és semmi más folyamat nem ajánlott.

Kṛṣṇa személyes, kétkarú és négykarú formájáról azt mondják, *sudurdarśam,* azaz „nagyon nehéz meglátni". Teljes mértékben különbözik az ideiglenes kozmikus formától, melyet Arjuna látott. A négykarú Nārāyaṇa- és a kétkarú Kṛṣṇa-forma örökkévaló és transzcendentális, míg az Arjunának megmutatott kozmikus forma ideiglenes. A *tvad anyena na dṛṣṭa-pūrvam* szavakból (47. vers) az derül ki, hogy Arjunát megelőzően még senki sem látta ezt a formát, és hogy nem is volt szükség arra, hogy a *bhakták* lássák. Kṛṣṇa azért engedte Arjunának, hogy megpillantsa ezt az alakját, hogy ha valaki a jövőben bármikor is Isten inkarnációjának adja ki magát, az emberek bizonyítékul kérhessék tőle a kozmikus forma megmutatását.

Az előző versben többször használt *na* szó arra utal, hogy senkinek sem szabad túlságosan büszkének lennie diplomáira, melyek például tudományos műveltségét bizonyítják a védikus irodalom területén. El kell fogadnia Kṛṣṇa odaadó szolgálatát – csak ezután próbálkozhat azzal, hogy magyarázatot fűzzön a *Bhagavad-gītāhoz.*

A kozmikus forma feltárása után Kṛṣṇa először átváltozik négykarú Nārāyaṇává, majd újra visszatér saját, természetes, kétkarú alakjába. Ez azt jelenti, hogy mind a négykarú, mind a védikus irodalom által említett többi forma az eredeti, kétkarú Kṛṣṇából árad – Ő valamennyi kiáradás eredete. Ő maga azonban még ezektől a formáktól is különállóan létezik, a személytelen aspektusról nem is beszélve. Ami a négykarú Kṛṣṇa formákat illeti, a Védák egyértelműen kijelentik, hogy még a Kṛṣṇával leginkább azonos négykarú forma is (Mahā-viṣṇué, aki a kozmikus óceánon fekszik, s akinek lélegzésével számtalan univerzum árad ki és húzódik vissza), a Legfelsőbb Úr egyik kiterjedése. Ahogyan a *Brahma-saṁhitā* (5.48) mondja:

yasyaika-niśvasita-kālam athāvalambya
jīvanti loma-vila-jā jagad-aṇḍa-nāthāḥ
viṣṇur mahān sa iha yasya kalā-viśeṣo
govindam ādi-puruṣaṁ tam ahaṁ bhajāmi

„Mahā-viṣṇu, akibe a számtalan univerzum visszaárad, s akiből aztán újra kiáradnak azok pusztán légzése által, Kṛṣṇa teljes kiterjedése. Ezért Govindát, Kṛṣṇát imádom, aki minden ok oka." Kizárólag Kṛṣṇa személyes formáját kell hát imádnunk az Istenség Legfelsőbb Személyiségeként, akit örökkévaló gyönyör és tudás jellemez. A *Bhagavad-gītā* megerősíti, hogy Ő valamennyi Viṣṇu-forma és inkarnáció forrása, és Ő az eredeti Legfelsőbb Személyiség.

A védikus irodalomban (*Gopāla-tāpanī-upaniṣad* 1.1) a következő kijelentéssel találkozunk:

sac-cid-ānanda-rūpāya kṛṣṇāyākliṣṭa-kāriṇe
namo vedānta-vedyāya gurave buddhi-sākṣiṇe

„Tiszteletteljes hódolatomat ajánlom Kṛṣṇának, akinek transzcendentális formája gyönyörrel, örökkévalósággal és tudással teli. Tiszteletemet ajánlom Neki, mert ha megértjük Őt, megértjük a Védákat, s ezért Ő a legfelsőbb lelki tanítómester." Aztán pedig azt olvashatjuk: *kṛṣṇo vai paramaṁ daivatam.* „Kṛṣṇa az Istenség Legfelsőbb Személyisége" (*Gopāla-tāpanī-upaniṣad* 1.3). *Eko vaśī sarva-gaḥ kṛṣṇa īḍyaḥ:* „Ez az egyetlen Kṛṣṇa az Istenség Legfelsőbb Személyisége, aki imádatra méltó." *Eko 'pi san bahudhā yo 'vabhāti:* „Kṛṣṇa egy, de számtalan formában és kiterjedt inkarnációban nyilvánul meg" (*Gopāla-tāpanī-upaniṣad* 1.21).

A *Brahma-saṁhitāban* (5.1) ez áll:

īśvaraḥ paramaḥ kṛṣṇaḥ sac-cid-ānanda-vigrahaḥ
anādir ādir govindaḥ sarva-kāraṇa-kāraṇam

„Az Istenség Legfelsőbb Személyisége Kṛṣṇa, akinek teste örökkévalóság, tudás és gyönyör. Nincs kezdete, mert Ő maga a kezdete mindennek. Ő minden ok oka."

Máshol azt olvashatjuk: *yatrāvatīrṇaṁ kṛṣṇākhyaṁ paraṁ brahma narākṛti.* „A Legfelsőbb Abszolút Igazság egy személy. Neve Kṛṣṇa, s néha alászáll a Földre." A *Śrīmad-Bhāgavatamban* szintén található leírás az Istenség Legfelsőbb Személyiségének sokféle inkarnációjáról, és a felsorolásban Kṛṣṇa neve is szerepel. Ám azt is olvashatjuk, hogy Kṛṣṇa nem Isten egyik inkarnációja, hanem Ő maga az eredeti Istenség Legfelsőbb Személyisége (*ete cāṁśa-kalāḥ puṁsaḥ kṛṣṇas tu bhagavān svayam*).

Hasonlóképpen szól az Úr is a *Bhagavad-gītāban: mattaḥ parataraṁ nānyat.* „Semmi sem magasabb rendű formámnál, az Istenség Személyiségénél, Kṛṣṇánál." Egy másik helyen a *Bhagavad-gītāban* azt mondja, *aham ādir hi devānām:* „Én vagyok minden félisten eredete." A *Bhagavad-gītā* tanításának megértése után Arjuna is megerősítette ezt a következő szavakkal: *param brahma paraṁ dhāma pavitraṁ paramaṁ bhavān.* „Most teljesen megértem, hogy Te vagy az Istenség Legfelsőbb Személyisége, az Abszolút Igazság, s hogy Te vagy mindenek menedéke." A kozmikus forma tehát, melyet Kṛṣṇa Arjunának tárt fel, nem az eredeti formája Istennek. Az eredeti forma Kṛṣṇa. A sok ezer fejű és karú kozmikus forma kinyilvánítására azért van szükség, hogy felhívja magára azok figyelmét, akikben nincsen szeretet Isten iránt. Ez nem Isten eredeti formája.

Azok a tiszta *bhakták,* akiket különböző szeretetteljes, transzcendentális kapcsolat fűz az Úrhoz, nem vonzódnak a kozmikus formához. A Legfelsőbb Istenség eredeti Kṛṣṇa-alakjában folytat szeretetteljes transzcendentális kapcsolatot *bhaktáival*. A Kṛṣṇával meghitt baráti viszonyban lévő Arjuna számára ezért a kozmikus megnyilvánulás formája egyáltalán nem okozott örömet, inkább félelemmel töltötte el. Arjuna Kṛṣṇa állandó társa volt, ezért kétségtelenül transzcendentális látóképességgel rendelkezett. Nem egy közönséges ember volt, ezért a kozmikus forma nem ragadta meg. A gyümölcsöző tettek révén felemelkedni próbáló emberek talán csodálatosnak látnák e megnyilvánulást, de az odaadó szolgálatban élők számára Kṛṣṇa kétkarú formája a legkedvesebb.

55. VERS

मत्कर्मकृन्मत्परमो मद्भक्तः सङ्गवर्जितः ।
निर्वैरः सर्वभूतेषु यः स मामेति पाण्डव ॥५५॥

mat-karma-kṛn mat-paramo mad-bhaktaḥ saṅga-varjitaḥ
nirvairaḥ sarva-bhūteṣu yaḥ sa mām eti pāṇḍava

mat-karma-kṛt – Nekem dolgozva; *mat-paramaḥ* – Engem a Legfelsőbbnek tekintve; *mat-bhaktaḥ* – az Én odaadó szolgálatomat végezve; *saṅga-varjitaḥ* – mentesen a gyümölcsöző tettek és az elmebeli spekuláció szennyeződésétől; *nirvairaḥ* – ellenség nélküliként; *sarva-bhūteṣu* – az élőlények között; *yaḥ* – aki; *saḥ* – ő; *mām* – Hozzám; *eti* – jön; *pāṇḍava* – ó, Pāṇḍu fia.

Kedves Arjunám, aki tiszta odaadó szolgálatomat végzi, s mentes a gyümölcsöző tettek és az elmebeli spekuláció szennyétől, aki Értem dolgozik, és Engem tesz élete végső céljává, valamint barátja minden élőlénynek, az biztosan eljut Hozzám.

MAGYARÁZAT: Aki el akar jutni a lelki világba, Kṛṣṇalokára, hogy ott meghitt kapcsolatban éljen Kṛṣṇával, az Istenség Személyiségeinek legfelsőbbjével, annak követnie kell ezt a folyamatot, melyet maga a Legfelsőbb ajánl. Ezt a verset emiatt a *Bhagavad-gītā* lényegének tekintik. Ez a könyv a feltételekhez kötött lelkekhez szól, akik azzal a céllal élnek az anyagi világban, hogy urai legyenek a természetnek, és mit sem tudnak az igazi, lelki életről. A *Bhagavad-gītā* szándéka megmutatni, hogyan értheti meg az ember lelki létét és a legfelsőbb lelki személyiséghez fűződő örökkévaló kapcsolatát, valamint megtanítani, hogyan térjen haza, vissza Istenhez. Ez az a vers, amely félreérthetetlenül megmagyarázza, hogy a lelki életben egyedül az odaadó szolgálat folyamatával lehet sikert elérni.

Ami a munkát illeti, minden energiánkkal Kṛṣṇa-tudatú tetteket kell végeznünk. A *Bhakti-rasāmṛta-sindhu* (1.2.255) így ír:

anāsaktasya viṣayān yathārham upayuñjataḥ
nirbandhaḥ kṛṣṇa-sambandhe yuktaṁ vairāgyam ucyate

Senki ne végezzen olyan munkát, ami nem áll kapcsolatban Kṛṣṇával. Ezt nevezik *kṛṣṇa-karmának*. Az ember számtalanféle tettet végrehajthat, de nem szabad vonzódnia munkája eredményéhez; az kizárólag Kṛṣṇát illeti. Vegyünk például egy üzletembert: hogy a tetteit Kṛṣṇa-tudatúvá tegye, az Ő javára kell vállalkozásait lebonyolítania. Ha Kṛṣṇa a tulajdonos, akkor Neki kell élveznie a vállalkozásból származó hasznot is. Ha az üzletembernek sok ezer dollárja van, s ezt mind Kṛṣṇának akarja adni, megteheti. Ez jelenti a Kṛṣṇának végzett munka. Ahelyett, hogy az érzékei kielégítése végett egy felhőkarcolót emelne, az ember építhet egy szép templomot Kṛṣṇának, ahol felállíthatja az Ő *mūrtiját,* s az odaadó szolgálatról szóló hiteles könyvek leírása alapján gondoskodhat szolgálatáról. Ez mind *kṛṣṇa-karma*. Az embernek nem szabad ragaszkodnia munkája eredményéhez, hanem Kṛṣṇának kell felajánlania azt, s a Kṛṣṇának tett felajánlás maradékait kell elfogadnia mint *prasādát*. Ha valaki egy hatalmas épületet épít Kṛṣṇának, s felállítja ott Kṛṣṇa *mūrtiját,* akkor nem tilos ott élnie, de tudnia kell, hogy az épület tulajdonosa Kṛṣṇa. Ezt hívják Kṛṣṇa-tudatnak. Ám ha valakinek nem áll módjában templomot emelnie Kṛṣṇának, akkor úgy is végezhet *kṛṣṇa-karmát,* hogy a templomát tisztítja. Az ember kertészkedhet is. Akiknek van egy kis földjük – és Indiában még a legszegényebbeknek is van –, arra használhatják birtokukat, hogy virágot ültessenek rajta, amit aztán felajánlhatnak Kṛṣṇának. A *Bhagavad-gītāban* Kṛṣṇa a *tulasī* növény ültetését ajánlja, mert a *tulasī* levelei nagyon fontosak. *Patraṁ puṣpaṁ phalaṁ toyam.* Kṛṣṇa azt akarja, hogy ajánljunk fel Neki egy levelet, egy virágot, egy gyümölcsöt vagy egy kevés vizet, s Ő elégedett lesz. A levél főleg a *tulasī* levelére utal. Ültethetünk tehát *tulasīt,* s öntözhetjük – így még a legszegényebb ember is szolgálhatja Kṛṣṇát. Ez csupán néhány példa arra, hogyan dolgozhat az ember Kṛṣṇának.

A *mat-paramaḥ* szó arra utal, aki azt tekinti az élet legfőbb tökéletességének, ha Kṛṣṇa társaságában lehet az Ő legfelső hajlékán. Az ilyen ember nem akar a felsőbb anyagi bolygókra eljutni, például a Holdra, a Napra vagy a mennyei bolygókra, de még az univerzum legfelsőbb bolygójára, a Brahmalokára sem. Nem vágyik egyikre sem. Őt egyedül az érdekli, hogy eljusson a lelki világba, s ott sem a sugárzó *brahmajyoti* ragyogásába kíván beleolvadni, hanem a legfelsőbb lelki bolygóra, Kṛṣṇalokára, Goloka-Vṛndāvanára akar menni. Tökéletesen ismeri azt a helyet, ezért semmi más nem érdekli. A *mad-bhaktaḥ* szó arra utal, hogy teljesen elmerül az odaadó szolgálatban, annak kilenc folyamatát végezve: hall és énekel az Úrról, emlékezik Rá, imádja Őt, lótuszlábát szolgálja, imákat ajánl fel Neki, végrehajtja a parancsait, barátkozik Vele, s végül mindenét átadva Neki meghódol. Az ember végezheti e kilenc folyamat mindegyikét, végezhet csak nyolcat közülük vagy hetet, de végezzen legalább egyet – s akkor kétségtelenül tökéletessé válik.

A *saṅga-varjitaḥ* kifejezés nagyon fontos. Az embernek nem szabad olyan emberekkel barátkoznia, akik Kṛṣṇa ellen vannak. Ez alatt nemcsak azokat értjük, akik ateisták, hanem azokat is, akik vonzódnak a gyümölcsöző cselekedetekhez és az elmebeli spekulációhoz. A tiszta odaadó szolgálatot a *Bhakti-rasāmṛta-sindhu* (1.1.11) a következőképpen határozza meg:

anyābhilāṣitā-śūnyaṁ jñāna-karmādy-anāvṛtam
ānukūlyena kṛṣṇānu- śīlanaṁ bhaktir uttamā

E versben Śrīla Rūpa Gosvāmī egyértelműen kijelenti, hogy aki vegyítetlen odaadó szolgálatot akar végezni, annak mentesnek kell lennie minden anyagi szennyeződéstől, valamint kerülnie kell az olyan emberek társaságát, akik a gyümölcsöző tettek és az elmebeli spekuláció rabjai. Tiszta odaadó szolgálatról tehát akkor beszélhetünk, ha az ember megszabadult az ilyen nemkívánatos társaságtól és az anyagi vágyak szennyeződésétől, továbbá megfelelő hozzáállással tanulmányozza a Kṛṣṇáról szóló tudományt. *Ānukūlyasya saṅkalpaḥ prātikūlyasya varjanam* (*Hari-bhakti-vilāsa* 11.676). Az embernek nem ellenségesen, hanem jó szándékkal kell Kṛṣṇára gondolnia, s úgy kell Érte cselekednie. Kaṁsa Kṛṣṇa ellensége volt, s attól a pillanattól kezdve, hogy Kṛṣṇa megszületett, folyton azt tervezgette, hogyan ölje meg Őt, s mivel terve mindig kudarcot vallott, örökké Kṛṣṇára gondolt. Így aztán minden tekintetben, örökké Kṛṣṇa-tudatos volt: bármit csinált, ha evett vagy ha aludt, mindig Rá gondolt – ám mindezt nem szeretettel tette. Ezért Kaṁsa – annak ellenére, hogy elméjében a nap huszonnégy órájában örökké Kṛṣṇa járt – démonnak számított, így az Úr végül megölte. Természetesen akit Kṛṣṇa megöl, az azon nyomban felszabadul, de a tiszta *bhaktának* nem ez a célja. Ő még a felszabadulásra vagy a legfelsőbb lelki bolygó, Goloka-Vṛndāvana elérésére sem vágyik. Bárhol legyen, Kṛṣṇa szolgálata az egyetlen célja.

Kṛṣṇa hívei mindenkivel barátságosak, s ezért mondja ez a vers, hogy egy *bhaktának* nincsen ellensége (*nirvairaḥ*). Hogyan lehetséges ez? A Kṛṣṇa-tudatban élő *bhakta* tudja, hogy csupán a Kṛṣṇának végzett odaadó szolgálat szabadíthatja meg az embert az élet minden problémájától. Személyesen tapasztalta ezt, ezért azon fáradozik, hogy megismertesse a Kṛṣṇa-tudatot az emberi társadalommal. A történelem számtalan példával szolgál az Úrnak azokról a híveiről, akik az életük kockáztatása árán is hirdették az Isten-tudatot. A legjobb példa erre az Úr Jézus Krisztus.

A hitetlenek keresztre feszítették, de életét az Isten-tudat terjesztésének szentelte. Természetesen csak a felületesen gondolkodó vélheti úgy, hogy elpusztították őt. Indiában is sok hasonló eset történt, például Haridāsa Ṭhākurával és Prahlāda Mahārājával. Miért vállaltak ilyen veszélyt? Mert az Isten-tudatot akarták terjeszteni – s ez rendkívül nehéz. Aki Kṛṣṇa-tudatú, az tisztában van azzal, hogy az ember szenvedése annak köszönhető, hogy megfeledkezett Kṛṣṇához fűződő örök kapcsolatáról. Éppen ezért azzal teheti a legnagyobb szolgálatot a társadalomnak, ha megszabadítja embertársait az anyagi létezés minden gondjától. Így szolgálja egy tiszta *bhakta* az Urat. Képzeljük csak el, mennyire kegyes Kṛṣṇa ahhoz, aki az Ő szolgálatában él, s az Ő kedvéért minden veszélyt vállal! Az ilyen ember teste elhagyása után kétségtelenül a legfelsőbb bolygóra kerül.

Összefoglalásként elmondhatjuk: Kṛṣṇa az, aki megmutatta kozmikus formáját (amely egy ideiglenes megnyilvánulás), aki kinyilvánította a mindent elpusztító idő formáját, sőt a négykarú Viṣṇu-alakot is. Kṛṣṇa tehát az eredete e megnyilvánulások mindegyikének. Helytelen az az elmélet, mely szerint Kṛṣṇa az eredeti *viśva-rūpa,* vagyis Viṣṇu megnyilvánulása. Ő minden forma eredete. Ezer és ezer Viṣṇu létezik, de egy *bhakta* számára Kṛṣṇa eredeti, kétkarú Śyāmasundara-formájánál egyetlen forma sem fontosabb. A *Brahma-saṁhitā* kijelenti, hogy aki szeretettel és odaadással Kṛṣṇa Śyāmasundara-formájához ragaszkodik, az mindig láthatja Őt a szívében, s Rajta kívül nem is lát mást. Meg kell értenünk tehát, hogy a tizenegyedik fejezet legfőbb mondanivalója az, hogy Kṛṣṇa formája a legfelsőbb és a legfontosabb.

Így végződnek a Bhaktivedanta-magyarázatok a Śrīmad Bhagavad-gītā *tizenegyedik fejezetéhez, melynek címe: „A kozmikus forma”.*

TIZENKETTEDIK FEJEZET

Az odaadó szolgálat

1. VERS

अर्जुन उवाच
एवं सततयुक्ता ये भक्तास्त्वां पर्युपासते ।
ये चाप्यक्षरमव्यक्तं तेषां के योगवित्तमाः ॥१॥

arjuna uvāca
evaṁ satata-yuktā ye bhaktās tvāṁ paryupāsate
ye cāpy akṣaram avyaktaṁ teṣāṁ ke yoga-vittamāḥ

arjunaḥ uvāca – Arjuna mondta; *evam* – ily módon; *satata* – mindig; *yuktāḥ* – foglalkozva; *ye* – azok; *bhaktāḥ* – a *bhakták; tvām* – Téged; *paryupāsate* – megfelelően imádnak; *ye* – azok; *ca* – is; *api* – ellenben; *akṣaram* – az érzékszerveken túlit; *avyaktam* – a megnyilvánulatlant; *teṣām* – közülük; *ke* – ki; *yoga-vit-tamāḥ* – a legtökéletesebb a *yogáról* szóló tudásban.

Arjuna így kérdezett: Kik tekinthetők tökéletesebbnek: akik mindig megfelelően imádnak Téged az odaadó szolgálatban, vagy akik a személytelen Brahmant, a megnyilvánulatlant imádják?

MAGYARÁZAT: Kṛṣṇa az eddigiekben beszélt a személyes, a személytelen és a kozmikus aspektusról, s leírást adott a különféle *bhaktákról* és *yogīkról* is. A transzcendentalistákat általában két csoportra lehet osztani: a személytelen és a személyes filozófia híveire. A személyes filozófiát valló *bhakta* minden energiájával a Legfelsőbb Urat szolgálja, az imperszonalista ezzel szemben nem közvetlenül Kṛṣṇát szolgálja, hanem a személytelen Brahmanon, a megnyilvánulatlanon meditál.

Ebből a fejezetből megtudhatjuk, hogy az Abszolút Igazság elérésének különféle folyamatai közül a *bhakti-yoga,* az odaadó szolgálat a legjobb. Ha az ember az Istenség Legfelsőbb Személyiségének társaságára vágyik, el kell kezdenie az odaadó szolgálatot.

Azokat, akik a Legfelsőbb Urat az odaadó szolgálat által közvetlenül imádják, perszonalistáknak hívjuk, imperszonalisták alatt pedig azokat értjük, akik a személytelen Brahmanon meditálnak. Arjuna most azt kérdezi: a kettő közül melyik a jobb? Az Abszolút Igazság eléréséhez számtalan út vezet, de Kṛṣṇa ebben a fejezetben elmondja, hogy valamennyi közül a *bhakti-yoga,* az Úrnak végzett odaadó szolgálat a legmagasabb rendű. Ez a legközvetlenebb s egyben a legkönnyebb módszer, hogy Isten társaságába kerülhessünk.

A *Bhagavad-gītā* második fejezetében a Legfelsőbb Úr elmagyarázta, hogy az élőlény nem az anyagi test, hanem lelki szikra, az Abszolút Igazság pedig a lelki egész. A hetedik fejezetben azt mondja az élőlényről, hogy az a legfelsőbb egész szerves része, s azt ajánlja, hogy az ember irányítsa minden figyelmét az egészre. A nyolcadik fejezet arról szól, hogy bárki, aki a halála pillanatában Kṛṣṇára gondol, azonnal az Ő hajlékára, a lelki világba jut. A hatodik fejezet végén az Úr egyértelműen kijelenti: valamennyi *yogī* közül azt tartja a legtökéletesebbnek, aki mindig Kṛṣṇára gondol. Láthatjuk tehát, hogy valójában minden fejezetnek az a végkövetkeztetése, hogy Kṛṣṇa személyes formájához kell ragaszkodnunk, mert ez a lelki tökéletesség legmagasabb szintje.

Ennek ellenére vannak olyanok, akik nem vonzódnak Kṛṣṇa személyes formájához. Olyannyira ellene vannak, hogy amikor magyarázatot fűznek a *Bhagavad-gītāhoz,* a többi embert is el akarják távolítani Kṛṣṇától, s az emberek odaadását a személytelen *brahmajyotira* próbálják irányítani. Az Abszolút Igazság személytelen formáján szeretnek meditálni, amely megnyilvánulatlan és az érzékek által elérhetetlen.

Így tehát a transzcendentalistáknak két csoportja van. Arjuna most azt próbálja megérteni, melyik folyamat a könnyebb, és melyik csoport a tökéletesebb. Más szóval saját helyzetét kívánja tisztázni, hiszen ő csak Kṛṣṇa személyes formájához vonzódik, a személytelen Brahmanhoz nem. Tudni szeretné tehát, biztonságos-e a helyzete. A személytelen aspektuson az anyagi világban és a Legfelsőbb Úr lelki világában egyaránt nagyon nehéz meditálni. Valójában az ember képtelen tökéletesen felfogni az Abszolút Igazság személytelen arculatát. Arjuna éppen ezért azt akarja kérdezni: „Mi értelme az efféle időpazarlásnak?” A tizenegyedik fejezetben Arjuna azt tapasztalta, hogy az a legjobb, ha Kṛṣṇa személyes formájához ragaszkodik, mert így az összes többit is megértheti, s emellett Kṛṣṇa iránti szeretete is háborítatlan marad. Ez a fontos kérdés, melyet Arjuna Kṛṣṇának feltett, tisztázni fogja az Abszolút Igazság személytelen és személyes felfogása közötti különbséget.

2. VERS

श्रीभगवानुवाच
मय्यावेश्य मनो ये मां नित्ययुक्ता उपासते ।
श्रद्धया परयोपेतास्ते मे युक्ततमा मताः ॥ २ ॥

śrī-bhagavān uvāca
mayy āveśya mano ye māṁ nitya-yuktā upāsate
śraddhayā parayopetās te me yuktatamā matāḥ

śrī-bhagavān uvāca – az Istenség Legfelsőbb Személyisége mondta; *mayi* – Rám; *āveśya* – rögzített; *manaḥ* – elméjűek; *ye* – akik; *mām* – Engem; *nitya* – mindig; *yuktāḥ* – elmerülők; *upāsate* – imádatban; śraddhayā – hittel; *parayā* – transzcendentális; *upetāḥ* – megáldottak; *te* – ők; *me* – Általam; *yukta-tamāḥ* – a *yogában* legtökéletesebbnek; *matāḥ* – tekintettek.

Az Istenség Legfelsőbb Személyisége így szólt: Akik elméjüket személyes formámra rögzítik, s mindig nagy, transzcendentális hittel imádnak Engem, azokat a legtökéletesebbnek tekintem Én.

MAGYARÁZAT: Arjuna kérdésére Kṛṣṇa világos választ ad: az tekinthető a *yogában* a legtökéletesebbnek, aki az Ő személyes formájára összpontosítja figyelmét, valamint hittel és odaadással imádja Őt. Aki ily módon a Kṛṣṇa-tudatba merül, annak tettei nem anyagiak, mert mindent Kṛṣṇáért tesz. A tiszta *bhakta* állandóan tevékeny, s bármit csinál – Kṛṣṇa neveit énekli, Róla hall, Róla szóló könyvet olvas, esetleg *prasādát* főz, vagy épp elmegy a piacra, hogy vásároljon valamit Kṛṣṇának, néha a templomot takarítja, vagy az edényeket mosogatja –, egyetlen percet sem képes eltölteni Kṛṣṇa-tudatú tettek nélkül. Az ilyen tettek teljes *samādhiban* történnek.

3–4. VERS

ये त्वक्षरमनिर्देश्यमव्यक्तं पर्युपासते ।
सर्वत्रगमचिन्त्यं च कूटस्थमचलं ध्रुवम् ॥ ३ ॥
सन्नियम्येन्द्रियग्रामं सर्वत्र समबुद्धयः ।
ते प्राप्नुवन्ति मामेव सर्वभूतहिते रताः ॥ ४ ॥

ye tv akṣaram anirdeśyam avyaktaṁ paryupāsate
sarvatra-gam acintyaṁ ca kūṭa-stham acalaṁ dhruvam

sanniyamyendriya-grāmaṁ sarvatra sama-buddhayaḥ
te prāpnuvanti mām eva sarva-bhūta-hite ratāḥ

ye – akik; *tu* – de; *akṣaram* – az érzékszervek felfogóképességét meghaladót; *anirdeśyam* – a határtalant; *avyaktam* – a megnyilvánulatlant; *paryupāsate* – imádják teljes elmerüléssel; *sarvatra-gam* – a mindent átható t; *acintyam* – a felfoghatatlant; *ca* – és; *kūṭa-stham* – a változatlant; *acalam* – a mozdíthatatlant; *dhruvam* – a szilárdat; *sanniyamya* – szabályozva; *indriya-grāmam* – minden érzéket; *sarvatra* – mindenhol; *sama-buddhayaḥ* – egyenlő szemléletűek; *te* – ők; *prāpnuvanti* – elérnek; *mām* – Engem; *eva* – bizonyosan; *sarva-bhūta-hite* – a minden élőlény érdekében; *ratāḥ* – tevékenyek.

De akik az érzékek szabályozásával s azáltal, hogy egyformán bánnak mindenkivel, teljes szívükből az Abszolút Igazság személytelen aspektusát, a megnyilvánulatlant imádják, amely túl van az érzékek hatókörén, s amely mindent átható, felfoghatatlan, változatlan, szilárd és mozdulatlan – az ilyen emberek, akik mindenki jólétén fáradoznak, végül is elérnek Engem.

MAGYARÁZAT: Akik nem közvetlenül a Legfelsőbb Istenséget, Śrī Kṛṣṇát imádják, hanem egy közvetett folyamaton keresztül próbálják Őt elérni, végül szintén elérik ezt a célt. „Sok-sok születés után a bölcs ember menedéket keres Nálam, mert tudja, hogy Vāsudeva minden.” Amikor az ember sok-sok élete alatt teljes tudásra tesz szert, meghódol az Úr Kṛṣṇa előtt. Ha valaki a versben említett úton akarja elérni Istent, fegyelmeznie kell az érzékszerveit, mindenkit szolgálnia kell, s minden lény boldogságáért kell fáradoznia. Ebből az következik, hogy minden esetben az Úr Kṛṣṇához kell fordulnunk, másképpen nem lehet szó tökéletes megvalósításról. Gyakran rendkívül sok lemondásra van szükség ahhoz, hogy az ember végül teljesen meghódoljon Őelőtte.

Annak érdekében, hogy valaki érzékelni tudja a Felsőlélek jelenlétét az egyéni lélekben, fel kell hagynia az érzékek tetteivel (a látással, hallással, ízleléssel, cselekvéssel stb.). Ezután megértheti, hogy a Legfelsőbb Lélek mindenhol jelen van, s ennek tudatában nem fog többé gyűlölni egyetlen élőlényt sem, s nem tesz különbséget az ember és az állat között, mert csak a lelket látja, nem pedig a külső burkot. A közönséges ember számára azonban ez az imperszonalista megvalósítási folyamat nagyon nehéz.

5. VERS

क्लेशोऽधिकतरस्तेषामव्यक्तासक्तचेतसाम् ।
अव्यक्ता हि गतिर्दुःखं देहवद्भिरवाप्यते ॥ ५ ॥

kleśo 'dhikataras teṣām avyaktāsakta-cetasām
avyaktā hi gatir duḥkhaṁ dehavadbhir avāpyate

kleśaḥ – nehézség; *adhika-taraḥ* – nagyon sok; *teṣām* – számukra; *avyakta* – a megnyilvánulatlanhoz; *āsakta* – vonzódó; *cetasām* – elméjűek számára; *avyaktā* – a megnyilvánulatlan felé; *hi* – bizony; *gatiḥ* – a fejlődés; *duḥkham* – nehezen; *deha-vadbhiḥ* – a megtestesültek által; *avāpyate* – elérhető.

Rendkívül nehéz előrehaladniuk azoknak, akiknek elméje a Legfelsőbb megnyilvánulatlan, személytelen aspektusához vonzódik. Ezen az úton mindig nagyon fáradságos az előrejutás a megtestesült lények számára.

MAGYARÁZAT: Azokat a transzcendentalistákat, akik a Legfelsőbb Úr felfoghatatlan, megnyilvánulatlan és személytelen arculatához vonzódnak, *jñāna-yogīknak* nevezzük, míg a *bhakti-yogīk* azok, akik teljesen Kṛṣṇa-tudatúak, és az Úr odaadó szolgálatának élnek. Ez a vers határozottan különbséget tesz a két *yoga* között. A *jñāna-yoga* folyamata – noha végül ugyanahhoz a célhoz vezet – rendkívül nehéz, míg a *bhakti-yoga,* vagyis az Istenség Legfelsőbb Személyiségének közvetlen szolgálata sokkal könnyebb, és természetesebb is a megtestesült lélek számára. Az egyéni lélek időtlen idők óta különféle testeket ölt magára. Pusztán elméletben nagyon nehéz megértenie, hogy nem azonos a testével. A *bhakti-yogī* ezért Kṛṣṇa *mūrtiját* imádja, mert így az elméjében rögzült testi felfogást helyesen alkalmazhatja. Az Istenség Legfelsőbb Személyisége formájának templomi imádata természetesen nem bálványimádás. A védikus irodalom tanúsága szerint az imádat kétféle lehet: *saguṇa,* amikor a Legfelsőbbet mint személyes tulajdonságokkal rendelkezőt imádjuk, valamint *nirguṇa,* amikor az imádat a Legfelsőbb személytelen, tulajdonságok nélküli aspektusára irányul. A templomi *mūrti*-imádat *saguṇa,* mert az Urat ott anyagi tulajdonságok képviselik. Az Úr formája ennek ellenére nem anyagi, noha olyan anyagi tulajdonságok képviselik, mint például a kő, a fa vagy az olajfesték. Ez a Legfelsőbb Úr abszolút természete.

Ezt a következő nyers példával illusztrálhatjuk: ha leveleinket az utcai postaládába dobjuk, akkor minden különösebb akadály nélkül célba érnek. Azzal viszont semmire sem megyünk, ha a küldeményeket egy régi dobozba, egy utánzatládába vagy a postahivatal által nem hitelesített ládába helyezzük. Ehhez hasonlóan Istennek is van egy hiteles képviselője a *mūrti* formájában: az *arcā-vigraha,* a Legfelsőbb Úr inkarnációja. Isten ezen keresztül elfogadja az ember szolgálatát. Az Úr mindenható, ezért az *arcā-vigraha* inkarnációján keresztül képes elfogadni a *bhakta* szolgálatát, hogy ezzel is megkönnyítse az emberek dolgát, akiknek léte feltételekhez van kötve.

Egy *bhaktának* tehát nem okoz nehézséget, hogy a Legfelsőbb felé haladjon azonnal és közvetlenül, ám a személytelen lelki megvalósítás útját járók rendkívül sok akadályba ütköznek. A védikus írásokból, például az *upaniṣadokból* kell megérteniük, hogy mi is a Legfelsőbb megnyilvánulatlan arculata, valamint jól el kell sajátítaniuk a nyelvet, meg kell érteniük az érzékelhetetlen érzéseket, s mindezt a gyakorlatba is át kell ültetniük. Ez egyáltalán nem könnyű a közönséges ember számára. Az odaadó szolgálatot végző, Kṛṣṇa-tudatú ember azonban nagyon egyszerűen eljuthat az Istenség Legfelsőbb Személyiségének teljesen tudatos megértéséig, csupán azáltal, hogy a hiteles lelki tanítómester irányítását követve él, mindig leborul a *mūrti* előtt, az Úr dicsőségéről hall, s a Neki felajánlott étel maradékait fogyasztja. Nem férhet hozzá kétség, hogy az imperszonalisták egy olyan fölöslegesen nehéz utat követnek, amely azzal a kockázattal jár, hogy végül mégsem ismerik meg teljes mértékben az Abszolút Igazságot. A perszonalisták ezzel szemben minden veszély, akadály és nehézség nélkül, közvetlenül elérik a Legfelsőbb Személyiséget. A *Śrīmad-Bhāgavatamban* hasonló gondolattal találkozunk: ha az embernek végső soron az Istenség Legfelsőbb Személyisége előtt kell meghódolnia (ezt a folyamatot nevezik *bhaktinak*), ám ehelyett egész életében azon töri magát, hogy megértse, mi Brahman és mi nem az, akkor számtalan nehézségbe fog ütközni. Ezért ez a vers azt ajánlja, hogy ne lépjünk az önmegvalósítás e nehéz útjára, mert az nem biztos, hogy elvezet a végső célig.

Az élőlény örökkévalóan egyéni lélek, ezért ha a lelki egészbe akar beleolvadni, akkor eljuthat eredeti természete örökkévaló és tudással teli aspektusainak teljes megismeréséig, ám boldogság-aspektusának nem fog a tudatára ébredni. Az ilyen transzcendentalista azonban, aki nagyon jártas a *jñāna-yoga* gyakorlásában, egy *bhakta* kegyéből szintén eljuthat a *bhakti-yogához,* az odaadó szolgálathoz. Ekkor az imperszonalista filozófia, melyet oly hosszú ideig tanulmányozott, még mindig akadályt jelenthet számára, mert nehéz megszabadulni ettől a felfogástól. A megtestesült léleknek ezért a megnyilvánulatlan mindig gondot okoz – a gyakorlás és a megvalósítás során egyaránt. Minden élőlény részleges függetlenséggel rendelkezik, s biztosak lehetünk abban, hogy a megnyilvánulatlan elérése nem tartozik transzcendentális gyönyörrel teljes természetéhez. Nem szabad tehát ezt az utat választanunk. Minden egyéni élőlény számára a Kṛṣṇa-tudat folyamata a legjobb út, amelybe az odaadó szolgálat összes tevékenysége beletartozik. Ha valaki nem akar tudomást venni az odaadó szolgálat folyamatáról, azzal azt kockáztatja, hogy idővel ateista lesz. E vers szerint az embernek sohasem szabad – főleg ebben a mostani korszakban – arra biztatnia másokat, hogy ahhoz a folyamathoz forduljanak, amelyben a megnyilvánulatlanra, a felfoghatatlanra és az érzékszerveken túlira kell összpontosítaniuk. Az Úr Kṛṣṇa nem ajánlja ezt a folyamatot.

6–7. VERS

ये तु सर्वाणि कर्माणि मयि सन्न्यस्य मत्पराः ।
अनन्येनैव योगेन मां ध्यायन्त उपासते ॥ ६ ॥

तेषामहं समुद्धर्ता मृत्युसंसारसागरात् ।
भवामि न चिरात्पार्थ मय्यावेशितचेतसाम् ॥ ७ ॥

ye tu sarvāṇi karmāṇi mayi sannyasya mat-parāḥ
ananyenaiva yogena māṁ dhyāyanta upāsate

teṣām ahaṁ samuddhartā mṛtyu-saṁsāra-sāgarāt
bhavāmi na cirāt pārtha mayy āveśita-cetasām

ye – akik; *tu* – de; *sarvāṇi* – minden; *karmāṇi* – tettet; *mayi* – Nekem; *sannyasya* – feladva; *mat-parāḥ* – Hozzám vonzódva; *ananyena* – kizárólag; *eva* – bizony; *yogena* – az ilyen *bhakti-yoga* gyakorlása által; *mām* – Rajtam; *dhyāyantaḥ* – meditálva; *upāsate* – imádnak; *teṣām* – nekik; *aham* – Én; *samuddhartā* – a megszabadítójuk; *mṛtyu* – a halál; *saṁsāra* – és az anyagi lét; *sāgarāt* – óceánjából; *bhavāmi* – leszek; *na* – nem; *cirāt* – hosszú idő után; *pārtha* – ó, Pṛthā fia; *mayi* – Rám; *āveśita* – szögezett; *cetasām* – akiknek az elméje.

Ó, Pṛthā fia! Gyorsan kimentem a születés és halál óceánjából azt, aki minden tettét Nekem felajánlva Engem imád, teljesen átadja magát Nekem, odaadó szolgálatban él, és elméjét Rám szögezve mindig Rajtam meditál.

MAGYARÁZAT: Ez a vers egyértelműen kijelenti, hogy a *bhakták* nagyon szerencsések, mert az Úr rövid időn belül felszabadítja őket az anyagi létből. A tiszta odaadó szolgálattal az ember elméletben és gyakorlatban is megérti, hogy Isten hatalmas, az egyéni lélek pedig az alárendeltje, s hogy éppen ezért a kötelessége, hogy szolgálja az Urat. Ha nem ezt teszi, akkor a *māyāt* fogja szolgálni.

Ahogyan korábban olvashattuk, a Legfelsőbb Úr csodálatos voltát csakis az odaadó szolgálaton keresztül lehet igazán felismerni, ezért hát teljes odaadással kell Felé fordulnunk. Az embernek tökéletesen Kṛṣṇára kell rögzítenie az elméjét, ha el akarja érni Őt. Minden munkánkat egyedül érte kell végeznünk. Nem számít, hogy mit dolgozik valaki, a fontos az, hogy csak Kṛṣṇának tegye. Ez az odaadó szolgálat feltétele. A *bhakta* csakis az Istenség Legfelsőbb Személyiségének akar a kedvében járni, és nem vágyik semmi másra. Életének küldetése, hogy örömet szerezzen Kṛṣṇának, s ennek érdekében kész minden áldozatra, épp úgy, ahogy Arjuna is feláldozott mindent a kurukṣetrai csatamezőn. A módszer nagyon egyszerű: az ember végezze a munkáját, ugyanakkor énekelje a Hare Kṛṣṇa, Hare Kṛṣṇa, Kṛṣṇa Kṛṣṇa, Hare Hare, Hare Rāma, Hare Rāma, Rāma Rāma, Hare Hare *mantrát*. E transzcendentális hangvibráció hatására a *bhakta* vonzódni fog az Istenség Személyiségéhez.

Ebben a versben a Legfelsőbb Úr megígéri, hogy késedelem nélkül kimenti az ily módon cselekvő tiszta *bhaktát* az anyagi lét óceánjából. A fejlett *yogīk* a *yoga* folyamata segítségével, kívánságuk szerint bármelyik bolygóra eljuttathatják lelküket, mások pedig másféle módszereket alkalmaznak ennek érdekében, de ami a *bhaktákat* illeti, ez a vers világosan kijelenti, hogy róluk maga az Úr gondoskodik, s nem kell arra várniuk, hogy az efféle gyakorlatokban kiválóvá válva maguktól jussanak el a lelki világba.

A *Varāha-purāṇában* a következő verssel találkozunk:

nayāmi paramaṁ sthānam arcir-ādi-gatiṁ vinā
garuḍa-skandham āropya yatheccham anivāritaḥ

E vers mondanivalója az, hogy a *bhaktának* nem szükséges az *aṣṭāṅga-yogát* gyakorolnia ahhoz, hogy lelke elérhesse a lelki bolygókat. Erről maga a Legfelsőbb Úr gondoskodik. Egyértelműen kijelenti: Ő maga lesz a felszabadító. Ahogyan a szülők minden tekintetben gondját viselik gyermeküknek, aki így biztonságban van, a *bhaktának* sem kell arra törekednie, hogy a *yoga* módszerével eljusson más bolygókra. A Legfelsőbb Úr jön el érte kegyesen Garuḍa, madártestű hordozója vállán, s nyomban kimenti *bhaktáját* az anyagi létből. Az óceán vizében fuldokló embernek nincsen esélye az életben maradásra, még akkor sem, ha kiváló úszó és nagyon elszántan küzd. Ha azonban jön valaki, és kimenti a vízből, megmenekült. Az Úr hasonló módon szabadítja ki *bhaktáját* az anyagi létből. Csupán arra van szükség, hogy az ember végezze a Kṛṣṇa-tudat könnyű folyamatát, és merüljön el az odaadó szolgálatban. Az intelligens embernek ezt a módszert kell előnyben részesítenie minden más úttal szemben. A *Nārāyaṇīya* az alábbi verssel erősíti meg ezt:

yā vai sādhana-sampattiḥ puruṣārtha-catuṣṭaye
tayā vinā tad āpnoti naro nārāyaṇāśrayaḥ

E vers szerint az embernek nem szabad a gyümölcsöző cselekedetek különböző útjait járnia vagy elméleti spekuláció segítségével a tudás művelésével foglalkoznia. Aki átadta magát a Legfelsőbb Személyiségnek, az képes elérni mindazt az áldást, amit más *yoga*-folyamatok, a spekuláció, a szertartások, az áldozatok, az adományozások stb. eredményeznek. Ez az odaadó szolgálat különleges áldása.

Az Úr *bhaktája* Kṛṣṇa szent neveinek éneklésével – Hare Kṛṣṇa, Hare Kṛṣṇa, Kṛṣṇa Kṛṣṇa, Hare Hare, Hare Rāma, Hare Rāma, Rāma Rāma, Hare Hare – könnyedén és boldogan eljuthat a legvégső célig, amelyet egyetlen más vallásos folyamat gyakorlásával sem lehet elérni.

A *Bhagavad-gītā* végkövetkeztetését a tizennyolcadik fejezet tárja fel:

sarva-dharmān parityajya māṁ ekaṁ śaraṇaṁ vraja
ahaṁ tvāṁ sarva-pāpebhyo mokṣayiṣyāmi mā śucaḥ

Az embernek tehát fel kell hagynia minden más önmegvalósítási módszerrel, s kizárólag Kṛṣṇa-tudatos odaadó szolgálatot kell végeznie. Ez képessé teszi majd arra, hogy szert tegyen az élet legmagasabb rendű tökéletességére. Nem kell előző életei bűnös tettei miatt aggódnia, mert teljes mértékben a Legfelsőbb Úr gondoskodik róla. Senki se próbálkozzon tehát hiábavalóan azzal, hogy a lelki megvalósítás folyamata segítségével felszabadítsa magát, inkább keressen menedéket a legfelsőbb, mindenható Istenségnél, Kṛṣṇánál. Ez az élet legfőbb tökéletessége.

8. VERS

मय्येव मन आधत्स्व मयि बुद्धिं निवेशय ।
निवसिष्यसि मय्येव अत ऊर्ध्वं न संशयः ॥८॥

mayy eva mana ādhatsva mayi buddhiṁ niveśaya
nivasiṣyasi mayy eva ata ūrdhvaṁ na saṁśayaḥ

mayi – Bennem; *eva* – bizony; *manaḥ* – az elmét; *ādhatsva* – rögzítsd; *mayi* – Rám; *buddhim* – az értelmet; *niveśaya* – alkalmazd; *nivasiṣyasi* – élni fogsz; *mayi* – Bennem; *eva* – bizony; *ataḥ ūrdhvam* – ezután; *na* – nincs; *saṁśayaḥ* – kétség.

Elmédet szögezd Rám, az Istenség Legfelsőbb Személyiségére, és értelmedet teljesen merítsd el Bennem, így kétségtelenül mindig Bennem fogsz élni.

MAGYARÁZAT: Aki odaadóan szolgálja az Úr Kṛṣṇát, az közvetlen kapcsolatban áll a Legfelsőbb Úrral, s így semmi kétség afelől, hogy helyzete már kezdettől fogva transzcendentális. A *bhakta* nem az anyagi síkon, hanem Kṛṣṇában él. Az Úr szent neve nem különbözik magától az Úrtól, ezért amikor a *bhakta* a Hare Kṛṣṇa *mantrát* énekli, Kṛṣṇa és az Ő belső energiája a nyelvén táncolnak. Amikor ételt ajánl fel Kṛṣṇának, Ő közvetlenül elfogadja azt, s a maradékot később elfogyasztva a *bhakta* teljesen átitatódik Kṛṣṇával. Aki nem végez ilyen szolgálatot, az nem értheti meg, hogyan lehetséges mindez, noha ez egy olyan folyamat, melyet a *Bhagavad-gītā* és a többi védikus írás ajánl.

9. VERS

अथ चित्तं समाधातुं न शक्नोषि मयि स्थिरम् ।
अभ्यासयोगेन ततो मामिच्छाप्तुं धनञ्जय ॥ ९ ॥

atha cittaṁ samādhātuṁ na śaknoṣi mayi sthiram
abhyāsa-yogena tato mām icchāptuṁ dhanañjaya

atha – ha ezért; *cittam* – elmét; *samādhātum* – rögzíteni; *na* – nem; *śaknoṣi* – vagy képes; *mayi* – Rám; *sthiram* – szilárdan; *abhyāsa-yogena* – az odaadó szolgálat gyakorlása által; *tataḥ* – akkor; *mām* – Engem; *iccha* – vágyj; *āptum* – megkapni; *dhanam-jaya* – ó, gazdagság meghódítója, Arjuna.

Kedves Arjunám, gazdagság meghódítója, ha képtelen vagy elmédet egyedül Rám függeszteni, akkor kövesd a bhakti-yoga szabályozó elveit. Ily módon ébreszd fel magadban a vágyat, hogy elérj Engem!

MAGYARÁZAT: Ez a vers a *bhakti-yoga* két különböző folyamatát említi. Az első azoknak való, akik transzcendentális szeretetükben valóban ragaszkodnak Kṛṣṇához, az Istenség Legfelsőbb Személyiségéhez, a második pedig azoknak, akikben még nem fejlődött ki transzcendentális szeretet a Legfelsőbb Személy iránt. Az utóbbiak számára különféle előírások és szabályok vannak, melyeket követve végül felemelkedhetnek a Kṛṣṇa iránti vonzódás síkjára.

A *bhakti-yoga* az érzékek megtisztítását jelenti. Jelen pillanatban, az anyagi létben érzékeink fertőzöttek, mert érzéki élvezetekre használjuk őket. A *bhakti-yoga* gyakorlásával azonban megtisztíthatók, megtisztult állapotukban pedig közvetlen kapcsolatban állhatnak a Legfelsőbb Úrral. Ha az anyagi lét során valamilyen mestert szolgálunk, a szolgálat nem szeretetteljes, csupán a pénz kedvéért történik. A mester sem szereti szolgáját, csak elvárja és megfizeti a szolgálatait. Szeretetről tehát szó sincs. A lelki élethez azonban elengedhetetlen, hogy felemelkedjünk a tiszta szeretet síkjára. Ezt a szintet a jelenlegi érzékszerveinkkel végzett odaadó szolgálat révén lehet elérni.

Az Isten iránti szeretet mindenki szívében ott szunnyad, és számtalan módon megnyilvánul, de az anyagi közeg és a materialista kapcsolatok szennyeződése megfertőzte. A módszer abból áll, hogy meg kell tisztítanunk a szívet az anyag okozta szennytől, s fel kell ébresztenünk magunkban a Kṛṣṇa iránti természetes, szunnyadó szeretetet.

A *bhakti-yoga* szabályozó elveinek betartása érdekében az embernek egy kiváló lelki tanítómester utasításaira hallgatva követnie kell bizonyos szabályokat: keljen korán, fürödjön meg, menjen el a templomba, s ott mondjon imákat, énekelje a Hare Kṛṣṇát, szedjen virágot a *mūrtinak,* főzzön a *mūrti* számára, egyen *prasādát* – és még sorolhatnánk. Sokféle szabály és előírás van, amit be kell tartania, s ezenkívül állandóan hallgatnia kell a tiszta *bhakták* ajkairól a *Bhagavad-gītāt* és a *Śrīmad-Bhāgavatamot.* Ez a folyamat bárkit felemelhet az Isten iránti szeretet szintjére, ahonnan azután kétségtelenül Isten lelki birodalmába kerülhet. A lelki tanítómester vezetése alatt a szabályok és előírások betartásával gyakorolt *bhakti-yoga* tehát biztosan eljuttatja az embert az Isten iránti szeretet síkjára.

10. VERS

अभ्यासेऽप्यसमर्थोऽसि मत्कर्मपरमो भव ।
मदर्थमपि कर्माणि कुर्वन् सिद्धिमवाप्स्यसि ॥१०॥

abhyāse 'py asamartho 'si mat-karma-paramo bhava
mad-artham api karmāṇi kurvan siddhim avāpsyasi

abhyāse – a gyakorlásban; *api* – még ha; *asamarthaḥ* – képtelen; *asi* – vagy; *mat-karma* – a Nekem végzett tetteknek; *paramaḥ* – szentelt; *bhava* – legyél; *mat-artham* – az Én kedvemért; *api* – még; *karmāṇi* – tetteket; *kurvan* – végrehajtó; *siddhim* – tökéletességet; *avāpsyasi* – el fogod érni.

Ha nem tudod követni a bhakti-yoga szabályait, akkor próbálj meg csak Nekem dolgozni! Ha Értem cselekszel, eléred majd a tökéletes szintet.

MAGYARÁZAT: Aki képtelen egy lelki tanítómester vezetése alatt a *bhakti-yoga* szabályozó elveit követni, az még mindig elérheti a tökéletes szintet, ha a Legfelsőbb Úrért tevékenykedik. Hogy miképpen kell ezt tennie, azt a tizenegyedik fejezet ötvenötödik verse már elmagyarázta. Az embernek támogatnia kell a Kṛṣṇa-tudat terjesztésének ügyét. Sok *bhakta* fáradozik azon, hogy a Kṛṣṇa-tudatot terjessze, és segítségre van szükségük. Ha valaki nem képes közvetlenül a *bhakti-yoga* szabályait követni, akkor segíthet ebben a munkában. Minden törekvés igényel valamennyi földet, tőkét, szervezést és fáradságot. Egy üzleti vállalkozáshoz hasonlóan Kṛṣṇa szolgálatában is szükség van lakóhelyre, pénzre, munkára és szervezésre – az egyetlen különbség az, hogy az üzletelő materialistát érzékei kielégítésének vágya hajtja, ugyanez a munka azonban lelkivé válik, ha Kṛṣṇa öröméért végzi az ember. Ha az embernek van elegendő pénze, akkor a Kṛṣṇa-tudat terjedése érdekében segíthet egy irodaépület vagy egy templom felépítésében, vagy a Kṛṣṇa-tudatú irodalom nyomtatásában. Számos területen segíthet, csak akarnia kell. Ha valaki képtelen munkájának eredményét felajánlani, akkor legalább keresetének egy bizonyos százalékát szentelje a Kṛṣṇa-tudat terjesztésére. A Kṛṣṇa-tudat ügyének önkéntes szolgálata segíteni fog az Isten iránti szeretet síkjának elérésében, ahol az ember tökéletessé válik.

11. VERS

अथैतदप्यशक्तोऽसि कर्तुं मद्योगमाश्रितः ।
सर्वकर्मफलत्यागं ततः कुरु यतात्मवान् ॥११॥

athaitad apy aśakto 'si kartuṁ mad-yogam āśritaḥ
sarva-karma-phala-tyāgaṁ tataḥ kuru yatātmavān

atha – még ha; *etat* – ezt; *api* – is; *aśaktaḥ* – képtelen; *asi* – vagy; *kartum* – végezni; *mat* – az Én; *yogam* – odaadó szolgálatomban; *āśritaḥ* – menedéket keresve; *sarva-karma* – minden tettnek; *phala* – az eredményéről; *tyāgam* – lemondást; *tataḥ* – akkor; *kuru* – tegyél; *yata-ātma-vān* – az önvalóban megállapodva.

Ha azonban képtelen vagy tudatodat Rám irányítva tevékenykedni, akkor próbálj lemondani tetteid minden gyümölcséről, s állapodj meg az önvalóban!

MAGYARÁZAT: Előfordulhat, hogy társadalmi, családi, vallási vagy más akadályok miatt az ember képtelen még arra is, hogy támogassa a Kṛṣṇa-tudat mozgalmát. Ha közvetlenül venne részt a Kṛṣṇa-tudatú tettekben, kivívná családja tiltakozását, vagy más akadályok merülnének fel. Az ilyen embernek azt ajánlják, hogy áldozza fel tettei felhalmozódott eredményét valami nemes célra. A védikus irodalom leírja ennek a módját. Számos leírást találhatunk az áldozatokról és a telihold napján végzendő különleges szertartásokról, valamint azokról a tettekről, amelyekhez az ember előző cselekedetei gyümölcsét használja fel. Az ily módon cselekvő fokozatosan elérheti a tudás szintjét. Az is gyakran előfordul, hogy valaki, akit a Kṛṣṇa-tudatos tettek egyáltalán nem érdekelnek, adakozik egy kórház vagy más társadalmi intézmény javára, lemondva munkája gyümölcséről, melyért oly sokat dolgozott. Ez a vers is ajánlja ezt, mert a munka gyümölcséről való lemondással az ember lassan, de biztosan megtisztítja elméjét, s ezen a szinten már képes lesz megérteni a Kṛṣṇa-tudatot. Természetesen a Kṛṣṇa-tudat nem függ semmilyen más tevékenységtől, mert a Kṛṣṇa-tudat önmagában meg tudja tisztítani az elmét. De ha valaki nem tudja elfogadni a Kṛṣṇa-tudatot, mert akadályok állnak az útjában, akkor próbáljon legalább megválni munkája gyümölcsétől. Ebből a szempontból nézve elfogadható a társadalomnak, a közösségnek vagy a nemzetnek végzett szolgálat, a hazáért hozott áldozat stb., mert ezáltal az ember egy napon eljuthat a Legfelsőbb Úr tiszta odaadó szolgálatának szintjére. A *Bhagavad-gītā* (18.46) ezzel kapcsolatban azt írja: *yataḥ pravṛttir bhūtānām,* ha valaki elhatározta, hogy áldozatot hoz a legfelsőbb cél érdekében, akkor még ha nem is tudja, hogy a legfelsőbb cél Kṛṣṇa, áldozata révén fokozatosan megérti majd.

12. VERS

श्रेयो हि ज्ञानमभ्यासाज्ज्ञानाद्ध्यानं विशिष्यते ।
ध्यानात्कर्मफलत्यागस्त्यागाच्छान्तिरनन्तरम् ॥१२॥

śreyo hi jñānam abhyāsāj jñānād dhyānaṁ viśiṣyate
dhyānāt karma-phala-tyāgas tyāgāc chāntir anantaram

śreyaḥ – jobb; *hi* – bizony; *jñānam* – a tudás; *abhyāsāt* – a gyakorlásnál; *jñānāt* – a tudásnál; *dhyānam* – a meditáció; *viśiṣyate* – jobbnak számít; *dhyānāt* – a meditációnál; *karma-phala-tyāgaḥ* – a gyümölcsöző munka eredményeiről való lemondás; *tyāgāt* – az ilyen lemondás által; *śāntiḥ* – béke; *anantaram* – azután.

Ha ezt sem tudod megtenni, akkor fogj a tudás művelésébe! A meditáció azonban jobb a tudásnál, a meditációnál pedig a munka gyümölcseiről való lemondás, mert az ilyen lemondás hatására az ember elméjét béke árasztja el.

MAGYARÁZAT: Ahogyan az előző versekben olvashattuk, kétféle odaadó szolgálat létezik: a szabályozó elvek betartása, valamint a teljes vonzódás és szeretet az Istenség Legfelsőbb Személyisége iránt. Akik valóban képtelenek követni a Kṛṣṇa-tudat elveit, azok számára jobb a tudás művelése, mert ennek segítségével az ember megértheti valódi helyzetét. A tudás fokozatosan elvezet a meditálásig, mely által lassanként megértheti az Istenség Legfelsőbb Személyiségét. Vannak olyan folyamatok, amelyeket végezve az ember arra a következtetésre jut, hogy ő a Legfelsőbb. Ezeket azok választják előszeretettel, akik nem tudnak odaadó szolgálatot végezni. Ha valaki még így sem tud meditálni, akkor végezze a védikus írásokban a *brāhmaṇák, kṣatriyák, vaiśyák* vagy *śūdrák* számára előírt kötelességeket, melyekről a *Bhagavad-gītā* utolsó fejezetében olvashatunk. Minden esetben le kell azonban mondania munkája gyümölcseiről, azaz *karmája* eredményét valami jó célra kell áldoznia.

Összefoglalva elmondhatjuk, hogy az Istenség Legfelsőbb Személyisége – a legfelsőbb cél – eléréséhez két út vezet: a fokozatos fejlődés és a közvetlen folyamat. A Kṛṣṇa-tudatú odaadó szolgálat a közvetlen út, míg a tettek gyümölcséről való lemondás fokozatos fejlődést jelent. Ezután juthat el az ember a tudás, majd a meditáció, azután a Felsőlélek megismerése szintjére, végül pedig felemelkedhet az Istenség Legfelsőbb Személyisége síkjára. Az ember tehát a közvetlen vagy a fokozatos folyamatot egyaránt választhatja, s az utóbbi szintén jó, hiszen a közvetlen módszer gyakorlása nem mindenki számára lehetséges. Meg kell azonban értenünk, hogy Arjunának azért nem javasolja Kṛṣṇa a közvetett folyamatot, mert ő már a Legfelsőbb Úr szeretetteljes odaadó szolgálatának szintjén áll. Ez azoknak való, akik még nem jutottak el eddig: nekik lépésről lépésre ajánlatos haladniuk a lemondás, a tudás, a meditáció, valamint a Brahman- és a Felsőlélek-tudatosság elsajátítása útján. A *Bhagavad-gītā* azonban a közvetlen folyamatra helyezi a hangsúlyt, s mindenkinek azt tanácsolja, hogy lásson hozzá, és hódoljon meg Kṛṣṇa, az Istenség Legfelsőbb Személyisége előtt.

13–14. VERS

अद्वेष्टा सर्वभूतानां मैत्रः करुण एव च ।
निर्ममो निरहङ्कारः समदुःखसुखः क्षमी ॥१३॥
सन्तुष्टः सततं योगी यतात्मा दृढनिश्चयः ।
मय्यर्पितमनोबुद्धिर्यो मद्भक्तः स मे प्रियः ॥१४॥

adveṣṭā sarva-bhūtānāṁ maitraḥ karuṇa eva ca
nirmamo nirahaṅkāraḥ sama-duḥkha-sukhaḥ kṣamī

santuṣṭaḥ satataṁ yogī yatātmā dṛḍha-niścayaḥ
mayy arpita-mano-buddhir yo mad-bhaktaḥ sa me priyaḥ

adveṣṭā – gyűlölettől mentes; *sarva-bhūtānām* – minden élőlénnyel szemben; *maitraḥ* – barátságos; *karuṇaḥ* – kedves; *eva* – bizony; *ca* – szintén; *nirmamaḥ* – birtoklásérzet nélküli; *nirahaṅkāraḥ* – hamis ego nélküli; *sama* – egyforma; *duḥkha* – boldogtalanságban; *sukhaḥ* – és boldogságban; *kṣamī* – megbocsátó; *santuṣṭaḥ* – elégedett; *satatam* – mindig; *yogī* – odaadó szolgálatban él; *yata-ātmā* – önfegyelmezett; *dṛḍha-niścayaḥ* – elszántsággal; *mayi* – Rám; *arpita* – szögezve; *manaḥ* – elmét; *buddhiḥ* – és értelmet; *yaḥ* – aki; *mat-bhaktaḥ* – az Én *bhaktám; saḥ* – ő; *me* – Nekem; *priyaḥ* – kedves.

Aki nem gyűlöl senkit, hanem minden élőlény kedves barátja, nem képzeli tulajdonosnak magát és mentes a hamis egótól, boldogságban és boldogtalanságban egyaránt kiegyensúlyozott, türelmes, mindig elégedett, önfegyelmezett, nagy elszántsággal végzi az odaadó szolgálatot, valamint elméjét és értelmét Rám szögezi, s az Én bhaktám – az nagyon kedves Nekem.

MAGYARÁZAT: Az Úr ismét a tiszta odaadó szolgálatról beszél, és ebben a két versben leírja a tiszta *bhakta* transzcendentális tulajdonságait. A tiszta *bhaktát* a körülmények sohasem zavarják meg, és nem gyűlöl senkit. Nem válik ellensége ellenségévé sem, mert úgy gondolja: „Ez az ember hajdani bűnös tetteim visszahatásaként bánik most velem az ellenségeként. Jobb hát eltűrni, mintsem szembeszállni vele.” A *Śrīmad-Bhāgavatam* (10.14.8) írja: *tat te 'nukampāṁ susamīkṣamāṇo bhuñjāna evātma-kṛtaṁ vipākam.* Ha a *bhaktának* szenvednie kell, vagy megpróbáltatások érik, azt az Úr kegyének tekinti. Így gondolkodik: „Múltbeli bűneim visszahatásaként sokkal többet kellene szenvednem. Nem más ez, mint a Legfelsőbb Úr kegye, hogy nem kapok meg minden büntetést, amit megérdemelnék. Az Istenség Legfelsőbb Személyisége kegyéből csak egy keveset kapok belőle." A *bhakta* éppen ezért a sok szenvedés ellenére is örökké nyugodt, csendes és türelmes. Mindig kedves mindenkihez, még ellenségeihez is. A *nirmama* szó arra utal, hogy a *bhakta* nem tulajdonít nagy fontosságot a testtel kapcsolatos kényelmetlenségeknek és problémáknak, mert jól tudja, hogy ő nem az anyagi test. Nem azonosítja magát a testével, így mentes a hamis egótól, s boldogságban és boldogtalanságban egyaránt kiegyensúlyozott. Béketűrő, és megelégszik annyival, amit a Legfelsőbb Úr kegyéből kap. Nem törekszik nehezen elérhető dolgok megszerzésére, ezért mindig örömteli. Ő a teljesen tökéletes misztikus, mert rendíthetetlenül követi a lelki tanítómesterétől kapott utasításokat, s mivel uralkodik érzékszervei fölött, rendkívül eltökélt. A hamis ellenérvek nem ingatják meg; semmi sem tudja eltéríteni szilárd elhatározásától az odaadó szolgálatban. Teljesen tisztában van azzal, hogy Kṛṣṇa az örökkévaló Úr, ezért senki sem képes megzavarni őt. Mindezek a tulajdonságok lehetővé teszik számára, hogy teljes egészében a Legfelsőbb Úrra rögzítse az elméjét és intelligenciáját. Az odaadó szolgálat e síkját minden bizonnyal nagyon kevesen érik el, de az odaadó szolgálat szabályozó elveit követő *bhakta* biztos sikerre számíthat. Az Úr továbbá kijelenti, hogy az ilyen *bhakta* nagyon kedves Számára, mert mindig örömet szerez Neki tetteivel, melyeket teljes Kṛṣṇa-tudatban hajt végre.

15. VERS

यस्मान्नोद्विजते लोको लोकान्नोद्विजते च यः ।
हर्षामर्षभयोद्वेगैर्मुक्तो यः स च मे प्रियः ॥१५॥

yasmān nodvijate loko lokān nodvijate ca yaḥ
harṣāmarṣa-bhayodvegair mukto yaḥ sa ca me priyaḥ

yasmāt – aki miatt; *na* – sohasem; *udvijate* – zavartak; *lokaḥ* – emberek; *lokāt* – emberek miatt; *na* – sohasem; *udvijate* – zavart; *ca* – is; *yaḥ* – aki; *harṣa* – örömtől; *amarṣa* – szomorúságtól; *bhaya* – félelemtől; *udvegaiḥ* – és aggodalomtól; *muktaḥ* – mentes; *yaḥ* – aki; *saḥ* – bárki; *ca* – is; *me* – Nekem; *priyaḥ* – nagyon kedves.

Aki nem okoz gondot senkinek sem, akit senki nem zavar, s aki boldogságban és boldogtalanságban, félelemben és aggodalomban egyaránt rendíthetetlen – az nagyon kedves Nekem.

MAGYARÁZAT: Ez a vers folytatja a *bhakta* tulajdonságainak leírását. A *bhakta* senkinek sem okoz nehézséget, aggodalmat, félelmet vagy elégedetlenséget. Mivel kedves mindenkihez, sohasem cselekszik úgy, hogy az másoknak aggodalmat okozzon, és soha nem zaklatja fel, ha mások akarnak neki bajt okozni. Az Úr kegyéből hozzászokott, hogy semmilyen külső kellemetlenség ne zavarja meg. A *bhakta* állandóan elmélyed a Kṛṣṇa-tudatban és az odaadó szolgálatban, éppen ezért az anyagi körülmények nem befolyásolhatják. A materialista általában nagyon boldog, ha hozzájut valamihez, amivel elégedetté teheti az érzékeit és a testét, de azonnal féltékeny és irigy lesz, ha látja, hogy mások olyan érzéki élvezetben részesülnek, amiben ő nem. Ellenségei bosszújától tartva félelemben él, ha pedig képtelen sikerrel végrehajtani valamit, akkor teljesen elcsügged. A *bhakta,* aki transzcendentálisan fölötte áll minden ilyen zavaró körülménynek, nagyon kedves az Úr Kṛṣṇának.

16. VERS

अनपेक्षः शुचिर्दक्ष उदासीनो गतव्यथः ।
सर्वारम्भपरित्यागी यो मद्भक्तः स मे प्रियः ॥१६॥

anapekṣaḥ śucir dakṣa udāsīno gata-vyathaḥ
sarvārambha-parityāgī yo mad-bhaktaḥ sa me priyaḥ

anapekṣaḥ – semleges; *śuciḥ* – tiszta; *dakṣaḥ* – ügyes; *udāsīnaḥ* – gondok nélküli; *gata-vyathaḥ* – minden szenvedéstől mentes; *sarva-ārambha* – minden erőfeszítésről; *parityāgī* – lemondó; *yaḥ* – aki; *mat-bhaktaḥ* – az Én *bhaktám; saḥ* – ő; *me* – Nekem; *priyaḥ* – nagyon kedves.

Az a bhaktám, aki független a tettek szokásos folyásától, tiszta, ügyes, gondok nélküli, mentes minden kíntól, s nem törekszik eredményre, az nagyon kedves Nekem.

MAGYARÁZAT: A *bhakta* elfogadhatja, ha pénzt adnak neki, de nem szabad külön erőfeszítést tennie, hogy pénzhez jusson. Még az sem befolyásolja, ha a Legfelsőbb kegyéből pénzhez jut, anélkül hogy ő maga bármit tett volna ezért. Természetesnek tartja, hogy naponta legalább kétszer megfürödjön, és korán kel, hogy odaadó szolgálatot végezhessen. Ily módon kívül és belül egyaránt tiszta. Mindenhez ért, mert nagyon jól ismeri az élet valamennyi tettének értelmét, s teljes hite van a hiteles szentírásokban. Sohasem csatlakozik egyetlen csoportosuláshoz sem, ezért gondok nélküli. A fájdalmak sohasem érintik, mert nem hamis kategóriák alapján szemléli a dolgokat. Tudja, hogy a test csupán egy burok, így a testi fájdalmak nem hatnak rá. A tiszta *bhakta* nem törekszik olyan dologra, ami ellenkezik az odaadó szolgálat elveivel. Egy nagy épület felépítéséhez például rendkívüli erőfeszítés szükséges, de ha ezáltal nem fejlődik az odaadó szolgálatban, akkor a *bhakta* sohasem végez ilyen munkát. Az Úr számára építhet templomot, és ennek érdekében vállalhat mindenféle nehézséget, ám sohasem építene egy nagy házat a saját rokonainak.

17. VERS

यो न हृष्यति न द्वेष्टि न शोचति न काङ्क्षति ।
शुभाशुभपरित्यागी भक्तिमान् यः स मे प्रियः ॥१७॥

yo na hṛṣyati na dveṣṭi na śocati na kāṅkṣati
śubhāśubha-parityāgī bhaktimān yaḥ sa me priyaḥ

yaḥ – aki; *na* – sohasem; *hṛṣyati* – örvendezik; *na* – sohasem; *dveṣṭi* – búsul; *na* – sohasem; *śocati* – sajnálkozik; *na* – sohasem; *kāṅkṣati* – vágyakozik; *śubha* – a kedvezőről; *aśubha* – és a kedvezőtlenről; *parityāgī* – lemondó; *bhakti-mān* – *bhakta; yaḥ* – aki; *saḥ* – ő; *me* – Nekem; *priyaḥ* – kedves.

Az olyan bhakta, aki nem ujjong és nem is búsul, nem sajnálkozik és nem vágyakozik, s a kedvező és kedvezőtlen dolgokról egyaránt lemond, az nagyon kedves Nekem.

MAGYARÁZAT: A tiszta *bhakta* nem örül és nem bánkódik, ha anyagi nyereség vagy veszteség éri. Nem vágyódik különösképpen arra, hogy fiúgyermeke szülessen vagy tanítványokra tegyen szert, s nem aggasztja, ha nincsenek neki. Ha elveszít valami olyasmit, ami nagyon kedves számára, nem sajnálkozik miatta, s ha nem kapja meg azt, amit kívánt, nem boldogtalan. Transzcendentálisan fölötte áll minden kedvező, kedvezőtlen és bűnös tettnek, s minden veszélyt vállal, hogy a Legfelsőbb Úr kedvében járjon. Számára az odaadó szolgálat végzésében semmi sem jelent akadályt. Az ilyen *bhakta* nagyon kedves Kṛṣṇának.

18–19. VERS

समः शत्रौ च मित्रे च तथा मानापमानयोः ।
शीतोष्णसुखदुःखेषु समः सङ्गविवर्जितः ॥१८॥

तुल्यनिन्दास्तुतिर्मौनी सन्तुष्टो येन केनचित् ।
अनिकेतः स्थिरमतिर्भक्तिमान्मे प्रियो नरः ॥१९॥

samaḥ śatrau ca mitre ca tathā mānāpamānayoḥ
śītoṣṇa-sukha-duḥkheṣu samaḥ saṅga-vivarjitaḥ

tulya-nindā-stutir maunī santuṣṭo yena kenacit
aniketaḥ sthira-matir bhaktimān me priyo naraḥ

samaḥ – egyenlő; *śatrau* – az ellenséggel; *ca* – is; *mitre* – baráttal; *ca* – is; *tathā* – így; *māna* – tiszteletben; *apamānayoḥ* – és szégyenben; *śīta* – hidegben; *uṣṇa* – és melegben; *sukha* – boldogságban; *duḥkheṣu* – és boldogtalanságban; *samaḥ* – kiegyensúlyozott; *saṅga-vivarjitaḥ* – kerüli a rossz társaságot; *tulya* – egyenlő; *nindā* – szégyenben; *stutiḥ* – és jó hírben; *maunī* – csendes; *santuṣṭaḥ* – elégedett; *yena kenacit* – bármivel; *aniketaḥ* – hajlék nélküli; *sthira* – rendületlen; *matiḥ* – eltökélt; *bhakti-mān* – odaadó szolgálatot végző; *me* – Nekem; *priyaḥ* – kedves; *naraḥ* – ember.

Aki egyformán bánik barátaival és ellenségeivel, aki tiszteletben és gyalázatban, hidegben és melegben, boldogságban és boldogtalanságban, hírnévben és szégyenben egyformán kiegyensúlyozott, kerüli a rossz társaságot, mindig csendes, mindennel elégedett, nem törődik semmilyen hajlékkal, szilárd a tudásban, s odaadó szolgálatba merül, az nagyon kedves Nekem.

MAGYARÁZAT: A *bhakta* távol tartja magát minden rossz társaságtól. Az emberi társadalomra az jellemző, hogy az embert egyszer dicséret, másszor rágalom éri, ám a *bhakta* mindig fölötte áll a felszínes hírnévnek, szégyennek, boldogságnak vagy boldogtalanságnak. Nagyon türelmes, és mivel kizárólag Kṛṣṇával kapcsolatos témákról beszél, csöndes. Az, hogy valaki csöndes, nem teljes némaságot jelent, hanem azt, hogy nem beszél ostobaságot. Az embernek csak arról kell beszélnie, ami lényeges, s a *bhakta* számára az a legfontosabb, ha a Legfelsőbb Úrról beszélhet. Minden körülmények között boldog: néha finom ételeket kap, máskor nem, de ennek ellenére mindig elégedett. Azzal sem törődik, hol kell laknia. Néha egy fa alatt üt tanyát, máskor palotában él, de egyikhez sem ragaszkodik. Rendíthetetlennek azért hívják, mert szilárdan kitart elhatározása mellett, s megingathatatlan a tudásban. A *bhakta* tulajdonságainak felsorolása közben néha ismétléssel találkozunk. Ez azért van, hogy még nagyobb nyomatékot kapjon: egy *bhaktának* el kell sajátítania e jellemvonásokat. Jó tulajdonságok nélkül senki sem válhat tiszta *bhaktává.* *Harāv abhaktasya kuto mahad-guṇāḥ:* aki nem *bhakta,* annak nincsenek jó tulajdonságai. Ezért aki azt akarja, hogy *bhaktának* tekintsék, annak ki kell fejlesztenie e vonásokat. Természetesen ez nem azt jelenti, hogy erre külön erőfeszítést kell tennie. A Kṛṣṇa-tudat és az odaadó szolgálat gyakorlása révén e jó tulajdonságokra minden külön igyekezet nélkül szert fog tenni.

20. VERS

ये तु धर्मामृतमिदं यथोक्तं पर्युपासते ।
श्रद्दधाना मत्परमा भक्तास्तेऽतीव मे प्रियाः ॥२०॥

ye tu dharmāmṛtam idaṁ yathoktaṁ paryupāsate
śraddadhānā mat-paramā bhaktās te 'tīva me priyāḥ

ye – akik; *tu* – de; *dharma* – vallásnak; *amṛtam* – nektárját; *idam* – ezt; *yathā* – ahogyan; *uktam* – mondtam; *paryupāsate* – teljesen elmerülnek benne; *śraddadhānāḥ* – hittel; *mat-paramāḥ* – Engem, a Legfelsőbb Urat tekintve mindennek; *bhaktāḥ* – *bhakták; te* – ők; *atīva* – nagyon-nagyon; *me* – Nekem; *priyāḥ* – kedvesek.

Azok, akik az odaadó szolgálat örök útját járják, s Engem tekintve legfelsőbb céljuknak, nagy hittel teljesen elmerülnek ebben, azok nagyon-nagyon kedvesek Nekem.

MAGYARÁZAT: Ebben a fejezetben a második verstől (*mayy āveśya mano ye mām,* „elméjét Rám szögezve") az utolsóig (*ye tu dharmāmṛtam idam,* „az örök hivatás vallása") a Legfelsőbb Úr a transzcendentális szolgálat folyamatait magyarázta el, melyek által elérhetjük Őt. Ezek a folyamatok nagyon kedvesek az Úrnak, s elfogadja azt, aki valamelyiket követi. Arjuna azt kérdezte: „Ki a jobb: aki a személytelen Brahman útját járja, vagy aki személyesen szolgálja az Istenség Legfelsőbb Személyiségét?" Az Úr válaszából egyértelműen megtudhatjuk, hogy a lelki önmegvalósítás valamennyi folyamata közül kétségtelenül az Istenség Személyiségének végzett odaadó szolgálat a legjobb. Ez a fejezet tehát elmondja, hogy a megfelelő társaság hatására az emberben vonzalom ébred a tiszta odaadó szolgálat iránt, aminek eredményeképpen elfogad egy hiteles lelki tanítómestert. Az ő irányításával gyakorolni kezdi a hallás és az éneklés folyamatát, majd hittel, ragaszkodással és lelkesedéssel követni kezdi az odaadó szolgálat szabályozó elveit, s ily módon az Úr transzcendentális szolgálatához lát. Ezt az utat ajánlja ez a fejezet. Kétségtelen tehát, hogy az odaadó szolgálat az egyetlen abszolút út, amely az önmegvalósításhoz és az Istenség Legfelsőbb Személyisége eléréséhez vezet. A Legfelsőbb Abszolút Igazság személytelen felfogása, amelyről e fejezetben olvashattunk, csupán addig ajánlott, amíg az ember át nem adja magát az önmegvalósításnak. A személytelen felfogás tehát csak addig hasznos, amíg az embernek nincs lehetősége arra, hogy egy tiszta *bhakta* társaságát élvezze. Az Abszolút Igazságot személytelennek vélő ember nem cselekszik tettei gyümölcséért, meditál, s a lélek és az anyag természetének megértése érdekében a tudás elsajátítására törekszik. Ez addig szükséges, amíg nincs lehetősége egy tiszta *bhakta* társaságára. Szerencsére ha valaki arra vágyik, hogy közvetlen, tiszta odaadó szolgálatot végezzen a Kṛṣṇa-tudatban, akkor nincs arra szüksége, hogy a lelki felemelkedés előző lépcsőit fokról fokra végigjárja. Az odaadó szolgálat – amit a *Bhagavad-gītā* középső hat fejezete ír le – sokkal célravezetőbb. Az embernek nem kell aggódnia amiatt, hogy testét-lelkét fenntartsa, mert az Úr kegyéből minden természetesen megtörténik.

Így végződnek a Bhaktivedanta-magyarázatok a Śrīmad Bhagavad-gītā *tizenkettedik fejezetéhez, melynek címe: „Az odaadó szolgálat".*

TIZENHARMADIK FEJEZET

A természet, az élvező és a tudat

1–2. VERS

अर्जुन उवाच
प्रकृतिं पुरुषं चैव क्षेत्रं क्षेत्रज्ञमेव च ।
एतद्वेदितुमिच्छामि ज्ञानं ज्ञेयं च केशव ॥१॥

श्रीभगवानुवाच
इदं शरीरं कौन्तेय क्षेत्रमित्यभिधीयते ।
एतद्यो वेत्ति तं प्राहुः क्षेत्रज्ञ इति तद्विदः ॥२॥

arjuna uvāca
prakṛtiṁ puruṣaṁ caiva kṣetraṁ kṣetra-jñam eva ca
etad veditum icchāmi jñānaṁ jñeyaṁ ca keśava

śrī-bhagavān uvāca
idaṁ śarīraṁ kaunteya kṣetram ity abhidhīyate
etad yo vetti taṁ prāhuḥ kṣetra-jña iti tad-vidaḥ

arjunaḥ uvāca – Arjuna mondta; *prakṛtim* – a természetet; *puruṣam* – az élvezőt; *ca* – is; *eva* – bizony; *kṣetram* – a mezőt; *kṣetra-jñam* – a mező ismerőjét; *eva* – bizony; *ca* – is; *etat* – mindezt; *veditum* – megérteni; *icchāmi* – kívánom; *jñānam* – tudást; *jñeyam* – a tudás tárgyát; *ca* – is; *keśava* – ó, Kṛṣṇa; *śrī-bhagavān uvāca* – az Istenség Személyisége mondta; *idam* – ezt; *śarīram* – a testet; *kaunteya* – ó, Kuntī fia; *kṣetram* – mezőnek; *iti* – így; *abhidhīyate* – hívják; *etat* – ezt; *yaḥ* – aki; *vetti* – tudja; *tam* – őt; *prāhuḥ* – nevezik; *kṣetra-jñaḥ* – a mező ismerőjének; *iti* – így; *tat-vidaḥ* – azok, akik tudják.

Arjuna szólt: Ó, kedves Kṛṣṇám, szeretném megérteni, hogy mi a prakṛti [a természet], a puruṣa [az élvező], a mező, a mező ismerője, a tudás, valamint a tudás tárgya.

Az Istenség Legfelsőbb Személyisége így válaszolt: Ó, Kuntī fia, ezt a testet hívják mezőnek, s aki a testet ismeri, azt a mező ismerőjének nevezik.

MAGYARÁZAT: Arjuna kíváncsi volt, hogy mi is a *prakṛti* (a természet), a *puruṣa* (az élvező), a *kṣetra* (a mező), a *kṣetra-jña* (annak ismerője), a tudás és a tudás tárgya. Amikor ezekről kérdezett, Kṛṣṇa azt válaszolta, hogy a testet hívják mezőnek, ismerőjét pedig a mező ismerőjének. A feltételekhez kötött lélek számára ez a test a cselekvés mezeje. Az anyagi lét rabjaként megpróbál ura lenni az anyagi természetnek, s tettei mezejéhez ennek megfelelően, uralkodási vágyának mértékétől függően jut. A cselekvés mezeje a test. Mi is a test? A test érzékszervekből áll. A feltételekhez kötött lélek érzékei kielégítésére vágyik, és az élvezetre való hajlama szerint kap egy testet, egy cselekvési mezőt. A testet ezért *kṣetrának,* vagyis a feltételekhez kötött lélek cselekedetei mezejének hívják. A személyt, akinek nem szabad a testével azonosítania magát, *kṣetrajñának,* azaz a mező ismerőjének nevezik. A mező és ismerője, azaz a test és a test ismerője közötti különbséget nem nehéz megérteni. Mindenki megértheti, hogy teste a gyermekkortól az öregkorig sok változáson megy keresztül, ám ő mégis ugyanaz a személy marad. Láthatjuk tehát, hogy különbség van a tettek mezejének ismerője és a tettek mezeje között. A feltételekhez kötött lélek ily módon megértheti, hogy nem azonos a testével. A könyv elején – *dehino 'smin* – arról olvashattunk, hogy az élőlény az anyagi testen belül foglal helyet, amely állandóan cserélődik: a gyermektestből előbb serdülő, majd kifejlett és végül öreg test lesz. A test birtokosa tudja, hogy a teste változik. Őt éppen ezért a megkülönböztetés érdekében *kṣetra-jñának* hívják. Azok a gondolatok, hogy „boldog vagyok", „férfi vagyok", „nő vagyok", „kutya vagyok", „macska vagyok", a mező ismerőjének testi megjelölései, ám az ismerő maga különbözik a testtől. Számtalan dolgot használunk (a ruháinkat stb.), mégis tudjuk, hogy nem vagyunk azonosak velük. Ennek analógiájára azt is megérthetjük, ha egy kicsit elgondolkozunk, hogy az anyagi testünktől is különbözünk. Én, te vagy bárki más, aki testtel rendelkezik, *kṣetra-jña,* a cselekedet mezejének ismerője, a test pedig *kṣetra,* a tettek mezeje.

A *Bhagavad-gītā* első hat fejezete a test ismerőjéről (az élőlényről) ír, s arról, hogyan érthetjük meg a Legfelsőbb Urat. A középső hat fejezetben az Istenség Legfelsőbb Személyiségéről találhatunk leírást, valamint a kapcsolatról, amely az egyéni lelket az odaadó szolgálaton keresztül a Felsőlélekhez fűzi. Ezek a fejezetek félreérthetetlenül meghatározzák az Istenség Legfelsőbb Személyisége felsőbbrendű, valamint az egyéni lélek alárendelt helyzetét. Az élőlények szerepe minden körülmények között alárendelt, s amikor megfeledkeznek erről, szenvednek. Amikor az élőlények a jámbor cselekedetek következtében megvilágosodnak, különféle okokból fordulnak a Legfelsőbb Úrhoz: vannak, akik azért, mert szenvednek, vannak, akiket szegénység sújt, vannak, akik kíváncsiak, s vannak, akik tudásra vágynak. Erről szintén olvashatunk. A tizenharmadik fejezettel kezdődően arról lesz szó, hogyan kerül az élőlény kapcsolatba az anyagi természettel, s hogyan szabadítja fel őt a Legfelsőbb Úr a különféle folyamatok – a gyümölcsöző cselekvés, a tudás művelése és az odaadó szolgálat – által. Arról is szó lesz, hogy az élőlény, noha teljesen különbözik az anyagi testtől, valamiképpen mégis kapcsolatba kerül vele.

3. VERS

क्षेत्रज्ञं चापि मां विद्धि सर्वक्षेत्रेषु भारत ।
क्षेत्रक्षेत्रज्ञयोर्ज्ञानं यत्तज्ज्ञानं मतं मम ॥३॥

kṣetra-jñaṁ cāpi māṁ viddhi sarva-kṣetreṣu bhārata
kṣetra-kṣetrajñayor jñānaṁ yat taj jñānaṁ mataṁ mama

kṣetra-jñam – a mező ismerőjeként; *ca* – is; *api* – bizony; *mām* – Engem; *viddhi* – ismerj; *sarva* – minden; *kṣetreṣu* – testi mezőben; *bhārata* – ó, Bharata leszármazottja; *kṣetra* – a tettek mezejéről (a testről); *kṣetra-jñayoḥ* – és a mező ismerőjéről; *jñānam* – szóló tudás; *yat* – ami; *tat* – az; *jñānam* – a tudás; *matam* – vélemény; *mama* – Enyém.

Ó, Bharata sarja, értsd meg, hogy Én is jelen vagyok minden testben a mező ismerőjeként, s a tudás nem más, mint megérteni, hogy mi ez a test és ki annak ismerője. Ez az Én véleményem.

MAGYARÁZAT: A test és ismerője, valamint a lélek és a Felsőlélek tárgyalása három különböző témát érint, melyek: az Úr, az élőlény és az anyag. Minden cselekvési mezőben, minden testben két lélek van: az egyéni lélek és a Felsőlélek. Mivel az utóbbi Kṛṣṇának, az Istenség Legfelsőbb Személyiségének teljes értékű kiterjedése, Kṛṣṇa azt mondja: „Én is ismerő vagyok, de nem a test egyéni ismerője, hanem a legfelsőbb ismerő. Paramātmāként, azaz Felsőlélekként jelen vagyok minden testben."

Aki a *Bhagavad-gītā* alapján nagyon alaposan tanulmányozza a tett mezejét és a mező ismerőjét, az tudásra tehet szert.

Az Úr kijelenti: „Én minden egyes egyéni testben a tettek mezejének ismerője vagyok." Az élőlény ismerheti a saját testét, de másokét nem. A Felsőlélekként minden testben jelen lévő Istenség Személyisége azonban tökéletesen ismeri mindegyik testet, minden fajban. Egy közönséges ember tudhat mindent a saját kis földjéről, de a király nemcsak a saját palotájáról, hanem minden egyes alattvalója minden tulajdonáról is tud. Ehhez hasonlóan az élőlény csak a saját testének egyéni birtokosa, a Legfelsőbb Úr azonban minden testnek. A király az ország eredeti tulajdonosa, a polgárok pedig csupán másodlagos tulajdonosok. Éppen így a Legfelsőbb Úr valamennyi test legfelsőbb birtokosa.

A test érzékszervekből áll. A Legfelsőbb Úr Hṛṣīkeśa, ami azt jelenti, hogy Ő „az érzékek irányítója". Ő az érzékek eredeti irányítója, pontosan úgy, mint ahogyan az állam tetteinek is a király a legfőbb irányítója, míg a polgárok csak másodlagos irányítók. Amikor az Úr azt mondja: „Én is ismerő vagyok", az annyit jelent, hogy Ő a felsőbbrendű tudó, míg az egyéni lélek csak a saját testét ismeri. A védikus irodalomban a következőt olvashatjuk:

kṣetrāṇi hi śarīrāṇi bījaṁ cāpi śubhāśubhe
tāni vetti sa yogātmā tataḥ kṣetra-jña ucyate

Ezt a testet *kṣetrának* hívják, s ezen belül lakozik a test tulajdonosa, valamint a Legfelsőbb Úr, aki ismeri a testet és annak tulajdonosát is. Éppen ezért Őt minden mező ismerőjének nevezik. A tettek mezeje, a tettek ismerője és a tettek legfelsőbb ismerője közötti különbségről a következőket mondhatjuk el: A test, az egyéni lélek és a Felsőlélek természetéről szóló tökéletes tudást a védikus irodalom *jñānának* nevezi. Ez Kṛṣṇa véleménye. A tudás azt jelenti, hogy megértjük: a lélek és a Felsőlélek egy, mégis különböző. Aki nem érti meg a tettek mezejét és a tettek ismerőjét, az nem rendelkezik tökéletes tudással. Meg kell értenünk a *prakṛti* (a természet), a *puruṣa* (a természet élvezője) és az *īśvara* (a természetet és az egyéni lelket irányító ismerő) helyzetét. Ezt a hármat nem szabad összetévesztenünk egymással, ahogyan nem szabad összetévesztenünk a festőt, a festményt és a festőállványt sem. Természeten ezt az anyagi világot értjük, ami a tettek mezeje, a természet élvezője pedig az élőlény. Mindkettő felett a legfelsőbb irányító áll, az Istenség Személyisége. Ezzel kapcsolatban így írnak a Védák (*Śvetāśvatara-upaniṣad* 1.12): *bhoktā bhogyaṁ preritāraṁ ca matvā / sarvaṁ proktaṁ tri-vidhaṁ brahmam etat.* Három *brahman*-felfogás van: *brahman* a *prakṛti,* a tettek mezeje; *brahman* a *jīva* (az egyéni lélek), aki megpróbál uralkodni az anyagi természeten, és Brahman mindkettőjük irányítója, de Ő a valódi irányító.

Ez a fejezet azt is kifejti, hogy a két ismerő közül az egyik tévedhetetlen, míg a másik esendő, az egyik felsőbbrendű, míg a másik alárendelt. Aki a mező két ismerőjéről azt gondolja, hogy egy és ugyanaz, az ellentmond az Istenség Legfelsőbb Személyiségének, aki itt egyértelműen kijelenti: „Én is ismerem a cselekvés mezejét." Aki a kötelet kígyónak véli, az nem rendelkezik tudással. Különféle testek vannak, s a testeknek különféle tulajdonosai. Mivel az egyéni lelkek mind más és más mértékben kívánnak uralkodni az anyagi természet felett, ennek érdekében más és más testet kapnak. A Legfelsőbb azonban irányítóként minden testben jelen van. A *ca* szó fontos, mert valamennyi test összességére utal. Ez Śrīla Baladeva Vidyābhūṣaṇa véleménye. Kṛṣṇa a Felsőlélek, aki az egyéni lélektől függetlenül jelen van minden egyes testben. E versben Kṛṣṇa egyértelműen kijelenti, hogy valódi tudás az, amikor valaki tudja, hogy a Felsőlélek irányítja a tettek mezejét és a parányi élvezőt is.

4. VERS

तत्क्षेत्रं यच्च यादृक्च यद्विकारि यतश्च यत् ।
स च यो यत्प्रभावश्च तत्समासेन मे शृणु ॥४॥

tat kṣetraṁ yac ca yādṛk ca yad-vikāri yataś ca yat
sa ca yo yat-prabhāvaś ca tat samāsena me śṛṇu

tat – azt; *kṣetram* – a cselekvés mezejét; *yat* – amit; *ca* – és; *yādṛk* – ahogy van; *ca* – is; *yat* – milyen; *vikāri* – változások; *yataḥ* – amiből; *ca* – szintén; *yat* – ami; *saḥ* – ő; *ca* – is; *yaḥ* – aki; *yat* – milyen; *prabhāvaḥ* – hatás; *ca* – is; *tat* – azt; *samāsena* – összefoglalva; *me* – Tőlem; *śṛṇu* – értsd meg.

Kérlek, halld most rövid leírásom a tett mezejéről, annak felépítéséről, változásairól, keletkezéséről, ismerőjéről és annak hatásairól!

MAGYARÁZAT: Az Úr most a cselekvés mezeje és annak ismerője örök helyzetéről fog beszélni. Ismernünk kell a test felépítését, alkotóelemeit, hogy kinek az irányítása alatt működik, hogyan és miért változik, mik az indítékok és mik az okok, mi az egyéni lélek végső célja és valódi formája. Azt is tudnunk kell, hogy mi a különbség az egyéni élő lélek és a Felsőlélek között, ismernünk kell eltérő hatásukat, képességeiket stb. Egyszerűen meg kell értenünk a *Bhagavad-gītāt* közvetlenül az Istenség Legfelsőbb Személyiségének szavain keresztül, s valamennyi kérdésre választ kapunk. Vigyáznunk kell azonban, nehogy a minden testben jelen lévő Istenség Legfelsőbb Személyiségét azonosnak higgyük az egyéni lélekkel, a *jīvával*. Az olyan lenne, mintha az erőset egyenlőnek tartanánk a tehetetlennel.

5. VERS

ऋषिभिर्बहुधा गीतं छन्दोभिर्विविधैः पृथक् ।
ब्रह्मसूत्रपदैश्चैव हेतुमद्भिर्विनिश्चितैः ॥ ५ ॥

ṛṣibhir bahudhā gītaṁ chandobhir vividhaiḥ pṛthak
brahma-sūtra-padaiś caiva hetumadbhir viniścitaiḥ

ṛṣibhiḥ – a bölcs szentek által; *bahudhā* – sokféleképpen; *gītam* – leírt; *chandobhiḥ* – védikus himnuszok által; *vividhaiḥ* – különfélék; *pṛthak* – különbözőképpen; *brahma-sūtra* – a *Vedāntának; padaiḥ* – az aforizmái által; *ca* – is; *eva* – bizony; *hetu-madbhiḥ* – okot és okozatot; *viniścitaiḥ* – megállapítók által.

A bölcsek a különféle védikus írásokban ismertetik a tettek mezejéről és a tettek ismerőjéről szóló tudást. Különösképpen a Vedānta-sūtra ír erről, ami nagyon logikusan, ok és okozatként mutatja be őket.

MAGYARÁZAT: Ennek a tudásnak a megmagyarázásában Kṛṣṇa, az Istenség Legfelsőbb Személyisége a legfőbb szaktekintély. A művelt tudósok és az élenjáró tekintélyek a szokások szerint még mindig a korábbi hiteles forrásokra hivatkozva bizonyítják állításaikat. Kṛṣṇa ezt a legellentmondásosabb pontot – a lélek és a Felsőlélek kettősségét illetve egységét – a szentírásra, név szerint a hiteles forrásként elfogadott *Vedāntára* hivatkozva magyarázza meg. Először is azt mondja: „Ez a bölcsek véleménye." A bölcsek alatt saját magán kívül elsősorban Vyāsadevát, a *Vedānta-sūtra* szerzőjét érti. A *Vedānta-sūtra* tökéletesen rávilágít a kettősségre. Parāśara, Vyāsadeva apja egy másik nagy bölcs, aki vallásos témájú könyvében így ír: *aham tvaṁ ca tathānye*… „Mi – én, te és a számtalan különféle élőlény – mindannyian transzcendentálisak vagyunk, noha anyagi testet öltöttünk. Jelenlegi cselekvésünket eltérő *karmánk* alapján az anyagi természet három kötőereje határozza meg. Ezért van az, hogy egyesek magasabb, mások alacsonyabb szinten állnak. A magasabb és alacsonyabb szintek létezése a tudatlanságnak köszönhető, és végtelen számú élőlényben nyilvánul meg. A csalhatatlan, transzcendentális Felsőlelket azonban nem szennyezi be a természet három kötőereje." Az eredeti Védák – leginkább a *Kaṭha-upaniṣad* – szintén különbséget tesznek a lélek, a Felsőlélek és a test között. Sok nagy bölcs magyarázta el ezt, s közülük Parāśarát tekintik a legfőbbnek.

A *chandobhiḥ* szó a különféle védikus írásokra utal. A *Taittirīya-upaniṣad* például, ami a *Yajur-veda* egyik ága, leírást ad a természetről, az élőlényről és az Istenség Legfelsőbb Személyiségéről.

Ahogyan arról korábban olvashattuk, a *kṣetra* a tettek mezejét jelenti, s kétféle *kṣetra-jña* van: az egyéni élőlény és a legfelsőbb élőlény. Ahogyan az a *Taittirīya-upaniṣadban* (2.5) áll: *brahma pucchaṁ pratiṣṭhā.* A Legfelsőbb Úr energiájának van egy *anna-maya* nevű megnyilvánulása, ami nem más, mint az ételtől való függés a lét fenntartása érdekében. Ez egy materialista felfogás a Legfelsőbbről. Az azt követő *prāṇa-maya* szinten, miután az ember felismeri a Legfelsőbb Abszolút Igazságot az ételben, megtapasztalja a léttünetekben vagy létformákban is. A *jñāna-maya* szintjén ezt a tapasztalatát kiterjeszti a léttüneteken túl a gondolkodás, az érzés és az akarat területére. A Brahman-tudatosság következő szintje a *vijñāna-maya.* Ezen a szinten az ember különválasztja az elmét és a léttüneteket magától az élőlénytől. A következő és legfelsőbb szint az *ānanda-maya,* amikor valaki tudatára ébred a gyönyörrel teljes természetnek. A Brahman-tudatosságnak ily módon öt lépcsőfoka van, amit *brahma pucchának* neveznek. Ezek közül az első három – *anna-maya, prāṇa-maya* és *jñāna-maya* – az élőlények cselekvésmezejével kapcsolatos. A Legfelsőbb Úr, akit *ānanda-mayának* is hívnak, transzcendentális a cselekvések mezeihez képest. A *Vedānta-sūtra* szintén így jellemzi a Legfelsőbbet: *ānanda-mayo 'bhyāsāt.* Az Istenség Legfelsőbb Személyiségének természete örömmel teli, s hogy ezt a transzcendentális örömet élvezhesse, kiterjed mint *vijñāna-maya, prāṇa-maya, jñāna-maya* és *anna-maya.* A cselekvés mezején az élőlényt tekintik az élvezőnek, s az *ānanda-maya* különbözik tőle. Ez azt jelenti, hogy az élőlény akkor válik tökéletessé, ha elhatározza, hogy az *ānanda-mayával* összekapcsolódva akar élvezethez jutni. Így alkothatunk valós képet a Legfelsőbb Úrról mint a cselekvés mezejének legfőbb ismerőjéről, az élőlényről mint alárendelt ismerőről, valamint a cselekvés mezejének természetéről. Ha ezt az igazságot akarjuk megismerni, a *Vedānta-sūtrában* – a *Brahma-sūtrában* – kell kutatnunk.

E vers szerint a *Brahma-sūtra* kódolt kijelentései nagyon szépen elmagyarázzák az okot és az okozatot. Íme néhány ilyen *sūtra* vagy aforizma: *na viyad aśruteḥ* (2.3.2), *nātmā śruteḥ* (2.3.18), *parāt tu tac-chruteḥ* (2.3.40). Az első *sūtra* a tettek mezejére, a második az élőlényre, a harmadik pedig a Legfelsőbb Úrra utal, aki a különféle élőlények teljes megnyilvánulása közül a legfőbb jó.

6–7. VERS

महाभूतान्यहङ्कारो बुद्धिरव्यक्तमेव च ।
इन्द्रियाणि दशैकं च पञ्च चेन्द्रियगोचराः ॥ ६ ॥

इच्छा द्वेषः सुखं दुःखं सङ्घातश्चेतना धृतिः ।
एतत्क्षेत्रं समासेन सविकारमुदाहृतम् ॥ ७ ॥

mahā-bhūtāny ahaṅkāro buddhir avyaktam eva ca
indriyāṇi daśaikaṁ ca pañca cendriya-gocarāḥ

icchā dveṣaḥ sukhaṁ duḥkhaṁ saṅghātaś cetanā dhṛtiḥ
etat kṣetraṁ samāsena sa-vikāram udāhṛtam

mahā-bhūtāni – a durva elemek; *ahaṅkāraḥ* – a hamis ego; *buddhiḥ* – az értelem; *avyaktam* – a megnyilvánulatlan; *eva* – bizony; *ca* – is; *indriyāṇi* – az érzékek; *daśa-ekam* – tizenegy; *ca* – is; *pañca* – öt; *ca* – is; *indriya-go-carāḥ* – az érzékek tárgyai; *icchā* – a vágy; *dveṣaḥ* – a gyűlölet; *sukham* – a boldogság; *duḥkham* – a boldogtalanság; *saṅghātaḥ* – az összesség; *cetanā* – a léttünetek; *dhṛtiḥ* – meggyőződés; *etat* – mindez; *kṣetram* – a cselekvés mezeje; *samāsena* – összefoglalva; *sa-vikāram* – kölcsönhatásokkal; *udāhṛtam* – szemléltetett.

Az öt őselem, a hamis ego, az értelem, a megnyilvánulatlan, a tíz érzék és az elme, az öt érzéktárgy, a vágy, a gyűlölet, a boldogság, a boldogtalanság, az elemek összessége, a léttünetek és a meggyőződések – ezeket együttesen a tettek mezejének és kölcsönhatásainak nevezik.

MAGYARÁZAT: A kiváló bölcsek hiteles állításai, a védikus himnuszok és a *Vedānta-sūtra* aforizmái szerint e világ összetevőit a következőképpen lehet megérteni: Először is van a föld, a víz, a tűz, a levegő és az éter. Ez az öt őselem (*mahā-bhūta*). Aztán van a hamis ego, az értelem és a természet három kötőerejének megnyilvánulatlan állapota. Ezenkívül van még öt tudásszerző érzékszerv (a szem, a fül, az orr, a nyelv és a bőr), öt cselekvő érzékszerv (a hangadás szerve, a láb, a kéz, a végbél és a nemi szerv). Az érzékek felett az elme áll, amit belső érzéknek is nevezünk, mert a testen belül van. Az elmével együtt tehát tizenegy érzékszerv van. Aztán van az érzékszervek öt tárgya: az illat, az íz, a forma, az érintés és a hang. E huszonnégy elem együtteséből áll a cselekvés mezeje, melyet a huszonnégy elem analitikus tanulmányozásával az ember alaposan megérthet. A vágy, a gyűlölet, a gyönyör és a szenvedés kölcsönhatások, melyek a durvafizikai testben az öt őselemet képviselik. A lét tünetei, melyeket a tudat képvisel, valamint a meggyőződések a finomfizikai test – az elme, az ego és az értelem – megnyilvánulásai. Ezek a finomfizikai elemek is a cselekvés mezejéhez tartoznak.

Az öt őselem a hamis ego durva megnyilvánulása. Ez a durva megnyilvánulás a hamis ego eredeti állapotát képviseli, melyet szakkifejezéssel materialista felfogásnak, vagyis *tāmasa-buddhinak,* tudatlanságban lévő intelligenciának neveznek. Ez képviseli továbbá az anyagi természet három kötőerejének megnyilvánulatlan állapotát. Az anyagi természet megnyilvánulatlan kötőerőit *pradhānának* hívják.

Aki részletesen meg akarja ismerni a huszonnégy elemet, valamint azok kölcsönhatásait, annak részletesebben kell tanulmányoznia a filozófiát. A *Bhagavad-gītā* csak egy összegzést ad erről.

E tényezőket a test képviseli, amely hatféle változásnak van kitéve: születés, növekedés, stagnálás, utódok létrehozása, sorvadás és végül elmúlás. A mező tehát egy ideiglenes anyagi tényező, a *kṣetra-jña,* a mező ismerője és tulajdonosa azonban különbözik tőle.

8–12. VERS

अमानित्वमदम्भित्वमहिंसा क्षान्तिरार्जवम् ।
आचार्योपासनं शौचं स्थैर्यमात्मविनिग्रहः ॥८॥

इन्द्रियार्थेषु वैराग्यमनहङ्कार एव च ।
जन्ममृत्युजराव्याधिदुःखदोषानुदर्शनम् ॥९॥

असक्तिरनभिष्वङ्गः पुत्रदारगृहादिषु ।
नित्यं च समचित्तत्वमिष्टानिष्टोपपत्तिषु ॥१०॥

मयि चानन्ययोगेन भक्तिरव्यभिचारिणी ।
विविक्तदेशसेवित्वमरतिर्जनसंसदि ॥११॥

अध्यात्मज्ञाननित्यत्वं तत्त्वज्ञानार्थदर्शनम् ।
एतज्ज्ञानमिति प्रोक्तमज्ञानं यदतोऽन्यथा ॥१२॥

amānitvam adambhitvam ahiṁsā kṣāntir ārjavam
ācāryopāsanaṁ śaucaṁ sthairyam ātma-vinigrahaḥ

indriyārtheṣu vairāgyam anahaṅkāra eva ca
janma-mṛtyu-jarā-vyādhi- duḥkha-doṣānudarśanam

asaktir anabhiṣvaṅgaḥ putra-dāra-gṛhādiṣu
nityaṁ ca sama-cittatvam iṣṭāniṣṭopapattiṣu

mayi cānanya-yogena bhaktir avyabhicāriṇī
vivikta-deśa-sevitvam aratir jana-saṁsadi

adhyātma-jñāna-nityatvaṁ tattva-jñānārtha-darśanam
etaj jñānam iti proktam ajñānaṁ yad ato 'nyathā

amānitvam – alázatosság; *adambhitvam* – büszkeségnélküliség; *ahiṁsā* – erőszaknélküliség; *kṣāntiḥ* – béketűrés; *ārjavam* – egyszerűség; *ācārya-upāsanam* – egy hiteles lelki tanítómester felkutatása; *śaucam* – tisztaság; *sthairyam* – rendületlenség; *ātma-vinigrahaḥ* – önfegyelem; *indriya-artheṣu* – az érzékekkel kapcsolatban; *vairāgyam* – lemondás; *anahaṅkāraḥ* – hamis ego nélküliség; *eva* – bizony; *ca* – is; *janma* – születésnek; *mṛtyu* – halálnak; *jarā* – öregségnek; *vyādhi* – és betegségnek; *duḥkha* – a boldogtalanságnak; *doṣa* – a hibáját; *anudarśanam* – meglátván; *asaktiḥ* – nem ragaszkodva; *anabhiṣvaṅgaḥ* – nem társulva; *putra* – fiúgyermekhez; *dāra* – feleséghez; *gṛha-ādiṣu* – otthonhoz stb.; *nityam* – állandó; *ca* – is; *sama-cittatvam* – kiegyensúlyozottság; *iṣṭa* – kívánatost; *aniṣṭa* – és nemkívánatost; *upapattiṣu* – elérvén; *mayi* – Nekem; *ca* – és; *ananya-yogena* – tiszta odaadó szolgálattal; *bhaktiḥ* – odaadás; *avyabhicāriṇī* – töretlen; *vivikta* – magányos; *deśa* – helyekre; *sevitvam* – törekedve; *aratiḥ* – nem ragaszkodva; *jana-saṁsadi* – az átlagemberek tömegéhez; *adhyātma* – az önvalóra vonatkozó; *jñāna* – tudásban; *nityatvam* – állandóság; *tattva-jñāna* – az igazságról szóló tudásnak; *artha* – a céljáért; *darśanam* – filozófia; *etat* – mindez; *jñānam* – tudásnak; *iti* – így; *proktam* – nyilvéníttatik; *ajñānam* – tudatlanság; *yat* – ami; *ataḥ* – ettől; *anyathā* – különböző.

Alázatosság; büszkeségnélküliség; erőszakmentesség; béketűrés; egyszerűség; egy hiteles lelki tanítómester elfogadása; tisztaság; kitartás; önfegyelem; lemondás az érzékkielégítés tárgyairól; a hamis ego hiánya; a születés, halál, öregség és betegség okozta gyötrelem felismerése; lemondás; nem kötődés a gyermekekhez, a feleséghez, az otthonhoz és a többi

hasonló dologhoz; kiegyensúlyozottság kellemes és kellemetlen körülmények között egyaránt; az Irántam érzett állandó és tiszta odaadás; magányos életre törekvés; elhatárolódás az emberek általános tömegétől; az önmegvalósítás fontosságának felismerése; az Abszolút Igazság utáni filozófiai kutatás – mindezeket tudásnak nyilvánítom, s ezen kívül minden tudatlanság.

MAGYARÁZAT: A kevésbé értelmes emberek néha félreértik a tudás elérésének ezt a folyamatát, és úgy vélik, hogy ez a cselekvés mezejének kölcsönhatása. Valójában azonban ez a tudás utáni kutatás igazi folyamata. Ha valaki elfogadja ezt, akkor lehetősége nyílik az Abszolút Igazság elérésére. Ez tehát – ahogyan korábban már olvashattuk – nem a huszonnégy elem kölcsönhatásának az eredménye, hanem az elemektől való megszabadulás eszköze. A megtestesült lélek a test börtönében ül, ami egy huszonnégy elemből álló burkolat. Kiszabadulni belőle a tudás elérésének itt leírt folyamatával lehet. A folyamat leírásában a legfontosabb tényező az, amiről a tizenegyedik vers első sora ír. *Mayi cānanya-yogena bhaktir avyabhicāriṇī:* a tudás megszerzésének végén az Úr tiszta odaadó szolgálata áll. Tehát ha valaki nem jut el, illetve nem képes eljutni az Úr transzcendentális szolgálatához, akkor a többi tizenkilenc tényezőnek gyakorlatilag semmi haszna. Ellenben ha valaki az odaadó szolgálatba fog, és teljesen Kṛṣṇa-tudatúvá válik, akkor a többi tizenkilenc tulajdonságra is automatikusan szert tesz. Ahogyan a *Śrīmad-Bhāgavatam* (5.18.12) kijelenti: *yasyāsti bhaktir bhagavaty akiñcanā sarvair guṇais tatra samāsate surāḥ.* A tudásra jellemző valamennyi jó tulajdonság kifejlődik abban az emberben, aki eljutott az odaadó szolgálat szintjére. A lelki tanítómester elfogadása – ahogyan a nyolcadik vers említi – nagyon lényeges. Még az odaadó szolgálatot végző számára is a legfontosabb dolog. A transzcendentális élet a hiteles lelki tanítómester elfogadásával kezdődik. Az Istenség Legfelsőbb Személyisége, Śrī Kṛṣṇa itt érthetően kijelenti, hogy a tudás e folyamata az igazi út, és minden más kitaláció ostobaság.

A fenti versek által meghatározott tudás elemeit a következőképpen fejthetjük ki bővebben: Az alázatosság azt jelenti, hogy az embernek nem szabad vágynia a mások tiszteletéből fakadó elégedettségre. Anyagi életfelfogásunk miatt mindannyian nagyon szeretnénk elnyerni mások megbecsülését. De a tökéletes tudással rendelkező ember szemében, aki tudja, hogy nem azonos a testével, mindaz, ami a testre vonatkozik – tisztelet, szégyen stb. – teljesen lényegtelen. Senki ne vágyjon ilyen megtévesztő anyagi dolgokra. Vannak emberek, akik azt szeretnék, hogy vallásosságukról legyenek híresek, s ezért néha a vallás elveinek ismerete nélkül egy olyan csoportnak lesznek a tagjai, amely valójában nem is tartja be a vallásos elveket, s így vallási vezetőknek adják ki magukat. Hogy valaki milyen magas szinten áll a lelki tudományban, azt az ezekben a versekben felsorolt tulajdonságok alapján lehet megállapítani.

Erőszaknélküliség alatt az emberek általában a test elpusztításának vagy megölésének tilalmát értik, holott az igazi jelentése az, hogy ne okozzunk senkinek se aggodalmat. Általában az emberek anyagi életfelfogásuk miatt a tudatlanság csapdájában vergődnek, s állandó anyagi szenvedésnek vannak kitéve. Ezért az ember mindaddig erőszakot követ el, amíg nem kezd el törekedni arra, hogy embertársait a lelki tudás síkjára emelje. Próbáljunk megtenni minden tőlünk telhetőt az igazi tudás terjesztése érdekében, hogy az embereknek így lehetőségük nyíljon a megvilágosodásra, és képesek legyenek kiszabadulni az anyag fogságából. Ezt jelenti az erőszaknélküliség.

Béketűrés azt jelenti, hogy az ember megtanulja elviselni másoktól a sértést és a gyalázatot. Aki a lelki tudásban akar fejlődni, azt sok sértés és gyalázat fogja érni. Erre számítani kell, mert ez az anyagi világ természete. A lelki tudás után kutatva még Prahlāda (aki mindössze ötéves volt) is veszélybe került, amikor odaadása láttán az apja ellene fordult. Prahlāda békésen tűrte, amikor apja a legkülönfélébb módszerekkel próbálta őt megölni. Sok akadály állhat tehát utunkban, ha a lelki tudásban akarunk előrelépni, de béketűrőnek kell lennünk, s elszántan kell haladnunk tovább.

Az egyszerűség nem más, mint hogy az embernek színlelés nélkül nyíltnak és őszintének kell lennie, olyannak, aki még az ellenségének is megmondja az igazságot. A lelki tanítómester elfogadása elengedhetetlen, mert egy hiteles lelki tanítómester utasításai nélkül senki sem fejlődhet a lelki tudományban. A lelki tanítómestert az embernek teljes alázatossággal kell megszólítania, s fel kell ajánlania neki a szolgálatát, mert a mester így szívesen részesíti majd áldásában a tanítványt. A hiteles lelki tanítómester Kṛṣṇa képviselője, ezért bárhogyan áldja is meg tanítványát, az nyomban fejlődni fog a lelki életben, még akkor is, ha esetleg nem követi a szabályozó elveket. Másrészről pedig aki fenntartás nélkül szolgálja a lelki tanítómestert, annak a szabályozó elvek betartása is könnyebb lesz.

A tisztaság alapvetően fontos a lelki fejlődéshez. Kétféle tisztaság van: külső és belső. Az előbbi azt jelenti, hogy az ember rendszeresen megfürdik, az utóbbi pedig azt, hogy mindig Kṛṣṇára gondol, és a Hare Kṛṣṇa, Hare Kṛṣṇa, Kṛṣṇa Kṛṣṇa, Hare Hare, Hare Rāma, Hare Rāma, Rāma Rāma, Hare Hare *mantrát* énekli. Ez a folyamat megtisztítja az elmét a múlt *karmájának* összegyűlt porától.

A rendíthetetlenség azt jelenti, hogy az embernek nagyon eltökéltnek kell lennie, ha fejlődni akar a lelki életben. Ilyen eltökéltség hiányában nem lehet igazán eredményes. Az önfegyelmezés azt jelenti, hogy nem szabad elfogadnunk semmit, ami hátráltatja a lelki fejlődést. Meg kell szoknunk, hogy elutasítsunk mindent, ami gátolja előrehaladásunkat a lelki fejlődésben. Ez a valódi lemondás. Az érzékszervek nagyon erősek, s mindig élvezet után sóvárognak. Ezek a vágyak mind fölöslegesek, ezért nem szabad eleget tenni nekik. Az érzékszerveknek csak annyi élvezetet kell biztosítani, amennyi szükséges ahhoz, hogy a test egészséges maradjon, és alkalmas legyen a lelki fejlődést szolgáló kötelességek végrehajtására. A legfontosabb és egyben a legnehezebben megfékezhető érzékszerv a nyelv. Ha valaki képes uralkodni a nyelve fölött, annak minden esélye megvan a többi érzék szabályozására is. A nyelv feladata az ízlelés és a beszéd, ezért szabályozása azt jelenti, hogy mindig a Kṛṣṇának felajánlott étel maradékának ízlelésével és a Hare Kṛṣṇa éneklésével kell elfoglalni. Ami a szemet illeti, nem szabad engednünk, hogy Kṛṣṇa gyönyörűséges formáján kívül mást is lásson. Így lehet fegyelmezni a szemet. Hasonlóan a fülünket is csak arra kell használnunk, hogy Kṛṣṇáról halljunk, az orrot pedig arra, hogy a Neki felajánlott virágokat szagoljuk. Ez az odaadó szolgálat folyamata. Láthatjuk, hogy a *Bhagavad-gītā* egyedül az odaadó szolgálat tudományát tárgyalja részletesen. Az odaadó szolgálat az egyetlen és a legfontosabb cél. A *Bhagavad-gītā* ostoba magyarázói megpróbálják az olvasók figyelmét más témákra terelni, ám az odaadó szolgálaton kívül nincs másról szó ebben a műben.

A hamis ego nem más, mint amikor valaki a testét önmagának tekinti. A valódi ego ezzel szemben az, ha megértjük, hogy nem ez a test, hanem lélek vagyunk. Az ego létezik, ezért csupán a hamis ego a rossz, s nem az igazi. A védikus irodalom (*Bṛhad-āraṇyaka-upaniṣad* 1.4.10) így ír: *ahaṁ brahmāsmi, brahman,* vagyis lélek vagyok. Ez a „vagyok", más szóval az énérzet még az önmegvalósítás felszabadult síkján is létezik. Ezt hívják egónak, amikor azonban az anyagi testre vonatkoztatják, hamis ego lesz belőle. Ha tehát az énérzet az igazi énünkkel kapcsolatos, igazi egónak nevezik. Némely filozófusok azt hangoztatják, hogy meg kell válnunk az egónktól. Ez azonban nem lehetséges, hiszen az ego az önazonosságunkat jelenti. Amitől azonban természetesen meg kell szabadulnunk, az a testtel való hamis azonosulás.

Az embernek törekednie kell arra, hogy megértse, milyen gyötrelemmel jár a születés, a halál, az öregség és a betegség. A védikus irodalom számos könyve ír a születésről. A *Śrīmad-Bhāgavatam* például nagyon szemléletesen ecseteli a még meg nem született embrió világát, helyzetét az anyaméhben, szenvedését stb. Alaposan meg kell értenünk, hogy megszületni rendkívül fájdalmas dolog. Mivel elfelejtjük, hogy mennyit szenvedtünk az anyaméhben, egyáltalán nem próbálunk megoldást keresni az ismétlődő születés és halál problémájára. A halál ehhez hasonlóan szintén sok fájdalommal jár, s a hiteles szentírások erről is szólnak. Ezekről a témákról beszélni kell. A betegséget és az öregséget bárki tapasztalhatja az életben. Senki sem kíván megbetegedni vagy megöregedni, ám ezt senki nem kerülheti el. Amíg a születés, a halál, az öregség és a betegség okozta szenvedés felismerésével nem teszünk szert pesszimista felfogásra az anyagi léttel kapcsolatban, addig nincs, ami előrelendítene bennünket a lelki élet fejlődésének útján.

Az, hogy ne kötődjünk a gyermekekhez, a feleséghez és az otthonhoz, nem azt jelenti, hogy érzéketlennek kell lennünk velük szemben. Az efféle érzések irántuk természetesek. Amikor azonban nem segítik elő a lelki fejlődésünket, nem szabad ragaszkodnunk hozzájuk. A Kṛṣṇa-tudat teheti leginkább kellemessé az otthonunkat. Ha valaki teljesen Kṛṣṇa-tudatú, nagyon boldog otthont teremthet, mert a Kṛṣṇa-tudat folyamatát nagyon könnyű gyakorolni. Az embernek csupán arra kell ügyelnie, hogy énekelje a Hare Kṛṣṇa, Hare Kṛṣṇa, Kṛṣṇa Kṛṣṇa, Hare Hare, Hare Rāma, Hare Rāma, Rāma Rāma, Hare Hare *mantrát,* fogyassza a Śrī Kṛṣṇának felajánlott étel maradékait, tanulmányozza a szentírásokat, például a *Bhagavad-gītāt* és a *Śrīmad-Bhāgavatamot,* valamint imádja a *mūrtikat.* E négy cselekedet bárkit boldoggá tehet. Az embernek így kell nevelnie a családját. Reggelenként és esténként leülhetnek, hogy együtt énekeljék: Hare Kṛṣṇa, Hare Kṛṣṇa, Kṛṣṇa Kṛṣṇa, Hare Hare, Hare Rāma, Hare Rāma, Rāma Rāma, Hare Hare. Ha az ember képes családi életét ennek megfelelően alakítani, és e négy dolgot gyakorolva kifejleszteni a Kṛṣṇa-tudatot, akkor nem szükséges áttérnie a családi életről a lemondott életrendre. Ha azonban a családi helyzete nem megfelelő, s az nem kedvez a lelki életben való fejlődésének, akkor le kell mondania a családról. Kṛṣṇa elérése és szolgálata érdekében mindent fel kell áldozni, ahogy Arjuna is tette. Arjuna nem akarta elpusztítani hozzátartozóit, de miután megértette, hogy akadályozzák őt Kṛṣṇa elérésében, elfogadta Kṛṣṇa utasítását, harcolt, s végül megölte őket. Az embernek sohasem szabad kötődnie a családi élet örömeihez és gondjaihoz, hiszen ebben a világban senki sem lehet soha csak boldog vagy csak boldogtalan.

A boldogság és a szenvedés az anyagi lét velejárói, s a *Bhagavad-gītā* azt tanácsolja, tanuljuk meg eltűrni őket. Az öröm és a szenvedés magától jön és tűnik el, s ezt nem tudjuk megakadályozni, ezért a legjobb, ha lemondunk a materialista életmódról, s így képesek leszünk megőrizni a lelki egyensúlyunkat mindkettő során. Az emberek általában akkor boldogok, ha valami kellemes éri őket, míg ellenkező esetben boldogtalanok. Ha azonban elérjük az igazi lelki szintet, akkor az ilyen dolgok nem okoznak többé aggodalmat nekünk. Ennek a síknak az elérése érdekében töretlenül kell végeznünk az odaadó szolgálatot. Kṛṣṇa megingathatatlan odaadó szolgálata azt jelenti, hogy az odaadó szolgálat kilenc folyamatát végezzük – éneklés, hallás, imádat, hódolatunk felajánlása stb. –, ahogyan a kilencedik fejezet utolsó verse is írja. Ez az az út, melyet követnünk kell.

Aki a lelki élethez már hozzászokott, az természetesen nem vágyik materialista emberek társaságára, hiszen ez ellenkezne a természetével. Az ember úgy teheti próbára saját magát, hogy megnézi, mennyire hajlik arra, hogy a nemkívánatos emberek társaságát elhagyva egy magányos helyen éljen. A *bhaktának* nincs kedve a felesleges sporthoz, nincs kedve moziba vagy társasági rendezvényekre járni, mert megértette, hogy ezzel csupán az idejét vesztegeti. Számtalan kutató és filozófus tanulmányozza például a nemi életet vagy más ehhez hasonló témát, de a *Bhagavad-gītā* szerint az efféle kutatómunka és filozófiai spekuláció haszontalan, s többé-kevésbé ostobaság. A *Bhagavad-gītā* a lélek természetének filozófiai tanulmányozását ajánlja. Az embernek azért kell kutatást végeznie, hogy megérthesse az önvalót, mondja ez a vers.

A versből egyértelműen kitűnik, hogy a *bhakti-yoga* az önmegvalósításhoz vezető legcélszerűbb folyamat. Ha odaadásról beszélünk, akkor a Felsőlélek és az egyéni lélek viszonyára kell gondolnunk. A Felsőlélek és az egyéni lélek nem lehet egy és ugyanaz, legalábbis nem a *bhakti,* vagyis az odaadás felfogása szerint. Az is világosan kiderül, hogy az egyéni lélek örökké (*nityam*) szolgálja a Legfelsőbb Lelket. Az odaadó szolgálat, a *bhakti* tehát örökkévaló. Az embernek szert kell tennie erre a filozófiai meggyőződésre.

A *Śrīmad-Bhāgavatam* (1.2.11) elmagyarázza ezt. *Vadanti tat tattva-vidas tattvaṁ yaj jñānam advayam:* „Az Abszolút Igazság ismerői tudják, hogy a Legfelsőbbet három szinten, mint Brahmant, mint Paramātmāt és mint Bhagavānt lehet tudatosan megérteni." Bhagavān az Abszolút Igazság elérésének végső célja, ezért az Istenség Legfelsőbb Személyisége megismerésének síkjára kell eljutnunk, s ott az Úr odaadó szolgálatát kell végeznünk. Ez a tudás tökéletessége.

Ez a folyamat, ami az alázatosság gyakorlásával kezdődik, és egészen addig tart, amíg valaki tudatára nem ébred a Legfelsőbb Igazságnak, az Istenség Abszolút Személyiségének, hasonlatos egy lépcsőhöz, amely a földszintről a legfelső emeletre vezet. Ezen a lépcsőn sok ember jutott már fel az első, a második, a harmadik vagy valamelyik felsőbb emeletre, de amíg nem érik el a legfelső emeletet, ami Kṛṣṇa megismerése, addig mindannyian a tudás alacsonyabb szintjén állnak. Ha valaki gyarapítani akarja lelki tudását, közben azonban verseng Istennel, kudarc vár rá. Ez a vers világosan utal rá, hogy alázatosság nélkül valójában lehetetlen a megismerés. A magát Istennek képzelő ember mindenki között a legfelfuvalkodottabb. Habár az anyagi természet szigorú törvényei szüntelenül megleckéztetik, tudatlansága következtében továbbra is azt gondolja: „Én vagyok Isten." A tudás tehát az *amānitvával,* az alázatossággal kezdődik. Az ember legyen alázatos, és értse meg, hogy a Legfelsőbb Úr alárendeltje. Az élőlény azért kerül az anyagi természet hatása alá, mert fellázad a Legfelsőbb Úr ellen. Erről az igazságról teljes meggyőződésre kell szert tennünk.

13. VERS

ज्ञेयं यत्तत्प्रवक्ष्यामि यज्ज्ञात्वामृतमश्नुते ।
अनादि मत्परं ब्रह्म न सत्तन्नासदुच्यते ॥१३॥

jñeyaṁ yat tat pravakṣyāmi yaj jñātvāmṛtam aśnute
anādi mat-paraṁ brahma na sat tan nāsad ucyate

jñeyam – a megismerhetőt; *yat* – amit; *tat* – azt; *pravakṣyāmi* – most el fogom magyarázni; *yat* – amit; *jñātvā* – megismervén; *amṛtam* – nektárt; *aśnute* – az ember megízleli; *anādi* – kezdet nélküli; *mat-param* – Nálam alacsonyabb rendű; *brahma* – lelket; *na* – sem; *sat* – oknak; *tat* – azt; *na* – sem; *asat* – okozatnak; *ucyate* – hívják.

Most elmagyarázom a megismerhetőt, melynek ismeretével megízlelheted az örökkévalóságot. A brahman, a kezdet nélküli és Nekem alárendelt lélek túl van az anyagi világ ok-okozati törvényén.

MAGYARÁZAT: Az Úr korábban már elmagyarázta a cselekvés mezejét és a mező ismerőjét, valamint azt a folyamatot, ami által tudást szerezhetünk a tett mezejének ismerőjéről. Most a tudás tárgyáról, azaz először a lélekről, majd a Felsőlélekről fog szólni. Az ismerőről, a lélekről és a Felsőlélekről szóló tudás révén az ember megízlelheti az élet nektárját. Ahogyan a második fejezet elmondta, az élőlény örökkévaló. Ezt erősíti meg ez a vers is. Nincs olyan időpont, amelyről azt mondhatnánk: ekkor született a *jīva*. Azt sem képes senki kideríteni, mikor nyilvánult meg a *jīvātmā* a Legfelsőbb Úrból. Ezért ő kezdet nélküli. A védikus irodalom alátámasztja ezt: *na jāyate mriyate vā vipaścit* (*Kaṭha-upaniṣad* 1.2.18). A test ismerőjére az jellemző, hogy sohasem született meg, sohasem fog meghalni, és teljes tudással rendelkezik.

A védikus irodalom (*Śvetāśvatara-upaniṣad* 6.16) szerint a Legfelsőbb Úr mint Felsőlélek szintén *pradhāna-kṣetrajña-patir guṇeśaḥ,* a test legfőbb ismerője és az anyagi természet három kötőerejének mestere. A *smṛti* így ír: *dāsa-bhūto harer eva nānyasyaiva kadācana.* Az élőlények örökké a Legfelsőbb Úr szolgálatában állnak. Tanításában ezt az Úr Caitanya is megerősítette. Láthatjuk tehát, hogy az ebben a versben említett *brahman* szó az egyéni lélekre vonatkozik, és ilyen esetben nem szabad elfelejtenünk, hogy ő *vijñāna-brahma,* nem pedig *ānanda-brahma. Ānanda-brahma* az Istenség Legfelsőbb Brahman Személyisége.

14. VERS

सर्वतः पाणिपादं तत्सर्वतोऽक्षिशिरोमुखम् ।
सर्वतः श्रुतिमल्लोके सर्वमावृत्य तिष्ठति ॥१४॥

sarvataḥ pāṇi-pādaṁ tat sarvato 'kṣi-śiro-mukham
sarvataḥ śrutimal loke sarvam āvṛtya tiṣṭhati

sarvataḥ – mindenhol; *pāṇi* – kezek; *pādam* – lábak; *tat* – az; *sarvataḥ* – mindenhol; *akṣi* – szemek; *śiraḥ* – fejek; *mukham* – arcok; *sarvataḥ* – mindenhol; *śruti-mat* – füle van; *loke* – ebben a világban; *sarvam* – mindent; *āvṛtya* – befedve; *tiṣṭhati* – létezik.

Kezei és lábai, szemei, fejei és arcai mindenhová elérnek, s fülei mindenhol jelen vannak. Áthatva mindent, így létezik a Felsőlélek.

MAGYARÁZAT: Ahogyan a nap létezik végtelen sugarait árasztva, úgy létezik a Felsőlélek, az Istenség Legfelsőbb Személyisége is. Mindent átható formájában létezik, az egyéni élőlények pedig Brahmātól, az első nagy tanítótól kezdve egészen a parányi hangyákig mind Benne élnek. Megszámlálhatatlanul sok fej, láb, kéz és szem, és végtelen számú élőlény létezik. Valamennyi a Felsőlélekben és a Felsőlelken létezik, éppen ezért a Felsőlélek mindent átható. Az egyéni lélek azonban nem mondhatja azt magáról, hogy mindenhol van keze, lába és szeme. Az ő esetében ez nem lehetséges. Ha mégis azt hiszi, hogy csak a tudatlanságnak köszönhetően nincs tudatában annak, hogy kezei és lábai mindenhová elérnek, ám az igazi tudásra szert téve majd eljut erre a szintre, akkor ezzel ellentmond önmagának, hiszen ez azt jelenti, hogy az egyéni lélek nem lehet a legfelsőbb, mert az anyagi természet alárendeltjévé vált. A Legfelsőbb különbözik az egyéni lélektől. A Legfelsőbb Úr képes a karját bármilyen hosszúra kinyújtani, az egyéni lélek viszont nem. A *Bhagavad-gītāban* azt mondja az Úr, hogy elfogadja a Neki felajánlott virágot, gyümölcsöt vagy egy kevés vizet. Ha Ő olyan távol van, hogyan képes bármit is elfogadni? Ez az Úr mindenható természete: bár messze a Földtől, saját hajlékán él, mégis kinyújthatja kezét, hogy elfogadja az ember felajánlását. Ilyen az Úr hatalma. A *Brahma-saṁhitā* (5.37) így ír: *goloka eva nivasaty akhilātma-bhūtaḥ* – Kṛṣṇa örökké kedvteléseinek hódol transzcendentális hajlékán, ugyanakkor mindent átható is. Az egyéni lélek nem állíthatja ugyanezt magáról. Ezért ez a vers a Legfelsőbb Lélekről, az Istenség Személyiségéről, s nem az egyéni lélekről beszél.

15. VERS

सर्वेन्द्रियगुणाभासं सर्वेन्द्रियविवर्जितम् ।
असक्तं सर्वभृच्चैव निर्गुणं गुणभोक्तृ च ॥१५॥

sarvendriya-guṇābhāsaṁ sarvendriya-vivarjitam
asaktaṁ sarva-bhṛc caiva nirguṇaṁ guṇa-bhoktṛ ca

sarva – minden; *indriya* – érzéknek; *guṇa* – és tulajdonságnak; *ābhāsam* – az eredeti forrása; *sarva* – minden; *indriya* – érzék; *vivarjitam* – nélküli; *asaktam* – ragaszkodás nélküli; *sarva-bhṛt* – mindenki fenntartója; *ca* – is; *eva* – bizony; *nirguṇam* – anyagi tulajdonságok nélkül; *guṇa-bhoktṛ* – a *guṇák* mestere; *ca* – is.

A Felsőlélek az eredeti forrása minden érzéknek, ám Ő mégis érzékek nélküli. Ő nem kötődik semmihez, noha Ő minden lény fenntartója. A természet kötőerői fölött áll, s az anyagi természet valamennyi kötőerejének mestere.

MAGYARÁZAT: A Legfelsőbb Úr a forrása az élőlények minden érzékének, ám velük ellentétben Neki nincsenek anyagi érzékei. Valójában az egyéni lélek érzékei szintén lelkiek, a feltételekhez kötött lét során azonban az anyagi elemek fedik be őket, így működésük az anyagon keresztül nyilvánul meg. A Legfelsőbb Úr érzékei ezzel szemben nincsenek befedve, hanem transzcendentálisak, ezért *nirguṇának* nevezik őket. *Guṇa* anyagi kötőerőt jelent, ám az Ő érzékeit nem fedi be az anyag. Meg kell értenünk, hogy az Ő érzékei nem olyanok, mint a mieink. Ő minden érzéktevékenységünk forrása, de az Ő érzékei transzcendentálisak, s mentesek minden szennyeződéstől. Ezt a *Śvetāśvatara-upaniṣad* (3.19) az *apāṇi-pādo javano grahītā* versében nagyon szépen megmagyarázza. Az Istenség Legfelsőbb Személyiségének nincs olyan keze, melyet az anyag beszennyez, de olyan van, amellyel elfogadja a Számára felajánlott áldozatot. Ez a különbség a feltételekhez kötött lélek és a Felsőlélek között. A Felsőléleknek nincs anyagi szeme, mégis van szeme, máskülönben hogyan látna? Mindent lát – múltat, jelent és jövőt egyaránt. Az élőlények szívében él, és ismeri nemcsak a jelenlegi, de a múltban elkövetett tetteinket is, valamint azt is, ami a jövőben vár ránk. A *Bhagavad-gītā* ezt is megerősíti: Ő mindenről tud, ám Őt senki sem ismeri. Úgy mondják, a Legfelsőbb Úrnak nincsen lába, mint nekünk, mégis képes járni az űrben, mert lelki lába van. Más szóval az Úr nem személytelen – van szeme, lába, keze stb., s mivel mi a Legfelsőbb Úr szerves részei vagyunk, mi is rendelkezünk ezekkel a testrészekkel. Az Ő kezét, lábát, szemét és érzékeit azonban nem fertőzi be az anyagi természet.

A *Bhagavad-gītā* azt is megerősíti, hogy az Úr belső energiája által jelenik meg az anyagi univerzumban. Ő az anyagi energia ura, ezért az nem fertőzheti meg. A védikus írások kijelentik, hogy Kṛṣṇa teste teljes egészében lelki. Formája örök, melyet *sac-cid-ānanda-vigrahának* neveznek, s minden fenséggel azok teljességében rendelkezik. Ő minden gazdagság birtokosa, minden energia forrása, a legokosabb, aki teljes tudással rendelkezik. Ez csupán néhány jellemzője az Istenség Legfelsőbb Személyiségének. Ő gondoskodik valamennyi élőlényről, és tanúja minden tettnek. A védikus irodalomból megtudhatjuk, hogy a Legfelsőbb Úr mindig transzcendentális. Nem látjuk ugyan, mégis van feje, arca, keze, lába, s ha majd a transzcendentális síkra emelkedünk, láthatjuk formáját. Jelenleg azonban nem vagyunk erre képesek, mert érzékeinket anyagi szennyeződés borítja. Az imperszonalisták, akik az anyag hatása alatt állnak, nem érthetik meg az Istenség Személyiségét.

16. VERS

बहिरन्तश्च भूतानामचरं चरमेव च ।
सूक्ष्मत्वात्तदविज्ञेयं दूरस्थं चान्तिके च तत् ॥१६॥

bahir antaś ca bhūtānām acaraṁ caram eva ca
sūkṣmatvāt tad avijñeyaṁ dūra-sthaṁ cāntike ca tat

bahiḥ – kívül; *antaḥ* – belül; *ca* – is; *bhūtānām* – minden élőlényen; *acaram* – mozdulatlan; *caram* – mozgó; *eva* – is; *ca* – és; *sūkṣmatvāt* – mert finom; *tat* – az; *avijñeyam* – megismerhetetlen; *dūra-stham* – nagyon távoli; *ca* – is; *antike* – közel; *ca* – és; *tat* – az.

A Legfelsőbb Igazság minden élőlényen – mozgón és mozdulatlanon – kívül és belül egyaránt létezik. Ő megfoghatatlan, ezért az anyagi érzékek számára láthatatlan és megismerhetetlen. Bár nagyon-nagyon távol van, mégis közel van mindenkihez.

MAGYARÁZAT: A védikus írásokból megérthetjük, hogy a Legfelsőbb Személy, Nārāyaṇa minden élőlényen kívül és belül is létezik, és egyidejűleg jelen van az anyagi és a lelki világban is. Végtelenül messze van, ám ugyanakkor egészen közel is van hozzánk. Ezt mondja a védikus irodalom. *Āsīno dūraṁ vrajati śayāno yāti sarvataḥ* (*Kaṭha-upaniṣad* 1.2.21). A Legfelsőbb Személy transzcendentális gyönyörbe merül, ezért képtelenek vagyunk megérteni, hogyan élvezi teljes fenségét. Anyagi érzékeinkkel nem láthatunk semmit, nem érthetünk meg semmit. A Védák éppen ezért azt mondják, hogy anyagi elmével és anyagi érzékszervekkel nem lehet megismerni Istent. Aki azonban a Kṛṣṇa-tudatban, az odaadó szolgálaton keresztül megtisztította elméjét és érzékeit, az mindig láthatja Őt. A *Brahma-saṁhitā* megerősíti, hogy az a *bhakta,* akiben szeretet ébredt a Legfelsőbb Isten iránt, örökké, szüntelenül láthatja Kṛṣṇát. A *Bhagavad-gītā* (11.54) alátámasztja: Őt csakis az odaadó szolgálat révén lehet meglátni és megérteni. *Bhaktyā tv ananyayā śakyaḥ.*

17. VERS

अविभक्तं च भूतेषु विभक्तमिव च स्थितम् ।
भूतभर्तृ च तज्ज्ञेयं ग्रसिष्णु प्रभविष्णु च ॥१७॥

avibhaktaṁ ca bhūteṣu vibhaktam iva ca sthitam
bhūta-bhartṛ ca taj jñeyaṁ grasiṣṇu prabhaviṣṇu ca

avibhaktam – osztatlan; *ca* – is; *bhūteṣu* – minden élőlényben; *vibhaktam* – felosztott; *iva* – mintha; *ca* – szintén; *sthitam* – van; *bhūta-bhartṛ* – minden élőlény fenntartója; *ca* – is; *tat* – azt; *jñeyam* – meg kell érteni; *grasiṣṇu* – elnyelve; *prabhaviṣṇu* – létrehozva; *ca* – is.

Noha a Felsőlélek látszólag megoszlik az élőlények között, valójában sohasem felosztott. Ő mindig egy. Ő a fenntartója valamennyi élőlénynek, mégis tudni kell Róla, hogy Ő az, aki elpusztítja és megteremti mindegyiküket.

MAGYARÁZAT: Felsőlélekként az Úr mindenkinek a szívében jelen van. Azt jelentené ez, hogy Ő részekre oszlik? Nem, Ő valójában egyetlen. Ezzel kapcsolatban a nap példáját említhetjük meg. A nap délben egy adott helyen van, ám ha ötezer mérfölddel távolabbra megyünk bármelyik irányban, s ott bárkitől megkérdezzük, hogy hol van a nap, mindenki azt fogja mondani, hogy a feje fölött. Ezt a példát azért adják a Védák, hogy szemléltessék: habár az Úr felosztottnak tűnik, mégis osztatlan. A Védák azt is leírják, hogy Viṣṇu amiatt, hogy mindenható, jelen van mindenhol, ahogy a nap is egyszerre sok helyen, sok ember számára látható. Habár a Legfelsőbb Úr minden élőlény fenntartója, a megsemmisüléskor mégis elnyel mindent. Ezt az Úr a tizenegyedik fejezetben erősíti meg, amikor azt mondja, azért jött, hogy megölje a Kurukṣetrán összesereglett harcosokat. Azt is megemlíti, hogy az idő formájában szintén felemészt mindent. Ő tehát a pusztító, mindenki végzete. A teremtéskor létrehoz mindenkit eredeti állapotából, a megsemmisüléskor pedig elnyeli őket. A védikus himnuszok megerősítik, hogy Ő minden élőlény forrása és egyben nyugvóhelye is. A teremtés után minden az Ő mindenható energiájában nyugszik, a megsemmisülés után pedig ismét Hozzá tér vissza minden, hogy Benne maradjon. Így mondják a védikus himnuszok. *Yato vā imāni bhūtāni jāyante yena jātāni jīvanti yat prayanty abhisaṁviśanti tad brahma tad vijijñāsasva* (*Taittirīya-upaniṣad* 3.1).

18. VERS

ज्योतिषामपि तज्ज्योतिस्तमसः परमुच्यते ।
ज्ञानं ज्ञेयं ज्ञानगम्यं हृदि सर्वस्य विष्ठितम् ॥१८॥

jyotiṣām api taj jyotis tamasaḥ param ucyate
jñānaṁ jñeyaṁ jñāna-gamyaṁ hṛdi sarvasya viṣṭhitam

jyotiṣām – minden fénylő testnek; *api* – is; *tat* – azt; *jyotiḥ* – a fényforrásának; *tamasaḥ* – sötétségen; *param* – túlinak; *ucyate* – mondják; *jñānam* – a tudásnak; *jñeyam* – a tudás tárgyának; *jñāna-gamyam* – a tudás által elérendőnek; *hṛdi* – a szívben; *sarvasya* – mindenkiében; *viṣṭhitam* – lakozónak.

Ő a fény forrása minden fénylő testben. Túl van az anyag sötétségén, s megnyilvánulatlan. Ő a tudás, a tudás tárgya és a tudás célja. Mindenki szívében jelen van.

MAGYARÁZAT: Az Istenség Legfelsőbb Személyisége, a Felsőlélek a forrása minden ragyogó test fényének, például a napénak, a holdénak és a csillagokénak. A védikus irodalom leírása szerint a lelki világban a Legfelsőbb Úr ragyogása világít, így ott nincs szükség napra vagy holdra. Az anyagi világban a *brahmajyotit,* az Úr lelki ragyogását a *mahat-tattva,* az anyagi elemek összessége borítja be, ezért szükség van a nap, a hold, az elektromos áram stb. fényére. A lelki világban azonban erre nincs szükség. A Védák egyértelműen leírják, hogy az Úr fényes ragyogása mindent bevilágít. Ebből nyilvánvaló, hogy Ő nem az anyagi világban, hanem messze-messze, a lelki égben lévő lelki világban lakozik. A Védák ezt is megerősítik. *Āditya-varṇaṁ tamasaḥ parastāt* (*Śvetāśvatara-upaniṣad* 3.8). Ő örökkön ragyogó, mint a nap, de messze túl van a sötét anyagi világon.

Az Úr tudása transzcendentális. A Védák megerősítik, hogy a Brahman sűrített transzcendentális tudás. Aki igazán szeretne eljutni a lelki világba, azt a mindenki szívében jelen lévő Legfelsőbb Úr tudásban részesíti. Egy védikus *mantra* (*Śvetāśvatara-upaniṣad* 6.18) így szól: *taṁ ha devam ātma-buddhi-prakāśaṁ mumukṣur vai śaraṇam ahaṁ prapadye.* Ha valaki felszabadulásra vágyik, meg kell hódolnia az Istenség Legfelsőbb Személyisége előtt. A tudás végső céljáról pedig így szólnak a Védák (*Śvetāśvatara-upaniṣad* 3.8): *tam eva viditvāti mṛtyum eti.* „Egyedül a Róla szóló ismerettel emelkedhet felül az ember a születésen és a halálon."

Az Úr legfelsőbb irányítóként mindenki szívében jelen van. A Legfelsőbb lába és keze mindenhol ott van, ám az egyéni lélekre ez nem jellemző. Ezért be kell látnunk, hogy a cselekvés mezejének két ismerője van: az egyéni lélek és a Felsőlélek. Az egyéni lélek keze és lába helyhez kötött, míg Kṛṣṇáé mindenhová elér. Ezt a *Śvetāśvatara-upaniṣad* (3.17) is megerősíti: *sarvasya prabhum īśānaṁ sarvasya śaraṇaṁ bṛhat.* Az Istenség Legfelsőbb Személyisége, a Felsőlélek a *prabhu,* vagyis minden élőlény mestere, ezért Ő a végső menedéke mindenkinek. Nem lehet tehát megcáfolni azt a tényt, hogy a Legfelsőbb Felsőlélek és az egyéni lélek mindig különbözik egymástól.

19. VERS

इति क्षेत्रं तथा ज्ञानं ज्ञेयं चोक्तं समासतः ।
मद्भक्त एतद्विज्ञाय मद्भावायोपपद्यते ॥१९॥

iti kṣetraṁ tathā jñānaṁ jñeyaṁ coktaṁ samāsataḥ
mad-bhakta etad vijñāya mad-bhāvāyopapadyate

iti – ily módon; *kṣetram* – a cselekvés mezeje (a test); *tathā* – is; *jñānam* – a tudás; *jñeyam* – a tudás tárgya; *ca* – és; *uktam* – elmondatott; *samāsataḥ* – összefoglalóan; *mat-bhaktaḥ* – az Én *bhaktám; etat* – mindezt; *vijñāya* – megértvén; *mat-bhāvāya* – az Én természetemhez; *upapadyate* – eljut.

Röviden beszéltem hát a tettek mezejéről [a testről], a tudásról, valamint a tudás tárgyáról. Teljességében csak bhaktáim érthetik meg ezt, s így elérhetik az Én természetem.

MAGYARÁZAT: Az Úr összefoglaló leírást adott a testről, a tudásról és a tudás tárgyáról. A tudás három tényezőből áll: a tudóból, a tudás tárgyából és a tudás folyamatából. Együttesen ezeket *vijñānának,* vagyis a tudás tudományának nevezik. A tökéletes tudáshoz az Úr tiszta *bhaktája* közvetlenül jut, míg mások képtelenek rá szert tenni. A monisták szerint végső fokon ez a három tényező eggyé válik, ám a *bhakták* nem fogadják ezt el. A tudás és a tudás kibontakozása azt jelenti, hogy az ember Kṛṣṇa-tudatban felismeri, hogy kicsoda is ő. Mindenki az anyagi tudat irányítása alatt áll, ám amint Kṛṣṇa tetteire irányítjuk tudatunkat, s megértjük, hogy Ő minden, igazi tudáshoz jutunk. Más szóval a tudás nem más, mint az odaadó szolgálat tökéletes megismerésének előzetes szintje. A tizenötödik fejezet ezt világosan el fogja magyarázni.

Összegezve tehát, a 6. és a 7. vers (*mahā-bhūtāni; cetanā-dhṛtiḥ*) az anyagi elemeket és az életjelenségek különböző megnyilvánulásait elemzi. Ezek együttesen alkotják a testet, vagyis a cselekvés mezejét. A 8. verstől a 12-ig (*amānitvam; tattva-jñānārtha-darśanam*) a tudás folyamatáról olvashatunk, mely által megérthetjük a cselekvés mezejének mindkét ismerőjét, a lelket és a Felsőlelket is. A 13–18. vers (*anādi mat-param; hṛdi sarvasya viṣṭhitam*) a lélekről és a Legfelsőbb Úrról, azaz a Felsőlélekről beszél.

Három dologról esett tehát szó: a cselekvés mezejéről (a testről), a megismerés folyamatáról, valamint a lélekről és a Felsőlélekről. Ez a vers kijelenti, hogy kizárólag az Úr tiszta *bhaktái* érthetik meg ezt a három dolgot világosan. Az ilyen *bhakták* számára a *Bhagavad-gītā* tehát rendkívül hasznos; ők azok, akik el tudják érni a legfelsőbb célt, a Legfelsőbb Úr, Kṛṣṇa világát. A *bhaktákon* kívül senki sem képes megérteni a *Bhagavad-gītāt* s elérni a kívánt eredményt.

20. VERS

प्रकृतिं पुरुषं चैव विद्ध्यनादी उभावपि ।
विकारांश्च गुणांश्चैव विद्धि प्रकृतिसम्भवान् ॥२०॥

prakṛtiṁ puruṣaṁ caiva viddhy anādī ubhāv api
vikārāṁś ca guṇāṁś caiva viddhi prakṛti-sambhavān

prakṛtim – az anyagi természetet; *puruṣam* – az élőlényeket; *ca* – és; *eva* – bizony; *viddhi* – tudd; *anādī* – kezdet nélkülinek; *ubhau* – mindkettőt; *api* – szintén; *vikārān* – az átalakulást; *ca* – is; *guṇān* – a természet három kötőerejét; *ca* – és; *eva* – bizony; *viddhi* – tudd; *prakṛti* – az anyagi természet; *sambhavān* – termékének.

Tudni kell, hogy az anyagi természet és az élőlények kezdet nélküliek. Változásaikat és az anyagi kötőerőket az anyagi természet hozza létre.

MAGYARÁZAT: Az ebben a fejezetben leírt tudás által az ember megismerheti a testet (a cselekvés mezejét) és annak ismerőit (az egyéni lelket és a Felsőlelket). A test a cselekvés mezeje, és az anyagi természet hozza létre. Az egyéni lélek, aki testet öltött és a test tetteit élvezi, a *puruṣa,* vagyis az élőlény. Ő az egyik ismerő, a másik pedig a Felsőlélek. Természetesen azt is meg kell értenünk, hogy a Felsőlélek és az egyéni élőlény az Istenség Legfelsőbb Személyiségének két különböző megnyilvánulása. Az élőlény az energiája, a Felsőlélek pedig személyes kiterjedése.

Az anyagi természet és az élőlény egyaránt örökkévaló, vagyis létezett a teremtés előtt is. Az anyagi megnyilvánulás a Legfelsőbb Úr energiájából jön létre, s éppen így az élőlények is, ők azonban a felsőbbrendű energiához tartoznak. Az anyagi természet és az élőlények a kozmosz megnyilvánulása előtt is léteztek. A megnyilvánulatlan anyagi természet Mahā-viṣṇu, az Istenség Legfelsőbb Személyisége testébe merült, majd a *mahat-tattva* révén a kellő időben megnyilvánult. Hasonló módon vannak Benne az élőlények is. Feltételekhez kötött állapotuk következtében ellene vannak a Legfelsőbb Úr szolgálatának, ezért nem léphetnek be a lelki világba. Az anyagi természet megnyilvánulásával azonban ismét esélyt kapnak, hogy az anyagi világban cselekedve felkészülhessenek, s így eljuthassanak a lelki világba. Ez az anyagi teremtés titka. Eredetileg az élőlény a Legfelsőbb Úr szerves lelki része, de lázadó természete miatt az anyagi természet uralma alá kerül. Hogy ezek az élőlények, vagyis a Legfelsőbb Úr felsőbbrendű teremtményei miképpen kerültek kapcsolatba az anyagi természettel, az valójában nem számít. Az Istenség Legfelsőbb Személyisége azonban tudja, hogy valójában hogyan és miért történt mindez. Az írásokban az Úr azt mondja, hogy akiket elbűvöl az anyagi természet, azoknak küzdelmes harcot kell vívniuk a létért. Az előző néhány vers alapján azonban tudnunk kell, hogy az anyagi természet minden változása és hatása, amely a három kötőerőn keresztül nyilvánul meg, szintén az anyagi természet terméke. Az élőlénnyel kapcsolatos minden változás és minden változatosság a testnek tulajdonítható. Az élőlények lelki természetüket tekintve valamennyien egyformák.

21. VERS

कार्यकारणकर्तृत्वे हेतुः प्रकृतिरुच्यते ।
पुरुषः सुखदुःखानां भोक्तृत्वे हेतुरुच्यते ॥२१॥

kārya-kāraṇa-kartṛtve hetuḥ prakṛtir ucyate
puruṣaḥ sukha-duḥkhānāṁ bhoktṛtve hetur ucyate

kārya – az okozatnak; *kāraṇa* – és az oknak; *kartṛtve* – a megteremtésében; *hetuḥ* – az eszköznek; *prakṛtiḥ* – az anyagi természetet; *ucyate* – mondják; *puruṣaḥ* – az élőlényt; *sukha* – a boldogságnak; *duḥkhānām* – és a boldogtalanságnak; *bhoktṛtve* – az élvezetében; *hetuḥ* – az eszköznek; *ucyate* – mondják.

Úgy mondják, a természet az oka minden anyagi oknak és következménynek, míg az élőlény a különféle szenvedések és élvezetek okozója a világban.

MAGYARÁZAT: Az élőlények testeinek és érzékeinek különféle megnyilvánulásait az anyagi természet idézi elő. Összesen nyolcmillió-négyszázezer faj van, s valamennyit az anyagi természet teremti meg. E létformák az élőlény sajátos érzéki vágyai alapján jönnek létre, aki ilyen vagy olyan testben kíván élni. Különféle testeket felöltve más és más jellegű boldogság illetve szenvedés vár rá. Anyagi boldogsága illetve boldogtalansága a testnek köszönhető, s nem neki magának. Kétségtelen, hogy az élőlénynek eredeti helyzetében élvezetben van része, így az élvezet eredeti természetéhez tartozik. Anyagi léte annak tudható be, hogy ura akar lenni az anyagi természetnek. A lelki világra ez nem jellemző. A lelki világ tiszta, míg az anyagi világban erejét megfeszítve mindenki azért küzd, hogy testének számtalan úton élvezetet szerezzen. Hogy még érthetőbbé váljon, azt mondhatjuk, hogy a test az érzékek hatására jön létre. Az érzékek eszközül szolgálnak, melyek által az ember kielégítheti vágyait. A teljes egészet – a testet és az érzékszerveket, az eszközöket – az anyagi természet adja, s ahogyan azt a következő versből megérthetjük, az élőlény múltbeli vágyainak és cselekedeteinek megfelelően kerül jó vagy rossz körülmények közé. Az anyagi természet az embert vágyai és tettei szerint különféle hajlékokba helyezi. Hogy milyen lakhelyet érdemel ki, s milyen örömben és szenvedésben lesz ott része, annak maga az élőlény az oka. Az élőlény egy adott testbe jutva a természet befolyása alá kerül, mert az anyagból álló test a természet törvényei szerint működik. Ebben a helyzetben az élőlénynek nincs módja változtatni ezen a törvényen. Tételezzük fel, hogy a lélek egy kutya testét ölti fel. Amint belekerül a kutyatestbe, azonnal kutya módjára kényszerül cselekedni, s máshogy nem is képes. Ha pedig valaki disznótestbe kerül, akkor kénytelen ürüléket enni és úgy viselkedni, mint egy disznó. Éppen így a félisteni testben megszülető élőlény is a testének megfelelően tud csak cselekedni – ez a természet törvénye. A Felsőlélek azonban minden körülmények között ott van az egyéni lélek mellett. A Védák (*Muṇḍaka-upaniṣad* 3.1.1) ezt a következőképpen magyarázzák: *dvā suparṇā sayujā sakhāyaḥ.* A Legfelsőbb Úr annyira kedves az élőlényhez, hogy állandóan vele van mint Felsőlélek, azaz Paramātmā.

22. VERS

पुरुषः प्रकृतिस्थो हि भुङ्क्ते प्रकृतिजान् गुणान् ।
कारणं गुणसङ्गोऽस्य सदसद्योनिजन्मसु ॥२२॥

puruṣaḥ prakṛti-stho hi bhuṅkte prakṛti-jān guṇān
kāraṇaṁ guṇa-saṅgo 'sya sad-asad-yoni-janmasu

puruṣaḥ – az élőlény; *prakṛti-sthaḥ* – az anyagi energiában elhelyezkedve; *hi* – bizony; *bhuṅkte* – élvezi; *prakṛti-jān* – az anyagi természet által létrehozott; *guṇān* – kötőerőket; *kāraṇam* – az ok; *guṇa-saṅgaḥ* – a természet kötőerőivel való kapcsolata; *asya* – az élőlénynek; *sat-asat* – a jó és rossz; *yoni* – fajokban való; *janmasu* – megszületésekben.

Így él az élőlény az anyagi természetben, a természet három kötőerejét élvezve, s mindez az anyagi természettel való kapcsolatának köszönhető. Ily módon hol jó, hol pedig rossz éri őt a különféle fajokban.

MAGYARÁZAT: Ez a vers nagyon fontos ahhoz, hogy megérthessük, hogyan vándorol az élőlény egyik testből a másikba. A második fejezet magyarázata szerint az élőlény úgy váltja a testét, mint ahogyan ruháinkat cseréljük. Ez a ruhacsere az anyagi léthez való ragaszkodás következménye. Amíg az élőlény vonzódik ehhez a hamis megnyilvánuláshoz, addig egyik testből a másikba kell vándorolnia, s e nemkívánatos körülmények közé azért kényszerül, mert az anyagi természet ura akart lenni. Anyagi vágyai következtében hol félistenként, hol emberként, hol vadállatként, madárként, féregként, halként, szent emberként, olykor pedig bogárként születik meg. Így zajlik ez, s az élőlény mindegyik esetben a helyzet urának hiszi magát, holott az anyagi természet befolyása alatt áll.

Ez a vers azt magyarázza meg, hogyan kerül az élőlény a különféle testekbe. Ez a természet különféle kötőerőivel való kapcsolatának eredménye. Az embernek ezért felül kell emelkednie a három anyagi kötőerőn, s meg kell állapodnia a transzcendentális szinten. Ezt nevezik Kṛṣṇa-tudatnak. Amíg valaki nem Kṛṣṇa-tudatú, addig anyagi tudata arra fogja kényszeríteni, hogy egyik testből a másikba vándoroljon, mert időtlen idők óta anyagi vágyai vannak. Ettől a felfogástól azonban meg kell szabadulnia, s ez csak úgy lehetséges, ha a hiteles forrásokra hallgat. A legjobb példát Arjuna esete szolgáltatja, aki Kṛṣṇától hallott az Istenről szóló tudományról. Ha az élőlény átadja magát a hallás folyamatának, akkor megszabadulhat régi vágyától, hogy uralkodjon az anyagi természeten, s ahogyan vágya csökken, úgy tapasztal majd egyre nagyobb lelki boldogságot. A Védák egyik *mantrája* szerint olyan mértékben vagyunk képesek élvezni az örökkévaló, örömteli életet, amilyen mértékben megvilágosodunk az Istenség Legfelsőbb Személyisége társaságában.

23. VERS

उपद्रष्टानुमन्ता च भर्ता भोक्ता महेश्वरः ।
परमात्मेति चाप्युक्तो देहेऽस्मिन् पुरुषः परः ॥२३॥

upadraṣṭānumantā ca bhartā bhoktā maheśvaraḥ
paramātmeti cāpy ukto dehe 'smin puruṣaḥ paraḥ

upadraṣṭā – felülvigyázó; *anumantā* – engedélyező; *ca* – és; *bhartā* – mester; *bhoktā* – legfelsőbb élvező; *mahā-īśvaraḥ* – a Legfelsőbb Úr; *parama-ātmā* – a Felsőlélek; *iti* – szintén; *ca* – és; *api* – valóban; *uktaḥ* – mondják; *dehe* – a testben; *asmin* – ebben; *puruṣaḥ* – az élvező; *paraḥ* – transzcendentális.

Ebben a testben van egy másik, egy transzcendentális élvező is – az Úr, a legfelsőbb birtokos, aki felülvigyázóként és engedélyezőként létezik, s akit Felsőléleknek neveznek.

MAGYARÁZAT: Ez a vers kijelenti, hogy a Felsőlélek, aki mindig az egyéni lélekkel van, nem közönséges élőlény, hanem a Legfelsőbb Úr képviselője. A monista filozófusok felfogása szerint csupán egy ismerője van a testnek, ezért nem tesznek különbséget a Felsőlélek és az egyéni lélek között. E téves nézet eloszlatása érdekében mondja itt az Úr, hogy minden testben a Paramātmā képviseli Őt. Ő különbözik az egyéni lélektől, és *para,* azaz transzcendentális. Az egyéni lélek egy sajátos mező cselekedeteinek élvezője, de a Felsőlélek nem mint parányi élvező van jelen, s a test cselekedeteiben sem vesz részt: Ő tanú, felülvigyázó, engedélyező és a legfelsőbb élvező a testben. Paramātmānak, s nem *ātmānak* nevezik, és transzcendentális. Ebből a versből világosan kitűnik, hogy az *ātmā* és a Paramātmā különbözik egymástól. A Felsőlélek, Paramātmā karja és lába például mindenhová elér, az egyéni léleké azonban nem. Mivel Paramātmā a Legfelsőbb Úr, mindig jelen van az élőlényben, hogy szentesítse az egyéni lélek anyagi élvezetre törő vágyait. A Legfelsőbb Lélek beleegyezése nélkül az élőlény semmire sem képes. Ő *bhukta,* eltartott, a Paramātmā pedig a *bhoktā,* az eltartó. Megszámlálhatatlanul sok élőlény létezik, s az Úr mint barát jelen van mindegyikükben.

Tény, hogy minden egyéni élőlény örökké a Legfelsőbb Úr szerves része, és nagyon bensőséges baráti viszonyban áll Vele. Ám az élőlény hajlamos arra, hogy a Legfelsőbb Úr jóváhagyására fittyet hányva, a természeten való uralkodás reményében önállóan cselekedjék. E hajlama miatt nevezik a Legfelsőbb Úr határenergiájának. Más szóval tehát lehet akár a lelki, akár az anyagi energiában. Amíg az anyagi energia hatása alatt áll, addig a Legfelsőbb Úr a barátjaként mint Felsőlélek mindig vele marad, hogy visszatérítse a lelki energiába. Az Úr ezt szeretné, ám az élőlény parányi függetlenségével visszaélve mindig elutasítja a lehetőséget, hogy a lelki fény jelenlétét élvezze. Amiatt, hogy visszaél a függetlenségével, az anyagi természetben kell küzdenie. Az Úr ezért belülről és kívülről is mindig ellátja tanácsokkal. Kívülről a *Bhagavad-gītān* keresztül ad utasításokat, belülről pedig megpróbálja meggyőzni az élőlényt arról, hogy az anyagi síkon végzett tettek nem vezetnek igazi boldogsághoz. „Hagyj fel ezekkel, higgy Bennem, s boldog leszel!" – mondja az Úr. Az okos ember tehát, akinek teljes hite van a Paramātmāban, az Istenség Legfelsőbb Személyiségében, elindul az örökkévaló, tudással és gyönyörrel teli élet felé vezető úton.

24. VERS

य एवं वेत्ति पुरुषं प्रकृतिं च गुणैः सह ।
सर्वथा वर्तमानोऽपि न स भूयोऽभिजायते ॥२४॥

ya evaṁ vetti puruṣaṁ prakṛtiṁ ca guṇaiḥ saha
sarvathā vartamāno 'pi na sa bhūyo 'bhijāyate

yaḥ – aki; *evam* – ily módon; *vetti* – megérti; *puruṣam* – az élőlényt; *prakṛtim* – az anyagi természetet; *ca* – és; *guṇaiḥ* – az anyagi természet kötőerőivel; *saha* – együtt; *sarvathā* – bármilyen; *vartamānaḥ* – helyzetben; *api* – is; *na* – soha; *saḥ* – ő; *bhūyaḥ* – ismét; *abhijāyate* – megszületik.

Aki megérti ezt az anyagi természetről, az élőlényről és a természet kötőerőinek kölcsönhatásairól szóló filozófiát, az biztosan felszabadul, s bármilyen helyzetben is van jelenleg, nem kell újra megszületnie e világban.

MAGYARÁZAT: Ha az ember világosan megérti, mit jelent az anyagi természet, a Felsőlélek, az egyéni lélek és a közöttük lévő kapcsolat, lehetővé válik számára, hogy felszabaduljon, visszatérjen a lelki világba, s többé ne kelljen újra az anyagi természetbe kerülnie. Ez a tudás eredménye, célja pedig az, hogy világosan megértsük: az élőlény véletlenül került az anyagi létbe. A felette álló hiteles tekintélyek, a szent életű emberek és a lelki tanítómester társaságában arra kell törekednie, hogy felismerje helyzetét, majd az Istenség Személyisége által elmondott *Bhagavad-gītāt* megértve lelki tudatúvá, azaz Kṛṣṇa-tudatúvá kell válnia. Ezek után biztos, hogy sohasem kell többé visszatérnie az anyagi létbe, hanem eljut a lelki világba, ahol örök, tudással és boldogsággal teli élet vár rá.

25. VERS

ध्यानेनात्मनि पश्यन्ति केचिदात्मानमात्मना ।
अन्ये साङ्ख्येन योगेन कर्मयोगेन चापरे ॥२५॥

dhyānenātmani paśyanti kecid ātmānam ātmanā
anye sāṅkhyena yogena karma-yogena cāpare

dhyānena – meditáció által; *ātmani* – önmagukban; *paśyanti* – látják; *kecit* – néhányan; *ātmānam* – a Felsőlelket; *ātmanā* – az elmével; *anye* – mások; *sāṅkhyena* – filozófiai érveléssel; *yogena* – a *yoga*-rendszer segítségével; *karma-yogena* – a munka gyümölcseire nem vágyva végzett tettekkel; *ca* – is; *apare* – mások.

A Felsőlelket egyesek meditációban, mások a tudás művelésével, megint mások az érdek nélküli tettek révén látják meg magukban.

MAGYARÁZAT: Az Úr elmondja Arjunának, hogy a feltételekhez kötött lelkek annak alapján, hogy hogyan törekszenek az önmegvalósításra, két csoportra oszthatók. Az ateistáknak, az agnosztikusoknak és a szkeptikusoknak semmiféle lelki tudásuk nincs, ám rajtuk kívül vannak olyanok, akik hűségesen kitartanak lelki meggyőződésük mellett. Őket befelé tekintő *bhaktáknak,* filozófusoknak, a munkájuk gyümölcséről lemondó cselekvőknek nevezik. Akik állandóan a monista tanok megszilárdításán fáradoznak, azokat szintén az ateisták és agnosztikusok közé lehet sorolni. Ezek szerint tehát egyedül az Istenség Legfelsőbb Személyiségének *bhaktái* tehetnek szert a lelki tudásra, mert megértik, hogy az anyagi természeten túl létezik a lelki világ és az Istenség Legfelsőbb Személyisége, aki Paramātmāként, Felsőlélekként kiterjedve jelen van mindenkiben, s így Ő a mindent átható Istenség. Vannak olyanok, akik a Legfelsőbb Abszolút Igazságot a tudás művelésével próbálják megérteni, s őket természetesen az Úr híveihez kell sorolnunk. A *sāṅkhya* filozófusok elemzése szerint az anyagi világ huszonnégy elemből áll, magát az egyéni lelket pedig a huszonötödik elemnek tekintik. Amikor eljutnak annak a megértéséig, hogy az egyéni lélek természete transzcendentális az anyagi elemekhez képest, akkor azt is megértik, hogy az egyéni lelken túl ott az Istenség Legfelsőbb Személyisége is, a huszonhatodik elem. Így aztán fokozatosan ők is eljutnak a Kṛṣṇa-tudatú odaadó szolgálat síkjára. Annak is tökéletes a hozzáállása, aki a munka gyümölcsére nem vágyva cselekszik. Ő szintén esélyt kap a Kṛṣṇa-tudatos odaadó szolgálat síkjának elérésére. E vers elmondja, hogy vannak olyan tiszta tudatú emberek, akik meditáció útján próbálják a szívükben felfedezni a Felsőlelket, s ha ez sikerül, helyzetük transzcendentálissá válik. Mások a tudás művelésével próbálják megérteni a Legfelsőbb Lelket, míg megint mások a *haṭha-yogát* végezve gyerekes tornagyakorlataikkal akarnak örömet szerezni az Istenség Legfelsőbb Személyiségének.

26. VERS

अन्ये त्वेवमजानन्तः श्रुत्वान्येभ्य उपासते ।
तेऽपि चातितरन्त्येव मृत्युं श्रुतिपरायणाः ॥२६॥

anye tv evam ajānantaḥ śrutvānyebhya upāsate
te 'pi cātitaranty eva mṛtyuṁ śruti-parāyaṇāḥ

anye – mások; *tu* – de; *evam* – így; *ajānantaḥ* – lelki tudás nélküliek; *śrutvā* – hallván; *anyebhyaḥ* – másoktól; *upāsate* – imádni kezdik; *te* – ők; *api* – is; *ca* – és; *atitaranti* – túllépik; *eva* – bizony; *mṛtyum* – a halál ösvényét; *śruti-parāyaṇāḥ* – a hallás folyamatához vonzódva.

Azután vannak olyanok is, akik másoktól hallottak a Legfelsőbb Személyről, s bár nem jártasak a lelki tudásban, imádni kezdik Őt. Mivel hajlanak arra, hogy a hiteles forrásokra hallgassanak, ők is túljutnak a születés és halál birodalmán.

MAGYARÁZAT: Különösen a modern társadalomra vonatkozik ez a vers, ugyanis napjainkban a lélek tudományát gyakorlatilag sehol sem oktatják hivatalosan. Vannak, akik ateistáknak, agnosztikusoknak vagy filozofikus beállítottságúaknak látszanak, valójában azonban nincs filozófiai tudásuk. Ami a közönséges embert illeti, ha jó lélek, van esélye a fejlődésre a hallás folyamata által. A hallás nagyon fontos folyamat. Az Úr Caitanya, aki az újabb korban hirdette a Kṛṣṇa-tudatot, nagy hangsúlyt fektetett erre, mert ha az egyszerű ember csupán meghallgatja a hiteles forrásokat, fejlődést érhet el, különösen akkor – mondja az Úr Caitanya –, ha a Hare Kṛṣṇa, Hare Kṛṣṇa, Kṛṣṇa Kṛṣṇa, Hare Hare, Hare Rāma, Hare

Rāma, Rāma Rāma, Hare Hare transzcendentális hangvibrációját hallja. Éppen ezért ajánlatos, hogy mindenki éljen azzal a lehetőséggel, melyet az önmegvalósított lelkek hallgatása jelent, hogy így fokozatosan mindent megérthessen. Ezek után már kétségtelenül eljut a Legfelsőbb Úr imádatának szintjére. Az Úr Caitanya szerint ebben a korszakban az embernek nem szükséges a társadalmi helyzetén változtatnia, fel kell viszont hagynia azzal a törekvéssel, hogy spekuláló fejtegetésekkel értse meg az Abszolút Igazság természetét. Meg kell tanulnia azoknak a szolgájává válni, akik ismerik a Legfelsőbb Úrról szóló tudományt. Ha valaki olyan szerencsés, hogy egy tiszta *bhaktánál* keres menedéket, s miután hallott tőle az önmegvalósításról, követi nyomdokait, akkor fokozatosan maga is tiszta *bhaktává* válik. Ez a vers főleg a hallás folyamatát hangsúlyozza, s ez nagyon helyénvaló. A közönséges ember általában nem rendelkezik olyan képességekkel, mint az úgynevezett filozófusok, ám ha egy hiteles szaktekintélyre hallgat, az segíteni fogja abban, hogy felülkerekedhessen az anyagi léten, és hazatérhessen, vissza Istenhez.

27. VERS

यावत्सञ्जायते किञ्चित्सत्त्वं स्थावरजङ्गमम् ।
क्षेत्रक्षेत्रज्ञसंयोगात्तद्विद्धि भरतर्षभ ॥२७॥

yāvat sañjāyate kiñcit sattvaṁ sthāvara-jaṅgamam
kṣetra-kṣetrajña-saṁyogāt tad viddhi bharatarṣabha

yāvat – bármikor; *sañjāyate* – születik; *kiñcit* – bármilyen; *sattvam* – létezésbe; *sthāvara* – mozdulatlan; *jaṅgamam* – mozgó; *kṣetra* – a testnek; *kṣetra-jña* – és a test ismerőjének; *saṁyogāt* – egységéből; *tat viddhi* – azt tudnod kell; *bharata-ṛṣabha* – ó, Bhāraták vezére.

Ó, Bhāraták vezére, tudd meg, hogy minden, ami létezik, legyen az mozgó vagy mozdulatlan, csupán a tettek mezejének és a mező ismerőjének kombinációja.

MAGYARÁZAT: Ez a vers az anyagi természetről és az élőlényről beszél. Mindkettő létezett már a kozmosz megteremtése előtt is. A teremtésben kivétel nélkül minden az élőlény és az anyagi természet kombinációja. Vannak mozdulatlan létezők, mint pl. a fák, a hegyek és a dombok, és számtalan mozgó lény is létezik. Mindegyik az anyagi természet és a felsőbbrendű természet, az élőlény kombinációja. Anélkül hogy kapcsolatba kerülne a felsőbbrendű természettel, vagyis az élőlénnyel, semmi sem képes növekedni. Az anyagi természet és a lelki természet kapcsolata örök időktől fogva fennáll, s kombinációjukat a Legfelsőbb Úr befolyásolja; Ő irányítja tehát a felsőbb- és az alsóbbrendű természetet is. Ő teremti az anyagi természetet, majd belehelyezi a felsőbbrendű természetet. Így jön létre minden tett és megnyilvánulás.

28. VERS

समं सर्वेषु भूतेषु तिष्ठन्तं परमेश्वरम् ।
विनश्यत्स्वविनश्यन्तं यः पश्यति स पश्यति ॥२८॥

samaṁ sarveṣu bhūteṣu tiṣṭhantaṁ parameśvaram
vinaśyatsv avinaśyantaṁ yaḥ paśyati sa paśyati

samam – egyenlően; *sarveṣu* – minden; *bhūteṣu* – élőlényben; *tiṣṭhantam* – lakozva; *parama-īśvaram* – a Felsőlelket; *vinaśyatsu* – az elpusztíthatóban; *avinaśyantam* – a soha el nem pusztulót; *yaḥ* – bárki; *paśyati* – látja; *saḥ* – ő; *paśyati* – valóban lát.

Aki minden testben látja az egyéni lélek mellett a Felsőlelket, és aki megérti, hogy sem az egyéni lélek, sem pedig a Felsőlélek, aki a halandó testben lakozik, nem semmisül meg soha, az valóban lát.

MAGYARÁZAT: Igazi tudással az rendelkezik, aki annak köszönhetően, hogy megfelelő társasággal érintkezik, három dolgot lát együtt: a testet, a test birtokosát – vagyis az egyéni lelket –, valamint annak barátját. Akinek nincs kapcsolata a lelki témák valódi ismerőivel, az nem láthatja e három dolgot. E kapcsolat nélkül az ember tudatlan marad, mert csak a testet látja, s úgy véli, hogy a test halálával mindennek vége. Ez azonban a valóságban nem így van. A test halála után a lélek és a Felsőlélek továbbra is létezik, s együtt vándorolnak tovább a különféle mozgó és mozdulatlan testeken keresztül. A szanszkrit *parameśvara* szót néha „egyéni lélek"-nek fordítják, mert ő a test mestere, aki a test halálával egy újabb testbe kerül, s így annak mestere lesz. Vannak azonban, akik Felsőlélekként fordítják ugyanezt a szót. Bármelyiket is fogadjuk el, a Felsőlélek és az egyéni lélek egyaránt folytatja létét, egyikük sem pusztul el. Aki ily módon lát, az valóban látja, mi történik.

29. VERS

समं पश्यन् हि सर्वत्र समवस्थितमीश्वरम् ।
न हिनस्त्यात्मनात्मानं ततो याति परां गतिम् ॥२९॥

samaṁ paśyan hi sarvatra samavasthitam īśvaram
na hinasty ātmanātmānaṁ tato yāti parāṁ gatim

samam – egyenlően; *paśyan* – látva; *hi* – bizony; *sarvatra* – mindenhol; *samavasthitam* – ugyanolyan helyzetűnek; *īśvaram* – a Felsőlelket; *na* – nem; *hinasti* – degradálódik; *ātmanā* – az elme által; *ātmānam* – a lelket; *tataḥ* – azután; *yāti* – eléri; *parām* – a transzcendentális; *gatim* – célt.

Aki a Felsőlelket mindenhol, minden élőlényben egyformán látja, azt elméje nem húzza a mélybe, s így elérkezik a transzcendentális célhoz.

MAGYARÁZAT: Az élőlény az anyagi lét elfogadásával másmilyen helyzetbe került, mint amilyenben lelki létében volt. Ha azonban megérti, hogy a Legfelsőbb Paramātmāként mindenhol jelen van, azaz ha minden élőlényben látja az Istenség Legfelsőbb Személyiségét, akkor pusztító mentalitása nem húzza a mélybe, hanem fokozatosan halad a lelki világ felé. Az elme általában az érzékek kielégítéséhez ragaszkodik, de ha a Felsőlélekre irányítjuk, akkor fejlődhetünk a lélekről szóló tudomány terén.

30. VERS

प्रकृत्यैव च कर्माणि क्रियमाणानि सर्वशः ।
यः पश्यति तथात्मानमकर्तारं स पश्यति ॥३०॥

prakṛtyaiva ca karmāṇi kriyamāṇāni sarvaśaḥ
yaḥ paśyati tathātmānam akartāraṁ sa paśyati

prakṛtyā – az anyagi természet által; *eva* – bizony; *ca* – és; *karmāṇi* – tetteket; *kriyamāṇāni* – végezve; *sarvaśaḥ* – minden tekintetben; *yaḥ* – aki; *paśyati* – látja; *tathā* – szintén; *ātmānam* – magát; *akartāram* – nem cselekvőnek; *saḥ* – ő; *paśyati* – tökéletesen lát.

Aki látja, hogy minden tettet az anyagi természet létrehozta test hajt végre, s az önvaló nem tesz semmit, az valóban lát.

MAGYARÁZAT: Ezt a testet a Felsőlélek irányításával az anyagi természet hozza létre, s a testtel kapcsolatos tetteket nem az egyéni lélek végzi. Bármit is tegyen az ember boldogsága vagy boldogtalansága érdekében, arra a test természete miatt kényszerül csupán. Az önvaló azonban független minden testi cselekedettől. Az élőlény múltbeli vágyainak megfelelően kap testet. Hogy e vágyai teljesülhessenek, egy bizonyos testbe kerül, mellyel adott módon cselekedhet. A test egy géphez hasonlítható, amit a Legfelsőbb Úr tervezett, hogy az élőlénynek ily módon teljesülhessenek a vágyai. A vágy az oka tehát annak, hogy az élőlény különféle körülmények közé kerül, hogy szenvedjen illetve boldog legyen. Ha transzcendentális látóképességet fejleszt ki magában, akkor távol marad a testi cselekedetektől. Az lát igazán, aki ily módon lát.

31. VERS

यदा भूतपृथग्भावमेकस्थमनुपश्यति ।
तत एव च विस्तारं ब्रह्म सम्पद्यते तदा ॥३१॥

yadā bhūta-pṛthag-bhāvam eka-stham anupaśyati
tata eva ca vistāraṁ brahma sampadyate tadā

yadā – amikor; *bhūta* – az élőlényeknek; *pṛthak-bhāvam* – különálló voltát; *eka-stham* – egyben lévőként; *anupaśyati* – próbálja látni a hiteles forrásokon keresztül; *tataḥ eva* – azután; *ca* – szintén; *vistāram* – kiterjedésként; *brahma* – az Abszolútat; *sampadyate* – eléri; *tadā* – akkor.

Amikor a bölcs ember többé nem különféle élőlényeket lát különféle anyagi testeik alapján, hanem látja, hogy az élőlények mindenhová kiterjednek, akkor elérkezik a Brahman-szemlélethez.

MAGYARÁZAT: Akkor lát igazán az ember, ha látja, hogy az élőlények különféle testeit az egyéni lélek különféle vágyai szülik, s a testek valójában nem tartoznak a lélekhez. Ha anyagi életszemlélettel rendelkezünk, valakit félistennek, valaki mást embernek, kutyának vagy macskának látunk. Ez azonban nem igazi, hanem anyagi látásmód. Ez az anyagi különbségtétel az anyagi életszemléletnek tulajdonítható. A lélek az anyagi test pusztulása után is ugyanaz marad, a különféle testeket pedig az anyagi természettel való kapcsolat eredményeként kapja. Ha valaki képes ezt megérteni, az lelki szemléletre tesz szert. Nem tesz többé olyan különbséget az élőlények között, hogy az egyik ember, a másik állat, magasabb vagy alacsonyabb rendű stb., így tudata megtisztul, és lelki önazonosságát visszanyerve képes lesz a Kṛṣṇa-tudat kifejlesztésére. Hogy miképpen lát ezek után, arról a következő vers szól.

32. VERS

अनादित्वान्निर्गुणत्वात्परमात्मायमव्ययः ।
शरीरस्थोऽपि कौन्तेय न करोति न लिप्यते ॥३२॥

anāditvān nirguṇatvāt paramātmāyam avyayaḥ
śarīra-stho 'pi kaunteya na karoti na lipyate

anāditvāt – örökkévalósága miatt; *nirguṇatvāt* – transzcendentális természete miatt; *parama* – az anyagi természeten túli; *ātmā* – lélek; *ayam* – ez; *avyayaḥ* – kimeríthetetlen; *śarīra-sthaḥ* – testben lakozó; *api* – habár; *kaunteya* – ó, Kuntī fia; *na karoti* – sohasem cselekszik; *na lipyate* – nem merül bele.

Az örökkévalóságot látók tudják, hogy az elpusztíthatatlan lélek transzcendentális, örökké létező, s túl van a természet kötőerőin. Ó, Arjuna, a lélek nem cselekszik soha, így nem is köthetik meg az ilyen tettek, noha kapcsolatban áll az anyagi testtel.

MAGYARÁZAT: Az élőlény láthatóan az anyagi test születésével egy időben születik meg, valójában azonban örökkévaló: sohasem született, s annak ellenére, hogy anyagi testben van, transzcendentális és örök. Így tehát nem lehet elpusztítani. Természetéhez ezenkívül az is hozzátartozik, hogy boldogsággal teli. A lélek nem végez semmilyen anyagi tettet, ezért a különféle anyagi testekkel való kapcsolatából származó cselekedetek sohasem láncolják le.

33. VERS

यथा सर्वगतं सौक्ष्म्यादाकाशं नोपलिप्यते ।
सर्वत्रावस्थितो देहे तथात्मा नोपलिप्यते ॥३३॥

yathā sarva-gataṁ saukṣmyād ākāśaṁ nopalipyate
sarvatrāvasthito dehe tathātmā nopalipyate

yathā – ahogyan; *sarva-gatam* – a mindent átható; *saukṣmyāt* – finom természeténél fogva; *ākāśam* – levegő; *na* – sohasem; *upalipyate* – keveredik; *sarvatra* – mindenhol; *avasthitaḥ* – levőként; *dehe* – a testben; *tathā* – úgy; *ātmā* – az önvaló; *na* – sohasem; *upalipyate* – keveredik.

Finom természeténél fogva a levegő nem keveredik semmivel, bár mindent áthat. Éppígy a Brahman-szemlélettel rendelkező lélek sem vegyül a testtel, noha abban foglal helyet.

MAGYARÁZAT: A levegő behatol a vízbe, a sárba, az ürülékbe és minden másba, mégsem vegyül semmivel. Az élőlény ehhez hasonlóan magasabb rendű természete miatt bármilyen testben él, attól különálló marad.

Anyagi szemmel éppen ezért lehetetlen meglátni, hogyan áll kapcsolatban a testtel, s annak halálakor hogyan távozik belőle. Ezt egyetlen tudós sem képes kideríteni.

34. VERS

यथा प्रकाशयत्येकः कृत्स्नं लोकमिमं रविः ।
क्षेत्रं क्षेत्री तथा कृत्स्नं प्रकाशयति भारत ॥३४॥

yathā prakāśayaty ekaḥ kṛtsnaṁ lokam imaṁ raviḥ
kṣetraṁ kṣetrī tathā kṛtsnaṁ prakāśayati bhārata

yathā – ahogyan; *prakāśayati* – beragyogja; *ekaḥ* – egy; *kṛtsnam* – az egész; *lokam* – univerzumot; *imam* – ez; *raviḥ* – a nap; *kṣetram* – ezt a testet; *kṣetrī* – a lélek; *tathā* – hasonlóan; *kṛtsnam* – az egészet; *prakāśayati* – beragyogja; *bhārata* – ó, Bharata fia.

Ó, Bharata fia, ahogy a nap egymagában beragyogja ezt az egész univerzumot, úgy világítja be tudatával a testben lakozó élőlény az egész testet.

MAGYARÁZAT: A tudatról többféle elmélet létezik. A *Bhagavad-gītā* a nap és a napfény példáját említi. Ahogyan a nap szilárdan egy helyen állva bevilágítja az egész univerzumot, úgy ragyogja be tudatával az egész testet a szívben lakozó parányi lélek. Így tehát a lélek létét a tudat bizonyítja, mint ahogy a nap létét a napsugár, illetve a fény. Ha a lélek jelen van a testben, a tudat áthatja az egész testet, ám amint távozik, a tudat is megszűnik. Ezt minden értelmes ember megértheti. A tudat tehát nem az anyagi elemek kombinációjának terméke, hanem az élőlény léttünete. Bár az élőlény tudata természetét tekintve megegyezik a legfelsőbb tudattal, mégsem a legfelsőbb, mert nem terjed ki egyetlen más testre sem. Ezzel ellentétben a Felsőlélek, aki az egyéni lélek barátjaként jelen van minden testben, minden testről tud mindent. Ez a különbség a legfelsőbb tudat és az egyéni tudat között.

35. VERS

क्षेत्रक्षेत्रज्ञयोरेवमन्तरं ज्ञानचक्षुषा ।
भूतप्रकृतिमोक्षं च ये विदुर्यान्ति ते परम् ॥३५॥

kṣetra-kṣetrajñayor evam antaraṁ jñāna-cakṣuṣā
bhūta-prakṛti-mokṣaṁ ca ye vidur yānti te param

kṣetra – a testnek; *kṣetra-jñayoḥ* – a test tulajdonosának; *evam* – így; *antaram* – a különbségét; *jñāna-cakṣuṣā* – a tudás szemével; *bhūta* – az élőlénynek; *prakṛti* – az anyagi természetből; *mokṣam* – megszabadulását; *ca* – szintén; *ye* – akik; *viduḥ* – ismerik; *yānti* – elérik; *te* – ők; *param* – a Legfelsőbbet.

Aki a tudás szemével látja a különbséget a test és a test ismerője között, s megérti, hogyan szabadulhat ki az anyagi természet kötelékei közül, az eléri a legfelsőbb célt.

MAGYARÁZAT: A tizenharmadik fejezet lényege nem más, mint hogy ismernünk kell a test, annak birtokosa és a Felsőlélek közötti különbséget. Fel kell ismernünk a folyamatot, ami a felszabaduláshoz vezet, ahogyan arról a 8–12. versben olvashatunk. Ezek után az ember folytathatja útját a végső cél felé.

A hittel rendelkező embernek először is fel kell kutatnia azokat, akiknek társaságában hallhat Istenről, s így fokozatosan megvilágosodhat. Ha valaki elfogad egy lelki tanítómestert, megtanulhatja, hogyan tegyen különbséget a lélek és az anyag között. Ez egy újabb lépést jelent a lelki megvalósítás útján. A lelki tanítómester különféle utasításaival oktatja tanítványát, hogy az megszabadulhasson az anyagi életfelfogástól. A *Bhagavad-gītāban* például Kṛṣṇa arra tanítja Arjunát, hogy hagyjon fel anyagi szemléletével.

Megérthetjük, hogy ez a test anyagból van, s tovább vizsgálódva azt is megláthatjuk, hogy huszonnégy elemből áll. A test a durva megnyilvánulás, az elme és a pszichológiai hatások a finomfizikai megnyilvánulást alkotják, az élettünetek pedig ezek kölcsönhatásaiból származnak. Mindezeken túl azonban ott van a lélek és a Felsőlélek. A kettő nem azonos egymással. Az anyagi világ a lélek és a huszonnégy anyagi elem kombinációjának eredményeképpen működik. Aki képes megérteni, hogy az egész anyagi megnyilvánulás a lélek és az anyagi elemek kombinációja, és ezenkívül ismeri a Legfelsőbb Lélek helyzetét, az méltó arra, hogy eljusson a lelki világba. Mindezt alaposan végig kell gondolnunk, meg kell valósítanunk, s egy lelki tanítómester segítségével teljes mértékben meg kell értenünk ezt a fejezetet.

Így végződnek a Bhaktivedanta-magyarázatok a Śrīmad Bhagavad-gītā *tizenharmadik fejezetéhez, melynek címe: „A természet, az élvező és a tudat”.*

TIZENNEGYEDIK FEJEZET

Az anyagi természet három kötőereje

1. VERS

श्रीभगवानुवाच
परं भूयः प्रवक्ष्यामि ज्ञानानां ज्ञानमुत्तमम् ।
यज्ज्ञात्वा मुनयः सर्वे परां सिद्धिमितो गताः ॥१॥

śrī-bhagavān uvāca
paraṁ bhūyaḥ pravakṣyāmi jñānānāṁ jñānam uttamam
yaj jñātvā munayaḥ sarve parāṁ siddhim ito gatāḥ

śrī-bhagavān uvāca – az Istenség Legfelsőbb Személyisége mondta; *param* – transzcendentálist; *bhūyaḥ* – ismét; *pravakṣyāmi* – el fogom mondani; *jñānānām* – minden tudásnak; *jñānam* – tudását; *uttamam* – a legfelsőbbet; *yat* – amelyet; *jñātvā* – megismerve; *munayaḥ* – a bölcsek; *sarve* – minden; *parām* – a transzcendentális; *siddhim* – tökéletességet; *itaḥ* – ebből a világból; *gatāḥ* – elérték.

Az Istenség Legfelsőbb Személyisége így szólt: Ismét kinyilatkoztatom előtted ezt a legfelsőbb bölcsességet, a legmagasztosabb tudományt,

melyet megismerve a bölcsek mind elérték a legmagasabb rendű tökéletességet.

MAGYARÁZAT: A hetediktől a tizenkettedik fejezet végéig Śrī Kṛṣṇa részletesen feltárja az Abszolút Igazságot, az Istenség Legfelsőbb Személyiségét, s most tovább tanítja Arjunát. Aki a filozófiai elmélkedés folyamatával megérti ezt a fejezetet, az megérti majd az odaadó szolgálatot. A tizenharmadik fejezet világosan elmagyarázta, hogy a tudás alázatos művelése által az ember kiszabadulhat az anyag börtönéből, s azt is elmondta, hogy az élőlények a természet kötőerőivel kapcsolatba kerülve bonyolódnak bele az anyagi világ kötelékeibe. A Legfelsőbb Személyiség ebben a fejezetben elmondja, hogy mik a természet kötőerői, hogyan működnek, hogyan kötik le és engedik szabadon az élőlényt. Az előző fejezetben tanítottakhoz képest az itt ismertetett tudást a Legfelsőbb Úr magasabb rendűnek nyilvánítja. Ezt elsajátítva már sok nagy bölcs vált tökéletessé, s jutott el a lelki világba. Az Úr most még érthetőbben fogja elmagyarázni ugyanezt a tudományt. Ez a tudás magasan fölötte áll az eddig tárgyalt módszereknek, s ezt megismerve sokan elérték már a tökéletességet. Aki tehát megérti a tizennegyedik fejezetet, tökéletessé válhat.

2. VERS

इदं ज्ञानमुपाश्रित्य मम साधर्म्यमागताः ।
सर्गेऽपि नोपजायन्ते प्रलये न व्यथन्ति च ॥२॥

idaṁ jñānam upāśritya mama sādharmyam āgatāḥ
sarge 'pi nopajāyante pralaye na vyathanti ca

idam – ehhez; *jñānam* – a tudáshoz; *upāśritya* – folyamodva; *mama* – Enyém; *sādharmyam* – ugyanazt a természetet; *āgatāḥ* – elérve; *sarge api* – még a teremtésben; *na* – sohasem; *upajāyante* – születnek; *pralaye* – a megsemmisülésben; *na* – sem; *vyathanti* – zavarodnak meg; *ca* – szintén.

E tudás biztos ismeretében az ember transzcendentális természetre tehet szert, ami az Én természetemhez hasonló. Így nem születik meg az újabb teremtéskor, s az anyagi világ megsemmisülése sem fogja megzavarni.

MAGYARÁZAT: A tökéletes transzcendentális tudás elsajátítása után az ember olyan természetre tesz szert, mint amilyennel az Istenség Legfelsőbb Személyisége rendelkezik, s megszabadul az ismétlődő születéstől és haláltól. Az egyéni lélek azonban még ezek után sem veszíti el önazonosságát. A védikus írások szerint a lelki világ transzcendentális bolygóit elérő felszabadult lelkek örökké a Legfelsőbb Úr lótuszlábát szolgálják transzcendentális szeretettel. Láthatjuk tehát, hogy a *bhakták* még a felszabadulásuk után sem veszítik el egyéni önazonosságukat.

Bármilyen ismeretre teszünk szert az anyagi világban, azt általában az anyagi természet három kötőereje szennyezi be. Transzcendentálisnak azt a tudást nevezik, ami mentes az efféle szennyeződéstől. Ha valaki elsajátítja ezt a transzcendentális tudást, azonnal ugyanarra a szintre kerül, amelyen a Legfelsőbb Személy áll. Akik semmit sem tudnak a lelki világról, azok azt mondják, hogy miután az ember megszabadult az anyagi test anyagi tetteitől, lelki lénye minden formát és változatosságot nélkülözni fog. A lelki világot azonban az anyagihoz hasonlóan változatosság jellemzi. Akik ezt nem tudják, azok azt hiszik, hogy a lelki lét tökéletes ellentéte az anyagi változatosságnak. A valóságban azonban az élőlénynek a transzcendentális világban lelki teste van, amivel lelki tetteket hajt végre. Ezt a lelki helyzetet odaadó életnek nevezik. Arról a világról azt mondják, hogy mentes az anyagi szennyeződéstől, s hogy az élőlény ott természetét tekintve egyenlő a Legfelsőbb Úrral. Ahhoz, hogy erre a tudásra valaki szert tegyen, valamennyi lelki tulajdonságot ki kell fejlesztenie magában. E tulajdonságok birtokában az élőlényt többé nem befolyásolja az anyagi világ teremtése vagy megsemmisülése.

3. VERS

मम योनिर्महद् ब्रह्म तस्मिन् गर्भं दधाम्यहम् ।
सम्भवः सर्वभूतानां ततो भवति भारत ॥ ३ ॥

mama yonir mahad brahma tasmin garbhaṁ dadhāmy aham
sambhavaḥ sarva-bhūtānāṁ tato bhavati bhārata

mama – Enyém; *yoniḥ* – a születés forrása; *mahat* – a totális anyagi lét; *brahma* – legfelsőbb; *tasmin* – abban; *garbham* – terhességet; *dadhāmi* – teremtek; *aham* – Én; *sambhavaḥ* – lehetősége; *sarva-bhūtānām* – minden élőlénynek; *tataḥ* – ezek után; *bhavati* – lesz; *bhārata* – ó, Bharata fia.

Ó, Bharata fia, a brahmanként ismert teljes anyagállomány a születés forrása. Ezt a brahmant termékenyítem Én meg, így adván lehetőséget minden élőlénynek a születésre.

MAGYARÁZAT: Ez a vers a világot írja le: mindazt, ami történik benne, a *kṣetra* és a *kṣetra-jña,* a test és a lélek kombinációja idézi elő. Az anyagi természet és az élőlény egyesülését csakis maga a Legfelsőbb Isten teheti lehetővé. A *mahat-tattva* a teljes kozmikus megnyilvánulás totális oka. Az anyagi ok totális állományát, ami tartalmazza a természet három kötőerejét, néha *brahmannak* is nevezik. A Legfelsőbb Személy megtermékenyíti ezt a teljes állományt, s így jön létre a számtalan univerzum. A védikus irodalom (*Muṇḍaka-upaniṣad* 1.1.9) tehát *brahmannak* nevezi a totális anyagállományt, a *mahat-tattvát: tasmād etad brahma nāma-rūpam annaṁ ca jāyate.* Ezt a *brahmant* termékenyíti meg a Legfelsőbb Személy, az élőlények magjait juttatva bele. A huszonnégy elem (föld, víz, tűz, levegő stb.) az anyagi energiához tartozik, s ezek alkotják a *mahad brahmát,* vagyis a hatalmas *brahmant,* az anyagi természetet. A hetedik fejezet már elmagyarázta, hogy ezen a természeten kívül létezik egy másik, felsőbbrendű természet is: az élőlény. A felsőbbrendű természet az Istenség Legfelsőbb Személyiségének akaratából vegyül az anyagi természetbe, s ezután ez az anyagi természet szüli meg az élőlényeket.

A skorpió a rizsszemek közé rakja tojásait, s ezért néha azt mondják, a skorpió a rizsből születik. A rizs azonban nem oka a skorpió születésének; a tojások valójában az anyától származnak. Ehhez hasonlóan az élőlényeket sem az anyagi természet szüli. Az Istenség Legfelsőbb Személyisége adja a magot, s az egyes élőlények csak látszólag az anyagi természet szülöttei. Korábbi tettei alapján minden élőlény másféle testtel rendelkezik, melyet ez az anyagi természet hoz létre, hogy múltbeli tettei alapján örömben illetve szenvedésben legyen része. Az Úr az oka tehát az élőlények minden megnyilvánulásának ebben az anyagi világban.

4. VERS

सर्वयोनिषु कौन्तेय मूर्तयः सम्भवन्ति याः ।
तासां ब्रह्म महद्योनिरहं बीजप्रदः पिता ॥ ४ ॥

sarva-yoniṣu kaunteya mūrtayaḥ sambhavanti yāḥ
tāsāṁ brahma mahad yonir ahaṁ bīja-pradaḥ pitā

sarva-yoniṣu – minden fajban; *kaunteya* – ó, Kuntī fia; *mūrtayaḥ* – formák; *sambhavanti* – megjelennek; *yāḥ* – amelyek; *tāsām* – mindegyiküknek; *brahma* – a legfelsőbb; *mahat yoniḥ* – az anyagi állományban a születés forrása; *aham* – Én; *bīja-pradaḥ* – a magot adó; *pitā* – atya.

Ó, Kuntī fia! Tudnod kell, hogy minden faj az anyagi természetben való megszületés által jön létre, s Én vagyok a magot adó Atya.

MAGYARÁZAT: Ez a vers világosan értésünkre adja, hogy Kṛṣṇa, az Istenség Legfelsőbb Személyisége az eredeti atyja minden élőlénynek. Az élőlények a lelki és az anyagi természet kombinációi, s nemcsak a mi bolygónkon, hanem minden más bolygón, még a legfelsőbbön, Brahmā lakóhelyén is jelen vannak. Élőlények mindenhol vannak: a földben, a vízben, sőt még a tűzben is. Megjelenésük az anyának, az anyatermészetnek köszönhető, s annak, hogy Kṛṣṇa megtermékenyíti azt. Az anyagi világot tehát az Úr élőlényekkel termékenyíti meg, akik a teremtéskor korábbi tetteiknek megfelelően különféle formákban jelennek meg.

5. VERS

सत्त्वं रजस्तम इति गुणाः प्रकृतिसम्भवाः ।
निबध्नन्ति महाबाहो देहे देहिनमव्ययम् ॥ ५ ॥

sattvaṁ rajas tama iti guṇāḥ prakṛti-sambhavāḥ
nibadhnanti mahā-bāho dehe dehinam avyayam

sattvam – a jóság kötőereje; *rajaḥ* – a szenvedély kötőereje; *tamaḥ* – a tudatlanság kötőereje; *iti* – így; *guṇāḥ* – a tulajdonságok; *prakṛti* – az anyagi természet; *sambhavāḥ* – termékei; *nibadhnanti* – megkötik; *mahā-bāho* – ó, erős karú; *dehe* – ebben a testben; *dehinam* – az élőlényt; *avyayam* – az örökkévalót.

Az anyagi természet három kötőerőből áll: a jóság, a szenvedély és a tudatlanság kötőerejéből. Ó, erős karú Arjuna! Amint az élőlény kapcsolatba kerül az anyagi természettel, e kötőerők felülkerekednek rajta.

MAGYARÁZAT: Az élőlény transzcendentális, ezért nincs kapcsolata az anyagi természettel. Mivel azonban az anyagi természet foglyul ejtette, három kötőerejének bűvöletében cselekszik. A természet különféle aspektusai szerint különféle testeket ölt fel, s ezért arra kényszerül, hogy annak a természetnek megfelelően cselekedjen. Ez az oka az anyagi boldogtalanság és boldogság számtalan változatának.

6. VERS

तत्र सत्त्वं निर्मलत्वात्प्रकाशकमनामयम् ।
सुखसङ्गेन बध्नाति ज्ञानसङ्गेन चानघ ॥ ६ ॥

tatra sattvaṁ nirmalatvāt prakāśakam anāmayam
sukha-saṅgena badhnāti jñāna-saṅgena cānagha

tatra – ott; *sattvam* – a jóság kötőereje; *nirmalatvāt* – mivel a legtisztább az anyagi világban; *prakāśakam* – ragyogó; *anāmayam* – bűnös visszahatások nélküli; *sukha* – boldogsággal való; *saṅgena* – kapcsolat által; *badhnāti* – megköt; *jñāna* – tudással való; *saṅgena* – kapcsolat által; *ca* – szintén; *anagha* – ó, bűntelen.

Ó, bűntelen! Mivel tisztább a többinél, a jóság kötőereje ragyogó, és megszabadítja az embert minden bűnös tett visszahatásától. A jóságban élőket a boldogság érzése és a tudás köti meg.

MAGYARÁZAT: Az anyagi természet által feltételekhez kötött élőlényeknek különféle típusai vannak: az egyik boldog, a másik rendkívül tevékeny, a harmadik tehetetlen. E pszichológiai megnyilvánulások okozzák, hogy az élőlényeket magához láncolja ez a világ. Hogy miképpen válnak feltételekhez kötötté, arról a *Bhagavad-gītānak* ez a része szól. Először a jóság minőségéről olvashatunk. Ennek kifejlesztése az anyagi világban azt eredményezi, hogy az ember bölcsebb lesz, mint azok, akiket a többi kötőerő köt feltételekhez. A jóság minőségében élőre nem hatnak annyira az anyagi szenvedések, s így akar és képes is fejlődni az anyagi tudás terén. Ezt a réteget a *brāhmaṇák* képviselik, akiknek a jóság minőségében kell lenniük. A boldogság érzése abból fakad, hogy az ember megérti, hogy a jóság minőségében többnyire mentes a bűnös visszahatásoktól. A védikus irodalom azt írja, hogy ezt a kötőerőt a szokottnál nagyobb tudás és boldogságérzés jellemzi.

Bajt csak az okoz, hogy a jóság minőségében megállapodott élőlény tisztában van magas szintű tudásával, s különbnek hiszi magát másoknál. Ez az a felfogás, ami megköti. Jó példa erre a tudós és a filozófus esete. Mindkettő nagyon büszke a tudására, s mivel életkörülményeik általában egyre javulnak, egyfajta anyagi boldogságot is éreznek. Éppen e miatt a fejlettebb boldogságérzet miatt, amit a feltételekhez kötött létben éreznek, köti gúzsba őket az anyagi természet jóság kötőereje. Ennek eredményeként ragaszkodni fognak a jóság minőségében végzett munkához. Mindaddig, amíg fennáll ez a vonzódás, testet kell ölteniük, amely a természet kötőerőinek hatása alatt áll. Felszabadulásról, a lelki világ eléréséről ilyen esetben szó sem lehet. Az ilyen emberek újra meg újra megszülethetnek filozófusként, tudósként vagy költőként, és ismét a születés és halál gyötrelmeitől kell szenvedniük. Az anyagi energia illúziója miatt azonban az ilyenfajta életet is kellemesnek vélik.

7. VERS

रजो रागात्मकं विद्धि तृष्णासङ्गसमुद्भवम् ।
तन्निबध्नाति कौन्तेय कर्मसङ्गेन देहिनम् ॥ ७ ॥

rajo rāgātmakaṁ viddhi tṛṣṇā-saṅga-samudbhavam
tan nibadhnāti kaunteya karma-saṅgena dehinam

rajaḥ – a szenvedély kötőereje; *rāga-ātmakam* – vágy vagy sóvárgás szülte; *viddhi* – tudd; *tṛṣṇā* – sóvárgásból; *saṅga* – az érintkezés utáni; *samudbhavam* – létrejövő; *tat* – az; *nibadhnāti* – megköti; *kaunteya* – ó, Kuntī fia; *karma-saṅgena* – a gyümölcsöző cselekedetekhez ragaszkodva; *dehinam* – a megtestesültet.

Ó, Kuntī fia! Tudd meg, hogy a szenvedély minősége a vég nélküli vágyból és sóvárgásból születik, ezért az anyagi, gyümölcsöző tettekhez köti a megtestesült élőlényt.

MAGYARÁZAT: A szenvedély kötőerejét legjobban a férfi és a nő közötti vonzalom jellemzi. A nő vonzódik a férfihez, a férfi pedig vonzódik a nőhöz. Ezt nevezik a szenvedély kötőerejének, s fokozódásával az emberben sóvárgás ébred az anyagi élvezet, az érzéki élvezet után. A szenvedély kötőerejében lévő ember az érzékkielégítés érdekében tiszteletet akar kivívni a társadalomban, a nemzetben, s boldog családi életet, szép gyermeket, feleséget és házat szeretne. Ezek a szenvedély kötőerejének termékei, s amíg ezekre vágyik, nagyon sokat kell dolgoznia. Ezért jelenti ki ez a vers nagyon egyértelműen, hogy az ilyen ember ragaszkodni kezd munkája gyümölcséhez, s az efféle tettek megkötik őt. A feleség, a gyermekek és a társadalom kedvéért, valamint a presztízs érdekében az embernek dolgoznia kell. Többé-kevésbé tehát az egész anyagi világ a szenvedély kötőerejének hatása alatt áll. A modern civilizáció csak a szenvedély szempontjából tekinthető fejlettnek. Hajdanán a fejlettség fokmérője a jóság minősége volt. De még a jóságban élők sem szabadulnak fel, azokról nem is beszélve, akik a szenvedély kötőerejének rabjai.

8. VERS

तमस्त्वज्ञानजं विद्धि मोहनं सर्वदेहिनाम् ।
प्रमादालस्यनिद्राभिस्तन्निबध्नाति भारत ॥ ८ ॥

tamas tv ajñāna-jaṁ viddhi mohanaṁ sarva-dehinām
pramādālasya-nidrābhis tan nibadhnāti bhārata

tamaḥ – a tudatlanság kötőereje; *tu* – de; *ajñāna-jam* – a tudatlanság terméke; *viddhi* – tudd meg; *mohanam* – az illúziója; *sarva-dehinām* – minden megtestesült élőlénynek; *pramāda* – őrülettel; *ālasya* – tunyasággal; *nidrābhiḥ* – és alvással; *tat* – az; *nibadhnāti* – megköt; *bhārata* – ó, Bharata fia.

Ó, Bharata fia, tudd meg hát, hogy a sötétség tudatlanságból születő kötőereje okozza valamennyi megtestesült élőlény illúzióját. E kötőerő hatásának következménye az őrültség, a tunyaság és az alvás, ami megköti a feltételekhez kötött lelkeket.

MAGYARÁZAT: Ebben a versben igen fontos a *tu* szócska, ami azt jelenti, hogy a tudatlanság kötőereje a testet öltött lélek sajátos jellemzője. Ez a kötőerő éppen ellenkezője a jóságnak. A jóság kötőerejében az ember tudásra tesz szert, s megérti a dolgokat, míg a tudatlanság kötőereje ennek épp az ellentéte. Bűvöletében mindenki őrültté válik, s egy őrült nem ismeri a valóságot; így aztán fejlődés helyett csak mélyre süllyed. A védikus irodalom a következő meghatározást adja a tudatlanság kötőerejéről: *vastu-yāthātmya-jñānāvarakaṁ viparyaya-jñāna-janakaṁ tamaḥ*, azaz a tudatlanság varázsa alatt az ember semmit sem lát úgy, ahogyan az a valóságban van. Mindenki láthatja például, hogy a nagyapja meghalt, s tudhatja, hogy ő is meg fog halni – az ember halandó, s az általa nemzett gyermekekre szintén ez a sors vár. A halál tehát biztos. Ám ennek ellenére az emberek nem törődnek az örökkévaló lélekkel, hanem éjt nappallá téve dolgoznak, s őrült módjára egyre csak pénzt gyűjtenek. Ez őrültség, s őrültségükben semmi hajlandóság nincs bennük a lelki tudomány elsajátítására. Az ilyen emberek nagyon lusták. Amikor olyan társaságba hívják őket, ahol alkalmuk nyílhat a lelki tudás megismerésére, nem élnek a lehetőséggel. Még csak nem is tevékenyek, mint a szenvedély kötőerejében lévők, így egy másik tulajdonság is jellemzi a tudatlanság rabjait: a szükségesnél többet alszanak. Hat órai alvás mindenkinek elegendő, ám ők legalább 10–12 órát alszanak naponta. Az ilyen ember mindig kedvetlen, s az alkohol, a kábítószer és az álom rabja. Ezek jellemzik a tudatlanság kötőerejének hatása alatt álló embert.

9. VERS

सत्त्वं सुखे सञ्जयति रजः कर्मणि भारत ।
ज्ञानमावृत्य तु तमः प्रमादे सञ्जयत्युत ॥ ९ ॥

sattvaṁ sukhe sañjayati rajaḥ karmaṇi bhārata
jñānam āvṛtya tu tamaḥ pramāde sañjayaty uta

sattvam – a jóság minősége; *sukhe* – boldogságban; *sañjayati* – köt; *rajaḥ* – a szenvedély kötőereje; *karmaṇi* – a gyümölcsöző tettekben; *bhārata* – ó, Bharata fia; *jñānam* – a tudást; *āvṛtya* – befedve; *tu* – de; *tamaḥ* – a tudatlanság kötőereje; *pramāde* – őrültségben; *sañjayati* – köt; *uta* – mondják.

Ó, Bharata fia! A jóság kötőereje a boldogsághoz, a szenvedély a gyümölcsöző tettekhez, a tudatlanság pedig az ember tudását befedve az őrültséghez láncol.

MAGYARÁZAT: A jóság minőségében lévő embert kielégíti munkája vagy szellemi tevékenysége. A filozófus, tudós vagy tanár például, aki egy bizonyos tudományterülettel foglalkozik, elégedett azzal, amit csinál. A szenvedély kötőerejében élő ember gyümölcsöző tettekbe merül. Annyi pénzt keres, amennyit csak tud, s azt igyekszik jó célra költeni. Kórházat épít, jótékonysági intézményeknek adományoz, és így tovább. Ezek a jellemzői az olyan embernek, aki a szenvedély kötőerejének hatása alatt áll. A tudatlanság kötőereje elfedi a tudást, s a tudatlanságban cselekvő ember bármit is tesz, az sem neki, sem másoknak nem jó.

10. VERS

रजस्तमश्चाभिभूय सत्त्वं भवति भारत ।
रजः सत्त्वं तमश्चैव तमः सत्त्वं रजस्तथा ॥१०॥

rajas tamaś cābhibhūya sattvaṁ bhavati bhārata
rajaḥ sattvaṁ tamaś caiva tamaḥ sattvaṁ rajas tathā

rajaḥ – a szenvedély kötőerejét; *tamaḥ* – a tudatlanság kötőerejét; *ca* – és; *abhibhūya* – felülmúlva; *sattvam* – a jóság minősége; *bhavati* – kiemelkedő lesz; *bhārata* – ó, Bharata fia; *rajaḥ* – a szenvedély kötőereje; *sattvam* – a jóság kötőerejét; *tamaḥ* – a tudatlanság kötőerejét; *ca* – szintén; *eva* – így; *tamaḥ* – a tudatlanság kötőereje; *sattvam* – a jóság kötőerejét; *rajaḥ* – a szenvedély kötőerejét; *tathā* – így.

Ó, Bharata fia, néha a jóság kötőereje kerül túlsúlyba, elnyomván a szenvedély és a tudatlanság minőségét, néha a szenvedély győzi le a jóságot és a tudatlanságot, máskor pedig a tudatlanság uralkodik a jóság és a szenvedély felett. Ily módon örök küzdelem folyik közöttük az elsőbbségért.

MAGYARÁZAT: Ha a szenvedély kötőereje kerekedik felül, elnyomja a jóság és a tudatlanság kötőerőit. A jóság uralkodásával a szenvedély és a tudatlanság kötőerői szorulnak háttérbe, amikor pedig a tudatlanság dominál, legyőzi a szenvedélyt és a jóságot. Ez a versengés sohasem hagy alább. Éppen ezért annak, aki komolyan fejlődni akar a Kṛṣṇa-tudatban, felül kell emelkednie e három kötőerőn. Hogy a természet melyik kötőereje uralkodik leginkább az emberen, az viselkedésében, tetteiben, étkezésében stb. mutatkozik meg. Ezeket a későbbi fejezetek fogják bővebben kifejteni. Ha azonban valaki úgy akarja, akkor gyakorlással kifejlesztheti magában a jóság minőségét, s így legyőzheti a szenvedély és a tudatlanság kötőerejét, s ugyanígy a szenvedély minőségét is ápolhatja magában, s felülkerekedhet a jóságon és a tudatlanságon. A tudatlanságot szintén ki lehet fejleszteni, s ekkor a jóság és a szenvedély szorul a háttérbe. Az anyagi természet e három kötőerejének létezése ellenére az, aki elszánt, részesülhet a jóság kötőerejének áldásában, hogy azután túllépve azon elérje a tiszta jóságot, amit *vasudeva*-szintnek neveznek. Azon a síkon értheti meg az ember az Istenről szóló tudományt. Egy emberről a tettei alapján állapíthatjuk meg, hogy melyik kötőerő hatása alatt áll.

11. VERS

सर्वद्वारेषु देहेऽस्मिन् प्रकाश उपजायते ।
ज्ञानं यदा तदा विद्याद्विवृद्धं सत्त्वमित्युत ॥११॥

sarva-dvāreṣu dehe 'smin prakāśa upajāyate
jñānaṁ yadā tadā vidyād vivṛddhaṁ sattvam ity uta

sarva-dvāreṣu – minden kapuban; *dehe asmin* – ebben a testben; *prakāśaḥ* – a ragyogás minősége; *upajāyate* – fejlődik; *jñānam* – a tudás; *yadā* – amikor; *tadā* – akkor; *vidyāt* – tudd; *vivṛddham* – megnövekedett; *sattvam* – a jóság minősége; *iti uta* – így mondják.

A jóság kötőerejének megnyilvánulásait akkor tapasztalhatjuk, amikor a test minden kapuját tudás ragyogja be.

MAGYARÁZAT: A testnek kilenc kapuja van: két szem, két fül, két orrlyuk, a száj, a nemi szerv és a végbél. Amikor valamennyi kaput a jóság jelei ragyogják be, akkor tudhatjuk, hogy az emberben kifejlődött a jóság minősége. Ebben az állapotban a maguk valójában látja a dolgokat, helyesen hall, valamint ízlelni is a valóságnak megfelelően tud. Így aztán kívül és belül egyaránt megtisztul. Teste minden kapuján a boldogság jelei mutatkoznak meg – ez jellemzi a jóság kötőerejét.

12. VERS

लोभः प्रवृत्तिरारम्भः कर्मणामशमः स्पृहा ।
रजस्येतानि जायन्ते विवृद्धे भरतर्षभ ॥१२॥

lobhaḥ pravṛttir ārambhaḥ karmaṇām aśamaḥ spṛhā
rajasy etāni jāyante vivṛddhe bharatarṣabha

lobhaḥ – mohóság; *pravṛttiḥ* – ténykedés; *ārambhaḥ* – törekvés; *karmaṇām* – a tettekben; *aśamaḥ* – fékezhetetlen; *spṛhā* – vágy; *rajasi* – a szenvedély kötőereje; *etāni* – mindezek; *jāyante* – kifejlődnek; *vivṛddhe* – amikor túlsúlyban van; *bharata-ṛṣabha* – ó, Bharata leszármazottainak vezére.

Ó, Bhāraták vezére, ha a szenvedély minősége van növekvőben, akkor erős ragaszkodás, gyümölcsöző cselekedetek, fáradhatatlan törekvés, valamint fékezhetetlen vágy és sóvárgás alakul ki.

MAGYARÁZAT: A szenvedély kötőerejében lévő ember sohasem elégedett azzal a helyzettel, amit elért, hanem mindig többre vágyik. Ha házat akar építeni, megtesz minden tőle telhetőt, hogy az olyan legyen, mint egy palota, mintha örökké abban lakhatna. Ezenkívül heves sóvárgás ébred benne az érzékkielégítés után, s ez a vágya sohasem csillapodik. Mindig a házában szeretne maradni a családjával, hogy vég nélkül folytathassa érzékei kielégítését. E jelekről ismerhetjük fel a szenvedély kötőerejét.

13. VERS

अप्रकाशोऽप्रवृत्तिश्च प्रमादो मोह एव च ।
तमस्येतानि जायन्ते विवृद्धे कुरुनन्दन ॥१३॥

aprakāśo 'pravṛttiś ca pramādo moha eva ca
tamasy etāni jāyante vivṛddhe kuru-nandana

aprakāśaḥ – sötétség; *apravṛttiḥ* – tétlenség; *ca* – és; *pramādaḥ* – őrület; *mohaḥ* – illúzió; *eva* – bizony; *ca* – is; *tamasi* – amikor a tudatlanság kötőereje; *etāni* – ezek; *jāyante* – megnyilvánulnak; *vivṛddhe* – túlsúlyba kerül; *kuru-nandana* – ó, Kuru fia.

Ó, Kuru fia! A tudatlanság kötőerejének erősödésével sötétség, tétlenség, őrület és illúzió nyilvánul meg.

MAGYARÁZAT: Megvilágosodás hiányában a tudás nincs jelen. Akire a tudatlanság kötőereje hat, az nem a szabályozó elvek alapján, hanem szeszélyesen és céltalanul cselekszik. Habár képes rá, mégsem törekszik, hogy tegyen valamit. Ezt nevezik illúziónak. Bár tudatánál van, élete mégis tétlen. Ezek a tudatlanság kötőerejében lévő ember jellemzői.

14. VERS

यदा सत्त्वे प्रवृद्धे तु प्रलयं याति देहभृत् ।
तदोत्तमविदां लोकानमलान् प्रतिपद्यते ॥१४॥

yadā sattve pravṛddhe tu pralayaṁ yāti deha-bhṛt
tadottama-vidāṁ lokān amalān pratipadyate

yadā – amikor; *sattve* – a jóság minősége; *pravṛddhe* – kifejlődött; *tu* – de; *pralayam* – pusztulásba; *yāti* – megy; *deha-bhṛt* – a megtestesült; *tadā* – akkor; *uttama-vidām* – a nagy bölcseknek; *lokān* – a bolygóit; *amalān* – tisztákat; *pratipadyate* – eléri.

Ha valaki a jóság minőségében hal meg, a nagy bölcsek tiszta, felsőbb bolygóira jut.

MAGYARÁZAT: Aki a jóság kötőerejének hatása alatt áll, az a felsőbb bolygókra kerül, például a Brahmalokára vagy Janalokára, s ott mennyei boldogságban lesz része. Az *amalān* szó nagyon fontos ebben a versben. Jelentése: „mentes a szenvedély és a tudatlanság kötőerejétől". Az anyagi világot szennyeződések jellemzik, ám a jóság minősége jelenti a lét legtisztább formáját. A különféle élőlények számára különféle bolygók vannak. Akik a jóság kötőerejében halnak meg, azok a nagy bölcsek és nagy *bhakták* bolygóira emelkednek.

15. VERS

रजसि प्रलयं गत्वा कर्मसङ्गिषु जायते ।
तथा प्रलीनस्तमसि मूढयोनिषु जायते ॥१५॥

rajasi pralayaṁ gatvā karma-saṅgiṣu jāyate
tathā pralīnas tamasi mūḍha-yoniṣu jāyate

rajasi – a szenvedélyben; *pralayam* – pusztulásba; *gatvā* – menvén; *karma-saṅgiṣu* – a gyümölcsöző tetteket végzők között; *jāyate* – születik meg;

tathā – hasonlóan; *pralīnaḥ* – elpusztulva; *tamasi* – tudatlanságban; *mūḍha-yoniṣu* – állati fajokban; *jāyate* – születik.

Aki a szenvedély minőségében hal meg, az a tetteik gyümölcséért cselekvők között fog megszületni, aki pedig a tudatlanság kötőerejében hagyja el testét, az állatvilágban születik meg újra.

MAGYARÁZAT: Vannak, akik abban a tévhitben élnek, hogy ha a lélek egyszer eléri az emberi létformát, többé nem születik meg alacsonyabb rendű fajban. Ez azonban nem így van. E vers alapján az, akiben a tudatlanság kötőereje alakul ki, halála után állati létbe süllyed, s onnan később az evolúció folyamata során fokozatosan fejlődve érheti el ismét az emberi létet. Éppen ezért akik komolyan veszik az emberi életet, azoknak a jóság minőségét kell kifejleszteniük, majd a megfelelő emberek társaságában felül kell emelkedniük a kötőerőkön, s el kell érniük a Kṛṣṇa-tudat síkját. Ez az emberi élet célja. Ha az ember nem így tesz, nincs biztosíték arra, hogy újra emberként születik majd meg.

16. VERS

कर्मणः सुकृतस्याहुः सात्त्विकं निर्मलं फलम् ।
रजसस्तु फलं दुःखमज्ञानं तमसः फलम् ॥१६॥

karmaṇaḥ sukṛtasyāhuḥ sāttvikaṁ nirmalaṁ phalam
rajasas tu phalaṁ duḥkham ajñānaṁ tamasaḥ phalam

karmaṇaḥ – munkának; *su-kṛtasya* – jámbor; *āhuḥ* – mondják; *sāttvikam* – a jóság minőségében lévő; *nirmalam* – tiszta; *phalam* – az eredménye; *rajasaḥ* – a szenvedély kötőerejének; *tu* – de; *phalam* – az eredménye; *duḥkham* – szenvedés; *ajñānam* – ostobaság; *tamasaḥ* – a tudatlanság kötőerejének; *phalam* – az eredménye.

A jámbor tettek eredménye tiszta, és a jóság kötőerejébe tartozik. A szenvedély minőségében végzett munka azonban szenvedést, a tudatlanságban végrehajtott tett pedig ostobaságot eredményez.

MAGYARÁZAT: A jóság minőségében végzett jámbor tettek eredménye tiszta. Ez az oka annak, hogy az illúziótól teljesen mentes bölcsek boldogok. A szenvedély kötőerejében végzett cselekedetek azonban csupán szenvedést eredményeznek. Az anyagi boldogság reményében végzett tettek mind kudarcra vannak ítélve. Ha valaki például egy felhőkarcolóra vágyik, annak a felépítése tengernyi emberi szenvedéssel jár: a vállalkozónak a sok-sok pénz megszerzése rendkívül komoly gondot okoz, az építőmunkásoknak pedig nehéz fizikai munkát kell végezniük. A szenvedés tehát mindig jelen van. Ezért mondja azt a *Bhagavad-gītā,* hogy a szenvedély kötőerejének bűvöletében végrehajtott tettek mindig nagy szenvedést okoznak. Lehet, hogy az ember érez egy parányi boldogságot az elme síkján – „ez a ház az enyém; ez a pénz az enyém" –, de ez nem valódi boldogság.

A tudatlanság kötőerejében cselekvőnek nincs tudása, ezért minden tette szenvedést eredményez ebben az életben, a következőben pedig állati létformához vezet. Az állati lét mindig nyomorúságos, annak ellenére, hogy a *māyā,* az illúziókeltő energia varázsa alatt az állatok ezt nem fogják fel. Az ártatlan állatok mészárlása szintén a tudatlanság kötőerejének eredménye. Aki állatot öl, nem tudja, hogy a leölt állat a jövőben olyan testet kap, amely alkalmas lesz arra, hogy megölje gyilkosát. Ez a természet törvénye. Az emberi társadalomban például azt, aki embert öl, felakasztják – ez az állam törvénye. Tudatlanságuk következtében az emberek nem látják, hogy egy teljes állam létezik a Legfelsőbb Úr irányítása alatt. Minden élőlény a Legfelsőbb Úr fia, ezért Ő nem tűri el még egy hangya elpusztítását sem – mindenkinek meg kell fizetnie az ilyen tettért. Állatokat ölni pusztán a nyelv kielégítése érdekében a tudatlanság legdurvább formája. Az embernek nincs szüksége arra, hogy állatokat öljön, hiszen Isten számtalan finom eledellel ellátja. Ha valaki ennek ellenére húst eszik, akkor tudnunk kell, hogy a tudatlanság kötőerejének hatása alatt cselekszik, s rendkívül sötét jövő vár rá. Valamennyi állat közül a tehén elpusztítása a legnagyobb bűn, mert a tehén azzal, hogy tejet ad, nagy szolgálatot tesz az embereknek. A tehenek mészárlása ezért a legsötétebb tudatlanság megnyilvánulása. A Védákban (*Ṛg-veda* 9.46.4) a *gobhiḥ prīṇita-matsaram* szavak arra utalnak, hogy aki megtölti a bendőjét tejjel, s utána meg akarja ölni a tehenet, az a legmélyebb tudatlanságban van. A Védák egyik imája így hangzik:

namo brahmaṇya-devāya go-brāhmaṇa-hitāya ca
jagad-dhitāya kṛṣṇāya govindāya namo namaḥ

„Uram, Te vagy a tehenek, a *brāhmaṇák,* az egész emberi társadalom és az egész világ jóakarója!" (*Viṣṇu-purāṇa* 1.19.65). Ez az ima különösen kihangsúlyozza a tehenek és a *brāhmaṇák* védelmezését. A *brāhmaṇák* a lelki tanítás szimbólumai, a tehenek pedig a legértékesebb élelemé. Ennek a két teremtménynek, a *brāhmaṇának* és a tehénnek minden védelmet biztosítani kell – ez jelenti a valóban fejlett civilizációt. A modern emberi társadalomban nem törődnek a lelki tudással, és támogatják a tehenek lemészárlását. Ebből megérthetjük, hogy az emberi társadalom rossz irányba fejlődik, és csak saját vesztébe rohan. Az a társadalom, amely úgy vezeti a benne élőket, hogy azok a következő életükben állatok legyenek, nem nevezhető emberi társadalomnak. A jelen kor emberi társadalmát természetesen a szenvedély és a tudatlanság kötőereje rendkívüli módon félrevezeti. Ez egy nagyon veszélyes korszak, ezért minden országnak el kellene fogadnia a legkönnyebb folyamatot, a Kṛṣṇa-tudatot, hogy megmentse az emberiséget a legnagyobb veszedelemtől.

17. VERS

सत्त्वात्सञ्जायते ज्ञानं रजसो लोभ एव च ।
प्रमादमोहौ तमसो भवतोऽज्ञानमेव च ॥१७॥

sattvāt sañjāyate jñānaṁ rajaso lobha eva ca
pramāda-mohau tamaso bhavato 'jñānam eva ca

sattvāt – a jóság kötőerejéből; *sañjāyate* – fejlődik; *jñānam* – tudás; *rajasaḥ* – a szenvedély kötőerejéből; *lobhaḥ* – mohóság; *eva* – bizony; *ca* – és; *pramāda* – őrület; *mohau* – és illúzió; *tamasaḥ* – a tudatlanság kötőerejéből; *bhavataḥ* – fejlődnek; *ajñānam* – ostobaság; *eva* – bizony; *ca* – is.

A jóság kötőerejéből igazi tudás származik, a szenvedélyből mohóság, a tudatlanságból pedig ostobaság, őrület és illúzió.

MAGYARÁZAT: Az élőlények számára a jelenlegi civilizáció nem túlságosan kedvező, ezért mindannyiuknak ajánlatos a Kṛṣṇa-tudat gyakorlása. A Kṛṣṇa-tudat révén a társadalom a jóság szintjére emelkedhet. Az emberek csak azután fognak mindent a valóságnak megfelelően látni, ha a jóság kötőerejének hatása alá kerülnek. A tudatlanság kötőerejében az emberek olyanok, mint az állatok, s nem látnak tisztán. Azt sem látják többek között, hogy egy állat lemészárlásával annak a veszélynek teszik ki magukat, hogy következő életükben ugyanaz az állat fogja megölni őket. Az emberek azért válnak ennyire felelőtlenekké, mert nem tesznek szert valódi tudásra. E felelőtlenség megállítása érdekében arra van szükség, hogy az embereket olyan oktatásban részesítsék, amely a jóság minőségének kifejlődését eredményezi. Ha valóban a jóságra tanítják őket, józanná válnak, és teljes tudásra tesznek szert mindenről. Csakis ekkor élhetnek boldogan és jólétben. Még ha az emberek legtöbbje nem is boldog, és nem is él túlságosan jól, ha a népesség egy bizonyos százaléka Kṛṣṇa-tudatúvá válik, s eléri a jóság szintjét, akkor az egész világnak lehetősége nyílik a békére és a jólétre. Máskülönben, ha a világot a szenvedély és a tudatlanság kötőerői irányítják, nem lehet szó sem békéről, sem gazdagságról. A szenvedély minőségében az ember mohó lesz, s az érzéki élvezet utáni vágyódása nem ismer határokat. Láthatjuk, hogy lehet valakinek sok pénze és jó lehetősége az érzékkielégítésre, mégsem boldog, s elméje sem békés. Ez lehetetlen a szenvedély kötőerejében élő ember számára. Ha valaki igazán boldogságra vágyik, a pénz nem segít. A Kṛṣṇa-tudat gyakorlásával a jóság szintjére kell emelkednie. A szenvedély kötőerejében lévő ember nemcsak az elméjében boldogtalan, hanem hivatása és foglalkozása is sok gondot okoz számára. Rengeteget kell tervezgetnie, hogy elegendő pénzt keressen, aminek segítségével megmaradhat az elért színvonalon, s ez mind szenvedéssel jár. A tudatlanság kötőerejében az emberek megőrülnek. Körülményeik hatására alkohollal és kábítószerekkel próbálnak vigasztalódni. Egyre mélyebbre süllyednek a tudatlanságban, s rendkívül sötét jövő vár rájuk.

18. VERS

ऊर्ध्वं गच्छन्ति सत्त्वस्था मध्ये तिष्ठन्ति राजसाः ।
जघन्यगुणवृत्तिस्था अधो गच्छन्ति तामसाः ॥१८॥

ūrdhvaṁ gacchanti sattva-sthā madhye tiṣṭhanti rājasāḥ
jaghanya-guṇa-vṛtti-sthā adho gacchanti tāmasāḥ

ūrdhvam – felfelé; *gacchanti* – mennek; *sattva-sthāḥ* – akik a jóság minőségében vannak; *madhye* – középen; *tiṣṭhanti* – lakoznak; *rājasāḥ* – a szenvedély kötőerejében élők; *jaghanya* – szörnyű; *guṇa* – minőségűek; *vṛtti-sthāḥ* – akiknek a tettei; *adhaḥ* – lefelé; *gacchanti* – mennek; *tāmasāḥ* – akik a tudatlanság kötőerejében vannak.

A jóság minőségében élők fokozatosan felfelé, a felsőbb bolygók irányába haladnak. Akiket a szenvedély kötőereje jellemez, azok a földi bolygókon élnek, a szörnyű tudatlanság rabjai pedig a pokoli világokba zuhannak.

MAGYARÁZAT: Ez a vers még pontosabban megmagyarázza a természet három kötőerejében végzett tettek eredményeit. Van egy felsőbb bolygórendszer, amelyet a mennyei bolygók alkotnak, s ahol mindenki rendkívül magas szinten áll. Az élőlény attól függően, hogy milyen mértékben alakult ki benne a jóság minősége, e bolygórendszer különféle bolygóira kerülhet. A legfejlettebb bolygó a Satyaloka, azaz a Brahmaloka, ahol az univerzum első teremtménye, az Úr Brahmā él. Korábban már láthattuk, hogy aligha tudnánk felmérni a Brahmalokán élvezhető élet csodálatos lehetőségeit, a legfejlettebb létállapot, a jóság minősége azonban eljuttathat bennünket oda.

A szenvedély kötőereje kevert, a jóság és a tudatlanság között van. Az emberre sohasem egyetlen kötőerő hat csupán, de még akkor is a Földön kell újraszületnie, királyként vagy egy gazdag családban, ha tisztán a szenvedély kötőerejében van. A kötőerők keveredése miatt azonban előfordulhat az is, hogy mélyebbre süllyed. Az emberekre ezen a bolygón a szenvedély és a tudatlanság kötőereje jellemző, így pusztán mechanikus eszközökkel, erőnek erejével nem juthatnak el a felsőbb bolygókra. A szenvedély kötőerejében élővel az is megtörténhet, hogy a következő életében őrült lesz.

Ez a vers szörnyűnek írja le a tudatlanság minőségét, amely a legalantasabb kötőerő, s a hatása alá kerülni rendkívül veszélyes. Ez az anyagi természet legalacsonyabb rendű kötőereje. Az emberi létszint alatt nyolcmillió létforma van: madarak, vadállatok, csúszómászók, fák stb. A tudatlanság kötőereje megnyilvánulásának mértékétől függően az emberek ilyen szörnyű körülmények közé süllyedhetnek. Nagyon fontos itt a *tāmasāḥ* szó. Azokra utal, akik mindig a tudatlanság kötőerejében vannak, és sohasem emelkednek egy magasabb szintű kötőerőbe. Az ő jövőjük rendkívül kilátástalan.

A tudatlanság és a szenvedély kötőerőiben élőknek megvan az esélyük arra, hogy eljussanak a jóságig. Azt a folyamatot, amely ezt lehetővé teszi számukra, Kṛṣṇa-tudatnak hívják. Aki azonban nem használja ki ezt a lehetőséget, az egészen biztosan az alacsonyabb rendű kötőerőkben folytatja életét.

19. VERS

नान्यं गुणेभ्यः कर्तारं यदा द्रष्टानुपश्यति ।
गुणेभ्यश्च परं वेत्ति मद्भावं सोऽधिगच्छति ॥१९॥

nānyaṁ guṇebhyaḥ kartāraṁ yadā draṣṭānupaśyati
guṇebhyaś ca paraṁ vetti mad-bhāvaṁ so 'dhigacchati

na – nem; *anyam* – mást; *guṇebhyaḥ* – a kötőerőknél; *kartāram* – végrehajtót; *yadā* – amikor; *draṣṭā* – egy látó; *anupaśyati* – helyesen lát; *guṇebhyaḥ* – a természet kötőerőihez képest; *ca* – és; *param* – transzcendentálisnak; *vetti* – ismeri; *mat-bhāvam* – az Én lelki természetemet; *saḥ* – ő; *adhigacchati* – felemelkedik.

Lelki természetemet az éri el, aki minden tett végrehajtójának helyesen az anyagi természet kötőerőit látja, s aki ismeri a Legfelsőbb Urat, aki e kötőerők felett áll.

MAGYARÁZAT: Az ember felülemelkedhet az anyagi természet kötőerőinek minden tevékenységén csupán azzal, hogy a megfelelő lelkeket hallgatva megérti, amit mondanak. A valódi lelki tanítómester Kṛṣṇa, s Ő adja át ezt a lelki tudást Arjunának. A természet kötőerői szerint végzett tettekről szóló tudományt éppen így olyanoktól kell megtanulnunk, akik teljesen Kṛṣṇa-tudatúak, másképp az ember élete rossz irányba fog haladni. A hiteles lelki tanítómester útmutatása segítségével az élőlény megismerheti valódi lelki helyzetét, anyagi testét, érzékeit, azt, hogy miért van csapdában, s hogy miképpen befolyásolják a természet anyagi kötőerői. E kötőerők markában tehetetlen, de ha megismeri valódi helyzetét, elérheti a transzcendentális szintet, ahol lehetőséget kap a lelki életre. Valójában nem az élőlény hajtja végre a különféle tetteket. Mivel egy bizonyos fajta test rabja, az anyagi természet egy bizonyos kötőereje kényszeríti cselekvésre. Egy hiteles lelki vezető segítsége nélkül nem értheti meg valódi helyzetét. Egy igaz lelki tanítómesterrel kapcsolatba kerülve azonban felismerheti azt, s e tudása következtében szilárd és teljes Kṛṣṇa-tudatra tehet szert. A Kṛṣṇa-tudatú embert nem befolyásolja az anyagi természet kötőerőinek varázsa. Ahogyan a hetedik fejezet kijelentette, aki meghódol Kṛṣṇa előtt, az megmenekül az anyagi természet hatásától. Ezért annak számára, aki mindent a valóságnak megfelelően lát, az anyagi természet befolyása fokozatosan megszűnik.

20. VERS

गुणानेतानतीत्य त्रीन्देही देहसमुद्भवान् ।
जन्ममृत्युजरादुःखैर्विमुक्तोऽमृतमश्नुते ॥२०॥

guṇān etān atītya trīn dehī deha-samudbhavān
janma-mṛtyu-jarā-duḥkhair vimukto 'mṛtam aśnute

guṇān – kötőerőkön; *etān* – mindezeken; *atītya* – túllépvén; *trīn* – hárman; *dehī* – a testet öltött; *deha* – a test; *samudbhavān* – termékein; *janma* – születésnek; *mṛtyu* – halálnak; *jarā* – és öregségnek; *duḥkhaiḥ* – szenvedéseitől; *vimuktaḥ* – megszabadulva; *amṛtam* – nektárt; *aśnute* – élvez.

Ha a megtestesült lény képes túllépni az anyagi testtel kapcsolatban álló három kötőerőn, akkor megszabadulhat a születéstől, a haláltól, az

öregségtől és a velük járó fájdalmaktól, s még ebben az életében nektári élvezetben lehet része.

MAGYARÁZAT: Ez a vers magyarázatot ad arra, hogyan maradhat az ember a transzcendentális síkon, teljes Kṛṣṇa-tudatban, még testi léte ideje alatt is. A *dehī* szanszkrit szó jelentése: „testet öltött". Noha az élőlény az anyagi testen belül van, a lelki tudás kifejlesztésével megszabadulhat az anyagi természet kötőerőinek befolyásától. Még ebben a testben képes lesz élvezni a lelki élet boldogságát, mert a test elhagyása után biztosan visszatér a lelki világba. Már jelen testében lelki boldogságban lehet része. A Kṛṣṇa-tudatú odaadó szolgálat annak a jele, hogy az ember megszabadult az anyagi kötelékektől. Ezt a tizennyolcadik fejezet magyarázza majd el. Amikor valaki megszabadul az anyagi természet kötőerőinek befolyásától, elkezdi odaadó szolgálatát.

21. VERS

अर्जुन उवाच
कैर्लिङ्गैस्त्रीन् गुणानेतानतीतो भवति प्रभो ।
किमाचारः कथं चैतांस्त्रीन् गुणानतिवर्तते ॥२१॥

arjuna uvāca
kair liṅgais trīn guṇān etān atīto bhavati prabho
kim-ācāraḥ kathaṁ caitāṁs trīn guṇān ativartate

arjunaḥ uvāca – Arjuna mondta; *kaiḥ* – milyen; *liṅgaiḥ* – jelekről; *trīn* – hármat; *guṇān* – kötőerőket; *etān* – ezeket; *atītaḥ* – túlhaladó; *bhavati* – van; *prabho* – ó, Uram; *kim* – milyen; *ācāraḥ* – viselkedésű; *katham* – hogyan; *ca* – és; *etān* – ezeket; *trīn* – hármat; *guṇān* – kötőerőket; *ativartate* – túllépi.

Arjuna így kérdezett: Ó, kedves Uram! Milyen jelekről ismerhetem fel azt, aki a három kötőerő felett áll? Hogyan viselkedik, s hogyan emelkedik a természet kötőerői fölé?

MAGYARÁZAT: Arjuna kérdései ebben a versben nagyon helyénvalóak. Tudni szeretné, milyen ismertetőjelei vannak annak, aki már túljutott az anyagi kötőerőkön, s először is azt szeretné megtudni, mi jellemzi az ilyen transzcendentális személyt. Miből érthetjük meg, hogy az anyagi természet kötőerői nem hatnak rá? Arjuna aztán az ilyen ember életéről és tetteiről kérdez. Szabályokat követve cselekszik-e vagy sem?

Ezután tudakozódik a módszerekről is, amelyek segítségével valaki elérheti a transzcendentális természetet. Ez nagyon fontos. Amíg az ember nem ismeri a közvetlen módszert, ami által mindig a lelki síkon maradhat, addig nem lehetséges, hogy e jelek megmutatkozzanak rajta. Arjuna kérdései tehát nagyon fontosak, s az Úr megválaszolja őket.

22–25. VERS

श्रीभगवानुवाच
प्रकाशं च प्रवृत्तिं च मोहमेव च पाण्डव ।
न द्वेष्टि सम्प्रवृत्तानि न निवृत्तानि काङ्क्षति ॥२२॥

उदासीनवदासीनो गुणैर्यो न विचाल्यते ।
गुणा वर्तन्त इत्येवं योऽवतिष्ठति नेङ्गते ॥२३॥

समदुःखसुखः स्वस्थः समलोष्टाश्मकाञ्चनः ।
तुल्यप्रियाप्रियो धीरस्तुल्यनिन्दात्मसंस्तुतिः ॥२४॥

मानापमानयोस्तुल्यस्तुल्यो मित्रारिपक्षयोः ।
सर्वारम्भपरित्यागी गुणातीतः स उच्यते ॥२५॥

śrī-bhagavān uvāca
prakāśaṁ ca pravṛttiṁ ca moham eva ca pāṇḍava
na dveṣṭi sampravṛttāni na nivṛttāni kāṅkṣati

udāsīna-vad āsīno guṇair yo na vicālyate
guṇā vartanta ity evaṁ yo 'vatiṣṭhati neṅgate

sama-duḥkha-sukhaḥ sva-sthaḥ sama-loṣṭāśma-kāñcanaḥ
tulya-priyāpriyo dhīras tulya-nindātma-saṁstutiḥ

mānāpamānayos tulyas tulyo mitrāri-pakṣayoḥ
sarvārambha-parityāgī guṇātītaḥ sa ucyate

śrī-bhagavān uvāca – az Istenség Legfelsőbb Személyisége mondta; *prakāśam* – ragyogást; *ca* – és; *pravṛttim* – vonzódást; *ca* – és; *moham* – illúziót; *eva ca* – is; *pāṇḍava* – ó, Pāṇḍu fia; *na dveṣṭi* – nem gyűlöl; *sampravṛttāni* – ha jelen vannak; *na nivṛttāni* – ha nincsenek jelen; *kāṅkṣati* – vágyakozik; *udāsīna-vat* – mintha semleges lenne; *āsīnaḥ* – helyzetű; *guṇaiḥ* – a kötőerők által; *yaḥ* – aki; *na* – sohasem; *vicālyate* – zaklatott lesz; *guṇāḥ* – a kötőerők; *vartante* – hatnak; *iti evam* – ezt tudva; *yaḥ* – aki; *avatiṣṭhati* – marad; *na* – sohasem; *iṅgate* – meginog; *sama* – egyenlően; *duḥkha* – a boldogtalanságban; *sukhaḥ* – és a boldogságban;

sva-sthaḥ – az önvalóba merülve; *sama* – ugyanúgy; *loṣṭa* – földröggel; *aśma* – kővel; *kāñcanaḥ* – arannyal; *tulya* – egyenlően; *priya* – a kedvesekkel; *apriyaḥ* – és a nemkívánatosakkal; *dhīraḥ* – szilárd; *tulya* – egyenlő; *nindā* – szégyenben; *ātma-saṁstutiḥ* – és dicsőségben; *māna* – tiszteletben; *apamānayoḥ* – és becsmérlésben; *tulyaḥ* – egyenlő; *tulyaḥ* – egyenlő; *mitra* – barátoknak; *ari* – és ellenségeknek; *pakṣayoḥ* – a csoportjaihoz; *sarva* – minden; *ārambha* – törekvésről; *parityāgī* – lemondó; *guṇa-atītaḥ* – transzcendentális az anyagi természet kötőerőihez képest; *saḥ* – ő; *ucyate* – mondják.

Az Istenség Legfelsőbb Személyisége így válaszolt: Ó, Pāṇḍu fia! Aki nem gyűlöli a ragyogást, a ragaszkodást s az illúziót, de nem is vágyik rájuk, ha nincsenek jelen; akit nem ingatnak meg és nem zaklatnak fel az anyagi kötőerők efféle visszahatásai, valamint semleges és transzcendentális marad, mert tudja, hogy csupán a kötőerők működnek; aki az önvalóba merül, s örömre és fájdalomra egyformán tekint; aki egyenlőnek látja a földgöröngyöt, a kődarabot és az aranyrögöt; aki egyformán fogad kedvezőt és kedvezőtlent; akit dicséret és becsmérlés, tisztelet és megvetés nem rendíthet meg; aki a baráttal és az ellenséggel egyformán bánik, s aki felhagyott minden anyagi tettel, arról azt mondják, felülemelkedett a természet kötőerőin.

MAGYARÁZAT: Arjuna három kérdést tett fel, s az Úr sorra válaszol rájuk. Ezekben a versekben Kṛṣṇa először arra utal, hogy a transzcendentális síkot elért ember nem irigy, s nem sóvárog semmire. Meg kell értenünk, hogy amikor az élőlény anyagi testet öltve az anyagi világban van, az anyagi természet három kötőerejének egyike irányítja. A természet anyagi kötőerőinek markából valójában akkor szabadul ki, amikor elhagyja a testet. Addig azonban, míg el nem hagyja a testét, legyen semleges. Merüljön el úgy az Úr odaadó szolgálatában, hogy automatikusan megfeledkezzen arról, hogy magát az anyagi testtel azonosította. Amikor az ember abban a tudatban él, hogy ő az anyagi test, akkor egyedül az érzékkielégítés érdekében cselekszik, ha azonban tudatát Kṛṣṇára irányítja, akkor az érzékkielégítés önmagától megszűnik. Az élőlénynek nincs szüksége az anyagi testre, sem arra, hogy teljesítse a test parancsait. Az anyagi kötőerők a testben tovább működnek, de az önvaló mint lélek távol marad az ilyen tettektől. Hogyan lehetséges ez? Úgy, hogy nem akarja élvezni a testet, de arra sem vágyik, hogy kikerüljön belőle. Ilyen transzcendentális helyzetben a *bhakta* automatikusan felszabadul. Nem szükséges külön erőfeszítést tennie, hogy megszabaduljon az anyagi természet kötőerőinek befolyásától.

A következő kérdés a transzcendentális helyzetet elért személy viselkedésével kapcsolatos. A materialista embert rendkívül befolyásolja a tisztelet és a becsmérlés, amely a testet érinti, de azt, aki transzcendentális síkra emelkedett, nem érdekli az efféle hamis megbecsülés és gyalázat. Végzi Kṛṣṇa-tudatú kötelességét, és nem törődik azzal, hogy tisztelik-e vagy sem. Elfogadja mindazt, ami segíti Kṛṣṇa-tudatos kötelessége végrehajtásában, másképp azonban nincs szüksége semmi anyagira, legyen az akár kő, akár arany. Mindenkit, aki segíti a Kṛṣṇa-tudatban, kedves barátjának tekint, állítólagos ellenségeit pedig nem gyűlöli. Egyenlően bánik mindenkivel, s mindent azonos szinten állónak lát, mert tökéletesen tudja, hogy az anyagi lét nem a valódi léte. A társadalom és a politika ügyei nem befolyásolják, mert tudja, hogy a felfordulások és zavarok ideiglenesek. Nem törekszik semmi olyanra, ami saját érdekeit szolgálja. Kṛṣṇa kedvéért bármire képes, de személyes érdekből nem akar elérni semmit sem. Ilyen viselkedéssel az ember valóban a transzcendentális síkra emelkedhet.

26. VERS

मां च योऽव्यभिचारेण भक्तियोगेन सेवते ।
स गुणान् समतीत्यैतान् ब्रह्मभूयाय कल्पते ॥२६॥

māṁ ca yo 'vyabhicāreṇa bhakti-yogena sevate
sa guṇān samatītyaitān brahma-bhūyāya kalpate

mām – Engem; *ca* – is; *yaḥ* – aki; *avyabhicāreṇa* – lankadatlan; *bhakti-yogena* – odaadó szolgálat által; *sevate* – szolgál; *saḥ* – ő; *guṇān* – az anyagi természet kötőerőin; *samatītya* – felülemelkedve; *etān* – mindezeken; *brahma-bhūyāya* – a Brahman-szintre; *kalpate* – elér.

Aki a teljes odaadó szolgálatba merül, s nem esik vissza semmilyen körülmények között, az egyszeriben túllép az anyagi természet kötőerőin, s így a Brahman síkjára emelkedik.

MAGYARÁZAT: Ez a vers válasz Arjuna harmadik kérdésére: Hogyan lehet elérni a transzcendentális síkot? Ahogyan arról korábban már szó volt, az anyagi világ az anyagi természet kötőerőinek varázsa alatt működik. Az embernek nem szabad hagynia, hogy a természet kötőerőinek tettei megzavarják. Az anyagi tettek helyett a Kṛṣṇa-tudatú tettekre kell irányítania a tudatát. A Kṛṣṇa-tudatú cselekvést *bhakti-yogának* nevezik, s ez nem más, mint hogy mindig Kṛṣṇa érdekében cselekszünk. Ez nem csak magára Kṛṣṇára vonatkozik, hanem különféle teljes értékű kiterjedéseire is, például Rāmára és Nārāyaṇára. Kṛṣṇának megszámlálhatatlanul sok kiterjedése van. Aki valamelyik formáját vagy számtalan teljes értékű kiterjedésének egyikét szolgálja, arra úgy kell tekintenünk, mint aki már elérte a transzcendentális síkot. Nem szabad elfelejtenünk, hogy Kṛṣṇa valamennyi formája teljesen transzcendentális, gyönyörrel és tudással teli, valamint örökkévaló. Az Istenség személyiségei mindenhatóak és mindentudóak, és minden transzcendentális tulajdonság a birtokukban van. Ha tehát valaki rendíthetetlen elszántsággal végzi Kṛṣṇa vagy teljes értékű kiterjedése szolgálatát, könnyedén felülkerekedhet az anyagi természet kötőerőin, melyeket másképpen nagyon nehéz legyőzni. A hetedik fejezet már elmagyarázta ezt. Aki meghódol Kṛṣṇa előtt, az egy csapásra legyőzheti az anyagi természet kötőerőinek befolyását. Kṛṣṇa-tudatúnak lenni, vagyis az odaadó szolgálatban élni azt jelenti, hogy az ember egyenlővé válik Kṛṣṇával. Az Úr azt mondja, hogy az Ő természetét örökkévalóság, teljes gyönyör és tudás jellemzi, s az élőlények a Legfelsőbb szerves részei, ahogyan az aranyrögök is részei az aranybányának. Ezért az élőlény lelki helyzetében természetét tekintve éppen olyan, mint az arany, mint Kṛṣṇa. Az egyéniségük közötti különbség továbbra is fennáll, különben nem lehetne szó *bhakti-yogáról.* A *bhakti-yoga* magában foglalja az Úr, a *bhakta,* valamint a kettőjük közötti szeretetteljes, aktív kapcsolat létét. Ezért az Istenség Legfelsőbb Személyisége és az egyéni személy is megőrzi egyéniségét, másképp a *bhakti-yoga* értelmét vesztené. Ha valaki nem érte el azt a transzcendentális helyzetet, amely az Úrra jellemző, nem szolgálhatja a Legfelsőbb Urat. Ha valaki a király személyes szolgája akar lenni, el kell sajátítania a szükséges tulajdonságokat. A szükséges tulajdonság a Brahmanná válás, vagyis megszabadulás az anyagi szennyeződéstől. A védikus irodalom kijelenti: *brahmaiva san brahmāpy eti.* A Legfelsőbb Brahmant úgy érheti el az ember, hogy Brahmanná válik. Ez azt jelenti, hogy az embernek természetét tekintve azonossá kell válnia a Brahmannal. A Brahman elérése nem azt jelenti, hogy az élőlény elveszíti örökkévaló Brahman-azonosságát mint egyéni lélek.

27. VERS

ब्रह्मणो हि प्रतिष्ठाहममृतस्याव्ययस्य च ।
शाश्वतस्य च धर्मस्य सुखस्यैकान्तिकस्य च ॥२७॥

brahmaṇo hi pratiṣṭhāham amṛtasyāvyayasya ca
śāśvatasya ca dharmasya sukhasyaikāntikasya ca

brahmaṇaḥ – a személytelen *brahmajyotinak; hi* – bizony; *pratiṣṭhā* – nyugvóhelye; *aham* – Én vagyok; *amṛtasya* – a halhatatlannak; *avya-*

yasya – az elpusztíthatatlannak; *ca* – is; *śāśvatasya* – az örökkévalónak; *ca* – és; *dharmasya* – az eredeti helyzetnek; *sukhasya* – a boldogságnak; *aikāntikasya* – a végsőnek; *ca* – szintén.

Én vagyok az alapja a személytelen Brahmannak, amely halhatatlan, elpusztíthatatlan és örök, s a végső boldogság eredeti helyzete.

MAGYARÁZAT: A Brahman halhatatlanság, elpusztíthatatlanság, örökkévalóság és boldogság. A Brahman a transzcendentális önmegvalósítás kezdete. A Paramātmā- vagy Felsőlélek-tudatosság a második fok, az Abszolút Igazság elérésének végső szakasza pedig az, amikor valaki eljut addig, hogy teljesen tudatára ébred az Istenség Legfelsőbb Személyiségének. A Legfelsőbb Személy ezért magában foglalja a Paramātmāt és a személytelen Brahmant is. A hetedik fejezet már megmagyarázta, hogy az anyagi természet a Legfelsőbb Úr alsóbbrendű energiájának megnyilvánulása. Az Úr a felsőbbrendű természet részecskéivel termékenyíti meg az alsóbbrendű, anyagi természetet, így van kapcsolat a lélek és az anyagi természet között. Amikor az anyagi természet által feltételekhez kötött élőlény a lelki tudás tanulmányozásához kezd, az anyagi lét síkjáról fokozatosan a Legfelsőbb Brahman felfogásának szintjére emelkedik. Ez a Brahman létfelfogás jelenti az önmegvalósítás első lépcsőjét. Ezen a síkon az ember az anyagi létéhez viszonyítva transzcendentális helyzetben van, de még nem érte el a Brahman-tudatosság tökéletességét. Ha akarja, a Brahman síkon maradhat, majd onnan fokozatosan eljuthat a Paramātmā-tudatosságig, végül pedig elérheti az Istenség Legfelsőbb Személyisége teljes, tudatos megismerésének szintjét. A védikus irodalomban sok példát találunk erre. A négy Kumāra először az igazság személytelen Brahman-felfogását fogadta el, később azonban fokozatosan az odaadó szolgálat síkjára emelkedett. Aki nem képes túljutni a személytelen Brahman felfogásán, annak számára fennáll a veszély, hogy visszaesik. A *Śrīmad-Bhāgavatam* elmondja, hogy ha el is érte valaki a személytelen Brahman síkját, ha nem lép tovább, s nem tud a Legfelsőbb Személyről, akkor értelme nem tökéletesen tiszta. Ezért annak ellenére, hogy elérte a Brahman síkját, könnyen visszaeshet, ha nem végzi az Úr odaadó szolgálatát. A Védák ezenkívül így írnak: *raso vai saḥ, rasaṁ hy evāyaṁ labdhvānandī bhavati.* „Az ember akkor éri el az igazi, transzcendentális boldogságot, ha megismerte az Istenség Személyiségét, a gyönyör forrását, Kṛṣṇát" (*Taittirīya-upaniṣad* 2.7.1). A Legfelsőbb Úr hat fenséggel teljes, s a *bhaktának* is része lehet e fenségekben, ha kapcsolatba kerül Vele. A király szolgája szinte ugyanolyan élvezetben részesül, mint a király. Ehhez hasonlóan az odaadó szolgálatot végző *bhaktára* is örök, kiapadhatatlan boldogság és örök élet vár. Az odaadó szolgálat magában foglalja a Brahman-tudatosságot, vagyis az örökkévalóság és megsemmisíthetetlenség felismerését is. Aki tehát odaadó szolgálatot végez, az már mindezeknek a birtokában van.

Az élőlény természettől fogva Brahman, mégis, mivel uralkodni akar az anyagi világ felett, elbukik. Eredeti helyzetében az anyagi természet három kötőereje fölött áll, ám az anyagi természettel kapcsolatba kerülve annak kötőerői – a jóság, a szenvedély és a tudatlanság – megkötik őt. A három kötőerővel való kapcsolata miatt vágyik arra, hogy uralkodjon az anyagi világ felett. A teljes Kṛṣṇa-tudatban végzett odaadó szolgálattal azonban rögtön a transzcendentális síkra emelkedik, s vágya, hogy jogtalanul az anyagi természet felett uralkodjon, megszűnik. Mindenkinek követnie kell tehát a *bhakták* társaságában az odaadó szolgálat folyamatát, amely a hallással, az énekléssel és az emlékezéssel – az odaadó szolgálat megvalósítása érdekében előírt kilenc folyamattal – kezdődik. E kapcsolat révén és a lelki tanítómester hatására az uralkodás anyagi vágya eltűnik, s az ember szilárdan megállapodik az Úr transzcendentális szerető szolgálatában. Ezt a folyamatot magyarázza el ez a fejezet a huszonkettedik verstől az utolsóig. Az Úr odaadó szolgálata nagyon egyszerű: állandóan szolgálnunk kell Őt, a *mūrtinak* felajánlott étel maradékát kell fogyasztanunk, az Úr lótuszlábának felajánlott virágokat kell szagolnunk, el kell látogatnunk az Úr transzcendentális kedvteléseivel kapcsolatos helyekre, olvasnunk kell különféle tetteiről és szeretetteljes viszonyáról *bhaktáival,* mindig énekelnünk kell a transzcendentális Hare Kṛṣṇa, Hare Kṛṣṇa, Kṛṣṇa Kṛṣṇa, Hare Hare, Hare Rāma, Hare Rāma, Rāma Rāma, Hare Hare *mantrát,* valamint be kell tartanunk az Úr és *bhaktái* megjelenésével és eltávozásával kapcsolatos böjtnapokat. E folyamat követésével az ember teljesen megválik minden anyagi tettől. Aki ily módon képes elérni a *brahmajyotit* vagy a Brahman-felfogás különféle fajtáinak egyikét, az természetét tekintve egyenlővé válik az Istenség Legfelsőbb Személyiségével.

Így végződnek a Bhaktivedanta-magyarázatok a Śrīmad Bhagavad-gītā *tizennegyedik fejezetéhez, melynek címe: „Az anyagi természet három kötőereje”.*

TIZENÖTÖDIK FEJEZET

A Legfelsőbb Személy eléréséének yogája

1. VERS

श्रीभगवानुवाच
ऊर्ध्वमूलमधःशाखमश्वत्थं प्राहुरव्ययम् ।
छन्दांसि यस्य पर्णानि यस्तं वेद स वेदवित् ॥१॥

śrī-bhagavān uvāca
ūrdhva-mūlam adhaḥ-śākham aśvatthaṁ prāhur avyayam
chandāṁsi yasya parṇāni yas taṁ veda sa veda-vit

śrī-bhagavān uvāca – az Istenség Legfelsőbb Személyisége mondta; *ūrdhva-mūlam* – felfelé álló gyökerű; *adhaḥ* – lefelé álló; *śākham* – ágú; *aśvattham* – banjanfa; *prāhuḥ* – mondják; *avyayam* – örökkévaló; *chandāṁsi* – a védikus himnuszok; *yasya* – amelynek; *parṇāni* – levelei; *yaḥ* – aki; *tam* – azt; *veda* – ismeri; *saḥ* – ő; *veda-vit* – a Védák ismerője.

Az Istenség Legfelsőbb Személyisége így szólt: Van egy elpusztíthatatlan banjanfa, melynek gyökerei felfelé, ágai pedig lefelé nőnek, s mely-

nek a védikus himnuszok a levelei. Aki ismeri ezt a fát, az ismeri a Védákat.

MAGYARÁZAT: A *bhakti-yoga* fontosságának megvitatása után az ember megkérdezheti: „És mi a helyzet a Védákkal?" Ez a fejezet elmondja majd, hogy a Védák tanulmányozásának célja az, hogy az ember megismerje Kṛṣṇát. Éppen ezért aki Kṛṣṇa-tudatú, s odaadó szolgálatot végez, az már ismeri a Védákat.

Az anyagi világ útvesztőjét ez a vers egy banjanfához hasonlítja. A gyümölcsöző cselekedeteket végző számára ez a fa végtelen – egyik ágáról a másikra vándorol az idők végezetéig. Az anyagi világ fája határtalan, s aki ragaszkodik hozzá, annak nincs reménye a felszabadulásra. Az ember felemelését szolgáló védikus himnuszok e fa levelei. A fa gyökerei felfelé nőnek, mert az univerzum legfelső bolygójától, Brahmā hajlékától indulnak ki. Ha valaki képes megérteni az illúziónak ezt az elpusztíthatatlan fáját, az kiszabadulhat útvesztőjéből.

Meg kell értenünk, milyen úton szabadulhatunk ki. Az előző fejezetek már elmagyarázták, hogy több folyamat is létezik, amelyek segítségével megmenekülhetünk az anyag fogságából, s egészen a tizenharmadik fejezetig azt láthattuk, hogy erre a Legfelsőbb Úrnak végzett odaadó szolgálat a legjobb módszer. Az odaadó szolgálat alapelve nem más, mint hogy meg kell válnunk az anyagi tettektől, s az Úr transzcendentális szolgálatába kell állnunk. Az anyagi világhoz fűződő ragaszkodás elvágásának módjáról e fejezet elején lesz szó. Az anyagi létezés gyökere felfelé nő. Ez azt jelenti, hogy a teljes anyagi szubsztanciától, az univerzum legmagasabb bolygójától indul ki. Innen kezdődve terjed ki az egész univerzum megannyi ággal, melyek a különféle bolygórendszereket képviselik. A gyümölcsök képviselik az élőlények tetteinek eredményeit, azaz a vallást, az anyagi gyarapodást, az érzékkielégítést és a felszabadulást.

Ebben a világban nem tudunk olyan fáról, melynek ágai lefelé, gyökerei pedig fölfelé nőnének. Ám mégis létezik ilyen – a tóparton magunk is láthatjuk. A parton álló fa tükröződik a vízen, s a tükörképen az ágai lefelé, gyökerei pedig felfelé nőnek. Más szóval az anyagi világ fája csupán tükörképe a lelki világ igazi fájának. A lelki világ tükröződésének alapját a vágyak jelentik, mint ahogyan a fa tükröződésének alapja a víz. A vágy okozza tehát, hogy a dolgok e tükrözött anyagi fényben léteznek. Aki szeretne kikerülni ebből az anyagi létből, annak az elemző tanulmányozás segítségével alaposan meg kell ismernie ezt a fát. Csakis akkor vághatja majd el a kötelékeket, melyek hozzá kötözik.

Ez a fa pontos mása az igazi fának, mivel annak tükörképe. A lelki világban minden megtalálható. Az imperszonalisták úgy vélik, hogy a Brahman a gyökere az anyagi világ fájának, és a *sāṅkhya* filozófia szerint ebből a gyökérből hajt ki a *prakṛti,* a *puruṣa,* majd a három *guṇa,* az öt durvafizikai elem (*pañca-mahā-bhūta*), a tíz érzékszerv (*daśendriya*), az elme stb. Ilyen módon osztják fel az egész anyagi világot huszonnégy elemre. Ha a Brahman minden megnyilvánulás középpontja, akkor ez az anyagi világ olyan megnyilvánulás, ami a középponttól 180 fokot képez, a másik 180 fokot pedig a lelki világ alkotja. Az anyagi világ torz tükörkép, ami azt jelenti, hogy a lelki világ is rendelkezik ugyanazzal a változatossággal, de valóságosan. A *prakṛti* a Legfelsőbb Úr külső energiája, a *puruṣa* pedig maga a Legfelsőbb Úr. Ezt fejti ki a *Bhagavad-gītā.* Ez a megnyilvánulás anyagi, éppen ezért ideiglenes. A tükröződés ideiglenes, hiszen néha látható, néha pedig nem; az eredet azonban, ahonnan a tükröződés származik, örökkévaló. Az igazi fa anyagi tükörképét ki kell vágnunk. A Védákat az ismeri igazán, aki tudja, hogyan kell elvágni az anyagi világhoz fűző ragaszkodást. Aki ismeri ezt a folyamatot, az valóban ismeri a Védákat. A Védák rituális formaságaihoz vonzódó ember a fa gyönyörű zöld leveleihez vonzódik, s nem ismeri igazán a Védák célját. Az Istenség Személyisége maga fedi fel, hogy a Védák célja a tükörkép-fa kivágása, s a lelki világ igazi fájának elérése.

2. VERS

अधश्चोर्ध्वं प्रसृतास्तस्य शाखा
गुणप्रवृद्धा विषयप्रवालाः ।
अधश्च मूलान्यनुसन्ततानि
कर्मानुबन्धीनि मनुष्यलोके ॥ २ ॥

adhaś cordhvaṁ prasṛtās tasya śākhā
guṇa-pravṛddhā viṣaya-pravālāḥ
adhaś ca mūlāny anusantatāni
karmānubandhīni manuṣya-loke

adhaḥ – lefelé; *ca* – és; *ūrdhvam* – felfelé; *prasṛtāḥ* – szétterjedtek; *tasya* – annak; *śākhāḥ* – ágai; *guṇa* – az anyagi természet kötőerői hatására; *pravṛddhāḥ* – kinőttek; *viṣaya* – az érzéktárgyak; *pravālāḥ* – gallyak; *adhaḥ* – lefelé; *ca* – és; *mūlāni* – gyökerek; *anusantatāni* – kiterjedtek; *karma* – tettekhez; *anubandhīni* – kötöttek; *manuṣya-loke* – az emberi társadalom világában.

E fa ágai lefelé és felfelé egyaránt nőnek, s az anyagi természet három kötőereje táplálja őket. A gallyak rajtuk az érzékek tárgyai. Vannak

olyan gyökerei is, melyek lefelé nőnek, s ezek az emberi társadalom gyümölcsöző cselekedeteihez kötődnek.

MAGYARÁZAT: Ez a vers folytatja a banjanfa leírását. Ágai minden irányban kiterjednek, s az alsóbb ágakon különféle élőlények sokaságát találhatjuk: embereket, lovakat, teheneket, kutyákat, macskákat stb., a felsőbb ágakon pedig az élőlények magasabb rendű fajtáival találkozhatunk: félistenekkel, *gandharvákkal* és sok más magasabb rendű fajjal. Ahogyan a fát a víz élteti, ezt a fát az anyagi természet három kötőereje táplálja. Néha azt tapasztaljuk, hogy egy földterület meddő a szárazság miatt, míg egy másik szép zöld. Az élet különféle fajai hasonló módon aszerint nyilvánulnak meg, hogy hol és milyen arányban érvényesülnek az anyagi természet kötőerői.

Az érzékek tárgyai képezik e fa gallyait. A természet különféle kötőerőinek kifejlesztésével különféle érzékeket kapunk, amelyekkel az érzéktárgyak számtalan eltérő változatát élvezzük. Az ágak csúcsai az érzékszervek (fül, orr, szem stb.), melyek ragaszkodnak az érzéktárgyak élvezetéhez. A gallyak alkotják az érzékek tárgyait, vagyis a hangot, a formát, az érintést stb. A mellékgyökerek a vonzalomnak és a gyűlöletnek felelnek meg, melyek a szenvedés és érzékkielégítés különféle változatainak a melléktermékei. A jámbor illetve bűnös jellemre való hajlam ezekből a másodlagos gyökerekből fejlődik ki, amelyek minden irányban elágaznak. A fő gyökér Brahmalokán ered, a többi pedig az emberek lakta bolygórendszerekből. Miután jámbor tetteinek eredményét élvezhette a felsőbb bolygókon, az ember visszakerül a Földre, hogy újra felvegye *karmája* fonalát, azaz gyümölcsöző cselekedeteket végezzen, hogy ismét felemelkedjen. A tettek mezejének ezt az emberi bolygót tekintik.

3–4. VERS

न रूपमस्येह तथोपलभ्यते
नान्तो न चादिर्न च सम्प्रतिष्ठा ।
अश्वत्थमेनं सुविरूढमूल-
मसङ्गशस्त्रेण दृढेन छित्त्वा ॥ ३ ॥

ततः पदं तत्परिमार्गितव्यं
यस्मिन् गता न निवर्तन्ति भूयः ।
तमेव चाद्यं पुरुषं प्रपद्ये
यतः प्रवृत्तिः प्रसृता पुराणी ॥ ४ ॥

na rūpam asyeha tathopalabhyate
nānto na cādir na ca sampratiṣṭhā
aśvattham enaṁ su-virūḍha-mūlam
asaṅga-śastreṇa dṛḍhena chittvā

tataḥ padaṁ tat parimārgitavyaṁ
yasmin gatā na nivartanti bhūyaḥ
tam eva cādyaṁ puruṣaṁ prapadye
yataḥ pravṛttiḥ prasṛtā purāṇī

na – nem; *rūpam* – formája; *asya* – ennek e fának; *iha* – ebben a világban; *tathā* – szintén; *upalabhyate* – érzékelhető; *na* – soha; *antaḥ* – vége; *na* – soha; *ca* – is; *ādiḥ* – eleje; *na* – soha; *ca* – is; *sampratiṣṭhā* – az alapja; *aśvattham* – banjanfát; *enam* – ezt; *su-virūḍha* – erősen; *mūlam* – gyökerezőt; *asaṅga-śastreṇa* – a közömbösség fegyverével; *dṛḍhena* – erőssel; *chittvā* – kivágva; *tataḥ* – ezután; *padam* – helyzetet; *tat* – azt; *parimārgitavyam* – fel kell kutatni; *yasmin* – ahová; *gatāḥ* – akik eljutottak; *na* – soha; *nivartanti* – visszatérnek; *bhūyaḥ* – ismét; *tam* – Neki; *eva* – bizony; *ca* – is; *ādyam* – az eredetinek; *puruṣam* – az Istenség Személyiségének; *prapadye* – meghódol; *yataḥ* – akitől; *pravṛttiḥ* – a kezdet; *prasṛtā* – a kiterjedés; *purāṇi* – nagyon ősi.

Ebben a világban lehetetlen meglátni e fa igazi formáját. Senki sem értheti meg, hogy hol kezdődik és hol végződik, vagy hol van az alapja. Gyökerei erősek, de nagy elszántsággal, a közömbösség fegyverével az embernek ki kell vágnia ezt a fát. Azután fel kell kutatnia azt a helyet, ahová egyszer eljutván soha többé nem kell visszatérnie, s ott meg kell hódolnia az Istenség Legfelsőbb Személyisége előtt, aki mindennek a kezdete, s akiből időtlen idők óta minden kiárad.

MAGYARÁZAT: Ez a vers egyértelműen kimondja, hogy e banjanfa igazi formáját ebben az anyagi világban lehetetlen megismerni. Mivel gyökerei felfelé állnak, az igazi fa a másik végén van. Aki a fa anyagi kiterjedésének útvesztőjébe bonyolódott, az nem láthatja, milyen messzire nyúlik, s így a kezdetét sem ismeri. Ám mégis meg kell találnunk az eredetét. „Én az apám fia vagyok, az apám pedig ennek és ennek az embernek a fia stb.” Ha így tekintünk vissza, akkor eljutunk Brahmához, akit Garbhodakaśāyī Viṣṇu teremtett. Így végül elérkezünk az Istenség Legfelsőbb Személyiségéhez, s ez kutatásunk végét jelenti. Fel kell tehát kutatnunk a fa eredetét, az Istenség Legfelsőbb Személyiségét, olyan emberek segítségével, akik ismerik Őt. Ilyen tudás birtokában az ember fokozatosan eltávolodik a valóság hamis tükröződésétől, s a tudás fegyverével elvághatja a kötelékeket, hogy végül elérje az igazi fát.

Ezzel kapcsolatban az *asaṅga* szó nagyon fontos, mert az érzéki élvezethez és az anyagi természet feletti uralkodáshoz való ragaszkodás nagyon erős. Azáltal, hogy a hiteles szentírásokon alapuló lelki tudományról beszélgetünk, illetve meghallgatjuk azokat, akik valódi tudással rendelkeznek, meg kell tanulnunk, hogyan szabaduljunk meg ettől a ragaszkodástól. A *bhakták* társaságában folytatott efféle beszélgetések azt eredményezik, hogy az ember eljut az Istenség Legfelsőbb Személyiségéhez. Ekkor az első, amit tennünk kell, hogy meghódolunk Neki. Ez a vers megemlíti azt a helyet, ahová ha egyszer eljutunk, nem térünk vissza többé a hamis tükörkép-fához. Az eredeti gyökér Kṛṣṇa, az Istenség Legfelsőbb Személyisége, s Belőle árad minden. Az Istenség Személyisége kegyének elnyeréséhez csupán az szükséges, hogy meghódoljunk Előtte, s ezt az odaadó szolgálat végzésével – hallással, énekléssel stb. – érhetjük el. Ő tehát az anyagi világ kiáradásának oka. Amint ezt az Úr már korábban kijelentette: *ahaṁ sarvasya prabhavaḥ.* „Én vagyok minden dolog eredete." Ahhoz tehát, hogy kijussunk az anyagi élet erős banjanfájának sűrű ágai közül, át kell adnunk magunkat Kṛṣṇának. Amint ez megtörténik, automatikusan eltávolodunk ettől az anyagi világtól.

5. VERS

निर्मानमोहा जितसङ्गदोषा
अध्यात्मनित्या विनिवृत्तकामाः ।
द्वन्द्वैर्विमुक्ताः सुखदुःखसंज्ञै-
र्गच्छन्त्यमूढाः पदमव्ययं तत् ॥५॥

nirmāna-mohā jita-saṅga-doṣā
adhyātma-nityā vinivṛtta-kāmāḥ
dvandvair vimuktāḥ sukha-duḥkha-saṁjñair
gacchanty amūḍhāḥ padam avyayaṁ tat

niḥ – nélküliek; *māna* – akik hamis tisztelet; *mohāḥ* – és illúzió; *jita* – akik legyőzték; *saṅga* – a kapcsolatok; *doṣāḥ* – hibáit; *adhyātma* – akiknek lelki tudásuk van; *nityāḥ* – az örökkévalóról; *vinivṛtta* – akik elszakadtak; *kāmāḥ* – a mohó vágyaktól; *dvandvaiḥ* – akik a kettősségektől; *vimuktāḥ* – megszabadultak; *sukha-duḥkha* – boldogság és boldogtalanságnak; *saṁjñaiḥ* – nevezettől; *gacchanti* – elérik; *amūḍhāḥ* – akik nem megtévesztettek; *padam* – helyzetet; *avyayam* – örökkévalót; *tat* – azt.

Aki nem követel magának hamis tiszteletet, aki nincs illúzióban, s megszabadult a nemkívánatosak társaságától, aki megértette az örökkévalót,

felhagyott az anyagi vágyakkal, a boldogság és boldogtalanság kettőssége nem zavarja, józan, s tudja, hogyan kell meghódolnia a Legfelsőbb Személy előtt – az eléri azt az örök birodalmat.

MAGYARÁZAT: Ez a vers nagyon szépen leírja, hogyan kell meghódolni. Az első szükséges tulajdonság az, hogy az embert ne tévessze meg a büszkeség. A feltételekhez kötött lélek rendkívül felfuvalkodott, s magát hiszi az anyagi természet urának, ezért nagyon nehéz meghódolnia az Istenség Legfelsőbb Személyisége előtt. Az igazi tudás tanulmányozásával fel kell ismernünk, hogy nem mi vagyunk az anyagi természet urai; az Istenség Legfelsőbb Személyisége az Úr. A meghódolás folyamatát akkor kezdheti el az ember, ha megszabadult a büszkeségből fakadó illúziótól. Aki az anyagi világban mindig tiszteletre vágyik, az nem képes meghódolni a Legfelsőbb Személy előtt. Büszkeségét az illúzió okozza, mert ostobán azt hiszi, hogy ő a világ ura, pedig csupán egy rövid ideig marad itt: jön, aztán hamarosan eltávozik, közben pedig mindent túlbonyolít, s állandóan bajban van. Az egész világot ez a felfogás tartja mozgásban. Az emberek úgy vélik, hogy a Föld bolygó az emberi társadalom tulajdona, s e hamis felfogás eredményeképpen felosztották területeit. Meg kell szabadulnunk attól a téves elgondolástól, hogy a világ az emberi társadalomé, és csak ezután válhatunk meg azoktól az illuzórikus kapcsolatoktól, melyeket a családi, a társadalmi és a nemzeti érzések hoznak létre. Ezek a hamis kapcsolatok kötöznek bennünket az anyagi világhoz. A következő lépés a lelki tudás elsajátítása. Meg kell tanulnunk, mi az, ami valóban a miénk, és mi az, ami nem. Ha az ember mindent a valóságnak megfelelően ért meg, megszabadul a boldogság és boldogtalanság, élvezet és fájdalom stb. ellentétpárjaitól. Teljes tudásra tesz szert, és így képes lesz meghódolni az Istenség Legfelsőbb Személyisége előtt.

6. VERS

न तद्भासयते सूर्यो न शशाङ्को न पावकः ।
यद्गत्वा न निवर्तन्ते तद्धाम परमं मम ॥ ६ ॥

na tad bhāsayate sūryo na śaśāṅko na pāvakaḥ
yad gatvā na nivartante tad dhāma paramaṁ mama

na – nem; *tat* – azt; *bhāsayate* – beragyogja; *sūryaḥ* – nap; *na* – sem; *śaśāṅkaḥ* – hold; *na* – sem; *pāvakaḥ* – a tűz, az elektromosság; *yat* – ahová; *gatvā* – elmenvén; *na* – sohasem; *nivartante* – visszatérnek; *tat dhāma* – az a hajlék; *paramam* – a legfelsőbb; *mama* – Enyém.

Az Én legfelsőbb hajlékomat nem nap vagy hold, tűz vagy elektromosság ragyogja be. Aki egyszer eljut oda, többé már nem tér vissza az anyagi világba.

MAGYARÁZAT: Ez a vers a lelki világról, Kṛṣṇának, az Istenség Legfelsőbb Személyiségének a hajlékáról beszél, amit Kṛṣṇalokának vagy Goloka-Vṛndāvanának neveznek. A lelki világban nincs szükség napfényre, holdfényre, tűzre vagy elektromosságra, mert ott a bolygók mind önragyogóak. A mi univerzumunkban csak a nap önragyogó, a lelki világban azonban minden bolygó ilyen. Az ottani bolygók (a Vaikuṇṭhák) sugárzása alkotja a *brahmajyoti* ragyogó egét. Valójában ez a ragyogás Kṛṣṇa bolygójából, Goloka-Vṛndāvanából árad, s egy részét a *mahat-tattva,* az anyagi világ fedi be. A tündöklő lelki ég többi, nagyobbik részét a Vaikuṇṭhaloka nevű lelki bolygók töltik be, melyek közül Goloka-Vṛndāvana a legfőbb.

Amíg az élőlény e sötét anyagi világban van, élete feltételektől függ, ám amint elvágja a kötelékeket, melyek az anyagi világ hamis, eltorzult fájához kötik, és eljut a lelki világba, azonnal felszabadul. Onnan sohasem fog már visszatérni. Feltételekhez kötött életében az élőlény önmagát hiszi az anyagi világ urának, de a felszabadulás után a lelki birodalomba kerül, s a Legfelsőbb Úr társaságában élvezi örökkévaló, gyönyörrel és tudással teljes életét.

Minden embernek vonzódnia kellene ehhez a leíráshoz, s vágynia kellene arra, hogy megváljon a valóság e hamis tükröződésétől, és az örökkévaló világba jusson. Az anyagi világhoz túlságosan vonzódó ember nagyon nehezen vágja el a ragaszkodást, de ha elkezdi a Kṛṣṇa-tudat folyamatát, akkor lehetősége nyílik a fokozatos eltávolodásra. A Kṛṣṇa-tudatú *bhakták* társaságát kell keresnie. Fel kell kutatnia egy olyan közösséget, amelynek tagjai Kṛṣṇának szentelték életüket, s meg kell tanulnia tőlük az odaadó szolgálat végzését. Ily módon lehet elvágni a ragaszkodást, amely az anyagi világhoz fűz bennünket. Pusztán azzal, hogy sáfrányszínű ruhát öltünk, nem győzhetjük le az anyagi világ vonzerejét. Az Úr odaadó szolgálatához kell kötődnünk. Nagyon komolyan kell tehát vennünk a tizenkettedik fejezet szavait, miszerint az odaadó szolgálat az egyetlen út, mely által kiszabadulhatunk az igazi fa hamis tükröződéséből. A tizennegyedik fejezet arról ír, hogy az anyagi természet minden folyamatot beszennyez, s egyedül az odaadó szolgálatról mondja, hogy tisztán transzcendentális.

A *paramaṁ mama* szavak nagyon fontosak ebben a versben. Tulajdonképpen az egész világ a Legfelsőbb Úr tulajdona, ám a lelki világ *paramam,* teljes a hat fenségben. A *Kaṭha-upaniṣad* (2.2.15) is megerősíti, hogy a lelki világban nincs szükség napfényre, holdfényre vagy csillagokra (*na tatra sūryo bhāti na candra-tārakam*), mert ott mindent a Legfelsőbb

Úr belső energiája ragyog be. E legfelsőbb hajlékra csakis a meghódolás vezet – ez az egyetlen út.

7. VERS

ममैवांशो जीवलोके जीवभूतः सनातनः ।
मनःषष्ठानीन्द्रियाणि प्रकृतिस्थानि कर्षति ॥ ७ ॥

mamaivāṁśo jīva-loke jīva-bhūtaḥ sanātanaḥ
manaḥ-ṣaṣṭhānīndriyāṇi prakṛti-sthāni karṣati

mama – az Én; *eva* – bizony; *aṁśaḥ* – parányi részem; *jīva-loke* – a feltételekhez kötött lét világában; *jīva-bhūtaḥ* – a feltételekhez kötött élőlény; *sanātanaḥ* – örökkévaló; *manaḥ* – az elmével; *ṣaṣṭhāni* – és a hat; *indriyāṇi* – érzékkel; *prakṛti* – az anyagi természetben; *sthāni* – elhelyezkedővel; *karṣati* – keményen küzd.

Az élőlények ebben a feltételekhez kötött világban az Én örökkévaló, parányi részeim. Feltételekhez kötött létük miatt küzdelmes harcot vívnak a hat érzékszervvel, melyhez az elme is hozzátartozik.

MAGYARÁZAT: Ez a vers az élőlény helyzetét határozza meg nagyon érthetően. Az élőlény örökké a Legfelsőbb Úr parányi töredék szerves része. Az a feltevés, miszerint csupán a feltételekhez kötött létben van egyénisége, s felszabadult állapotában eggyé válik a Legfelsőbb Úrral, nem helytálló. Az élőlény örökké töredék rész. Ez a vers félreérthetetlenül kijelenti: *sanātanaḥ*. A Védák tanítása szerint a Legfelsőbb Úr kiterjedéseinek és megnyilvánulásainak száma végtelen. Az elsődleges kiterjedéseket *viṣṇu-tattvának,* a másodlagosakat pedig élőlényeknek hívják. Más szóval a *viṣṇu-tattva* saját személyes, az élőlények pedig különálló kiterjedések. Saját személyes kiterjedése által az Úr különféle formákban nyilvánul meg, például az Úr Rāmaként, Nṛsiṁhadevaként, Viṣṇumūrtiként és a Vaikuṇṭha-bolygókon uralkodó Istenségekként. A különálló kiterjedések, vagyis az élőlények örökké az Ő szolgái. Az Istenség Legfelsőbb Személyisége személyes kiterjedései, vagyis az Istenség egyéni személyiségei mindig léteznek. Hasonló módon a különálló kiterjedések, vagyis az élőlények is rendelkeznek egyéni léttel. Az élőlények tehát a Legfelsőbb Úr parányi, szerves részei, ezért részben rendelkeznek a tulajdonságaival is, melyek közül az egyik a függetlenség. Mint egyéni léleknek, minden élőlénynek saját egyénisége és parányi függetlensége van. Ha visszaél a függetlenségével, feltételekhez kötött létbe jut, ha helyesen alkalmazza, örökre felszabadul. Ám természetét tekintve mindkét esetben örökkévaló, hasonlóan a Legfelsőbb Úrhoz. Felszabadult állapotában nem hatnak rá az anyagi feltételek, és egyedül az Úr transzcendentális szolgálatának él. Amikor azonban feltételekhez kötött helyzetben van, akkor a természet anyagi kötőerőinek irányítása alatt áll, s megfeledkezik az Úr transzcendentális szerető szolgálatáról, aminek az a következménye, hogy teljes erejéből kell küzdenie létéért az anyagi világban.

Valamennyi élőlény a Legfelsőbb Úr szerves része – nemcsak az emberek, a macskák és a kutyák, de még az anyagi világ nagyhatalmú irányítói is, például Brahmā, az Úr Śiva, sőt még Viṣṇu is. Mindegyikük örökkévaló, s nem ideiglenes megnyilvánulás. A *karṣati* („küzd", „viaskodik") szó nagyon fontos. A lélek az anyagi létben rabságban van, mintha bilincsbe lenne verve. A hamis ego az, ami megkötözi, az elme pedig a legfőbb ügynök, ami az élőlényt az anyagi létben irányítja. Ha az elme a jóság kötőerejében van, az élőlény jó tetteket hajt végre, ha a szenvedély kötőerejében van, akkor szenvednie kell cselekedetei miatt, ha pedig a tudatlanság kötőerejében, akkor alacsonyabb rendű létformákba kerül. Ebből a versből azonban kiderül, hogy a feltételekhez kötött lelket az anyagi test, s ezzel együtt az elme és az érzékek burkolják be, ám amint felszabadul, ez az anyagi burkolat megsemmisül, és az egyéni képességeknek megfelelően megnyilvánul a lelki test. A *Mādhyandināyana-śruti* a következőket tudatja velünk: *sa vā eṣa brahma-niṣṭha idaṁ śarīraṁ martyam atisṛjya brahmābhisampadya brahmaṇā paśyati brahmaṇā śṛṇoti brahmaṇaivedaṁ sarvam anubhavati.* E vers szerint amikor az élőlény megválik az anyagi testtől, s a lelki világba jut, visszanyeri lelki testét, amelyben szemtől szemben megláthatja az Istenség Legfelsőbb Személyiségét. Személyesen beszélhet Vele és hallhatja Őt, sőt képes lesz igazán megérteni Őt. A *smṛtik* állítása szerint *vasanti yatra puruṣāḥ sarve vaikuṇṭha-mūrtayaḥ:* a lelki bolygókon mindenki teste az Istenség Legfelsőbb Személyisége testéhez hasonlít. A test felépítésében tehát nincs különbség a szervesrész-élőlények és a *viṣṇu-mūrti*-kiterjedések között. Más szóval az Istenség Legfelsőbb Személyisége kegyéből az élőlény lelki testet kap, ha felszabadul.

A *mamaivāṁśaḥ* szavak („a Legfelsőbb Úr parányi szerves részei") szintén nagyon jelentősek. A Legfelsőbb Úr parányi szerves részei nem olyanok, mint egy anyagi dolog töredék darabkái. A második fejezet már kifejtette, hogy a lelket nem lehet feldarabolni, éppen ezért e töredék szerves részt nem anyagi felfogással kell megértenünk. Nem olyan, mint az anyag, amit fel lehet darabolni és aztán újra össze lehet illeszteni. Az élőlénnyel kapcsolatban ez az elképzelés nem alkalmazható, mert a vers a szanszkrit *sanātana* („örök") kifejezést használja. A töredék rész örökkévaló. A második fejezet elején azt is olvashattuk, hogy a Legfelsőbb Úr töredék részecskéje minden egyes egyéni testben jelen van (*dehino 'smin yathā dehe*). Ha kiszabadul a test rabságából, visszanyeri eredeti lelki testét a lelki világ egyik lelki bolygóján, s a Legfelsőbb Úr társaságát élvezi. Azt is meg kell azonban értenünk, hogy mint a Legfelsőbb Úr parányi szerves része, az élőlény minőség tekintetében azonos Vele, mint ahogyan az aranydarabkák is aranyból vannak.

8. VERS

शरीरं यदवाप्नोति यच्चाप्युत्क्रामतीश्वरः ।
गृहीत्वैतानि संयाति वायुर्गन्धानिवाशयात् ॥ ८ ॥

śarīraṁ yad avāpnoti yac cāpy utkrāmatīśvaraḥ
gṛhītvaitāni saṁyāti vāyur gandhān ivāśayāt

śarīram – a testet; *yat* – ahogy; *avāpnoti* – kapja; *yat* – ahogy; *ca api* – is; *utkrāmati* – feladja; *īśvaraḥ* – a test ura; *gṛhītvā* – felvéve; *etāni* – mindezeket; *saṁyāti* – elmegy; *vāyuḥ* – a levegő; *gandhān* – az illatokat; *iva* – mint; *āśayāt* – a forrásuktól.

Az anyagi világban az élőlény különböző életfelfogásait úgy viszi egyik testből a másikba, mint ahogyan a szél szállítja az illatot. Felvesz egy testet, majd kilép belőle, hogy egy újat öltsön magára.

MAGYARÁZAT: Ez a vers *īśvarának,* vagyis saját teste irányítójának nevezi az élőlényt, aki kívánsága szerint kerülhet magasabb illetve alacsonyabb rendű testbe. Az élőlény parányi függetlenséggel rendelkezik. Testének cseréje rajta múlik, s halálakor a saját maga teremtette tudata határozza meg a következő testét. Ha a macska vagy a kutya tudatához hasonlóra alakította tudatát, akkor elkerülhetetlenül macska- vagy kutyatestbe kerül. Ha azonban tudatát az isteni tulajdonságokra rögzítette, akkor félistenként fog megszületni, s ha Kṛṣṇa-tudatú, akkor a lelki világba, Kṛṣṇalokára jut, ahol Kṛṣṇa társaságában lehet. Az a felfogás, hogy a test megsemmisülése után mindennek vége, helytelen. Az egyéni lélek egyik testből a másikba vándorol, s jelenlegi teste és tettei alapozzák meg a következő testét. Az ember a *karma* szerint kapja a különféle testeket, melyeket egy idő után el kell hagynia. E vers szerint a következő testet a finomfizikai test fejleszti ki, amely a következő test előképét hordozza magában. Az egyik testből a másikba vándorlást és a testi létben folytatott küzdelmet *karṣatinak,* létért vívott harcnak nevezik.

9. VERS

श्रोत्रं चक्षुः स्पर्शनं च रसनं घ्राणमेव च ।
अधिष्ठाय मनश्चायं विषयानुपसेवते ॥ ९ ॥

śrotraṁ cakṣuḥ sparśanaṁ ca rasanaṁ ghrāṇam eva ca
adhiṣṭhāya manaś cāyaṁ viṣayān upasevate

śrotram – fület; *cakṣuḥ* – szemet; *sparśanam* – érintést; *ca* – is; *rasanam* – nyelvet; *ghrāṇam* – a szaglás képességét; *eva* – is; *ca* – és; *adhiṣṭhāya* – birtokolva; *manaḥ* – elmét; *ca* – is; *ayam* – ő; *viṣayān* – az érzéktárgyakat; *upasevate* – élvezi.

Az élőlény egy újabb durvafizikai testet kap, bizonyos fajta füllel, szemmel, nyelvvel, orral és érintésérzékkel, melyeket az elme fog össze, s így élvezheti az érzékek tárgyainak egy adott csoportját.

MAGYARÁZAT: Ha tehát az élőlény tudata a kutyák és macskák szintjére süllyed, akkor a következő életében kutya- vagy macskatestet kap, s azt élvezi. A tudat eredetileg tiszta, mint a víz. Ha azonban a vízbe színes festéket keverünk, elszíneződik. Éppen így a tudat is tiszta, mivel a lélek tiszta, az anyagi kötőerőkkel kapcsolatba kerülve azonban megváltozik. Az igazi tudat a Kṛṣṇa-tudat, ezért az él valóban tiszta életet, aki Kṛṣṇa-tudatú. Ha azonban tudatát az anyagi mentalitás valamilyen formája beszennyezi, következő életében annak megfelelően kap anyagi testet. S ez nem feltétlenül jelent emberi testet. Nyolcmillió-négyszázezer faj létezik, s az élőlény megjelenhet macskák, kutyák, disznók, félistenek között vagy bármely más fajban.

10. VERS

उत्क्रामन्तं स्थितं वापि भुञ्जानं वा गुणान्वितम् ।
विमूढा नानुपश्यन्ति पश्यन्ति ज्ञानचक्षुषः ॥१०॥

utkrāmantaṁ sthitaṁ vāpi bhuñjānaṁ vā guṇānvitam
vimūḍhā nānupaśyanti paśyanti jñāna-cakṣuṣaḥ

utkrāmantam – a testet elhagyót; *sthitam* – a testben lévőt; *vā api* – sem; *bhuñjānam* – az élvezőt; *vā* – vagy; *guṇa-anvitam* – az anyagi természet kötőerőinek varázsa alatt lévőt; *vimūḍhāḥ* – az ostobák; *na* – sohasem; *anupaśyanti* – láthatják; *paśyanti* – láthatják; *jñāna-cakṣuṣaḥ* – akik a tudás szemével látnak.

Az ostobák nem értik meg, hogyan képes az élőlény elhagyni testét, s azt sem, miféle testből merít örömet az anyagi természet kötőerőinek varázsa alatt. De aki a tudás szemével néz, az látja mindezt.

MAGYARÁZAT: A *jñāna-cakṣuṣaḥ* szó nagyon fontos. Tudás nélkül az ember képtelen megérteni, hogyan hagyja el az élőlény a testét, milyen formát kap majd a következő életében, és miért rendelkezik egy bizonyos fajta testtel. Hogy ezt megérthessük, nagy tudásra van szükségünk, melyre a *Bhagavad-gītából* és más hasonló irodalomból, egy hiteles lelki tanítómester közvetítésével tehetünk szert. Nagyon szerencsés az az ember, akit úgy tanítottak, hogy megértse ezeket a dolgokat. Minden élőlény bizonyos körülmények között hagyja el testét, bizonyos körülmények között él, s bizonyos körülmények között élvez az anyagi természet varázsa alatt. Ennek eredményeként az érzékkielégítés illúziójában a legváltozatosabb anyagi boldogságban és szenvedésben van része. Akiket örökké megtéveszt a vágy és a kéj, azok elveszítik minden képességüket, hogy megértsék, hogyan lakoznak a testben, s hogyan cserélik azt. Egyszerűen nem tudják felfogni. Akik azonban lelki tudásra tettek szert, azok képesek meglátni, hogy a lélek különbözik a testtől, s a testeket cserélve mindig másféle élvezet vár rá. Az ilyen ismeret birtokában az ember megértheti, hogyan szenved a feltételekhez kötött élőlény ebben az anyagi létben. Ezért a Kṛṣṇa-tudatban magas szinten álló *bhakták* mindent megtesznek azért, hogy átadják ezt a tudományt az embereknek, akik oly sokat szenvednek a feltételekhez kötött lét során. El kell hagyniuk ezt a fajta létet, Kṛṣṇa-tudatossá kell válniuk, s fel kell szabadulniuk, hogy a lelki világba juthassanak.

11. VERS

यतन्तो योगिनश्चैनं पश्यन्त्यात्मन्यवस्थितम् ।
यतन्तोऽप्यकृतात्मानो नैनं पश्यन्त्यचेतसः ॥११॥

yatanto yoginaś cainaṁ paśyanty ātmany avasthitam
yatanto 'py akṛtātmāno nainaṁ paśyanty acetasaḥ

yatantaḥ – a törekvő; *yoginaḥ* – transzcendentalisták; *ca* – is; *enam* – ezt; *paśyanti* – láthatják; *ātmani* – az önvalóban; *avasthitam* – lévőt; *yatantaḥ* – a törekvők; *api* – habár; *akṛta-ātmānaḥ* – akik nem jutottak el az önmegvalósításig; *na* – nem; *enam* – ezt; *paśyanti* – láthatják; *acetasaḥ* – fejletlen elméjűek.

A törekvő transzcendentalisták, akik az önmegvalósításnak élnek, tisztán látják mindezt. De akiknek elméje nem fejlett, s nem jutottak el az önmegvalósításig, azok még ha próbálkoznak vele, akkor sem képesek látni, mi történik.

MAGYARÁZAT: A lelki önmegvalósítás útját sok transzcendentalista járja, de akik még nem ébredtek rá igazi énjükre, azok képtelenek megérteni, hogyan változik minden az élőlény testében. Ezzel kapcsolatban a *yoginaḥ* szó nagyon fontos. Manapság számtalan úgynevezett jógi és jógatársaság van, ám az önmegvalósítás témájában valamennyien vakok. Bizonyos tornagyakorlatokhoz ragaszkodnak csupán, és megelégszenek annyival, hogy testük erős és egészséges lesz. Ennyiből áll a tudományuk. Őket nevezik *yatanto 'py akṛtātmānáknak*. Noha szorgalmasan végzik állítólagos jógagyakorlataikat, nem jutnak el az önmegvalósításig. Az ilyen emberek képtelenek megérteni a lélekvándorlás folyamatát. Egyedül azok tudják felfogni, hogyan történik minden, akik az igazi *yogát* végzik, akik megértették, kicsodák ők, mi ez a világ és ki a Legfelsőbb Úr – azaz a tiszta odaadó szolgálatot végző, Kṛṣṇa-tudatú *bhakti-yogīk*.

12. VERS

यदादित्यगतं तेजो जगद्भासयतेऽखिलम् ।
यच्चन्द्रमसि यच्चाग्नौ तत्तेजो विद्धि मामकम् ॥१२॥

yad āditya-gataṁ tejo jagad bhāsayate 'khilam
yac candramasi yac cāgnau tat tejo viddhi māmakam

yat – ami; *āditya-gatam* – a napfényben lévő; *tejaḥ* – ragyogás; *jagat* – az egész világot; *bhāsayate* – beragyogja; *akhilam* – teljesen; *yat* – ami; *candramasi* – a holdon; *yat* – ami; *ca* – is; *agnau* – a tűzben; *tat* – azt; *tejaḥ* – a ragyogást; *viddhi* – értsd meg; *māmakam* – Tőlem van.

Az egész világ sötétségét szétoszlató nap ragyogása, a hold sugárzása és a tűz fényessége is mind Belőlem árad.

MAGYARÁZAT: Aki nem kellőképpen intelligens, az nem láthatja, mi hogyan megy végbe. Tudásunkat azonban megalapozhatjuk azzal, ha megértjük, amit az Úr ebben a versben mond. Mindenki láthatja a napot, a holdat, a tüzet és az elektromosságot. Csupán annyit próbáljunk megérteni, hogy a nap, a hold, az elektromosság és a tűz fénye mind az Istenség Legfelsőbb Személyiségéből árad. Ez a felfogás, ami a Kṛṣṇa-tudat kezdetét jelenti, nagy lépés az anyagi világban feltételekhez kötött lélek lelki fejlődésének útján. A élőlények lényegüket tekintve a Legfelsőbb Úr szerves részei, és Kṛṣṇa a versben arra céloz, hogyan térhetnek haza, vissza Istenhez.

Ebből a versből azt is megtudhatjuk, hogy a nap beragyogja az egész naprendszert. Különféle univerzumok és naprendszerek vannak, napokkal, holdakkal és bolygókkal, de minden univerzumban csak egy nap van. Ahogyan azt a *Bhagavad-gītā* (10.21) elmondja, a hold szintén csillag (*nakṣatrāṇām ahaṁ śaśī*). A napfény a Legfelsőbb Úr lelki világa lelki ragyogásának köszönhető. Az emberek általában akkor kezdenek el tevékenykedni, ha felkel a nap. A főzéshez tűz kell, s tűzre van szükség a gyárak működtetéséhez is, és még sorolhatnánk, mi mindenhez. A tűz tehát nagyon sok dologhoz szükséges. Láthatjuk, hogy a napfény, a holdfény és a tűz nagyon kedves az élőlények számára. Nélkülük senki sem élhetne. Ha tehát megértjük, hogy a nap, a hold, a tűz fénye és ragyogása mind az Istenség Legfelsőbb Személyiségéből, Kṛṣṇából árad, akkor a Kṛṣṇa-tudatunk fejlődni kezd. A hold fénye táplálja a zöldségeket. A holdfény olyannyira kellemes, hogy az emberek könnyen megérthetik ebből, hogy Kṛṣṇa, az Istenség Legfelsőbb Személyisége kegyéből élnek. Az Ő kegye nélkül nem lenne nap, hold és tűz, s ezek nélkül senki sem élhetne. E néhány gondolat célja az, hogy felébressze a Kṛṣṇa-tudatot a feltételekhez kötött lelkekben.

13. VERS

गामाविश्य च भूतानि धारयाम्यहमोजसा ।
पुष्णामि चौषधीः सर्वाः सोमो भूत्वा रसात्मकः ॥१३॥

gām āviśya ca bhūtāni dhārayāmy aham ojasā
puṣṇāmi cauṣadhīḥ sarvāḥ somo bhūtvā rasātmakaḥ

gām – a bolygókba; *āviśya* – behatolva; *ca* – szintén; *bhūtāni* – az élőlényeket; *dhārayāmi* – fenntartom; *aham* – Én; *ojasā* – energiám által; *puṣṇāmi* – táplálom; *ca* – és; *auṣadhīḥ* – a zöldségeket; *sarvāḥ* – mindet; *somaḥ* – a holddá; *bhūtvā* – válva; *rasa-ātmakaḥ* – ízt adóvá.

Behatolok minden bolygóba, s az Én energiám tartja őket pályájukon. Holddá válva Én látom el a zöldségeket az élet ízes levével.

MAGYARÁZAT: Megérthetjük, hogy a bolygók csakis az Úr energiájának köszönhetően keringenek az űrben. Az Úr belép minden atomba, minden bolygóba és minden élőlénybe. Erről a *Brahma-saṁhitā* ír, ahol azt olvashatjuk, hogy az Istenség Legfelsőbb Személyiségének teljes értékű kiterjedése, Paramātmā behatol a bolygókba, az univerzumba, az élőlényekbe, sőt még az atomokba is. Az Ő jelenlétének köszönhető, hogy minden a megfelelő formában nyilvánul meg. Az élő ember lebeghet a vízen, mert a lélek jelen van a testben, de annak távoztával a test halottá válik, s elsüllyed. Természetesen a bomló test is úszhat úgy a habok tetején, mint például egy szalmaszál, de ha valakit a vízben ér a halál, teste azonnal elmerül. Az űrben a bolygók szintén azért lebegnek, mert az Istenség Legfelsőbb Személyiségének legfelsőbb energiája hatolt beléjük. Energiája úgy tartja fenn a bolygók mindegyikét, ahogyan az ember a homokot tartja a kezében. Ha valaki homokot tart a kezében, a homok nem hullik le, ám ha a levegőbe szórja, a homokszemek alászállnak. Az űrben lebegő bolygókat hasonlóképpen tartja kezében a Legfelsőbb Úr kozmikus formája. Az Ő ereje és energiája révén marad minden mozgó és mozdulatlan a helyén. A védikus himnuszok azt írják, hogy az Istenség Legfelsőbb Személyiségének köszönhetően süt a nap és kering minden égitest rendíthetetlenül. Ha Ő nem lenne, a bolygók szétszóródnának, akárcsak a porszemek a levegőben, s valamennyi elpusztulna. Az Istenség Legfelsőbb Személyiségének köszönhető az is, hogy a hold táplálja a zöldségeket. A zöldségek a hold hatására válnak ízletessé. A hold fénye nélkül a zöldségfélék nem nőnének, s nem lennének ízletesek sem. Az emberi társadalom tagjai azért élhetnek kényelmesen, azért dolgozhatnak és élvezhetik a különféle ételeket, mert a legfelsőbb Úr megadja nekik mindezt. Ezek nélkül az emberiség nem lenne képes fenntartani létét. A *rasātmakaḥ* szó nagyon lényeges: mindent a Legfelsőbb Úr tesz ízletessé a hold hatásán keresztül.

14. VERS

अहं वैश्वानरो भूत्वा प्राणिनां देहमाश्रितः ।
प्राणापानसमायुक्तः पचाम्यन्नं चतुर्विधम् ॥१४॥

ahaṁ vaiśvānaro bhūtvā prāṇināṁ deham āśritaḥ
prāṇāpāna-samāyuktaḥ pacāmy annaṁ catur-vidham

aham – Én; *vaiśvānaraḥ* – az Én teljes részem az emésztés tüzévé; *bhūtvā* – válva; *prāṇinām* – minden élőlénynek; *deham* – a testében; *āśritaḥ* – elhelyezkedve; *prāṇa* – a kiáramló levegőt; *apāna* – a lefelé áramló levegőt; *samāyuktaḥ* – egyensúlyban tartva; *pacāmi* – emésztek; *annam* – ételt; *catuḥ-vidham* – négyfélét.

Én vagyok az emésztés tüze minden élőlény testében, s a ki- és bemenő életlevegőhöz csatlakozva Én emésztem meg a négyféle ételt.

MAGYARÁZAT: Az *āyur-veda śāstrából* megtudhatjuk, hogy a gyomorban tűz emészti meg az ételt. Ha ez a tűz nem lángol, nem vagyunk éhesek, de ha megfelelően működik, akkor megéhezünk. Előfordul, hogy nem ég jól – ilyen esetben kezelésre van szükség. Ez a tűz szintén az Istenség Legfelsőbb Személyiségét képviseli. A védikus *mantrák* (*Bṛhad-āraṇyaka-upaniṣad* 5.9.1) megerősítik, hogy a Legfelsőbb Úr, vagyis a Brahman tűz formájában jelen van a gyomorban, s így emészti meg a különféle ételeket (*ayam agnir vaiśvānaro yo 'yam antaḥ puruṣe yenedam annaṁ pacyate*). Mivel segít az emésztésben, az élőlény még táplálkozását tekintve sem független. Ha a Legfelsőbb Úr nem segítené az emésztését, nem is ehetne. Az Úr az tehát, aki megtermeli és megemészti az ételeket, s az Ő kegyéből élvezzük az életet. A *Vedānta-sūtra* (1.2.27) szintén megerősíti ezt. *Śabdādibhyo 'ntaḥ pratiṣṭhānāc ca:* az Úr jelen van a hangban és a testben, a levegőben, sőt emésztő erőként még a gyomorban is. Négyféle étel van: nyelhető, rágható, nyalható és szopogatható. Mindegyik emésztését az Úr segíti elő.

15. VERS

सर्वस्य चाहं हृदि सन्निविष्टो
मत्तः स्मृतिर्ज्ञानमपोहनं च ।
वेदैश्च सर्वैरहमेव वेद्यो
वेदान्तकृद्वेदविदेव चाहम् ॥१५॥

sarvasya cāhaṁ hṛdi sanniviṣṭo
mattaḥ smṛtir jñānam apohanaṁ ca
vedaiś ca sarvair aham eva vedyo
vedānta-kṛd veda-vid eva cāham

sarvasya – mindenkinek; *ca* – és; *aham* – Én; *hṛdi* – szívében; *sanniviṣṭaḥ* – elhelyezkedve; *mattaḥ* – Tőlem; *smṛtiḥ* – emlékezés; *jñānam* – tudás; *apohanam* – feledékenység; *ca* – és; *vedaiḥ* – a Védák által; *ca* – szintén; *sarvaiḥ* – mindegyik által; *aham* – Én vagyok; *eva* – bizony; *ved-*

yaḥ – a megismerendő; *vedānta-kṛt* – a *Vedānta* szerkesztője; *veda-vit* – a Védák ismerője; *eva* – bizony; *ca* – és; *aham* – Én.

Én mindenki szívében ott lakozom, s Tőlem jön az emlékezet, a tudás és a feledékenység. Én vagyok az, akit a Védákból meg kell ismerni, s Én vagyok a Vedānta szerkesztője és a Védák ismerője is.

MAGYARÁZAT: A Legfelsőbb Úr Paramātmaként mindenki szívében jelen van, s Ő indít el minden tettet. Az élőlény ugyan elfelejti előző életét, ám a Legfelsőbb Úr irányítása alapján kell cselekednie, aki tanúja minden tettének, s ezért múltbeli cselekedeteinek megfelelően lát tetteihez. Elegendő tudást és emlékezetet kap, s előző életét elfelejti. Az Úr tehát nemcsak mindent átható, hanem minden egyéni szívben helyhez kötött is. Ő az, aki munkája különféle gyümölcseivel jutalmazza meg az embert. Őt nemcsak a személytelen Brahmanként, az Istenség Legfelsőbb Személyiségeként és helyhez kötött Paramātmaként imádják, hanem a Védák inkarnációjának formájában is. A Védák adják meg a helyes útmutatást ahhoz, hogy az emberek megfelelően élhessék életüket, s hazatérhessenek, vissza Istenhez. A Védák az Istenség Legfelsőbb Személyiségéről, Kṛṣṇáról szóló tudást adják át, akinek egyik inkarnációja, Vyāsadeva a *Vedānta-sūtra* szerkesztője. Ennek a műnek a valódi magyarázatát adja meg a *Śrīmad-Bhāgavatam,* amelyet szintén Vyāsadeva állított össze. A Legfelsőbb Úr minden tekintetben teljes: felszabadulásuk érdekében a feltételekhez kötött lelkeket élelemmel látja el, amit még megemészteni is segít, valamint tanúja a cselekedeteiknek, a Védák formájában tudásban részesíti őket, sőt Śrī Kṛṣṇaként, az Istenség Legfelsőbb Személyiségeként a *Bhagavad-gītāt* tanítja számukra. Ő valóban méltó a feltételekhez kötött lelkek imádatára. Isten tökéletesen jó és végtelenül kegyes.

Antaḥ-praviṣṭaḥ śāstā janānām. Az élőlény mindent elfelejt, amikor elhagyja testét, de aztán a Legfelsőbb Úr ösztönzésére ismét cselekedni kezd. Feledékenysége ellenére az Úr megadja neki a kellő értelmet, hogy tevékenységeit ott folytassa, ahol előző életében abbahagyta. Az élőlény tehát nemcsak örül és szenved ebben az anyagi világban a szívében lakozó Legfelsőbb Úr irányítása szerint, hanem Tőle kapja meg a lehetőséget a Védák megértésére is. Ha valaki komolyan elhatározza, hogy megérti a védikus tudást, Kṛṣṇa megadja neki az ehhez szükséges értelmet. S hogy miért tárja fel a védikus bölcsességet? Mert minden egyes élőlénynek szüksége van arra, hogy megismerje Kṛṣṇát. Ezt a védikus irodalom így erősíti meg: *yo 'sau sarvair vedair gīyate.* A négy Védától kezdődően az egész védikus irodalom, a *Vedānta-sūtra,* az *upaniṣadok* és a *purāṇák* mind a Legfelsőbb Úr dicsőségét hirdetik. Őt a védikus rítusok végzésével, a védikus filozófia tanulmányozásával és az odaadó szolgálatban végzett imádattal lehet elérni. A Védák célja tehát az, hogy megismerjük Kṛṣṇát.

Úgy irányítanak bennünket, hogy megismerhessük Kṛṣṇát és az Ő elérésének folyamatát. A végső cél az Istenség Legfelsőbb Személyisége. Ezt a *Vedānta-sūtra* (1.1.4) a következő szavakkal erősíti meg: *tat tu samanvayāt.* A tökéletességet három szinten lehet elérni. A védikus írások segítségével az ember megértheti kapcsolatát az Istenség Legfelsőbb Személyiségével, a különféle folyamatok gyakorlásával egyre közelebb kerülhet Hozzá, s végül elérheti a végső célt, aki nem más, mint az Istenség Legfelsőbb Személyisége. Ez a vers tehát a Védák szándékáról, megértésének módjáról és céljáról beszél nagyon érthetően.

16. VERS

द्वाविमौ पुरुषौ लोके क्षरश्चाक्षर एव च ।
क्षरः सर्वाणि भूतानि कूटस्थोऽक्षर उच्यते ॥१६॥

dvāv imau puruṣau loke kṣaraś cākṣara eva ca
kṣaraḥ sarvāṇi bhūtāni kūṭa-stho 'kṣara ucyate

dvau – kettő; *imau* – ezek; *puruṣau* – élőlények; *loke* – a világban; *kṣaraḥ* – esendő; *ca* – és; *akṣaraḥ* – tévedhetetlen; *eva* – bizony; *ca* – és; *kṣaraḥ* – esendő; *sarvāṇi* – minden; *bhūtāni* – élőlények; *kūṭa-sthaḥ* – az egységben lévő; *akṣaraḥ* – tévedhetetlen; *ucyate* – úgy mondják.

Kétféle lény létezik: az esendő és a tévedhetetlen. Az anyagi világban minden lény esendő, a lelki világban pedig mindenki tévedhetetlen.

MAGYARÁZAT: Korábban már szó volt arról, hogy a *Vedānta-sūtrát* az Úr egyik inkarnációja, Vyāsadeva szerkesztette. Ebben a versben az Úr a *Vedānta-sūtra* tartalmát foglalja össze, s azt mondja: a megszámlálhatatlan élőlényeket két csoportra lehet osztani – esendőkre és tévedhetetlenekre. Az élőlények örökké az Istenség Legfelsőbb Személyiségének különálló szerves részei. Ha az anyagi világgal állnak kapcsolatban, *jīva-bhūtának* hívják őket, s az ebben a versben használt *kṣaraḥ sarvāṇi bhūtāni* szanszkrit szavak azt jelentik, hogy esendőek. Akik az Istenség Legfelsőbb Személyiségével egységben élnek, azokat tévedhetetleneknek hívják. Ez az egység nem az egyéni lét megszűnését jelenti, hanem arra utal, hogy harmóniában élnek egymással. Mindannyian összhangban vannak a teremtés szándékával. A lelki világban természetesen nincs teremtés, de mivel – ahogy azt a *Vedānta-sūtra* kijelenti – az Istenség Legfelsőbb Személyisége a forrása minden kiáradásnak, ezért ezt a fogalmat magyarázzuk most meg.

Az Úr Kṛṣṇa, az Istenség Legfelsőbb Személyisége kijelentése szerint az embereknek két csoportja van. Ezt a Védák is alátámasztják, így hát nem férhet hozzá kétség. Az anyagi világban az elméjükkel és az öt érzékkel küzdő élőlények anyagi testtel rendelkeznek, amely mindig változik. Amíg feltételekhez kötött állapotban vannak, testük az anyaggal való kapcsolatuk következtében változik. Az anyag változik, ezért úgy tűnik, hogy így tesz az élőlény is. A lelki világban azonban a test nem anyagból van, ezért nem változik. Az anyagi világban a test hat változáson megy keresztül: születés, növekedés, állandósulás, szaporodás, sorvadás és végül pusztulás. Ezek az anyagi test változásai. Ezzel ellentétben a lelki világban a test nem változik; ott nincsen sem öregkor, sem születés, sem halál. Ott minden egységben van. *Kṣaraḥ sarvāṇi bhūtāni:* az anyaggal kapcsolatba került élőlény cseréli a testét, tehát esendő, kezdve az első teremtett lénytől, Brahmától egészen a parányi hangyáig. Ezzel szemben a lelki világban az élőlények mindig szabadok az egységben.

17. VERS

उत्तमः पुरुषस्त्वन्यः परमात्मेत्युदाहृतः ।
यो लोकत्रयमाविश्य बिभर्त्यव्यय ईश्वरः ॥१७॥

uttamaḥ puruṣas tv anyaḥ paramātmety udāhṛtaḥ
yo loka-trayam āviśya bibharty avyaya īśvaraḥ

uttamaḥ – a legkiválóbb; *puruṣaḥ* – személyiség; *tu* – de; *anyaḥ* – egy másik; *parama-ātmā* – a Legfelsőbb Lélek; *iti* – így; *udāhṛtaḥ* – mondják; *yaḥ* – aki; *loka* – az univerzumnak; *trayam* – mindhárom részébe; *āviśya* – behatolva; *bibharti* – fenntartja; *avyayaḥ* – a kimeríthetetlen; *īśvaraḥ* – az Úr.

E kettőn kívül létezik a leghatalmasabb élő személyiség, a Legfelsőbb Lélek, maga az elpusztíthatatlan Úr, aki behatol a három világba, s fenntartja azokat.

MAGYARÁZAT: A *Kaṭha-upaniṣad* (2.2.13) és a *Śvetāśvatara-upaniṣad* (6.13) nagyon szépen ír ugyanerről a témáról. Mindkettő egyértelműen kijelenti, hogy megszámlálhatatlanul sok élőlény létezik, egy részük feltételekhez kötött létállapotban, a többi felszabadultan, de rajtuk kívül van egy Legfelsőbb Személyiség is, a Paramātmā. Az *upaniṣadok* egyik verse így szól: *nityo nityānāṁ cetanaś cetanānām.* Ez azt jelenti, hogy a feltételekhez kötött és felszabadult élőlények között létezik egy legfelsőbb élő személyiség, az Istenség Legfelsőbb Személyisége, aki fenntartja őket, és tetteik alapján lehetőséget ad nekik az élvezetre. Ez az Istenség Legfelsőbb Személyisége Paramātmāként jelen van mindenki szívében. Egyedül az a bölcs képes elérni a tökéletes békét, aki megértette Őt.

18. VERS

यस्मात्क्षरमतीतोऽहमक्षरादपि चोत्तमः ।
अतोऽस्मि लोके वेदे च प्रथितः पुरुषोत्तमः ॥१८॥

yasmāt kṣaram atīto 'ham akṣarād api cottamaḥ
ato 'smi loke vede ca prathitaḥ puruṣottamaḥ

yasmāt – mivel; *kṣaram* – az esendőhöz képest; *atītaḥ* – transzcendentális; *aham* – Én vagyok; *akṣarāt* – túl a tévedhetetlenen; *api* – is; *ca* – és; *uttamaḥ* – a legjobb; *ataḥ* – ezért; *asmi* – vagyok; *loke* – a világban; *vede* – a védikus irodalomban; *ca* – és; *prathitaḥ* – ünnepelt; *puruṣa-uttamaḥ* – a Legfelsőbb Személyiségként.

Transzcendentális vagyok, túl az esendőn és a tévedhetetlenen, s Én vagyok a leghatalmasabb, ezért a Legfelsőbb Személyként ünnepel Engem a világ és magasztalnak a Védák.

MAGYARÁZAT: Az Istenség Legfelsőbb Személyiségét, Kṛṣṇát senki sem múlhatja felül, sem a feltételekhez kötött, sem a felszabadult lelkek, így tehát Ő minden személyiség közül a legnagyobb. Ebből a versből kiderül, hogy az élőlények és az Istenség Legfelsőbb Személyisége egyaránt egyének. Kettőjük között az a különbség, hogy az élőlény sem feltételekhez kötött, sem felszabadult állapotában nem tudja mennyiség tekintetében felülmúlni az Istenség Legfelsőbb Személyiségének felfoghatatlan képességeit. Aki azt gondolja, hogy a Legfelsőbb Úr és az élőlények egy szinten állnak, vagy hogy minden tekintetben egyenlőek, az téved. Kettőjük esetében mindig felsőbbrendűségről illetve alárendeltségről kell beszélni. Az *uttama* szó nagyon fontos. Az Istenség Legfelsőbb Személyiségét senki sem szárnyalhatja túl.

A *loke* szó jelentése: „a *pauruṣa āgamában* (a *smṛti* írásokban)". A *Nirukti* értelmező szótár megerősíti: *lokyate vedārtho 'nena.* „A Védák célját a *smṛti* írások magyarázzák meg."

A Védák a Legfelsőbb Úrról helyhez kötött aspektusában, Paramātmāként is írnak. Az alábbi vers szintén a Védákból származik (*Chāndogya-upaniṣad* 8.12.3): *tāvad eṣa samprasādo 'smāc charīrāt samutthāya paraṁ jyoti-rūpaṁ sampadya svena rūpeṇābhiniṣpadyate sa uttamaḥ puruṣaḥ.* „A testet elhagyó Felsőlélek a személytelen *brahmajyotiba* hatol, majd saját formájában megtartja lelki azonosságát. Ezt a Legfelsőbbet hívják a Legfelsőbb Személyiségnek." Ez azt jelenti, hogy a Legfelsőbb Személy megnyilvánítja és szétosztja lelki sugárzását, amely a végső ragyogás. A Legfelsőbb Személy helyhez kötött aspektusát hívják Paramātmānak. Ő száll alá Satyavatī és Parāśara fiaként, Vyāsadevaként, hogy megmagyarázza a védikus tudományt.

19. VERS

यो मामेवमसम्मूढो जानाति पुरुषोत्तमम् ।
स सर्वविद्भजति मां सर्वभावेन भारत ॥१९॥

yo māṁ evam asammūḍho jānāti puruṣottamam
sa sarva-vid bhajati māṁ sarva-bhāvena bhārata

yaḥ – aki; *mām* – Engem; *evam* – így; *asammūḍhaḥ* – kétség nélkül; *jānāti* – ismer; *puruṣa-uttamam* – az Istenség Legfelsőbb Személyiségeként; *saḥ* – ő; *sarva-vit* – a mindentudó; *bhajati* – odaadó szolgálatot végez; *mām* – Nekem; *sarva-bhāvena* – minden tekintetben; *bhārata* – ó, Bharata fia.

Ó, Bharata fia! Legyen az bárki, mindentudónak kell tekinteni, ha kétség nélkül tudja Rólam, hogy Én vagyok az Istenség Legfelsőbb Személyisége, s ezért teljesen átadja magát odaadó szolgálatomnak.

MAGYARÁZAT: Az élőlények és a Legfelsőbb Abszolút Igazság örök helyzetét illetően számtalan spekuláció létezik. Ebben a versben az Istenség Legfelsőbb Személyisége világosan kijelenti: az az ember, aki tudja, hogy Ő, az Úr Kṛṣṇa az Istenség Legfelsőbb Személyisége, mindent tud. A tökéletlen ismeretekkel rendelkező ember tovább találgat az Abszolút Igazságról, de aki a tökéletes tudás birtokában van, nem vesztegeti értékes idejét, hanem közvetlenül a Kṛṣṇa-tudathoz, a Legfelsőbb Úr odaadó szolgálatához lát. Ennek fontosságát hangsúlyozza a *Bhagavad-gītā* minden oldala. Ennek ellenére vannak makacs magyarázók, akik egynek tekintik az élőlényt és a Legfelsőbb Abszolút Igazságot.

A védikus bölcseletet *śrutinak,* hallás útján megszerzett tudásnak hívják. A Védák üzenetét olyan hiteles forrásoktól kell megkapnunk, mint Kṛṣṇa és az Ő képviselői. Kṛṣṇa itt nagyon érthetően különbséget tesz a dolgok között, ezért ebből a forrásból kell hallani. Ha úgy hallgatunk, mint a disznók, az nem vezet célhoz. Képesnek kell lennünk arra, hogy a hiteles forrásokon keresztül mindent megértsünk. Nem elvont spekulálásra van szükség: alázatosan hallgatnunk kell a *Bhagavad-gītā* tanítását, miszerint az élőlények mindig alárendeltjei az Istenség Legfelsőbb

Személyiségének. Śrī Kṛṣṇa, az Istenség Legfelsőbb Személyisége szerint egyedül az ismeri a Védák tanításának lényegét, aki ezt képes megérteni.

A *bhajati* szó nagyon fontos ebben a versben. Ezt a szót sokszor használják a Legfelsőbb Úr szolgálatával kapcsolatban. Ha valaki tökéletes Kṛṣṇa-tudatban, odaadóan szolgálja az Urat, arról tudnunk kell, hogy birtokában van a teljes védikus tudásnak. A *vaiṣṇava paramparā* tanítása szerint a Śrī Kṛṣṇát odaadóan szolgáló embernek nincs szüksége más lelki folyamat végzésére a Legfelsőbb Abszolút Igazság megértéséhez. Már eljutott erre a szintre, hiszen az Úr odaadó szolgálatába merül, s már maga mögött tudja a tudásszerzés minden előzetes folyamatát. Ha azonban valaki még ezer és ezer életen keresztül folytatott spekuláció után sem jut el annak a megértéséig, hogy Kṛṣṇa az Istenség Legfelsőbb Személyisége, s hogy meg kell hódolnia Előtte, az a hosszú éveket és életeket hiábavalóan töltötte elmélkedéssel.

20. VERS

इति गुह्यतमं शास्त्रमिदमुक्तं मयानघ ।
एतद् बुद्ध्वा बुद्धिमान् स्यात्कृतकृत्यश्च भारत ॥२०॥

iti guhyatamaṁ śāstram idam uktaṁ mayānagha
etad buddhvā buddhimān syāt kṛta-kṛtyaś ca bhārata

iti – így; *guhya-tamam* – a legtitkosabb; *śāstram* – kinyilatkoztatott írás; *idam* – ez; *uktam* – feltárva; *mayā* – Általam; *anagha* – ó, bűntelen; *etat* – ezt; *buddhvā* – megértve; *buddhi-mān* – értelmessé; *syāt* – válik; *kṛta-kṛtyaḥ* – törekvéseiben legtökéletesebbé; *ca* – és; *bhārata* – ó, Bharata fia.

Ó, bűntelen! Amit most feltártam előtted, az a védikus írások legmeghittebb része. Bárki, aki megérti ezt, bölccsé válik, s törekvéseit tökéletesség fogja koronázni.

MAGYARÁZAT: Az Úr félreérthetetlenül kijelenti, hogy ez valamennyi kinyilatkoztatott írás lényege. Úgy kell megértenünk, ahogyan az Istenség Legfelsőbb Személyisége elmondta, s így intelligenssé válhatunk, valamint tökéletes transzcendentális tudásra tehetünk szert. Úgy is mondhatnánk, hogy ezt az Istenség Legfelsőbb Személyiségéről szóló filozófiát megértve és az Ő transzcendentális szolgálatát végezve valamennyien megtisztulhatunk az anyagi természet kötőerőinek minden szennyeződésétől. Az odaadó szolgálat folyamata lelki megvilágosodáshoz vezet, s bárhol végzik, ott nem lehet anyagi szennyeződés. Az Úr és a Neki végzett odaadó szolgálat egy és ugyanaz, hiszen mindkettő lelki: az odaadó szolgálat a Legfelsőbb Úr belső energiájában történik. Az Urat a naphoz hasonlítják, a tudatlanságot pedig a sötétséghez. Ha feltűnik a nap, nem lehet szó sötétségről, s a tudatlanság léte is ki van zárva ott, ahol egy hiteles lelki tanítómester megfelelő irányításával valaki odaadó szolgálatot végez.

Mindenkinek el kell fogadnia ezt a Kṛṣṇa-tudatot, és mindenkinek odaadó szolgálatot kell végeznie ahhoz, hogy intelligenssé válhasson és megtisztulhasson. Ha valaki nem jut el Kṛṣṇa megismeréséig, s nem gyakorolja az odaadó szolgálatot, akkor bármilyen okosnak tekintsék a közönséges emberek, értelme nem tökéletes.

Az *anagha* szó, amellyel Kṛṣṇa megszólítja Arjunát, nagyon fontos. Ez a szó – aminek jelentése: „ó, bűntelen" – arra utal, hogy mindaddig nagyon nehéz megérteni Kṛṣṇát, amíg valaki meg nem szabadul minden bűnös visszahatástól. Az embernek meg kell tisztulnia minden szennyeződéstől, minden bűnös tettől, s aztán megértheti Kṛṣṇát. Az odaadó szolgálat azonban olyannyira tiszta és hatásos, hogy az azt végző minden külön törekvés nélkül eljut a bűntelenség síkjára.

A teljesen Kṛṣṇa-tudatú, tiszta *bhakták* társaságában odaadó szolgálatot végezve bizonyos dolgoktól teljesen meg kell szabadulnunk. A legfontosabb, hogy legyőzzük a szív gyengeségét. Az élőlény első bukását az anyagi természet feletti uralkodás vágya okozza – ez az, aminek hatására elhagyja a Legfelsőbb Úr transzcendentális szerető szolgálatát. A szív második gyengesége az, hogy az anyagi természet feletti uralkodás hajlamának erősödésével az élőlény ragaszkodni kezd az anyaghoz és az anyagi birtoklás érzéséhez. Az anyagi lét problémái a szív e gyengeségeinek köszönhetőek. Ez a fejezet az első öt versben azt a folyamatot írja le, amelyet követve megszabadulhatunk a szív gyengeségeitől, a hatodik verstől kezdve pedig a *puruṣottama-yogáról* beszél.

Így végződnek a Bhaktivedanta-magyarázatok a Śrīmad Bhagavad-gītā *tizenötödik fejezetéhez, melynek címe „A Legfelsőbb Személy elérésének* yogája", *azaz Puruṣottama-yoga.*

TIZENHATODIK FEJEZET

Az isteni és a démoni természet

1–3. VERS

श्रीभगवानुवाच
अभयं सत्त्वसंशुद्धिर्ज्ञानयोगव्यवस्थितिः ।
दानं दमश्च यज्ञश्च स्वाध्यायस्तप आर्जवम् ॥ १ ॥

अहिंसा सत्यमक्रोधस्त्यागः शान्तिरपैशुनम् ।
दया भूतेष्वलोलुप्त्वं मार्दवं ह्रीरचापलम् ॥ २ ॥

तेजः क्षमा धृतिः शौचमद्रोहो नातिमानिता ।
भवन्ति सम्पदं दैवीमभिजातस्य भारत ॥ ३ ॥

śrī-bhagavān uvāca
abhayaṁ sattva-saṁśuddhir jñāna-yoga-vyavasthitiḥ
dānaṁ damaś ca yajñaś ca svādhyāyas tapa ārjavam

ahiṁsā satyam akrodhas tyāgaḥ śāntir apaiśunam
dayā bhūteṣv aloluptvaṁ mārdavaṁ hrīr acāpalam

tejaḥ kṣamā dhṛtiḥ śaucam adroho nāti-mānitā
bhavanti sampadaṁ daivīm abhijātasya bhārata

śrī-bhagavān uvāca – az Istenség Legfelsőbb Személyisége mondta; *abhayam* – félelemnélküliség; *sattva-saṁśuddhiḥ* – a lét megtisztítása; *jñāna* – a tudásban; *yoga* – összekapcsolódásnak; *vyavasthitiḥ* – a helyzete; *dānam* – adományozás; *damaḥ* – az elme fegyelmezése; *ca* – és; *yajñaḥ* – áldozat bemutatása; *ca* – és; *svādhyāyaḥ* – a védikus irodalom tanulmányozása; *tapaḥ* – vezeklés; *ārjavam* – egyszerűség; *ahiṁsā* – erőszaknélküliség; *satyam* – igazmondás; *akrodhaḥ* – mentesség a dühtől; *tyāgaḥ* – lemondás; *śāntiḥ* – nyugalom; *apaiśunam* – tartózkodás a hibakereséstől; *dayā* – könyörület; *bhūteṣu* – minden élőlény iránt; *aloluptvam* – mentesség a mohóságtól; *mārdavam* – kedvesség; *hrīḥ* – szerénység; *acāpalam* – elszántság; *tejaḥ* – életerő; *kṣamā* – megbocsátás; *dhṛtiḥ* – kitartás; *śaucam* – tisztaság; *adrohaḥ* – mentesség az irigységtől; *na* – nem; *ati-mānitā* – becsvágy; *bhavanti* – vannak; *sampadam* – tulajdonságok; *daivīm* – transzcendentális természet; *abhijātasya* – annak, aki belőle született; *bhārata* – ó, Bharata fia.

Az Istenség Legfelsőbb Személyisége így szólt: Félelemnélküliség, a lét megtisztítása, a lelki tudás művelése, adományozás, önfegyelmezés, áldozatok végrehajtása, a Védák tanulmányozása, vezeklés, egyszerűség, erőszaknélküliség, igazmondás, mentesség a haragtól, lemondás, békesség, idegenkedés a hibakereséstől, könyörületesség minden élőlény iránt, mentesség a mohóságtól, kedvesség, szerénység, rendíthetetlen elszántság, életerő, megbocsátás, kitartás, tisztaság, valamint mentesség az irigységtől és a becsvágytól – ó, Bharata fia, ezek a transzcendentális tulajdonságok az isteni természettel megáldott ember jellemzői.

MAGYARÁZAT: A tizenötödik fejezet eleje az anyagi világ banjanfájáról beszélt, s mellékgyökereit az élőlények tetteihez hasonlította, amelyek lehetnek jók vagy rosszak. A kilencedik fejezet is a *devákról,* az isteni jellemű emberekről és az *asurákról,* az istentagadó, démoni emberekről szólt. A védikus előírások szerint a jóság minőségében végzett tettek elősegítik a haladást a felszabadulás felé vezető úton, és *daivī prakṛtinek,* transzcendentális természetűnek nevezik őket. Aki elérte a transzcendentális természetet, az előreléphet a felszabadulás útján, ellenben a szenvedély és a tudatlanság kötőerejében cselekvőknek nincsen reményük a felszabadulásra. Vagy emberként maradnak az anyagi világban, vagy pedig állati, esetleg még alacsonyabb rendű fajokba süllyednek vissza. Ebben a tizenhatodik fejezetben az Úr elmagyarázza a transzcendentális jellemet és a vele járó tulajdonságokat, illetve a démoni jellemet és jellemzőit. A két jellem előnyeit és hátrányait is ismerteti.

A versben nagyon fontos az *abhijātasya* szó, ami a transzcendentális jellemmel, vagyis az isteni hajlammal született emberre utal. A védikus irodalom *garbhādhāna-saṁskārának* hívja azt a szertartást, ami az isteni tulajdonságokkal rendelkező gyermek nemzését szolgálja. Ha a szülők azt akarják, hogy gyermeküknek isteni tulajdonságai legyenek, követniük kell az emberi társadalom életének tíz előírt elvét. A *Bhagavad-gītā* korábban említette már, hogy a jó gyermek nemzését elősegítő nemi élet maga Kṛṣṇa. A nemi élet tehát nem elítélendő, ha a Kṛṣṇa-tudat céljait szolgálja. Akik Kṛṣṇa-tudatúak, ne úgy nemzzenek gyereket, mint ahogyan a kutyák és a macskák, hanem úgy, hogy gyermekeik születésük után Kṛṣṇa-tudatúvá válhassanak. Ebben az áldásban részesülnek a Kṛṣṇa-tudatban elmélyült apától és anyától született gyermekek.

A *varṇāśrama-dharma* társadalmi intézménye négy társadalmi rendre és négy tevékenység szerinti csoportra vagy kasztra osztja az embereket, de ennek nem szabad a születés szerint történnie. A felosztás alapja a képzettség kell hogy legyen, s célja a társadalom békéjének és anyagi jólétének fenntartása. Ez a vers transzcendentálisnak nevezi a felsorolt jellemvonásokat, melyeknek az a szerepük, hogy elősegítsék az ember fejlődését a lelki megvilágosodásban, s így kiszabadulhasson az anyagi világból.

A *varṇāśrama* intézményben a *sannyāsīt,* vagyis a lemondottak életrendjének tagját tekintik az összes többi társadalmi csoport és rend vezetőjének, lelki tanítómesterének. A *brāhmaṇa* a másik három osztály, név szerint a *kṣatriyák,* a *vaiśyák* és a *śūdrák* lelki tanítómestere, de ebben a rendszerben a legmagasabb szinten a *sannyāsī* áll, aki még a *brāhmaṇáknak* is lelki tanítómestere. A *sannyāsī* legfőbb tulajdonsága a félelemnélküliség. Egyedül kell élnie, minden segítség vagy annak reménye nélkül, így csupán az Istenség Legfelsőbb Személyiségének könyörületére bízhatja magát. Ha felmerül benne a gondolat, hogy „Ki fog megvédeni, ha minden kapcsolatot megszakítok?", akkor nem szabad, hogy a lemondott életrendbe lépjen. Teljes meggyőződéssel hinnie kell, hogy Kṛṣṇa, az Istenség Legfelsőbb Személyisége helyhez kötött aspektusában, Paramātmāként állandóan jelen van mindenki szívében, mindent lát, és ismeri az élőlények szándékait. Erős hite legyen benne, hogy Kṛṣṇa Paramātmāként mindig gondoskodik a meghódolt lélekről. „Sohasem maradok egyedül, mert Kṛṣṇa mindig velem tart, és megoltalmaz, még ha a legsűrűbb erdő mélyén élek is." Így kell gondolkoznia. Ezt a meggyőződést hívják *abhayának,* vagyis félelemnélküliségnek, amely elengedhetetlenül szükséges a lemondottak rendjében élők számára.

A *sannyāsīnak* ezután meg kell tisztítania létét. A lemondott életrendben sok szabályt és előírást kell betartania. Ezek közül a legfontosabb az, hogy szigorúan tilos közvetlen kapcsolatot tartania nőkkel. Még az sem engedélyezett számára, hogy négyszemközt beszélgessen velük. Az Úr Caitanya példamutató *sannyāsī* volt. Amikor Purīban lakott, még azt sem engedte meg, hogy női hívei közelről ajánlják fel a tiszteletüket. Távolabbról kellett leborulniuk. Ez nem a nőgyűlölet jele, hanem a *sannyāsī* élet velejárója: annak, aki a lemondott életrendbe lépett, ne legyen a nőkkel közeli kapcsolata. A léttisztítás megkívánja, hogy az ember kövesse a helyzetének megfelelő szabályokat és előírásokat. A *sannyāsīnak* szigorúan tilos közeli kapcsolatban lennie nőkkel és érzékkielégítést szolgáló dolgokat birtokolnia. Az ideális *sannyāsī* maga az Úr Caitanya volt. Életét tanulmányozva láthatjuk, hogy milyen szigorú volt a nőket illetően. Őt az Istenség legnagylelkűbb inkarnációjának tartják, mert a legelesettebb lelkeket is megszánta, ám ennek ellenére szigorúan betartotta a *sannyāsa* élet szabályait a nőkkel való kapcsolatra vonatkozóan. Choṭa Haridāsa az Úr Caitanya bensőséges, közeli társainak egyike volt, de valahogyan egyszer vágyakozva pillantott egy fiatal nőre, s az Úr Caitanya annyira szigorú volt, hogy azonnal kizárta személyes társai köréből. Kijelentette: „Ha egy *sannyāsī* – vagy bárki más, aki igyekszik kiszabadulni az anyagi természet karmaiból, hogy a lelki természetet elérve hazatérjen, vissza Istenhez – az érzékkielégítés reményében néz az anyagi javakra vagy a nőkre, még ha nem is élvezi azokat, csak ilyen hajlammal pillant rájuk, az olyannyira elítélendő, hogy jobb, ha az illető öngyilkos lesz, még mielőtt valóra váltaná bűnös vágyait." Mindezek tehát a megtisztulás folyamatát segítik elő.

A következő jellemző a *jñāna-yoga-vyavasthitiḥ,* a tudás művelése. A *sannyāsī* életének küldetése az, hogy tanítsa a családosokat és mindazokat, akik megfeledkeztek igazi életükről, melynek célja a lelki fejlődés. A *sannyāsīnak* házról házra járva, koldulva kell élnie, ám ez nem jelenti azt, hogy ő koldus. Az alázatosság szintén a transzcendentális síkot elért ember egyik tulajdonsága, ezért a *sannyāsī* nem a kéregetés miatt, hanem pusztán alázatból kopogtat be minden ajtón, hogy Kṛṣṇa-tudatukra ébressze a családosokat. Ez a *sannyāsī* feladata. Ha valakit erre utasított a lelki tanítómestere, és valóban fejlett szinten áll, akkor értelmével és logikájával terjesztheti a Kṛṣṇa-tudatot, ha azonban nem elég fejlett, nem szabad belépnie a lemondott élet rendjébe. Ha hiányos tudása ellenére ez mégis megtörténik, akkor a tudás művelése érdekében a hiteles lelki tanítómestert kell hallgatnia minden idejében. A *sannyāsī,* a lemondott rendbe lépett ember tehát eléri a félelemnélküliség, a *sattva-saṁśuddhi* (tisztaság) és a *jñāna-yoga* (a tudás) állapotát.

A következő dolog az adományozás. Az adományozás a családosok kötelessége. Kenyerüket tisztességes úton kell megkeresniük, s jövedelmük ötven százalékát a Kṛṣṇa-tudat világméretű terjesztésére kell áldozniuk. Olyan intézményeket vagy szervezeteket kell támogatniuk, amelyeknek a Kṛṣṇa-tudat elterjesztése a céljuk. Ügyelniük kell, hogy az adomány megfelelő kezekbe kerüljön. A *Bhagavad-gītā* a későbbiekben elmagyarázza, hogy a jóság, a szenvedély és a tudatlanság kötőerejének megfelelően az adományozásnak is különböző formái vannak. Az írások a jóság kötőerejében végrehajtott adományozást ajánlják, míg a szenvedély és tudatlanság hatása alatt állót nem, mert ez utóbbi csupán kidobott pénz. Adományt adni csak a Kṛṣṇa-tudat világméretű terjesztése céljára szabad. Ez a jóság minőségébe tartozó adományozás.

A *dama,* vagyis önszabályozás a családosokra is különösen vonatkozik, nemcsak a lelki élet másik három rendjére. A családos ember természetesen a feleségével él, de ez nem jelenti azt, hogy érzékeit szükségtelenül a nemi életben használhatja. Még a családosok nemi életét is szabályok kötik meg: egyedüli célja a gyermeknemzés legyen. Ha nem akar gyermeket, akkor a családos embernek sem szabad szexuális életet élnie a feleségével. Napjaink társadalmában az emberek a fogamzásgátlással vagy még ennél is szörnyűbb módszerekkel élvezik a nemi életet, hogy elhárítsák a gyermeknevelés felelősségét. Ez nem transzcendentális, hanem démonikus jellemvonás. Ha valaki fejlődni szeretne a lelki életben, akkor még ha családos, akkor is uralkodnia kell nemi vágyain, és csak akkor szabad gyermeket nemzenie, ha ezzel Kṛṣṇát akarja szolgálni. Ha képes olyan gyermekeket nemzeni, akik később Kṛṣṇa-tudatúvá válnak, akkor akár több száz gyereke is lehet, de ha nem, akkor kerülnie kell a puszta érzéki élvezetet.

Az áldozatok végzése szintén a családfenntartók dolga, mert sok pénzre van hozzá szükség. A többi életrend – a *brahmacarya-,* a *vānaprastha-* és a *sannyāsa*-rend – tagjainak nincsen pénzük, kéregetésből élnek. A különféle áldozati szertartások végzése éppen ezért a családosok feladata. A védikus irodalom előírásai szerint *agni-hotra* áldozatokat kell bemutatniuk, ám ezek manapság rendkívül költségesek lennének, és egyetlen családfenntartó sem lenne képes elvégezni őket. Korunk emberei számára leginkább a *saṅkīrtana-yajña,* a Hare Kṛṣṇa, Hare Kṛṣṇa, Kṛṣṇa Kṛṣṇa, Hare Hare, Hare Rāma, Hare Rāma, Rāma Rāma, Hare Hare *mantra* éneklése ajánlatos. Ez a legjobb és egyben a legkevésbé költséges áldozat, melyet bárki végezhet és részesülhet az áldásából. E három dolog tehát, az adományozás, az érzékek szabályozása és az áldozatok bemutatása a családosok kötelessége.

A *svādhyāya* (a Védák tanulmányozása) a *brahmacaryában* élők, azaz a tanulók feladata. A *brahmacārīknak* nem szabad kapcsolatot tartaniuk nőkkel, hanem nőtlenségi fogadalmat téve figyelmüket a védikus irodalom tanulmányozására kell összpontosítaniuk a lelki tudás művelése érdekében. Ezt nevezik *svādhyāyának.*

A *tapas* vagy vezeklés főleg a visszavonult életrendbe tartozóknak való. Az embernek nem szabad egész életében a családjával maradnia. Emlékeznie kell arra, hogy az életnek négy fokozata van: *brahmacarya, gṛhastha, vānaprastha* és *sannyāsa.* A *gṛhastha* élet után vissza kell vonulnia a családi élettől. Ha az emberi életet száz évnek vesszük, akkor ebből huszonöt évet tanulóként, huszonötöt családfenntartóként, huszonötöt visszavonulva, huszonötöt pedig a lemondott életrendben kell eltölteni. Ezek a védikus vallásos élet előírásai. A családi élettől visszavonult embernek a test, az elme és a nyelv lemondásait kell gyakorolnia. Ez a *tapasya,* s az egész *varṇāśrama-dharma* társadalomnak ez a célja. *Tapasya* vagy vezeklés nélkül egyetlen emberi lény sem szabadulhat fel. Sem a védikus irodalom, sem a *Bhagavad-gītā* nem támasztja alá azt az elméletet, miszerint az életben nincs szükség lemondásra, az ember nyugodtan spekulálhat tovább, és majd minden jóra fordul. Az efféle elméleteket a botcsinálta transzcendentalisták terjesztik, hogy minél több követőt nyerjenek meg maguknak. Az emberek nem vonzódnak a tiltásokhoz, előírásokhoz és szabályokhoz. Éppen ezért akik a vallás köntösében követőkhöz, s így hírnévhez akarnak jutni, azok nem tartják érvényesnek a szabályokat sem tanítványaikra, sem saját magukra nézve. Ezt az utat azonban a Védák nem helyeslik.

Ami a *brāhmaṇák* tulajdonságát, az egyszerűséget illeti, ezt az elvet nemcsak ennek a bizonyos rendnek kell követnie, hanem mindenkinek, függetlenül attól, hogy a *brahmacārī-,* a *gṛhastha-,* a *vānaprastha-* vagy a *sannyāsa-āśramába* tartozik. Mindenkinek nagyon egyszerűnek és egyenesnek kell lennie.

Az *ahiṁsā* azt jelenti, hogy egyetlen élőlény fejlődését sem szabad meggátolnunk. Ne higgyük azt, hogy mivel a lélek még a test halála után sem pusztul el soha, az állatok puszta érzékkielégítésből történő megölése nem bűn. Annak ellenére, hogy elegendő mennyiségű gabonaféle, gyümölcs és tejtermék áll a rendelkezésükre, az emberek manapság ragaszkodnak a húsevéshez. Semmi szükség az állatok legyilkolására – s ez a tilalom mindenkire vonatkozik. Ha nincs más választása, az ember ölhet állatot, de áldozatként azt is fel kell ajánlania. Ha elegendő mennyiségű élelem áll az emberek rendelkezésére, akkor a lelki önmegvalósításban fejlődni kívánóknak nem szabad erőszakot alkalmazniuk az állatokkal szemben. Az igazi *ahiṁsā* tehát azt jelenti, hogy senkit nem akadályozunk a felemelkedésben. Az állatok szintén fejlődnek, mert az evolúció folyamatában ők is egyre magasabb állati létbe emelkednek. Ha valaki megöl egy állatot, akkor a fejlődésében gátolja meg, ugyanis ha egy állat nem tölt el elég időt egy testben, mert erőszakkal megölik, akkor vissza kell térnie ugyanabba a fajba, hogy mielőtt magasabb létformába emelkedne, leélje hátralévő életét. Ezt a fejlődési folyamatot tehát nem szabad megzavarni csupán azért, hogy az ember kielégítse az ízlelőszervét. Ezt hívják *ahiṁsānak*.

A *satyam* szó azt jelenti, hogy senkinek sem szabad személyes érdekből eltorzítania az igazságot. A védikus irodalom egyes részeit nagyon nehéz megérteni, ezért annak jelentését és célját egy hiteles lelki tanítómestertől kell megtanulnunk. Ez a Védák megértésének módja. A *śruti* szó arra utal, hogy az embernek a hiteles forrásra kell hallgatnia. Senkinek sem szabad önző érdekből félremagyaráznia az igazságot. A *Bhagavad-gītānak* számtalan értelmezője van, akik elferdítik az eredeti szöveget. A valódi, szó szerinti jelentést kell feltárnunk, s ezt egy hiteles lelki tanítómestertől kell megtanulnunk.

Az *akrodha* szó a düh megfékezésére utal. Béketűrőnek kell lennünk még akkor is, ha fel akarnak bosszantani bennünket, mert ha méregbe gurulunk, a düh beszennyezi az egész testet. A düh a szenvedély kötőerejének és a vágynak a terméke, ezért óvakodnia kell tőle annak, aki eljutott a transzcendentális szintre. *Apaiśunam* azt jelenti, hogy az ember ne legyen hibakereső, s ne javítson ki szükségtelenül másokat. Természetesen ha egy tolvajt tolvajnak nevezünk, az nem hibakeresés, de egy becsületes embert, aki a lelki élet útján halad, tolvajnak szólítani nagy bűn. A *hrīḥ* azt jelenti, hogy az ember legyen nagyon szerény, és tartózkodjék az elítélendő tettek minden formájától. Az *acāpalam* szó azt jelenti, hogy az ember legyen elszánt, és ne hagyja, hogy törekvéseiben bármi is megzavarja vagy a kedvét szegje. Próbálkozásaink néha sikertelenül végződhetnek, de emiatt nem szabad bánkódnunk: türelemmel és kitartással tovább kell lépnünk.

A *tejaḥ* szó itt a *kṣatriyákra* vonatkozik. A *kṣatriyáknak* nagyon erősnek kell lenniük, hogy megvédhessék a gyengéket. Nekik nem szabad az erőszaktól tartózkodó ember szerepét játszaniuk, mert szükség esetén igenis erőszakhoz kell folyamodniuk. Aki azonban képes legyőzni ellenségét, az bizonyos körülmények között megbocsáthat, s elnézheti a kisebb bűnöket.

A *śaucam* szó jelentése tisztaság, ami nemcsak a testre és az elmére, hanem a cselekedetekre is vonatkozik. Ez leginkább a kereskedőknek szól, akiknek nem szabad feketén üzletelniük. A *nāti-mānitā,* a becsvágytól való mentesség a *śūdrákra,* azaz a kétkezi munkásokra vonatkozik, akik a védikus tanítások szerint a négy osztály közül a legalacsonyabb rendűbe tartoznak. Vigyázniuk kell, nehogy a szükségtelen tekintély- és becsvágy felfuvalkodottá tegye őket, illetve nem szabad a társadalmi helyzetükön változtatniuk. Kötelességükhöz tartozik, hogy a társadalom rendje érdekében tiszteletben tartsák a felsőbb osztályokat.

A felsorolt huszonhat tulajdonság mindegyike transzcendentális. Mindenkinek annak megfelelően kell elsajátítania ezeket a jellemvonásokat, hogy melyik társadalmi, illetve hivatás szerinti rend tagja. Ennek az a magyarázata, hogy noha az anyagi létfeltételek sok szenvedést okoznak, ha az emberek minden csoportja a folytonos gyakorlás révén szert tesz e tulajdonságokra, akkor fokozatosan mindenki a transzcendentális önmegvalósítás legmagasabb szintjére emelkedhet.

4. VERS

दम्भो दर्पोऽभिमानश्च क्रोधः पारुष्यमेव च ।
अज्ञानं चाभिजातस्य पार्थ सम्पदमासुरीम् ॥ ४ ॥

dambho darpo 'bhimānaś ca krodhaḥ pāruṣyam eva ca
ajñānaṁ cābhijātasya pārtha sampadam āsurīm

dambhaḥ – büszkeség; *darpaḥ* – dölyf; *abhimānaḥ* – önteltség; *ca* – és; *krodhaḥ* – düh; *pāruṣyam* – durvaság; *eva* – bizony; *ca* – és; *ajñānam* – tudatlanság; *ca* – és; *abhijātasya* – aki ebből született; *pārtha* – ó, Pṛthā fia; *sampadam* – a tulajdonságok; *āsurīm* – a démoni természeté.

Ó, Pṛthā fia! Büszkeség, dölyf, önteltség, düh, durvaság és tudatlanság – ezek a tulajdonságok tartoznak a démoni természethez.

MAGYARÁZAT: Ez a vers a pokolba vezető leggyorsabb utat írja le. A démoni emberek a vallásos és a lelki tudományban jártas ember szerepében tetszelegnek, noha nem követik a szabályozó elveket. Mindig dölyfösek, és rendkívül büszkék iskolázottságukra vagy vagyonukra. Arra vágynak, hogy mások imádják őket, s megkövetelik a tiszteletet, noha egyáltalán nem méltóak rá. Ha nézeteltérésük támad valakivel, dühbe gurulnak, és durván beszélnek, minden kedvesség nélkül. Nem tudják, hogy mit kell és mit nem szabad tenniük. Mindent önkényesen, a maguk akarata szerint tesznek, s nem ismernek el semmilyen felsőbb tekintélyt. Ezekre a démonikus tulajdonságokra már az anyjuk méhében, a test fejlődésének korai szakaszában szert tesznek, s ahogy növekednek, egyre inkább eluralkodnak rajtuk e kedvezőtlen tulajdonságok.

5. VERS

दैवी सम्पद्विमोक्षाय निबन्धायासुरी मता ।
मा शुचः सम्पदं दैवीमभिजातोऽसि पाण्डव ॥ ५ ॥

daivī sampad vimokṣāya nibandhāyāsurī matā
mā śucaḥ sampadaṁ daivīm abhijāto 'si pāṇḍava

daivī – transzcendentális; *sampat* – tulajdonságok; *vimokṣāya* – a felszabadulást szolgálják; *nibandhāya* – kötöttséghez vezetnek; *āsurī* – a démonikus tulajdonságok; *matā* – így tekintik; *mā* – ne; *śucaḥ* – aggódj; *sampadam* – tulajdonságokkal; *daivīm* – transzcendentális; *abhijātaḥ* – született; *asi* – vagy; *pāṇḍava* – ó, Pāṇḍu fia.

A transzcendentális tulajdonságok a felszabaduláshoz vezetnek, míg a démonikusak kötöttséget eredményeznek. Ne aggódj, ó, Pāṇḍu fia, mert te isteni jellemmel születtél!

MAGYARÁZAT: Az Úr Kṛṣṇa megnyugtatja Arjunát, hogy nem démoni jellemmel született. Hogy részt vesz a csatában, az nem tekinthető démoninak, hiszen minden érvet és ellenérvet figyelembe véve döntött így. Jól átgondolta, vajon megölheti-e az olyan tiszteletre méltó személyiségeket, mint Bhīṣma és Droṇa, így hát nem a düh, a tekintélyvágy vagy a kegyetlenség befolyásolta tetteit. Mindez arra utal, hogy Arjuna egyáltalán nem volt démoni jellemű. Ha egy *kṣatriya,* egy harcos lenyilazza ellenségeit, az transzcendentális tett, míg ha meghátrál e kötelessége végrehajtása elől, az démonikus. Arjunának tehát nem volt oka a kesergésre. Aki betartja a különféle életrendekre vonatkozó szabályozó elveket, annak a helyzete transzcendentálisnak tekinthető.

6. VERS

द्वौ भूतसर्गौ लोकेऽस्मिन्दैव आसुर एव च ।
दैवो विस्तरशः प्रोक्त आसुरं पार्थ मे शृणु ॥ ६ ॥

dvau bhūta-sargau loke 'smin daiva āsura eva ca
daivo vistaraśaḥ prokta āsuraṁ pārtha me śṛṇu

dvau – kétféle; *bhūta-sargau* – teremtett élőlény; *loke* – a világban; *asmin* – ebben; *daivaḥ* – isteni; *āsuraḥ* – démonikus; *eva* – bizony; *ca* – és; *daivaḥ* – isteni; *vistaraśaḥ* – hosszan; *proktaḥ* – elmondott; *āsuram* – a démonikusat; *pārtha* – ó, Pṛthā fia; *me* – Tőlem; *śṛṇu* – halld hát.

Ó, Pṛthā fia, kétféle teremtett lény van ebben a világban: az egyiket isteninek, a másikat démoninak hívják. Az isteni jellemről már bővebben szóltam. Hallj most Tőlem a démoniról is!

MAGYARÁZAT: Az Úr Kṛṣṇa először megnyugtatta Arjunát, hogy isteni jellemmel született, most pedig a démonikus természetről fog beszélni. A feltételekhez kötött élőlények két csoportra oszthatók ebben a világban. Aki isteni jellemmel született, az egy szabályozott életutat követ, azaz engedelmeskedik a szentírások és a hiteles tekintélyek parancsainak. Az embernek a hiteles szentírás alapján kell végeznie kötelességét. Ezt nevezik isteni mentalitásnak. Azt, aki nem követi az írásokban lefektetett szabályozó elveket, hanem saját szeszélyei szerint cselekszik, démoni jelleműnek vagy *asurának* hívják. Az egyetlen meghatározó tényező az írások szabályozó elveinek betartása. A védikus irodalom szerint a félistenek és a démonok egyaránt Prajāpatitól születtek, a különbség közöttük csupán annyi, hogy a félistenek engedelmeskednek a védikus parancsoknak, míg a démonok nem.

7. VERS

प्रवृत्तिं च निवृत्तिं च जना न विदुरासुराः ।
न शौचं नापि चाचारो न सत्यं तेषु विद्यते ॥ ७ ॥

pravṛttiṁ ca nivṛttiṁ ca janā na vidur āsurāḥ
na śaucaṁ nāpi cācāro na satyaṁ teṣu vidyate

pravṛttim – a helyes cselekvést; *ca* – is; *nivṛttim* – a helytelen tettek elkerülését; *ca* – és; *janāḥ* – emberek; *na* – sohasem; *viduḥ* – tudják; *āsurāḥ* – a démonikus jelleműek; *na* – sohasem; *śaucam* – tisztaság; *na* – sem; *api* – szintén; *ca* – és; *ācāraḥ* – helyes viselkedés; *na* – sohasem; *satyam* – igazság; *teṣu* – bennük; *vidyate* – létezik.

A démonikus emberek nem tudják, mit kell tenni és mit nem szabad tenni. Sem tisztaság, sem helyes viselkedés, sem pedig becsületesség nem jellemzi őket.

MAGYARÁZAT: Az emberek minden civilizált társadalomban valamilyen szentírás szabályai és előírásai szerint élnek, és ezeket ősidők óta betartják. Leginkább az *āryákra* vonatkozik ez, akik a védikus civilizáció szerint éltek, és a legkulturáltabb emberek voltak. Démonnak azt nevezik, aki nem tartja be az írások parancsait. Ezért mondja ez a vers, hogy a démonok nem ismerik az írások szabályait, és nem is hajlanak arra, hogy betartsák őket. Legtöbbjük nem is ismeri e szabályokat, míg mások tudnak ugyan róluk, de nem hajlandóak követni őket. A démonoknak nincsen hitük, és nem is akarnak a védikus utasítások szerint cselekedni. Sem kívül, sem belül nem tiszták. Az embernek mindig nagy gondot kell fordítania teste tisztán tartására: rendszeresen kell fürödnie, fogat mosnia, borotválkoznia, tiszta ruhát vennie, és így tovább. A belső tisztaságot úgy lehet elérni, ha mindig emlékezünk Isten szent neveire, s azokat énekeljük: Hare Kṛṣṇa, Hare Kṛṣṇa, Kṛṣṇa Kṛṣṇa, Hare Hare, Hare Rāma, Hare Rāma, Rāma Rāma, Hare Hare. A démonok nem szeretik és nem is követik e külső és belső tisztaságra vonatkozó szabályokat.

Sok szabály és előírás határozza meg az ember helyes viselkedését is, többek között a *Manu-saṁhitā,* az emberi faj törvénykönyve. A hinduk mind a mai napig a *Manu-saṁhitā* szerint élnek. Ebből a könyvből származnak az öröklésre és a többi jogi kérdésre vonatkozó törvények. A *Manu-saṁhitā* egyértelműen kijelenti: a nők nem lehetnek függetlenek. Ez nem azt jelenti, hogy rabszolgaként kell tartani őket. Olyanok ők, mint a gyerekek. A gyerekek sem szabadok, mégsem tekinthetők rabszolgának. A démonok nem törődnek ezekkel a parancsolatokkal, s azt gondolják, egy nő ugyanolyan független lehet, mint egy férfi. Ez a felfogás nem segített a világ társadalmi helyzetén. Egy nőről élete minden szakaszában gondoskodni kell, s ez fiatal korában az apjának, később a férjének, öregkorában pedig felnőtt fiainak a feladata. A *Manu-saṁhitā* szerint ez a helyes viselkedés a társadalomban. Napjainkban azonban a közoktatás egy természetellenes, felfuvalkodott képet alakított ki a női életmódról, s ennek következtében a mai társadalomban a házasság nem több puszta képzelgésnél. A nők társadalmi helyzete ezért nem túlságosan jó, ámbár azok, akik férjezettek, jobb helyzetben vannak, mint azok, akik fennen hirdetik ún. szabadságukat. A démonok nem akarják megfogadni a tanácsokat, amelyek a társadalom jólétét szolgálják, és mivel nem követik a tapasztalt, nagy szentek példáját és az általuk hátrahagyott szabályokat és előírásokat, társadalmi helyzetük rendkívül szánalmas.

8. VERS

असत्यमप्रतिष्ठं ते जगदाहुरनीश्वरम् ।
अपरस्परसम्भूतं किमन्यत्कामहैतुकम् ॥ ८ ॥

asatyam apratiṣṭhaṁ te jagad āhur anīśvaram
aparaspara-sambhūtaṁ kim anyat kāma-haitukam

asatyam – valótlannak; *apratiṣṭham* – alap nélkülinek; *te* – ők; *jagat* – a kozmikus megnyilvánulást; *āhuḥ* – mondják; *anīśvaram* – irányító nélkülinek; *aparaspara* – ok nélkül; *sambhūtam* – létrejöttnek; *kim anyat* – nincs más oka; *kāma-haitukam* – egyedül a kéjvágy terméke.

Azt mondják, hogy ez a világ valótlan, nincsen alapja, és nincs irányító Istene. Szerintük a nemi vágy hozta létre, s a kéjvágyon kívül nincs más oka.

MAGYARÁZAT: A démonikus emberek szerint ez a világ csak egy álom. Nincsen oka, hatása, irányítója, sem célja – minden valótlan benne. Azt mondják, hogy a kozmikus megnyilvánulás a véletlenszerű anyagi hatások és ellenhatások révén keletkezett. Nem látják be, hogy az anyagi világot Isten teremtette, meghatározott céllal. Megvan a saját elméletük: a világ a véletlenek összjátékából keletkezett, és az embernek nincs semmi oka abban hinnie, hogy Isten áll mögötte. Számukra nincsen különbség a lélek és az anyag között, és nem fogadják el a Legfelsőbb Lelket. Szerintük minden anyag, s az egész kozmosz egy tudattalan anyaghalmaz. Semmi nem létezik, minden megnyilvánulás tudatlan felfogásunk eredménye csupán. Biztosra veszik, hogy a változatosság minden megnyilvánulása a tudatlanság terméke, ahogyan az álom hatása alatt is oly sok, a valóságban nem létező dolgot kitalál az ember, és csak ébredéskor jön rá, hogy mindez csak álom volt. A démonok azt hangoztatják, hogy az élet egy álom, valójában azonban igen ügyesen élvezik ezt az álmot. Így aztán ahelyett, hogy tudásra tennének szert, egyre inkább belemerülnek álomviláguk szövevényeibe. Következtetésük szerint éppen úgy, ahogyan a gyermek is kizárólag a férfi és a nő nemi kapcsolatának eredményeképp jön létre, ez a világ is a lélek nélkül született. Szerintük csupán az anyag kombinációja hozta létre az élőlényt, s a lélek létezésének kérdését fel sem vetik. Az élő világmindenség is így keletkezett a kozmikus megnyilvánulás anyagi kombinációiból, mint ahogyan minden ok nélkül, az izzadságból és a halott testből is élőlények jönnek létre. A megnyilvánulás oka tehát az anyagi természet, más oka nincs, mondják. Nem hisznek Kṛṣṇa szavaiban, aki azt mondja a *Bhagavad-gītāban: mayādhyakṣeṇa prakṛtiḥ sūyate sa-carācaram.* „Az egész anyagi világ az Én irányításom alatt működik." Egyszóval a démonok nem rendelkeznek tökéletes tudással a világ teremtéséről, s ezzel kapcsolatban mindegyikük saját elmélettel áll elő. Nem hisznek az írások tanításainak egységes értelmezésében, ezért véleményük szerint nincs különbség az írásokhoz fűzött különféle magyarázatok között.

9. VERS

एतां दृष्टिमवष्टभ्य नष्टात्मानोऽल्पबुद्धयः ।
प्रभवन्त्युग्रकर्माणः क्षयाय जगतोऽहिताः ॥ ९ ॥

etāṁ dṛṣṭim avaṣṭabhya naṣṭātmāno 'lpa-buddhayaḥ
prabhavanty ugra-karmāṇaḥ kṣayāya jagato 'hitāḥ

etām – ezt; *dṛṣṭim* – a látást; *avaṣṭabhya* – elfogadva; *naṣṭa* – elvesztve; *ātmānaḥ* – magukat; *alpa-buddhayaḥ* – a kevésbé értelmesek; *prabha-*

vanti – virágoznak; *ugra-karmāṇaḥ* – szörnyű tetteket végrehajtva; *kṣayāya* – rombolására; *jagataḥ* – a világnak; *ahitāḥ* – káros.

Efféle végkövetkeztetésekre jutva az önmagukból kifordult, csekély értelemmel megáldott, démoni emberek kedvezőtlen, szörnyű tettekbe fognak, hogy elpusztítsák a világot.

MAGYARÁZAT: A démonok tetteikkel pusztulásba fogják dönteni a világot. Az Úr itt kijelenti róluk, hogy kevés az intelligenciájuk. Az Istenről mit sem tudó materialisták úgy vélik, hogy fejlődnek, holott a *Bhagavad-gītā* szerint ostobák, s teljesen elvesztették a józan eszüket. Arra törekszenek, hogy a lehető legnagyobb élvezethez jussanak ebben az anyagi világban, s ezért mindig újabb és újabb módszereket találnak ki az érzékkielégítésre. Ezekre a materialista találmányokra úgy tekintenek, mint az emberi civilizáció fejlődésének vívmányaira, holott valójában csak azt eredményezik, hogy az emberek egyre erőszakosabbak, egyre kegyetlenebbek lesznek az állatokkal és egymással szemben is. Nem tudják, hogyan kell viselkedni embertársaikkal. A démonikus emberek egyik fő jellemzője, hogy lemészárolják az állatokat. A világ ellenségei ők, mert végül fel fognak találni valamit, ami mindenkit elpusztít. Ez a vers burkoltan utal az atomfegyverekre is, amikre oly büszke a mai világ. Bármelyik pillanatban kitörhet a háború, és akkor ezek az atomfegyverek szörnyű pusztítást okozhatnak. Mint ahogy ez a vers is jelzi, az efféle találmányok csupán a világ romba döntését szolgálják. Megjelenésük az emberi társadalomban az istentelenségnek köszönhető, s nem hoznak békét és boldogságot a világra.

10. VERS

कामममाश्रित्य दुष्पूरं दम्भमानमदान्विताः ।
मोहाद् गृहीत्वासद्ग्राहान् प्रवर्तन्तेऽशुचिव्रताः ॥१०॥

kāmam āśritya duṣpūraṁ dambha-māna-madānvitāḥ
mohād gṛhītvāsad-grāhān pravartante 'śuci-vratāḥ

kāmam – kéjvágynál; *āśritya* – menedéket keresve; *duṣpūram* – kielégíthetetlen; *dambha* – büszkeségbe; *māna* – hamis tekintélyérzetbe; *madaanvitāḥ* – önteltségbe merülve; *mohāt* – illúzió miatt; *gṛhītvā* – elfogadva; *asat* – ideiglenes; *grāhān* – dolgokat; *pravartante* – virágoznak; *aśuci* – a tisztátalanra; *vratāḥ* – fogadalmúak.

A démonikus emberek a kielégíthetetlen kéjvágyban keresnek menedéket, s a gőg és a hamis tekintély önteltségébe merülnek. Illúziójuk-

ban a mulandó vonzza őket, s így mindig tisztátalan tettekre tesznek fogadalmat.

MAGYARÁZAT: Ez a vers a démoni mentalitást írja le. A démonok kéjes vágyai kielégíthetetlenek, s így az érzéki élvezetre való vágyaik szünet nélkül gyarapszanak. Az illúzió hatása alatt folytatják az ilyen tetteket, annak ellenére, hogy az ideiglenes dolgok elfogadása állandó aggodalmat okoz számukra. Tudásuk nincsen, s így nem láthatják, hogy rossz úton járnak. Az ideiglenes dolgokra törekedve megteremtik a maguk istenét, imáit, és ezeket éneklik. Ennek eredményeként egyre nagyobb vonzódás ébred bennük két dolog, a nemi élvezet és a vagyon iránt. Ezzel kapcsolatban az *aśuci-vratāḥ* – „tisztátalan fogadalmak” – kifejezésnek nagy jelentősége van. Az ilyen démonikus emberek ugyanis kizárólag a borhoz, a nőkhöz, a szerencsejátékhoz és a húsevéshez vonzódnak – ezek az ő tisztátalan szokásaik (*aśuci*). A dölyftől és a hamis tekintélyérzettől vezérelve vallásos elveket teremtenek, amelyek ellenkeznek a védikus tanítással. Noha ezek a démonok a világ legvisszataszítóbb emberei, mégis elérik, hogy a világ körbevegye őket hamis tiszteletével. Nagyon fejletteknek tekintik magukat, pedig útjuk lefelé, a pokoli létbe vezet.

11–12. VERS

चिन्तामपरिमेयां च प्रलयान्तामुपाश्रिताः ।
कामोपभोगपरमा एतावदिति निश्चिताः ॥११॥

आशापाशशतैर्बद्धाः कामक्रोधपरायणाः ।
ईहन्ते कामभोगार्थमन्यायेनार्थसञ्चयान् ॥१२॥

cintām aparimeyāṁ ca pralayāntām upāśritāḥ
kāmopabhoga-paramā etāvad iti niścitāḥ

āśā-pāśa-śatair baddhāḥ kāma-krodha-parāyaṇāḥ
īhante kāma-bhogārtham anyāyenārtha-sañcayān

cintām – félelemnél és aggodalomnál; *aparimeyām* – mérhetetlen; *ca* – és; *pralaya-antām* – a halál pillanatáig; *upāśritāḥ* – menedéket keresők; *kāma-upabhoga* – érzékkielégítést; *paramāḥ* – az élet legvégső céljának tartók; *etāvat* – így; *iti* – ily módon; *niścitāḥ* – megállapított; *āśā-pāśa* – a remény hálójába bonyolódva; *śataiḥ* – sok százzal; *baddhāḥ* – megkötöttek; *kāma* – kéjvágyó; *krodha* – és dühös; *parāyaṇāḥ* – mentalitásúak; *īhante* – kívánnak; *kāma* – kéjvágy; *bhoga* – érzékkielégítés; *artham* –

céljából; *anyāyena* – törvénytelenül; *artha* – vagyon; *sañcayān* – felhalmozását.

Abban hisznek, hogy az érzékkielégítés az emberi civilizáció elsődleges szükséglete, ezért életük végéig tart határtalan aggodalmuk. Ezer és ezer vágy láncolja le őket, s a kéjben és dühben elmerülve törvénytelen úton keresnek pénzt érzékeik kielégítéséhez.

MAGYARÁZAT: A démonikus emberek úgy vélik, hogy az érzékek élvezete jelenti az élet végső célját, s e felfogás szerint élnek egészen a halálukig. Nem hisznek a halálon túli életben, sem abban, hogy az ember e világi *karmája,* azaz tettei szerint különféle testeket kap. Terveiket sohasem tudják véghezvinni, ám sohasem hagynak fel a tervezgetéssel. Ilyen démoni mentalitást tapasztalhattunk egyszer magunk is egy haldokló esetében, aki még a halál pillanatában is azért könyörgött az orvosának, hogy hosszabbítsa meg négy évvel az életét, mert terveit még nem sikerült megvalósítania. Ezek az ostoba emberek képtelenek megérteni, hogy az orvosok egyetlen pillanattal sem tudják meghosszabbítani az életüket. Ha eljön az idő, az ember vágya nem számít. A természet törvényei nem engedik, hogy az ember akár csak egy pillanattal is tovább éljen és élvezze az életet, mint amennyit a sors előírt számára.

A démonikus ember, aki nem hisz Istenben, sem a benne lakozó Felsőlélekben, pusztán érzékei kielégítése céljából számtalan bűnös tettet elkövet. Nem tudja, hogy egy szemtanú él a szívében. A Felsőlélek figyeli az egyéni lélek tetteit. Az *upanisadok* ezt úgy írják le, hogy két madár ül egy fán. Az első madár a fa gyümölcseit élvezi vagy szenved azoktól, míg a másik csupán tanúja mindennek. A démonok azonban nem ismerik a védikus irodalmat, és teljesen hitetlenek. Ezért gondolják azt, hogy az érzékkielégítés érdekében bármit szabadon megtehetnek, a következményekre való tekintet nélkül.

13–15. VERS

इदमद्य मया लब्धमिमं प्राप्स्ये मनोरथम् ।
इदमस्तीदमपि मे भविष्यति पुनर्धनम् ॥१३॥

असौ मया हतः शत्रुर्हनिष्ये चापरानपि ।
ईश्वरोऽहमहं भोगी सिद्धोऽहं बलवान् सुखी ॥१४॥

आढ्योऽभिजनवानस्मि कोऽन्योऽस्ति सदृशो मया ।
यक्ष्ये दास्यामि मोदिष्य इत्यज्ञानविमोहिताः ॥१५॥

idam adya mayā labdham imaṁ prāpsye manoratham
idam astīdam api me bhaviṣyati punar dhanam

asau mayā hataḥ śatrur haniṣye cāparān api
īśvaro 'ham ahaṁ bhogī siddho 'haṁ balavān sukhī

āḍhyo 'bhijanavān asmi ko 'nyo 'sti sadṛśo mayā
yakṣye dāsyāmi modiṣya ity ajñāna-vimohitāḥ

idam – ezt; *adya* – ma; *mayā* – általam; *labdham* – nyert; *imam* – ezt; *prāpsye* – el fogom nyerni; *manaḥ-ratham* – vágyaim szerint; *idam* – ez; *asti* – van; *idam* – ez; *api* – szintén; *me* – enyém; *bhaviṣyati* – a jövőben lesz; *punaḥ* – ismét; *dhanam* – vagyon; *asau* – az; *mayā* – általam; *hataḥ* – megölt; *śatruḥ* – ellenség; *haniṣye* – meg fogok ölni; *ca* – szintén; *aparān* – másokat; *api* – bizony; *īśvaraḥ* – az úr; *aham* – én vagyok; *aham* – én vagyok; *bhogī* – az élvező; *siddhaḥ* – tökéletes; *aham* – vagyok; *balavān* – hatalmas; *sukhī* – boldog; *āḍhyaḥ* – gazdag; *abhijana-vān* – előkelő rokonságú; *asmi* – én vagyok; *kaḥ* – kik; *anyaḥ* – mások; *asti* – vannak; *sadṛśaḥ* – hasonlóak; *mayā* – hozzám; *yakṣye* – áldozni fogok; *dāsyāmi* – adományozni fogok; *modiṣye* – örülni fogok; *iti* – ily módon; *ajñāna* – a tudatlanság által; *vimohitāḥ* – megtévesztettek.

A démonikus ember így gondolkodik: „Most ennyi vagyonom van, s a terveim szerint ez gyarapodni fog. Oly sok minden az enyém, s a jövőben még több kincsem lesz. Volt egy ellenségem, de már megöltem, és előbb vagy utóbb a többivel is elbánok majd. Én vagyok mindennek az ura, mindennek az élvezője, tökéletes, hatalmas és boldog. Én vagyok a leggazdagabb, és előkelő rokonok vesznek körül. Senki sem olyan hatalmas és boldog, mint én. Áldozatokat hajtok majd végre, egy kicsit adományozni is fogok, s így élvezem majd az életet." Ily módon téveszti meg őt a tudatlanság.

16. VERS

अनेकचित्तविभ्रान्ता मोहजालसमावृताः ।
प्रसक्ताः कामभोगेषु पतन्ति नरकेऽशुचौ ॥१६॥

aneka-citta-vibhrāntā moha-jāla-samāvṛtāḥ
prasaktāḥ kāma-bhogeṣu patanti narake 'śucau

aneka – számos; *citta* – aggodalomtól; *vibhrāntāḥ* – megzavarodottak; *moha* – az illúzió; *jāla* – hálójával; *samāvṛtāḥ* – behálózottak; *prasak-*

tāḥ – a ragaszkodók; *kāma-bhogeṣu* – az érzékkielégítéshez; *patanti* – lecsúsznak; *narake* – a pokolba; *aśucau* – tisztátalan.

A számtalan aggodalomtól megzavarodva, az illúzió szövevényébe keveredve egyre erősebben ragaszkodnak az érzéki örömökhöz, s a pokolba zuhannak.

MAGYARÁZAT: A démonikus ember pénzéhsége nem ismer határokat – az ilyen ember szüntelenül pénzre vágyik. Csak az jár a fejében, mennyi vagyona van most, és tervezgeti, hogyan gyarapíthatná egyre jobban. Ennek érdekében nem riad vissza semmilyen bűnös tettől, s törvénytelen vágyainak kielégítése érdekében feketén köti üzleteit. Mindaz, ami már a tulajdonában van – földje, családja, háza és pénze – teljesen elbűvöli, és állandóan újabb és újabb terveket sző gyarapításukra. Bízik a saját erejében, mert nem tudja, hogy mindazt, amire szert tesz, előző élete jó cselekedeteinek köszönheti. Megkapta a lehetőséget, hogy gazdag legyen, de nem tudja, hogy ennek oka a múltban rejlik. Azt hiszi, hogy hatalmas vagyona egyedül jelenlegi erőfeszítéseinek köszönhető. Saját erejében bízik, s nem hisz a *karma* törvényében. A *karma* törvénye szerint ha valaki gazdag, előkelő családban született, vagyonos, rendkívül művelt vagy nagyon szép, az annak tudható be, hogy előző életében jó tetteket hajtott végre. A démonikus ember ennek ellenére mindezt véletlennek tekinti, illetve saját erejének és személyes képességeinek tulajdonítja. Nem lát semmilyen törvényszerűséget a megannyiféle ember, valamint szépségük és műveltségük változatossága mögött. Ellenségének tekint mindenkit, akiben vetélytársat lát. Számtalan démoni ember van, s mindannyian egymás ellenségei. Ez a gyűlölködés egyre inkább elfajul, előbb az egyének, aztán a családok, majd a közösségek és végül a nemzetek között. Ezért van örökös viszály, háború és ellenségeskedés szerte a világon.

Minden démonikus ember úgy gondolja, hogy élhet mások élete árán is. Általában a Legfelsőbb Istennek képzeli magát, és ha prédikál, így szól követőihez: „Miért keresitek Istent máshol? Ti vagytok Isten! Mindent megtehettek, amit csak akartok. Ne higgyetek Istenben! Vessétek el Istent! Isten halott!” Ez a démonok tanítása.

A démon még akkor is azt hiszi, hogy nála nincs gazdagabb vagy befolyásosabb ember, ha látja, hogy mások ugyanolyan gazdagok és befolyásosak, sőt rajta is túltesznek. Ami a felsőbb bolygórendszerekbe emelkedést illeti, nem hisz a *yajñák,* az áldozatok végzésében. A saját maga által kitalált áldozati folyamatban bízik csak, és különféle gépezeteket hoz létre, hogy eljusson a felsőbb bolygókra. Erre a démoni gondolkodásra Rāvaṇa a legjobb példa. Azzal hitegette az embereket, hogy hatalmas lépcsőt épít majd, aminek segítségével bárki elérheti a felsőbb bolygókat, anélkül hogy végrehajtaná a Védák ajánlotta áldozatokat. Napjaink démoni emberei szintén mechanikus úton akarnak eljutni a felsőbb bolygórendszerbe. Ez mind zavarodottságukat mutatja, s az eredmény az lesz, hogy tudás híján csak a pokolba süllyednek. A versben a szanszkrit *moha-jāla* szó nagyon fontos. A *jāla* azt jelenti: „háló". A hálóba került halhoz hasonlóan nekik sincs semmi reményük a szabadulásra.

17. VERS

आत्मसम्भाविताः स्तब्धा धनमानमदान्विताः ।
यजन्ते नामयज्ञैस्ते दम्भेनाविधिपूर्वकम् ॥१७॥

ātma-sambhāvitāḥ stabdhā dhana-māna-madānvitāḥ
yajante nāma-yajñais te dambhenāvidhi-pūrvakam

ātma-sambhāvitāḥ – önteltek; *stabdhāḥ* – szemtelenek; *dhana-māna* – a vagyonnak és az áltekintélynek; *mada* – az illúziójában; *anvitāḥ* – elmerültek; *yajante* – áldozatokat hajtanak végre; *nāma* – csak névleges; *yajñaiḥ* – áldozatokkal; *te* – ők; *dambhena* – büszkeségből; *avidhi-pūrvakam* – minden szabály és előírás mellőzésével.

Önteltek, örökké szemtelenek, s a vagyon és az áltekintély káprázatában olykor büszkén, minden előírást és szabályt mellőzve áldozatokat hajtanak végre, melyek csupán névleges áldozatok.

MAGYARÁZAT: A démonok teljesen el vannak telve magukkal, s így nem követnek semmilyen hiteles forrást vagy szentírást, amikor néha úgynevezett „vallásos" vagy „áldozati" rítusaikat végrehajtják. Nem hallgatnak egyetlen felsőbb tekintélyre sem, ezért rendkívül arcátlanok. Mindez abból az illúzióból fakad, amit összegyűjtött vagyonuk és áltekintélyük eredményez. Néha a prédikátor szerepében tetszelegve félrevezetik az embereket, s vallásalapítóként vagy Isten inkarnációjaként válnak híressé. Ha áldozatot mutatnak be, az puszta színjáték, de az is lehet, hogy a félisteneket imádják, vagy éppen egy saját istennel állnak elő. Az egyszerű emberek azt hirdetik az ilyen démonról, hogy Isten, s imádják, az ostobák pedig azt hiszik róla, hogy rendkívül emelkedett szinten gyakorolja a vallásos elveket illetve műveli a lelki tudást. Az ilyen démonok úgy öltöznek, mintha a lemondott rend tagjai lennének, s így folytatják szélhámos tevékenységüket. Annak, aki lemondott erről a világról, számtalan előírást kell betartania. A démonok azonban nem törődnek ezzel. Szerintük bármilyen utat kitalálhat az ember, az az ő útja, s nincsen egy alapvető, egységes út, melyet mindenkinek követnie kell. A vers ezért hangsúlyozza ki az *avidhi-pūrvakam* kifejezést, melynek jelentése: a szabályokat és előírásokat figyelmen kívül hagyva. Ez mindig a tudatlanság és az illúzió jele.

18. VERS

अहङ्कारं बलं दर्पं कामं क्रोधं च संश्रिताः ।
मामात्मपरदेहेषु प्रद्विषन्तोऽभ्यसूयकाः ॥१८॥

ahaṅkāraṁ balaṁ darpaṁ kāmaṁ krodhaṁ ca saṁśritāḥ
māṁ ātma-para-deheṣu pradviṣanto 'bhyasūyakāḥ

ahaṅkāram – hamis egónál; *balam* – erőnél; *darpam* – büszkeségnél; *kāmam* – kéjvágynál; *krodham* – dühnél; *ca* – is; *saṁśritāḥ* – menedéket keresők; *mām* – Engem; *ātma* – a saját; *para* – és a mások; *deheṣu* – testében; *pradviṣantaḥ* – gyalázók; *abhyasūyakāḥ* – irigyek.

A démonok a hamis egótól, az erőtől, a büszkeségtől, a kéjvágytól és a dühtől megtévesztve irigyek lesznek az Istenség Legfelsőbb Személyiségére, aki az ő testükben és mások testében egyaránt jelen van, és gyalázzák az igazi vallást.

MAGYARÁZAT: A démonikus ember mindig ellenzi Isten felsőbbségét, így aztán nem akar hinni az írásokban. Irigy nemcsak a szentírásokra, de az Istenség Legfelsőbb Személyiségének létére is. Ez áltekintélyének, összeharácsolt vagyonának és erejének a következménye. Nem tudja, hogy élete előkészület a következőre, így saját maga és mások rosszakarójává válik. Erőszakos mások testével és a sajátjával is. Nem rendelkezik igazi tudással, ezért mit sem törődik azzal, hogy az Istenség Legfelsőbb Személyisége a legfelsőbb irányító. Irigy az írásokra és az Istenség Legfelsőbb Személyiségére, ezért hamis érvekkel Isten nemlétét hirdeti, s megtagadja a szentírások felsőbbségét. Minden tettében függetlennek és hatalmasnak képzeli magát. Úgy véli, mindent megtehet, senki sem állhat az útjába, hiszen senki sem vetekedhet vele erőben, hatalomban és vagyonban. Ha pedig feltűnik egy ellenség, aki esetleg akadályozhatja őt az egyre nagyobb érzéki élvezetben, azonnal elkezdi tervezgetni, hogyan távolíthatná el ügyesen az útból.

19. VERS

तानहं द्विषतः क्रूरान् संसारेषु नराधमान् ।
क्षिपाम्यजस्रमशुभानासुरीष्वेव योनिषु ॥१९॥

tān ahaṁ dviṣataḥ krūrān saṁsāreṣu narādhamān
kṣipāmy ajasram aśubhān āsurīṣv eva yoniṣu

tān – őket; *aham* – Én; *dviṣataḥ* – a rosszindulatúakat; *krūrān* – a gonoszokat; *saṁsāreṣu* – az anyagi lét óceánjába; *nara-adhamān* – az emberiség söpredékét; *kṣipāmi* – küldöm; *ajasram* – örökre; *aśubhān* – kedvezőtlen; *āsurīṣu* – démonikus; *eva* – bizony; *yoniṣu* – anyaméhekbe.

Örökre az anyagi lét óceánjába, különféle démoni fajokba dobom a gyűlölködőket és a gonoszokat, az emberiség alját.

MAGYARÁZAT: Ez a vers egyértelműen utal arra, hogy az egyéni lélek a Legfelsőbb akaratából kerül egy bizonyos testbe. Egy démon lehet, hogy nem fogadja el az Úr felsőbbségét, sőt azt is megteheti, hogy saját szeszélyei szerint cselekszik, de hogy legközelebb milyen testben születik meg, az mégsem tőle, hanem az Istenség Legfelsőbb Személyiségének döntésétől függ. A *Śrīmad-Bhāgavatam* harmadik éneke leírja, hogyan kerül halála után az egyéni lélek egy felsőbb hatalom rendeléséből egy anyaméhbe, ahol újabb, sajátságos testet kap. Ezért találunk az anyagi létben oly sok fajt – állatokat, rovarokat, embereket stb. Nem véletlenül jöttek létre, hanem egy felsőbb hatalom irányításával. A démonok jövőjét világosan jelzi ez a vers: újra meg újra démonok méhébe kerülnek, s továbbra is gyűlölködőként, az emberiség söpredékeként fognak létezni. Az ilyen démoni fajokra az örökös kéjvágy, erőszak, gyűlölet és tisztátalanság jellemző. A dzsungelben élő vadászok a démoni fajokhoz tartoznak.

20. VERS

आसुरीं योनिमापन्ना मूढा जन्मनि जन्मनि ।
मामप्राप्यैव कौन्तेय ततो यान्त्यधमां गतिम् ॥२०॥

āsurīṁ yonim āpannā mūḍhā janmani janmani
mām aprāpyaiva kaunteya tato yānty adhamāṁ gatim

āsurīm – démoni; *yonim* – fajt; *āpannāḥ* – elérve; *mūḍhāḥ* – az ostobák; *janmani janmani* – születésről születésre; *mām* – Engem; *aprāpya* – nem érvén el; *eva* – bizony; *kaunteya* – ó, Kuntī fia; *tataḥ* – azután; *yānti* – mennek; *adhamām* – kárhozott; *gatim* – cél felé.

Ó, Kuntī fia! Az ilyen emberek újra és újra démoni fajokban fognak megszületni, így sohasem érhetnek el Engem. Fokozatosan a lét legszörnyűbb formájába süllyednek.

MAGYARÁZAT: Köztudott, hogy Isten végtelenül könyörületes, ám most mégis azt olvassuk, hogy a démonokkal szemben sohasem az. E versből világossá válik, hogy a démonikus embereket életről életre hasonló démonok méhébe küldi. A Legfelsőbb Úr kegyét nem kapják meg, s egyre lejjebb és lejjebb csúsznak, míg végül macskák, kutyák és disznók testében születnek újra. Egyértelműen kiderül tehát, hogy gyakorlatilag eljövendő életükben semmikor nem lesz esélyük, hogy Isten kegyében részesüljenek. A Védák szintén megerősítik, hogy az ilyen lények egyre lejjebb süllyednek, hogy aztán kutya és disznó legyen belőlük. Ezzel kapcsolatban valaki azt mondhatná: ha Isten nem könyörületes a démonokkal szemben, akkor nem szabadna azt hirdetni Róla, hogy végtelenül könyörületes. Erre a *Vedānta-sūtra* adja meg a választ, amikor azt írja, hogy a Legfelsőbb Úr nem gyűlöl senkit. Hogy az *asurákat* alacsonyabb fajokba dobja, az csak kegyének egy másik megnyilvánulása. A Legfelsőbb Úr néha megöli az *asurákat,* ez azonban nagyon jó nekik, mert a védikus irodalom leírja, hogy akiket a Legfelsőbb Úr elpusztít, azok mind felszabadulnak. A történelem sok példával szolgál arra, hogyan jelent meg az Úr különböző inkarnációiban, csak azért, hogy elpusztítson olyan démonokat, mint Rāvaṇa, Kaṁsa, Hiraṇyakaśipu és mások. Ha tehát az *asurák* eléggé szerencsések, akkor számukra is megnyilvánul Isten kegye azáltal, hogy végez velük.

21. VERS

त्रिविधं नरकस्येदं द्वारं नाशनमात्मनः ।
कामः क्रोधस्तथा लोभस्तस्मादेतत्त्रयं त्यजेत् ॥२१॥

tri-vidhaṁ narakasyedaṁ dvāraṁ nāśanam ātmanaḥ
kāmaḥ krodhas tathā lobhas tasmād etat trayaṁ tyajet

tri-vidham – háromféle; *narakasya* – a pokolnak; *idam* – ez; *dvāram* – kapu; *nāśanam* – pusztító; *ātmanaḥ* – az önvalónak; *kāmaḥ* – vágy; *krodhaḥ* – düh; *tathā* – valamint; *lobhaḥ* – mohóság; *tasmāt* – ezért; *etat* – ezt; *trayam* – a hármat; *tyajet* – el kell hagyni.

Három kapu nyílik e pokolba: a vágy, a düh és a mohóság. Minden józan embernek meg kell válnia tőlük, mert a lélek lealacsonyodásához vezetnek.

MAGYARÁZAT: Ez a vers a démoni élet kezdetét írja le. Az ember először megpróbálja kielégíteni a vágyát, de amikor ez nem sikerül neki, dühös lesz, és egyre mohóbbá válik. A józan embernek, aki nem akar a démoni létformákba süllyedni, törekednie kell arra, hogy megszabaduljon e három ellenségtől, amelyek olyannyira pusztítóan hatnak az önvalóra, hogy lehetetlenné teszik, hogy felszabaduljon az anyagi kötelékek alól.

22. VERS

एतैर्विमुक्तः कौन्तेय तमोद्वारैस्त्रिभिर्नरः ।
आचरत्यात्मनः श्रेयस्ततो याति परां गतिम् ॥२२॥

etair vimuktaḥ kaunteya tamo-dvārais tribhir naraḥ
ācaraty ātmanaḥ śreyas tato yāti parāṁ gatim

etaiḥ – ezektől; *vimuktaḥ* – megszabadulva; *kaunteya* – ó, Kuntī fia; *tamaḥ-dvāraiḥ* – a tudatlanság kapuitól; *tribhiḥ* – a háromféllétől; *naraḥ* – az ember; *ācarati* – végez; *ātmanaḥ* – az önvalónak; *śreyaḥ* – hasznos; *tataḥ* – ezután; *yāti* – eléri; *parām* – a legfelsőbb; *gatim* – célt.

Ó, Kuntī fia! Aki kikerülte a pokol e három kapuját, az olyan tettekbe fog, melyek elősegítik az önmegvalósítást. Ily módon fokozatosan eléri a legfelsőbb célt.

MAGYARÁZAT: Nagyon kell óvakodnunk az emberi élet e három ellenségétől, a vágytól, a dühtől és a mohóságtól. Minél jobban megszabadul valaki ezektől, léte annál inkább megtisztul, s így képes lesz betartani a védikus írások szabályait és előírásait. Az emberi élet szabályozó elveinek követésével az ember fokozatosan eljuthat a lelki önmegvalósítás szintjére. Ha annyira szerencsés, hogy ezeket követve eléri a Kṛṣṇa-tudat síkját, biztos siker vár rá. A védikus irodalom leírja a tettek és visszahatások útját, hogy segítsen az embernek eljutnia a megtisztulásig. Az egész folyamat alapját a vágy, a mohóság és a düh elhagyása jelenti. Az ennek módjáról szóló tudás tanulmányozásával az ember elérheti az önmegvalósítás legmagasabb fokát, amely az odaadó szolgálatban tetőzik, az odaadó szolgálat révén pedig a feltételekhez kötött lélek kétségtelenül felszabadul. A védikus rendszerben emiatt egy négy osztályból (a kasztokból) és négy életformából (a négy lelki rendből) álló intézményt találunk. A különféle kasztokra, illetve rendekre megfelelő előírások és szabályok vonatkoznak, s ha valaki képes ezeket betartani, automatikusan a lelki megvilágosodás legmagasabb szintjére emelkedhet, s azon túl felszabadulásához már semmi kétség nem fér.

23. VERS

यः शास्त्रविधिमुत्सृज्य वर्तते कामकारतः ।
न स सिद्धिमवाप्नोति न सुखं न परां गतिम् ॥२३॥

yaḥ śāstra-vidhim utsṛjya vartate kāma-kārataḥ
na sa siddhim avāpnoti na sukhaṁ na parāṁ gatim

yaḥ – aki; *śāstra-vidhim* – az írások szabályozó elveit; *utsṛjya* – feladván; *vartate* – marad; *kāma-kārataḥ* – a vágy hatására önkényesen cselekvő; *na* – sohasem; *saḥ* – ő; *siddhim* – a tökéletességet; *avāpnoti* – eléri; *na* – sohasem; *sukham* – boldogságot; *na* – sohasem; *parām* – a legfelsőbb; *gatim* – tökéletes szintet.

De aki félredobja az írások parancsolatait, és saját kénye-kedvére cselekszik, az sem a tökéletességet, sem a boldogságot, sem a legvégső célt nem éri el.

MAGYARÁZAT: Az előzőekben már említettük, hogy a *śāstra-vidhi,* vagyis a *śāstra* útmutatása az emberi társadalom kasztjaira és rendjeire vonatkozik. Mindenkinek be kell tartania ezeket a szabályokat és előírásokat. Ha valaki mégsem tesz így, hanem a kéjvágytól, mohóságtól és vágytól hajtva önkényesen cselekszik, élete sohasem lesz tökéletes. Úgy is mondhatnánk, hogy ha valaki tudja mindezt elméletben, de nem eszerint él, akkor az emberiség legaljához tartozik. Az emberi életformában az élőlénynek kötelessége, hogy józanul cselekedjék, és kövesse a szabályokat, amelyek azt segítik elő, hogy az élet legmagasabb szintjét elérje. Ha nem követi ezeket, a mélybe süllyed. De még ha a szabályokat és az előírásokat az erkölcs elveivel együtt be is tartja, ha végül nem jut el a Legfelsőbb Úr megismerésének szintjére, akkor minden tudása hiábavaló volt. Még Isten létét is elfogadhatja, ám ha nem végez szolgálatot az Úrnak, akkor minden törekvésében kudarcot vall. Az embernek éppen ezért fokozatosan a Kṛṣṇa-tudat és az odaadó szolgálat síkjára kell emelkednie. Egyedül ott és akkor fogja elérni a legtökéletesebb szintet.

A *kāma-kārataḥ* szó nagyon fontos. Aki tudatosan megszegi a szabályokat, az az anyagi vágyak ösztönzésére cselekszik. Tudja, hogy ez tilos, mégis megteszi. Ezt értjük önkényes cselekvés alatt. Aki tudja, hogy ezt kellene tennie vagy azt, mégsem teszi, az önkényes. Az ilyen embert a Legfelsőbb Úr óhatatlanul elítéli, s így nem érheti el azt a tökéletességet, amit az emberi élet nyújtani tud. Az emberi élet arra való, hogy megtisztuljunk, de aki nem a szabályok szerint él, az nem tisztulhat meg, s nem érheti el az igazi boldogságot sem.

24. VERS

तस्माच्छास्त्रं प्रमाणं ते कार्याकार्यव्यवस्थितौ ।
ज्ञात्वा शास्त्रविधानोक्तं कर्म कर्तुमिहार्हसि ॥२४॥

tasmāc chāstraṁ pramāṇaṁ te kāryākārya-vyavasthitau
jñātvā śāstra-vidhānoktaṁ karma kartum ihārhasi

tasmāt – ezért; *śāstram* – az írásokat; *pramāṇam* – bizonyítékot; *te* – tiéd; *kārya* – kötelességed; *akārya* – és tiltott cselekedeted; *vyavasthitau* – meghatározókat; *jñātvā* – tudván; *śāstra* – az írásoknak; *vidhāna* – az előírásai; *uktam* – által mondott; *karma* – munkát; *kartum* – végezni; *iha* – ebben a világban; *arhasi* – meg kell tenned.

Az írások útmutatásából kell megérteni, mi a kötelesség és mi nem az. Miután az ember megismerte e szabályokat, cselekedjék úgy, hogy fokozatosan felemelkedhessen általuk.

MAGYARÁZAT: Mint ahogy a tizenötödik fejezet kijelentette, a Védák minden szabályának és előírásának célja Śrī Kṛṣṇa megismerése. Az ember akkor érte el a védikus irodalomból elsajátítható tudás legtökéletesebb szintjét, ha megértette a *Bhagavad-gītából,* kicsoda Kṛṣṇa, s ekképpen Kṛṣṇa-tudatossá válva odaadó szolgálatot végez. Az Úr Caitanya Mahāprabhu megkönnyítette számunkra ezt a folyamatot. Csupán arra kérte az embereket, hogy énekeljék a Hare Kṛṣṇa, Hare Kṛṣṇa, Kṛṣṇa Kṛṣṇa, Hare Hare, Hare Rāma, Hare Rāma, Rāma Rāma, Hare Hare *mantrát,* szolgálják odaadóan az Urat, és fogyasszák a *mūrtiknak* felajánlott étel maradékait. Aki egyenesen az ilyen odaadó tettekhez lát, arról tudnunk kell, hogy már áttanulmányozta az egész védikus irodalmat, és tökéletesen megértette a végkövetkeztetést. Természetesen a közönséges, nem Kṛṣṇa-tudatú embernek vagy azoknak, akik nem végeznek odaadó szolgálatot, a Védák utasításaiból kell megtudniuk, hogy mit kell és mit nem szabad tenniük, s az előírásokat vita nélkül végre kell hajtaniuk. Ezt hívják a *śāstra,* vagyis a szentírás által előírt elvek követésének. A *śāstrák* mentesek attól a négy alapvető hibától, melyek a feltételekhez kötött lelket jellemzik: a feltételekhez kötött léleknek tökéletlenek az érzékei, hajlamos a csalásra, biztos, hogy hibázik, és biztos, hogy illúzióban van. Ez a négy legfőbb hiányosság alkalmatlanná teszi arra, hogy szabályokat és előírásokat teremtsen. Ezért a négy hibán felül álló *śāstrák* előírásait és kijelentéseit valamennyi nagy szent, *ācārya* és nagy lélek módosítás nélkül követi.

Indiában a lelki tudomány művelőinek számtalan csoportja van, melyek általában két irányzathoz, a személytelen és a személyes filozófiai irányzathoz tartoznak. A Védák elveit követő életforma mindkettőre jellemző.

Az írások elveinek betartása nélkül ugyanis senki sem érheti el a tökéletesség szintjét. Ezért tekinthető szerencsésnek az, aki valóban megértette a *śāstrák* szándékát.

Az emberi társadalom degradálódását az okozza, hogy elfordultunk az Istenség Legfelsőbb Személyisége megismerését szolgáló elvektől. Ez az emberi életben a legnagyobb bűn, ezért a *māyā,* az Istenség Legfelsőbb Személyiségének anyagi energiája a háromféle szenvedés formájában folytonosan aggodalmat okoz nekünk. Ez az anyagi energia az anyagi természet három kötőerejéből áll. Az embernek legalább a jóság szintjére fel kell emelkednie ahhoz, hogy a Legfelsőbb Úrról szóló tudás útjára léphessen. Ha nem jut el a jóság szintjéig, akkor a tudatlanságban és a szenvedélyben kell maradnia, melyek démoni létet idéznek elő. A szenvedély és tudatlanság kötőerejének rabjai gúnyt űznek az írásokból, a szent emberekből és az Istenség Legfelsőbb Személyisége helyes megismeréséből. Nem engedelmeskednek a lelki tanítómester utasításainak, és nem törődnek a szentírások parancsolataival sem. Annak ellenére, hogy hallottak az odaadó szolgálat dicsőségéről, nem vonzódnak hozzá, ehelyett saját utakat találnak ki fejlődésük érdekében. Ez csupán néhány az emberi társadalom azon hibái közül, amelyek a démoni léthez vezetnek. Ha azonban valaki képes követni egy megfelelő, hiteles lelki tanítómester utasításait, aki a felemelkedés útjára, egy magasabb szintre tudja vezetni, élete sikeressé válik.

Így végződnek a Bhaktivedanta-magyarázatok a Śrīmad Bhagavad-gītā *tizenhatodik fejezetéhez, melynek címe: „Az isteni és a démoni természet”.*

TIZENHETEDIK FEJEZET

A hit fajtái

1. VERS

अर्जुन उवाच
ये शास्त्रविधिमुत्सृज्य यजन्ते श्रद्धयान्विताः ।
तेषां निष्ठा तु का कृष्ण सत्त्वमाहो रजस्तमः ॥१॥

arjuna uvāca
ye śāstra-vidhim utsṛjya yajante śraddhayānvitāḥ
teṣāṁ niṣṭhā tu kā kṛṣṇa sattvam āho rajas tamaḥ

arjunaḥ uvāca – Arjuna mondta; *ye* – akik; *śāstra-vidhim* – az írások szabályait; *utsṛjya* – félredobva; *yajante* – imádnak; *śraddhayā* – teljes hittel; *anvitāḥ* – rendelkezők; *teṣām* – az ő; *niṣṭhā* – hitük; *tu* – de; *kā* – milyen; *kṛṣṇa* – ó, Kṛṣṇa; *sattvam* – jóságban lévő; *āho* – vagy pedig; *rajaḥ* – szenvedélyben lévő; *tamaḥ* – tudatlanságban lévő.

Arjuna így kérdezett: Ó, Kṛṣṇa, milyen helyzetben vannak azok, akik nem követik az írások elveit, hanem a saját elképzeléseik szerinti imá-

datba merülnek? Jóság, szenvedély vagy tudatlanság uralkodik-e az ilyen embereken?

MAGYARÁZAT: A negyedik fejezet harminckilencedik versében az áll, hogy aki hűségesen kitart egy bizonyos fajta imádat mellett, az fokozatosan felemelkedik a tudás szintjére, és eléri a béke és jólét legtökéletesebb állapotát. A tizenhatodik fejezetben azt a végkövetkeztetést találjuk, hogy aki nem követi az írásokban lefektetett elveket, azt *asurának,* azaz démonnak nevezik, míg a *devák* vagy félistenek azok, akik hűségesen betartják az előírásokat. De mi a helyzet azokkal, akik olyan előírásokat követnek nagy hittel, melyekről a szentírások nem tesznek említést? Kṛṣṇának el kell oszlatnia Arjuna erre vonatkozó kétségét. A jóság, a szenvedély vagy a tudatlanság kötőerejében végzik-e imádatukat azok, akik egy emberi lényt választanak meg valamiféle istenné, és benne hisznek? Elérhetik-e az ilyen emberek az élet tökéletességét? Szert tehetnek-e a valódi tudásra, és felemelkedhetnek-e a legtökéletesebb síkra? Siker vár-e azokra, akik ugyan nem követik az írások szabályait és előírásait, de hisznek valamiben, s isteneket, félisteneket vagy embereket imádnak? Arjuna ezeket a kérdéseket teszi fel Kṛṣṇának.

2. VERS

श्रीभगवानुवाच
त्रिविधा भवति श्रद्धा देहिनां सा स्वभावजा ।
सात्त्विकी राजसी चैव तामसी चेति तां शृणु ॥ २ ॥

śrī-bhagavān uvāca
tri-vidhā bhavati śraddhā dehināṁ sā svabhāva-jā
sāttvikī rājasī caiva tāmasī ceti tāṁ śṛṇu

śrī-bhagavān uvāca – az Istenség Legfelsőbb Személyisége mondta; *tri-vidhā* – háromféle; *bhavati* – lesz; *śraddhā* – hite; *dehinām* – a megtestesültnek; *sā* – az; *sva-bhāva-jā* – az anyagi természet őt befolyásoló kötőereje szerinti; *sāttvikī* – a jóság kötőerejében lévő; *rājasī* – a szenvedély kötőerejében lévő; *ca* – és; *eva* – bizony; *tāmasī* – a tudatlanság kötőerejében lévő; *ca* – és; *iti* – így; *tām* – azt; *śṛṇu* – halld Tőlem.

Az Istenség Legfelsőbb Személyisége így szólt: A hit háromféle lehet: jóságban, szenvedélyben és tudatlanságban lévő, attól függően, hogy a megtestesült lélekre a természet mely kötőereje jellemző. Hallj hát most ezekről!

MAGYARÁZAT: Ha valaki lustasága és tétlensége miatt felhagy az írások szabályainak és előírásainak követésével – noha ismeri azokat –, akkor az anyagi természet kötőerőinek irányítása alá kerül. Az ember a jóság, a szenvedély vagy a tudatlanság minőségében korábban végrehajtott tettei szerint sajátságos jellemre tesz szert. Az élőlény folytonos kapcsolatban áll a természet különféle kötőerőivel. Mivel kapcsolatban áll az anyagi természettel, kifejleszt egy bizonyos mentalitást annak megfelelően, hogy melyik kötőerőben hajtja végre tetteit. Ha azonban egy hiteles lelki tanítómesterhez fordul, s az írások utasításaival együtt az ő utasításait is betartja, akkor megváltoztathatja jellemét, s a tudatlanságból vagy szenvedélyből fokozatosan a jóságba emelkedhet. Mindebből levonhatjuk a következtetést, hogy a természet egy adott kötőereje jellemezte vak hit nem segíthet a tökéletesség elérésében. Mindent gondosan, okosan kell megfontolni egy hiteles lelki tanítómester társaságában, így az ember változtathat helyzetén, s egy magasabb rendű kötőerőbe juthat.

3. VERS

सत्त्वानुरूपा सर्वस्य श्रद्धा भवति भारत ।
श्रद्धामयोऽयं पुरुषो यो यच्छ्रद्धः स एव सः ॥३॥

sattvānurūpā sarvasya śraddhā bhavati bhārata
śraddhā-mayo 'yaṁ puruṣo yo yac-chraddhaḥ sa eva saḥ

sattva-anurūpā – léte szerinti; *sarvasya* – mindenkinek; *śraddhā* – a hite; *bhavati* – lesz; *bhārata* – ó, Bharata fia; *śraddhā* – hittel; *mayaḥ* – teljes; *ayam* – ez; *puruṣaḥ* – az élőlény; *yaḥ* – aki; *yat* – olyan; *śraddhaḥ* – hitű; *saḥ* – így; *eva* – bizony; *saḥ* – ő.

Ó, Bharata fia! Az ember egy bizonyos fajta hitet fejleszt ki aszerint, hogy létét a természet mely kötőerői befolyásolják. Úgy mondják, az élőlény hitét a rá jellemző kötőerő határozza meg.

MAGYARÁZAT: Minden ember rendelkezik valamilyen hittel, függetlenül attól, hogy kicsoda, hite azonban természetének megfelelően lehet jó, szenvedélyes vagy tudatlan. E rá jellemző hit fogja aztán meghatározni, hogy milyen emberekkel érintkezik. A tizenötödik fejezet is megerősíti, hogy az élőlény eredetileg a Legfelsőbb Úr töredék szerves része. Eredetileg ezért transzcendentális, és az anyagi természet kötőerői fölött áll, de az Istenség Legfelsőbb Személyiségéhez fűződő viszonyáról megfeledkezve kapcsolatba kerül az anyagi természettel, így élete feltételekhez kötötté válik, s az anyagi természet különféle kötőerőinek hatására kialakul sajátos helyzete. Az ebből eredő nem természetes hit és lét azonban csak anyagi. Az élőlény eredendően *nirguṇa,* vagyis transzcendentális, annak ellenére, hogy jelenleg anyagi befolyás, valamilyen anyagi életfelfogás hatása alatt áll. Ezért hogy újra életre keltse kapcsolatát a Legfelsőbb Úrral, meg kell tisztulnia az anyagi szennyeződésektől. Ez tehát az egyetlen haza vezető út, amely mentes a félelemtől: a Kṛṣṇa-tudat. Ha valaki Kṛṣṇa-tudatú, akkor minden kétséget kizárva felemelkedhet a tökéletesség szintjére. Ha azonban nem kezdi el ezt az önmegvalósítási folyamatot, akkor biztosan a természet kötőerőinek hatása alatt marad.

Ebben a versben a *śraddhā* – „hit" – szó különösen fontos. A *śraddhā,* azaz a hit eredetileg a jóság kötőerejéből származik. Az ember hihet egy félistenben, esetleg egy kitalált istenben vagy valamilyen elképzelt dologban. Az erős hit azt eredményezi, hogy az ember az anyagi jóságban fog cselekedni. Az anyagi, feltételekhez kötött létben egyetlen tett sem tiszta, mindegyik kevert. Egyikre sem a tiszta jóság jellemző. A tiszta jóság transzcendentális, és csakis ezen a szinten lehet megérteni az Istenség Legfelsőbb Személyiségének valódi természetét. Ha az ember hitét nem teljesen a megtisztult jóság jellemzi, akkor azt az anyagi természet bármelyik kötőereje beszennyezheti, s e szennyeződés a szívre is kiterjedhet. A hit tehát aszerint szilárdul meg, hogy az ember szíve az anyagi természet mely kötőerejével áll kapcsolatban. Ha a szív a jóság minőségében van, akkor a hitet is ez a kötőerő jellemzi, ha pedig a szenvedély, esetleg a sötétség és az illúzió jellemző rá, akkor a hit is azoknak a hatása alatt fog állni. Ezért van a világon annyiféle hit, s emiatt van annyiféle vallás. A vallásos hit igazi elve a tiszta jóság szintjén nyilvánul meg, de mivel a szív szennyezett, különféle vallásos elvek léteznek. A hit különféle változatai szerint az imádatnak is különféle fajtái vannak.

4. VERS

यजन्ते सात्त्विका देवान् यक्षरक्षांसि राजसाः ।
प्रेतान् भूतगणांश्चान्ये यजन्ते तामसा जनाः ॥४॥

yajante sāttvikā devān yakṣa-rakṣāṁsi rājasāḥ
pretān bhūta-gaṇāṁś cānye yajante tāmasā janāḥ

yajante – imádnak; *sāttvikāḥ* – a jóság kötőerejében lévők; *devān* – félisteneket; *yakṣa-rakṣāṁsi* – démonokat; *rājasāḥ* – a szenvedély kötőerejében lévők; *pretān* – holt szellemeket; *bhūta-gaṇān* – kísérteteket; *ca* –

és; *anye* – mások; *yajante* – imádnak; *tāmasāḥ* – a tudatlanságban lévő; *janāḥ* – emberek.

A jóság kötőerejében élők a félisteneket, a szenvedélyben lévők a démonokat, a tudatlanság kötelékének rabjai pedig a szellemeket és a kísérteteket imádják.

MAGYARÁZAT: Ebben a versben az Istenség Legfelsőbb Személyisége az imádók fajtáiról beszél, külsődleges tevékenységeik alapján. Az írások parancsai szerint egyedül az Istenség Legfelsőbb Személyisége méltó az imádatra, ám akik nem ismerik eléggé az írások tanítását, vagy nem hűségesek ahhoz, azok az anyagi természet kötőerőiben való sajátos helyzetük szerint választják ki imádatuk tárgyát. Akik a jóság kötőerejében vannak, általában a félisteneket imádják. A félistenek közé tartozik Brahmā, Śiva és sokan mások, például Indra, Candra és a napisten. Sokféle félisten van. A jóság kötőerejében élők egy bizonyos cél érdekében egy bizonyos félistent imádnak. A szenvedély kötőerejében lévők szintén egy adott cél érdekében imádják a démonokat. Még emlékszünk arra, hogy a második világháború alatt egy kalkuttai ember Hitlert imádta, mert a háborúnak köszönhette hatalmas vagyonát, amit a feketepiacon üzletelve összegyűjtött. A szenvedély és a tudatlanság kötelékének rabjai általában szintén egy nagy hatalmú embert választanak ki istenüknek. Azt gondolják, hogy bárkit lehet istenként imádni, az eredmény minden esetben ugyanaz.

E versből kiderül, hogy a szenvedély kötőerejében lévők ilyen isteneket teremtenek és imádnak, s hogy a tudatlanságban, sötétségben élők a kísérteteket imádják. Vannak, akik egy halott sírjánál végeznek imádatot. A szexuális élvezettel egybekötött imádat szintén a sötétség kötőerejében van. India egyes eldugott falvaiban mind a mai napig élnek szellemimádók. Ezek a primitív emberek néha elmennek az erdőbe, és ha tudomást szereznek róla, hogy egy fában szellem lakozik, akkor imádni kezdik azt a fát, és áldozatokat mutatnak be neki. Az efféle imádatok nem nevezhetők Isten-imádatnak. Isten imádata a transzcendentális, tiszta jóságban lévő emberek számára való. Ezzel kapcsolatban a *Śrīmad-Bhāgavatam* (4.3.23) így ír: *sattvaṁ viśuddhaṁ vāsudeva-śabditam.* „Aki elérte a tiszta jóságot, Vāsudevát imádja." Az anyagi természet kötőerőitől teljesen megtisztult, transzcendentális szintre jutott emberek tehát az Istenség Legfelsőbb Személyiségét imádják.

Az imperszonalisták, akikről azt tartják, hogy a jóság kötőerejében vannak, öt félistent és Viṣṇu anyagi világban létező személytelen arculatát imádják, melyet filozófiai Viṣṇunak neveznek. Viṣṇu az Istenség Legfelsőbb Személyiségének kiterjedése, de az imperszonalisták – akik végső soron nem hisznek az Istenség Legfelsőbb Személyiségében – a Viṣṇu-formát csupán a személytelen Brahman egyik aspektusának vélik. Hasonlóképpen az Úr Brahmāról azt tartják, hogy a szenvedély anyagi kötőerejében megnyilvánuló személytelen forma. Ily módon öt imádandó félistent tételeznek fel, de mivel a végső igazságnak a személytelen Brahmant tartják, végül minden forma imádatával felhagynak. Végkövetkeztetésként elmondhatjuk, hogy a természet anyagi kötőerőinek különféle tulajdonságaitól a transzcendentális személyiségek társaságában lehet megtisztulni.

5–6. VERS

अशास्त्रविहितं घोरं तप्यन्ते ये तपो जनाः ।
दम्भाहङ्कारसंयुक्ताः कामरागबलान्विताः ॥ ५ ॥
कर्षयन्तः शरीरस्थं भूतग्राममचेतसः ।
मां चैवान्तः शरीरस्थं तान् विद्ध्यासुरनिश्चयान् ॥ ६ ॥

aśāstra-vihitaṁ ghoraṁ tapyante ye tapo janāḥ
dambhāhaṅkāra-saṁyuktāḥ kāma-rāga-balānvitāḥ

karṣayantaḥ śarīra-sthaṁ bhūta-grāmam acetasaḥ
māṁ caivāntaḥ śarīra-sthaṁ tān viddhy āsura-niścayān

aśāstra – nem az írások által; *vihitam* – parancsolt; *ghoram* – másokra ártalmas; *tapyante* – vállalnak; *ye* – azok; *tapaḥ* – vezekléseket; *janāḥ* – emberek; *dambha* – büszkén; *ahaṅkāra* – és önzőn; *saṁyuktāḥ* – cselekvők; *kāma* – a kéjvágynak; *rāga* – és a ragaszkodásnak; *bala* – az erejétől; *anvitāḥ* – hajtva; *karṣayantaḥ* – kínozva; *śarīra-stham* – a testben lakozót; *bhūta-grāmam* – az anyagi elemek kombinációját; *acetasaḥ* – téves gondolkodással; *mām* – Engem; *ca* – is; *eva* – bizony; *antaḥ* – belül; *śarīra-stham* – a testben lakozót; *tān* – őket; *viddhi* – tudd; *āsura-niścayān* – démonoknak.

Akik büszkeségből és önzésből olyan szigorú vezeklést és önsanyargatást vállalnak magukra, amit az írások nem ajánlanak, akiket a kéjvágy és a ragaszkodás ösztönöz, akik ostobán testük anyagi elemeit és a testen belül lakozó Felsőlelket sanyargatják, azokat démonoknak nevezik.

MAGYARÁZAT: Vannak emberek, akik olyan módszereket találnak ki a vezeklésre és az önfegyelmezésre, melyekről az írások nem tesznek említést. A valamilyen alantas szándékkal, például pusztán politikai célból végrehajtott böjtöt az írások nem javasolják. Csakis a lelki fejlődés érdekében tanácsolják a böjtölést, nem pedig valamiféle politikai vagy társadalmi cél elérése érdekében. Akik ilyen indítékoktól hajtva sanyargatják magukat, azok a *Bhagavad-gītā* szerint minden bizonnyal démonikus emberek. Tetteik szemben állnak az írások parancsolataival, és nem hoznak áldást az emberekre. Valójában a büszkeség, a hamis ego, a kéjvágy és az anyagi élvezetekhez való ragaszkodás ösztönzi őket e tettekre. Ezek a cselekedetek nemcsak a testet felépítő anyagi elemek rendjét borítják fel, de megzavarják a testben lakozó Istenség Legfelsőbb Személyiségét is. A politikai célból végrehajtott, nem szentesített böjt vagy vezeklés minden bizonnyal nagyon zavaró mások számára is. A védikus irodalom tehát nem ajánlja ezt. A démonikus ember azt gondolja, hogy ily módon képes lesz az ellenséget vagy egy másik csoportot arra kényszeríteni, hogy teljesítse kérését. Az ilyen esetek azonban nem egyszer a böjtölő halálával végződnek. Az Istenség Legfelsőbb Személyisége nem helyesli az ilyen önsanyargatást, és aki így tesz, azt démonnak nyilvánítja. Ezek a mutatványok azért sértik az Istenség Legfelsőbb Személyiségét, mert ellenkeznek a védikus írások parancsaival. Ezzel kapcsolatban az *acetasaḥ* szó nagyon fontos: egy józan gondolkodású ember engedelmeskedik az írások utasításainak. Mások nem törődnek a szentírásokkal, nem követik utasításaikat, és saját maguk találnak ki módszereket a lemondásra és önsanyargatásra. Ne felejtsük el soha, milyen sors vár a démonikus emberekre. Az előző fejezet elmondta: az Úr arra kényszeríti őket, hogy démonikus emberek méhében szülessenek meg újra, s így életről életre a démonikus elvek szerint fognak élni, anélkül hogy ismernék kapcsolatukat az Istenség Legfelsőbb Személyiségével. Ha azonban olyan szerencsések, hogy elfogadják egy lelki tanítómester vezetését, aki képes a védikus bölcsesség útjára terelni őket, akkor kiszabadulhatnak ebből a kötelékből, és végül elérhetik a legfelső célt.

7. VERS

आहारस्त्वपि सर्वस्य त्रिविधो भवति प्रियः ।
यज्ञस्तपस्तथा दानं तेषां भेदमिमं शृणु ॥ ७ ॥

āhāras tv api sarvasya tri-vidho bhavati priyaḥ
yajñas tapas tathā dānaṁ teṣāṁ bhedam imaṁ śṛṇu

āhāraḥ – evés; *tu* – bizony; *api* – is; *sarvasya* – mindenkinek; *tri-vidhaḥ* – háromféle; *bhavati* – van; *priyaḥ* – kedves; *yajñaḥ* – áldozat; *tapaḥ* – vezeklés; *tathā* – szintén; *dānam* – adományozás; *teṣām* – az övék; *bhedam* – a különbségét; *imam* – ezt; *śṛṇu* – halld.

Még az egyes emberek által kedvelt étel is háromféle lehet, az anyagi természet három kötőerejének megfelelően. Így igaz ez az áldozatok, a

vezeklés és az adományozás esetében is. Halld most, amit a közöttük lévő különbségről elmondok!

MAGYARÁZAT: Az evés, az áldozat, a vezeklés és az adományozás módjában az anyagi természet kötőerői által meghatározott különféle helyzetek alapján különbségek vannak, s nincs mindegyik ugyanazon a szinten. Az az igazán bölcs, aki ezeket elemezve képes megérteni, hogy az egyes tetteket az anyagi természet melyik kötőerejében végzik. Aki azonban egyenlő szinten állóknak tekinti a különféle áldozatokat, ételeket és adományokat, az nem tud különbséget tenni, s így ostoba. Vannak olyan misszionáriusok, akik azt hirdetik, hogy az ember azt tehet, amit akar, mindenféleképpen eléri a tökéletességet. Az ilyen ostoba vezetők nem az írások útmutatása alapján cselekszenek. Saját módszereket találnak ki, s így félrevezetik az embereket.

8. VERS

आयुःसत्त्वबलारोग्यसुखप्रीतिविवर्धनाः ।
रस्याः स्निग्धाः स्थिरा हृद्या आहाराः सात्त्विकप्रियाः ॥ ८ ॥

āyuḥ-sattva-balārogya- sukha-prīti-vivardhanāḥ
rasyāḥ snigdhāḥ sthirā hṛdyā āhārāḥ sāttvika-priyāḥ

āyuḥ – az élethosszt; *sattva* – létet; *bala* – erőt; *ārogya* – egészséget; *sukha* – boldogságot; *prīti* – és elégedettséget; *vivardhanāḥ* – növelő; *rasyāḥ* – lédús; *snigdhāḥ* – zsíros; *sthirāḥ* – tartós; *hṛdyāḥ* – örömet adó; *āhārāḥ* – ételek; *sāttvika* – a jóságban lévő számára; *priyāḥ* – ízletesek.

A jóság minőségében élők olyan ételeket kedvelnek, amelyek meghosszabbítják az életet, megtisztítják az ember létét, erőt, egészséget, boldogságot és elégedettséget adnak. Az ilyen ételek lédúsak, zsírosak, táplálóak, és örömmel töltik el a szívet.

9. VERS

कट्वम्ललवणात्युष्णतीक्ष्णरूक्षविदाहिनः ।
आहारा राजसस्येष्टा दुःखशोकामयप्रदाः ॥ ९ ॥

kaṭv-amla-lavaṇāty-uṣṇa- tīkṣṇa-rūkṣa-vidāhinaḥ
āhārā rājasasyeṣṭā duḥkha-śokāmaya-pradāḥ

kaṭu – keserű; *amla* – savanyú; *lavaṇa* – sós; *ati-uṣṇa* – erős; *tīkṣṇa* – csípős; *rūkṣa* – száraz; *vidāhinaḥ* – égető; *āhārāḥ* – ételek; *rājasasya* –

a szenvedély kötőerejében lévőnek; *iṣṭāḥ* – kellemesek; *duḥkha* – szenvedést; *śoka* – nyomorúságot; *āmaya* – betegséget; *pradāḥ* – okozók.

A túlságosan keserű, túl savanyú, sós, erős, csípős, száraz és égető ételt a szenvedély kötőerejében élők kedvelik. Az ilyen ételek boldogtalanságot, szenvedést és betegséget okoznak.

10. VERS

यातयामं गतरसं पूति पर्युषितं च यत् ।
उच्छिष्टमपि चामेध्यं भोजनं तामसप्रियम् ॥१०॥

yāta-yāmaṁ gata-rasaṁ pūti paryuṣitaṁ ca yat
ucchiṣṭam api cāmedhyaṁ bhojanaṁ tāmasa-priyam

yāta-yāmam – az elfogyasztás előtt három órával főzött; *gata-rasam* – íztelen; *pūti* – rossz szagú; *paryuṣitam* – romlott; *ca* – szintén; *yat* – ami; *ucchiṣṭam* – mások ételmaradéka; *api* – szintén; *ca* – és; *amedhyam* – érinthetetlen; *bhojanam* – étel; *tāmasa* – a sötétség kötőerejében lévőnek; *priyam* – kedves.

A sötétség kötőerejében lévők az olyan ételt szeretik, amit a fogyasztás előtt több mint három órával főztek, ami íztelen, romlott és rothadó, valamint maradékokból és tisztátalan alapanyagokból készült.

MAGYARÁZAT: Az étel feladata az élet meghosszabbítása, az elme tisztítása és a fizikai erő növelése. Ez az étel egyetlen szerepe. A kiváló szaktekintélyek a múltban kiválasztották azokat az ételeket, amelyek a legjobban elősegítik az egészség megőrzését és a hosszú életet. Ide sorolhatók a tejtermékek, a cukor, a rizs, a gabona, a gyümölcsök és a zöldségfélék. A jóság kötőerejében élők nagyon kedvelik az ilyen táplálékokat. Egyes ételek, például a sült kukorica és a melasz önmagukban nem ízletesek, mégis finomak lehetnek, ha tejjel vagy más étellel együtt fogyasztjuk őket. Ekkor a jóság minőségébe tartoznak. Ezek az élelmiszerek tiszta természetűek; egészen mások, mint az olyan szennyezett dolgok, mint a hús és az alkohol. A nyolcadik versben említett zsíros ételnek semmi köze sincs az állatok mészárlásából származó zsiradékhoz. Az állati zsiradékot megkaphatjuk a legcsodálatosabb étel, a tej formájában is. A tej, a vaj, a sajt és a többi tejtermék úgy ad állati zsírt, hogy nem szükséges hozzá ártatlan teremtményeket elpusztítani. Csakis a barbár mentalitás vezethet efféle mészárláshoz. A szükséges állati zsiradék beszerzésének civilizált formája a tej fogyasztása. Az állatok mészárlása az emberi szint alatt álló fajokra jellemző. A sárgaborsó, az egyéb hüvelyesek, a barna liszt és a hasonló élelmiszerek a szükséges fehérjemennyiségről is gondoskodnak.

A szenvedély kötőerejében lévő keserű, túl sós, túlságosan fűszeres vagy túl sok erős paprikát tartalmazó ételek a gyomorban lévő nyálkát csökkentve fájdalmat okoznak, s betegségekhez vezetnek. A tudatlanság vagy sötétség kötőerejébe tartozó ételekre főként az jellemző, hogy nem frissek. Minden olyan étel, amit az elfogyasztás előtt három óránál régebben főztek (kivéve a *prasādát,* vagyis az Úrnak felajánlott ételt) a sötétség kötőerejéhez tartozik. Az ilyen étel rothadó, ezért rossz szagot áraszt, ami a tudatlanságban lévőket gyakran vonzza, ám a jóságban élő emberekben undort kelt.

Csak olyan étel maradékait szabad elfogyasztani, amit előzőleg felajánlottak a Legfelsőbb Úrnak, vagy amit szent életű emberek – legfőképpen a lelki tanítómester – hagytak meg. Mások ételmaradéka a sötétség minőségében van, és fertőzést vagy betegséget okoz. A sötétség kötőerejében élők nagyon kedvelik az efféle ételeket, ám a jóság minőségében élő emberek hozzá sem nyúlnak ilyen ételekhez. A legjobb eledel az Istenség Legfelsőbb Személyiségének felajánlott étel maradéka. A Legfelsőbb Úr azt mondja a *Bhagavad-gītāban,* hogy elfogadja az odaadással felajánlott, zöldségekből, lisztből és tejből készült ételeket. *Patraṁ puṣpaṁ phalaṁ toyam.* Természetesen az odaadás és a szeretet az, amit az Istenség Legfelsőbb Személyisége leginkább elfogad. Ám a *prasādát* az előírt módon kell elkészíteni. Az írások parancsai szerint elkészített és az Istenség Legfelsőbb Személyiségének felajánlott étel tehát még akkor is fogyasztható, ha az elkészítése óta már sok idő eltelt, mert az ilyen étel transzcendentális. Ha az ételt tisztává, mindenki számára ehetővé és ízletessé szeretnénk tenni, akkor fel kell ajánlanunk az Istenség Legfelsőbb Személyiségének.

11. VERS

अफलाकाङ्क्षिभिर्यज्ञो विधिदिष्टो य इज्यते ।
यष्टव्यमेवेति मनः समाधाय स सात्त्विकः ॥११॥

aphalākāṅkṣibhir yajño vidhi-diṣṭo ya ijyate
yaṣṭavyam eveti manaḥ samādhāya sa sāttvikaḥ

aphala-ākāṅkṣibhiḥ – a tetteik eredményére nem vágyók által; *yajñaḥ* – áldozat; *vidhi-diṣṭaḥ* – az írások irányítása szerinti; *yaḥ* – amelyik; *ijyate* – végzett; *yaṣṭavyam* – végre kell hajtani; *eva* – bizony; *iti* – így; *manaḥ* – az elmét; *samādhāya* – rögzítve; *saḥ* – az; *sāttvikaḥ* – a jóság minőségében lévő.

Az áldozatok közül az tartozik a jóság kötőerejébe, amelyet az írások szabályai szerint, kötelességből hajtanak végre, anélkül hogy ennek fejében jutalomra vágynának.

MAGYARÁZAT: Az emberek általában hajlamosak arra, hogy valamilyen szándékkal áldozzanak, ám ebben a versben az áll, hogy az áldozatot az eredményre való vágy nélkül, kötelességből kell végrehajtani. Vegyük például a templomokban végzett szertartásokat. Általában az anyagi haszon reményében mutatják be őket, így nem a jóság kötőereje jellemző rájuk. Az embernek kötelességből kell templomba járnia, hogy a tiszteletével együtt virágot és ételt ajánljon fel az Istenség Legfelsőbb Személyiségének, anélkül hogy bármilyen anyagi nyereségre vágyna. Az emberek azt hiszik, hogy semmi haszna csupán azért templomba járni, hogy ott Istent imádjuk. Az írások azonban nem ajánlják az anyagi áldás reményében végzett imádatot. A jóság szintjére úgy tudunk felemelkedni, ha kizárólag azért járunk templomba, hogy kinyilvánítsuk a tiszteletünket a *mūrti* előtt. Minden civilizált embernek kötelessége, hogy engedelmeskedjék a szentírások parancsainak, és kifejezze a tiszteletét az Istenség Legfelsőbb Személyisége iránt.

12. VERS

अभिसन्धाय तु फलं दम्भार्थमपि चैव यत् ।
इज्यते भरतश्रेष्ठ तं यज्ञं विद्धि राजसम् ॥१२॥

abhisandhāya tu phalaṁ dambhārtham api caiva yat
ijyate bharata-śreṣṭha taṁ yajñaṁ viddhi rājasam

abhisandhāya – vágyakozva; *tu* – de; *phalam* – az eredményre; *dambha* – büszkeség; *artham* – kedvéért; *api* – is; *ca* – és; *eva* – bizony; *yat* – amit; *ijyate* – végeznek; *bharata-śreṣṭha* – ó, Bhāraták vezére; *tam* – azt; *yajñam* – az áldozatot; *viddhi* – tudd; *rājasam* – a szenvedély minőségében.

Ó, Bhāraták vezére! Arra az áldozatra, amelyet valamilyen anyagi célból vagy büszkeségből hajtanak végre, a szenvedély kötőereje jellemző.

MAGYARÁZAT: Néha az emberek azért mutatnak be áldozatokat, hogy a felsőbb bolygókra kerüljenek, vagy hogy valamilyen más anyagi áldásra tegyenek szert ebben a világban. Az ilyen áldozatok vagy szertartások a szenvedély kötőerejébe tartoznak.

13. VERS

विधिहीनमसृष्टान्नं मन्त्रहीनमदक्षिणम् ।
श्रद्धाविरहितं यज्ञं तामसं परिचक्षते ॥१३॥

vidhi-hīnam asṛṣṭānnaṁ mantra-hīnam adakṣiṇam
śraddhā-virahitaṁ yajñaṁ tāmasaṁ paricakṣate

vidhi-hīnam – az írások útmutatása nélküli; *asṛṣṭa-annam* – *prasāda* szétosztása nélküli; *mantra-hīnam* – a védikus himnuszok éneklése nélküli; *adakṣiṇam* – a papok megjutalmazása nélküli; *śraddhā* – hit; *virahitam* – nélküli; *yajñam* – áldozatot; *tāmasam* – a tudatlanság minőségében lévőnek; *paricakṣate* – kell tekinteni.

A tudatlanság kötőerejében lévőnek kell tekinteni az írások parancsait figyelmen kívül hagyó áldozatot, amelynek során nem osztanak szét prasādát [lelki ételt], nem zengnek védikus himnuszokat, nem jutalmazzák meg a papokat, és amelyet hit nélkül hajtanak végre.

MAGYARÁZAT: A tudatlanság vagy sötétség kötőerejében lévő hit valójában hitetlenség. Az emberek csupán a pénz reményében imádják a félisteneket, hogy azt azután az írások parancsait mellőzve szórakozásra költsék. Az efféle színjáték-szertartások nem tekinthetők hitelesnek. A sötétség kötőerejében vannak, démonikus mentalitáshoz vezetnek, és semmi áldást nem hoznak az emberi társadalomra.

14. VERS

देवद्विजगुरुप्राज्ञपूजनं शौचमार्जवम् ।
ब्रह्मचर्यमहिंसा च शारीरं तप उच्यते ॥१४॥

deva-dvija-guru-prājña- pūjanaṁ śaucam ārjavam
brahmacaryam ahiṁsā ca śārīraṁ tapa ucyate

deva – a Legfelsőbb Úrnak; *dvija* – a *brāhmaṇáknak; guru* – a lelki tanítómesternek; *prājña* – és az imádatra méltó személyiségeknek; *pūjanam* – az imádata; *śaucam* – tisztaság; *ārjavam* – egyszerűség; *brahmacaryam* – nőtlen élet; *ahiṁsā* – erőszaknélküliség; *ca* – és; *śārīram* – a testre vonatkozó; *tapaḥ* – fegyelmezés; *ucyate* – úgy mondják.

A test fegyelmezése a Legfelsőbb Úr, a brāhmaṇák, a lelki tanítómester, valamint az olyan feljebbvalók, mint az apa és az anya imádatából áll.

A tisztaság, az egyszerűség, a cölibátus és az erőszaknélküliség szintén hozzá tartozik.

MAGYARÁZAT: A Legfelsőbb Istenség most a lemondás és önmegtartóztatás különféle fajtáiról szól. A leírást a testre vonatkozó lemondásokkal és önmegtartóztatásokkal kezdi. Az embernek ki kell fejeznie, illetve meg kell tanulnia kifejezni a tiszteletét Istennek, a félisteneknek, a tökéletes, képzett *brāhmaṇáknak,* a lelki tanítómesternek és a feljebbvalóknak, például az apának, az anyának és mindenkinek, aki jártas a védikus tudásban. Mindnyájuknak meg kell adnunk a megfelelő tiszteletet. Törekednünk kell arra, hogy kívül-belül megtisztuljunk, s hogy egyszerűen viselkedjünk. Az embernek semmi olyat nem szabad tennie, amit az írások utasításai nem hagynak jóvá. Nem szabad nemi életet élnie házasságon kívül, mert az írások a nemi életet kizárólag a házasság kötelékein belül engedélyezik. Ezt nevezik cölibátusnak. Ezek jelentik tehát a test számára a fegyelmezést és az önmegtartóztatást.

15. VERS

अनुद्वेगकरं वाक्यं सत्यं प्रियहितं च यत् ।
स्वाध्यायाभ्यसनं चैव वाङ्मयं तप उच्यते ॥१५॥

anudvega-karaṁ vākyaṁ satyaṁ priya-hitaṁ ca yat
svādhyāyābhyasanaṁ caiva vāṅ-mayaṁ tapa ucyate

anudvega-karam – nem felzaklató; *vākyam* – szavak; *satyam* – igaz; *priya* – kedves; *hitam* – jóakaró; *ca* – is; *yat* – ami; *svādhyāya* – a Védák tanulmányozása; *abhyasanam* – gyakorlás; *ca* – is; *eva* – bizony; *vāk-mayam* – a beszédnek; *tapaḥ* – a fegyelmezése; *ucyate* – úgy mondják.

A beszéd fegyelmezése abból áll, hogy az ember igazmondó, kedvesen, jóakaróan szól, másokat nem zaklat fel, és rendszeresen idézi a védikus irodalmat.

MAGYARÁZAT: Nem szabad semmi olyat mondanunk, ami felkavarhat másokat. A tanítványait oktató tanár természetesen kimondhatja az igazságot a tanítás érdekében, másokhoz azonban nem szabad így beszélnie, mert ezzel megzavarná őket. Ez a beszéd fegyelmezése. Ehhez az is hozzátartozik, hogy nem szabad ostobaságot mondanunk. Ha valaki olyanok társaságában beszél, akik a lelki életet gyakorolják, állításait alá kell támasztania az írásokból vett idézetekkel. Szavai igazának bizonyítékául mindig tudnia kell azonnal idézni a megfelelő szentírásokat. Az ilyen beszéd ugyanakkor a fülnek is legyen nagyon kellemes. Ha valaki így beszél, az neki magának is a javára válik, és az emberi társadalom felemelkedését is elősegíti. A védikus irodalom határtalan, s nekünk tanulmányoznunk kell ezeket az írásokat. Ezt nevezik a beszéd fegyelmezésének.

16. VERS

मनःप्रसादः सौम्यत्वं मौनमात्मविनिग्रहः ।
भावसंशुद्धिरित्येतत्तपो मानसमुच्यते ॥१६॥

manaḥ-prasādaḥ saumyatvaṁ maunam ātma-vinigrahaḥ
bhāva-saṁśuddhir ity etat tapo mānasam ucyate

manaḥ-prasādaḥ – az elme elégedettsége; *saumyatvam* – egyenes viselkedés másokkal szemben; *maunam* – komolyság; *ātma* – önmagunk feletti; *vinigrahaḥ* – uralom; *bhāva* – a lét; *saṁśuddhiḥ* – megtisztítása; *iti* – így; *etat* – ez; *tapaḥ* – a lemondása; *mānasam* – az elmének; *ucyate* – úgy mondják.

Az elme fegyelmezését az elégedettség, az egyszerűség, a komolyság, az önfegyelem és a megtisztulás jelenti.

MAGYARÁZAT: Az elme fegyelmezése abból áll, hogy távol tartjuk az érzékkielégítéstől. Az elmét úgy kell szabályoznunk, hogy mindig arra gondoljon, hogyan tehetne jót másokkal. A legjobban a komoly gondolkodás neveli erre az elmét. Nem szabad eltérnünk a Kṛṣṇa-tudattól, s mindig távol kell magunkat tartanunk az érzékkielégítéstől. Természetünk megtisztítása azt jelenti, hogy Kṛṣṇa-tudatúvá válunk. Az elme csak akkor válik elégedetté, ha nem engedjük, hogy az érzékkielégítéssel foglalkozzon, mert minél inkább vágyódik az érzékkielégítésre, annál elégedetlenebb lesz. Korunkban az emberek számtalan módon használják elméjüket feleslegesen az érzékkielégítésre, s így nincs esély rá, hogy az elégedetté váljon. A legjobb, ha elménket a védikus irodalomra, például a *purāṇákra* és a *Mahābhāratára* irányítjuk, amelyek olyan történetekkel vannak teli, melyek valóban elégedettséggel töltik el az embert. Mindenki élhet azzal a lehetőséggel, melyet e tudás nyújt, s így megtisztulhat. Az elmének mentesnek kell lennie a kétszínűségtől, s az embernek mindenki jólétén kell fáradoznia. A némaság azt jelenti, hogy az ember csak az önmegvalósításra gondol. Ebben az értelemben az, aki Kṛṣṇa-tudatú, teljesen néma. Az elme irányítása azt jelenti, hogy nem engedjük meg számára az érzékkielégítést. Őszintének kell lennünk minden tettünkben, s ezáltal meg kell tisztítanunk létünket. Ezek jellemzik az elme tevékenységének fegyelmezését.

17. VERS

श्रद्धया परया तप्तं तपस्तत्त्रिविधं नरैः ।
अफलाकाङ्क्षिभिर्युक्तैः सात्त्विकं परिचक्षते ॥१७॥

śraddhayā parayā taptaṁ tapas tat tri-vidhaṁ naraiḥ
aphalākāṅkṣibhir yuktaiḥ sāttvikaṁ paricakṣate

śraddhayā – hittel; *parayā* – transzcendentális; *taptam* – végzett; *tapaḥ* – önfegyelmezés; *tat* – az; *tri-vidham* – háromféle; *naraiḥ* – emberek által; *aphala-ākāṅkṣibhiḥ* – a gyümölcsökre nem vágyók által; *yuktaiḥ* – végzett; *sāttvikam* – a jóság minőségében; *paricakṣate* – hívják.

Ez a háromféle önfegyelmezés, melyet transzcendentális hittel hajtanak végre, a jóság természetéhez tartozik, s olyan emberek végzik, akik nem az anyagi haszon, hanem a Legfelsőbb elégedettsége érdekében cselekszenek.

18. VERS

सत्कारमानपूजार्थं तपो दम्भेन चैव यत् ।
क्रियते तदिह प्रोक्तं राजसं चलमध्रुवम् ॥१८॥

satkāra-māna-pūjārthaṁ tapo dambhena caiva yat
kriyate tad iha proktaṁ rājasaṁ calam adhruvam

sat-kāra – tisztelet; *māna* – megbecsülés; *pūjā* – és imádat; *artham* – kedvéért; *tapaḥ* – önfegyelmezés; *dambhena* – büszkeséggel; *ca* – is; *eva* – bizony; *yat* – ami; *kriyate* – végzett; *tat* – az; *iha* – ebben a világban; *proktam* – mondják; *rājasam* – a szenvedély minőségében; *calam* – csapongó; *adhruvam* – ideiglenes.

A büszkeségből, a tisztelet, megbecsülés és imádat érdekében végzett önfegyelmezés a szenvedély kötőerejéhez tartozik, és se nem szilárd, se nem állandó.

MAGYARÁZAT: Vannak emberek, akik azért vállalják a lemondást és az önmegtartóztatást, hogy felhívják magukra a figyelmet, s így megbecsülésben, tiszteletben és imádatban legyen részük. A szenvedély kötőerejének hatása alatt álló ember arra törekszik, hogy alattvalói imádják őt, megmossák a lábát, és felajánlják neki a vagyonukat. Ezt a hamis elismerést, amit valaki az önfegyelmezés által vív ki, a szenvedély kötőerejébe tartozónak tekintik, s eredménye ideiglenes: eltarthat egy ideig, de nem örökkévaló.

19. VERS

मूढग्राहेणात्मनो यत्पीडया क्रियते तपः ।
परस्योत्सादनार्थं वा तत्तामसमुदाहृतम् ॥१९॥

mūḍha-grāheṇātmano yat pīḍayā kriyate tapaḥ
parasyotsādanārthaṁ vā tat tāmasam udāhṛtam

mūḍha – ostoba; *grāheṇa* – igyekezettel; *ātmanaḥ* – önmagának; *yat* – ami; *pīḍayā* – kínzással; *kriyate* – végzett; *tapaḥ* – önfegyelmezés; *parasya* – mások számára; *utsādana-artham* – pusztító; *vā* – vagy; *tat* – az; *tāmasam* – a sötétség kötőerejében lévőnek; *udāhṛtam* – mondják.

Az olyan önfegyelmezés, amit ostobán, önkínzással végeznek, vagy ami mások bántalmazásával vagy elpusztításával jár, a tudatlanság kötőerejében van.

MAGYARÁZAT: A démonok néha ostoba önsanyargatást vállalnak magukra, ahogyan Hiraṇyakaśipu is tette, aki szigorú lemondások révén akart halhatatlanná válni, és elpusztítani a félisteneket. Brahmához könyörgött, hogy megkapja ezt az áldást, ám végül az Istenség Legfelsőbb Személyisége megölte. Az a lemondás, amelyet elérhetetlen dolgok megszerzése reményében végeznek, kétségtelenül a tudatlanság kötőerejében van.

20. VERS

दातव्यमिति यद्दानं दीयतेऽनुपकारिणे ।
देशे काले च पात्रे च तद्दानं सात्त्विकं स्मृतम् ॥२०॥

dātavyam iti yad dānaṁ dīyate 'nupakāriṇe
deśe kāle ca pātre ca tad dānaṁ sāttvikaṁ smṛtam

dātavyam – az arra méltónak adni; *iti* – így; *yat* – ami; *dānam* – adomány; *dīyate* – adatik; *anupakāriṇe* – a viszonzás reménye nélkül; *deśe* – a megfelelő helyen; *kāle* – megfelelő időben; *ca* – is; *pātre* – a megfelelő személynek; *ca* – és; *tat* – az; *dānam* – adomány; *sāttvikam* – a jóság minőségében lévőnek; *smṛtam* – van tekintve.

Ha valaki kötelességből, a helyes időben és a megfelelő helyen, az arra méltó személynek adományoz, s nem vágyik ellenszolgáltatásra, azt a jóság minőségében végzett adományozásnak kell tekinteni.

MAGYARÁZAT: A védikus irodalom azt ajánlja, olyan embereknek adományozzunk, akik lelki tettekkel foglalkoznak. Nem szabad úgy adományoznunk, hogy nem nézzük meg, kinek adunk. A lelki fejlettséget kell mindig szem előtt tartanunk, ezért a legjobb, ha egy zarándokhelyen, egy templomban, a hold- és napfogyatkozás alkalmával, a hónap végén, egy igaz *brāhmaṇának* vagy *vaiṣṇavának* (*bhaktának*) adunk ajándékot. Mindezt úgy kell tennünk, hogy ne várjunk viszonzást érte. Néha az emberek szánalomból a szegényeknek adományoznak, de ha azok érdemtelenek erre, akkor ez a tett nem segíti a lelki fejlődést. A védikus írások tehát nem ajánlják, hogy körültekintés nélkül adományozzunk.

21. VERS

यत्तु प्रत्युपकारार्थं फलमुद्दिश्य वा पुनः ।
दीयते च परिक्लिष्टं तद्दानं राजसं स्मृतम् ॥२१॥

yat tu pratyupakārārthaṁ phalam uddiśya vā punaḥ
dīyate ca parikliṣṭaṁ tad dānaṁ rājasaṁ smṛtam

yat – ami; *tu* – de; *prati-upakāra-artham* – a viszonzás reményében; *phalam* – eredményt; *uddiśya* – kívánva; *vā* – vagy; *punaḥ* – ismét; *dīyate* – adatik; *ca* – is; *parikliṣṭam* – kelletlenül; *tat* – az; *dānam* – adomány; *rājasam* – a szenvedély minőségében lévőnek; *smṛtam* – van tekintve.

Ám ha valaki a viszonzás reményében, gyümölcsöző eredményekre vágyva vagy kelletlenül ad, tette a szenvedély kötőerejébe tartozik.

MAGYARÁZAT: Az emberek néha azzal a szándékkal adományoznak, hogy a mennyek birodalmába emelkedhessenek, ám ez gyakran rendkívül sok gondot okoz, s a vége csak sajnálkozás: „Miért is költöttem ennyi pénzt erre?" Előfordul, hogy valaki egy feljebbvaló kérésére adományoz, azért, mert lekötelezettje az illetőnek. E tettek kivétel nélkül a szenvedély kötőerejébe tartoznak.

Sok jótékony célú alapítvány van, amely olyan intézményeket támogat, melyeknek célja az érzékkielégítés. Az ilyen adományozást a védikus írások nem javasolják. Egyedül a jóság minőségében történő adományozást ajánlják.

22. VERS

अदेशकाले यद्दानमपात्रेभ्यश्च दीयते ।
असत्कृतमवज्ञातं तत्तामसमुदाहृतम् ॥२२॥

adeśa-kāle yad dānam apātrebhyaś ca dīyate
asat-kṛtam avajñātaṁ tat tāmasam udāhṛtam

adeśa – tisztátalan helyen; *kāle* – és tisztátalan időben; *yat* – ami; *dānam* – adomány; *upātrebhyaḥ* – arra méltatlan embereknek; *ca* – is; *dīyate* – adatik; *asat-kṛtam* – tiszteletlenül; *avajñātam* – figyelmetlenül; *tat* – az; *tāmasam* – a sötétség kötőerejében; *udāhṛtam* – úgy mondják.

A tisztátalan helyen és nem megfelelő időben, kellő figyelem és tisztelet nélkül, arra méltatlan embereknek történő adományozás a tudatlanság kötőerejében van.

MAGYARÁZAT: Ez a vers nem helyesli az olyan adományozást, ami az alkohol és kábítószer élvezetét és a szerencsejátékot támogatja. Az ilyen adományozás a tudatlanság kötőerejében van, és semmi haszna, sőt csak a bűnös embereket bátorítja. A sötétség kötőereje jellemző arra is, ha valaki ugyan olyasvalakit ajándékoz meg, aki megérdemli, ám ezt tiszteletlenül és figyelmetlenül teszi.

23. VERS

ॐ तत्सदिति निर्देशो ब्रह्मणस्त्रिविधः स्मृतः ।
ब्राह्मणास्तेन वेदाश्च यज्ञाश्च विहिताः पुरा ॥२३॥

oṁ tat sad iti nirdeśo brahmaṇas tri-vidhaḥ smṛtaḥ
brāhmaṇās tena vedāś ca yajñāś ca vihitāḥ purā

oṁ – utalás a Legfelsőbbre; *tat* – az; *sat* – örökkévaló; *iti* – így; *nirdeśaḥ* – utalás; *brahmaṇaḥ* – a Legfelsőbbre; *tri-vidhaḥ* – háromszoros; *smṛtaḥ* – van tekintve; *brāhmaṇāḥ* – a *brāhmaṇák; tena* – azzal; *vedāḥ* – a védikus irodalom; *ca* – szintén; *yajñāḥ* – áldozatok; *ca* – is; *vihitāḥ* – azokat használták; *purā* – előzőleg.

Oṁ tat sat: e három szó a teremtés kezdete óta a Legfelsőbb Abszolút Igazságra utal. E három szót, amely jelképesen az Abszolút Igazságot képviseli, a brāhmaṇák a Védák himnuszait zengve és a Legfelsőbb elégedettsége érdekében végzett áldozatok során ejtik ki.

MAGYARÁZAT: Elmondtuk, hogy a vezeklés, az adományozás és az étel a három kötőerőnek – a jóságnak, a szenvedélynek és a tudatlanságnak – megfelelően háromféle lehet. Ám tartozzanak akár az első, akár a második, akár a harmadik csoportba, feltételekhez vannak kötve, s a természet anyagi kötőerői fertőzik be őket. Ha azonban céljuk a Legfelsőbb – *oṁ tat sat,* az Istenség Legfelsőbb Személyisége, az örökkévaló –, akkor a lelki fejlődést segítik elő. Az írások parancsai ezt ajánlják. Ez a három szó, *oṁ tat sat,* kifejezetten az Abszolút Igazságot, az Istenség Legfelsőbb Személyiségét jelenti. A védikus himnuszokban mindig ott találjuk az *oṁ* szót.

Aki a szentírások szabályait figyelmen kívül hagyva cselekszik, az nem juthat el az Abszolút Igazságig. Csupán átmeneti eredményekre számíthat, az élet végső célját azonban nem éri el. A végkövetkeztetés tehát az, hogy az adományozást, az áldozatokat és a vezeklést a jóság kötőerejében kell végrehajtani. Ha a szenvedély és a tudatlanság minősége jellemző rájuk, e tettek mindenképpen alacsonyabb rendűek. A három szót – *oṁ tat sat* – a Legfelsőbb Úr szent nevéhez kapcsolva ejtik ki, pl. *oṁ tad viṣṇoḥ*. Ha valaki a védikus himnuszokat vagy a Legfelsőbb Úr szent nevét énekli, mindig hozzáteszi az *oṁ* szót. Ezt írják elő a Védák. E három szó a védikus himnuszokból származik. Az *oṁ ity etad brahmaṇo nediṣṭhaṁ nāma* (*Ṛg-veda*) az első célra, a *tat tvam asi* (*Chāndogya-upaniṣad* 6.8.7) a másodikra, a *sad eva saumya* (*Chāndogya-upaniṣad* 6.2.1) pedig a harmadikra utal. Ezek egyesítéséből származik az *oṁ tat sat.* Amikor Brahmā, az első teremtett lény áldozatokat mutatott be, ezzel a három szóval utalt az Istenség Legfelsőbb Személyiségére. A tanítványi láncolat éppen ezért ugyanezt az elvet követi. Ez a himnusz tehát nagyon fontos. A *Bhagavad-gītā* azt ajánlja, hogy minden tettet az *oṁ tat sat,* az Istenség Legfelsőbb Személyisége érdekében kell végrehajtanunk. Ha valaki e három szót kiejtve végez lemondásokat, adományoz vagy mutat be áldozatot, az Kṛṣṇa-tudatban cselekszik. A Kṛṣṇa-tudat olyan transzcendentális cselekedetek tudományos végrehajtása, melyek képessé teszik az embert arra, hogy hazatérjen, vissza Istenhez. Ha ily módon, transzcendentálisan cselekszünk, energiánk nem vész kárba.

24. VERS

तस्मादों इत्युदाहृत्य यज्ञदानतपःक्रियाः ।
प्रवर्तन्ते विधानोक्ताः सततं ब्रह्मवादिनाम् ॥२४॥

tasmād oṁ ity udāhṛtya yajña-dāna-tapaḥ-kriyāḥ
pravartante vidhānoktāḥ satataṁ brahma-vādinām

tasmāt – ezért; *oṁ* – az *oṁmal* kezdve; *iti* – így; *udāhṛtya* – jelezve; *yajña* – áldozat; *dāna* – adomány; *tapaḥ* – és lemondás; *kriyāḥ* – cselekedetei; *pravartante* – kezdődnek; *vidhāna-uktāḥ* – az írások szabályai szerint; *satatam* – mindig; *brahma-vādinām* – a transzcendentalistáknak.

Ezért a transzcendentalisták, akik az írások szabályai szerint mutatnak be áldozatokat, adományoznak és vezekelnek, a Legfelsőbb elérése érdekében először mindig az oṁ szót ejtik ki.

MAGYARÁZAT: *Oṁ tad viṣṇoḥ paramaṁ padam* (*Ṛg-veda* 1.22.20). Az odaadás legfelső szintjét Viṣṇu lótuszlába jelenti. Ha az ember az Istenség Legfelsőbb Személyiségéért végez mindent, akkor kétségtelen, hogy minden tettében tökéletességet ér el.

25. VERS

तदित्यनभिसन्धाय फलं यज्ञतपःक्रियाः ।
दानक्रियाश्च विविधाः क्रियन्ते मोक्षकाङ्क्षिभिः ॥२५॥

tad ity anabhisandhāya phalaṁ yajña-tapaḥ-kriyāḥ
dāna-kriyāś ca vividhāḥ kriyante mokṣa-kāṅkṣibhiḥ

tat – azt; *iti* – így; *anabhisandhāya* – nem vágyakozva; *phalam* – a gyümölcsöző eredményre; *yajña* – az áldozatnak; *tapaḥ* – és a vezeklésnek; *kriyāḥ* – a cselekedetei; *dāna* – az adományozásnak; *kriyāḥ* – a cselekedetei; *ca* – is; *vividhāḥ* – különféle; *kriyante* – végeztetnek; *mokṣa-kāṅkṣibhiḥ* – a valóban felszabadulásra vágyók által.

A különféle áldozatokat, vezeklést és adományozást a gyümölcsöző eredményre való vágy nélkül, a „tat" szóval kell végrehajtani. E transzcendentális tettek célja az, hogy az ember megszabaduljon az anyagi kötelékektől.

MAGYARÁZAT: Aki fel akar emelkedni a lelki síkra, annak nem szabad az anyagi nyereség reményében cselekednie. Minden tettünknek a végső célt kell szolgálnia: hogy eljussunk a lelki világba, haza, vissza Istenhez.

26–27. VERS

सद्भावे साधुभावे च सदित्येतत्प्रयुज्यते ।
प्रशस्ते कर्मणि तथा सच्छब्दः पार्थ युज्यते ॥२६॥

यज्ञे तपसि दाने च स्थितिः सदिति चोच्यते ।
कर्म चैव तदर्थीयं सदित्येवाभिधीयते ॥२७॥

sad-bhāve sādhu-bhāve ca sad ity etat prayujyate
praśaste karmaṇi tathā sac-chabdaḥ pārtha yujyate

yajñe tapasi dāne ca sthitiḥ sad iti cocyate
karma caiva tad-arthīyaṁ sad ity evābhidhīyate

sat-bhāve – a Legfelsőbb természete szerint; *sādhu-bhāve* – a *bhakta* természete szerint; *ca* – is; *sat* – a *sat* szó; *iti* – ily módon; *etat* – ez; *prayujyate* – használva; *praśaste* – hiteles; *karmaṇi* – tettekben; *tathā* – szintén; *sat-śabdaḥ* – a *sat* hang; *pārtha* – ó, Pṛthā fia; *yujyate* – használva; *yajñe* – áldozatban; *tapasi* – vezekléskor; *dāne* – adományozáskor; *ca* – is; *sthitiḥ* – a helyzet; *sat* – a Legfelsőbb; *iti* – ily módon; *ca* – és; *ucyate* – kiejtve; *karma* – tett; *ca* – szintén; *eva* – bizony; *tat* – azért; *arthīyam* – a célért; *sat* – a Legfelsőbb; *iti* – így; *eva* – bizony; *abhidhīyate* – rá utalnak.

Az odaadó áldozat célja az Abszolút Igazság, amelyet a „sat" szó jelöl. Ó, Pṛthā fia, az ilyen áldozat bemutatóját és a Legfelsőbb Személy örömére végzett, az abszolút természetnek megfelelő áldozatot, lemondást és adományozást szintén „sat"-nak nevezik.

MAGYARÁZAT: A *praśaste karmaṇi* szavak – melyeknek jelentése: „előírt kötelességek" – arra utalnak, hogy a védikus irodalom számtalan tisztító folyamatot ír elő, a fogantatástól kezdve egészen életünk végéig. Ezek a tisztító folyamatok az élőlény végső felszabadulását segítik elő. Az írások azt javasolják, hogy minden ilyen cselekedet közben zengjük az *oṁ tat sat* szavakat. A *sad-bhāve* és *sādhu-bhave* szavak a transzcendentális helyzetet jelölik. A Kṛṣṇa-tudatú cselekvést *sattvának* hívják, aki pedig teljesen tudatosan végzi a Kṛṣṇa-tudatú tetteket, azt *sādhunak* nevezik. A *Śrīmad-Bhāgavatam* (3.25.25) elmondja, hogy a transzcendentális témák a *bhakták* társaságában válnak érthetővé, s erre a *satāṁ prasaṅgāt* szavakat használja. Megfelelő társaság hiányában az ember nem tehet szert transzcendentális tudásra. Ha valaki avatásban részesít egy tanítványt, vagy a szentelt zsinórt adományozza neki, szintén az *oṁ tat sat* szavakat ejti ki. Ehhez hasonlóan minden *yajña* bemutatásának célja a Legfelsőbb, az *oṁ tat sat*. A *tad-arthīyam* szó másik jelentése: szolgálni mindazt, ami a Legfelsőbbet képviseli, s ebbe beletartozik az is, hogy főzünk az Úr templomában, segítünk, amiben kell, valamint minden más olyan cselekedet, ami az Úr dicsőségének terjesztését szolgálja. E legfelsőbb rendű *oṁ tat sat* szavakat számtalan módon használják, hogy minden tettet tökéletessé és mindent teljessé tegyenek.

28. VERS

अश्रद्धया हुतं दत्तं तपस्तप्तं कृतं च यत् ।
असदित्युच्यते पार्थ न च तत्प्रेत्य नो इह ॥२८॥

aśraddhayā hutaṁ dattaṁ tapas taptaṁ kṛtaṁ ca yat
asad ity ucyate pārtha na ca tat pretya no iha

aśraddhayā – hit nélkül; *hutam* – áldozatban felajánlott; *dattam* – adott; *tapaḥ* – lemondás; *taptam* – végrehajtott; *kṛtam* – végzett; *ca* – is; *yat* – ami; *asat* – hamis; *iti* – így; *ucyate* – mondják; *pārtha* – ó, Pṛthā fia; *na* – sohasem; *ca* – szintén; *tat* – az; *pretya* – a halál után; *na u* – sem; *iha* – ebben az életben.

Ó, Pṛthā fia! Mindaz, amit áldozatként, adományozásként és vezeklésként a Legfelsőbben való hit nélkül hajtanak végre, ideiglenes. Az ilyen tettet „asat"-nak nevezik, és semmi áldással nem jár sem ebben, sem a következő életben.

MAGYARÁZAT: Amit a transzcendentális célt figyelmen kívül hagyva hajtunk végre – legyen az áldozat, adományozás vagy vezeklés –, az semmit sem ér. Éppen ezért ez a vers kijelenti, hogy az efféle cselekedetek elítélendőek. Mindent Kṛṣṇa-tudatban, a Legfelsőbbért kell tennünk. Ilyen hit és megfelelő irányítás nélkül a tettek sohasem hozzák meg gyümölcsüket. Valamennyi védikus írás azt ajánlja, hogy a Legfelsőbben higgyünk. Minden védikus tanításnak Kṛṣṇa megértése a végső célja. Aki nem követi ezt az elvet, nem járhat sikerrel. A legjobb tehát, ha kezdettől fogva Kṛṣṇa-tudatban, egy hiteles lelki tanítómester vezetésével cselekszünk. Ez az út vezet a sikerhez.

A feltételekhez kötött létállapotban az emberek vonzódnak a félistenek, szellemek és *yakṣák* – például Kuvera – imádatához. A jóság kötőereje jobb a szenvedélynél és a tudatlanságnál, de ha valaki közvetlenül a Kṛṣṇa-tudat gyakorlásába kezd, az felülemelkedik az anyagi természet mindhárom kötőerején. Létezik egy fokozatos fejlődési folyamat is, ám a legjobb mégis az, ha a tiszta *bhakták* társaságában közvetlenül a Kṛṣṇa-tudathoz látunk. Ezt ajánlja ez a fejezet. Hogy ily módon sikert érhessünk el, először meg kell találnunk a megfelelő lelki tanítómestert, aki nevelhet bennünket. Csak ezután ébredhet fel bennünk a hit a Legfelsőbben. Idővel a hit megérlelődik, s ekkor Isten iránti szeretetté válik. Ez a szeretet az élőlények végső célja. Éppen ezért mindannyiunknak azonnal a Kṛṣṇa-tudat gyakorlásába kell kezdenünk. Ez a tizenhetedik fejezet üzenete.

Így végződnek a Bhaktivedanta-magyarázatok a Śrīmad Bhagavad-gītā *tizenhetedik fejezetéhez, melynek címe: „A hit fajtái".*

TIZENNYOLCADIK FEJEZET

Végkövetkeztetés – a tökéletes lemondás

1. VERS

अर्जुन उवाच
सन्न्यासस्य महाबाहो तत्त्वमिच्छामि वेदितुम् ।
त्यागस्य च हृषीकेश पृथक्केशिनिषूदन ॥१॥

arjuna uvāca
sannyāsasya mahā-bāho tattvam icchāmi veditum
tyāgasya ca hṛṣīkeśa pṛthak keśi-niṣūdana

arjunaḥ uvāca – Arjuna mondta; *sannyāsasya* – a lemondásnak; *mahā-bāho* – ó, erős karú; *tattvam* – az igazságát; *icchāmi* – kívánom; *veditum* – megérteni; *tyāgasya* – a lemondásnak; *ca* – szintén; *hṛṣīkeśa* – ó, érzékek Ura; *pṛthak* – különbözően; *keśi-niṣūdana* – ó, Keśī démon elpusztítója.

Arjuna így szólt: Ó, erős karú, ó, Keśī démon legyőzője, érzékek Ura, szeretném megérteni a lemondás [tyāga] és a lemondott életrend [sannyāsa] célját!

MAGYARÁZAT: A *Bhagavad-gītā* valójában tizenhét fejezetből áll, s a tizennyolcadik a korábbi fejezetek kiegészítő összegzése. Az Úr Kṛṣṇa a

Bhagavad-gītā mindegyik fejezetében kihangsúlyozza, hogy az élet végső célja az Istenség Legfelsőbb Személyiségének odaadó szolgálata. Ugyanezt foglalja össze a tizennyolcadik fejezet is, s a tudás legbizalmasabb útjának nevezi ezt. Az első hat fejezet az odaadó szolgálat jelentőségét hangsúlyozta: *yoginām api sarveṣām*... „Minden *yogī* és transzcendentalista közül az a legkiválóbb, aki magában mindig Rám gondol." A következő hat fejezet a tiszta odaadó szolgálatot, annak természetét és tetteit tárgyalta. Az utolsó hat fejezet a tudásról, a lemondásról, az anyagi és a transzcendentális természet működéséről, valamint az odaadó szolgálatról szólt. Eljutottunk arra a végkövetkeztetésre, hogy minden tettet úgy kell végrehajtani , hogy az kapcsolatban legyen a Legfelsőbb Úrral, akit az *oṁ tat sat* szavak képviselnek, amelyek Viṣṇut, a Legfelsőbb Személyt jelölik. A *Bhagavad-gītā* harmadik része bebizonyította, hogy az élet végső célja egyedül az odaadó szolgálat. Ezt a korábbi *ācāryákat* és a *Brahma-sūtrát,* azaz a *Vedānta-sūtrát* idézve támasztotta alá. Egyes imperszonalisták úgy tekintenek magukra, mint a *Vedānta-sūtra* bölcseletének kizárólagos ismerőire, ám a *Vedānta-sūtra* valójában az odaadó szolgálat megértését segíti elő, mivel maga az Úr a *Vedānta-sūtra* szerkesztője és ismerője, ahogyan azt a tizenötödik fejezet elmondta. Minden szentírásnak, minden Védának az odaadó szolgálat a célja. Erről beszél a *Bhagavad-gītā*.

Ahogyan a második fejezet áttekintette az egész témát, hasonlóképpen a tizennyolcadik fejezet is az elhangzottakat összegzi. Az élet céljaként a lemondást és a természet három anyagi kötőerején túli transzcendentális állapot elérését jelöli meg. Arjuna tisztán szeretne látni két dolgot, amellyel a *Bhagavad-gītā* foglalkozik: a lemondást (a *tyāgát*) és az élet lemondott rendjét (a *sannyāsát*). Ezért kérdezi e két szó jelentését.

A versben nagyon fontosak a Hṛṣīkeśa és Keśi-niṣūdana szavak, melyekkel Arjuna a Legfelsőbb Urat szólítja meg. Hṛṣīkeśa maga Kṛṣṇa, az érzékek Ura, aki mindig segít bennünket lelki nyugalmunk elérésében. Arjuna arra kéri Őt, foglaljon össze mindent oly módon, hogy kiegyensúlyozott maradhasson. Még mindig vannak kétségei, s a kétségeket démonokhoz szokták hasonlítani. Ez az oka, hogy Kṛṣṇát Keśi-niṣūdanának szólítja. Keśī egy rettentő démon volt, akit az Úr ölt meg. Arjuna most azt reméli, hogy Kṛṣṇa az ő kételyének démonával is végezni fog.

2. VERS

श्रीभगवानुवाच

काम्यानां कर्मणां न्यासं सन्न्यासं कवयो विदुः ।
सर्वकर्मफलत्यागं प्राहुस्त्यागं विचक्षणाः ॥ २ ॥

śrī-bhagavān uvāca
kāmyānāṁ karmaṇāṁ nyāsaṁ sannyāsaṁ kavayo viduḥ
sarva-karma-phala-tyāgaṁ prāhus tyāgaṁ vicakṣaṇāḥ

śrī-bhagavān uvāca – az Istenség Legfelsőbb Személyisége mondta; *kāmyānām* – a vágyakról; *karmaṇām* – a tettekről; *nyāsam* – lemondást; *sannyāsam* – a lemondott élet rendjének; *kavayaḥ* – a bölcsek; *viduḥ* – ismerik; *sarva* – minden; *karma* – tettnek; *phala* – az eredményéről; *tyāgam* – lemondást; *prāhuḥ* – hívják; *tyāgam* – lemondásnak; *vicakṣaṇāḥ* – a tapasztaltak.

Az Istenség Legfelsőbb Személyisége így szólt: A nagy tudású bölcsek lemondott életrendnek [sannyāsának] nevezik azt, amikor az ember felhagy az anyagi vággyal végzett tettekkel, míg ha tettei gyümölcséről mond le, azt lemondásnak [tyāgának] hívják.

MAGYARÁZAT: A *Bhagavad-gītā* azt az utasítást adja, hogy nem szabad tovább az eredményeikért végeznünk tetteinket, ám a magas szintű lelki tudáshoz vezető cselekedetekről nem szabad lemondanunk. Erről a következő versek szólnak világosabban. A védikus irodalomban számtalan leírást találunk a meghatározott célért végzett áldozatokról. Vannak áldozatok, melyek bemutatása által az embernek jó fiúgyermeke születhet, vagy épp eljuthat általuk a felsőbb bolygókra, de az ilyen vágyaktól fűtött áldozatokkal fel kell hagynunk. Sohasem szabad azonban felhagynunk azokkal, amelyek a szív tisztítását vagy a lelki tudásbeli fejlődést szolgálják.

3. VERS

त्याज्यं दोषवदित्येके कर्म प्राहुर्मनीषिणः ।
यज्ञदानतपःकर्म न त्याज्यमिति चापरे ॥ ३ ॥

tyājyaṁ doṣa-vad ity eke karma prāhur manīṣiṇaḥ
yajña-dāna-tapaḥ-karma na tyājyam iti cāpare

tyājyam – el kell hagyni; *doṣa-vat* – mint rosszat; *iti* – ily módon; *eke* – ezeknek; *karma* – a tetteit; *prāhuḥ* – mondják; *manīṣiṇaḥ* – a nagy gondolkodók; *yajña* – az áldozatnak; *dāna* – az adományozásnak; *tapaḥ* – és a vezeklésnek; *karma* – a tetteit; *na* – sohasem; *tyājyam* – kell abbahagyni; *iti* – így; *ca* – és; *apare* – mások.

Némely tanult ember úgy véli, hogy mindenfajta gyümölcsöző tett rossz, ezért fel kell hagyni velük, míg más bölcsek azt állítják, hogy az áldozat, adományozás és vezeklés tetteivel sohasem szabad felhagyni.

MAGYARÁZAT: A védikus irodalomban sok olyan dolog akad, ami vitára adhat okot. Az egyik helyen azt olvashatjuk, hogy áldozat során lehet állatot ölni, míg egy másik helyen azt, hogy az állat megölése elítélendő. A védikus irodalom ajánlja az állatáldozatot, ez azonban nem tekinthető ölésnek, hiszen az áldozat új életet ad az állatnak. Az állat néha egy újabb állati testet ölt, miután feláldozták, néha pedig rögtön emberi testbe kerül. A bölcsek véleménye azonban megoszlik erről. Némelyikük szerint minden esetben kerülni kell az állatok elpusztítását, mások viszont azt állítják, hogy bizonyos áldozatok során ez helyes. Most maga az Úr tisztázza majd az áldozati tevékenységekre vonatkozó különböző véleményeket.

4. VERS

निश्चयं शृणु मे तत्र त्यागे भरतसत्तम ।
त्यागो हि पुरुषव्याघ्र त्रिविधः सम्प्रकीर्तितः ॥ ४ ॥

niścayaṁ śṛṇu me tatra tyāge bharata-sattama
tyāgo hi puruṣa-vyāghra tri-vidhaḥ samprakīrtitaḥ

niścayam – bizonyosságot; *śṛṇu* – halld; *me* – Tőlem; *tatra* – ott; *tyāge* – a lemondással kapcsolatban; *bharata-sat-tama* – ó, legkiválóbb Bhārata; *tyāgaḥ* – lemondás; *hi* – bizony; *puruṣa-vyāghra* – ó, tigris az emberek között; *tri-vidhaḥ* – háromfélének; *samprakīrtitaḥ* – említik.

Ó, legkiválóbb Bhārata, halld most az Én véleményem a lemondásról! Ó, tigris az emberek között, az írások háromféle lemondásról tesznek említést.

MAGYARÁZAT: Habár a lemondásról alkotott vélemények megoszlanak, Śrī Kṛṣṇa, az Istenség Legfelsőbb Személyisége elmondja az Ő véleményét, amit a végső szónak kell tekintenünk. A Védákat végső soron azok a törvények alkotják, amiket az Úr hozott. Most az Úr személyesen van jelen, így az Ő szavát kell véglegesnek tekintenünk. Kijelenti, hogy a lemondást aszerint kell megítélnünk, hogy az anyagi természet mely kötőerejében végzik.

5. VERS

यज्ञदानतपःकर्म न त्याज्यं कार्यमेव तत् ।
यज्ञो दानं तपश्चैव पावनानि मनीषिणाम् ॥ ५ ॥

yajña-dāna-tapaḥ-karma na tyājyaṁ kāryam eva tat
yajño dānaṁ tapaś caiva pāvanāni manīṣiṇām

yajña – az áldozat; *dāna* – az adományozás; *tapaḥ* – és a vezeklés; *karma* – tettei; *na* – sohasem; *tyājyam* – feladandóak; *kāryam* – végzendőek; *eva* – bizony; *tat* – az; *yajñaḥ* – az áldozat; *dānam* – az adományozás; *tapaḥ* – a vezeklés; *ca* – és; *eva* – bizony; *pāvanāni* – tisztítóak; *manīṣiṇām* – még a nagy lelkek számára is.

Az áldozás, adományozás és vezeklés tetteivel nem szabad felhagyni; mindig végre kell hajtani azokat, hiszen mindhárom tisztítóan hat még a nagy lelkekre is.

MAGYARÁZAT: A *yogīknak* az emberi társadalom fejlődése érdekében kell cselekedniük. Számos tisztító folyamat létezik, ami az embert a lelki élet felé vezeti. Ilyen áldozat például a házassági ceremónia, amit *vivāha-yajñának* hívnak. Ám szabad-e egy *sannyāsīnak,* aki a lemondott életrendben él, s már megvált minden családi kapcsolattól, másokat házasságra biztatnia? Az Úr e versben kimondja, hogy az emberek jólétét szolgáló áldozatoktól sohasem szabad megválni. A *vivāha-yajña,* a házassági szertartás az elme szabályozását szolgálja, hogy az megnyugodjon, és képes legyen a lelki fejlődésre. Ezért még a lemondott életrend tagjainak is bátorítaniuk kell az emberek többségét a *vivāha-yajñāra.* A *sannyāsīnak* sohasem szabad nőkkel kapcsolatot tartania, ám ez nem jelenti azt, hogy egy alsóbb életrendbeli fiatal férfi ne nősüljön meg a házassági ceremónia keretei között. Minden előírt áldozat célja a Legfelsőbb Úr elérése, ezért az alacsonyabb szinten nem szabad megválni ezektől. Hasonlóan, az adományozás célja a szív megtisztítása. Mint ahogy korábban már szó volt róla, ha az arra méltóaknak adományoz az ember, az elősegíti fejlődését a lelki életben.

6. VERS

एतान्यपि तु कर्माणि सङ्गं त्यक्त्वा फलानि च ।
कर्तव्यानीति मे पार्थ निश्चितं मतमुत्तमम् ॥ ६ ॥

etāny api tu karmāṇi saṅgaṁ tyaktvā phalāni ca
kartavyānīti me pārtha niścitaṁ matam uttamam

etāni – mindezek; *api* – bizony; *tu* – de; *karmāṇi* – tettek; *saṅgam* – társaságot; *tyaktvā* – feladva; *phalāni* – eredményeket; *ca* – is; *kartavyāni* –

kötelességként végzendőek; *iti* – így; *me* – Enyém; *pārtha* – ó, Pṛthā fia; *niścitam* – határozott; *matam* – vélemény; *uttamam* – a legjobb.

Ó, Pṛthā fia! Mindezt ragaszkodás nélkül, az eredményre nem vágyakozva, kötelességből kell végrehajtani. Ez az Én végső véleményem.

MAGYARÁZAT: Noha minden áldozat tisztító hatású, ezek végrehajtásától nem szabad semmiféle eredményt várni. Más szóval az anyagi fejlődést szolgáló valamennyi áldozattól meg kell válni, míg azokat, melyek a lét tisztítását és a lelki síkra emelkedést segítik, folytatni kell. Minden tettet végre kell hajtani, ami a Kṛṣṇa-tudathoz viszi az embert. A *Śrīmad-Bhāgavatam* szintén azt mondja, hogy el kell fogadnunk minden cselekedetet, ami az Úr odaadó szolgálatához vezet. Ez a vallás legfontosabb jellemzője. Az Úr *bhaktájának* nem szabad visszautasítania semmilyen tettet, áldozatot és adományt, ami segíti őt az Úr odaadó szolgálatának végzésében.

7. VERS

नियतस्य तु सन्न्यासः कर्मणो नोपपद्यते ।
मोहात्तस्य परित्यागस्तामसः परिकीर्तितः ॥ ७ ॥

niyatasya tu sannyāsaḥ karmaṇo nopapadyate
mohāt tasya parityāgas tāmasaḥ parikīrtitaḥ

niyatasya – az előírt; *tu* – de; *sannyāsaḥ* – lemondás; *karmaṇaḥ* – tettről; *na* – sohasem; *upapadyate* – érdemes; *mohāt* – illúzió miatt; *tasya* – az ő; *parityāgaḥ* – lemondásukat; *tāmasaḥ* – a tudatlanság kötőerejében lévőnek; *parikīrtitaḥ* – mondják.

Az előírt kötelességekkel sohasem szabad felhagyni. Ha valaki az illúziótól megtévesztve mégis megválik tőlük, lemondását a tudatlanság kötőerejébe sorolják.

MAGYARÁZAT: Az anyagi elégedettséget szolgáló tettektől meg kell válnunk, de sohasem szabad felhagynunk az olyan cselekedetekkel, melyek elősegítik a lelki tevékenységet. Ilyen tett például a főzés a Legfelsőbb Úr számára, az étel felajánlása, majd elfogyasztása. Azt mondják, a lemondott rendben élő nem főzhet magának. Ez tilos, ám a Legfelsőbb Úrnak főzhet, az nincs megtiltva. Egy *sannyāsī* éppen így elvégezheti a házassági ceremóniát is, hogy ezzel segítse tanítványa fejlődését a Kṛṣṇa-tudatban. Ha valaki lemond az ilyen tettekről, akkor tudnunk kell róla, hogy a tudatlanság kötőerejében cselekszik.

8. VERS

दुःखमित्येव यत्कर्म कायक्लेशभयात्त्यजेत् ।
स कृत्वा राजसं त्यागं नैव त्यागफलं लभेत् ॥८॥

duḥkham ity eva yat karma kāya-kleśa-bhayāt tyajet
sa kṛtvā rājasaṁ tyāgaṁ naiva tyāga-phalaṁ labhet

duḥkham – boldogtalan; *iti* – így; *eva* – bizony; *yat* – ami; *karma* – munka; *kāya* – a test számára; *kleśa* – szenvedéssel teli; *bhayāt* – félelemből; *tyajet* – feladja az ember; *saḥ* – ő; *kṛtvā* – miután megtette; *rājasam* – a szenvedély minőségében lévő; *tyāgam* – lemondás; *na* – nem; *eva* – bizony; *tyāga* – a lemondásnak; *phalam* – eredményét; *labhet* – elnyeri.

Aki amiatt hagy fel előírt kötelességeivel, mert a testi kényelmetlenségtől tart, vagy mert fáradságosnak ítéli őket, annak lemondása a szenvedély kötőerejében van. Az ilyen tett sohasem vezet fejlődéshez a lemondás terén.

MAGYARÁZAT: A Kṛṣṇa-tudatú ember nem mondhat le a pénzkeresésről amiatt, mert fél, hogy gyümölcsöző cselekedeteket végez. Ha a munkájával szerzett pénzt fel tudja használni a Kṛṣṇa-tudatban, vagy ha a kora reggeli felkelés segíti a lelki életben, akkor nem szabad meghátrálnia csak azért, mert fél, vagy mert az ilyen tettek fáradságosak. Az ilyen lemondás a szenvedély kötőerejében van. A szenvedélyes tettnek mindig boldogtalanság a vége. Ha valaki ebben a szellemben hagy fel tetteivel, lemondása sohasem hozza meg gyümölcsét.

9. VERS

कार्यमित्येव यत्कर्म नियतं क्रियतेऽर्जुन ।
सङ्गं त्यक्त्वा फलं चैव स त्यागः सात्त्विको मतः ॥९॥

kāryam ity eva yat karma niyataṁ kriyate 'rjuna
saṅgaṁ tyaktvā phalaṁ caiva sa tyāgaḥ sāttviko mataḥ

kāryam – meg kell tenni; *iti* – így; *eva* – bizony; *yat* – ami; *karma* – munka; *niyatam* – mivel előírt; *kriyate* – végezve van; *arjuna* – ó, Arjuna; *saṅgam* – kapcsolatot; *tyaktvā* – feladva; *phalam* – az eredményt; *ca* – szintén; *eva* – bizony; *saḥ* – az; *tyāgaḥ* – a lemondás; *sāttvikaḥ* – a jóság minőségében lévő; *mataḥ* – véleményem szerint.

Ó, Arjuna, aki csak azért hajtja végre előírt kötelességét, mert annak úgy kell lennie, aki megválik minden anyagi kapcsolattól, s aki nem ragasz-

kodik többé a tett gyümölcseihez, annak lemondása a jóság minőségébe tartozik.

MAGYARÁZAT: Az előírt kötelességeket ezzel a mentalitással kell végrehajtani. Úgy kell cselekednünk, hogy ne vágyjunk annak eredményére, és meg kell válnunk a különféle típusú tettekhez való kötődéstől is. A gyárban dolgozó Kṛṣṇa-tudatos *bhakta* nem azonosítja magát sem a gyári munkával, sem pedig az ottani munkásokkal. Egyedül Kṛṣṇának dolgozik, s ha munkája gyümölcsét Neki adja, cselekedetei transzcendentálisak.

10. VERS

न द्वेष्ट्यकुशलं कर्म कुशले नानुषज्जते ।
त्यागी सत्त्वसमाविष्टो मेधावी छिन्नसंशयः ॥१०॥

na dveṣṭy akuśalaṁ karma kuśale nānuṣajjate
tyāgī sattva-samāviṣṭo medhāvī chinna-saṁśayaḥ

na – sohasem; *dveṣṭi* – gyűlöli; *akuśalam* – a kedvezőtlen; *karma* – tettet; *kuśale* – a kedvezőhöz; *na* – sem; *anuṣajjate* – ragaszkodik; *tyāgī* – a lemondó; *sattva* – jóságban; *samāviṣṭaḥ* – elmélyült; *medhāvī* – intelligens; *chinna* – aki elvágott; *saṁśayaḥ* – minden kételyt.

Ha a jóság kötőerejében él és értelmes, a lemondást gyakorló ember nem gyűlöli a kedvezőtlen cselekedeteket, de a kedvezőekhez sem ragaszkodik, s nincsenek kétségei a tetteket illetően.

MAGYARÁZAT: A Kṛṣṇa-tudatú vagy a jóság kötőerejében élő ember nem gyűlöl senkit és semmit, ami szenvedést okoz a testének. A megfelelő helyen, a megfelelő időben cselekszik, s nem fél tettei kedvezőtlen visszahatásaitól. Arról, aki ily módon a transzcendentális szinten áll, tudnunk kell, hogy rendkívül intelligens, és nincsenek kétségei a tetteket illetően.

11. VERS

न हि देहभृता शक्यं त्यक्तुं कर्माण्यशेषतः ।
यस्तु कर्मफलत्यागी स त्यागीत्यभिधीयते ॥११॥

na hi deha-bhṛtā śakyaṁ tyaktuṁ karmāṇy aśeṣataḥ
yas tu karma-phala-tyāgī sa tyāgīty abhidhīyate

na – sohasem; *hi* – bizony; *deha-bhṛtā* – a megtestesült által; *śakyam* – lehetséges; *tyaktum* – elkerülni; *karmāṇi* – a tetteket; *aśeṣataḥ* – valamennyit; *yaḥ* – aki; *tu* – de; *karma* – a tett; *phala* – eredményéről; *tyāgī* – lemondó; *saḥ* – ő; *tyāgī* – a lemondó; *iti* – így; *abhidhīyate* – mondják.

A megtestesült lélek valójában képtelen minden tettől megválni. Ezért mondják, hogy az igazi lemondás az, ha valaki a tettei gyümölcséről mond le.

MAGYARÁZAT: A *Bhagavad-gītā* azt írja, hogy az ember sohasem hagyhatja abba a cselekvést. Az igazán lemondott ezért az, aki nem élvezi tettei gyümölcsét, hanem Kṛṣṇának dolgozik, és mindent Neki ajánl fel. A Krisna-tudatú Hívők Nemzetközi Közösségének számtalan olyan tagja van, akik mind nagyon sokat dolgoznak irodáikban, a gyárban vagy egyéb munkahelyeken, s minden keresetüket a közösségnek adják. Az ilyen magas szintet elért lelkek valójában *sannyāsīk,* s az élet lemondott rendjében élnek. Most megtudhatjuk, hogyan és milyen célból kell lemondanunk tetteink gyümölcséről.

12. VERS

अनिष्टमिष्टं मिश्रं च त्रिविधं कर्मणः फलम् ।
भवत्यत्यागिनां प्रेत्य न तु सन्न्यासिनां क्वचित् ॥१२॥

aniṣṭam iṣṭaṁ miśraṁ ca tri-vidhaṁ karmaṇaḥ phalam
bhavaty atyāgināṁ pretya na tu sannyāsināṁ kvacit

aniṣṭam – a pokolba vezető; *iṣṭam* – a mennyekbe vezető; *miśram* – kevert; *ca* – és; *tri-vidham* – háromféle; *karmaṇaḥ* – munkának; *phalam* – az eredménye; *bhavati* – jön; *atyāginām* – a nem lemondóknak; *pretya* – a halál után; *na* – nem; *tu* – de; *sannyāsinām* – a lemondott rend tagjainak; *kvacit* – bármikor.

Aki nem gyakorol lemondást, annak tettei háromféle gyümölcsöt teremnek a halála után: kedvezőt, kedvezőtlent és a kettő keverékét. A lemondott rendben élőkre azonban nem vár sem szenvedést, sem élvezetet hozó eredmény.

MAGYARÁZAT: Aki Kṛṣṇa-tudatú, és Kṛṣṇával való kapcsolatának ismeretében cselekszik, az mindörökre felszabadul, s így halála után nem kell tettei eredményeit élveznie vagy szenvednie tőlük.

13. VERS

पञ्चैतानि महाबाहो कारणानि निबोध मे ।
साङ्ख्ये कृतान्ते प्रोक्तानि सिद्धये सर्वकर्मणाम् ॥१३॥

pañcaitāni mahā-bāho kāraṇāni nibodha me
sāṅkhye kṛtānte proktāni siddhaye sarva-karmaṇām

pañca – ötöt; *etāni* – mindezeket; *mahā-bāho* – ó, erős karú; *kāraṇāni* – okokat; *nibodha* – értsd meg; *me* – Tőlem; *sāṅkhye* – a *vedāntában; kṛta-ante* – a végkövetkeztetésben; *proktāni* – amiket elmondtak; *siddhaye* – tökéletessége érdekében; *sarva* – minden; *karmaṇām* – cselekedetnek.

Ó, erős karú Arjuna, a vedānta szerint minden tett végrehajtásában öt tényező játszik szerepet. Hallj most Tőlem ezekről!

MAGYARÁZAT: Felmerülhet a kérdés, hogy ha minden végrehajtott cselekedetnek van valamilyen visszahatása, akkor a Kṛṣṇa-tudatú embernek miért nem kell elszenvednie vagy élveznie munkája visszahatásait? Annak a bizonyítására, hogy ez lehetséges, az Úr most a *vedānta* filozófiára hivatkozik. Azt mondja, hogy minden cselekedetnek öt oka van, s ezeket ismernie kell az embernek ahhoz, hogy mindenben sikert érhessen el. A *sāṅkhya* a tudás törzse, a végső törzs pedig a *vedānta,* amit minden vezető *ācārya* elfogad. Még Śaṅkara is így tekintett a *Vedānta-sūtrára.* Éppen ezért mindig az ilyen tekintélyekhez kell fordulnunk.

A Felsőlélek a végső irányító. *Sarvasya cāhaṁ hṛdi sanniviṣṭaḥ,* mondja a *Bhagavad-gītā.* Ő késztet minden élőlényt bizonyos cselekvésre azáltal, hogy múltbeli tetteire emlékezteti őket. Az Ő belső irányítása alatt végrehajtott Kṛṣṇa-tudatos cselekedetekből nem származik visszahatás sem ebben, sem a halál után következő életben.

14. VERS

अधिष्ठानं तथा कर्ता करणं च पृथग्विधम् ।
विविधाश्च पृथक्चेष्टा दैवं चैवात्र पञ्चमम् ॥१४॥

adhiṣṭhānaṁ tathā kartā karaṇaṁ ca pṛthag-vidham
vividhāś ca pṛthak ceṣṭā daivaṁ caivātra pañcamam

adhiṣṭhānam – a hely; *tathā* – is; *kartā* – a cselekvő; *karaṇam* – az eszközök; *ca* – és; *pṛthak-vidham* – eltérőek; *vividhāḥ* – különfélék; *ca* – és; *pṛthak* – külön; *ceṣṭāḥ* – a törekvések; *daivam* – a Legfelsőbb; *ca* – is; *eva* – bizony; *atra* – itt; *pañcamam* – az ötödik.

A cselekvés helyszíne [a test], a végrehajtója, a különböző érzékek, a törekvés különféle fajtái és végül a Felsőlélek – ezek alkotják a tett öt tényezőjét.

MAGYARÁZAT: Az *adhiṣṭhānam* szó a testre utal. A testben a lélek azért cselekszik, hogy valamilyen eredményt érjen el vele, s ezért *kartānak,* cselekvőnek nevezik. A *śruti* leírja, hogy a lélek az ismerő és a cselekvő. *Eṣa hi draṣṭā sraṣṭā* (*Praśna-upaniṣad* 4.9). Ezt a *Vedānta-sūtra* is megerősíti a *jño 'ta eva* (2.3.18) és a *kartā śāstrārthavattvāt* (2.3.33) *sūtrákban.* A tettek eszközei az érzékek, melyek segítségével a lélek számtalan módon cselekedhet. Minden egyes cselekedetre más törekvés jellemző, ám végső soron az ember minden tette a Felsőlélek akaratától függ, aki barátként a szívben lakozik. A Legfelsőbb Úr a legfőbb ok. Így tehát aki Kṛṣṇa-tudatban, a szívében lakozó Felsőlélek útmutatása szerint cselekszik, azt természetesen semmilyen tett nem köti le. A teljesen Kṛṣṇa-tudatú ember végső soron nem vonható felelősségre tetteiért. Minden a legfőbb akarattól, a Felsőlélektől, az Istenség Legfelsőbb Személyiségétől függ.

15. VERS

शरीरवाङ्मनोभिर्यत्कर्म प्रारभते नरः ।
न्याय्यं वा विपरीतं वा पञ्चैते तस्य हेतवः ॥१५॥

śarīra-vāṅ-manobhir yat karma prārabhate naraḥ
nyāyyaṁ vā viparītaṁ vā pañcaite tasya hetavaḥ

śarīra – a test; *vāk* – a beszéd; *manobhiḥ* – és az elme által; *yat* – amilyen; *karma* – tettre; *prārabhate* – vállalkozik; *naraḥ* – az ember; *nyāyyam* – helyesre; *vā* – vagy; *viparītam* – az ellenkezőjére; *vā* – vagy; *pañca* – öt; *ete* – ezek; *tasya* – annak; *hetavaḥ* – okai.

Ez az öt tényező idéz elő minden helyes vagy helytelen tettet, amit az ember a testével, elméjével vagy beszédével végrehajt.

MAGYARÁZAT: A „helyes" és „helytelen" szavak nagyon fontosak ebben a versben. Helyes tetteken az írások parancsai szerint végrehajtott cselekedeteket értjük, helytelen tetteken pedig azokat, melyek ellentétben állnak az írások elveivel. Erre az öt tényezőre azonban minden tett tökéletes végzéséhez szükség van.

16. VERS

तत्रैवं सति कर्तारमात्मानं केवलं तु यः ।
पश्यत्यकृतबुद्धित्वान्न स पश्यति दुर्मतिः ॥१६॥

tatraivaṁ sati kartāram ātmānaṁ kevalaṁ tu yaḥ
paśyaty akṛta-buddhitvān na sa paśyati durmatiḥ

tatra – ott; *evam* – így; *sati* – lévén; *kartāram* – cselekvőnek; *ātmānam* – magát; *kevalam* – csak; *tu* – de; *yaḥ* – aki; *paśyati* – látja; *akṛta-buddhitvāt* – értelem hiányában; *na* – sohasem; *saḥ* – ő; *paśyati* – lát; *durmatiḥ* – az ostoba.

Ezért aki figyelmen kívül hagyja ezt az öt tényezőt, s önmagát hiszi egyedüli cselekvőnek, az nem kellőképpen intelligens, és nem a valóságnak megfelelően lát.

MAGYARÁZAT: Az ostoba ember képtelen megérteni, hogy a Felsőlélek barátként benne lakozik, és irányítja tetteit. A hely, a cselekvő, a törekvés és az érzékek az anyagi okok, ám a végső ok a Legfelsőbb, az Istenség Személyisége. Tehát nemcsak a négy anyagi, hanem a legfelsőbb ható okot is látnunk kell. Aki nem látja a Legfelsőbbet, az magát hiszi a cselekvőnek.

17. VERS

यस्य नाहङ्कृतो भावो बुद्धिर्यस्य न लिप्यते ।
हत्वापि स इमाँल्लोकान्न हन्ति न निबध्यते ॥१७॥

yasya nāhaṅkṛto bhāvo buddhir yasya na lipyate
hatvāpi sa imāl̐ lokān na hanti na nibadhyate

yasya – akinek; *na* – sohasem; *ahaṅkṛtaḥ* – hamis egóból származó; *bhāvaḥ* – a természete; *buddhiḥ* – az értelme; *yasya* – akinek; *na* – sohasem; *lipyate* – ragaszkodik; *hatvā* – megölve; *api* – habár; *saḥ* – ő; *imān* – ezeket; *lokān* – az embereket; *na* – sohasem; *hanti* – öl; *na* – sohasem; *nibadhyate* – kötődik.

Akit nem a hamis ego ösztönöz, és értelme mentes az anyagi kötelékektől, az nem gyilkos, még ha embereket is öl e világban, s tettei nem kötik le.

MAGYARÁZAT: Ebben a versben az Úr elmondja Arjunának, hogy az a vágya, hogy ne harcoljon, hamis egójából fakad. Arjuna azt hitte, ő a cselekvő, s nem gondolt arra, hogy minden tetthez a kívülről és belülről érkező legfelsőbb jóváhagyás szükséges. Miért is cselekedne valaki, ha nem tud a felsőbb jóváhagyásról? Aki azonban ismeri a tettek eszközeit, és tudja, hogy ő a cselekvő, a Legfelsőbb Úr pedig a végső szentesítő, az mindent tökéletesen hajt végre. Az ilyen ember soha sincs illúzióban. A saját magunkra vonatkoztatott tevékenység és felelősség a hamis egóból és istentagadásból, illetve a Kṛṣṇa-tudat hiányából fakad. Aki Kṛṣṇa-tudatban, a Felsőlélek vagy az Istenség Legfelsőbb Személyisége irányítása alatt cselekszik, az nem öl, még ha úgy is tűnik, s az ölés visszahatásainak sincs kitéve soha. Azt a katonát, aki feljebbvalója parancsára öl, nem tekintik bűnösnek. Ha azonban személyes érdekből ont vért, akkor tettét a bíróság bizonyosan elítéli.

18. VERS

ज्ञानं ज्ञेयं परिज्ञाता त्रिविधा कर्मचोदना ।
करणं कर्म कर्तेति त्रिविधः कर्मसङ्ग्रहः ॥१८॥

jñānaṁ jñeyaṁ parijñātā tri-vidhā karma-codanā
karaṇaṁ karma karteti tri-vidhaḥ karma-saṅgrahaḥ

jñānam – tudás; *jñeyam* – a tudás tárgya; *parijñātā* – a tudó; *tri-vidhā* – háromféle; *karma* – tett; *codanā* – hajtóerő; *karaṇam* – az érzékek; *karma* – a tett; *kartā* – a cselekvő; *iti* – ily módon; *tri-vidhaḥ* – háromféle; *karma* – tettnek; *saṅgrahaḥ* – halmazata.

A tudás, a tudás tárgya és a tudó a tett három ösztönző tényezője; az érzékek, a cselekedet és a cselekvő pedig a tett három összetevője.

MAGYARÁZAT: Az általános tetteket három lendítőerő segíti elő: a tudás, a tudás tárgya és a tudó. A tett összetevőit az eszközök, maga a tett és a cselekvő képezik. Ezek a tényezők jelen vannak minden tettben, amit csak végezhet ember. A cselekvés előtt ösztönző erő lép fel, melyet inspirációnak neveznek. A tett eltervezése a tett finom formája, amit a tett végrehajtása követ. Először tehát a gondolkodás, érzés és akarás pszichológiai folyamatán kell keresztülmennie a cselekvőnek, s ezt nevezik hajtóerőnek. A cselekvésre ösztönző inspiráció akár a szentírásokból, akár a lelki tanítómester utasításaiból származik, ugyanaz. Ha van inspiráció, és adott a cselekvő is, az érzékek segítségével – amelyekhez az elme, valamennyi érzék központja is hozzátartozik – létrejön a tett. A tett összetevőinek együttállását a tett betetőzésének nevezik.

19. VERS

ज्ञानं कर्म च कर्ता च त्रिधैव गुणभेदतः ।
प्रोच्यते गुणसङ्ख्याने यथावच्छृणु तान्यपि ॥१९॥

jñānaṁ karma ca kartā ca tridhaiva guṇa-bhedataḥ
procyate guṇa-saṅkhyāne yathāvac chṛṇu tāny api

jñānam – a tudás; *karma* – a tett; *ca* – is; *kartā* – a cselekvő; *ca* – is; *tridhā* – háromféle; *eva* – bizony; *guṇa-bhedataḥ* – az anyagi természet különféle kötőerői szerint; *procyate* – úgy mondják; *guṇa-saṅkhyāne* – a különféle kötőerők szerint; *yathā-vat* – ahogyan vannak; *śṛṇu* – halld; *tāni* – mindezeket; *api* – szintén.

Az anyagi természet három kötőerejének megfelelően a tudás, a tett és a cselekvő háromféle lehet. Hallj hát Tőlem ezekről is!

MAGYARÁZAT: A tizennegyedik fejezet részletesen írt az anyagi természet három kötőerejéről. Eszerint a jóság megvilágosodáshoz, a szenvedély materializmushoz, a tudatlanság pedig lustasághoz és hanyagsághoz vezet. Az anyagi természet kötőerői mind lekötnek, egyik sem vezet a felszabaduláshoz. Még a jóság kötőerejében lévő is feltételekhez van kötve. A tizenhetedik fejezet az anyagi természet különféle kötőerőiben élő emberek különféle imádatformáiról írt. Ebben a versben az Úr azt mondja, hogy a tudás, a cselekvő és a tett különféle típusairól akar beszélni, melyeket az anyagi kötőerők határoznak meg.

20. VERS

सर्वभूतेषु येनैकं भावमव्ययमीक्षते ।
अविभक्तं विभक्तेषु तज्ज्ञानं विद्धि सात्त्विकम् ॥२०॥

sarva-bhūteṣu yenaikaṁ bhāvam avyayam īkṣate
avibhaktaṁ vibhakteṣu taj jñānaṁ viddhi sāttvikam

sarva-bhūteṣu – minden élőlényben; *yena* – ami által; *ekam* – egy; *bhāvam* – helyzetet; *avyayam* – elpusztíthatatlant; *īkṣate* – lát; *avibhaktam* – osztatlant; *vibhakteṣu* – a számtalan felosztottban; *tat* – azt; *jñānam* – a tudást; *viddhi* – tudd; *sāttvikam* – a jóság kötőerejében lévőnek.

Tudd, hogy a jóság kötőerejébe az a tudás tartozik, ami által az ember minden élőlényben az egy, osztatlan lelki természetet látja, annak ellenére, hogy az élőlények számtalan formára felosztva jelennek meg.

MAGYARÁZAT: Aki ugyanazt a lelket látja mindenkiben, legyen az félisten, ember, állat, vízi lény vagy növény, az a jóság kötőerejébe tartozó tudással rendelkezik. A lélek minden egyes élőlényben ugyanolyan, annak ellenére, hogy előző tetteik szerint más és más testet kaptak. A hetedik fejezet megmagyarázta, hogy a testekben megnyilvánuló életerő a Legfelsőbb Úr felsőbb természetének köszönhető. Az ember látásmódja akkor tartozik a jóság minőségébe, amikor minden testben ezt a felsőbb természetet, ezt az életerőt látja. Habár az anyagi test mulandó, az életerő elpusztíthatatlan. Különbségeket csupán a testi síkon tapasztalunk: a feltételekhez kötött életben sokféle létforma létezik, ezért az életerő felosztottnak tűnik. Ez a személytelen ismeret az önmegvalósítás egyik aspektusa.

21. VERS

पृथक्त्वेन तु यज्ज्ञानं नानाभावान् पृथग्विधान् ।
वेत्ति सर्वेषु भूतेषु तज्ज्ञानं विद्धि राजसम् ॥२१॥

pṛthaktvena tu yaj jñānaṁ nānā-bhāvān pṛthag-vidhān
vetti sarveṣu bhūteṣu taj jñānaṁ viddhi rājasam

pṛthaktvena – a felosztottság miatt; *tu* – de; *yat* – amit; *jñānam* – tudást; *nānā-bhāvān* – sokféle helyzetet; *pṛthak-vidhān* – különbözőt; *vetti* – ismeri; *sarveṣu* – minden; *bhūteṣu* – élőlényben; *tat* – azt; *jñānam* – a tudást; *viddhi* – tudd; *rājasam* – a szenvedélyben lévőnek.

A szenvedély kötőerejébe az a tudás tartozik, amelynek alapján a különböző testekben az ember különféle élőlényeket lát.

MAGYARÁZAT: Azt az elképzelést, miszerint az élőlény az anyagi testtel azonos, s a test pusztulásával a tudat is megsemmisül, a szenvedély kötelékébe tartozó tudásnak hívják. E tudás szerint a testek közötti eltérés az eltérő tudatformák kialakulásának következménye, s nincs különálló lélek, amelyből a tudat fakad. A test maga a lélek, s nincsen lélek, ami a test fölött állna. Ez a szemlélet ideiglenesnek tekinti a tudatot. Egy másik felfogás szerint nincsenek egyéni lelkek, de egy mindent átható, tudással teli lélek mégis létezik, s ez a test az ideiglenes tudatlanság megnyilvánulása. Van olyan elképzelés is, hogy a testen túl nem létezik sem egyéni, sem legfelsőbb lélek. Ezek az elméletek mind a szenvedély kötőerejének termékei.

22. VERS

यत्तु कृत्स्नवदेकस्मिन् कार्ये सक्तमहैतुकम् ।
अतत्त्वार्थवदल्पं च तत्तामसमुदाहृतम् ॥२२॥

yat tu kṛtsna-vad ekasmin kārye saktam ahaitukam
atattvārtha-vad alpaṁ ca tat tāmasam udāhṛtam

yat – ami; *tu* – de; *kṛtsna-vat* – mintha az lenne a minden; *ekasmin* – egy; *kārye* – munkához; *saktam* – ragaszkodó; *ahaitukam* – ok nélküli; *atattva-artha-vat* – a valóságot nem ismerő; *alpam* – nagyon csekély; *ca* – és; *tat* – az; *tāmasam* – a sötétség kötőerejében lévő; *udāhṛtam* – úgy mondják.

Az igazságról mit sem tudó, csekély ismeretről, amelynek birtokában úgy vonzódik az ember egy bizonyos fajta munkához, mintha az lenne az egyetlen, azt mondják, hogy a tudatlanság kötőerejébe tartozik.

MAGYARÁZAT: A közönséges ember „tudása" mindig a sötétség vagy tudatlanság kötőerejében van, mert valamennyi feltételekhez kötött lélek ebben a kötőerőben születik meg. Aki nem tesz szert tudásra a felsőbb, hiteles tekintélyeken vagy a kinyilatkoztatott írásokon keresztül, annak ismeretei a testre korlátozódnak. Nem törődik azzal, hogy az írások utasításai szerint cselekedjen. Istene a pénz, a tudás pedig testi vágyainak kielégítését jelenti. Az ilyen tudásnak nincsen kapcsolata az Abszolút Igazsággal. Többé-kevésbé a közönséges állatok tudásszintjével azonos, azaz egyedül az evés, az alvás, a nemi élet és a védekezés ismereteit foglalja magában. Erről a tudásról azt írja ez a vers, hogy a sötétség kötőerejének terméke. Más szóval tehát a testen túli lélekről szóló tudás a jóság minőségébe, a közönséges logikára és spekulációra épülő, sokféle elméletet és doktrínát létrehozó ismeret a szenvedély kötőerejébe, míg az olyan tudás, melynek célja egyedül a test kényelmének fenntartása, a tudatlanság kötőerejébe tartozik.

23. VERS

नियतं सङ्गरहितमरागद्वेषतः कृतम् ।
अफलप्रेप्सुना कर्म यत्तत्सात्त्विकमुच्यते ॥२३॥

niyataṁ saṅga-rahitam arāga-dveṣataḥ kṛtam
aphala-prepsunā karma yat tat sāttvikam ucyate

niyatam – a szabályozott; *saṅga-rahitam* – ragaszkodás nélkül; *arāga-dveṣataḥ* – vonzódás és gyűlölet nélkül; *kṛtam* – végzett; *aphala-prepsunā* – a gyümölcsöző eredményre nem vágyó által; *karma* – tett; *yat* – ami; *tat* – az; *sāttvikam* – a jóság minőségében lévő; *ucyate* – úgy mondják.

A szabályozott tettet, amit a gyümölcsöző eredményekre nem vágyó ember ragaszkodás, vonzódás és gyűlölet nélkül hajt végre, a jóság kötőerejébe sorolják.

MAGYARÁZAT: A jóság minőségébe azok a szabályozott, kötelességből végzett tettek tartoznak, amelyeket a szentírások írnak elő a különféle társadalmi rendek és csoportok számára, s melyeket ragaszkodás vagy birtoklásérzet nélkül, s így vonzódástól és gyűlölettől mentesen, Kṛṣṇa-tudatban, a Legfelsőbb örömére, minden önző érdektől mentesen hajtanak végre.

24. VERS

यत्तु कामेप्सुना कर्म साहङ्कारेण वा पुनः ।
क्रियते बहुलायासं तद्राजसमुदाहृतम् ॥२४॥

yat tu kāmepsunā karma sāhaṅkāreṇa vā punaḥ
kriyate bahulāyāsaṁ tad rājasam udāhṛtam

yat – ami; *tu* – de; *kāma-īpsunā* – a gyümölcsöző eredményre vágyó által; *karma* – tett; *sa-ahaṅkāreṇa* – hamis egóval; *vā* – vagy; *punaḥ* – ismét; *kriyate* – végrehajtott; *bahula-āyāsam* – nagy erőfeszítéssel; *tat* – az; *rājasam* – a szenvedély kötőerejében lévő; *udāhṛtam* – úgy tekintik.

Azt a tettet azonban, amelyet nagy erőfeszítéssel, hamis éntudatban végez a vágyait kielégíteni óhajtó, a szenvedély kötőerejébe tartozónak tekintik.

25. VERS

अनुबन्धं क्षयं हिंसामनपेक्ष्य च पौरुषम् ।
मोहादारभ्यते कर्म यत्तत्तामसमुच्यते ॥२५॥

anubandhaṁ kṣayaṁ hiṁsām anapekṣya ca pauruṣam
mohād ārabhyate karma yat tat tāmasam ucyate

anubandham – a jövőben megkötő; *kṣayam* – pusztulást; *hiṁsām* – és szenvedést másoknak; *anapekṣya* – a következményekre való tekintet nélkül; *ca* – is; *pauruṣam* – saját maga által jóváhagyott; *mohāt* – illúzió által; *ārabhyate* – elkezdett; *karma* – tett; *yat* – ami; *tat* – az; *tāmasam* – a tudatlanság kötőerejében lévő; *ucyate* – úgy mondják.

Úgy mondják, hogy az olyan tettet, amelyet illúzióban, az írások utasításait mellőzve, a belőle származó kötöttséget figyelmen kívül hagyva hajtanak végre, nem törődve azzal, hogy az mások számára ártalmas és szenvedést okoz, a tudatlanság kötőereje jellemzi.

MAGYARÁZAT: Az embernek felelnie kell a tetteiért vagy az állam, vagy a Legfelsőbb Úr ügynökei, a *yamadūták* előtt. A felelőtlen cselekvés mindent romba dönt, mert elpusztítja az írások szabályozó elveit. Gyakran az erőszakon alapszik, és szenvedést okoz a többi élőlénynek. Az ilyen felelőtlen tettet az ember a saját, személyes tapasztalatai alapján hajtja végre. Ezt illúziónak nevezik. Minden ilyen illuzórikus tett a tudatlanság kötőerejének terméke.

26. VERS

मुक्तसङ्गोऽनहंवादी धृत्युत्साहसमन्वितः ।
सिद्ध्यसिद्ध्योर्निर्विकारः कर्ता सात्त्विक उच्यते ॥२६॥

mukta-saṅgo 'nahaṁ-vādī dhṛty-utsāha-samanvitaḥ
siddhy-asiddhyor nirvikāraḥ kartā sāttvika ucyate

mukta-saṅgaḥ – minden anyagi kapcsolattól mentesen; *anaham-vādī* – hamis ego nélkül; *dhṛti* – eltökéltség; *utsāha* – és nagy lelkesedés; *samanvitaḥ* – birtokában; *siddhi* – tökéletességben; *asiddhyoḥ* – és kudarcban; *nirvikāraḥ* – ugyanúgy; *kartā* – cselekvő; *sāttvikaḥ* – a jóság minőségében lévő; *ucyate* – úgy mondják.

Aki kötelességeit az anyagi természet kötőerőivel való kapcsolattól és a hamis egótól megszabadulva, nagy elszántsággal és lelkesedéssel végzi, s nem ingatja meg sem siker, sem kudarc, arról azt mondják, a jóság kötőerejében cselekszik.

MAGYARÁZAT: A Kṛṣṇa-tudatú ember mindig az anyagi természet kötőerői fölött áll. Nem vágyik a rábízott munka gyümölcseire, mert felülemelkedett a hamis egón és a büszkeségen, ennek ellenére mégis mindig lelkesen végrehajtja feladatait. Nem aggódik az ezzel járó nehézségek miatt, s mindig nagyon lelkes. A sikerrel vagy a kudarccal sem törődik, és sem a boldogság, sem a boldogtalanság nem ingatja meg. Aki így cselekszik, az a jóság minőségében van.

27. VERS

रागी कर्मफलप्रेप्सुर्लुब्धो हिंसात्मकोऽशुचिः ।
हर्षशोकान्वितः कर्ता राजसः परिकीर्तितः ॥२७॥

rāgī karma-phala-prepsur lubdho hiṁsātmako 'śuciḥ
harṣa-śokānvitaḥ kartā rājasaḥ parikīrtitaḥ

rāgī – a ragaszkodó; *karma-phala* – a munka gyümölcseire; *prepsuḥ* – vágyakozó; *lubdhaḥ* – mohó; *hiṁsā-ātmakaḥ* – mindig irigy; *aśuciḥ* – tisztátalan; *harṣa-śoka-anvitaḥ* – öröm és bánat által befolyásolt; *kartā* – cselekvő; *rājasaḥ* – a szenvedély minőségében lévő; *parikīrtitaḥ* – úgy mondják.

Az a cselekvő, aki ragaszkodik a tetthez és annak gyümölcséhez, élvezni akarja azt, mohó, mindig irigy, tisztátalan, s az öröm és bánat befolyása alatt áll, a szenvedély kötőerejében van.

MAGYARÁZAT: Ha valaki nagyon materialista, azaz erős kötelékek fűzik otthonához, feleségéhez, gyermekeihez stb., akkor egy bizonyos fajta cselekvéshez vagy annak eredményéhez is nagyon fog ragaszkodni. Nem akar magasabb rendű létformába kerülni, csupán az érdekli, hogy ezt a világot anyagi szempontból minél kényelmesebbé tegye. Általában rendkívül mohó, s azt hiszi, hogy amit egyszer már megszerzett, az örökké az övé marad, és soha többé nem veszíti el. Az ilyen ember irigy másokra, s mindenre hajlandó, ha érzékei kielégítéséről van szó, éppen ezért tisztátalan, s nem érdekli, hogy a pénzét tisztességes vagy tisztességtelen úton szerzi-e. Ha sikerre visz valamit, nagyon boldog, ha azonban tette nem jár eredménnyel, végtelenül elkeseredik. Ilyen az az ember, aki a szenvedély kötőerejében cselekszik.

28. VERS

अयुक्तः प्राकृतः स्तब्धः शठो नैष्कृतिकोऽलसः ।
विषादी दीर्घसूत्री च कर्ता तामस उच्यते ॥२८॥

ayuktaḥ prākṛtaḥ stabdhaḥ śaṭho naiṣkṛtiko 'lasaḥ
viṣādī dīrgha-sūtrī ca kartā tāmasa ucyate

ayuktaḥ – a szentírások parancsait mellőző; *prākṛtaḥ* – materialista; *stabdhaḥ* – önfejű; *śaṭhaḥ* – csaló; *naiṣkṛtikaḥ* – másokat folyton sértegető; *alasaḥ* – lusta; *viṣādī* – mogorva; *dīrgha-sūtrī* – halogató; *ca* – és; *kartā* – cselekvő; *tāmasaḥ* – a tudatlanság kötőerejében lévő; *ucyate* – úgy mondják.

Az pedig, aki mindig olyan munkát végez, ami ellenkezik az írások parancsaival, materialista, önfejű, csaló, előszeretettel sérteget másokat, lusta, állandóan mogorva és halogató, a tudatlanság kötőerejében van.

MAGYARÁZAT: A szentírásokban útmutatást találunk arra, milyen cselekedeteket ajánlatos végrehajtanunk, s melyektől kell tartózkodnunk. Akik ezt az útmutatást figyelmen kívül hagyják, azok az írások által nem ajánlott tettekbe merülnek, s általában materialisták. Nem az írások utasításait követve, hanem az anyagi természet kötőerői szerint cselekszenek. Egyáltalán nem kedvesek, hanem általában rendkívül alattomosak, s előszeretettel sértegetnek másokat. Nagyon lusták, s még a kötelességüket sem hajtják végre időben, hanem későbbre halasztják. Az ilyen emberek éppen ezért mindig mogorvának tűnnek. Halogatóak, s amit más egy óra alatt elvégezne, az nekik évekbe telik. Az ilyen cselekvők a tudatlanság kötőerejében vannak.

29. VERS

बुद्धेर्भेदं धृतेश्चैव गुणतस्त्रिविधं शृणु ।
प्रोच्यमानमशेषेण पृथक्त्वेन धनञ्जय ॥२९॥

buddher bhedaṁ dhṛteś caiva guṇatas tri-vidhaṁ śṛṇu
procyamānam aśeṣeṇa pṛthaktvena dhanañjaya

buddheḥ – az értelemnek; *bhedam* – különbségeit; *dhṛteḥ* – a határozottságnak; *ca* – is; *eva* – bizony; *guṇataḥ* – az anyagi természet kötőerőinek köszönhetően; *tri-vidham* – háromfélét; *śṛṇu* – halld hát; *procyamānam* – amint leírom; *aśeṣeṇa* – részletesen; *pṛthaktvena* – külön-külön; *dhanañjaya* – ó, gazdagság meghódítója.

Ó, gazdagság meghódítója, figyelj, mert részletesen leírom neked az anyagi természet kötőerői szerinti háromféle értelmet és eltökéltséget!

MAGYARÁZAT: Miután elmagyarázta az anyagi természet három kötőereje szerinti tudást, a tudás tárgyát és a cselekvőt, az Úr most ugyanígy részletesen beszélni fog a cselekvő értelméről és eltökéltségéről.

30. VERS

प्रवृत्तिं च निवृत्तिं च कार्याकार्ये भयाभये ।
बन्धं मोक्षं च या वेत्ति बुद्धिः सा पार्थ सात्त्विकी ॥३०॥

pravṛttiṁ ca nivṛttiṁ ca kāryākārye bhayābhaye
bandhaṁ mokṣaṁ ca yā vetti buddhiḥ sā pārtha sāttvikī

pravṛttim – cselekvést; *ca* – és; *nivṛttim* – nem cselekvést; *ca* – és; *kārya* – az elvégzendő tettet; *akārye* – a tiltott tettet; *bhaya* – félelmet; *abhaye* – és félelemnélküliséget; *bandham* – köteléket; *mokṣam* – felszabadulást; *ca* – és; *yā* – amelyik; *vetti* – ismeri; *buddhiḥ* – értelem; *sā* – az; *pārtha* – ó, Pṛthā fia; *sāttvikī* – a jóság minőségében lévő.

Ó, Pṛthā fia, az az értelem, aminek segítségével az ember tudja, hogy mit kell tennie, és milyen cselekvéstől kell tartózkodnia, mitől kell félnie és mitől nem, mi az, ami leköti, és mi az, ami felszabadítja, a jóság kötőerejébe tartozik.

MAGYARÁZAT: Az írások útmutatásai szerint végzett tetteket *pravṛttinek,* azaz végrehajtandó cselekedeteknek nevezik. Azokat a tetteket, amelyekre az írások nem utasítanak, nem szabad elvégezni. Aki nem ismeri az írások útmutatásait, azt a tettek okai és azok visszahatásai megkötik. Az a látásmód, amely az értelem segítségével képes a megkülönböztetésre, a jóság minőségében van.

31. VERS

यया धर्ममधर्मं च कार्यं चाकार्यमेव च ।
अयथावत्प्रजानाति बुद्धिः सा पार्थ राजसी ॥३१॥

yayā dharmam adharmaṁ ca kāryaṁ cākāryam eva ca
ayathāvat prajānāti buddhiḥ sā pārtha rājasī

yayā – ami által; *dharmam* – a vallás elveit; *adharmam* – a vallástalanságot; *ca* – és; *kāryam* – a végrehajtandó tettet; *ca* – is; *akāryam* – az elkerülendő tettet; *eva* – bizony; *ca* – is; *ayathā-vat* – tökéletlenül; *prajānāti* – ismeri; *buddhiḥ* – értelem; *sā* – az; *pārtha* – ó, Pṛthā fia; *rājasī* – a szenvedély kötőerejében lévő.

Az az értelem, amely nem tud különbséget tenni a vallás és a vallástalanság, valamint a végrehajtandó és az elkerülendő tettek között, a szenvedély kötőerejében van, ó, Pṛthā fia.

32. VERS

अधर्मं धर्ममिति या मन्यते तमसावृता ।
सर्वार्थान् विपरीतांश्च बुद्धिः सा पार्थ तामसी ॥३२॥

adharmaṁ dharmam iti yā manyate tamasāvṛtā
sarvārthān viparītāṁś ca buddhiḥ sā pārtha tāmasī

adharmam – a vallástalanság; *dharmam* – vallás; *iti* – így; *yā* – amelyik; *manyate* – gondolja; *tamasā* – az illúzió által; *āvṛtā* – befedett; *sarva-arthān* – minden dolgot; *viparītān* – fordítva; *ca* – is; *buddhiḥ* – értelem; *sā* – az; *pārtha* – ó, Pṛthā fia; *tāmasī* – a tudatlanság kötőerejében lévő.

Ó, Pārtha, az illúzió és a sötétség varázsa alatt a vallástalanságot vallásnak, a vallást vallástalanságnak vélő, mindig rossz irányba törekvő értelem a tudatlanság kötőerejében van.

MAGYARÁZAT: A tudatlanság kötőerejében lévő értelem mindig ellentétesen működik, mint ahogyan kellene. Azt, ami valójában nem vallás, elfogadja, ám az igazi vallást elutasítja. A tudatlanság kötőerejében élők a nagy lelket közönségesnek vélik, s egy közönséges embert nagy léleknek tekintenek. Az igazságról azt hiszik, valótlan, a valótlant pedig igaznak fogadják el. Minden tettükben a rossz utat választják, ezért értelmük a tudatlanság kötőerejében van.

33. VERS

धृत्या यया धारयते मनःप्राणेन्द्रियक्रियाः ।
योगेनाव्यभिचारिण्या धृतिः सा पार्थ सात्त्विकी ॥३३॥

dhṛtyā yayā dhārayate manaḥ-prāṇendriya-kriyāḥ
yogenāvyabhicāriṇyā dhṛtiḥ sā pārtha sāttvikī

dhṛtyā – eltökéltség által; *yayā* – ami által; *dhārayate* – az ember fenntartja; *manaḥ* – az elmének; *prāṇa* – az életnek; *indriya* – és az érzékeknek; *kriyāḥ* – a tetteit; *yogena* – a *yoga* gyakorlása által; *avyabhicāriṇyā* – a töretlen által; *dhṛtiḥ* – eltökéltség; *sā* – az; *pārtha* – ó, Pṛthā fia; *sāttvikī* – a jóság minőségében lévő.

Ó, Pṛthā fia, az a töretlen határozottság, amelyet a yoga gyakorlása által elsajátított rendíthetetlenséggel lehet fenntartani, s ami ily módon fegyelmezi az elme, az élet és az érzékek működését, a jóság minőségében van.

MAGYARÁZAT: A *yoga* egy eszköz, melynek segítségével megérthetjük a Legfelsőbb Lelket. Aki szilárd elhatározással a Legfelsőbb Lélekre összpontosít, elmeműködését, életfunkcióit és érzéktevékenységét Rá irányítja, az Kṛṣṇa-tudatban él. Ez a fajta eltökéltség a jóság minőségében van. Az *avyabhicāriṇyā* szó nagyon fontos, mert arra utal, hogy a Kṛṣṇa-tudatot gyakorló embert más tettek sohasem térítik el.

34. VERS

यया तु धर्मकामार्थान्धृत्या धारयतेऽर्जुन ।
प्रसङ्गेन फलाकाङ्क्षी धृतिः सा पार्थ राजसी ॥३४॥

yayā tu dharma-kāmārthān dhṛtyā dhārayate 'rjuna
prasaṅgena phalākāṅkṣī dhṛtiḥ sā pārtha rājasī

yayā – ami által; *tu* – de; *dharma* – a vallásosságot; *kāma* – az érzékkielégítést; *arthān* – az anyagi gyarapodást; *dhṛtyā* – határozottsággal; *dhārayate* – az ember fenntartja; *arjuna* – ó, Arjuna; *prasaṅgena* – ragaszkodás miatt; *phala-ākāṅkṣī* – gyümölcsöző eredményekre vágyva; *dhṛtiḥ* – eltökéltség; *sā* – az; *pārtha* – ó, Pṛthā fia; *rājasī* – a szenvedély kötőerejében lévő.

Ó, Arjuna, az a határozottság, amely az embert szorosan a vallás, az anyagi gyarapodás és az érzékkielégítés terén elérhető gyümölcsöző eredményekhez köti, a szenvedély minőségében van.

MAGYARÁZAT: Aki örökké gyümölcsöző eredményekre vágyik, a gazdasági és a vallásos tettekben egyaránt, akinek egyetlen vágya érzékeinek kielégítése, s így elméje, élete, valamint érzékei egyedül ezzel törődnek, az a szenvedély kötőerejének a rabja.

35. VERS

यया स्वप्नं भयं शोकं विषादं मदमेव च ।
न विमुञ्चति दुर्मेधा धृतिः सा पार्थ तामसी ॥३५॥

yayā svapnaṁ bhayaṁ śokaṁ viṣādaṁ madam eva ca
na vimuñcati durmedhā dhṛtiḥ sā pārtha tāmasī

yayā – ami által; *svapnam* – álmot; *bhayam* – félelmet; *śokam* – bánatot; *viṣādam* – mogorvaságot; *madam* – illúziót; *eva* – bizony; *ca* – is; *na* – sohasem; *vimuñcati* – elengedi; *durmedhā* – ostoba; *dhṛtiḥ* – eltökéltség; *sā* – az; *pārtha* – ó, Pṛthā fia; *tāmasī* – a tudatlanság kötőerejében lévő.

Az az ostoba eltökéltség pedig, ó, Pṛthā fia, amely nem képes túljutni az álmon, a félelmen, a bánkódáson, a mogorvaságon és az illúzión, a tudatlanság kötőerejébe tartozik.

MAGYARÁZAT: Ebből nem szabad arra következtetnünk, hogy a jóság kötőerejében nem álmodik az ember. Az ebben a versben említett „álom" a túl sok alvásra utal. Az álom természetes, és mindig jelen van, a jóság, a szenvedély és a tudatlanság kötőerejében egyaránt. Aki képtelen elkerülni a felesleges alvást, az anyagi dolgok élvezetéből származó büszkeséget, aki mindig az anyagi világ fölötti uralomról ábrándozik, s akinek egész élete, elméje és érzékei e körül forognak, annak eltökéltsége a tudatlanság kötőerejébe tartozik.

36. VERS

सुखं त्विदानीं त्रिविधं शृणु मे भरतर्षभ ।
अभ्यासाद्रमते यत्र दुःखान्तं च निगच्छति ॥३६॥

sukhaṁ tv idānīṁ tri-vidhaṁ śṛṇu me bharatarṣabha
abhyāsād ramate yatra duḥkhāntaṁ ca nigacchati

sukham – boldogságot; *tu* – de; *idānīm* – most; *tri-vidham* – háromfélét; *śṛṇu* – halld; *me* – Tőlem; *bharata-ṛṣabha* – ó, Bhāraták legkiválóbbja; *abhyāsāt* – gyakorlással; *ramate* – élvez; *yatra* – ahol; *duḥkha* – boldogtalanságnak; *antam* – a végét; *ca* – is; *nigacchati* – eléri.

Ó, legkiválóbb Bhārata, kérlek, hallj most Tőlem a háromféle boldogságról, amit a feltételekhez kötött lélek élvez, és amely néha minden szenvedésének véget vet!

MAGYARÁZAT: A feltételekhez kötött lélek újra meg újra élvezni próbálja az anyagi boldogságot, azaz rágja a már megrágottat. Néha azonban élvezete során egy nagy lélek társaságában megszabadul az anyagi kötelékektől. A feltételekhez kötött lélek mindig valamilyen érzékkielégítéssel foglalkozik, de ha a jó társaság hatására megérti, hogy ez semmi újat nem hoz számára, és igazi Kṛṣṇa-tudatára ébred, akkor megszabadulhat attól az újra és újra ismétlődő dologtól, amit boldogságnak nevez.

37. VERS

यत्तदग्रे विषमिव परिणामेऽमृतोपमम् ।
तत्सुखं सात्त्विकं प्रोक्तमात्मबुद्धिप्रसादजम् ॥३७॥

yat tad agre viṣam iva pariṇāme 'mṛtopamam
tat sukhaṁ sāttvikaṁ proktam ātma-buddhi-prasāda-jam

yat – ami; *tat* – az; *agre* – az elején; *viṣam iva* – méreghez hasonló; *pariṇāme* – a végén; *amṛta* – nektárhoz; *upamam* – hasonlatos; *tat* – az; *sukham* – a boldogság; *sāttvikam* – a jóság minőségében lévő; *proktam* – úgy mondják; *ātma* – az önvalóban lévő; *buddhi* – értelemnek; *prasāda-jam* – az elégedettségből született.

Az a boldogság, ami kezdetben méregnek tűnik, de végül nektárrá válik, és ami ráébreszti az embert az önmegvalósításra, a jóság kötőerejébe tartozik.

MAGYARÁZAT: Annak, aki az önmegvalósításra törekszik, számtalan szabályt és előírást be kell tartania, hogy fegyelmezni tudja elméjét és érzékeit, s hogy elméjét képes legyen az önvalóra rögzíteni. Ezek közül egyik sem könnyű dolog. E szabályok betartása olyan keserűnek tűnik, mint a méreg, de ha az ember sikeresen követi őket, és eléri a transzcendentális síkot, akkor végre megízlelheti az igazi nektárt, és élvezheti az élet valódi örömét.

38. VERS

विषयेन्द्रियसंयोगाद्यत्तदग्रेऽमृतोपमम् ।
परिणामे विषमिव तत्सुखं राजसं स्मृतम् ॥३८॥

viṣayendriya-saṁyogād yat tad agre 'mṛtopamam
pariṇāme viṣam iva tat sukhaṁ rājasaṁ smṛtam

viṣaya – az érzékek tárgyainak; *indriya* – és az érzékeknek; *saṁyogāt* – az egyesüléséből; *yat* – ami; *tat* – az; *agre* – az elején; *amṛta-upamam* –

olyan, mint a nektár; *pariṇāme* – a végén; *viṣam iva* – mint a méreg; *tat* – az; *sukham* – a boldogság; *rājasam* – a szenvedély kötőerejében lévő; *smṛtam* – úgy tartják.

Azt a boldogságot, amit az ember az érzékeknek az érzéktárgyakkal való kapcsolatából merít, s ami az elején nektárnak, ám később méregnek tűnik, a szenvedély minőségébe sorolják.

MAGYARÁZAT: Amikor egy fiatal férfi találkozik egy fiatal nővel, az érzékek arra késztetik, hogy megnézze őt, megérintse, és nemi kapcsolatba lépjen vele. Eleinte lehet, hogy mindez nagy örömet ad az érzékeknek, de előbb vagy utóbb méreggé válik: ismét külön élnek, vagy elválnak, szomorkodnak, bánkódnak és így tovább. Az ilyen boldogság mindig a szenvedély kötőerejébe tartozik. Az a boldogság, amely az érzékek és az érzéktárgyak kapcsolatából származik, mindig szenvedést okoz, ezért mindenképpen el kell kerülnünk.

39. VERS

यदग्रे चानुबन्धे च सुखं मोहनमात्मनः ।
निद्रालस्यप्रमादोत्थं तत्तामसमुदाहृतम् ॥३९॥

yad agre cānubandhe ca sukhaṁ mohanam ātmanaḥ
nidrālasya-pramādotthaṁ tat tāmasam udāhṛtam

yat – ami; *agre* – az elején; *ca* – is; *anubandhe* – a végén; *ca* – is; *sukham* – boldogság; *mohanam* – illuzórikus; *ātmanaḥ* – az önvaló számára; *nidrā* – alvásnak; *ālasya* – lustaságnak; *pramāda* – és illúziónak; *uttham* – a terméke; *tat* – az; *tāmasam* – a tudatlanság kötőerejében lévő; *udāhṛtam* – úgy mondják.

Az a boldogság pedig, ami nem törődik az önmegvalósítással, ami az elejétől a végéig illúzió, s alvásból, tunyaságból és téveszméből születik, a tudatlanság kötőerejében van.

MAGYARÁZAT: Aki a lustálkodásban és az alvásban leli örömét, az minden bizonnyal a sötétség, a tudatlanság kötőerejében van, mint ahogy az is, aki nem tudja, mit kell és mit nem szabad tenni. Aki a tudatlanság kötőerejének rabja, annak számára minden illúzió. Boldogságot sem az elején, sem a végén nem talál. A szenvedély kötőerejében eleinte még érezhet egyfajta futó örömöt az ember, amit később szenvedés követ, de a tudatlanságban lévő ember számára egyedül csak szenvedés létezik elejétől a végéig.

40. VERS

न तदस्ति पृथिव्यां वा दिवि देवेषु वा पुनः ।
सत्त्वं प्रकृतिजैर्मुक्तं यदेभिः स्यात्त्रिभिर्गुणैः ॥४०॥

na tad asti pṛthivyāṁ vā divi deveṣu vā punaḥ
sattvaṁ prakṛti-jair muktaṁ yad ebhiḥ syāt tribhir guṇaiḥ

na – nem; *tat* – az; *asti* – van; *pṛthivyām* – a Földön; *vā* – vagy; *divi* – a felsőbb bolygórendszerben; *deveṣu* – a félistenek között; *vā* – vagy; *punaḥ* – ismét; *sattvam* – lét; *prakṛti-jaiḥ* – az anyagi természetből született; *muktam* – szabad; *yat* – ami; *ebhiḥ* – ezek hatásától; *syāt* – lenne; *tribhiḥ* – három; *guṇaiḥ* – kötőerőtől.

Nincsen olyan lény, sem itt, sem a felsőbb bolygók félistenei között, aki mentes lenne az anyagi természetből születő három kötőerőtől.

MAGYARÁZAT: Az Úr most összegzi mindazt, amit elmondott: a három kötőerő szerte az univerzumban mindenkire hat.

41. VERS

ब्राह्मणक्षत्रियविशां शूद्राणां च परन्तप ।
कर्माणि प्रविभक्तानि स्वभावप्रभवैर्गुणैः ॥४१॥

brāhmaṇa-kṣatriya-viśāṁ śūdrāṇāṁ ca parantapa
karmāṇi pravibhaktāni svabhāva-prabhavair guṇaiḥ

brāhmaṇa – a *brāhmaṇáknak; kṣatriya* – a *kṣatriyáknak; viśām* – és a *vaiśyáknak; śūdrāṇām* – a *śūdráknak; ca* – és; *parantapa* – ó, ellenség legyőzője; *karmāṇi* – a tettei; *pravibhaktāni* – felosztottak; *svabhāva* – a saját természetükből; *prabhavaiḥ* – született; *guṇaiḥ* – az anyagi természet kötőerői hatására.

Ó, ellenség fenyítője, a brāhmaṇákat, kṣatriyákat, vaiśyákat és śūdrákat az anyagi kötőerők szerinti természetükből adódó tulajdonságaik alapján különböztetik meg egymástól.

42. VERS

शमो दमस्तपः शौचं क्षान्तिरार्जवमेव च ।
ज्ञानं विज्ञानमास्तिक्यं ब्रह्मकर्म स्वभावजम् ॥४२॥

śamo damas tapaḥ śaucaṁ kṣāntir ārjavam eva ca
jñānaṁ vijñānam āstikyaṁ brahma-karma svabhāva-jam

śamaḥ – nyugodtság; *damaḥ* – önfegyelem; *tapaḥ* – vezeklés; *śaucam* – tisztaság; *kṣāntiḥ* – béketűrés; *ārjavam* – becsületesség; *eva* – bizony; *ca* – és; *jñānam* – tudás; *vijñānam* – bölcsesség; *āstikyam* – vallásosság; *brahma* – egy *brāhmaṇának; karma* – kötelessége; *svabhāva-jam* – saját természetéből származó.

A brāhmaṇák munkáját az alábbi, természetükből fakadó tulajdonságok jellemzik: nyugalom, önfegyelem, lemondás, tisztaság, béketűrés, becsületesség, tudás, bölcsesség és vallásosság.

43. VERS

शौर्यं तेजो धृतिर्दाक्ष्यं युद्धे चाप्यपलायनम् ।
दानमीश्वरभावश्च क्षात्रं कर्म स्वभावजम् ॥४३॥

śauryaṁ tejo dhṛtir dākṣyaṁ yuddhe cāpy apalāyanam
dānam īśvara-bhāvaś ca kṣātraṁ karma svabhāva-jam

śauryam – hősiesség; *tejaḥ* – erő; *dhṛtiḥ* – elszántság; *dākṣyam* – leleményesség; *yuddhe* – a csatában; *ca* – és; *api* – szintén; *apalāyanam* – nem meghátrálás; *dānam* – bőkezűség; *īśvara* – vezető; *bhāvaḥ* – természet; *ca* – és; *kṣātram* – egy *kṣatriyának; karma* – kötelessége; *svabhāva-jam* – saját természetéből származó.

Hősiesség, erő, elszántság, leleményesség, bátorság a csatában, nagylelkűség és vezetőképesség – ezek a természetükből adódó tulajdonságok jellemzik a kṣatriyák tetteit.

44. VERS

कृषिगोरक्ष्यवाणिज्यं वैश्यकर्म स्वभावजम् ।
परिचर्यात्मकं कर्म शूद्रस्यापि स्वभावजम् ॥४४॥

kṛṣi-go-rakṣya-vāṇijyaṁ vaiśya-karma svabhāva-jam
paricaryātmakaṁ karma śūdrasyāpi svabhāva-jam

kṛṣi – szántás; *go* – a teheneknek; *rakṣya* – a védelmezése; *vāṇijyam* – kereskedés; *vaiśya* – a *vaiśyáé; karma* – kötelesség; *svabhāva-jam* – saját természetéből eredő; *paricaryā* – szolgálatból; *ātmakam* – álló; *karma* – kötelessége; *śūdrasya* – a *śūdrának; api* – is; *svabhāva-jam* – saját természetéből adódó.

A vaiśyák természetének megfelelő munka a földművelés, a tehénvédelem és a kereskedés, a śūdráké pedig a kétkezi munka és mások szolgálata.

45. VERS

स्वे स्वे कर्मण्यभिरतः संसिद्धिं लभते नरः ।
स्वकर्मनिरतः सिद्धिं यथा विन्दति तच्छृणु ॥४५॥

sve sve karmaṇy abhirataḥ saṁsiddhiṁ labhate naraḥ
sva-karma-nirataḥ siddhiṁ yathā vindati tac chṛṇu

sve sve – mindegyik a saját; *karmaṇi* – tettét; *abhirataḥ* – követve; *saṁsiddhim* – tökéletességet; *labhate* – eléri; *naraḥ* – az ember; *sva-karma* – saját kötelességében; *nirataḥ* – elfoglalt; *siddhim* – tökéletességet; *yathā* – ahogyan; *vindati* – eléri; *tat* – azt; *śṛṇu* – halld.

Mindenki elérheti a tökéletességet, ha a rá jellemző tulajdonságoknak megfelelő munkát végzi. Halld most Tőlem, hogyan lehetséges ez!

46. VERS

यतः प्रवृत्तिर्भूतानां येन सर्वमिदं ततम् ।
स्वकर्मणा तमभ्यर्च्य सिद्धिं विन्दति मानवः ॥४६॥

yataḥ pravṛttir bhūtānāṁ yena sarvam idaṁ tatam
sva-karmaṇā tam abhyarcya siddhiṁ vindati mānavaḥ

yataḥ – akiből; *pravṛttiḥ* – a kiáradása; *bhūtānām* – minden élőlénynek; *yena* – aki által; *sarvam* – minden; *idam* – ez; *tatam* – áthatva; *sva-karmaṇā* – saját kötelessége által; *tam* – Őt; *abhyarcya* – imádva; *siddhim* – tökéletességet; *vindati* – eléri; *mānavaḥ* – az ember.

Ha a mindent átható Urat, minden élőlény eredetét imádja az ember, akkor a számára előírt tetteket végezve elérheti a tökéletességet.

MAGYARÁZAT: A tizenötödik fejezet leírja, hogy minden élőlény a Legfelsőbb Úr parányi szerves része. Ez azt jelenti, hogy a Legfelsőbb Úr minden élőlény eredete. Ezt a *Vedānta-sūtra* is megerősíti: *janmādy asya yataḥ.* A Legfelsőbb Úrtól származik minden élőlény. Ahogyan azt a *Bhagavad-gītā* hetedik fejezete elmondja, a Legfelsőbb Úr kétféle energiája, a külső és a belső energia révén mindent átható. Energiáival együtt kell tehát imádnunk Őt. A *vaiṣṇavák* általában belső energiájával együtt imádják a Legfelsőbb Urat. Ennek az energiának az eltorzult tükröződése a külső energia, amely háttérben van, de a Legfelsőbb Úr teljes értékű részének kiterjedésében, Paramātmāként jelen van mindenhol. Ő a Felsőlélek valamennyi félistenben, emberben, állatban, mindenben. Tudnunk kell tehát, hogy a Legfelsőbb Úr szerves részeiként kötelességünk Őt szolgálni. Ez a vers azt ajánlja, hogy mindenki végezzen teljes Kṛṣṇa-tudatban odaadó szolgálatot az Úrnak.

Mindenkinek úgy kell gondolkoznia, hogy Hṛṣīkeśa, az érzékszervek Ura foglalkoztatja őt egy bizonyos fajta munkában, s hogy tettei gyümölcsével Śrī Kṛṣṇát, az Istenség Legfelsőbb Személyiségét kell imádnia. Ha valaki mindig így, teljes Kṛṣṇa-tudatban gondolkozik, az Úr kegyéből mindenről teljes tudásra tehet szert. Ez az élet tökéletessége. Az Úr a *Bhagavad-gītāban* (12.7) kijelenti: *teṣām ahaṁ samuddhartā.* A Legfelsőbb Úr maga gondoskodik az ilyen *bhakta* felszabadulásáról. Ez az élet legmagasabb rendű tökéletessége. Bármilyen foglalkozást űzzön valaki, ha a Legfelsőbb Urat szolgálja, eléri a legtökéletesebb szintet.

47. VERS

श्रेयान् स्वधर्मो विगुणः परधर्मात्स्वनुष्ठितात् ।
स्वभावनियतं कर्म कुर्वन्नाप्नोति किल्बिषम् ॥४७॥

śreyān sva-dharmo viguṇaḥ para-dharmāt sv-anuṣṭhitāt
svabhāva-niyataṁ karma kurvan nāpnoti kilbiṣam

śreyān – jobb; *sva-dharmaḥ* – az ember saját kötelessége; *viguṇaḥ* – tökéletlenül végezve; *para-dharmāt* – mint más kötelessége; *su-anuṣṭhitāt* – tökéletesen végezve; *svabhāva-niyatam* – az ember természete szerint előírt; *karma* – munkát; *kurvan* – végezvén; *na* – sohasem; *āpnoti* – kap; *kilbiṣam* – bűnös visszahatást.

Még ha tökéletlenül hajtja is végre saját kötelességét az ember, az jobb, mint ha a másét végzi el tökéletesen. A természete alapján előírt kötelességeinek eleget téve sohasem éri bűnös visszahatás.

MAGYARÁZAT: A *Bhagavad-gītā* az emberek foglalkozás szerinti kötelességéről beszél. A korábbi versekben már szó volt arról, hogy a *brāhmaṇa, kṣatriya, vaiśya* és *śūdra* kötelességeit az anyagi természet rájuk jellemző kötőerői határozzák meg. Senkinek sem szabad más kötelességét végeznie. Aki a természete alapján a *śūdrák* munkájához vonzódik, ne adja ki magát *brāhmaṇának* még akkor se, ha esetleg *brāhmaṇa* családban született. Az embernek saját természete szerint kell cselekednie. A Legfelsőbb Úr szolgálatában nem létezik alantas munka. A *brāhmaṇa* foglalkozás szerinti kötelessége minden bizonnyal a jóság minőségében van, de ha valaki természeténél fogva nincs ebben a kötőerőben, akkor nem szabad egy *brāhmaṇa* munkáját végeznie. A *kṣatriya* – vezető – feladatához például számtalan szörnyű dolog hozzátartozik: erőszakot kell alkalmaznia, hogy elpusztíthassa ellenségeit, néha pedig diplomáciai okokból hazudnia kell. Az ilyen erőszak és kétszínűség a politika velejárója, s a *kṣatriyának* nem szabad felhagynia előírt kötelességével, hogy ahelyett egy *brāhmaṇa* munkáját végezze.

Mindenkinek úgy kell cselekednie, hogy tetteivel örömet szerezzen a Legfelsőbb Úrnak. Arjuna például *kṣatriya* volt, ám mégis vonakodott harcba szállni az ellenséggel. Ám ha a harc Kṛṣṇának, az Istenség Legfelsőbb Személyiségének az ügyét szolgálja, akkor nem kell félni attól, hogy általa mélyre süllyed az ember. Egy kereskedőnek sokszor hazudnia kell a haszon érdekében, s ha nem tenne így, nem lenne nyeresége. A kereskedők sokszor mondják: „Ó, kedves vevő, magának odaadom ezt annyiért, amennyiért vettem, felár nélkül!" Tudnunk kell azonban, hogy egy kereskedő nem él meg haszon nélkül. Ha tehát azt mondja, hogy az áruját haszon nélkül adja el, akkor tudhatjuk, hogy hazudik. Ennek ellenére mégsem szabad azt hinnie, hogy mivel a foglalkozása megköveteli a hazugságot, meg kell válnia tőle, és ahelyett inkább *brāhmaṇaként* kell cselekednie. Ez nem ajánlatos. Ha valaki a munkájával az Istenség Legfelsőbb Személyiségét szolgálja, akkor nem számít, hogy az illető *kṣatriya, vaiśya* vagy épp *śūdra*. Néha még az áldozatokat végző *brāhmaṇáknak* is kell állatot ölniük, ha olyan áldozatot végeznek, ami megköveteli ezt. Hasonlóan, ha egy *kṣatriya* a kötelessége teljesítése közben megöli az ellenségét, akkor ezzel nem követ el bűnt. Erről nagyon érthetően és részletesen számol be a harmadik fejezet: minden embernek Yajña, vagyis Viṣṇu, az Istenség Legfelsőbb Személyisége érdekében kell dolgoznia. Amit személyes érzékkielégítésünkre teszünk, az lekötöttséget okoz. A végkövetkeztetés tehát az, hogy mindenkinek a rá jellemző sajátságos kötőerőnek megfelelően kell tevékenykednie, azzal az egyedüli szándékkal, hogy a Legfelsőbb Úr legfelsőbb érdekét szolgálja.

48. VERS

सहजं कर्म कौन्तेय सदोषमपि न त्यजेत् ।
सर्वारम्भा हि दोषेण धूमेनाग्निरिवावृताः ॥४८॥

saha-jaṁ karma kaunteya sa-doṣam api na tyajet
sarvārambhā hi doṣeṇa dhūmenāgnir ivāvṛtāḥ

saha-jam – a vele született; *karma* – munkát; *kaunteya* – ó, Kuntī fia; *sa-doṣam* – hibákkal teli; *api* – habár; *na* – sohasem; *tyajet* – szabad feladni; *sarva-ārambhāḥ* – minden próbálkozás; *hi* – bizony; *doṣeṇa* – hibával; *dhūmena* – füsttel; *agniḥ* – tűz; *iva* – ahogyan; *āvṛtāḥ* – befedett.

Mint lángot a füst, úgy takar be minden igyekezetet valamilyen hiba. Ezért, ó, Kuntī fia, az embernek nem szabad felhagynia a természetéből fakadó munkával még akkor sem, ha az hibákkal teli.

MAGYARÁZAT: A feltételekhez kötött létben az anyagi természet kötőerői minden tettet beszennyeznek. Még a *brāhmaṇának* is végeznie kell olyan áldozatokat, amelyek szükségessé teszik az állatok megölését. Ugyanígy bármennyire is jámbor, a *kṣatriyának* harcolnia kell az ellenséggel, ez alól nem bújhat ki. Az üzlete fenntartása érdekében még a jámbor kereskedő is arra kényszerül néha, hogy eltitkolja a nyereségét, vagy hogy feketén üzleteljen. Ezek a dolgok szükségesek, s lehetetlen elkerülni őket. Ehhez hasonlóan a rossz urat szolgáló *śūdrának* is végre kell hajtania gazdája parancsait, még akkor is, ha azokat másképp nem tenné meg. Mindenkinek folytatnia kell előírt kötelességei végrehajtását e hibák ellenére is, mert ezek a kötelességek saját természetéből fakadnak.

A vers nagyon szép példával illusztrálja ezt. Noha a tűz tiszta, mégis füstöl, ez azonban nem szennyezi be, és füstje ellenére minden elem közül a legtisztábbnak számít. Ha valaki *kṣatriya* kötelességéről lemondva egy *brāhmaṇa* foglalkozását akarja űzni, semmi biztosíték sincs arra, hogy új foglalkozása során nem kell kellemetlen feladatokkal szembenéznie. Ebből azt a következtetést vonhatjuk el, hogy az anyagi világban senki sem mentes teljesen az anyagi természet szennyeződésétől. A tűz és a füst példája nagyon szemléletes: télen, amikor követ veszünk ki a tűzből, szemünket és más testrészeinket is bántja a füst, ám a zavaró körülmények ellenére használnunk kell a tüzet. Éppen így az embernek nem szabad megválnia természetes foglalkozásától csupán azért, mert szembe kell néznie néhány zavaró tényezővel. Inkább legyen határozott abban a szándékában, hogy előírt kötelességével a Legfelsőbb Urat szolgálja a Kṛṣṇa-tudatban. Ez jelenti a tökéletességet. Ha valaki a munkáját a Legfelsőbb Úr örömére végzi, akkor tetteiben többé nem lesz hiba. Amikor az odaadó szolgálattal összekapcsolt munka eredményei megtisztulnak, az ember tökéletesen láthatja önvalóját. Ezt hívják önmegvalósításnak.

49. VERS

असक्तबुद्धिः सर्वत्र जितात्मा विगतस्पृहः ।
नैष्कर्म्यसिद्धिं परमां सन्न्यासेनाधिगच्छति ॥४९॥

asakta-buddhiḥ sarvatra jitātmā vigata-spṛhaḥ
naiṣkarmya-siddhiṁ paramāṁ sannyāsenādhigacchati

asakta-buddhiḥ – a ragaszkodástól mentes értelmű; *sarvatra* – mindenhol; *jita-ātmā* – az elméjét szabályozó; *vigata-spṛhaḥ* – az anyagi vágyak nélküli; *naiṣkarmya-siddhim* – a visszahatások nélküli cselekvés tökéletességét; *paramām* – legfelsőbbet; *sannyāsena* – a lemondott életrend által; *adhigacchati* – eléri.

Aki önfegyelmezett, nem ragaszkodik, és nem törődik az anyagi élvezettel, az a lemondás gyakorlásával eléri a visszahatásoktól mentes legtökéletesebb állapotot.

MAGYARÁZAT: Az igazi lemondás azt jelenti, hogy az ember mindig a Legfelsőbb Úr szerves részének tekinti magát, s így azt gondolja, hogy nincsen joga élvezni tettei eredményét. Mivel a Legfelsőbb Úr szerves része, tetteinek eredményeit is a Legfelsőbb Úrnak kell élveznie. Ez az igazi Kṛṣṇa-tudat. Aki Kṛṣṇa-tudatban cselekszik, az valóban *sannyāsī,* a lemondott életrend tagja. Ilyen mentalitással az ember elégedetté válik, mert mindent a Legfelsőbbért tesz. Így aztán nem ragaszkodik semmi anyagihoz, és megszokja, hogy az Úr szolgálatából származó transzcendentális boldogságon kívül semmi másból nem merít örömet. Egy *sannyāsīnak* mentesnek kell lennie korábbi cselekedeteinek minden visszahatásától. Ezt a tökéletességet egy Kṛṣṇa-tudatú ember minden külön erőfeszítés nélkül eléri, még akkor is, ha nem lép a lemondott rendbe. Ezt az elmeállapotot *yogārūdhának,* a *yoga* tökéletes szintjének nevezik. A harmadik fejezet megerősíti: *yas tv ātma-ratir eva syāt,* aki elégedett önmagában, az nem tart tetteinek semmilyen visszahatásától.

50. VERS

सिद्धिं प्राप्तो यथा ब्रह्म तथाप्नोति निबोध मे ।
समासेनैव कौन्तेय निष्ठा ज्ञानस्य या परा ॥५०॥

siddhiṁ prāpto yathā brahma tathāpnoti nibodha me
samāsenaiva kaunteya niṣṭhā jñānasya yā parā

siddhim – tökéletességet; *prāptaḥ* – elérve; *yathā* – ahogyan; *brahma* – a Legfelsőbbet; *tathā* – úgy; *āpnoti* – eléri; *nibodha* – próbáld megérteni; *me* – Tőlem; *samāsena* – összefoglalóan; *eva* – bizony; *kaunteya* – ó, Kuntī fia; *niṣṭhā* – szintje; *jñānasya* – a tudásnak; *yā* – ami; *parā* – transzcendentális.

Ó, Kuntī fia, tudd meg Tőlem, hogyan érheti el valaki, aki erre a tökéletességre már szert tett, a tökéletesség legfelsőbb szintjét, a Brah-

mant, a legmagasabb rendű tudás síkját! Elmondom most, hogyan kell cselekednie ehhez.

MAGYARÁZAT: Az Úr elmondja Arjunának, hogyan érheti el valaki a legtökéletesebb síkot csupán a foglalkozása szerinti kötelességét végezve, az Istenség Legfelsőbb Személyiségéért cselekedve. A legfelsőbb szintet, a Brahmant úgy éri el az ember, hogy a Legfelsőbb Úr elégedettsége érdekében lemond tettei eredményéről. Ez az út vezet az önmegvalósításhoz. A tudás valódi tökéletessége a tiszta Kṛṣṇa-tudat elérése. Erről szólnak a következő versek.

51–53. VERS

बुद्ध्या विशुद्धया युक्तो धृत्यात्मानं नियम्य च ।
शब्दादीन् विषयांस्त्यक्त्वा रागद्वेषौ व्युदस्य च ॥५१॥

विविक्तसेवी लघ्वाशी यतवाक्कायमानसः ।
ध्यानयोगपरो नित्यं वैराग्यं समुपाश्रितः ॥५२॥

अहङ्कारं बलं दर्पं कामं क्रोधं परिग्रहम् ।
विमुच्य निर्ममः शान्तो ब्रह्मभूयाय कल्पते ॥५३॥

buddhyā viśuddhayā yukto dhṛtyātmānaṁ niyamya ca
śabdādīn viṣayāṁs tyaktvā rāga-dveṣau vyudasya ca

vivikta-sevī laghv-āśī yata-vāk-kāya-mānasaḥ
dhyāna-yoga-paro nityaṁ vairāgyaṁ samupāśritaḥ

ahaṅkāraṁ balaṁ darpaṁ kāmaṁ krodhaṁ parigraham
vimucya nirmamaḥ śānto brahma-bhūyāya kalpate

buddhyā – értelemmel; *viśuddhayā* – teljesen megtisztulttal; *yuktaḥ* – végezve; *dhṛtyā* – eltökéltséggel; *ātmānam* – az önvalót; *niyamya* – szabályozva; *ca* – is; *śabda-ādīn* – mint a hang; *viṣayān* – az érzékek tárgyait; *tyaktvā* – elhagyva; *rāga* – vonzódást; *dveṣau* – és gyűlöletet; *vyudasya* – félretéve; *ca* – is; *vivikta-sevī* – a magányos helyen élő; *laghu-āśī* – keveset evő; *yata* – szabályozott; *vāk* – beszédű; *kāya* – testű; *mānasaḥ* – és elméjű; *dhyāna-yoga-paraḥ* – a transzba merült; *nityam* – napi huszonnégy órán át; *vairāgyam* – lemondásnál; *samupāśritaḥ* – menedéket kereső; *ahaṅkāram* – hamis egót; *balam* – hamis erőt; *darpam* – álbüszkeséget; *kāmam* – kéjvágyat; *krodham* – dühöt; *parigraham* – és az anyagi dolgok elfogadását; *vimucya* – elengedve; *nirmamaḥ* – a birtoklásérzet nélküli; *śāntaḥ* – a békés; *brahma-bhūyāya* – az önmegvalósításra; *kalpate* – alkalmas.

Aki megtisztult az értelme által, elméjét eltökéltséggel fegyelmezi, eltávolodott az érzékkielégítés tárgyaitól, megszabadult a ragaszkodástól és a gyűlölettől, magányos helyen él, keveset eszik, testét, elméjét és beszédét fegyelmezi, mindig transzba merül, lemondást gyakorol, mentes a hamis egótól, az alaptalan büszkeségtől, nem vágyik testi erőből származó hatalomra, megszabadult a kéjvágytól, a dühtől, nem fogad el anyagi dolgokat, mentes a hamis birtoklásérzettől, valamint békés, az kétségtelenül elérte az önmegvalósítást.

MAGYARÁZAT: Az értelme révén megtisztult ember mindig a jóság kötőerejében van. Ennek következtében képes uralkodni az elméjén, s mindig transzba merül. Nem kötődik az érzékkielégítés tárgyaihoz, s tettei során mentes minden ragaszkodástól és gyűlölettől. Az ilyen ember természeténél fogva szeret magányos helyen élni, nem eszik a kelleténél többet, s uralkodik a test és az elme tevékenységei fölött. Nem hiszi magát a testének, ezért nincs hamis egója. Arra sem vágyik, hogy megannyi anyagi dolog megszerzésével a testét naggyá vagy erőssé tegye. Nem testi életfelfogásban él, ezért az alaptalan büszkeség sem található meg benne. Elégedett mindazzal, amit Isten kegyéből kap, és sohasem dühös, ha nem tudja érzékeit kielégíteni. Az érzékek tárgyainak megszerzésére sem törekszik. Ha ezáltal teljesen megszabadul a hamis egótól, akkor nem ragaszkodik többé semmi anyagi dologhoz. Ez a Brahman megvalósításának szintje, melyet *brahma-bhūtának* neveznek. Amikor valaki megszabadul az anyagi életfelfogástól, akkor békéssé válik, és soha semmi nem zavarhatja meg. Erről ír a *Bhagavad-gītā* 2.70 verse:

āpūryamāṇam acala-pratiṣṭhaṁ
samudram āpaḥ praviśanti yadvat
tadvat kāmā yaṁ praviśanti sarve
sa śāntim āpnoti na kāma-kāmī

„A békét nem az éri el, aki igyekszik vágyait beteljesíteni, hanem egyedül az, akit nem zavar a kívánságok szakadatlan özöne, amik úgy ömlenek bele, mint a folyók az állandóan töltődő, ám mindig mozdulatlan óceánba."

54. VERS

ब्रह्मभूतः प्रसन्नात्मा न शोचति न काङ्क्षति ।
समः सर्वेषु भूतेषु मद्भक्तिं लभते पराम् ॥५४॥

brahma-bhūtaḥ prasannātmā na śocati na kāṅkṣati
samaḥ sarveṣu bhūteṣu mad-bhaktiṁ labhate parām

brahma-bhūtaḥ – az Abszolúttal egységben lévő; *prasanna-ātmā* – teljesen örömteli; *na* – sohasem; *śocati* – bánkódik; *na* – sohasem; *kāṅkṣati* – vágyakozik; *samaḥ* – egyenlő; *sarveṣu* – minden; *bhūteṣu* – élőlényhez; *mat-bhaktim* – az Én odaadó szolgálatomat; *labhate* – elnyeri; *parām* – transzcendentálisat.

Aki ekképpen eljutott a transzcendentális síkra, az egyszerre tudatára ébred a Legfelsőbb Brahmannak, és teljes boldogság tölti el. Sohasem bánkódik, nem vágyik semmire, és egyformán viszonyul minden élőlényhez. Ebben az állapotban tiszta odaadó szolgálatot végezhet Nekem.

MAGYARÁZAT: Az imperszonalista számára a *brahma-bhūta* szint elérésénél, vagyis az Abszolúttal való eggyé válásnál nincs magasabb rendű cél. A személyes filozófia követőjének, azaz a tiszta *bhaktának* azonban még tovább kell lépnie, hogy tiszta odaadó szolgálatot végezhessen. Ez azt jelenti, hogy aki a Legfelsőbb Úr tiszta odaadó szolgálatába merül, az már a felszabadulás síkján van, melyet *brahma-bhūtának,* az Abszolúttal való egység síkjának hívnak. A Legfelsőbbet, az Abszolútat az ember nem tudja szolgálni, ha nem vált eggyé Vele. Az abszolút szinten nincs különbség a szolgált és a szolga között, ugyanakkor azonban egy magasabb lelki értelemben véve mégis van különbség.

Az anyagi létfelfogás, amikor az ember az érzékkielégítés érdekében cselekszik, tengernyi szenvedéssel jár. Az abszolút világban azonban, ahol a lélek tiszta odaadó szolgálatot végez, nem létezik szenvedés. A Kṛṣṇa-tudatú *bhakta* semmi miatt nem bánkódik, és nem vágyik semmire. Mivel Isten teljes magában, a szolgálatában élő, Kṛṣṇa-tudatú élőlény szintén teljessé válik. Olyan lesz, mint egy folyó, ami megtisztult minden szennytől. A tiszta *bhakta* egyedül Kṛṣṇára gondol, ezért természetesen mindig boldog. Az Úr odaadó szolgálatában teljessé válva nem bánkódik semmiféle anyagi veszteség miatt, és nyerni sem akar. Nem vágyik anyagi élvezetre, mert tudja, hogy minden élőlény a Legfelsőbb Úr töredék szerves része, s ezért valamennyien az Ő örök szolgái. Az anyagi világban nem tekint senkit sem alacsonyabb vagy magasabb rendűnek. Az efféle különbségek átmenetiek, s a *bhaktát* e mulandó megnyilvánulások nem érdeklik. Számára a kődarab és az aranyrög ugyanolyan értékű. Ez tehát a *brahma-bhūta* szint, amelyre a tiszta *bhakta* nagyon könnyen eljuthat. Ezen a síkon a Legfelsőbb Brahmannal való eggyé válás és az egyéni lét megszűnése pokoli gondolatnak tűnik számára, a felsőbb bolygók, a mennyek elérését sem tekinti többnek ábrándozásnál, érzékei pedig olyan kígyók csupán, melyeknek méregfoga már ki van törve. Nem kell tartania érzékeitől, mert minden erőfeszítés nélkül uralkodni képes fölöttük, s így ártalmatlanok, mint a kitört fogú kígyók. Az anyag fertőzésében élő ember számára ez a világ nyomorúságos, míg egy *bhakta* szemében épp olyan jó, mint Vaikuṇṭha, azaz a lelki világ. Számára az anyagi univerzum legnagyobb személyisége sem jelentősebb a hangyánál. Erre a szintre az Úr Caitanya kegyéből lehet eljutni, aki a tiszta odaadó szolgálatról prédikált ebben a korszakban.

55. VERS

भक्त्या मामभिजानाति यावान् यश्चास्मि तत्त्वतः ।
ततो मां तत्त्वतो ज्ञात्वा विशते तदनन्तरम् ॥५५॥

bhaktyā mām abhijānāti yāvān yaś cāsmi tattvataḥ
tato māṁ tattvato jñātvā viśate tad-anantaram

bhaktyā – tiszta odaadó szolgálat által; *mām* – Engem; *abhijānāti* – megismerhet; *yāvān* – amennyire; *yaḥ ca asmi* – ahogyan vagyok; *tattvataḥ* – a valóságban; *tataḥ* – azután; *mām* – Engem; *tattvataḥ* – a valóságban; *jñātvā* – ismerve; *viśate* – belép; *tat-anantaram* – azután.

Engem, az Istenség Legfelsőbb Személyiségét egyedül az odaadó szolgálat által lehet igazán megérteni. Ha valaki az ilyen odaadás révén tudatát teljesen Bennem merítette el, beléphet Isten birodalmába.

MAGYARÁZAT: Kṛṣṇát, az Istenség Legfelsőbb Személyiségét vagy teljes értékű részeit lehetetlen elmebeli spekuláció útján megérteni, és az *abhakták* sem érthetik meg Őt. Ha valaki az Istenség Legfelsőbb Személyiségének megismerésére vágyik, akkor egy tiszta *bhakta* irányításával el kell kezdenie a tiszta odaadó szolgálatot, másképp az Istenség Legfelsőbb Személyiségéről szóló igazság örökre rejtve marad előtte. Ahogyan a *Bhagavad-gītā* (7.25) már elmondta, az Úr nem nyilvánul meg mindenki előtt (*nāhaṁ prakāśaḥ sarvasya*). Pusztán elméleti tudás vagy elmebeli spekuláció által senki sem ismerheti meg Istent. Csakis az ismerheti meg Őt, aki valóban Kṛṣṇa-tudatban cselekszik, és odaadó szolgálatot végez. Az egyetemi diplomák nem segítenek.

Aki elsajátítja a Kṛṣṇáról szóló teljes tudományt, az alkalmassá válik arra, hogy belépjen a lelki birodalomba, Kṛṣṇa hajlékára. A Brahmanná válás nem azt jelenti, hogy az ember elveszíti azonosságát. Az odaadó szolgálat tovább létezik, és ez azt jelenti, hogy Isten, az Ő hívei és az odaadó szolgálat folyamata is létezik. Az ilyen tudás soha, még a felszabadulás után sem szűnik meg. Felszabadulás alatt azt értjük, hogy az ember megszabadul az anyagi létfelfogástól. A lelki életben is jelen van ugyanez a különbözőség, ugyanez az individualitás, de ott tiszta Kṛṣṇa-tudatban. Nem szabad azt gondolnunk, hogy a *viśate* („Belém hatol") szó azt a monista elméletet támasztja alá, hogy a lélek és a személytelen Brahman homogén egységgé válik. Nem, a *viśate* szó arra utal, hogy beléphetünk a Legfelsőbb Úr hajlékára, ahol az egyéni lélek az Ő társaságában él, és Őt szolgálja. Ha egy zöld madár leszáll egy zöld fára, célja nem az, hogy eggyé váljon vele, hanem hogy élvezze a fa gyümölcseit. Az imperszonalisták általában az óceánba ömlő és abban eltűnő folyó példájával érvelnek. Lehet, hogy ez nekik örömet ad, de a személyes filozófia követői megtartják egyéniségüket, hasonlóan a tenger vízi lényeihez. Az óceán megismeréséhez, melynek mélyén számtalan élőlény lakik, nem elég, ha csak a felszínt vizsgáljuk. A víz mélyén élőkről is teljes tudással kell rendelkeznünk.

Tiszta odaadó szolgálata révén a *bhakta* képes igazán megérteni a Legfelsőbb Úr transzcendentális tulajdonságait és fenségét. A tizenegyedik fejezet is elmondta már, hogy megértésre csakis az odaadó szolgálat által lehet szert tenni. Ez a vers ugyanazt erősíti meg: az odaadó szolgálat révén az ember megértheti az Istenség Legfelsőbb Személyiségét, és beléphet birodalmába.

Az ember a *brahma-bhūta* szint elérését követően, vagyis miután megszabadult az anyagi felfogástól, az Úrról hallva az odaadó szolgálatba kezd. Ha valaki a Legfelsőbb Úrról hall, automatikusan eléri a *brahma-bhūta* szintet, és megtisztul az anyagi szennyeződéstől, vagyis az érzékkielégítés utáni mohóságtól és vágyakozástól. Amint a sóvárgás és a vágyak lassan eltűnnek a szívéből, a *bhakta* egyre jobban ragaszkodni kezd az Úr szolgálatához, s ez a ragaszkodás teljesen megszabadítja minden anyagi szennytől. Az életnek ezen a szintjén megértheti a Legfelsőbb Urat. Ezt mondja ki a *Śrīmad-Bhāgavatam* is. A *bhakti,* a transzcendentális szolgálat a felszabadulás után is folytatódik. A *Vedānta-sūtra* (4.1.12) megerősíti: *ā-prāyaṇāt tatrāpi hi dṛṣṭam.* Ez azt jelenti, hogy az odaadó szolgálat a felszabadulás után sem szűnik meg. A *Śrīmad-Bhāgavatam* meghatározása szerint az igazi felszabadulás nem más, mint az élőlény önazonosságának, örök természetének visszaállítása. Az élőlények örök természetéről már volt szó: minden lélek a Legfelsőbb Úr töredék, szerves része, éppen ezért örök feladata az, hogy szolgáljon. Ez még a felszabadulás után sem szűnik meg. A valódi felszabadulás azt jelenti, hogy megszabadulunk a téves életfelfogástól.

56. VERS

सर्वकर्माण्यपि सदा कुर्वाणो मद्व्यपाश्रयः ।
मत्प्रसादादवाप्नोति शाश्वतं पदमव्ययम् ॥५६॥

sarva-karmāṇy api sadā kurvāṇo mad-vyapāśrayaḥ
mat-prasādād avāpnoti śāśvataṁ padam avyayam

sarva – minden; *karmāṇi* – tettet; *api* – habár; *sadā* – mindig; *kurvāṇaḥ* – végezve; *mat-vyapāśrayaḥ* – az Én védelmem alatt; *mat-prasādāt* – az Én kegyemből; *avāpnoti* – eléri; *śāśvatam* – az örökkévalót; *padam* – hajlékot; *avyayam* – az elpusztíthatatlant.

Noha számtalan tettet végez, az Én védelmemet és kegyemet élvezve tiszta bhaktám eljut az örökkévaló és elpusztíthatatlan birodalomba.

MAGYARÁZAT: A *mad-vyapāśrayaḥ* szó jelentése: a Legfelsőbb Úr védelme alatt. Hogy távol tartsa magát az anyagi szennyeződéstől, a tiszta *bhakta* a Legfelsőbb Úr vagy az Ő képviselője, a lelki tanítómester irányítása alatt cselekszik. A tiszta *bhaktát* nem köti korlátokhoz az idő. Mindig, napi huszonnégy órán keresztül, tökéletesen elmerül tetteiben, melyeket a Legfelsőbb Úr útmutatása szerint végez. Az Úr végtelenül kedves a Kṛṣṇa-tudatban ennyire elmélyült *bhaktához,* aki a számtalan megpróbáltatás ellenére végül Kṛṣṇalokára, Kṛṣṇa transzcendentális hajlékára kerül. Bejutása biztos, semmi kétség nem férhet hozzá. E legfelsőbb birodalomban semmi sem változik: minden örökkévaló, elpusztíthatatlan és tudással teli.

57. VERS

चेतसा सर्वकर्माणि मयि सन्न्यस्य मत्परः ।
बुद्धियोगमुपाश्रित्य मच्चित्तः सततं भव ॥५७॥

cetasā sarva-karmāṇi mayi sannyasya mat-paraḥ
buddhi-yogam upāśritya mac-cittaḥ satataṁ bhava

cetasā – értelem által; *sarva-karmāṇi* – mindenféle tettet; *mayi* – Nekem; *sannyasya* – átadva; *mat-paraḥ* – az Én védelmem alatt; *buddhi-yogam* – odaadó tetteknél; *upāśritya* – menedéket keresve; *mat-cittaḥ* – Bennem elmerülő tudatú; *satatam* – napi huszonnégy órán át; *bhava* – legyél.

Minden cselekedetedben csak Énrám bízd magad, s dolgozz mindig az Én védelmem alatt! Ilyen odaadó szolgálatot végezve tudatod merüljön el teljesen Bennem!

MAGYARÁZAT: Amikor valaki Kṛṣṇa-tudatban cselekszik, nem úgy viselkedik, mintha a világ ura lenne. Az embernek szolgaként, teljesen a Legfelsőbb Úr irányítása alatt kell végeznie tetteit. Egy szolgának nincsen függetlensége, csakis ura parancsára cselekszik. A Legfelsőbb Úrnak dolgozó szolgát nem befolyásolja a nyereség és a veszteség, csupán hűségesen eleget tesz kötelességének, az Úr utasításai szerint. Ezzel kapcsolatban azzal érvelhetne valaki, hogy Arjuna Kṛṣṇa személyes irányítását követve cselekedett, de mit tegyen az, aki mellett Kṛṣṇa nincs jelen? Ha valaki e könyv alapján, Kṛṣṇa utasítása szerint, valamint az Ő képviselője irányítása alatt cselekszik, az eredmény ugyanaz lesz. Ebben a versben a szanszkrit *mat-paraḥ* szó nagyon fontos. Azt jelenti, hogy az embernek a Kṛṣṇa örömére, Kṛṣṇa-tudatban végzett tetteken kívül ne legyen más életcélja, s tettei közben egyedül Kṛṣṇára gondoljon: „Kṛṣṇa bízott meg, hogy végrehajtsam ezt a feladatot." Ha az ember ily módon cselekszik, akkor természetes, hogy csakis Kṛṣṇára gondol. Ez a tökéletes Kṛṣṇa-tudat. Ugyanakkor nem szabad elfelejtenünk, hogy az önkényesen végrehajtott tettek eredményét nem szabad felajánlanunk a Legfelsőbb Úrnak. Az efféle cselekedet nem tekinthető Kṛṣṇa-tudatú odaadó szolgálatnak. Nagyon fontos, hogy mindent Kṛṣṇa utasításai alapján kell tennünk. Kṛṣṇa utasításait a tanítványi láncolaton keresztül a hiteles lelki tanítómestertől kapjuk meg, éppen ezért a lelki tanítómester utasításait életünk legfőbb kötelességének kell tekintenünk. Ha valaki elfogad egy hiteles lelki tanítómestert, és az ő irányítását követve cselekszik, akkor Kṛṣṇa-tudatú élete minden kétséget kizáróan tökéletessé válik.

58. VERS

मच्चित्तः सर्वदुर्गाणि मत्प्रसादात्तरिष्यसि ।
अथ चेत्त्वमहङ्कारान्न श्रोष्यसि विनङ्क्ष्यसि ॥५८॥

mac-cittaḥ sarva-durgāṇi mat-prasādāt tariṣyasi
atha cet tvam ahaṅkārān na śroṣyasi vinaṅkṣyasi

mat – Rólam; *cittaḥ* – gondolkozva; *sarva* – minden; *durgāṇi* – akadályt; *mat-prasādāt* – kegyemből; *tariṣyasi* – le fogsz győzni; *atha* – de; *cet* – ha; *tvam* – te; *ahaṅkārāt* – a hamis ego által; *na śroṣyasi* – nem hallasz; *vinaṅkṣyasi* – el fogsz veszni.

Ha tudatod Bennem merül el, kegyemből legyőzheted majd a feltételekhez kötött élet minden akadályát. Ha azonban nem ilyen tudatban, hanem a hamis egón keresztül cselekszel, s nem hallgatsz meg Engem, elvesztél.

MAGYARÁZAT: A teljesen Kṛṣṇa-tudatú ember nem törődik különösebben a léte fenntartását szolgáló kötelességek végrehajtásával. Az ostobák képtelenek megérteni ezt a végtelen, minden aggodalomtól mentes szabadságot. Az Úr Kṛṣṇa a legbensőségesebb barátjává válik annak, aki Kṛṣṇa-tudatban cselekszik. Mindig gondoskodik barátja kényelméről, s teljesen átadja magát annak, aki oly odaadóan szolgálja Őt napi huszonnégy órán át, hogy örömet szerezzen Neki. Éppen ezért nem szabad, hogy bárkit is elragadjon a testi életfelfogás hamis egója. Ne gondolja senki tévesen azt, hogy független az anyagi természet törvényeitől, sem azt, hogy bármit szabadon megtehet, hiszen engedelmeskednie kell a szigorú anyagi törvényeknek. Amint azonban valaki Kṛṣṇa-tudatban cselekszik, nyomban felszabadul, s megszűnik számára minden anyagi bonyodalom. Jól jegyezzük meg, hogy aki nem Kṛṣṇa-tudatban végzi tetteit, azt a születés és halál óceánjának anyagi örvénye a mélybe rántja. Egyetlen feltételekhez kötött lélek sem tudja, mit tegyen és mit ne, ám aki Kṛṣṇa-tudatban él, az szabadon megtehet bármit, mert belülről Kṛṣṇa ösztönzi őt, kívülről pedig a lelki tanítómester erősíti meg tetteit.

59. VERS

यदहङ्कारमाश्रित्य न योत्स्य इति मन्यसे ।
मिथ्यैष व्यवसायस्ते प्रकृतिस्त्वां नियोक्ष्यति ॥५९॥

yad ahaṅkāram āśritya na yotsya iti manyase
mithyaiṣa vyavasāyas te prakṛtis tvāṁ niyokṣyati

yat – ha; *ahaṅkāram* – a hamis egónál; *āśritya* – menedéket keresve; *na yotsye* – nem fogok harcolni; *iti* – így; *manyase* – gondolkodsz; *mithyā eṣaḥ* – ez mind valótlan; *vyavasāyaḥ* – eltökéltség; *te* – tiéd; *prakṛtiḥ* – az anyagi természet; *tvām* – téged; *niyokṣyati* – tettre késztet majd.

Ha nem cselekszel az utasításom szerint, és megtagadod a harcot, tévútra lépsz. Természeted miatt a jövőben mindenképpen háborúskodnod kell majd.

MAGYARÁZAT: Arjuna katona volt, *kṣatriya* természettel született, ezért természetéből adódóan a harc volt a kötelessége. Hamis egója miatt azonban attól tartott, hogy bűnéért, ha megöli tanárát, nagyatyját és barátait, el kell szenvednie a visszahatásokat. Valójában tettei urának gondolta magát, aki irányítani képes, hogy azok jó vagy rossz eredménnyel járnak-e, s megfeledkezett róla, hogy az Istenség Legfelsőbb Személyisége ott állt mellette, és utasítása az volt, hogy harcoljon. Ez a feledékenység jellemző a feltételekhez kötött lélekre. Az Istenség Személyisége megmondja neki, hogy mi a helyes és mi a helytelen, és csupán Kṛṣṇa-tudatban kell cselekednie ahhoz, hogy elérje az élet tökéletességét. Senki sem ismeri a sorsát úgy, mint a Legfelsőbb Úr, ezért a legjobb elfogadni a Legfelsőbb Úr utasítását és aszerint cselekedni. Az Istenség Legfelsőbb Személyiségének vagy képviselőjének, a lelki tanítómesternek az utasítását senki se hagyja figyelmen kívül. Az Istenség Legfelsőbb Személyiségének parancsát habozás nélkül végre kell hajtani. Ez az, ami minden körülmények között védelmet nyújt az embernek.

60. VERS

स्वभावजेन कौन्तेय निबद्धः स्वेन कर्मणा ।
कर्तुं नेच्छसि यन्मोहात्करिष्यस्यवशोऽपि तत् ॥६०॥

svabhāva-jena kaunteya nibaddhaḥ svena karmaṇā
kartuṁ necchasi yan mohāt kariṣyasy avaśo 'pi tat

svabhāva-jena – természetedből adódóan; *kaunteya* – ó, Kuntī fia; *nibaddhaḥ* – feltételekhez kötött; *svena* – saját; *karmaṇā* – tetteid által; *kartum* – cselekedni; *na* – nem; *icchasi* – kívánsz; *yat* – amit; *mohāt* – illúzió miatt; *kariṣyasi* – cselekedni fogsz; *avaśaḥ* – szándékod ellenére; *api* – még; *tat* – azt.

Ó, Kuntī fia, az illúzió hatása alatt most megtagadod az utasításomat, de a saját természetedből eredő tettek úgyis arra fognak kényszeríteni, hogy így cselekedj.

MAGYARÁZAT: Ha valaki megtagadja a Legfelsőbb Úr parancsait, akkor arra kényszerül, hogy a rá ható kötőerők szerint cselekedjék. Mindenki a természet kötőerői adott kombinációjának a hatása alatt áll, és aszerint cselekszik. De ha valaki önszántából a Legfelsőbb Úr irányítása alá rendeli magát és annak megfelelően cselekszik, dicsőség vár rá.

61. VERS

ईश्वरः सर्वभूतानां हृद्देशेऽर्जुन तिष्ठति ।
भ्रामयन् सर्वभूतानि यन्त्रारूढानि मायया ॥६१॥

īśvaraḥ sarva-bhūtānāṁ hṛd-deśe 'rjuna tiṣṭhati
bhrāmayan sarva-bhūtāni yantrārūḍhāni māyayā

īśvaraḥ – a Legfelsőbb Úr; *sarva-bhūtānām* – minden élőlénynek; *hṛt-deśe* – a szívében; *arjuna* – ó, Arjuna; *tiṣṭhati* – lakozik; *bhrāmayan* – vándorlásra késztetve; *sarva-bhūtāni* – minden élőlényt; *yantra* – járműre; *ārūḍhani* – felszállókat; *māyayā* – az anyagi energia varázsa alatt.

Ó, Arjuna, a Legfelsőbb Úr mindenki szívében jelen van. Ő irányítja az élőlények vándorútját, akik az anyagi energia szekerén ülnek.

MAGYARÁZAT: Arjuna nem volt mindentudó, így döntését, hogy harcoljon-e vagy sem, korlátokhoz kötött szemlélete befolyásolta. Az Úr Kṛṣṇa arra tanít, hogy nemcsak az egyén létezik, hanem Kṛṣṇa, az Istenség Legfelsőbb Személyisége is, aki helyhez kötött Felsőlélekként jelen van minden lény szívében. A testcserét követően az élőlény elfelejti korábbi tetteit, de a múltat, jelent és jövőt ismerő Felsőlélek tanúja minden cselekedetének. Így tehát a Felsőlélek irányítja az élőlények minden tettét. Az élőlény azt kapja, amit megérdemel, és egy olyan testbe kerül, melyet az anyagi energia hoz létre a Felsőlélek útmutatása alapján. Amint ez megtörténik, azonnal a test által meghatározott feltételek szerint kénytelen cselekedni. Egy robogó versenyautó vezetője gyorsabban halad annál, aki egy lassú járművön ül, noha a vezető mindkét esetben egy élőlény. Hasonlóan, a Legfelsőbb Lélek utasítására az anyagi természet szabja meg az élőlény sajátságos testét, hogy az múltbeli vágyai szerint cselekedhessen. Az élőlény nem független. Sohasem szabad azt hinnünk, hogy függetlenek vagyunk az Istenség Legfelsőbb Személyiségétől. Az egyén mindig az Úr irányítása alatt áll, s ezért kötelessége meghódolni. Erre utasít a következő vers.

62. VERS

तमेव शरणं गच्छ सर्वभावेन भारत ।
तत्प्रसादात्परां शान्तिं स्थानं प्राप्स्यसि शाश्वतम् ॥६२॥

tam eva śaraṇaṁ gaccha sarva-bhāvena bhārata
tat-prasādāt parāṁ śāntiṁ sthānaṁ prāpsyasi śāśvatam

tam – Neki; *eva* – bizony; *śaraṇam gaccha* – hódolj meg; *sarva-bhāvena* – minden tekintetben; *bhārata* – ó, Bharata fia; *tat-prasādāt* – az Ő kegyéből; *parām* – transzcendentális; *śāntim* – békét; *sthānam* – hajlékot; *prāpsyasi* – el fogod érni; *śāśvatam* – az örökkévalót.

Ó, Bharata leszármazottja, hódolj meg Előtte teljesen! Az Ő kegyéből transzcendentális béke áraszt majd el, és eléred a legfelsőbb, örök lakhelyet.

MAGYARÁZAT: Az élőlénynek át kell adnia magát a mindenki szívében jelen lévő Istenség Legfelsőbb Személyiségének, s ez megszabadítja majd az anyagi lét minden szenvedésétől. Ezzel a meghódolással nemcsak a szenvedéseknek vet véget ebben az életében, de végül eljut a Legfelsőbb Istenhez. A védikus irodalom (*Ṛg-veda* 1.22.20) így ír a transzcendentális világról: *tad viṣṇoḥ paramaṁ padam.* Az egész teremtés Isten birodalma, így aztán valójában még az anyag is lelkinek számít, de a *paramaṁ padam* főleg az örök lakhelyre, a lelki világra, a Vaikuṇṭhára utal.

A *Bhagavad-gītā* tizenötödik fejezete kijelenti: *sarvasya cāhaṁ hṛdi sanniviṣṭaḥ,* az Úr mindenki szívében jelen van. Ezért az a felszólítás, hogy hódoljunk meg a bennünk lakozó Felsőléleknek, tulajdonképpen azt jelenti, hogy hódoljunk meg az Istenség Legfelsőbb Személyiségének, Kṛṣṇának. Arjuna a tizedik fejezetben már elfogadta, hogy Kṛṣṇa *paraṁ brahma paraṁ dhāma.* Elfogadta, hogy Ő az Istenség Legfelsőbb Személyisége és minden élőlény legfelsőbb hajléka, s ezt nemcsak a saját tapasztalata alapján, hanem a nagy tekintélyekre, például Nāradára, Asitára, Devalára és Vyāsára hivatkozva tette.

63. VERS

इति ते ज्ञानमाख्यातं गुह्याद्गुह्यतरं मया ।
विमृश्यैतदशेषेण यथेच्छसि तथा कुरु ॥६३॥

iti te jñānam ākhyātaṁ guhyād guhyataraṁ mayā
vimṛśyaitad aśeṣeṇa yathecchasi tathā kuru

iti – ily módon; *te* – neked; *jñānam* – tudás; *ākhyātam* – elmondatott; *guhyāt* – bizalmasnál; *guhya-taram* – még bizalmasabb; *mayā* – Általam; *vimṛśya* – gondolkozva; *etat* – ezen; *aśeṣeṇa* – teljesen; *yathā* – ahogyan; *icchasi* – kívánod; *tathā* – úgy; *kuru* – tégy.

Íme, átadtam neked e még bizalmasabb tudást! Fontold meg jól, s aztán tégy úgy, ahogyan jónak látod!

MAGYARÁZAT: Az Úr már elmagyarázta Arjunának a *brahma-bhūtáról* szóló tudást. A *brahma-bhūta* állapotba jutott ember mindig örömteli, sohasem bánkódik semmi miatt, és nem is kíván semmit. Ezt a birtokában lévő titkos tudásnak köszönheti. Kṛṣṇa azután a Felsőlélekről szóló tudást tárja fel. Ez is Brahman-tudás, Brahmanról szóló tudás, de magasabb rendű.

A *yathecchasi tathā kuru* szavak – „Tégy, ahogy jónak látod!" – arra utalnak, hogy Isten nem korlátozza az élőlény parányi függetlenségét. A *Bhagavad-gītāban* az Úr részletesen elmagyarázta, hogyan emelkedhet az ember egy magasabb rendű létbe. Az Arjunának szóló legfontosabb tanácsa az volt, hogy hódoljon meg a szívében lakozó Felsőlélek előtt. Az embernek józan ítélőképességére hallgatva úgy kell döntenie, hogy a Felsőlélek utasításai szerint cselekszik. Ez segíteni fogja abban, hogy állandóan Kṛṣṇa-tudatban, az emberi élet legtökéletesebb szintjén maradjon. Arjunát maga az Istenség Legfelsőbb Személyisége utasította a harcra. Ha valaki meghódol az Istenség Legfelsőbb Személyisége előtt, az nem a Legfelsőbb, hanem az élőlények javát szolgálja. E meghódolás előtt az embernek lehetősége van arra, hogy – amennyire értelme megengedi – átgondolja a dolgot. Ez a legjobb módja annak, hogy elfogadja az Istenség Legfelsőbb Személyisége utasításait. Az utasításokat Kṛṣṇa hiteles képviselőjétől, a lelki tanítómestertől is megkaphatjuk.

64. VERS

सर्वगुह्यतमं भूयः शृणु मे परमं वचः ।
इष्टोऽसि मे दृढमिति ततो वक्ष्यामि ते हितम् ॥६४॥

sarva-guhyatamaṁ bhūyaḥ śṛṇu me paramaṁ vacaḥ
iṣṭo 'si me dṛḍham iti tato vakṣyāmi te hitam

sarva-guhya-tamam – a legtitkosabbat; *bhūyaḥ* – ismét; *śṛṇu* – halld; *me* – Tőlem; *paramam* – a legfőbbet; *vacaḥ* – utasítást; *iṣṭaḥ asi* – kedves vagy; *me* – Nekem; *dṛḍham* – nagyon; *iti* – így; *tataḥ* – ezért; *vakṣyāmi* – beszélek; *te* – a te; *hitam* – érdekedben.

Mivel nagyon kedves barátom vagy, elmondom neked legfőbb utasításomat, minden tudás legbizalmasabb részét. Halld hát Tőlem, mert a javadat szolgálja!

MAGYARÁZAT: Az Úr már megajándékozta Arjunát a titkos (a Brahmanról szóló) tudással, aztán a még titkosabb tudással (ami a szívben lakozó Felsőlélekről szól), most pedig a tudás legbizalmasabb részéről, az Istenség Legfelsőbb Személyisége előtti teljes meghódolásról fog beszélni. A kilencedik fejezet végén azt mondta: *man-manāḥ* – „Gondolj mindig Rám!" Ugyanezt az utasítást ismétli itt el, kihangsúlyozva a *Bhagavad-gītā* tanításának lényegét. Ezt a közönséges ember képtelen felfogni, de aki igazán kedves Kṛṣṇának, vagyis Kṛṣṇa tiszta *bhaktája,* az megértheti. Ez az egész védikus irodalom leglényegesebb tanítása. Amit Kṛṣṇa ezzel kapcsolatban mond, az a tudás legfontosabb része, s nemcsak Arjunának, hanem minden élőlénynek ennek alapján kell cselekednie.

65. VERS

मन्मना भव मद्भक्तो मद्याजी मां नमस्कुरु ।
मामेवैष्यसि सत्यं ते प्रतिजाने प्रियोऽसि मे ॥६५॥

man-manā bhava mad-bhakto mad-yājī māṁ namaskuru
mām evaiṣyasi satyaṁ te pratijāne priyo 'si me

mat-manāḥ – Rám gondolva; *bhava* – legyél; *mat-bhaktaḥ* – az Én *bhaktám; mat-yājī* – az Én imádóm; *mām* – Nekem; *namaskuru* – ajánld fel hódolatodat; *mām* – Hozzám; *eva* – bizony; *eṣyasi* – jönni fogsz; *satyam* – igazán; *te* – neked; *pratijāne* – megígérem; *priyaḥ* – kedves; *asi* – vagy; *me* – Nekem.

Gondolj mindig Rám, légy az Én hívem! Imádj Engem, és ajánld tiszteletedet Előttem, s így kétségtelenül el fogsz jutni Hozzám! Ezt megígérem neked, mert nagyon kedves barátom vagy.

MAGYARÁZAT: A tudás legbizalmasabb része az, hogy az ember legyen Kṛṣṇa tiszta *bhaktája,* gondoljon mindig Rá, és Őérte tegyen mindent. Nem szabad csupán látszatmeditálást végeznünk. Életünket úgy kell alakítanunk, hogy mindig legyen lehetőségünk Kṛṣṇára gondolni, és úgy kell cselekednünk, hogy minden tettünk Vele kapcsolatos legyen. Éljünk úgy, hogy huszonnégy órán keresztül csak Kṛṣṇára tudjunk gondolni. Az Úr megígéri, hogy aki ilyen tiszta Kṛṣṇa-tudatba merül, az visszatér az Ő hajlékára, ahol személyesen élvezheti az Ő társaságát. Kṛṣṇa azért tárja fel Arjunának a tudás e legbizalmasabb részét, mert Arjuna kedves barátja. Aki követi Arjuna útját, szintén Kṛṣṇa kedves barátja lehet, és elérheti ugyanazt a tökéletességet, amire Arjuna szert tett.

Ezek a szavak azt hangsúlyozzák, hogy az embernek Kṛṣṇára kell összpontosítania gondolatait, a kétkarú, fuvolát tartó, kék színű fiúra, akinek csodálatos arca van, és pávatollat hord a hajában. Kṛṣṇáról szóló leírásokat a *Brahma-saṁhitāban* és más szentírásokban találhatunk. Istennek erre az eredeti formájára, Kṛṣṇára kell tehát rögzítenünk az elménket. Nem szabad még azt sem hagynunk, hogy figyelmünk az Úr más formáira terelődjön. Az Úrnak számtalan formája van – Viṣṇu, Nārāyaṇa, Rāma, Varāha és mások –, de a *bhaktának* arra a formára kell rögzítenie az elméjét, amelyik jelen volt Arjuna előtt. A legbizalmasabb tudást az jelenti, ha Rá irányítjuk az elménket. Ezt tárja fel Kṛṣṇa Arjunának, mert Arjuna a legkedvesebb barátja.

66. VERS

सर्वधर्मान् परित्यज्य मामेकं शरणं व्रज ।
अहं त्वां सर्वपापेभ्यो मोक्षयिष्यामि मा शुचः ॥६६॥

sarva-dharmān parityajya mām ekaṁ śaraṇaṁ vraja
ahaṁ tvāṁ sarva-pāpebhyo mokṣayiṣyāmi mā śucaḥ

sarva-dharmān – a vallás minden változatával; *parityajya* – felhagyva; *mām* – Hozzám; *ekam* – egyedül; *śaraṇam* – meghódolásért; *vraja* – menj; *aham* – Én; *tvām* – téged; *sarva* – minden; *pāpebhyaḥ* – bűnös visszahatástól; *mokṣayiṣyāmi* – meg foglak szabadítani; *mā* – ne; *śucaḥ* – aggódj.

Hagyj fel a vallás minden változatával, s hódolj meg egyedül Énelőttem! Én megszabadítalak minden bűnös visszahatástól, ne félj!

MAGYARÁZAT: Az Úr beszélt a tudás és a vallásos utak különféle fajtáiról: a Legfelsőbb Brahmanról, a Felsőlélekről, a társadalom különféle osztályairól és rendjeiről, a lemondott életrendről, a ragaszkodásmentességről, az érzékek és az elme szabályozásáról, a meditációról szóló tudásról és megannyi másról. A vallás számtalan formáját is leírta, ám most a *Bhagavad-gītā* összefoglalásaképpen azt tanácsolja Arjunának, hogy felejtse el mindazokat a folyamatokat, amelyekről eddig beszélt, és egyszerűen hódoljon meg Neki. Ez a meghódolás megmenti majd minden bűnös visszahatástól, mert az Úr személyesen ígéri meg, hogy védelmezni fogja.

A hetedik fejezetben elhangzott, hogy egyedül az kezdheti el az Úr Kṛṣṇa imádatát, aki már megszabadult minden bűnös visszahatástól. Ennek alapján azt hihetné valaki, hogy addig, amíg meg nem szabadult e visszahatásoktól, nem léphet a meghódolás útjára. E kétségek eloszlatása érdekében Śrī Kṛṣṇa kijelenti, hogy még ha nem is mentes valaki minden bűnös visszahatástól, természetes módon megszabadul azoktól, ha meghódol Előtte. Nincs szükség tehát különösebb erőfeszítésre, hogy megszabaduljunk tőlük. Ne tétovázzunk, fogadjuk el Kṛṣṇát az élőlények egyedüli megmentőjeként, s hódoljunk meg Előtte hittel és szeretettel.

A Kṛṣṇa előtti meghódolás módját a *Hari-bhakti-vilāsa* (11.676) írja le:

ānukūlyasya saṅkalpaḥ prātikūlyasya varjanam
rakṣiṣyatīti viśvāso goptṛtve varaṇaṁ tathā
ātma-nikṣepa-kārpaṇye ṣaḍ-vidhā śaraṇāgatiḥ

Az odaadás útján az embernek csak azokat a vallásos elveket szabad elfogadnia, melyek végül az Úr odaadó szolgálatához vezetnek. Végezheti valaki a társadalmi helyzete szerinti kötelességét, ha azonban ezzel nem jut el a Kṛṣṇa-tudatig, akkor minden tette hiábavaló volt. Mindent el kell kerülnünk, ami nem segít bennünket a Kṛṣṇa-tudat tökéletes szintjének elérésében. Az embernek bíznia kell abban, hogy Kṛṣṇa minden megpróbáltatástól megóvja. Nem kell aggódnia teste és lelke együtt tartása miatt, mert Kṛṣṇa gondoskodni fog róla. Sohasem szabad azt hinnie, hogy tud magán segíteni, inkább ismerje el, hogy Kṛṣṇa a fejlődése egyetlen alapja. Amint komolyan, teljes Kṛṣṇa-tudatban az Úr odaadó szolgálatához lát, azonnal megszabadul az anyagi természet minden szennyeződésétől. Sokféle vallás és tisztító folyamat létezik, mint például a tudás művelése, a meditáció a misztikus *yoga*-rendszer szerint stb., de aki meghódolt Kṛṣṇa előtt, annak nem kell ezeket végigjárnia. Ha egyszerűen csak meghódol Kṛṣṇának, megmenekül attól, hogy idejét fölöslegesen elvesztegesse. Így egyetlen lépéssel megteheti a szükséges fejlődést, és megszabadul minden bűnös visszahatástól.

Vonzódnunk kell Kṛṣṇa szépséges látványához. Őt azért hívják Kṛṣṇának, mert mindenkit vonzó. Nagyon szerencsés az, akit elbűvölt a gyönyörűséges, végtelenül hatalmas, mindenható Śrī Kṛṣṇa látványa. A transzcendentalistáknak több fajtája van. Némelyek a személytelen Brahmanhoz, mások a Felsőlélek formájához vonzódnak, de aki az Istenség Legfelsőbb Személyisége személyes arculata és mindenek felett az Istenség Legfelsőbb Személyiségének Kṛṣṇa-formája iránt érez vonzalmat, az a legtökéletesebb transzcendentalista. Más szóval Kṛṣṇa teljesen tudatos, odaadó szolgálata a tudás legbizalmasabb része. Ez az egész *Bhagavad-gītā* mondanivalójának lényege. A *karma-yogīkat,* az empirikus filozófusokat, a misztikusokat és a *bhaktákat* mind transzcendentalistáknak hívják, de közülük a tiszta *bhakta* a legkiválóbb. A *mā śucaḥ* („ne félj, ne késlekedj, ne aggódj") szavak, melyekkel a versben találkozunk, nagyon fontosak. Lehet, hogy valaki elcsodálkozik, hogyan lehet felhagyni a vallás valamennyi formájával, hogy azután az ember egyszerűen csak meghódoljon Kṛṣṇa előtt, de az ilyen aggodalom teljesen felesleges.

67. VERS

इदं ते नातपस्काय नाभक्ताय कदाचन ।
न चाशुश्रूषवे वाच्यं न च मां योऽभ्यसूयति ॥६७॥

idaṁ te nātapaskāya nābhaktāya kadācana
na cāśuśrūṣave vācyaṁ na ca māṁ yo 'bhyasūyati

idam – ez; *te* – általad; *na* – sohasem; *atapaskāya* – a nem lemondottnak; *na* – sohasem; *abhaktāya* – a nem *bhaktának; kadācana* – bármikor;

na – sohasem; *ca* – is; *aśuśrūṣave* – a odaadó szolgálatot nem végzőnek; *vācyam* – elmondandó; *na* – sohasem; *ca* – is; *mām* – Rám; *yaḥ* – bárki; *abhyasūyati* – irigykedik.

Ezt a meghitt tudást soha nem szabad átadni azoknak, akik nem önfegyelmezettek, nem odaadóak, nem végeznek odaadó szolgálatot, vagy irigyek Rám.

MAGYARÁZAT: A tudás e legbizalmasabb részét nem szabad elmondani azoknak, akik nem vállalják a vallásos folyamatok lemondásait, sohasem akartak Kṛṣṇa-tudatú odaadó szolgálatot végezni, vagy nem szolgáltak egy tiszta *bhaktát*. Főként azokat kell elkerülni, akik Kṛṣṇát történelmi személyiségnek vélik vagy irigyek hatalmára. Néha az is előfordul, hogy a Kṛṣṇára irigy, démonikus emberek, akik másképp imádják Kṛṣṇát, a jó üzlet reményében, hivatásszerűen és elferdítve magyarázzák a *Bhagavad-gītāt.* Aki azonban szeretné igazán megérteni Kṛṣṇát, az kerülje el az efféle magyarázatokat. A *Bhagavad-gītā* mondanivalóját valójában nem képesek felfogni sem az érzéki élvezetekkel törődő emberek, sem azok, akik szigorúan követik ugyan a védikus írások szabályait, de nem *bhakták,* sőt még azok sem, akik *bhaktáknak* tüntetik fel magukat, de nem végeznek Kṛṣṇa-tudatos tetteket. Sokan irigyek Kṛṣṇára, mert a *Bhagavad-gītāban* elmondta, hogy Ő a Legfelsőbb, hogy senki sem nagyobb Nála és senki sem egyenlő Vele. Az ilyen irigy embereknek nem szabad elmondanunk a *Bhagavad-gītāt,* mert úgysem értik meg. A hitetlenek nem képesek megérteni sem ezt az írást, sem azt, hogy kicsoda Kṛṣṇa. Senkinek sem szabad azzal próbálkoznia, hogy magyarázatot fűzzön a *Bhagavad-gītāhoz,* amíg egy hiteles, tiszta *bhakta* segítségével meg nem ismerte Kṛṣṇát.

68. VERS

य इदं परमं गुह्यं मद्भक्तेष्वभिधास्यति ।
भक्तिं मयि परां कृत्वा मामेवैष्यत्यसंशयः ॥६८॥

ya idaṁ paramaṁ guhyaṁ mad-bhakteṣv abhidhāsyati
bhaktiṁ mayi parāṁ kṛtvā mām evaiṣyaty asaṁśayaḥ

yaḥ – bárki; *idam* – ezt; *paramam* – legfőbb; *guhyam* – bizalmas titkot; *mat* – az Én; *bhakteṣu* – *bhaktáim* között; *abhidhāsyati* – elmagyarázza; *bhaktim* – odaadó szolgálathoz; *mayi* – Nekem; *parām* – transzcendentális; *kṛtvā* – végzett; *mām* – Hozzám; *eva* – bizony; *eṣyati* – jönni fog; *asaṁśayaḥ* – kétségkívül.

Aki ezt a legnagyobb titkot a bhaktáknak elmagyarázza, az kétségtelenül eljut a tiszta odaadó szolgálatig, s végül visszatér Hozzám.

MAGYARÁZAT: Ajánlatos, hogy a *Bhagavad-gītāról* csakis *bhakták* között beszéljünk, mert az *abhakták* sem Kṛṣṇát, sem pedig a *Bhagavad-gītāt* nem fogják megérteni. Azoknak, akik nem fogadják el Kṛṣṇát, ahogyan Ő van, és a *Bhagavad-gītāt* úgy, ahogyan az van, nem szabad saját szeszélyeik szerint magyarázatot fűzniük e könyvhöz, mert azzal sértést követnek el. A *Bhagavad-gītāt* csak olyan embereknek lehet elmagyarázni, akik már elfogadták, hogy Kṛṣṇa az Istenség Legfelsőbb Személyisége. Ez a téma egyedül *bhaktáknak* való, nem pedig filozófiai spekulálóknak. Bárki próbálja meg azonban komolyan ismertetni a *Bhagavad-gītāt,* úgy, ahogy az van, fejlődni fog az odaadó szolgálatban, és eléri a tiszta odaadás szintjét. Ennek köszönhetően egészen biztosan hazatér, vissza Istenhez.

69. VERS

न च तस्मान्मनुष्येषु कश्चिन्मे प्रियकृत्तमः ।
भविता न च मे तस्मादन्यः प्रियतरो भुवि ॥६९॥

na ca tasmān manuṣyeṣu kaścin me priya-kṛttamaḥ
bhavitā na ca me tasmād anyaḥ priyataro bhuvi

na – sohasem; *ca* – és; *tasmāt* – nála; *manuṣyeṣu* – az emberek között; *kaścit* – bárki; *me* – Nekem; *priya-kṛt-tamaḥ* – kedvesebb; *bhavitā* – lesz; *na* – sem; *ca* – és; *me* – Nekem; *tasmāt* – nála; *anyaḥ* – más; *priya-taraḥ* – kedvesebb; *bhuvi* – ezen a világon.

Nincs és nem is lesz soha nála kedvesebb szolgám ezen a világon.

70. VERS

अध्येष्यते च य इमं धर्म्यं संवादमावयोः ।
ज्ञानयज्ञेन तेनाहमिष्टः स्यामिति मे मतिः ॥७०॥

adhyeṣyate ca ya imaṁ dharmyaṁ saṁvādam āvayoḥ
jñāna-yajñena tenāham iṣṭaḥ syām iti me matiḥ

adhyeṣyate – tanulmányozni fogja; *ca* – szintén; *yaḥ* – aki; *imam* – ezt; *dharmyam* – szent; *saṁvādam* – párbeszédet; *āvayoḥ* – a kettőnkét;

jñāna – a tudás; *yajñena* – áldozata által; *tena* – azáltal; *aham* – Én; *iṣṭaḥ* – imádott; *syām* – leszek; *iti* – így; *me* – Enyém; *matiḥ* – vélemény.

Kijelentem, hogy aki tanulmányozza ezt a szent párbeszédet, az az értelmével imád Engem.

71. VERS

श्रद्धावाननसूयश्च शृणुयादपि यो नरः ।
सोऽपि मुक्तः शुभाँल्लोकान् प्राप्नुयात्पुण्यकर्मणाम् ॥७१॥

śraddhāvān anasūyaś ca śṛṇuyād api yo naraḥ
so 'pi muktaḥ śubhāl̐ lokān prāpnuyāt puṇya-karmaṇām

śraddhā-vān – hívő; *anasūyaḥ* – nem irigy; *ca* – és; *śṛṇuyāt* – hallja; *api* – bizony; *yaḥ* – aki; *naraḥ* – ember; *saḥ* – ő; *api* – szintén; *muktaḥ* – felszabadult; *śubhān* – a kedvezőeket; *lokān* – bolygókat; *prāpnuyāt* – eléri; *puṇya-karmaṇām* – a jámborokét.

Aki pedig hittel és irigység nélkül hallgatja, az megszabadul a bűnös visszahatásoktól, s eljut a jámborok lakta áldott bolygókra.

MAGYARÁZAT: A hatvanhetedik versben az Úr egyértelműen megtiltotta, hogy a *Bhagavad-gītāt* elmondjuk azoknak, akik irigyek az Úrra – ez a tudás egyedül a *bhaktáknak* való. Néha azonban előfordul, hogy az Úr *bhaktája* nyilvános előadást tart, ahol a hallgatók között nem csak *bhakták* vannak. Hogyan tarthat hát ilyen előadást? E versből kiderül, hogy ha nem is *bhakta* mindenki, sokan vannak, akik nem irigyek Kṛṣṇára, és hiszik, hogy Ő az Istenség Legfelsőbb Személyisége. Ha az ilyen emberek egy igaz *bhaktától* hallanak az Úrról, azonnal megszabadulnak minden bűnös visszahatástól, aztán pedig eljutnak abba a bolygórendszerbe, ahol a jámbor lények élnek. A *Bhagavad-gītā* hallgatásával tehát még az is szert tehet a jámbor tettek eredményére, aki esetleg nem törekszik arra, hogy tiszta *bhakta* legyen. Az Úr tiszta *bhaktája* így mindenkinek esélyt ad arra, hogy megszabaduljon minden bűnös visszahatástól, s az Úr *bhaktájává* váljon.

A bűnös visszahatásoktól mentes, jámbor emberek általában könnyen elfogadják a Kṛṣṇa-tudatot. A *puṇya-karmaṇām* szónak nagy jelentősége van: a védikus irodalomban említett nagy áldozatok, például az *aśvamedha-yajña* végzésére utal. A jámborok, akik odaadó szolgálatot végeznek ugyan, de nem tiszták, eljuthatnak a Sarkcsillagra, vagyis Dhruvalokára, ahol Dhruva Mahārāja él. Dhruva Mahārāja nagy *bhakta,* akit az Úr egy különleges bolygóval, a Sarkcsillaggal ajándékozott meg.

72. VERS

कच्चिदेतच्छ्रुतं पार्थ त्वयैकाग्रेण चेतसा ।
कच्चिदज्ञानसम्मोहः प्रणष्टस्ते धनञ्जय ॥७२॥

kaccid etac chrutaṁ pārtha tvayaikāgreṇa cetasā
kaccid ajñāna-sammohaḥ praṇaṣṭas te dhanañjaya

kaccit – vajon; *etat* – ez; *śrutam* – hallott; *pārtha* – ó, Pṛthā fia; *tvayā* – általad; *eka-agreṇa* – teljes figyelemmel; *cetasā* – az elme által; *kaccit* – vajon; *ajñāna* – tudatlanság; *sammohaḥ* – illúzió; *praṇaṣṭaḥ* – szertefoszlott; *te* – tiéd; *dhanañjaya* – ó, gazdagság meghódítója (Arjuna).

Ó, Pṛthā fia, ó, gazdagság meghódítója, teljes figyelemmel hallgattad-e szavaimat? Eloszlott-e tudatlanságod és illúziód?

MAGYARÁZAT: Az Úr Arjuna lelki tanítómestereként cselekedett, ezért kötelességéhez tartozott, hogy megkérdezze tanítványát, megértette-e a helyes szemlélet alapján az egész *Bhagavad-gītāt*. Ha nem, akkor az Úr kész bármely rész, sőt az egész *Bhagavad-gītā* megismétlésére is, ha szükség van rá. Valójában ha valaki egy hiteles lelki tanítómestertől, Kṛṣṇától vagy az Ő képviselőjétől hallja a *Bhagavad-gītāt,* látni fogja, hogy minden tudatlansága eloszlik. A *Bhagavad-gītāt* az Istenség Legfelsőbb Személyisége beszélte el, ezért nem közönséges könyv, holmi költő vagy regényíró műve. Legyen az bárki, ha olyan szerencsés, hogy hallhatja ezt a tanítást Kṛṣṇától vagy az Őt képviselő hiteles lelki tanítómestertől, az biztosan felszabadul, és kitalál a tudatlanság sötétségéből.

73. VERS

अर्जुन उवाच
नष्टो मोहः स्मृतिर्लब्धा त्वत्प्रसादान्मयाच्युत ।
स्थितोऽस्मि गतसन्देहः करिष्ये वचनं तव ॥७३॥

arjuna uvāca
naṣṭo mohaḥ smṛtir labdhā tvat-prasādān mayācyuta
sthito 'smi gata-sandehaḥ kariṣye vacanaṁ tava

arjunaḥ uvāca – Arjuna mondta; *naṣṭaḥ* – eloszlott; *mohaḥ* – illúzió; *smṛtiḥ* – emlékezet; *labdhā* – visszanyert; *tvat-prasādāt* – a Te kegyedből; *mayā* – általam; *acyuta* – ó, tévedhetetlen Kṛṣṇa; *sthitaḥ* – helyzetben; *asmi* – vagyok; *gata* – távozott; *sandehaḥ* – minden kétely; *kariṣye* – végre fogom hajtani; *vacanam* – a parancsot; *tava* – Tiéd.

Arjuna így szólt: Kedves Kṛṣṇám, ó, tévedhetetlen, illúzióm most szertefoszlott! Kegyedből visszanyertem emlékezetem, s most szilárd vagyok, kételyektől mentes. Készen állok arra, hogy utasításaid szerint cselekedjek.

MAGYARÁZAT: Az élőlényeknek – akiket most Arjuna képvisel – eredeti természetüknek megfelelően a Legfelsőbb Úr parancsa szerint kell cselekedniük, s fegyelmezniük kell önmagukat. Śrī Caitanya Mahāprabhu kijelentette, hogy az élőlény örök természetéből fakadóan a Legfelsőbb Úr örök szolgája, ám erről az alapvető elvről megfeledkezve az anyagi természet rabjává válik. Ha azonban ismét a Legfelsőbb Úr szolgálatába áll, akkor Isten felszabadult szolgája lesz. Eredeti természetét tekintve szolga: vagy az illúziókeltő *māyāt,* vagy pedig a Legfelsőbb Urat kell szolgálnia. Ha az Úr szolgálata mellett dönt, akkor természetes helyzetében van, ha azonban az illúziókeltő, külső energia szolgálatát választja, akkor kétségtelenül az anyagi kötelékekbe bonyolódik. Az élőlény illúziója következtében az anyagi világban szolgál. Kéjes anyagi vágyainak a rabja, mégis a világ urának hiszi magát – ezt hívják illúziónak. Ha felszabadul, ez az illúzió szertefoszlik, ő pedig önszántából meghódol a Legfelsőbb előtt, s az Ő kívánsága szerint cselekszik. A *māyā* legvégül azzal az illúzióval próbálja meg csapdába csalni az élőlényt, hogy elhiteti vele: ő Isten. Az élőlény többé nem feltételekhez kötött léleknek, hanem Istennek hiszi magát. Olyannyira ostoba, hogy nem ismeri fel: ha Isten lenne, hogyan lehetnének kétségei? Erre egyáltalán nem gondol. Ez tehát az illúzió utolsó csapdája. Az illúziókeltő energiából úgy lehet megszabadulni, hogy megértjük, kicsoda Kṛṣṇa, az Istenség Legfelsőbb Személyisége, és beleegyezünk, hogy követjük utasításait.

A *moha* szó nagyon fontos ebben a versben. Arra utal, ami a tudás ellentéte. Az igazi tudást az a megértés jelenti, hogy minden élőlény az Úr örök szolgája. Az élőlény azonban hajlamos azt hinni, hogy ő nem szolga, hanem az anyagi világ ura, mert az anyagi természetet szeretné irányítani. Ezt hívják illúziónak, melyet az Úr vagy tiszta *bhaktája* kegyéből lehet eloszlatni. Ha megszabadul az illúziótól, az élőlény elkezdi Kṛṣṇa-tudatos tetteit.

A Kṛṣṇa-tudat azt jelenti, hogy az ember Kṛṣṇa utasításai szerint cselekszik. A feltételekhez kötött lélek, akit a külső anyagi energia illúzióban tart, nem tudja, hogy a mindentudó Legfelsőbb Úr, mindennek a tulajdonosa az igazi Úr. Az Istenség Legfelsőbb Személyisége azt adhat a *bhaktának,* amit csak akar. Mindenkinek a barátja, de leginkább a *bhaktáit* kedveli. Ő az anyagi természet, az élőlények és a kimeríthetetlen idő irányítója, aki minden fenséges jellemvonással és hatalommal azok teljességében rendelkezik. Az Istenség Legfelsőbb Személyisége még magát is oda tudja adni *bhaktájának*. Aki nem ismeri Őt, az illúzióban van, s nem *bhakta* lesz, hanem a *māyā* szolgája. Arjuna azonban, miután végighallgatta a *Bhagavad-gītāt* az Istenség Legfelsőbb Személyiségétől, megszabadult minden illúziótól. Megértette, hogy Kṛṣṇa nemcsak a barátja, de az Istenség Legfelsőbb Személyisége is. Arjuna tehát valóban megértette, kicsoda Kṛṣṇa. A *Bhagavad-gītā* tanulmányozásának célja Kṛṣṇa valódi megismerése. Az, aki teljes tudásra tesz szert, meghódol Kṛṣṇa előtt. Amikor Arjuna megértette, hogy Kṛṣṇa terve a túlzott népességnövekedés csökkentése volt, beleegyezett, hogy az Ő vágyát teljesítve harcoljon. Ismét megragadta hát fegyvereit – íját és nyilait –, hogy az Istenség Legfelsőbb Személyiségének utasítása szerint megküzdjön az ellenséggel.

74. VERS

सञ्जय उवाच
इत्यहं वासुदेवस्य पार्थस्य च महात्मनः ।
संवादमिममश्रौषमद्भुतं रोमहर्षणम् ॥७४॥

sañjaya uvāca
ity ahaṁ vāsudevasya pārthasya ca mahātmanaḥ
saṁvādam imam aśrauṣam adbhutaṁ roma-harṣaṇam

sañjayaḥ uvāca – Sañjaya mondta; *iti* – így; *aham* – én; *vāsudevasya* – Kṛṣṇának; *pārthasya* – és Arjunának; *ca* – is; *mahā-ātmanaḥ* – a nagy léleknek; *saṁvādam* – párbeszédét; *imam* – ezt; *aśrauṣam* – hallottam; *adbhutam* – csodálatosat; *roma-harṣaṇam* – a testemet borzongatót.

Sañjaya szólt: Így hallottam a két nagy lélek, Kṛṣṇa és Arjuna párbeszédét. Ez az üzenet annyira csodálatos, hogy egész testemet borzongás járja át.

MAGYARÁZAT: A *Bhagavad-gītā* elején Dhṛtarāṣṭra a tanácsosától, Sañjayától érdeklődött: „Mi történt a kurukṣetrai csatamezőn?" A tanítás Vyāsa, Sañjaya lelki tanítómestere kegyéből nyilvánult meg Sañjaya szívében, aki így el tudta mesélni a csatatéren történteket. A párbeszéd csodálatos volt, hiszen ilyen fontos beszélgetés két nagy lélek között még soha nem hangzott el, és a jövőben sem fog. Csodálatos volt, mert az Istenség Legfelsőbb Személyisége Önmagáról és energiáiról beszélt az élőlénynek, Arjunának, az Úr nagy *bhaktájának*. Ha követjük Arjuna példáját, hogy megismerjük Kṛṣṇát, életünk boldog és sikeres lesz. Sañjaya felismerte mindezt, s miközben a hallottakat átadta Dhṛtarāṣṭrának, egyre többet megértett e tanításokból. Most eljutott a végkövetkeztetésig, miszerint Kṛṣṇa és Arjuna megjelenését mindenhol győzelem kíséri.

75. VERS

व्यासप्रसादाच्छ्रुतवानेतद्गुह्यमहं परम् ।
योगं योगेश्वरात्कृष्णात्साक्षात्कथयतः स्वयम् ॥७५॥

vyāsa-prasādāc chrutavān etad guhyam ahaṁ param
yogaṁ yogeśvarāt kṛṣṇāt sākṣāt kathayataḥ svayam

vyāsa-prasādāt – Vyāsadeva kegyéből; *śrutavān* – hallottam; *etat* – ezt; *guhyam* – titkos; *aham* – én; *param* – a legfelsőbb; *yogam* – misztikát; *yoga-īśvarāt* – minden misztika mesterétől; *kṛṣṇāt* – Kṛṣṇától; *sākṣāt* – közvetlenül; *kathayataḥ* – elmondva; *svayam* – személyesen.

Vyāsa kegyéből ezt a legtitkosabb beszélgetést közvetlenül minden misztika mesterétől, Kṛṣṇától hallottam, amint Ő maga szólt Arjunához.

MAGYARÁZAT: Vyāsa Sañjaya lelki tanítómestere volt, és Sañjaya elismeri, hogy az ő kegyének köszönhetően érthette meg az Istenség Legfelsőbb Személyiségét. Ez annyit jelent, hogy az embernek nem közvetlenül, hanem a lelki tanítómester közvetítésével kell megértenie, kicsoda Kṛṣṇa. A lelki tanítómester áttetsző közvetítő közeg, így a tapasztalat még rajta keresztül is közvetlen. Ez a tanítványi lánc misztériuma. Egy igaz lelki tanítómestertől tanítványa olyan közvetlenül hallhatja a *Bhagavad-gītāt,* mint ahogy Arjuna hallotta. Sok misztikus és *yogī* él a világon, de Kṛṣṇa valamennyi *yoga*-ösvény mestere. Utasítását a *Bhagavad-gītā* tárja fel rendkívül érthetően: meg kell hódolnunk Előtte. Aki így tesz, az a legkiválóbb *yogī.* Ezt erősíti meg a hatodik fejezet utolsó verse is: *yoginām api sarveṣām.*

Nārada Kṛṣṇa közvetlen tanítványa és Vyāsa lelki tanítómestere. Ezért aztán Vyāsa éppen olyan hiteles forrás, mint Arjuna, mivel a tanítványi láncolathoz tartozik. Sañjaya Vyāsa közvetlen tanítványa, ezért tanítómestere kegyéből érzékei megtisztultak, s így közvetlenül láthatta és hallhatta Kṛṣṇát. Aki közvetlenül hallhatja Őt, az megértheti ezt a legbensőségesebb tudást. Kṛṣṇát képtelen meghallani az, aki nem fordul a tanítványi láncolathoz, s így tudása tökéletlen marad, legalábbis ami a *Bhagavad-gītā* megértését illeti.

A *Bhagavad-gītā* valamennyi *yoga*-rendszerről beszél: a *karma-yogáról, jñāna-yogáról* és a *bhakti-yogáról.* Kṛṣṇa mindnek a mestere. Ám Arjuna olyan szerencsés volt, hogy közvetlenül érthette meg Kṛṣṇát, ahogyan

Vyāsa kegyéből Sañjaya is közvetlenül hallhatta Őt. Valójában akár magától Kṛṣṇától, akár a hiteles lelki tanítómesteren keresztül (mint amilyen Vyāsa) halljuk ezt a tanítást, a kettő között nincsen különbség. A lelki tanítómester Vyāsadeva képviselője is. A védikus szokások szerint a lelki tanítómestert születésnapján tanítványai a *vyāsa-pūjā* elnevezésű ceremóniával köszöntik.

76. VERS

राजन् संस्मृत्य संस्मृत्य संवादमिममद्भुतम् ।
केशवार्जुनयोः पुण्यं हृष्यामि च मुहुर्मुहुः ॥७६॥

rājan saṁsmṛtya saṁsmṛtya saṁvādam imam adbhutam
keśavārjunayoḥ puṇyaṁ hṛṣyāmi ca muhur muhuḥ

rājan – ó, király; *saṁsmṛtya* – emlékezve; *saṁsmṛtya* – emlékezve; *saṁvādam* – az üzenetre; *imam* – erre; *adbhutam* – csodálatosra; *keśava* – az Úr Kṛṣṇának; *arjunayoḥ* – és Arjunának; *puṇyam* – a jámborra; *hṛṣyāmi* – örömömet lelem; *ca* – szintén; *muhuḥ muhuḥ* – újra meg újra.

Ó, király, amint újra és újra visszaemlékezem Kṛṣṇa és Arjuna csodálatos és szent párbeszédére, minden pillanatban az öröm hullámai járnak át!

MAGYARÁZAT: A *Bhagavad-gītā* olyannyira transzcendentális, hogy bárki, aki megismeri és megérti Arjuna és Kṛṣṇa párbeszédét, jámbor életet kezd, és nem tudja elfelejteni e beszélgetést. Ez a lelki élet transzcendentális természete. Más szóval aki a *Gītāt* a megfelelő forrástól, közvetlenül Kṛṣṇától hallja, az teljesen Kṛṣṇa-tudatúvá válik, ennek következtében pedig egyre jobban megvilágosodik, s nemcsak ideig-óráig, hanem minden pillanatban örömmel élvezi az életet.

77. VERS

तच्च संस्मृत्य संस्मृत्य रूपमत्यद्भुतं हरेः ।
विस्मयो मे महान् राजन् हृष्यामि च पुनः पुनः ॥७७॥

tac ca saṁsmṛtya saṁsmṛtya rūpam aty-adbhutaṁ hareḥ
vismayo me mahān rājan hṛṣyāmi ca punaḥ punaḥ

tat – arra; *ca* – is; *saṁsmṛtya* – emlékezve; *saṁsmṛtya* – emlékezve; *rūpam* – a formára; *ati* – a nagyon; *adbhutam* – csodálatosra; *hareḥ* – az

Úr Kṛṣṇának; *vismayaḥ* – a csodálat; *me* – enyém; *mahān* – nagy; *rājan* – ó, király; *hṛṣyāmi* – élvezem; *ca* – is; *punaḥ punaḥ* – újra meg újra.

Ó, király! Az Úr Kṛṣṇa csodálatos formájára emlékezve egyre nagyobb csodálat tölt el, s újra meg újra eláraszt a boldogság.

MAGYARÁZAT: E versből kiderül, hogy Sañjaya Vyāsa kegyéből szintén láthatta Kṛṣṇa kozmikus formáját, amit Kṛṣṇa Arjunának megmutatott. Tudjuk azonban, hogy Kṛṣṇa azelőtt sohasem nyilvánította ki ezt az alakját: egyedül Arjuna és vele egy időben még néhány nagy *bhakta* láthatta. Közöttük volt Vyāsa is, az Úr nagy *bhaktája,* akit Kṛṣṇa nagy hatalmú inkarnációjának tartanak. Ő mutatta meg a kozmikus formát tanítványának, Sañjayának, aki most visszaemlékezik Kṛṣṇának erre a csodálatos formájára, amely Arjuna előtt feltárult, s ezért újra meg újra öröm tölti el.

78. VERS

यत्र योगेश्वरः कृष्णो यत्र पार्थो धनुर्धरः ।
तत्र श्रीर्विजयो भूतिर्ध्रुवा नीतिर्मतिर्मम ॥७८॥

yatra yogeśvaraḥ kṛṣṇo yatra pārtho dhanur-dharaḥ
tatra śrīr vijayo bhūtir dhruvā nītir matir mama

yatra – ahol; *yoga-īśvaraḥ* – minden misztika mestere; *kṛṣṇaḥ* – az Úr Kṛṣṇa; *yatra* – ahol; *pārthaḥ* – Pṛthā fia; *dhanuḥ-dharaḥ* – az íj és a nyíl hordozója; *tatra* – ott; *śrīḥ* – gazdagság; *vijayaḥ* – győzelem; *bhūtiḥ* – kivételes hatalom; *dhruvā* – bizonyos; *nītiḥ* – erkölcs; *matiḥ mama* – véleményem szerint.

Bárhol is legyen Kṛṣṇa, minden misztika mestere, és Arjuna, a legkiválóbb íjász, ott biztos a gazdagság, a győzelem, a rendkívüli erő és az erény. Ez az én véleményem.

MAGYARÁZAT: A *Bhagavad-gītā* Dhṛtarāṣṭra kérdésével kezdődött. Az öreg király reménykedett fiai győzelmében, akiket nagy harcosok – Bhīṣma, Droṇa és Karṇa – támogattak. Bízott benne, hogy serege győzedelmeskedni fog. A csatamező eseményeinek leírása után azonban Sañjaya így szólt a királyhoz: „Győzelemre számítasz, ám az én véleményem az, hogy a jó szerencse ott van, ahol Kṛṣṇa és Arjuna." Nyíltan kimondta, hogy Dhṛtarāṣṭra nem remélhet győzelmet seregétől: a diadal kétségtelenül Arjunáékra vár, mert Kṛṣṇa velük van. Kṛṣṇa Arjuna kocsihajtójának szerepét vállalta magára, s ez egyik fenséges jellemvonásának megnyilvánulása volt. Kṛṣṇa minden fenséges tulajdonsággal teljes, s a lemondás egyike ezeknek. Lemondására számtalan példát találunk, hiszen Ő a mestere a lemondásnak is.

A harc valójában Duryodhana és Yudhiṣṭhira között dúlt. Arjuna Yudhiṣṭhira, idősebb fivére érdekében küzdött, s mivel Kṛṣṇa és Arjuna Yudhiṣṭhira oldalán állt, Yudhiṣṭhira győzelméhez nem férhetett kétség. A csata célja az volt, hogy eldöntse, ki fog uralkodni a világon, és Sañjaya előre megjósolta, hogy a hatalom Yudhiṣṭhirára fog szállni. Ez a vers azt is megmondja, hogy a csata megnyerése után Yudhiṣṭhira birodalma egyre inkább virágzásnak indul majd, mert a király nemcsak igazságos és jámbor, de szigorúan erkölcsös ember is volt. Egész életében egyetlen hazug szó sem hagyta el az ajkát.

Sok olyan kevéssé intelligens ember van, aki azt hiszi, hogy a *Bhagavad-gītā* két közönséges barát beszélgetése a csatatéren. Egy ilyen könyv azonban nem lehetne szent írás. Vannak, akik amiatt háborognak, hogy Kṛṣṇa szerintük nem éppen erkölcsös módon harcra biztatta Arjunát. Az igazság azonban az, hogy a *Bhagavad-gītā* tanítása az erkölcs legmagasabb szintjét képviseli. Az erre vonatkozó legfontosabb utasítást a kilencedik fejezet harmincnegyedik verse fogalmazza meg: *man-manā bhava mad-bhaktaḥ*. Kṛṣṇa *bhaktájává* kell válnunk. Minden vallás lényege, hogy hódoljunk meg Kṛṣṇa előtt (*sarva-dharmān parityajya mām ekaṁ śaraṇaṁ vraja*). A *Bhagavad-gītā* tanítása a vallás és erkölcs legmagasztosabb útját alapozza meg. Más lelki ösvényeknek is lehet tisztító hatásuk, s végül elvezethetnek ehhez az úthoz, ám a *Gītā* végső utasítása minden vallás és erkölcs lényegét fogalmazza meg: meg kell hódolnunk Kṛṣṇa előtt. Ezt az üzenetet adja át a tizennyolcadik fejezet.

A *Bhagavad-gītából* megérthetjük, hogy a filozófiai spekuláció és a meditáció az önmegvalósítás egyik módszere, de a legmagasabb rendű tökéletesség az, ha meghódolunk Kṛṣṇa előtt. Ez a *Bhagavad-gītā* tanításának lényege. Igaz, hogy a társadalom rendjeire vonatkozó különböző vallásos folyamatok szabályozó elveinek követése lehet a tudás megszerzésének bensőséges útja. Ám annak ellenére, hogy a vallás szertartásai bensőségesek, a meditáció és a tudás művelése még bensőségesebb, a legbizalmasabb tanítás pedig az, hogy hódoljunk meg Kṛṣṇának, teljes Kṛṣṇa-tudatban és odaadó szolgálatban. Ez a tizennyolcadik fejezet mondanivalója.

A *Bhagavad-gītā* azt is feltárja, hogy a valódi igazság az Istenség Legfelsőbb Személyisége, Kṛṣṇa. A gyakorlók három aspektusában ébredhetnek a tudatára a Legfelsőbb Igazságnak: mint személytelen Brahman, mint helyhez kötött Paramātmā és végül mint az Istenség Legfelsőbb Személyisége, Kṛṣṇa. Az Abszolút Igazságról szóló tökéletes tudás tehát Kṛṣṇa tökéletes ismeretét jelenti. Ha valaki megértette, kicsoda Kṛṣṇa, akkor ezzel minden más tudásnak is birtokába jut. Kṛṣṇa transzcendentális, mert mindig örök belső energiájában van. Az élőlények az Ő energiájából nyilvánulnak meg, és két csoportra oszthatók: az örökké feltételekhez kötött és az örökre felszabadult lelkekre. Ezeknek az élőlényeknek a száma végtelen, s valamennyien Kṛṣṇa alapvető részei. Az anyagi energia huszonnégy elemre osztható fel. A teremtés az örök idő hatása alatt áll, s a külső energia révén jön létre, illetve semmisül meg. A kozmikus világ megnyilvánulása hol láthatóvá, hol láthatatlanná válik.

A *Bhagavad-gītā* öt fő témáról tanít: az Istenség Legfelsőbb Személyiségéről, az anyagi természetről, az élőlényekről, az örök időről és a különféle tettekről. Mindegyik Kṛṣṇának, az Istenség Legfelsőbb Személyiségének van alárendelve. Az Istenség Legfelsőbb Személyisége megismerésének kategóriája magában foglalja az Abszolút Igazság valamennyi felfogását – a személytelen Brahmant, a helyhez kötött Paramātmāt és minden más transzcendentális aspektust. Az Istenség Legfelsőbb Személyisége, az élőlény, az anyagi természet és az idő látszólag különböznek egymástól, de valójában semmi sem különbözik a Legfelsőbbtől. Ő azonban mégis mindig különbözik mindentől. Ez az a filozófia, melyet az Úr Caitanya ismertetett: „a felfoghatatlan azonosság és különbözőség tana". Ez a filozófiai rendszer képviseli az Abszolút Igazságról szóló tökéletes tudást.

Az élőlény eredeti helyzete szerint tiszta lélek, a Legfelsőbb Lélek atomnyi részecskéje. Az Urat a naphoz hasonlíthatjuk, az élőlényeket pedig a napfényhez. Mivel az élőlények Kṛṣṇa határenergiáját alkotják, az anyagi és a lelki energiával való kapcsolatra egyaránt hajlamosak. Más szóval tehát az Úr két energiája között helyezkednek el, de mivel az Úr felsőbbrendű energiájához tartoznak, parányi mértékben függetlenséggel is rendelkeznek. Ha ezt a megfelelő módon használják, akkor Kṛṣṇa közvetlen irányítása alá kerülnek, s így visszatérhetnek természetes állapotukba, a gyönyörenergiába.

Így végződnek a Bhaktivedanta-magyarázatok a Śrīmad Bhagavad-gītā *tizennyolcadik fejezetéhez, melynek címe: „Végkövetkeztetés – a tökéletes lemondás".*

Függelék

Megjegyzés a második angol kiadáshoz

Azoknak az olvasóknak a kedvéért, akik a *Bhagavad-gītā* első kiadásával már megismerkedtek, szükségesnek láttuk, hogy néhány szót szóljunk a jelenlegi második kiadásról.

Noha a legtöbb szempontból a két kiadás azonos, a Bhaktivedanta Book Trust szerkesztői visszatértek archívumuk legrégebbi kézirataihoz, hogy a második kiadás még hűebb lehessen Śrīla Prabhupāda eredeti művéhez.

Śrīla Prabhupāda 1967-ben fejezte be *A Bhagavad-gītā úgy, ahogy van*-t, két évvel azután, hogy Indiából Amerikába érkezett. A MacMillan Kiadó 1968-ban kiadta a könyv egy rövidített változatát, 1972-ben pedig megjelent az első teljes kiadás.

Az új amerikai tanítványoknak, akik segítettek Śrīla Prabhupādának a kézirat elkészítésében, számtalan akadállyal kellett megküzdeniük. Azok, akik magnószalagra rögzített diktálását lejegyezték, nehezen értették meg erős akcentusát, és a szanszkrit idézetek is idegenül hangzottak számukra. A szanszkrit nyelvi lektorok alig tudtak többet a nyelvről egy a szanszkrit nyelvvel csak most ismerkedő diáknál. Azok, akiknek az angol szöveg lektorálása volt a feladatuk, mindent megtettek, hogy a hiányos és néha csak a hangzás alapján megközelítőleg lejegyzett kéziratot feldolgozzák. Śrīla Prabhupāda művének kiadásáért tett erőfeszítésüket azonban mégis siker koronázta, s *A Bhagavad-gītā úgy, ahogy van* e kiadását a tudósok és hívők szerte a világon hiteles műnek fogadták el.

A második kiadásig eltelt tizenöt év alatt azonban Śrīla Prabhupāda tanítványai, akik könyvein dolgoztak, rengeteg tapasztalatot szereztek. Az angol nyelvi lektorok megismerték filozófiáját és kifejezésmódját, a szanszkrit lektorokból pedig időközben kiváló tudósok lettek. Ugyanazokat a szanszkritul írt magyarázatokat felhasználva, melyeket Śrīla Prabhupāda használt, amikor *A Bhagavad-gītā úgy, ahogy van*-t írta, már képesek voltak megbirkózni a bonyolult kézirat jelentette feladattal.

Az eredmény egy még gazdagabb és hitelesebb mű lett. A szanszkrit–angol szavankénti fordítás szorosabban követi a Śrīla Prabhupāda többi könyvében megszokottakat, ezért sokkal tisztább és pontosabb. Egyes helyeken a fordításokat – noha eredetileg is helyesek voltak – átdolgozták, hogy még hűebbek legyenek az eredeti szanszkrithoz és Śrīla Prabhupāda eredeti diktálásához. A Bhaktivedanta-magyarázatokban számos részlet, amely az első kiadás során elkallódott, most visszakerült a helyére. A szanszkrit idézetek, amelyeknek forrása az első kiadásban ismeretlen volt, most a fejezetre és a versre való teljes utalással jelennek meg.

Az íróról

Ő Isteni Kegyelme A.C. Bhaktivedanta Swami Prabhupāda 1896-ban született Kalkuttában, Indiában. Lelki tanítómesterével, Śrīla Bhaktisiddhānta Sarasvatī Gosvāmīval először 1922-ben, szülővárosában találkozott. Bhaktisiddhānta Sarasvatī, a Védák kiváló tudósa és a Gauḍīya Maṭha nevű védikus intézmény hatvannégy *āśramájának* alapítója megkedvelte a fiatalembert, és meggyőzte, hogy szentelje életét a védikus tudomány tanításának. Śrīla Prabhupāda így Śrīla Bhaktisiddhānta Sarasvatī tanítványa lett, majd 1933-ban hivatalosan is avatást kapott tőle.

Első találkozásuk alkalmával, 1922-ben Śrīla Bhaktisiddhānta Sarasvatī arra kérte Śrīla Prabhupādát, hogy terjessze angol nyelven a védikus tudást. Az elkövetkezendő években Śrīla Prabhupāda magyarázatot írt a *Bhagavad-gītāhoz* és segítette a Gauḍīya Maṭha munkáját. 1944-ben minden segítség nélkül elkezdte egy kéthetente megjelenő angol nyelvű folyóirat, a *Back to Godhead* (*Vissza Istenhez*) szerkesztését. Minden munkát egyedül végzett: gépelte a kéziratot, ellenőrizte a kefelenyomatokat, sőt, az egyes számokat is ő maga terjesztette. Ez a folyóirat azóta sem szűnt meg – Śrīla Prabhupāda tanítványai folytatják a kiadását.

1950-ben, a családi életet maga mögött hagyva, Śrīla Prabhupāda a *vānaprastha* (visszavonult) életrendbe lépett, hogy még több időt szentelhessen tanulmányainak és az írásnak. Vṛndāvana szent városába utazott, ahol nagyon szerény körülmények között, a középkori Rādhā–Dāmodara-templomban élt. Hosszú éveket töltött itt el tanulással és írással. 1959-ben a *sannyāsa* (szerzetesi) rendbe lépett. A Rādhā–Dāmodara-templomban kezdte el életének fő művét, a többkötetes, tizennyolcezer versből álló *Śrīmad-Bhāgavatam* (*Bhāgavata-purāṇa*) fordítását és magyarázását. Ekkor írta a *Könnyű utazás más bolygókra* című rövidebb könyvet is.

Miután kiadta a *Bhāgavatam* első három kötetét, 1965 szeptemberében Amerikába indult, hogy eleget tegyen lelki tanítómestere kívánságának. Ezt követően több mint ötven kötetet adott ki, egyebek között India filozófiai és vallási klasszikusainak hiteles kommentárokkal ellátott fordításait és több összefoglaló tanulmányt.

Amikor első alkalommal ért partot New Yorkban egy teherhajó fedélzetén, gyakorlatilag egy fillér nélkül érkezett. Közel egy éven keresztül nagy nehézségekkel kellett szembenéznie, míg 1966 júliusában megalapította a Krisna-tudatú Hívők Nemzetközi Közösségét (International Society for Krishna Consciousness, ISKCON). Egészen eltávozása napjáig – 1977. november 14-ig – irányította a szervezetet, s tanúja volt, hogyan nőtt száznál is több *āśramát,* iskolákat, templomokat, intézményeket és gazdálkodó közösségeket magában foglaló világméretű mozgalommá.

Śrīla Prabhupāda 1972-ben *gurukulát,* védikus elveken nyugvó iskolát alapított Dallasban, Texas államban, s ezzel Nyugaton is bevezette a védikus rendszerű általános és középiskolai oktatást. Tanítványai azóta számtalan hasonló iskolát létesítettek Amerikában és szerte a világon.

Az ő kezdeményezésére és biztatására számos nagy nemzetközi kulturális központ létesült Indiában. A nyugat-bengáli Śrīdhāma Māyāpurban a *bhakták* egy lelki várost építenek, központjában egy hatalmas, pazar templommal, melynek befejezési munkálatai még éveket vesznek majd igénybe. Vṛndāvanában a Kṛṣṇa-Balarāma Mandira és Nemzetközi Vendégház, a *gurukula,* valamint a Śrīla Prabhupāda Emlékhely és Múzeum található. Jelentős templom és kulturális központ létesült még Mumbaiban, Új-delhiben, Ahmedabadban, Siliguriban és Ujjainban, s az indiai szubkontinens számos nagyvárosában szeretnének hasonló központokat létrehozni.

Śrīla Prabhupāda legjelentősebb hagyatékát azonban a könyvek jelentik, melyeket a világ tudományos közössége nagyra becsül hitelességükért, mély gondolatiságukért, tisztaságukért. A világon számos egyetem és főiskola használja tankönyvként Śrīla Prabhupāda műveit. Írásai ma már több mint ötven nyelven jelennek meg. A Bhaktivedanta Book Trust, melyet 1972-ben Śrīla Prabhupāda könyveinek kiadása céljából létesítettek, az indiai vallás és filozófia terén a világ legnagyobb könyvkiadójává vált.

Idős kora ellenére Śrīla Prabhupāda tizenkét év leforgása alatt tizennégyszer utazta körül a földet, és hat kontinensre látogatott el, hogy előadásokat tartson a világ minden táján. Emellett élete végéig szakadatlanul írta könyveit. A védikus filozófia, vallás, irodalom és kultúra legkülönfélébb témaköreit felölelő írásai egy egész könyvtárat tesznek ki.

Az idézett irodalom jegyzéke

A *Bhagavad-gītāhoz* fűzött magyarázatokat a védikus szaktekintélyek mind alátámasztják. Az ebben a kötetben idézett hiteles írások jegyzéke a következő:

Amṛta-bindu-upaniṣad
Atharva-veda
Bhakti-rasāmṛta-sindhu
Brahma-saṁhitā
Brahma-sūtra
Bṛhad-āraṇyaka-upaniṣad
Bṛhad-viṣṇu-smṛti
Bṛhan-nāradīya-purāṇa
Caitanya-caritāmṛta
Chāndogya-upaniṣad
Garga-upaniṣad
Gītā-māhātmya
Gopāla-tāpanī-upaniṣad
Hari-bhakti-vilāsa
Īśopaniṣad
Kaṭha-upaniṣad
Kauṣītakī-upaniṣad
Kurma-purāṇa
Mādhyandināyana-śruti
Mahābhārata
Mahā-upaniṣad
Māṇḍūkya-upaniṣad
Mokṣa-dharma
Muṇḍaka-upaniṣad
Nārada-pañcarātra
Nārāyaṇa-upaniṣad
Nārāyaṇīya
Nirukti (értelmező szótár)
Nṛsiṁha-purāṇa
Padma-purāṇa
Parāśara-smṛti
Praśna-upaniṣad
Puruṣa-bodhinī-upaniṣad
Ṛg-veda
Sātvata-tantra
Śrīmad-Bhāgavatam
Stotra-ratna
Subala-upaniṣad
Śvetāśvatara-upaniṣad
Taittirīya-upaniṣad
Upadeśāmṛta
Varāha-purāṇa
Vedānta-sūtra
Viṣṇu-purāṇa
Yoga-sūtra

Szójegyzék

ācārya Ideális tanító, aki példamutatással tanít; lelki tanítómester.

acintya-bhedābheda-tattva Az Úr Caitanya „egyidejű azonosság és különbözőség" elmélete Istenről és energiáiról.

agni A tűz félistene.

agnihotra-yajña Tűzáldozat a védikus szertartások során.

ahaṅkāra Hamis ego; amikor a lélek a testnek hiszi magát.

ahiṁsā Erőszakmentesség.

akarma „Nem cselekvés"; olyan lelki tevékenység, ami nem von maga után visszahatást.

ānanda Lelki gyönyör.

aparā-prakṛti Az Úr alsóbbrendű, anyagi energiája (az anyag).

arcana Az *arcā-vigraha* imádatának folyamata.

arcā-vigraha Isten anyagi elemeken keresztül megnyilvánuló formája, Kṛṣṇát ábrázoló festmény vagy szobor, melyet az ember az otthonában vagy a templomban imád. Az Úr jelen van ebben a formában, és személyesen elfogadja *bhaktái* imádatát.

ārya A védikus kultúra követője, civilizált ember, akinek célja a lelki fejlődés.

āśramák A védikus kultúra alapján a négy lelki rend: *brahmacarya* (tanulóélet), *gṛhastha* (családos élet), *vānaprastha* (visszavonult élet) és *sannyāsa* (lemondott élet).

aṣṭāṅga-yoga A nyolcfokú *yoga*-rendszer, amely a *yama* és *niyama* (az erkölcsi szabályok betartása), az *āsana* (a különféle testhelyzetek gyakorlása), a *prāṇāyama* (a légzés szabályozása), a *pratyāhāra* (az érzékek megtartóztatása), a *dhāraṇā* (az elme fegyelmezése), a *dhyāna* (a meditáció) és a *samādhi* (mély meditáció a szívben lakozó Viṣṇun) folyamatából áll.

asura Aki tiltakozik az Úr szolgálata ellen.

ātmā Az önvaló. Jelentheti a testet, az elmét, az értelmet és a Legfelsőbb Önvalót is, de általában az egyéni lélekre utal.

avatāra „Aki alászáll"; Isten teljesen vagy részben felhatalmazott inkarnációja, aki meghatározott misszióval száll alá a lelki világból az anyagi világba.

avidyā Tudatlanság.

Bhagavān A „minden fenséggel teljes”, a Legfelsőbb Úr, aki minden szépség, erő, dicsőség, gazdagság, tudás és lemondás tárháza.

bhakta Hívő.

bhakti A Legfelsőbb Úr odaadó szolgálata.

Bhakti-rasāmṛta-sindhu Śrīla Rūpa Gosvāmī könyve, melyet a tizenhatodik században, szanszkrit nyelven írt az odaadó szolgálatról.

bhakti-yoga Összekapcsolódás a Legfelsőbb Úrral az odaadó szolgálaton keresztül.

Bharata India hajdani királya, akitől a Pāṇḍavák származtak.

bhāva Eksztázis, a *bhaktinak* az Isten iránti tiszta szeretetet megelőző szintje.

Bhīṣma A Kuru-dinasztia nemes hadvezére, akit a Kuru-dinasztia „nagyatyjaként” tiszteltek.

Brahmā A világegyetem első teremtménye, aki az Úr Viṣṇu irányításával megteremtette valamennyi létformát az univerzumban, s aki a szenvedély kötőereje fölött uralkodik.

brahmacārī A védikus társadalomban a nőtlenségben élő tanuló (*lásd āśramák*).

brahma-jijñāsā Érdeklődés a lelki tudás iránt.

brahmajyoti Az Úr Kṛṣṇa transzcendentális testéből áradó lelki sugárzás, ami bevilágítja a lelki világot.

Brahmaloka Az Úr Brahmā lakhelye, e világ legfelsőbb bolygója.

Brahman 1. Az egyéni lélek. 2. A Legfelsőbb személytelen, mindent átható aspektusa. 3. Az Istenség Legfelsőbb Személyisége. 4. A *mahat-tattva,* azaz a totális anyagállomány.

brāhmaṇa A társadalom védikus, foglalkozás szerinti felosztása alapján az, aki a leginkább értelmes emberek osztályába tartozik.

Brahma-saṁhitā Ősi írás, az Úr Brahmā Kṛṣṇához szóló imáinak gyűjteménye. Az Úr Caitanya Mahāprabhu találta meg Dél-Indiában.

buddhi-yoga A *bhakti-yoga* (Kṛṣṇa odaadó szolgálata) másik elnevezése, ami arra utal, hogy a legmagasabb rendű értelmet (*buddhi*) képviseli.

Caitanya-caritāmṛta Śrīla Kṛṣṇadāsa Kavirājának a tizenhatodik század második felében bengáli nyelven írt életrajzi írása Śrī Caitanya Mahāprabhuról.

Caitanya Mahāprabhu Az Úr Kṛṣṇa inkarnációja a Kali-korszakban. Navadvīpában, Nyugat-Bengálban jelent meg a tizenötödik század végén, s megalapozta a *yuga-dharmát,* amely nem más, mint Isten szent neveinek közös éneklése.

caṇḍāla Kutyaevő, kaszton kívüli.

Candra A Hold (Candraloka) uralkodó istensége.
cāturmāsya Az esős évszak négy hónapja Indiában. Ez alatt az idő alatt Viṣṇu hívei különleges vezekléseket hajtanak végre.

deva Félisten vagy isteni jellemű ember.
dharma (1) Vallásos elvek. (2) Az élőlény örök, természetes elfoglaltsága (az Úr odaadó szolgálata).
dhyāna Meditáció.
Dvāpara-yuga *Lásd yugák.*

gandharvák A félistenek mennyei énekesei és zenészei.
Garbhodakaśāyī Viṣṇu *Lásd puruṣa-avatārák.*
Garuḍa Az Úr Viṣṇu madártestű hordozója.
Goloka Kṛṣṇaloka, az Úr Kṛṣṇa örök hajléka.
gosvāmī *Svāmī,* aki tökéletesen uralkodik az érzékei fölött.
gṛhastha A védikus társadalomban a családos ember.
guṇák Az anyagi világ három kötőereje vagy minősége; jóság, szenvedély és tudatlanság.
guru Lelki tanítómester.

Indra A mennyek egyedüli uralkodója, az esőt irányító istenség.

jīva (jīvātmā) Az örökkévaló egyéni lélek.
jñāna Transzcendentális tudás.
jñāna-yoga A lelki megvalósítás útja az igazság spekulatív filozófiai kutatásán keresztül.
jñānī Aki a *jñāna-yoga* útját járja.

kāla Idő.
Kali-yuga A vitatkozás és képmutatás korszaka. Ötezer évvel ezelőtt kezdődött el, s összesen négyszázharminckétezer évig tart.
karma Anyagi tettek, amelyekért visszahatás jár.
karma-yoga Isten elérésének útja, amelyet követve az ember tettei gyümölcsét Istennek ajánlja fel.
karmī Aki a *karma* (gyümölcsöző tettek) végzésébe merül; materialista.
Kṛṣṇaloka Az Úr Kṛṣṇa legfelsőbb hajléka.
Kṣīrodakaśāyī Viṣṇu *Lásd puruṣa-avatārák.*
Kuruk Kuru leszármazottai, főként Dhṛtarāṣṭra fiai.

līlā A Legfelsőbb Úr transzcendentális kedvtelése, cselekedete.
loka Bolygó.

mahā-mantra A „nagy mantra": Hare Kṛṣṇa, Hare Kṛṣṇa, Kṛṣṇa Kṛṣṇa, Hare Hare / Hare Rāma, Hare Rāma, Rāma Rāma, Hare Hare.
mahātmā „Nagy lélek", teljesen Kṛṣṇa-tudatú, felszabadult lélek.
mahat-tattva A teljes anyagi energia.
mantra Transzcendentális hang, védikus himnusz.
Manu Félisten, az emberiség atyja.
māyā Illúzió; a Legfelsőbb Úr energiája, amelynek hatására az élőlények megfeledkeznek lelki természetükről és Istenről.
māyāvādī A személytelen filozófia híve; imperszonalista.
mukti Megszabadulás az anyagi létezéstől.
muni Bölcs.

naiṣkarma *Akarma.*
Nārāyaṇa Az Úr Kṛṣṇa négykarú formája, aki a Vaikuṇṭha-bolygókon uralkodik; az Úr Viṣṇu.
nirguṇa Tulajdonságok nélküli. A Legfelsőbb Úrral kapcsolatban arra utal, hogy Ő az anyagi tulajdonságok fölött áll.
nirvāṇa Megszabadulás az anyagi léttől.

oṁ (oṁkāra) Az Abszolút Igazságot képviselő szent szótag.

Pāṇḍavák Pāṇḍu király öt fia: Yudhiṣṭhira, Bhīma, Arjuna, Nakula és Sahadeva.
Pāṇḍu Dhṛtarāṣṭra fivére és a Pāṇḍavák apja.
Paramātmā A Felsőlélek; a Legfelsőbb Úr helyhez kötött aspektusa, aki minden élőlényben jelen van szemtanúként és irányítóként.
paramparā Tanítványi lánc.
prakṛti Energia vagy természet.
prāṇāyāma A légzés szabályozása a *yogában* tett előrelépés érdekében.
prasāda Szent étel, amelyet odaadással ajánlottak fel Kṛṣṇának.
pratyāhāra Az érzékek visszafogása a *yogában* tett fejlődés érdekében.
prema Tiszta, ösztönös odaadás és szeretet Isten iránt.
Pṛthā Kuntī, Pāṇḍu király felesége, a Pāṇḍavák anyja.
purāṇák A Védákat kiegészítő tizennyolc történelmi mű.
puruṣa „Az élvező"; az egyéni lélek vagy a Legfelsőbb Úr.
puruṣa-avatárák Az Úr Viṣṇu elsődleges kiterjedései, akik az anyagi univerzumok teremtését, fenntartását és megsemmisítését végzik. Kāraṇodakaśāyī Viṣṇu (Mahā-viṣṇu), aki az Okozati-óceánon fekszik, megszámlálhatatlan univerzumot lélegez ki. Garbhodakaśāyī Viṣṇu minden egyes univerzumba behatolva megteremti azok változatosságát, Kṣīrodakaśāyī Viṣṇu pedig behatol minden élőlény szívébe és minden atomba.

rajo-guṇa A szenvedély kötőereje.
rākṣasák Emberevő démonok.
Rāma 1. Az Úr Kṛṣṇa egyik neve, jelentése: „minden gyönyör forrása". 2. Az Úr Rāmacandra, Kṛṣṇa inkarnációja, a tökéletes király.
Rūpa Gosvāmī A vṛndāvanai hat *gosvāmīnak,* Śrī Caitanya Mahāprabhu legfőbb követőinek a vezetője.

sac-cid-ānanda Örök, gyönyörrel és tudással teljes.
sādhu Szent; Kṛṣṇa-tudatú ember.
saguṇa „Tulajdonságokkal rendelkező". A Legfelsőbb Úrral kapcsolatban arra utal, hogy lelki, transzcendentális tulajdonságai vannak.
samādhi Transz; teljes elmerülés az Isten-tudatban.
saṁsāra A születés és halál körforgása az anyagi világban.
sanātana-dharma Az örök vallás; az odaadó szolgálat.
Śaṅkara (Śaṅkarācārya) Nagy filozófus, aki megalapozta az *advaita* (kettősség-nélküliség) filozófiai doktrínáját, ami Isten személytelen természetét hangsúlyozza, valamint azt, hogy a lelkek azonosak a nem differenciált Brahmannal.
sāṅkhya 1. Anyag és szellem analitikus megkülönböztetése. 2. Az odaadó szolgálat útja, melyet az Úr Kapila, Devahūti fia írt le.
saṅkīrtana Isten közös dicsőítése, különösen szent neveinek éneklése által.
sannyāsa Az élet lemondott rendje, melynek célja a lelki fejlődés.
sannyāsī A lemondott rendben élő személy.
śāstra Kinyilatkoztatott szentírás; védikus írás.
sattva-guṇa A jóság kötőereje.
Satya-yuga *Lásd yugák.*
Śiva Az anyagi természet tudatlanság kötőerejéért (*tamo-guṇa*) felelős félisten, aki megsemmisíti az anyagi kozmoszt.
smaraṇa Odaadással emlékezni (az Úr Kṛṣṇára); a *bhakti-yoga* kilenc alapvető formája közül az egyik.
smṛti A Védákat kiegészítő kinyilatkoztatott írások, például a *purāṇák.*
soma-rasa A félistenek mennyei itala.
śravaṇa Hallani az Úrról; az odaadó szolgálat kilenc alapvető folyamata közül az egyik.
Śrīmad-Bhāgavatam Az a *purāṇa,* azaz történelmi írás, melyet Vyāsadeva leginkább azzal a szándékkal írt, hogy megismerhessük általa az Úr Śrī Kṛṣṇát.
śruti A Védák.
śūdra A védikus társadalomban a kétkezi munkások osztályához tartozó ember.
svāmī Aki tökéletesen ura az érzékszerveinek; a lemondott rend tagja.

Svargaloka A mennyek anyagi bolygói, a félistenek birodalma.
svarūpa A lélek eredeti lelki formája, örök helyzete.

tamo-guṇa A tudatlanság kötőereje.
Tretā-yuga *Lásd yugák.*

upaniṣadok A Védákban található száznyolc filozófiai mű.

Vaikuṇṭhák A lelki világ örök bolygói.
vaiṣṇava A Legfelsőbb Úr híve.
vaiśya A védikus társadalom foglalkozás szerinti négyes felosztása alapján a kereskedők és gazdálkodók osztályába tartozó ember.
vānaprastha A védikus társadalomban a családi élettől visszavonult, lemondásban élő ember.
varṇāśrama-dharma A védikus társadalmi rendszer, amely négy foglalkozás szerinti és négy lelki rendre oszlik.
Vasudeva Az Úr Kṛṣṇa apja.
Vāsudeva Kṛṣṇa, Vasudeva fia.
Vedānta-sūtra Vyāsadeva filozófiai tanulmánya, amely tömör aforizmákban fejezi ki az *upaniṣadok* lényegét.
Védák A négy eredeti szentírás (*Ṛg, Sāma, Atharva* és *Yajur*).
vidyā Tudás.
vikarma A szentírások utasításaival ellentétben álló tett; bűnös tett.
virāṭ-rūpa A Legfelsőbb Úr kozmikus formája.
Viṣṇu Az Istenség Személyisége.
viṣṇu-tattva Isten helyzete, illetve kategóriája.
viśva-rūpa A Legfelsőbb Úr kozmikus formája.
Vṛndāvana Az Úr Kṛṣṇa transzcendentális hajléka; Goloka-Vṛndāvanának vagy Kṛṣṇalokának is nevezik. Az indiai Uttar Prades állam Mathurā körzetének Vṛndāvana városa, ahol Kṛṣṇa ötezer évvel ezelőtt megjelent; Kṛṣṇa lelki világbeli otthonának földi megnyilvánulása.
Vyāsadeva A Védák szerkesztője, valamint a *purāṇák*, a *Mahābhārata* és a *Vedānta-sūtra* szerzője.

yajña Áldozat.
yakṣák Kuvera félisten szellem-követői.
Yamarāja Az a félisten, aki a bűnösöket haláluk után megbünteti.
yoga Lelki folyamat a Legfelsőbbel való összekapcsolódás érdekében.
yoga-māyā Az Úr belső, lelki energiája.
yuga Korszak. Négy *yuga* van, melyek örökös körforgásban követik

egymást: Satya-, Tretā-, Dvāpara- és Kali-yuga. A Satya-yugától a Kali-yugáig a vallás és az emberek jó tulajdonságai fokozatosan hanyatlanak.

Szanszkrit kiejtési útmutató

A századok folyamán a szanszkrit nyelvet a legkülönfélébb ábécék szerint írták le. Azt az írásmódot, amelyet Indiában a legszélesebb körben használnak, *devanāgarīnak* nevezik, ami szó szerint azt jelenti: az írás, melyet „a félistenek városaiban" használnak. A *devanāgarī* ábécé negyvennyolc hangból áll: tizenhárom magánhangzóból és harmincöt mássalhangzóból. Az elmúlt idők szanszkrit nyelvészeinek a fonetikai szabályok alapján felállított betűrendjét követik a nyugati tudósok is. Az ebben a könyvben használt betű szerinti átírás alkalmazkodik ahhoz a rendszerhez, amelyet a tudósok az elmúlt évtizedek során elfogadtak mint olyan rendszert, amely minden egyes szanszkrit hang kiejtését jelzi.

Magánhangzók

अ a आ ā इ i ई ī उ u ऊ ū ऋ ṛ ॠ ṝ

ऌ ḷ ए e ऐ ai ओ o औ au

Mássalhangzók

Gutturális:	क	ka	ख	kha	ग	ga	घ	gha	ङ	ṅa
Palatális:	च	ca	छ	cha	ज	ja	झ	jha	ञ	ña
Cerebrális:	ट	ṭa	ठ	ṭha	ड	ḍa	ढ	ḍha	ण	ṇa
Dentális:	त	ta	थ	tha	द	da	ध	dha	न	na
Labiális:	प	pa	फ	pha	ब	ba	भ	bha	म	ma
Félhangzók:	य	ya	र	ra	ल	la	व	va		
Réshangok:	श	śa	ष	ṣa	स	sa				
Hehezet:	ह	ha	Anusvāra:	ं	ṁ		Visarga:	ः	ḥ	

Számok

० - 0 १ - 1 २ - 2 ३ - 3 ४ - 4 ५ - 5 ६ - 6 ७ - 7 ८ - 8 ९ - 9

A mássalhangzót követő magánhangzók írása a következő:

ा ā ि i ी ī ु u ू ū ृ ṛ ॄ ṝ े e ै ai ो o ौ au

Például: क ka का kā कि ki की kī कु ku कू kū
कृ kṛ कॄ kṝ के ke कै kai को ko कौ kau

Két vagy több mássalhangzó összekapcsolva általában sajátos formát alkot, amely önálló betűként viselkedik: क्ष **kṣa** त्र **tra**

A magánhangzóra utaló jel nélküli mássalhangzókkal az **„a”** mindig együttértendő.

A *virāma* jel (्) arra utal, hogy nincs záró magánhangzó: क्

A magánhangzók kiejtése a következő:

a – mint **a** az **a**lma szóban
ā – mint **á** az ak**á**c szóban
i – mint **i** az **i**szik szóban
ī – mint **í** az **í**gy szóban
u – mint **u** az **u**grik szóban
ū – mint az **ú** a h**ú**z szóban

ṛ – mint **ri** a ka**ri**ka szóban
ṝ – mint az **au** az **au**tó szóban
ḷ – mint **li** a **li**liom szóban
e – mint **é** az **é**let szóban
ai – mint **ai** a bogar**ai** szóban
o – mint **ó** az **ó**ra szóban
au – mint **au** az **au**tó szóban

A mássalhangzók kiejtése a következő:

Gutturális
(torokban képzett) **hangok**
k – mint **k** a **k**evély szóban
kh – mint a **kh** a la**kh**ely szóban
g – mint **g** a **g**ém szóban
gh – mint a **gh** a **Gh**ána szóban
ṅ – mint az **n** az i**n**g szóban

Palatális
(a nyelv középső részével a szájpadláson képzett) **hangok**
c – mint a **cs** a **cs**erép szóban
ch – mint a **csh** az á**csh**oz szóban
j – mint a **dzs** a lán**dzs**a szóban
jh – mint a **dzs** és a **h** együtt
ñ – mint a **ny** a ka**ny**ar szóban

Cerebrális hangok
ṭ, ṭh, ḍ, ḍh, ṇ – a nyelv hegyével a szájpadláson („palócosan”) képzett **t, th, d, dh** és **n**.

Dentális
(foghoz préselt nyelvvel képzett) **hangok**
t – mint a **t** a **t**utaj szóban
th – mint a **th** a há**th**a szóban
d – mint a **d** a **d**ér szóban
dh – mint a **d** és a **h** együtt
n – mint az **n** a **n**em szóban

Labiális
(ajakkal képzett) **hangok**
p – mint a **p** a **p**iros szóban
ph – mint a **ph** a tele**ph**ely szóban (nem f)
b – mint a **b** a **b**író szóban
bh – mint a **b** és a **h** együtt
m – mint az **m** a **m**ély szóban

Félhangzók
y – mint a **j** a **j**ég szóban
r – mint az **r** az u**r**al szóban
l – mint az **l** a **l**iget szóban
v – mint a **v** a **v**áros szóban

Réshangok
ś – mint az **s** a német sprechen szóban
ṣ – mint az **s** a **s**óhaj szóban
s – mint az **sz** a **sz**ellő szóban

Zöngés h hang
h – mint a **h** a **h**áz szóban

Visarga
ḥ – befejező **h** hang: az **aḥ aha**-ként, az **iḥ ihi**-ként ejtendő

Anusvāra
ṁ – zengő orrhang, mint a francia *bon* szóban.

A szanszkritban nincs sem kemény szótaghangsúlyozás, sem szünet egy sorban a szavak között, csupán rövid és hosszú (kétszer olyan hosszú, mint a rövid) szótagok folyamatos váltakozása. A hosszú szótagok azok, amelyeknek magánhangzói hosszúak (**ā, ai, au, e, ī, o, ṝ, ū**), vagy amelyek rövid magánhangzóit egynél több mássalhangzó köti össze (beleértve az *anusvārát* és a *visargát* is). A **ḥ** és az **ṁ** hangok mássalhangzók. A hehezettel ejtett mássalhangzók (olyan mássalhangzók, melyeket **h** követ, pl. **kha, gha**) egyjegyű mássalhangzónak számítanak.

A szanszkrit versek jegyzéke

A *Bhagavad-gītāban* szereplő szanszkrit versek jegyzéke betűrendbe szedve. A kétsoros versek esetében az első és a második, a négysoros versekében az első és a harmadik sort adjuk meg.

abhayaṁ sattva-saṁśuddhir 16.1
abhisandhāya tu phalaṁ 17.12
abhito brahma-nirvāṇaṁ 5.26
abhyāsād ramate yatra 18.36
abhyāsa-yoga-yuktena 8.8
abhyāsa-yogena tato 12.9
abhyāse 'py asamartho 'si 12.10
abhyāsena tu kaunteya 6.35
abhyutthānam adharmasya 4.7
ā-brahma-bhuvanāl lokāḥ 8.16
ācaraty ātmanaḥ śreyas 16.22
ācāryāḥ pitaraḥ putrās 1.33
ācāryam upasaṅgamya 1.2
ācāryān mātulān bhrātṝn 1.26
ācāryopāsanaṁ śaucaṁ 13.8
acchedyo 'yam adāhyo 'yam 2.24
adeśa-kāle yad dānam 17.22
adharmābhibhavāt kṛṣṇa 1.40
adharmaṁ dharmam iti yā 18.32
adhaś ca mūlāny anusantatāni 15.2
adhaś cordhvaṁ prasṛtās tasya 15.2
adhibhūtaṁ ca kiṁ proktam 8.1
adhibhūtaṁ kṣaro bhāvaḥ 8.4
adhiṣṭhānaṁ tathā kartā 18.14
adhiṣṭhāya manaś cāyaṁ 15.9
adhiyajñaḥ kathaṁ ko 'tra 8.2
adhiyajño 'ham evātra 8.4
adhyātma-jñāna-nityatvaṁ 13.12
adhyātma-vidyā vidyānāṁ 10.32
adhyeṣyate ca ya imaṁ 18.70
āḍhyo 'bhijanavān asmi 16.15
ādityānām ahaṁ viṣṇur 10.21
adṛṣṭa-pūrvaṁ hṛṣito 'smi dṛṣṭvā 11.45
adveṣṭā sarva-bhūtānāṁ 12.13
ādy-antavantaḥ kaunteya 5.22
āgamāpāyino 'nityās 2.14
aghāyur indriyārāmo 3.16
agnir jyotir ahaḥ śuklaḥ 8.24
aham ādir hi devānāṁ 10.2
aham ādiś ca madhyaṁ ca 10.20
aham ātmā guḍākeśa 10.20
aham evākṣayaḥ kālo 10.33
ahaṁ hi sarva-yajñānāṁ 9.24
ahaṁ kratur ahaṁ yajñaḥ 9.16
ahaṁ kṛtsnasya jagataḥ 7.6
ahaṁ sarvasya prabhavo 10.8
ahaṁ tvāṁ sarva-pāpebhyo 18.66
ahaṁ vaiśvānaro bhūtvā 15.14
ahaṅkāra itīyaṁ me 7.4
ahaṅkāraṁ balaṁ darpaṁ 18.53
ahaṅkāraṁ balaṁ darpaṁ 16.18
ahaṅkāra-vimūḍhātmā 3.27
āhārā rājasasyeṣṭā 17.9
āhāras tv api sarvasya 17.7
ahiṁsā samatā tuṣṭis 10.5
ahiṁsā satyam akrodhas 16.2
aho bata mahat pāpaṁ 1.44
āhus tvām ṛṣayaḥ sarve 10.13
airāvataṁ gajendrāṇāṁ 10.27
ajānatā mahimānaṁ tavedaṁ 11.41
ajñānaṁ cābhijātasya 16.4
ajñānenāvṛtaṁ jñānaṁ 5.15
ajñaś cāśraddadhānaś ca 4.40
ajo nityaḥ śāśvato 'yaṁ purāṇo 2.20
ajo 'pi sann avyayātmā 4.6
akarmaṇaś ca boddhavyaṁ 4.17
ākhyāhi me ko bhavān ugra-rūpo 11.31
akīrtiṁ cāpi bhūtāni 2.34
akṣaraṁ brahma paramaṁ 8.3
akṣarāṇām a-kāro 'smi 10.33
amānitvam adambhitvam 13.8
amī ca tvāṁ dhṛtarāṣṭrasya putrāḥ 11.26
amī hi tvāṁ sura-saṅghā viśanti 11.21
amṛtaṁ caiva mṛtyuś ca 9.19
anādi mat-paraṁ brahma 13.13
anādi-madhyāntam ananta-vīryam 11.19

anāditvān nirguṇatvāt 13.32
ananta deveśa jagan-nivāsa 11.37
anantaś cāsmi nāgānāṁ 10.29
anantavijayaṁ rājā 1.16
ananta-vīryāmita-vikramas tvaṁ 11.40
ananya-cetāḥ satataṁ 8.14
ananyāś cintayanto māṁ 9.22
ananyenaiva yogena 12.6
anapekṣaḥ śucir dakṣa 12.16
anārya-juṣṭam asvargyam 2.2
anāśino 'prameyasya 2.18
anāśritaḥ karma-phalaṁ 6.1
anātmanas tu śatrutve 6.6
aneka-bāhūdara-vaktra-netraṁ 11.16
aneka-citta-vibhrāntā 16.16
aneka-divyābharaṇaṁ 11.10
aneka-janma-saṁsiddhas 6.45
aneka-vaktra-nayanam 11.10
anena prasaviṣyadhvam 3.10
anicchann api vārṣṇeya 3.36
aniketaḥ sthira-matir 12.19
aniṣṭam iṣṭaṁ miśraṁ ca 18.12
anityam asukhaṁ lokam 9.33
annād bhavanti bhūtāni 3.14
anta-kāle ca mām eva 8.5
antavanta ime dehā 2.18
antavat tu phalaṁ teṣāṁ 7.23
anubandhaṁ kṣayaṁ hiṁsām 18.25
anudvega-karaṁ vākyaṁ 17.15
anye ca bahavaḥ śūrā 1.9
anye sāṅkhyena yogena 13.25
anye tv evam ajānantaḥ 13.26
apāne juhvati prāṇaṁ 4.29
aparaṁ bhavato janma 4.4
aparaspara-sambhūtaṁ 16.8
apare niyatāhārāḥ 4.29
apareyam itas tv anyāṁ 7.5
aparyāptaṁ tad asmākaṁ 1.10
apaśyad deva-devasya 11.13
aphalākāṅkṣibhir yajño 17.11
aphalākāṅkṣibhir yuktaiḥ 17.17
aphala-prepsunā karma 18.23
api ced asi pāpebhyaḥ 4.36
api cet su-durācāro 9.30
api trailokya-rājyasya 1.35
aprakāśo 'pravṛttiś ca 14.13
aprāpya māṁ nivartante 9.3
aprāpya yoga-saṁsiddhiṁ 6.37
apratiṣṭho mahā-bāho 6.38
āpūryamāṇam acala-pratiṣṭhaṁ 2.70
ārto jijñāsur arthārthī 7.16
ārurukṣor muner yogaṁ 6.3
asad ity ucyate pārtha 17.28
asakta-buddhiḥ sarvatra 18.49
asaktaṁ sarva-bhṛc caiva 13.15
asaktir anabhiṣvaṅgaḥ 13.10
asakto hy ācaran karma 3.19
asammūḍhaḥ sa martyeṣu 10.3
asaṁśayaṁ mahā-bāho 6.35
asaṁśayaṁ samagraṁ māṁ 7.1
asaṁyatātmanā yogo 6.36
āśā-pāśa-śatair baddhāḥ 16.12
aśāstra-vihitaṁ ghoraṁ 17.5
asat-kṛtam avajñātaṁ 17.22
asatyam apratiṣṭhaṁ te 16.8
asau mayā hataḥ śatrur 16.14
āścarya-vac cainam anyaḥ śṛṇoti 2.29
āścarya-vat paśyati kaścid enam 2.29
asito devalo vyāsaḥ 10.13
asmākaṁ tu viśiṣṭā ye 1.7
aśocyān anvaśocas tvaṁ 2.11
aśraddadhānāḥ puruṣā 9.3
aśraddhayā hutaṁ dattaṁ 17.28
āsthitaḥ sa hi yuktātmā 7.18
āsurīṁ yonim āpannā 16.20
āśvāsayām āsa ca bhītam enaṁ 11.50
aśvatthaḥ sarva-vṛkṣāṇāṁ 10.26
aśvattham enaṁ su-virūḍha-mūlam 15.3
aśvatthāmā vikarṇaś ca 1.8
atattvārtha-vad alpaṁ ca 18.22
atha cainaṁ nitya-jātaṁ 2.26
atha cet tvam ahaṅkārān 18.58
atha cet tvam imaṁ dharmyaṁ 2.33
atha cittaṁ samādhātuṁ 12.9
atha kena prayukto 'yaṁ 3.36
atha vā bahunaitena 10.42
atha vā yoginām eva 6.42
atha vyavasthitān dṛṣṭvā 1.20
athaitad apy aśakto 'si 12.11
ātmaiva hy ātmano bandhur 6.5
ātmany eva ca santuṣṭas 3.17
ātmany evātmanā tuṣṭaḥ 2.55
ātma-sambhāvitāḥ stabdhā 16.17
ātma-saṁsthaṁ manaḥ kṛtvā 6.25
ātma-saṁyama-yogāgnau 4.27
ātmaupamyena sarvatra 6.32
ātmavantaṁ na karmāṇi 4.41
ātma-vaśyair vidheyātmā 2.64
ato 'smi loke vede ca 15.18
atra śūrā maheṣv-āsā 1.4
atyeti tat sarvam idaṁ viditvā 8.28
avācya-vādāṁś ca bahūn 2.36
avajānanti māṁ mūḍhā 9.11
avāpya bhūmāv asapatnam ṛddhaṁ 2.8
avibhaktaṁ ca bhūteṣu 13.17
avibhaktaṁ vibhakteṣu 18.20
avināśi tu tad viddhi 2.17
āvṛtaṁ jñānam etena 3.39
avyaktā hi gatir duḥkhaṁ 12.5
avyaktād vyaktayaḥ sarvāḥ 8.18
avyaktādīni bhūtāni 2.28
avyaktaṁ vyaktim āpannaṁ 7.24

avyakta-nidhanāny eva 2.28
avyakto 'kṣara ity uktas 8.21
avyakto 'yam acintyo 'yam 2.25
ayaneṣu ca sarveṣu 1.11
ayathāvat prajānāti 18.31
ayatiḥ śraddhayopeto 6.37
āyudhānām ahaṁ vajraṁ 10.28
āyuḥ-sattva-balārogya- 17.8
ayuktaḥ kāma-kāreṇa 5.12
ayuktaḥ prākṛtaḥ stabdhaḥ 18.28

bahavo jñāna-tapasā 4.10
bahir antaś ca bhūtānām 13.16
bahūdaraṁ bahu-daṁṣṭrā- 11.23
bahūnāṁ janmanām ante 7.19
bahūni me vyatītāni 4.5
bahūny adṛṣṭa-pūrvāṇi 11.6
bahu-śākhā hy anantāś ca 2.41
bāhya-sparśeṣv asaktātmā 5.21
balaṁ balavatāṁ cāhaṁ 7.11
bandhaṁ mokṣaṁ ca yā vetti 18.30
bandhur ātmātmanas tasya 6.6
bhajanty ananya-manaso 9.13
bhaktiṁ mayi parāṁ kṛtvā 18.68
bhakto 'si me sakhā ceti 4.3
bhaktyā mām abhijānāti 18.55
bhaktyā tv ananyayā śakya 11.54
bhavāmi na cirāt pārtha 12.7
bhavān bhīṣmaś ca karṇaś ca 1.8
bhavanti bhāvā bhūtānāṁ 10.5
bhavanti sampadaṁ daivīm 16.3
bhavāpyayau hi bhūtānāṁ 11.2
bhāva-saṁśuddhir ity etat 17.16
bhavaty atyāgināṁ pretya 18.12
bhaviṣyāṇi ca bhūtāni 7.26
bhavitā na ca me tasmād 18.69
bhayād raṇād uparataṁ 2.35
bhīṣma-droṇa-pramukhataḥ 1.25
bhīṣmam evābhirakṣantu 1.11
bhīṣmo droṇaḥ sūta-putras 11.26
bhogaiśvarya-prasaktānāṁ 2.44
bhoktāraṁ yajña-tapasāṁ 5.29
bhrāmayan sarva-bhūtāni 18.61
bhruvor madhye prāṇam 8.10
bhūmir āpo 'nalo vāyuḥ 7.4
bhuñjate te tv aghaṁ pāpā 3.13
bhūta-bhartṛ ca taj jñeyaṁ 13.17
bhūta-bhāvana bhūteśa 10.15
bhūta-bhāvodbhava-karo 8.3
bhūta-bhṛn na ca bhūta-stho 9.5
bhūta-grāmaḥ sa evāyaṁ 8.19
bhūta-grāmam imaṁ kṛtsnam 9.8
bhūtāni yānti bhūtejyā 9.25
bhūta-prakṛti-mokṣaṁ ca 13.35
bhūya eva mahā-bāho 10.1
bhūyaḥ kathaya tṛptir hi 10.18

bījaṁ māṁ sarva-bhūtānāṁ 7.10
brahma-bhūtaḥ prasannātmā 18.54
brahmacaryam ahiṁsā ca 17.14
brahmāgnāv apare yajñaṁ 4.25
brahmaiva tena gantavyaṁ 4.24
brāhmaṇa-kṣatriya-viśāṁ 18.41
brahmāṇam īśaṁ kamalāsana- 11.15
brāhmaṇās tena vedāś ca 17.23
brahmaṇo hi pratiṣṭhāham 14.27
brahmaṇy ādhāya karmāṇi 5.10
brahmārpaṇaṁ brahma havir 4.24
brahma-sūtra-padaiś caiva 13.5
bṛhat-sāma tathā sāmnāṁ 10.35
buddhau śaraṇam anviccha 2.49
buddher bhedaṁ dhṛteś caiva 18.29
buddhir buddhimatām asmi 7.10
buddhir jñānam asammohaḥ 10.4
buddhi-yogam upāśritya 18.57
buddhi-yukto jahātīha 2.50
buddhyā viśuddhayā yukto 18.51
buddhyā yukto yayā pārtha 2.39

cañcalaṁ hi manaḥ kṛṣṇa 6.34
cātur-varṇyaṁ mayā sṛṣṭaṁ 4.13
catur-vidhā bhajante māṁ 7.16
cetasā sarva-karmāṇi 18.57
chandāṁsi yasya parṇāni 15.1
chinna-dvaidhā yatātmānaḥ 5.25
chittvainaṁ saṁśayaṁ yogam 4.42
cintām aparimeyāṁ ca 16.11

dadāmi buddhi-yogaṁ taṁ 10.10
daivam evāpare yajñaṁ 4.25
daivī hy eṣā guṇa-mayī 7.14
daivī sampad vimokṣāya 16.5
daivo vistaraśaḥ prokta 16.6
dambhāhaṅkāra-saṁyuktāḥ 17.5
dambho darpo 'bhimānaś ca 16.4
daṁṣṭrā-karālāni ca te 11.25
dāna-kriyāś ca vividhāḥ 17.25
dānaṁ damaś ca yajñaś ca 16.1
dānam īśvara-bhāvaś ca 18.43
daṇḍo damayatām asmi 10.38
darśayām āsa pārthāya 11.9
dātavyam iti yad dānaṁ 17.20
dayā bhūteṣv aloluptvaṁ 16.2
dehī nityam avadhyo 'yaṁ 2.30
dehino 'smin yathā dehe 2.13
deśe kāle ca pātre ca 17.20
devā apy asya rūpasya 11.52
deva-dvija-guru-prājña- 17.14
devān bhāvayatānena 3.11
devān deva-yajo yānti 7.23
dharma-kṣetre kuru-kṣetre 1.1
dharma-saṁsthāpanārthāya 4.8
dharmāviruddho bhūteṣu 7.11

dharme naṣṭe kulaṁ kṛtsnam 1.39
dharmyād dhi yuddhāc 2.31
dhārtarāṣṭrā raṇe hanyus 1.45
dhārtarāṣṭrasya durbuddher 1.23
dhṛṣṭadyumno virāṭaś ca 1.17
dhṛṣṭaketuś cekitānaḥ 1.5
dhṛtyā yayā dhārayate 18.33
dhūmenāvriyate vahnir 3.38
dhūmo rātris tathā kṛṣṇaḥ 8.25
dhyānāt karma-phala-tyāgas 12.12
dhyāna-yoga-paro nityaṁ 18.52
dhyānenātmani paśyanti 13.25
dhyāyato viṣayān puṁsaḥ 2.62
diśo na jāne na labhe ca śarma 11.25
divi sūrya-sahasrasya 11.12
divyaṁ dadāmi te cakṣuḥ 11.8
divya-mālyāmbara-dharaṁ 11.11
dīyate ca parikliṣṭaṁ 17.21
doṣair etaiḥ kula-ghnānāṁ 1.42
draṣṭum icchāmi te rūpam 11.3
dravya-yajñās tapo-yajñā 4.28
droṇaṁ ca bhīṣmaṁ ca 11.34
dṛṣṭvā hi tvāṁ 11.24
dṛṣṭvā tu pāṇḍavānīkaṁ 1.2
dṛṣṭvādbhutaṁ rūpam ugraṁ 11.20
dṛṣṭvedaṁ mānuṣaṁ rūpaṁ 11.51
dṛṣṭvemaṁ sva-janaṁ kṛṣṇa 1.28
drupado draupadeyāś ca 1.18
duḥkham ity eva yat karma 18.8
duḥkheṣv anudvigna-manāḥ 2.56
dūreṇa hy avaraṁ karma 2.49
dvandvair vimuktāḥ sukha- 15.5
dvau bhūta-sargau loke 'smin 16.6
dvāv imau puruṣau loke 15.16
dyāv ā-pṛthivyor idam 11.20
dyūtaṁ chalayatām asmi 10.36

ekākī yata-cittātmā 6.10
ekam apy āsthitaḥ samyag 5.4
ekaṁ sāṅkhyaṁ ca yogaṁ ca 5.5
ekatvena pṛthaktvena 9.15
ekayā yāty anāvṛttim 8.26
eko 'tha vāpy acyuta tat- 11.42
eṣā brāhmī sthitiḥ pārtha 2.72
eṣā te 'bhihitā sāṅkhye 2.39
eṣa tūddeśataḥ prokto 10.40
etac chrutvā vacanaṁ 11.35
etad buddhvā buddhimān syāt 15.20
etad dhi durlabhataraṁ 6.42
etad veditum icchāmi 13.1
etad yo vetti taṁ prāhuḥ 13.2
etad-yonīni bhūtāni 7.6
etair vimohayaty eṣa 3.40
etair vimuktaḥ kaunteya 16.22
etaj jñānam iti proktam 13.12
etāṁ dṛṣṭim avaṣṭabhya 16.9
etāṁ vibhūtiṁ yogaṁ ca 10.7
etan me saṁśayaṁ kṛṣṇa 6.39
etān na hantum icchāmi 1.34
etāny api tu karmāṇi 18.6
etasyāhaṁ na paśyāmi 6.33
etat kṣetraṁ samāsena 13.7
evaṁ bahu-vidhā yajñā 4.32
evaṁ buddheḥ paraṁ buddhvā 3.43
evam etad yathāttha tvam 11.3
evaṁ jñātvā kṛtaṁ karma 4.15
evaṁ paramparā-prāptam 4.2
evaṁ pravartitaṁ cakraṁ 3.16
evaṁ satata-yuktā ye 12.1
evaṁ trayī-dharmam 9.21
evam ukto hṛṣīkeśo 1.24
evam uktvā hṛṣīkeśaṁ 2.9
evam uktvā tato rājan 11.9
evam uktvārjunaḥ saṅkhye 1.46
evaṁ-rūpaḥ śakya ahaṁ nṛ-loke 11.48

gacchanty apunar-āvṛttiṁ 5.17
gām āviśya ca bhūtāni 15.13
gandharvāṇāṁ citrarathaḥ 10.26
gandharva-yakṣāsura-siddha- 11.22
gāṇḍīvaṁ sraṁsate hastāt 1.29
gata-saṅgasya muktasya 4.23
gatāsūn agatāsūṁś ca 2.11
gatir bhartā prabhuḥ sākṣī 9.18
gṛhītvaitāni saṁyāti 15.8
guṇā guṇeṣu vartanta 3.28
guṇā vartanta ity evaṁ 14.23
guṇān etān atītya trīn 14.20
guṇebhyaś ca paraṁ vetti 14.19
gurūn ahatvā hi mahānubhāvān 2.5

hanta te kathayiṣyāmi 10.19
harṣāmarṣa-bhayodvegair 12.15
harṣa-śokānvitaḥ kartā 18.27
hato vā prāpsyasi svargaṁ 2.37
hatvāpi sa imāl lokān 18.17
hatvārtha-kāmāṁs tu gurūn 2.5
hetunānena kaunteya 9.10
hṛṣīkeśaṁ tadā vākyam 1.20

icchā dveṣaḥ sukhaṁ duḥkhaṁ 13.7
icchā-dveṣa-samutthena 7.27
idam adya mayā labdham 16.13
idam astīdam api me 16.13
idaṁ jñānam upāśritya 14.2
idaṁ śarīraṁ kaunteya 13.2
idaṁ te nātapaskāya 18.67
idaṁ tu te guhyatamaṁ 9.1
idānīm asmi saṁvṛttaḥ 11.51
ihaika-sthaṁ jagat kṛtsnaṁ 11.7
ihaiva tair jitaḥ sargo 5.19
īhante kāma-bhogārtham 16.12
ijyate bharata-śreṣṭha 17.12

īkṣate yoga-yuktātmā 6.29
imaṁ vivasvate yogaṁ 4.1
indriyāṇāṁ hi caratāṁ 2.67
indriyāṇāṁ manaś cāsmi 10.22
indriyāṇi daśaikaṁ ca 13.6
indriyāṇi mano buddhir 3.40
indriyāṇi parāṇy āhur 3.42
indriyāṇi pramāthīni 2.60
indriyāṇīndriyārthebhyas 2.68
indriyāṇīndriyārthebhyas 2.58
indriyāṇīndriyārtheṣu 5.9
indriyārthān vimūḍhātmā 3.6
indriyārtheṣu vairāgyam 13.9
indriyasyendriyasyārthe 3.34
iṣṭān bhogān hi vo devā 3.12
iṣṭo 'si me dṛḍham iti 18.64
iṣubhiḥ pratiyotsyāmi 2.4
īśvaraḥ sarva-bhūtānāṁ 18.61
īśvaro 'ham ahaṁ bhogī 16.14
iti guhyatamaṁ śāstram 15.20
iti kṣetraṁ tathā jñānaṁ 13.19
iti māṁ yo 'bhijānāti 4.14
iti matvā bhajante māṁ 10.8
iti te jñānam ākhyātaṁ 18.63
ity ahaṁ vāsudevasya 18.74
ity arjunaṁ vāsudevas tathoktvā 11.50

jaghanya-guṇa-vṛtti-sthā 14.18
jahi śatruṁ mahā-bāho 3.43
janma karma ca me divyam 4.9
janma-bandha-vinirmuktāḥ 2.51
janma-mṛtyu-jarā-duḥkhair 14.20
janma-mṛtyu-jarā-vyādhi- 13.9
jarā-maraṇa-mokṣāya 7.29
jātasya hi dhruvo mṛtyur 2.27
jayo 'smi vyavasāyo 'smi 10.36
jhaṣāṇāṁ makaraś cāsmi 10.31
jijñāsur api yogasya 6.44
jitātmanaḥ praśāntasya 6.7
jīva-bhūtāṁ mahā-bāho 7.5
jīvanaṁ sarva-bhūteṣu 7.9
jñānāgni-dagdha-karmāṇaṁ 4.19
jñānāgniḥ sarva-karmāṇi 4.37
jñānam āvṛtya tu tamaḥ 14.9
jñānaṁ jñeyaṁ jñāna-gamyaṁ 13.18
jñānaṁ jñeyaṁ parijñātā 18.18
jñānaṁ karma ca kartā ca 18.19
jñānaṁ labdhvā parāṁ śāntim 4.39
jñānaṁ te 'haṁ sa-vijñānam 7.2
jñānaṁ vijñānam āstikyaṁ 18.42
jñānaṁ vijñāna-sahitaṁ 9.1
jñānaṁ yadā tadā vidyād 14.11
jñāna-vijñāna-tṛptātmā 6.8
jñāna-yajñena cāpy anye 9.15
jñāna-yajñena tenāham 18.70
jñāna-yogena sāṅkhyānāṁ 3.3
jñānena tu tad ajñānaṁ 5.16
jñātuṁ draṣṭuṁ ca tattvena 11.54
jñātvā śāstra-vidhānoktaṁ 16.24
jñeyaḥ sa nitya-sannyāsī 5.3
jñeyaṁ yat tat pravakṣyāmi 13.13
joṣayet sarva-karmāṇi 3.26
jyāyasī cet karmaṇas te 3.1
jyotiṣām api taj jyotis 13.18

kaccid ajñāna-sammohaḥ 18.72
kaccid etac chrutaṁ pārtha 18.72
kaccin nobhaya-vibhraṣṭaś 6.38
kair liṅgais trīn guṇān etān 14.21
kair mayā saha yoddhavyam 1.22
kālo 'smi loka-kṣaya-kṛt 11.32
kalpa-kṣaye punas tāni 9.7
kāma eṣa krodha eṣa 3.37
kāmaḥ krodhas tathā lobhas 16.21
kāmais tais tair hṛta-jñānāḥ 7.20
kāma-krodha-vimuktānāṁ 5.26
kāma-krodhodbhavaṁ vegaṁ 5.23
kāmam āśritya duṣpūraṁ 16.10
kāma-rūpeṇa kaunteya 3.39
kāmātmānaḥ svarga-parā 2.43
kāmopabhoga-paramā 16.11
kāmyānāṁ karmaṇāṁ nyāsaṁ 18.2
kāṅkṣantaḥ karmaṇāṁ siddhiṁ 4.12
kāraṇaṁ guṇa-saṅgo 'sya 13.22
karaṇaṁ karma karteti 18.18
karma brahmodbhavaṁ viddhi 3.15
karma caiva tad-arthīyaṁ 17.27
karma-jaṁ buddhi-yuktā hi 2.51
karma-jān viddhi tān sarvān 4.32
karmaṇaḥ sukṛtasyāhuḥ 14.16
karmaṇaiva hi saṁsiddhim 3.20
karmāṇi pravibhaktāni 18.41
karmaṇo hy api boddhavyaṁ 4.17
karmaṇy abhipravṛtto 'pi 4.20
karmaṇy akarma yaḥ paśyed 4.18
karmaṇy evādhikāras te 2.47
karmendriyaiḥ karma-yogam 3.7
karmendriyāṇi saṁyamya 3.6
karmibhyaś cādhiko yogī 6.46
kārpaṇya-doṣopahata-svabhāvaḥ 2.7
karṣayantaḥ śarīra-sthaṁ 17.6
kartavyānīti me pārtha 18.6
kartuṁ necchasi yan mohāt 18.60
kārya-kāraṇa-kartṛtve 13.21
kāryam ity eva yat karma 18.9
kāryate hy avaśaḥ karma 3.5
kasmāc ca te na nameran 11.37
kāśyaś ca parameṣv-āsaḥ 1.17
kathaṁ bhīṣmam ahaṁ saṅkhye 2.4
katham etad vijānīyāṁ 4.4
kathaṁ na jñeyam asmābhiḥ 1.38
kathaṁ sa puruṣaḥ pārtha 2.21

kathaṁ vidyām ahaṁ yogiṁs 10.17
kathayantaś ca māṁ nityaṁ 10.9
kaṭv-amla-lavaṇāty-uṣṇa- 17.9
kaunteya pratijānīhi 9.31
kaviṁ purāṇam anuśāsitāram 8.9
kāyena manasā buddhyā 5.11
kecid vilagnā daśanāntareṣu 11.27
keśavārjunayoḥ puṇyaṁ 18.76
keṣu keṣu ca bhāveṣu 10.17
kim ācāraḥ kathaṁ caitāṁs 14.21
kiṁ karma kim akarmeti 4.16
kiṁ no rājyena govinda 1.32
kiṁ punar brāhmaṇāḥ puṇyā 9.33
kiṁ tad brahma kim adhyātmaṁ 8.1
kirīṭinaṁ gadinaṁ cakra- 11.46
kirīṭinaṁ gadinaṁ cakriṇaṁ ca 11.17
kīrtiḥ śrīr vāk ca nārīṇāṁ 10.34
klaibyaṁ mā sma gamaḥ pārtha 2.3
kleśo 'dhikataras teṣām 12.5
kriyate bahulāyāsaṁ 18.24
kriyate tad iha proktaṁ 17.18
kriyā-viśeṣa-bahulāṁ 2.43
krodhād bhavati sammohaḥ 2.63
kṛpayā parayāviṣṭo 1.27
kṛṣi-go-rakṣya-vāṇijyaṁ 18.44
kṣaraḥ sarvāṇi bhūtāni 15.16
kṣetra-jñaṁ cāpi māṁ viddhi 13.3
kṣetra-kṣetrajña-saṁyogāt 13.27
kṣetra-kṣetrajñayor evam 13.35
kṣetra-kṣetrajñayor jñānaṁ 13.3
kṣetraṁ kṣetrī tathā kṛtsnaṁ 13.34
kṣipāmy ajasram aśubhān 16.19
kṣipraṁ bhavati dharmātmā 9.31
kṣipraṁ hi mānuṣe loke 4.12
kṣudraṁ hṛdaya-daurbalyaṁ 2.3
kula-kṣaya-kṛtaṁ doṣaṁ 1.38
kula-kṣaya-kṛtaṁ doṣaṁ 1.37
kula-kṣaye praṇaśyanti 1.39
kuru karmaiva tasmāt tvaṁ 4.15
kuryād vidvāṁs tathāsaktaś 3.25
kutas tvā kaśmalam idaṁ 2.2

labhante brahma-nirvāṇam 5.25
labhate ca tataḥ kāmān 7.22
lelihyase grasamānaḥ samantāl 11.30
lipyate na sa pāpena 5.10
lobhaḥ pravṛttir ārambhaḥ 14.12
loka-saṅgraham evāpi 3.20
loke 'smin dvi-vidhā niṣṭhā 3.3

mā karma-phala-hetur bhūr 2.47
mā śucaḥ sampadaṁ daivīm 16.5
mā te vyathā mā ca 11.49
mac-cittā mad-gata-prāṇā 10.9
mac-cittaḥ sarva-durgāṇi 18.58
mad-anugrahāya paramaṁ 11.1
mad-artham api karmāṇi 12.10
mad-bhakta etad vijñāya 13.19
mad-bhāvā mānasā jātā 10.6
mādhavaḥ pāṇḍavaś caiva 1.14
mahā-bhūtāny ahaṅkāro 13.6
maharṣayaḥ sapta pūrve 10.6
maharṣīṇāṁ bhṛgur ahaṁ 10.25
mahāśano mahā-pāpmā 3.37
mahātmānas tu māṁ pārtha 9.13
māṁ aprāpyaiva kaunteya 16.20
māṁ ātma-para-deheṣu 16.18
māṁ ca yo 'vyabhicāreṇa 14.26
māṁ caivāntaḥ śarīra-sthaṁ 17.6
mām eva ye prapadyante 7.14
mām evaiṣyasi satyaṁ te 18.65
mām evaiṣyasi yuktvaivam 9.34
māṁ hi pārtha vyapāśritya 9.32
mām upetya punar janma 8.15
mām upetya tu kaunteya 8.16
mama dehe guḍākeśa 11.7
mama vartmānuvartante 3.23
mama vartmānuvartante 4.11
mama yonir mahad brahma 14.3
mamaivāṁśo jīva-loke 15.7
māmakāḥ pāṇḍavāś caiva 1.1
manaḥ saṁyamya mac-citto 6.14
manaḥ-prasādaḥ saumyatvaṁ 17.16
manaḥ-ṣaṣṭhānīndriyāṇi 15.7
mānāpamānayos tulyas 14.25
manasaivendriya-grāmaṁ 6.24
manasas tu parā buddhir 3.42
man-manā bhava mad-bhakto 9.34
man-manā bhava mad-bhakto 18.65
mantro 'ham aham evājyam 9.16
manuṣyāṇāṁ sahasreṣu 7.3
manyase yadi tac chakyaṁ 11.4
marīcir marutām asmi 10.21
māsānāṁ mārga-śīrṣo 'ham 10.35
mat-karma-kṛn mat-paramo 11.55
mat-prasādād avāpnoti 18.56
mātrā-sparśās tu kaunteya 2.14
mat-sthāni sarva-bhūtāni 9.4
matta eveti tān viddhi 7.12
mattaḥ parataraṁ nānyat 7.7
mātulāḥ śvaśurāḥ pautrāḥ 1.34
maunaṁ caivāsmi guhyānāṁ 10.38
mayā hatāṁs tvaṁ jahi mā 11.34
mayā prasannena tavārjunedaṁ 11.47
mayā tatam idaṁ sarvaṁ 9.4
mayādhyakṣeṇa prakṛtiḥ 9.10
mayaivaite nihatāḥ pūrvam eva 11.33
māyayāpahṛta-jñānā 7.15
mayi cānanya-yogena 13.11
mayi sarvam idaṁ protaṁ 7.7
mayi sarvāṇi karmāṇi 3.30
mayy arpita-mano-buddhir 12.14

mayy arpita-mano-buddhir 8.7
mayy āsakta-manāḥ pārtha 7.1
mayy āveśya mano ye māṁ 12.2
mayy eva mana ādhatsva 12.8
mithyaiṣa vyavasāyas te 18.59
moghāśā mogha-karmāṇo 9.12
mohād ārabhyate karma 18.25
mohād gṛhītvāsad-grāhān 16.10
mohāt tasya parityāgas 18.7
mohitaṁ nābhijānāti 7.13
mṛgāṇāṁ ca mṛgendro 'haṁ 10.30
mṛtyuḥ sarva-haraś cāham 10.34
mūḍha-grāheṇātmano yat 17.19
mūḍho 'yaṁ nābhijānāti 7.25
mukta-saṅgo 'nahaṁ-vādī 18.26
munīnām apy ahaṁ vyāsaḥ 10.37
mūrdhny ādhāyātmanaḥ prāṇam 8.12

na buddhi-bhedaṁ janayed 3.26
na ca māṁ tāni karmāṇi 9.9
na ca mat-sthāni bhūtāni 9.5
na ca śaknomy avasthātuṁ 1.30
na ca sannyasanād eva 3.4
na ca śreyo 'nupaśyāmi 1.31
na ca tasmān manuṣyeṣu 18.69
na cābhāvayataḥ śāntir 2.66
na cainaṁ kledayanty āpo 2.23
na caitad vidmaḥ kataran 2.6
na caiva na bhaviṣyāmaḥ 2.12
na cāśuśrūṣave vācyaṁ 18.67
na cāsya sarva-bhūteṣu 3.18
na cāti-svapna-śīlasya 6.16
na dveṣṭi sampravṛttāni 14.22
na dveṣṭy akuśalaṁ karma 18.10
na hi deha-bhṛtā śakyaṁ 18.11
na hi jñānena sadṛśaṁ 4.38
na hi kalyāṇa-kṛt kaścid 6.40
na hi kaścit kṣaṇam api 3.5
na hi prapaśyāmi 2.8
na hi te bhagavan vyaktiṁ 10.14
na hinasty ātmanātmānaṁ 13.29
na hy asannyasta-saṅkalpo 6.2
na jāyate mriyate vā kadācin 2.20
na kāṅkṣe vijayaṁ kṛṣṇa 1.31
na karmaṇām anārambhān 3.4
na karma-phala-saṁyogaṁ 5.14
na kartṛtvaṁ na karmāṇi 5.14
na māṁ duṣkṛtino mūḍhāḥ 7.15
na māṁ karmāṇi limpanti 4.14
na me pārthāsti kartavyaṁ 3.22
na me viduḥ sura-gaṇāḥ 10.2
na prahṛṣyet priyaṁ prāpya 5.20
na rūpam asyeha 15.3
na sa siddhim avāpnoti 16.23
na śaucaṁ nāpi cācāro 16.7
na tad asti pṛthivyāṁ vā 18.40
na tad asti vinā yat syān 10.39
na tad bhāsayate sūryo 15.6
na tu māṁ abhijānanti 9.24
na tu māṁ śakyase draṣṭum 11.8
na tv evāhaṁ jātu nāsaṁ 2.12
na tvat-samo 'sty abhyadhikaḥ 11.43
na veda-yajñādhyayanair na 11.48
na vimuñcati durmedhā 18.35
na yotsya iti govindam 2.9
nabhaḥ-spṛśaṁ dīptam aneka- 11.24
nabhaś ca pṛthivīṁ caiva 1.19
nābhinandati na dveṣṭi 2.57
nādatte kasyacit pāpaṁ 5.15
nāhaṁ prakāśaḥ sarvasya 7.25
nāhaṁ vedair na tapasā 11.53
nainaṁ chindanti śastrāṇi 2.23
naiṣkarmya-siddhiṁ 18.49
naite sṛtī pārtha jānan 8.27
naiva kiñcit karomīti 5.8
naiva tasya kṛtenārtho 3.18
nakulaḥ sahadevaś ca 1.16
namaḥ purastād atha pṛṣṭhatas te 11.40
namaskṛtvā bhūya evāha kṛṣṇaṁ 11.35
namasyantaś ca māṁ bhaktyā 9.14
namo namas te 'stu sahasra- 11.39
nānā-śastra-praharaṇāḥ 1.9
nānavāptam avāptavyaṁ 3.22
nānā-vidhāni divyāni 11.5
nāntaṁ na madhyaṁ na punas 11.16
nānto 'sti mama divyānāṁ 10.40
nānyaṁ guṇebhyaḥ kartāraṁ 14.19
nāpnuvanti mahātmānaḥ 8.15
narake niyataṁ vāso 1.43
nāsato vidyate bhāvo 2.16
nāśayāmy ātma-bhāva-stho 10.11
nāsti buddhir ayuktasya 2.66
naṣṭo mohaḥ smṛtir labdhā 18.73
nāty-aśnatas tu yogo 'sti 6.16
nāty-ucchritaṁ nāti-nīcaṁ 6.11
nava-dvāre pure dehī 5.13
nāyakā mama sainyasya 1.7
nāyaṁ loko 'sti na paro 4.40
nāyaṁ loko 'sty ayajñasya 4.31
nehābhikrama-nāśo 'sti 2.40
nibadhnanti mahā-bāho 14.5
nidrālasya-pramādotthaṁ 18.39
nihatya dhārtarāṣṭrān naḥ 1.35
nimittāni ca paśyāmi 1.30
nindantas tava sāmarthyaṁ 2.36
nirāśīr nirmamo bhūtvā 3.30
nirāśīr yata-cittātmā 4.21
nirdoṣaṁ hi samaṁ brahma 5.19
nirdvandvo hi mahā-bāho 5.3
nirdvandvo nitya-sattva-stho 2.45
nirmamo nirahaṅkāraḥ 2.71
nirmamo nirahaṅkāraḥ 12.13

nirmāna-mohā jita-saṅga-doṣā 15.5
nirvairaḥ sarva-bhūteṣu 11.55
niścayaṁ śṛṇu me tatra 18.4
nispṛhaḥ sarva-kāmebhyo 6.18
nityaḥ sarva-gataḥ sthāṇur 2.24
nityaṁ ca sama-cittatvam 13.10
nivasiṣyasi mayy eva 12.8
niyataṁ kuru karma tvaṁ 3.8
niyataṁ saṅga-rahitam 18.23
niyatasya tu sannyāsaḥ 18.7
nyāyyaṁ vā viparītaṁ vā 18.15

oṁ ity ekākṣaraṁ brahma 8.13
oṁ tat sad iti nirdeśo 17.23

pañcaitāni mahā-bāho 18.13
pāñcajanyaṁ hṛṣīkeśo 1.15
pāpam evāśrayed asmān 1.36
pāpmānaṁ prajahi hy enaṁ 3.41
paraṁ bhāvam ajānanto 9.11
paraṁ bhāvam ajānanto 7.24
paraṁ bhūyaḥ pravakṣyāmi 14.1
paraṁ brahma paraṁ dhāma 10.12
paramaṁ puruṣaṁ divyaṁ 8.8
paramātmeti cāpy ukto 13.23
paras tasmāt tu bhāvo 'nyo 8.20
parasparaṁ bhāvayantaḥ 3.11
parasyotsādanārthaṁ vā 17.19
paricaryātmakaṁ karma 18.44
pariṇāme viṣam iva 18.38
paritrāṇāya sādhūnāṁ 4.8
pārtha naiveha nāmutra 6.40
paryāptaṁ tv idam eteṣāṁ 1.10
paśya me pārtha rūpāṇi 11.5
paśyādityān vasūn rudrān 11.6
paśyaitāṁ pāṇḍu-putrāṇām 1.3
paśyāmi devāṁs tava deva dehe 11.15
paśyāmi tvāṁ dīpta-hutāśa- 11.19
paśyāmi tvāṁ durnirīkṣyaṁ 11.17
paśyañ śṛṇvan spṛśañ jighrann 5.8
paśyaty akṛta-buddhitvān 18.16
patanti pitaro hy eṣāṁ 1.41
patraṁ puṣpaṁ phalaṁ 9.26
pauṇḍraṁ dadhmau mahā- 1.15
pavanaḥ pavatām asmi 10.31
pitāham asya jagato 9.17
pitāsi lokasya carācarasya 11.43
piteva putrasya sakheva 11.44
pitṝṇām aryamā cāsmi 10.29
prabhavaḥ pralayaḥ sthānaṁ 9.18
prabhavanty ugra-karmāṇaḥ 16.9
prādhānyataḥ kuru-śreṣṭha 10.19
prahlādaś cāsmi daityānāṁ 10.30
prajahāti yadā kāmān 2.55
prajanaś cāsmi kandarpaḥ 10.28
prakāśaṁ ca pravṛttiṁ ca 14.22
prakṛteḥ kriyamāṇāni 3.27
prakṛter guṇa- 3.29
prakṛtiṁ puruṣaṁ caiva 13.1
prakṛtiṁ puruṣaṁ caiva 13.20
prakṛtiṁ svām adhiṣṭhāya 4.6
prakṛtiṁ svām avaṣṭabhya 9.8
prakṛtiṁ yānti bhūtāni 3.33
prakṛtyaiva ca karmāṇi 13.30
pralapan visṛjan gṛhṇann 5.9
pramādālasya-nidrābhis 14.8
pramāda-mohau tamaso 14.17
praṇamya śirasā devaṁ 11.14
prāṇāpāna-gatī ruddhvā 4.29
prāṇāpāna-ṣamāyuktaḥ 15.14
prāṇāpānau samau kṛtvā 5.27
praṇavaḥ sarva-vedeṣu 7.8
prāpya puṇya-kṛtāṁ lokān 6.41
prasāde sarva-duḥkhānāṁ 2.65
prasaktāḥ kāma-bhogeṣu 16.16
prasaṅgena phalākāṅkṣī 18.34
prasanna-cetaso hy āśu 2.65
praśānta-manasaṁ hy enaṁ 6.27
praśāntātmā vigata-bhīr 6.14
praśaste karmaṇi tathā 17.26
pratyakṣāvagamaṁ 9.2
pravartante vidhānoktāḥ 17.24
pravṛtte śastra-sampāte 1.20
pravṛttiṁ ca nivṛttiṁ ca 18.30
pravṛttiṁ ca nivṛttiṁ ca 16.7
prayāṇa-kāle ca kathaṁ 8.2
prayāṇa-kāle manasācalena 8.10
prayāṇa-kāle 'pi ca māṁ 7.30
prayātā yānti taṁ kālaṁ 8.23
prayatnād yatamānas tu 6.45
pretān bhūta-gaṇāṁś cānye 17.4
priyo hi jñānino 'tyartham 7.17
procyamānam aśeṣeṇa 18.29
procyate guṇa-saṅkhyāne 18.19
pṛthaktvena tu yaj jñānaṁ 18.21
puṇyo gandhaḥ pṛthivyāṁ ca 7.9
purodhasāṁ ca mukhyaṁ 10.24
purujit kuntibhojaś ca 1.5
puruṣaḥ prakṛti-stho hi 13.22
puruṣaḥ sa paraḥ pārtha 8.22
puruṣaḥ sukha-duḥkhānāṁ 13.21
puruṣaṁ śāśvataṁ divyam 10.12
pūrvābhyāsena tenaiva 6.44
puṣṇāmi cauṣadhīḥ sarvāḥ 15.13

rāga-dveṣa-vimuktais tu 2.64
rāgī karma-phala-prepsur 18.27
rajaḥ sattvaṁ tamaś caiva 14.10
rājan saṁsmṛtya saṁsmṛtya 18.76
rajas tamaś cābhibhūya 14.10
rajasas tu phalaṁ duḥkham 14.16
rajasi pralayaṁ gatvā 14.15

rajasy etāni jāyante 14.12
rāja-vidyā rāja-guhyaṁ 9.2
rajo rāgātmakaṁ viddhi 14.7
rakṣāṁsi bhītāni diśo dravanti 11.36
rākṣasīm āsurīṁ caiva 9.12
rasa-varjaṁ raso 'py asya 2.59
raso 'ham apsu kaunteya 7.8
rasyāḥ snigdhāḥ sthirā hṛdyā 17.8
rātriṁ yuga-sahasrāntāṁ 8.17
rātry-āgame pralīyante 8.18
rātry-āgame 'vaśaḥ pārtha 8.19
ṛṣibhir bahudhā gītaṁ 13.5
ṛte 'pi tvāṁ na bhaviṣyanti sarve 11.32
rudrādityā vasavo ye ca sādhyā 11.22
rudrāṇāṁ śaṅkaraś cāsmi 10.23
rūpaṁ mahat te bahu- 11.23

sa brahma-yoga-yuktātmā 5.21
sa buddhimān manuṣyeṣu 4.18
sa ca yo yat-prabhāvaś ca 13.4
sa evāyaṁ mayā te 'dya 4.3
sa ghoṣo dhārtarāṣṭrāṇāṁ 1.19
sa guṇān samatītyaitān 14.26
sa kāleneha mahatā 4.2
sa kṛtvā rājasaṁ tyāgaṁ 18.8
sa niścayena yoktavyo 6.24
sa sannyāsī ca yogī ca 6.1
sa sarva-vid bhajati māṁ 15.19
sa tayā śraddhayā yuktas 7.22
sa yat pramāṇaṁ kurute 3.21
sa yogī brahma-nirvāṇaṁ 5.24
śabdādīn viṣayāṁs tyaktvā 18.51
śabdādīn viṣayān anya 4.26
sad-bhāve sādhu-bhāve ca 17.26
sādhibhūtādhidaivaṁ māṁ 7.30
sādhur eva sa mantavyaḥ 9.30
sādhuṣv api ca pāpeṣu 6.9
sadṛśaṁ ceṣṭate svasyāḥ 3.33
saha-jaṁ karma kaunteya 18.48
sahasaivābhyahanyanta 1.13
sahasra-yuga-paryantam 8.17
saha-yajñāḥ prajāḥ sṛṣṭvā 3.10
sakheti matvā prasabhaṁ yad uktaṁ 11.41
śaknotīhaiva yaḥ soḍhuṁ 5.23
saktāḥ karmaṇy avidvāṁso 3.25
śakya evaṁ-vidho draṣṭuṁ 11.53
samādhāv acalā buddhis 2.53
sama-duḥkha-sukhaḥ sva-sthaḥ 14.24
sama-duḥkha-sukhaṁ dhīraṁ 2.15
samaḥ sarveṣu bhūteṣu 18.54
samaḥ śatrau ca mitre ca 12.18
samaḥ siddhāv asiddhau ca 4.22
samaṁ kāya-śiro-grīvaṁ 6.13
samaṁ paśyan hi sarvatra 13.29
samaṁ sarveṣu bhūteṣu 13.28
samāsenaiva kaunteya 18.50
sambhavaḥ sarva-bhūtānāṁ 14.3
sambhāvitasya cākīrtir 2.34
śamo damas tapaḥ śaucaṁ 18.42
samo 'haṁ sarva-bhūteṣu 9.29
samprekṣya nāsikāgraṁ svaṁ 6.13
saṁvādam imam aśrauṣam 18.74
śanaiḥ śanair uparamed 6.25
saṅgaṁ tyaktvā phalaṁ caiva 18.9
saṅgāt sañjāyate kāmaḥ 2.62
saṅkalpa-prabhavān kāmāṁs 6.24
saṅkarasya ca kartā syām 3.24
saṅkaro narakāyaiva 1.41
sāṅkhya-yogau pṛthag bālāḥ 5.4
sāṅkhye kṛtānte proktāni 18.13
sanniyamyendriya-grāmaṁ 12.4
sannyāsaḥ karma-yogaś ca 5.2
sannyāsaṁ karmaṇāṁ kṛṣṇa 5.1
sannyāsas tu mahā-bāho 5.6
sannyāsasya mahā-bāho 18.1
sannyāsa-yoga-yuktātmā 9.28
śāntiṁ nirvāṇa-paramāṁ 6.15
santuṣṭaḥ satataṁ yogī 12.14
sargāṇām ādir antaś ca 10.32
sarge 'pi nopajāyante 14.2
śārīraṁ kevalaṁ karma 4.21
śarīraṁ yad avāpnoti 15.8
śarīra-stho 'pi kaunteya 13.32
śarīra-vāṅ-manobhir yat 18.15
śarīra-yātrāpi ca te 3.8
sarva-bhūtāni kaunteya 9.7
sarva-bhūtāni sammohaṁ 7.27
sarva-bhūta-stham ātmānaṁ 6.29
sarva-bhūta-sthitaṁ yo māṁ 6.31
sarva-bhūtātma-bhūtātmā 5.7
sarva-bhūteṣu yenaikaṁ 18.20
sarva-dharmān parityajya 18.66
sarva-dvārāṇi saṁyamya 8.12
sarva-dvāreṣu dehe 'smin 14.11
sarva-guhyatamaṁ bhūyaḥ 18.64
sarva-jñāna-vimūḍhāṁs tān 3.32
sarva-karmāṇi manasā 5.13
sarva-karmāṇy api sadā 18.56
sarva-karma-phala-tyāgaṁ 18.2
sarva-karma-phala-tyāgaṁ 12.11
sarvam etad ṛtaṁ manye 10.14
sarvaṁ jñāna-plavenaiva 4.36
sarvaṁ karmākhilaṁ pārtha 4.33
sarvāṇīndriya-karmāṇi 4.27
sarvārambhā hi doṣeṇa 18.48
sarvārambha-parityāgī 12.16
sarvārambha-parityāgī 14.25
sarvārthān viparītāṁś ca 18.32
sarva-saṅkalpa-sannyāsī 6.4
sarvāścarya-mayaṁ devam 11.11
sarvasya cāhaṁ hṛdi sanniviṣṭo 15.15
sarvasya dhātāram acintya- 8.9

sarvataḥ pāṇi-pādaṁ tat 13.14
sarvataḥ śrutimal loke 13.14
sarvathā vartamāno 'pi 6.31
sarvathā vartamāno 'pi 13.24
sarvatra-gam acintyaṁ ca 12.3
sarvatrāvasthito dehe 13.33
sarva-yoniṣu kaunteya 14.4
sarve 'py ete yajña-vido 4.30
sarvendriya-guṇābhāsaṁ 13.15
śāśvatasya ca dharmasya 14.27
satataṁ kīrtayanto māṁ 9.14
satkāra-māna-pūjārthaṁ 17.18
sattvaṁ prakṛti-jair muktaṁ 18.40
sattvaṁ rajas tama iti 14.5
sattvaṁ sukhe sañjayati 14.9
sattvānurūpā sarvasya 17.3
sattvāt sañjāyate jñānaṁ 14.17
sāttvikī rājasī caiva 17.2
saubhadraś ca mahā-bāhuḥ 1.18
saubhadro draupadeyāś ca 1.6
śauryaṁ tejo dhṛtir dākṣyaṁ 18.43
senānīnām ahaṁ skandaḥ 10.24
senayor ubhayor madhye 1.24
senayor ubhayor madhye 2.10
senayor ubhayor madhye 1.21
sīdanti mama gātrāṇi 1.28
siddhiṁ prāpto yathā brahma 18.50
siddhy-asiddhyoḥ samo bhūtvā 2.48
siddhy-asiddhyor nirvikāraḥ 18.26
siṁha-nādaṁ vinadyoccaiḥ 1.12
śītoṣṇa-sukha-duḥkheṣu 12.18
śītoṣṇa-sukha-duḥkheṣu 6.7
smṛti-bhraṁśād buddhi-nāśo 2.63
so 'pi muktaḥ śubhāl lokān 18.71
so 'vikalpena yogena 10.7
sparśān kṛtvā bahir bāhyāṁś 5.27
śraddadhānā mat-paramā 12.20
śraddhā-mayo 'yaṁ puruṣo 17.3
śraddhāvāl labhate jñānaṁ 4.39
śraddhāvān anasūyaś ca 18.71
śraddhāvān bhajate yo māṁ 6.47
śraddhāvanto 'nasūyanto 3.31
śraddhā-virahitaṁ yajñaṁ 17.13
śraddhayā parayā taptaṁ 17.17
śraddhayā parayopetās 12.2
śreyān dravya-mayād yajñāj 4.33
śreyān sva-dharmo viguṇaḥ 3.35
śreyān sva-dharmo viguṇaḥ 18.47
śreyo hi jñānam abhyāsāj 12.12
śrotrādīnīndriyāṇy anye 4.26
śrotraṁ cakṣuḥ sparśanaṁ ca 15.9
śruti-vipratipannā te 2.53
sthāne hṛṣīkeśa tava prakīrtyā 11.36
sthira-buddhir asammūḍho 5.20
sthita-dhīḥ kiṁ prabhāṣeta 2.54
sthita-prajñasya kā bhāṣā 2.54
sthito 'smi gata-sandehaḥ 18.73
sthitvāsyām anta-kāle 'pi 2.72
strīṣu duṣṭāsu vārṣṇeya 1.40
striyo vaiśyās tathā śūdrās 9.32
śubhāśubha-parityāgī 12.17
śubhāśubha-phalair evaṁ 9.28
śucau deśe pratiṣṭhāpya 6.11
śucīnāṁ śrīmatāṁ gehe 6.41
su-durdarśam idaṁ rūpaṁ 11.52
suhṛdaṁ sarva-bhūtānāṁ 5.29
suhṛn-mitrāry-udāsīna- 6.9
sukha-duḥkhe same kṛtvā 2.38
sukham ātyantikaṁ yat tad 6.21
sukhaṁ duḥkhaṁ bhavo 'bhāvo 10.4
sukhaṁ tv idānīṁ tri-vidhaṁ 18.36
sukhaṁ vā yadi vā duḥkhaṁ 6.32
sukha-saṅgena badhnāti 14.6
sukhena brahma-saṁsparśam 6.28
sukhinaḥ kṣatriyāḥ pārtha 2.32
śukla-kṛṣṇe gatī hy ete 8.26
sūkṣmatvāt tad avijñeyaṁ 13.16
śuni caiva śva-pāke ca 5.18
svabhāva-jena kaunteya 18.60
svabhāva-niyataṁ karma 18.47
sva-dharmam api cāvekṣya 2.31
sva-dharme nidhanaṁ śreyaḥ 3.35
svādhyāyābhyasanaṁ caiva 17.15
svādhyāya-jñāna-yajñāś ca 4.28
sva-janaṁ hi kathaṁ hatvā 1.36
sva-karmaṇā tam abhyarcya 18.46
sva-karma-nirataḥ siddhiṁ 18.45
sv-alpam apy asya dharmasya 2.40
svastīty uktvā maharṣi- 11.21
śvaśurān suhṛdaś caiva 1.26
svayam evātmanātmānaṁ 10.15
sve sve karmaṇy abhirataḥ 18.45

ta ime 'vasthitā yuddhe 1.33
tac ca saṁsmṛtya saṁsmṛtya 18.77
tad ahaṁ bhakty-upahṛtam 9.26
tad asya harati prajñāṁ 2.67
tad ekaṁ vada niścitya 3.2
tad eva me darśaya deva rūpaṁ 11.45
tad ity anabhisandhāya 17.25
tad viddhi praṇipātena 4.34
tadā gantāsi nirvedaṁ 2.52
tad-arthaṁ karma kaunteya 3.9
tad-buddhayas tad-ātmānas 5.17
tadottama-vidāṁ lokān 14.14
tadvat kāmā yaṁ praviśanti sarve 2.70
tair dattān apradāyaibhyo 3.12
tam eva cādyaṁ puruṣaṁ prapadye 15.4
tam eva śaraṇaṁ gaccha 18.62
taṁ tam evaiti kaunteya 8.6
taṁ taṁ niyamam āsthāya 7.20
taṁ tathā kṛpayāviṣṭam 2.1

taṁ vidyād duḥkha-saṁyoga- 6.23
tamas tv ajñāna-jaṁ viddhi 14.8
tamasy etāni jāyante 14.13
tān ahaṁ dviṣataḥ krūrān 16.19
tān akṛtsna-vido mandān 3.29
tan nibadhnāti kaunteya 14.7
tān samīkṣya sa kaunteyaḥ 1.27
tāni sarvāṇi saṁyamya 2.61
tāny ahaṁ veda sarvāṇi 4.5
tapāmy aham ahaṁ varṣaṁ 9.19
tapasvibhyo 'dhiko yogī 6.46
tāsāṁ brahma mahad yonir 14.4
tasmāc chāstraṁ pramāṇaṁ te 16.24
tasmād ajñāna-sambhūtaṁ 4.42
tasmād aparihārye 'rthe 2.27
tasmād asaktaḥ satataṁ 3.19
tasmād evaṁ viditvainaṁ 2.25
tasmād oṁ ity udāhṛtya 17.24
tasmād uttiṣṭha kaunteya 2.37
tasmād yasya mahā-bāho 2.68
tasmād yogāya yujyasva 2.50
tasmān nārhā vayaṁ hantuṁ 1.36
tasmāt praṇamya praṇidhāya kāyaṁ 11.44
tasmāt sarva-gataṁ brahma 3.15
tasmāt sarvāṇi bhūtāni 2.30
tasmāt sarveṣu kāleṣu 8.27
tasmāt sarveṣu kāleṣu 8.7
tasmāt tvam indriyāṇy ādau 3.41
tasmāt tvam uttiṣṭha yaśo 11.33
tasya kartāram api māṁ 4.13
tasya sañjanayan harṣaṁ 1.12
tasya tasyācalāṁ śraddhāṁ 7.21
tasyāhaṁ na praṇaśyāmi 6.30
tasyāhaṁ nigrahaṁ manye 6.34
tasyāhaṁ sulabhaḥ pārtha 8.14
tat kiṁ karmaṇi ghore māṁ 3.1
tat kṣetraṁ yac ca yādṛk ca 13.4
tat sukhaṁ sāttvikaṁ proktam 18.37
tat svayaṁ yoga-saṁsiddhaḥ 4.38
tat tad evāvagaccha tvaṁ 10.41
tat te karma pravakṣyāmi 4.16
tata eva ca vistāraṁ 13.31
tataḥ padaṁ tat parimārgitavyaṁ 15.4
tataḥ sa vismayāviṣṭo 11.14
tataḥ śaṅkhāś ca bheryaś ca 1.13
tataḥ sva-dharmaṁ kīrtiṁ ca 2.33
tataḥ śvetair hayair yukte 1.14
tatas tato niyamyaitad 6.26
tathā dehāntara-prāptir 2.13
tathā pralīnas tamasi 14.15
tathā śarīrāṇi vihāya jīrṇāny 2.22
tathā sarvāṇi bhūtāni 9.6
tathā tavāmī nara-loka-vīrā 11.28
tathaiva nāśāya viśanti lokās 11.29
tathāpi tvaṁ mahā-bāho 2.26
tato māṁ tattvato jñātvā 18.55
tato yuddhāya yujyasva 2.38
tat-prasādāt parāṁ śāntiṁ 18.62
tatra cāndramasaṁ jyotir 8.25
tatra prayātā gacchanti 8.24
tatra sattvaṁ nirmalatvāt 14.6
tatra śrīr vijayo bhūtir 18.78
tatra taṁ buddhi-saṁyogaṁ 6.43
tatraikāgraṁ manaḥ kṛtvā 6.12
tatraika-sthaṁ jagat kṛtsnaṁ 11.13
tatraivaṁ sati kartāram 18.16
tatrāpaśyat sthitān pārthaḥ 1.26
tattva-vit tu mahā-bāho 3.28
tāvān sarveṣu vedeṣu 2.46
tayor na vaśam āgacchet 3.34
tayos tu karma-sannyāsāt 5.2
te brahma tad viduḥ kṛtsnam 7.29
te dvandva-moha-nirmuktā 7.28
te 'pi cātitaranty eva 13.26
te 'pi mām eva kaunteya 9.23
te prāpnuvanti mām eva 12.4
te puṇyam āsādya surendra-lokam 9.20
te taṁ bhuktvā svarga-lokaṁ 9.21
tejaḥ kṣamā dhṛtiḥ śaucam 16.3
tejobhir āpūrya jagat samagraṁ 11.30
tejo-mayaṁ viśvam anantam ādyaṁ 11.47
tenaiva rūpeṇa catur-bhujena 11.46
teṣām āditya-vaj jñānaṁ 5.16
teṣām ahaṁ samuddhartā 12.7
teṣām evānukampārtham 10.11
teṣāṁ jñānī nitya-yukta 7.17
teṣāṁ niṣṭhā tu kā kṛṣṇa 17.1
teṣāṁ nityābhiyuktānāṁ 9.22
teṣāṁ satata-yuktānāṁ 10.10
trai-guṇya-viṣayā vedā 2.45
trai-vidyā māṁ soma-pāḥ pūta-pāpā 9.20
tribhir guṇa-mayair bhāvair 7.13
tri-vidhā bhavati śraddhā 17.2
tri-vidhaṁ narakasyedaṁ 16.21
tulya-nindā-stutir maunī 12.19
tulya-priyāpriyo dhīras 14.24
tvad-anyaḥ saṁśayasyāsya 6.39
tvam ādi-devaḥ puruṣaḥ purāṇas 11.38
tvam akṣaraṁ paramaṁ veditavyaṁ 11.18
tvam avyayaḥ śāśvata-dharma-goptā 11.18
tvattaḥ kamala-patrākṣa 11.2
tyāgasya ca hṛṣīkeśa 18.1
tyāgī sattva-samāviṣṭo 18.10
tyāgo hi puruṣa-vyāghra 18.4
tyājyaṁ doṣa-vad ity eke 18.3
tyaktvā dehaṁ punar janma 4.9
tyaktvā karma-phalāsaṅgaṁ 4.20

ubhau tau na vijānīto 2.19
ubhayor api dṛṣṭo 'ntas 2.16
uccaiḥśravasam aśvānāṁ 10.27
ucchiṣṭam api cāmedhyaṁ 17.10

udārāḥ sarva evaite 7.18
udāsīna-vad āsīnam 9.9
udāsīna-vad āsīno 14.23
uddhared ātmanātmānaṁ 6.5
upadekṣyanti te jñānaṁ 4.34
upadraṣṭānumantā ca 13.23
upaiti śānta-rajasaṁ 6.27
upaviśyāsane yuñjyād 6.12
ūrdhvaṁ gacchanti sattva-sthā 14.18
ūrdhva-mūlam adhaḥ-śākham 15.1
utkrāmantaṁ sthitaṁ vāpi 15.10
utsādyante jāti-dharmāḥ 1.42
utsanna-kula-dharmāṇāṁ 1.43
utsīdeyur ime lokā 3.24
uttamaḥ puruṣas tv anyaḥ 15.17
uvāca pārtha paśyaitān 1.25

vaktrāṇi te tvaramāṇā viśanti 11.27
vaktum arhasy aśeṣeṇa 10.16
vāsāṁsi jīrṇāni yathā vihāya 2.22
vaśe hi yasyendriyāṇi 2.61
vāsudevaḥ sarvam iti 7.19
vasūnāṁ pāvakaś cāsmi 10.23
vaśyātmanā tu yatatā 6.36
vāyur yamo 'gnir varuṇaḥ śaśāṅkaḥ 11.39
vedāhaṁ samatītāni 7.26
vedaiś ca sarvair aham eva vedyo 15.15
vedānāṁ sāma-vedo 'smi 10.22
veda-vāda-ratāḥ pārtha 2.42
vedāvināśinaṁ nityaṁ 2.21
vedeṣu yajñeṣu tapaḥsu caiva 8.28
vedyaṁ pavitram oṁkāra 9.17
vepathuś ca śarīre me 1.29
vettāsi vedyaṁ ca paraṁ ca dhāma 11.38
vetti sarveṣu bhūteṣu 18.21
vetti yatra na caivāyaṁ 6.21
vidhi-hīnam asṛṣṭānnaṁ 17.13
vidyā-vinaya-sampanne 5.18
vigatecchā-bhaya-krodho 5.28
vihāya kāmān yaḥ sarvān 2.71
vijñātum icchāmi bhavantam ādyaṁ 11.31
vikārāṁś ca guṇāṁś caiva 13.20
vimṛśyaitad aśeṣeṇa 18.63
vimucya nirmamaḥ śānto 18.53
vimūḍhā nānupaśyanti 15.10
vināśam avyayasyāsya 2.17
vinaśyatsv avinaśyantaṁ 13.28
viṣādī dīrgha-sūtrī ca 18.28
viṣayā vinivartante 2.59
viṣayendriya-saṁyogād 18.38
viṣīdantam idaṁ vākyam 2.1
vismayo me mahān rājan 18.77
visṛjya sa-śaraṁ cāpaṁ 1.46
viṣṭabhyāham idaṁ kṛtsnam 10.42
vistareṇātmano yogaṁ 10.18
vīta-rāga-bhaya-krodhā 4.10
vīta-rāga-bhaya-krodhaḥ 2.56
vivasvān manave prāha 4.1
vividhāś ca pṛthak ceṣṭā 18.14
vivikta-deśa-sevitvam 13.11
vivikta-sevī laghv-āśī 18.52
vṛṣṇīnāṁ vāsudevo 'smi 10.37
vyāmiśreṇeva vākyena 3.2
vyapeta-bhīḥ prīta-manāḥ 11.49
vyāsa-prasādāc chrutavān 18.75
vyavasāyātmikā buddhiḥ 2.44
vyavasāyātmikā buddhir 2.41
vyūḍhāṁ drupada-putreṇa 1.3

ya enaṁ vetti hantāraṁ 2.19
ya evaṁ vetti puruṣaṁ 13.24
ya idaṁ paramaṁ guhyaṁ 18.68
yā niśā sarva-bhūtānām 2.69
yābhir vibhūtibhir lokān 10.16
yac candramasi yac cāgnau 15.12
yac cāpi sarva-bhūtānāṁ 10.39
yac cāvahāsārtham asat-kṛto 'si 11.42
yac chreya etayor ekaṁ 5.1
yac chreyaḥ syān niścitaṁ 2.7
yad āditya-gataṁ tejo 15.12
yad agre cānubandhe ca 18.39
yad ahaṅkāram āśritya 18.59
yad akṣaraṁ veda-vido vadanti 8.11
yad gatvā na nivartante 15.6
yad icchanto brahmacaryaṁ caranti 8.11
yad rājya-sukha-lobhena 1.44
yad yad ācarati śreṣṭhas 3.21
yad yad vibhūtimat sattvaṁ 10.41
yadā bhūta-pṛthag-bhāvam 13.31
yadā hi nendriyārtheṣu 6.4
yadā saṁharate cāyaṁ 2.58
yadā sattve pravṛddhe tu 14.14
yadā te moha-kalilaṁ 2.52
yadā viniyataṁ cittam 6.18
yadā yadā hi dharmasya 4.7
yadi bhāḥ sadṛśī sā syād 11.12
yadi hy ahaṁ na varteyaṁ 3.23
yadi mām apratīkāram 1.45
yadṛcchā-lābha-santuṣṭo 4.22
yadṛcchayā copapannaṁ 2.32
yady apy ete na paśyanti 1.37
yaḥ paśyati tathātmānam 13.30
yaḥ prayāti sa mad-bhāvaṁ 8.5
yaḥ prayāti tyajan dehaṁ 8.13
yaḥ sa sarveṣu bhūteṣu 8.20
yaḥ sarvatrānabhisnehas 2.57
yaḥ śāstra-vidhim utsṛjya 16.23
yaj jñātvā munayaḥ sarve 14.1
yaj jñātvā na punar moham 4.35
yaj jñātvā neha bhūyo 'nyaj 7.2
yajante nāma-yajñais te 16.17
yajante sāttvikā devān 17.4

yajñād bhavati parjanyo 3.14
yajña-dāna-tapaḥ-karma 18.3
yajña-dāna-tapaḥ-karma 18.5
yajñānāṁ japa-yajño 'smi 10.25
yajñārthāt karmaṇo 'nyatra 3.9
yajñas tapas tathā dānaṁ 17.7
yajña-śiṣṭāmṛta-bhujo 4.30
yajña-śiṣṭāśinaḥ santo 3.13
yajñāyācarataḥ karma 4.23
yajñe tapasi dāne ca 17.27
yajño dānaṁ tapaś caiva 18.5
yakṣye dāsyāmi modiṣya 16.15
yaṁ hi na vyathayanty ete 2.15
yām imāṁ puṣpitāṁ vācaṁ 2.42
yaṁ labdhvā cāparaṁ lābhaṁ 6.22
yaṁ prāpya na nivartante 8.21
yaṁ sannyāsam iti prāhur 6.2
yaṁ yaṁ vāpi smaran bhāvaṁ 8.6
yān eva hatvā na jijīviṣāmas 2.6
yānti deva-vratā devān 9.25
yas tu karma-phala-tyāgī 18.11
yas tv ātma-ratir eva syād 3.17
yas tv indriyāṇi manasā 3.7
yasmān nodvijate loko 12.15
yasmāt kṣaram atīto 'ham 15.18
yasmin sthito na duḥkhena 6.22
yaṣṭavyam eveti manaḥ 17.11
yasya nāhaṅkṛto bhāvo 18.17
yasya sarve samārambhāḥ 4.19
yasyāṁ jāgrati bhūtāni 2.69
yasyāntaḥ-sthāni bhūtāni 8.22
yat karoṣi yad aśnāsi 9.27
yat sāṅkhyaiḥ prāpyate sthānaṁ 5.5
yat tad agre viṣam iva 18.37
yat tapasyasi kaunteya 9.27
yat te 'haṁ prīyamāṇāya 10.1
yat tu kāmepsunā karma 18.24
yat tu kṛtsna-vad ekasmin 18.22
yat tu pratyupakārārthaṁ 17.21
yat tvayoktaṁ vacas tena 11.1
yataḥ pravṛttir bhūtānāṁ 18.46
yatanto 'py akṛtātmāno 15.11
yatanto yoginaś cainaṁ 15.11
yatatām api siddhānāṁ 7.3
yatate ca tato bhūyaḥ 6.43
yatato hy api kaunteya 2.60
yāta-yāmaṁ gata-rasaṁ 17.10
yatendriya-mano-buddhir 5.28
yathā dīpo nivāta-stho 6.19
yathā nadīnāṁ bahavo 'mbu-vegāḥ 11.28
yathā pradīptaṁ jvalanaṁ pataṅgā 11.29
yathā prakāśayaty ekaḥ 13.34
yathā sarva-gataṁ saukṣmyād 13.33
yathaidhāṁsi samiddho 'gnir 4.37
yathākāśa-sthito nityaṁ 9.6
yatholbenāvṛto garbhas 3.38
yato yato niścalati 6.26
yatra caivātmanātmānaṁ 6.20
yatra kāle tv anāvṛttim 8.23
yatra yogeśvaraḥ kṛṣṇo 18.78
yatroparamate cittaṁ 6.20
yāvad etān nirīkṣe 'haṁ 1.21
yāvān artha udapāne 2.46
yāvat sañjāyate kiñcit 13.27
yayā dharmam adharmaṁ ca 18.31
yayā svapnaṁ bhayaṁ śokaṁ 18.35
yayā tu dharma-kāmārthān 18.34
ye bhajanti tu māṁ bhaktyā 9.29
ye caiva sāttvikā bhāvā 7.12
ye cāpy akṣaram avyaktaṁ 12.1
ye hi saṁsparśa-jā bhogā 5.22
ye me matam idaṁ nityam 3.31
ye 'py anya-devatā-bhaktā 9.23
ye śāstra-vidhim utsṛjya 17.1
ye tu dharmāmṛtam idaṁ 12.20
ye tu sarvāṇi karmāṇi 12.6
ye tv akṣaram anirdeśyam 12.3
ye tv etad abhyasūyanto 3.32
ye yathā māṁ prapadyante 4.11
yena bhūtāny aśeṣāṇi 4.35
yeṣām arthe kāṅkṣitaṁ no 1.32
yeṣāṁ ca tvaṁ bahu-mato 2.35
yeṣāṁ tv anta-gataṁ pāpaṁ 7.28
yo loka-trayam āviśya 15.17
yo mām ajam anādiṁ ca 10.3
yo mām evam asammūḍho 15.19
yo māṁ paśyati sarvatra 6.30
yo na hṛṣyati na dveṣṭi 12.17
yo 'ntaḥ-sukho 'ntar-ārāmas 5.24
yo 'yaṁ yogas tvayā proktaḥ 6.33
yo yo yāṁ yāṁ tanuṁ 7.21
yogaṁ yogeśvarāt kṛṣṇāt 18.75
yogārūḍhasya tasyaiva 6.3
yoga-sannyasta-karmāṇaṁ 4.41
yoga-sthaḥ kuru karmāṇi 2.48
yoga-yukto munir brahma 5.6
yoga-yukto viśuddhātmā 5.7
yogenāvyabhicāriṇyā 18.33
yogeśvara tato me tvaṁ 11.4
yogī yuñjīta satatam 6.10
yoginaḥ karma kurvanti 5.11
yoginām api sarveṣāṁ 6.47
yogino yata-cittasya 6.19
yotsyamānān avekṣe 'haṁ 1.23
yudhāmanyuś ca vikrānta 1.6
yukta ity ucyate yogī 6.8
yuktaḥ karma-phalaṁ tyaktvā 5.12
yuktāhāra-vihārasya 6.17
yukta-svapnāvabodhasya 6.17
yuñjann evaṁ sadātmānaṁ 6.15
yuñjann evaṁ sadātmānaṁ 6.28
yuyudhāno virāṭaś ca 1.4

A magyarázatok versmutatója

A *Bhagavad-gītā* magyarázataiban és a bevezetésben előforduló versek jegyzéke. A vastagon szedett számok teljes versidézetre utalnak, a normál szedésűek részben idézett versekre.

abhyāsa-yoga-yuktena **43**
ācāryavān puruṣo veda 9.2
ādau śraddhā tataḥ sādhu-saṅgaḥ **4.10**
āditya-varṇaṁ tamasaḥ parastāt 13.18
*advaitam acyutam anādim***4.5,** 4.9
āgamāpāyino 'nityās 6.23
aham ādir hi devānām 11.54
ahaṁ bīja-pradaḥ pitā 32
ahaṁ brahmāsmi 7.29, 13.12
ahaṁ kṛtsnasya jagataḥ 11.2
ahaṁ sarvasya prabhavaḥ 15.4
ahaṁ sarveṣu bhūteṣu 9.11
aham tvaṁ ca tathānye 13.5
ahaṁ tvāṁ sarva-pāpebhyo **44, 12.7**
āhāra-śuddhau sattva-śuddhiḥ **3.11**
āhaveṣu mitho 'nyonyam **2.31**
aho bata śva-paco 'to garīyān **2.46, 6.44**
āhus tvām ṛṣayaḥ sarve **22**
aikāntikī harer bhaktir **7.3**
aiśvaryād rūpam ekaṁ ca **6.31**
ajani ca yan-mayaṁ tad avimucya niyantṛ **7.5**
ajño jantur anīśo 'yam **5.15**
ajo nityaḥ śāśvato 'yaṁ purāṇo **2.20**
akāmaḥ sarva-kāmo vā **4.11, 7.20**
akṣayyaṁ ha vai cāturmāsya-yājinaḥ 2.43
anādir ādir govindaḥ **29, 2.2, 11.54**
ānanda-mayo 'bhyāsāt 35, 6.23, 13.5
anāsaktasya viṣayān **6.10,** 8.27, **9.28, 11.55**
anityam asukhaṁ lokam **43**
aṇor aṇīyān mahato mahīyān **2.20**
antaḥ-praviṣṭaḥ śāstā janānām 15.15
anta-kāle ca mām eva **38**
antavanta ime dehā 2.28, 9.2
ānukūlyasya saṅkalpaḥ 11.55, **18.66**
ānukūlyena kṛṣṇānu- **7.16, 11.55**
anyābhilāṣitā-śūnyam **7.16, 11.55**
apāma somam amṛtā abhūma 2.43
apāṇi-pādo javano grahītā 13.15
apareyam itas tv anyām 25
aparimitā dhruvās tanu-bhṛto yadi **7.5**
aprārabdha-phalaṁ pāpam **9.2**
ā-prāyaṇāt tatrāpi hi dṛṣṭam 18.55
āpūryamāṇam acala-pratiṣṭham **18.53**
arcanaṁ vandanaṁ dāsyam **43**
āścaryo vaktā kuśalo 'sya labdhā **2.29**
āsīno dūraṁ vrajati 13.16
asito devalo vyāsaḥ **22**
asya mahato bhūtasya niśvasitam **3.15**
ataḥ śrī-kṛṣṇa-nāmādi **6.8, 7.3, 9.4**
ātatatvāc ca mātṛtvāc ca 6.29
athāpi te deva padāmbuja-dvaya- **7.24**
atha puruṣo ha vai nārāyaṇo **10.9**
athāsaktis tato bhāvas **4.10**
athāto brahma-jijñāsā 24, 3.37
ati-martyāni bhagavān **9.11**
ātmānaṁ rathinaṁ viddhi **6.34**
ātma-nikṣepa-kārpaṇye **18.66**
ātmārāmasya tasyāsti 9.9
ātmendriya-mano-yuktam **6.34**
avaiṣṇavo gurur na syād **2.8**
avajānanti māṁ mūḍhā 6.47, 7.24, 11.52
avidyā-karma-saṁjñānyā **39**
avyakto 'kṣara ity uktas **37**
avyartha-kālātvam 6.17
ayam agnir vaiśvānaro 15.14

babhūva prākṛtaḥ śiśuḥ 9.11
bahūnāṁ janmanām ante 5.16
bahu syām 9.7
bālāgra-śata-bhāgasya **2.17**
bandhāya viṣayāsaṅgo **6.5**
bhagavati ca harāv ananya-cetā **9.30**
bhagavat-tattva-vijñānam **7.1**
bhagavaty uttama-śloke **7.1**
bhāgo jīvaḥ sa vijñeyaḥ **2.17**
bhaktir asya bhajanaṁ tad **6.47**
bhakto 'si me sakhā ceti **21**
bhaktyā tv ananyayā śakyaḥ 16.16
bhāratāmṛta-sarvasvam **45**

bhava-mahā-dāvāgni-nirvāpaṇam 6.23
bhavāmbudhir vatsa-padaṁ paraṁ padam **2.51**
bhayaṁ dvitīyābhiniveśataḥ syāt 1.30, 6.14, 10.5
bhidyate hṛdaya-granthiś **7.1**
bhoktā bhogyaṁ preritāraṁ ca matvā **13.3**
bhoktāraṁ yajña-tapasām 3.11
bhuñjate te tv aghaṁ pāpā 6.16
brahmaiva san brahmāpy eti 14.26
brahma jānātīti brāhmaṇaḥ 10.5
brahmaṇo hi pratiṣṭhāham 29
brahmaṇyo devakī-putraḥ 10.8
brahmeti paramātmeti **2.2, 10.15**
buddhiṁ tu sārathiṁ viddhi **6.34**

cakṣur unmīlitaṁ yena **19**
ceta etair anāviddham **7.1**
ceto-darpaṇa-mārjanam 6.23
chandāṁsi yasya parṇāni **36**

dadāmi buddi-yogaṁ tam 8.14
darśana-dhyāna-saṁsparśair **5.26**
dāsa-bhūto harer eva 13.13
deha-dehi-vibhedo 'yam 9.34
dehino 'smin yathā dehe 15.7
devān deva-yajo yānti 7.24
devarṣi-bhūtāpta-nṛṇāṁ pitṝṇām **1.41, 2.38**
dharmaṁ tu sākṣād bhagavat-praṇītam 4.7, 4.16, 4.34
dhyāyan stuvaṁs tasya yaśas tri-sandhyam **2.41**
dik-kālādy-anavacchinne **6.31**
dvandvair vimuktāḥ sukha-duḥkha-saṁjñair **37**
dvā suparṇā sayujā sakhāyaḥ 13.21

eka eva paro viṣṇuḥ **6.31**
ekale īśvara kṛṣṇa, āra saba bhṛtya 7.20, 11.43
ekaṁ śāstraṁ devakī-putra-gītam **45**
*ekāṁśena sthito jagat*39
ekaṁ tu mahataḥ sraṣṭṛ **7.4**
eko devo nitya-līlānurakto 4.9
eko mantras tasya nāmāni yāni **45**
eko 'pi san bahudhā yo 'vabhāti 6.31, 11.54
eko vai nārāyaṇa āsīn na brahmā **10.8**
eko vaśī sarva-gaḥ kṛṣṇa 8.22, 11.54
eṣa hi draṣṭā sraṣṭā 18.14
eṣa u hy eva sādhu karma kārayati **5.15**
eṣo 'ṇur ātmā cetasā veditavyo **2.17**
etasyāhaṁ na paśyāmi **42**
etasya vā akṣarasya praśāsane gārgi **9.6**

ete cāṁśa-kalāḥ puṁsaḥ, **2.2** 11.54
evaṁ manaḥ karma-vaśaṁ prayuṅkte **5.2**
evaṁ paramparā-prāptam **21**
evaṁ prasanna-manaso **7.1,** 9.2
evaṁ pravṛttasya viśuddha-cetasas **9.2**

garuḍa-skandham āropya **12.7**
ghrāṇaṁ ca tat-pāda-saroja-saurabhe **2.61, 6.18**
gītādhyāyana-śīlasya **44**
gītā-gaṅgodakaṁ pītvā **45**
gītā-śāstram idaṁ puṇyam 44
gītā su-gītā kartavyā **44**
gobhiḥ prīṇita-matsaram 14.16
goloka eva nivasaty akhilātma-bhūtaḥ 35, 6.15, 8.22, 13.14
gopeśa gopikā-kānta **19**

harāv abhaktasya kuto mahad-guṇāḥ **1.28,** 12.18–19
hare kṛṣṇa, hare kṛṣṇa 20, 45, 6.44, 7.24, 8.5, 8.6, 8.11, 8.13, 8.14, 8.19, 9.2, 9.30, 10.9, 10.11, 12.6–7, 13.12, 13.26, 14.27, 16.7, 16.24
harer nāma harer nāma **6.12**
he kṛṣṇa karuṇā-sindho **19**
hiraṇmayena pātreṇa **7.25**
hṛdy antaḥ-stho hy abhadrāṇi **7.1**

īhā yasya harer dāsye **5.11**
ikṣvākuṇā ca kathito **4.1**
imaṁ vivasvate yogam **21**
indrāri-vyākulaṁ lokam **2.2**
indriyāṇi hayān āhur **6.34**
īśāvāsyam idaṁ sarvam 2.71
īśvaraḥ paramaḥ kṛṣṇaḥ, **29, 2.2** 4.12, **7.3,** 7.7, 9.11, **11.54**
īśvaraḥ sarva-bhūtānām 6.29
īśvarāṇāṁ vacaḥ satyam **3.24**
īśvara-prerito gacchet **5.15**
iti rāma-padenāsau **5.22**
itthaṁ satāṁ brahma-sukhānubhūtyā **11.8**

jagad-dhitāya kṛṣṇāya **14.16**
jānāti tattvaṁ bhagavan mahimno **7.24**
janmādy asya yataḥ 9.21, 18.46
janmādy asya yato 'nvayād itarataś ca 3.38
janma karma ca me divyam **11.43**
jayas tu pāṇḍu-putrāṇām 1.14
jīvaḥ sūkṣma-svarūpo 'yam **2.17**
jīvere kṛpāya kailā kṛṣṇa **40**
jñānāgniḥ sarva-karmāṇi 5.16
jñānaṁ parama-guhyaṁ me **3.41**
jño 'ta eva 18.14
juṣṭaṁ yadā paśyaty anyam īśam **2.22**
jyotīṁṣi viṣṇur bhuvanāni viṣṇuḥ 2.16

kaivalyaṁ svarūpa-pratiṣṭhā vā citi-śaktir iti 6.23
kalau nāsty eva nāsty eva **6.12**
kāmais tais tair hṛta-jñānāḥ **34,** 7.24
kāmaṁ ca dāsye na tu kāma-kāmyayā **2.61, 6.18**
karau harer mandira-mārjanādiṣu **2.61, 6.18**
kariṣye vacanaṁ tava 31
karmaṇā manasā vācā **6.13–14**
kartā śāstrārthavattvāt 18.14
kasmin bhagavo vijñāte sarvam 7.2
keśāgra-śata-bhāgasya **2.17**
kibā vipra, kibā nyāsī **2.8**
kiṁ punar brāhmaṇāḥ puṇyā **43**
kīrtanīyaḥ sadā hariḥ 41
krameṇaiva pralīyeta **9.2**
kṛṣṇaḥ svayaṁ samabhavat paramaḥ pumān yo **4.5**
kṛṣṇas tu bhagavān svayam 21
kṛṣṇa-varṇaṁ tviṣākṛṣṇam **3.10**
kṛṣṇe bhakti kaile sarva-karma **2.41**
kṛṣṇo vai paramaṁ daivatam 11.54
kṛtavān kila karmāṇi **6.11**
kṣatriyo hi prajā rakṣan **2.32**
kṣetrāṇi hi śarīrāṇi **13.3**
kṣīṇe puṇye martya-lokaṁ viśanti 9.8
kṣīyante cāsya karmāṇi **7.1**

lokyate vedārtho 'nena 15.18

mad-anyat-te na jānanti **7.18**
mad-bhaktiṁ labhate parām 6.27
mad-bhakti-prabhāvena 2.61
mahat-sevāṁ dvāram āhur vimukteḥ 7.28
mā hiṁsyāt sarvā bhūtāni 2.19
mala nirmocanaṁ puṁsāṁ **44**
mama janmani janmanīśvare **6.1**
mama māyā duratyayā 9.11
mama yonir mahad brahma 5.10
māṁ ca yo 'vyabhicāreṇa **4.29**
māṁ hi pārtha vyapāśritya **43**
māṁ tu veda na kaścana 7.3
mana eva manuṣyāṇām **6.5**
man-manā bhava mad-bhaktaḥ 18.78
manuś ca loka-bhṛty-artham **4.1**
manuṣyāṇāṁ sahasreṣu 10.3
mattaḥ parataraṁ nānyat 5.17, 11.54
mayādhyakṣeṇa prakṛtiḥ 25, 27, 16.8
māyā-mugdha jīvera nāhi **40**
māyāśritānāṁ nara-dārakeṇa **11.8**
māyātīta paravyome sabāra avasthāna **4.8**
mayi sarvāṇi karmāṇi 5.10
mayy arpita-mano-buddhir **41**
mṛtyur yasyopasecanam **11.32**
muhyanti yat sūrayaḥ 7.3
mukhaṁ tasyāvalokyāpi **9.13**
mukti-pradātā sarveṣām 7.14
muktir hitvānyathā-rūpam 28, 4.35
mukunda-liṅgālaya-darśane dṛśau **2.61, 6.18**
mumukṣubhiḥ parityāgo **2.63, 5.2, 6.10**

na bhajanty avajānanti **6.47**
na cāsāv ṛṣir yasya mataṁ na bhinnam 2.56
na ca tasmān manuṣyeṣu 6.32
na dhanaṁ na janaṁ na sundarīm **6.1**
nāhaṁ prakāśaḥ sarvasya 18.55
na hi jñānena sadṛśam 5.16
na hi śaśa-kaluṣa-cchabiḥ kadācit **9.30**
na hi te bhagavan vyaktim **22**
naitat samācarej jātu **3.24**
naiva santi hi pāpāni **44**
na jāyate mriyate vā vipaścit **2.20,** 13.13
nakṣatrāṇām ahaṁ śaśī 15.12
namo brahmaṇya-devāya **14.16**
namo vedānta-vedyāya **11.54**
nārāyaṇaḥ paro devas **10.8**
na sādhu manye yata ātmano 'yam **5.2**
naṣṭa-prāyeṣv abhadreṣu **7.1**
na tad bhāsayate sūryo **35, 36**
na tasya kāryaṁ karaṇaṁ ca vidyate **3.22,** 11.43
na tatra sūryo bhāti na candra-tārakam 15.6
nātmā śruteḥ 13.5
nava-dvāre pure dehī **5.13**
na vai vāco na cakṣūṁṣi **7.19**
na viyad aśruteḥ 13.5
nāyaṁ deho deha-bhājāṁ nṛ-loke **5.22**
nayāmi paramaṁ sthānam **12.6–7**
nikhilāsv apy avasthāsu **5.11,** 6.31
nimitta-mātram evāsau **4.14**
nirbandhaḥ kṛṣṇa-sambandhe **6.10, 9.28, 11.55**
nirjitya para-sainyādi **2.32**
nirmāna-mohā jita-saṅga-doṣā **37**
nityasyoktāḥ śarīriṇaḥ 2.28
nityo nityānāṁ cetanaś cetanānām 30, **2.12,** 4.12, 7.6, **7.10,** 15.17
nūnaṁ pramattaḥ kurute vikarma **5.2**

oṁ ajñāna-timirāndhasya **19**
oṁ ity etad brahmaṇo nediṣṭhaṁ nāma 17.23
oṁ tad viṣṇoḥ paramaṁ padam 17.24

pādau hareḥ kṣetra-padānusarpaṇe **2.61, 6.18**
parābhavas tāvad abodha-jāto **5.2**
paramaṁ puruṣaṁ divyam **43**
paraṁ brahma paraṁ dhāma **22**
paraṁ dṛṣṭvā nivartate 3.42
parāsya śaktir vividhaiva śrūyate 30, **3.22,** 8.22

parāt tu tac-chruteḥ 13.5
pārtho vatsaḥ su-dhīr bhoktā **45**
patiṁ patīnāṁ paramaṁ parastād **3.22**
patiṁ viśvasyātmeśvaram 3.10
patir gatiś cāndhaka-vṛṣṇi-sātvatām **3.10**
patitānāṁ pāvanebhyo **20**
patraṁ puṣpaṁ phalaṁ toyam 9.2, 11.55, 17.10
pradhāna-kāraṇī-bhūtā **4.14**
pradhāna-kṣetrajña-patir guṇeśaḥ 13.13
prajāpatiṁ ca rudraṁ cāpy **10.8**
prakāśaś ca karmaṇy abhyāsāt 9.2, 9.2
prakhyāta-daiva-paramārtha-vidāṁ mataiś ca **7.24**
prakṛty-ādi-sarva-bhūtāntar-yāmī 10.20
prāṇaiś cittaṁ sarvam otaṁ prajānām **2.17**
prāṇopahārāc ca yathendriyāṇām **9.3**
prāpañcikatayā buddhyā **2.63, 5.2, 6.10**
praśānta-niḥśeṣa-mano-rathāntara 2.56
premāñjana-cchurita-bhakti-vilocanena 3.13, **6.30**, 9.4, 11.50
prītir na yāvan mayi vāsudeve **5.2**
puruṣa evedaṁ sarva **7.19**
puruṣaṁ śāśvataṁ divyam **22**
puruṣān na paraṁ kiñcit 8.21

rakṣiṣyatīti viśvāso **18.66**
rāmādi-mūrtiṣu kalā-niyamena tiṣṭhan **4.5,** 11.46
ramante yogino 'nante **5.22**
rasa-varjaṁ raso 'py asya **6.14**
raso vai saḥ, rasaṁ hy evāyaṁ labdhvā 14.27

śabdādibhyo 'ntaḥ pratiṣṭhānāc ca 15.14
sa bhūmiṁ viśvato vṛtvā **7.19**
sac-cid-ānanda-rūpāya 9.11, **11.54**
sac-cid-ānanda-vigraham 9.11
sad eva saumya 17.23
sādhakānām ayaṁ premṇaḥ **4.10**
sādhavo hṛdayaṁ mahyam **7.18**
sādvaitaṁ sāvadhūtam **19**
sa evāyaṁ mayā te 'dya **21**
sa guṇān samatītyaitān 2.72, **4.29**
sahasra-śīrṣā puruṣaḥ **7.19**
sa kāleneha mahatā **21**
sakṛd gītāmṛta-snānam **44**
sa mahātmā su-durlabhaḥ 7.3
samaḥ sarveṣu bhūteṣu 9.2
samāne vṛkṣe puruṣo nimagno **2.22**
samāśritā ye pada-pallava-plavam **2.51**
saṁskṛtāḥ kila mantraiś ca **2.31**
samyag ādhīyate 'sminn ātma-tattva-yāthātmyam 2.44
sandhyā-vandana bhadram astu **2.52**
saṅga-tyāgāt sato vṛtteḥ **6.24**
sāṅkhya-yogau pṛthag bālāḥ 2.39
sa rahasyaṁ tad-aṅgaṁ ca **3.41**
sarva-dharmān parityajya **44, 12.7,** 18.78
sarvam etad ṛtaṁ manye **22**
sarvaṁ hy etad brahma 5.10
sarvaṁ jñāna-plavena 5.16
sarvasya cāhaṁ hṛdi sanniviṣṭaḥ 18.13, 18.62
sarvasya prabhum īśānam 13.18
sarvātmanā yaḥ śaraṇaṁ śaraṇyam **1.41, 2.38**
sarvatra maithuna-tyāgo **6.13–14**
sarvopaniṣado gāvo **45**
sa sarvasmād bahiṣ-kāryaḥ **9.12**
ṣaṭ-karma-nipuṇo vipro **2.8**
sattvaṁ viśuddhaṁ vasudeva-śabditam 17.4
sa tvam eva jagat-sraṣṭā **11.40**
sa vā eṣa brahma-niṣṭha idaṁ śarīraṁ martyam **15.7**
sa vai manaḥ kṛṣṇa-padāravindayor 2.60, **2.61,** 6.15, **6.18,** 6.27, 6.34
sa vai puṁsāṁ paro dharmo 9.2
sevonmukhe hi jihvādau **6.8, 7.3, 9.4**
śiṣyas te 'haṁ śādhi māṁ tvāṁ prapannam 2.39
śiva-viriñci-nutam 4.12
'śraddhā'-śabde — viśvāsa kahe sudṛḍha niścaya **2.41**
śraddhāvān bhajate yo mām **42**
śravaṇaṁ kīrtanaṁ viṣṇoḥ **43**
śravaṇayāpi bahubhir yo na labhyaḥ **2.29**
śrī-advaita gadādhara **20**
śrī caitanya-mano-'bhīṣṭaṁ **19**
śrī-kṛṣṇa-caitanya **20**
śrīmad-bhāgavataṁ purāṇam amalam 10.9
śriyaḥ patir yajña-patiḥ prajā-patir **3.10**
śṛṇvatāṁ sva-kathāḥ kṛṣṇaḥ **7.1**
sṛṣṭi-hetu yei mūrti prapañce avatare **4.8**
śruti-smṛti-purāṇādi- **7.3**
striyo vaiśyās tathā śūdrās **43**
svābhāvikī jñāna-bala-kriyā ca 8.22
sv-alpam apy asya dharmasya 3.4
svāny apatyāni puṣṇanti **5.26**
svarūpeṇa vyavasthitiḥ 6.23
svayaṁ rūpaḥ kadā mahyam **19**

tadā rajas-tamo-bhāvāḥ **7.1**
tad-avadhi bata nārī-saṅgame smaryamāne **2.60, 5.21**
tadvan na rikta-matayo yatayo 'pi ruddha- **5.26**
tadvat kāmā yaṁ praviśanti sarve **18.53**
tad-vijñānārthaṁ sa gurum evābhigacchet 43
tad viṣṇoḥ paramaṁ padam 18.62

tāḥ śraddhayā me 'nupadaṁ viśṛṇvataḥ **9.2**
tam akratuḥ paśyati vīta-śoko **2.20**
tam ātma-sthaṁ ye 'nupaśyanti dhīrās **2.12**
tam ekaṁ govindam 9.11
tam eva viditvāti mṛtyum eti 4.9, 6.15, **7.7,** 13.18
tam īśvarāṇāṁ paramaṁ maheśvaram **3.22,** 5.29
tamo-dvāraṁ yoṣitāṁ saṅgi-saṅgam 7.28
taṁ tam evaiti kaunteya **40**
taṁ taṁ niyamam āsthāya **34**
tāni vetti sa yogātmā **13.3**
tan-mayo bhavati kṣipram **6.31**
tāṅra vākya, kriyā, mudrā vijñeha nā bujhaya 9.28
tapo divyaṁ putrakā yena sattvam **5.22**
tapta-kāñcana-gaurāṅgi **19**
taror iva sahiṣṇunā 8.5
tasmād etad brahma nāma-rūpam 5.10, 14.3
tasmād rudro 'bhavad devaḥ **10.8**
tasmāt sarveṣu kāleṣu **41**
tasyaite kathitā hy arthāḥ **6.47, 11.54**
tato 'nartha-nivṛttiḥ syāt **4.10**
tato yad uttarataram **7.7**
tatrānvahaṁ kṛṣṇa-kathāḥ pragāyatām **9.2**
tat te 'nukampāṁ susamīkṣamāṇo 12.14
tat tu samanvayāt 15.15
tat tvam asi 17.23
tat tvaṁ pūṣann apāvṛṇu **7.25**
tau hi māṁ na vijānīto **10.8**
tayā vinā tad āpnoti **12.7**
te dvandva-moha-nirmuktā **6.45**
tenaiva rūpeṇa catur-bhujena 9.11
tepus tapas te juhuvuḥ sasnur āryā **2.46, 6.44**
teṣām ahaṁ samuddhartā 18.46
teṣāṁ yat sva-vaco yuktam **3.24**
te santaḥ sarveśvarasya yajña- **3.14**
tīvreṇa bhakti-yogena **4.11, 7.20**
tretā-yugādau ca tato **4.1**
tṛtīyaṁ sarva-bhūta-stham **7.4**
tvāṁ śīla-rūpa-caritaiḥ **7.24**
tyaktvā dehaṁ punar janma **11.43**
tyaktvā sva-dharmaṁ caraṇāmbujaṁ harer **2.40, 3.5, 6.40**

ubhe uhaivaiṣa ete taraty 4.37
ucchiṣṭa-lepān anumodito dvijaiḥ **9.2**
ūrdhva-mūlam adhaḥ-śākham **36**
utāmṛtatvasyeśāno **7.19**
utsāhān niścayād dhairyāt **6.24**

vadanti tat tattva-vidas **2.2, 10.15,** 13.12
vaiṣamya-nairghṛṇye na 4.14, **5.15**
vāñchā-kalpatarubhyaś ca **20**
vande 'haṁ śrī-guroḥ **19**
varṇāśramācāravatā 3.9
vasanti yatra puruṣāḥ sarve 15.7
vaśī sarvasya lokasya **5.13**
vastu-yāthātmya-jñānāvarakam 14.8
vāsudevaḥ sarvam iti 2.41, 2.56,
vayaṁ tu na vitṛpyāma **10.18**
vedāham etaṁ puruṣaṁ mahāntam **7.7**
vedaiś ca sarvair aham 3.10, 3.26
vedeṣu durlabham adurlabham ātma-bhaktau **4.5,** 4.5
vedeṣu yajñeṣu tapaḥsu caiva 9.2
vinaśyaty ācaran mauḍhyād **3.24**
viṣayā vinivartante **6.14**
viṣṇos tu trīṇi rūpāṇi **7.4,** 10.20
viṣṇu-bhaktāḥ smṛtā devāḥ 11.48
viṣṇur mahān sa iha yasya kalā-viśeṣo **11.54**
viṣṇu-śaktiḥ parā proktā **39**
viṣṭabhyāham idaṁ kṛtsnam 9.4
vivasvān manave prāha **21**
vṛkṣa iva stabdho divi tiṣṭhaty ekas **7.7**
vṛṣabhānu-sute devi **19**

yac-cakṣur eṣa savitā sakala-grahāṇām **4.1**
yac-chakti-leśāt suryādyā **10.42**
yac chṛṇvatāṁ rasa-jñānām **10.18**
yad-aṁśena dhṛtaṁ viśvam **10.42**
yad-avadhi mama cetaḥ **2.60, 5.21**
yad-bhīṣā vātaḥ pavate 9.6
yad gatvā na nivartante 32, **35, 36**
ya eṣāṁ puruṣaṁ sākṣād **6.47**
ya etad akṣaraṁ gārgi viditvāsmāl **2.7**
yaḥ kāraṇārṇava-jale bhajati 10.20
yaḥ prayāti sa mad-bhāvam **38**
yajñaiḥ saṅkīrtana-prāyair **3.11**
yajñeṣu paśavo brahman **2.31**
yajño vai viṣṇuḥ 3.9
yam evaiṣa vṛṇute tena labhyas 8.14
yaṁ prāpya na nivartante **37**
yaṁ śyāmasundaram acintya-guṇa-svarūpam **6.30**
yaṁ yaṁ vāpi smaran bhāvam **39**
yānti deva-vratā devān 36
yasmāt paraṁ nāparam asti kiñcid **7.7**
yas tv ātma-ratir eva syāt 18.49
yā svayaṁ padmanābhasya **44**
yasya brahma ca kṣatraṁ ca **11.32**
yasya deve parā bhaktir **6.47, 11.54**
yasyaika-niśvasita-kālam **11.54**
yasyājñayā bhramati sambhṛta- **4.1, 9.6**
yasya prasādād bhagavat-prasādo **2.41**
yasyāsti bhaktir bhagavaty **1.28,** 13.12
yasyātma-buddhiḥ kuṇape tri-dhātuke **3.40**
yataḥ pravṛttir bhūtānām 12.11
yathā taror mūla-niṣecanena **9.3**
yato vā imāni bhūtāni jāyante **13.17**

yat-pāda-paṅkaja-palāśa-vilāsa-bhaktyā **5.26**
yatra kvāpi niṣadya yādava- **2.52**
yatra kva vābhadram **2.40, 3.5, 6.40**
yatrāvatīrṇaṁ kṛṣṇākhyam 11.54
yat-tīrtha-buddhiḥ salile na karhicij **3.40**
yā vai sādhana-sampattiḥ **12.7**
yāvat kriyās tāvad idaṁ mano vai **5.2**
yei kṛṣṇa-tattva-vettā **2.8**
ye indrādy-aṅgatayāvasthitam **3.14**
yeṣāṁ tv anta-gataṁ pāpam **6.45**
ye yathā māṁ prapadyante 9.29
yoginām api sarveṣām **42,** 18.1, 18.75
yo 'sau sarvair vedair gīyate 15.15
yo vā etad akṣaraṁ gārgy **2.7**
yo vetti bhautikaṁ deham **9.12**
yo 'yaṁ tavāgato deva **11.40**
yo 'yaṁ yogas tvayā proktaḥ **42**
yuddhamānāḥ paraṁ śaktyā **2.31**
yujyate 'nena durghaṭeṣu kāryeṣu 9.5

Tárgy- és névmutató

Ez a tárgy- és névmutató a *Bhagavad-gītā* verseinek fordításaira vonatkozik. Az egyes témakörökről az adott vershez fűzött magyarázatból tudhat meg többet az olvasó.

A

Abhimanyu 1.6
Abszolút Igazság
  filozófiai kutatás az ~ról 13.8–12
  az odaadó szolgálat célja 17.26–27
  a *sat* szó jelöli 17.26–27
  tudás az ~ról *lásd* tudás, Kṛṣṇáról
  lásd még Kṛṣṇa
adhibhūtam meghatározása 8.4 *lásd még* anyagi természet
adhidaivam meghatározása 8.4 *lásd még* kozmikus forma
adhyātma meghatározása 8.3 *lásd még* lélek
ādityák 10.21, 11.6, 11.22
adományozás
  a démonok által 16.13–15
  felhagyni vele nem szabad 18.5
  hit nélkül 17.28
  a jóság kötőerejében 17.20
  Kṛṣṇa az ~ forrása 10.4–5
  mint kötelesség 18.6
  a szenvedély kötőerejében 17.21
  a természet különféle kötőerőiben 17.7
  tisztuláshoz vezet 18.5
  a tudatlanság kötőerejében 17.22
Agni 10.23
alacsonyabb rendű energia *lásd* anyagi energia
alázatosság mint tudás 13.8–12
áldozat(ok)
  a *brahmacārik* által 4.26
  a Brahman tüzébe ajánlott ~ 4.25
  célja transzcendentális 17.24
  a démonok által 16.17
  az életlevegő ~a 4.27
  elhanyagolása 3.16

áldozat(ok) (*folyt.*)
  az elme fegyelmezésének tüzébe ajánlott ~ 4.26
  eredménye 4.30, 4.33
  az érzékek működésének ~a 4.27
  az eső az ~ból születik 3.14
  fajtáinak összehasonlítása 4.33
  a fegyelmezett elme tüzébe 4.27
  felhagyni vele nem szabad 18.5
  a félisteneknek 3.12, 9.23
  fontossága 4.31
  forrása 4.32
  a *gṛhasta* által 4.26
  hit nélkül 17.28
  a jóság kötőerejében 17.11
  a kötelességből születik 3.14
  Kṛṣṇa az ~ irányító elve 7.30
  Kṛṣṇa az ~ között 10.25
  Kṛṣṇa minden ~ élvezője 9.24
  Kṛṣṇa minden ~ haszonélvezője 5.29
  Kṛṣṇának
    boldogsághoz vezet 3.10
    ételfelajánlás 3.13
    a félisteneket elégedetté teszi 3.11
    megszabadít a kötöttségtől 3.9
  légzésszabályozással 4.29
  lemondás végzésével 4.28
  megsemmisíti a bűnös visszahatást 4.30
  megtisztít 18.5
  mint kötelesség 18.6
  összetevői 9.16
  a szenvedély kötőerejében 17.12
  a *tat* szó kiejtése az ~ során 17.23, 17.25
  a természet különféle kötőerőiben 17.7–17
  a Transzcendens jelenléte az ~ban 3.15
  transzcendentális célja 17.25
  a transzcendentalisták által 17.24
  a tudatlanság kötőerejében 17.13
  a tulajdonról való lemondás ~a 4.28
  Ura a Felsőlélek 8.4

áldozat(ok) (*folyt.*)
a Védák és az ~ 4.32
a Védák tanulmányozása által 4.28
végzői
csoportjaik 4.25–30
a *sat* szó utal rájuk 17.26–27
a *yogīk* által 4.25
az alvás fegyelmezése 6.16
analitikus tanulmányozás *lásd sāṅkhya*
analógiák
a banjanfa ágai és az érzéktárgyak 15.2
banjanfa és az anyagi világ 15.1–4
a banjanfa levelei és a védikus himnuszok 15.1
boldogság és bánat, tél és nyár 2.14
csónak és értelem 2.67
ég és lélek 13.33
ég és Kṛṣṇa 9.6
embrió és élőlény 3.38
folyók és vágyak 2.70
a folyók hullámai és a harcosok 11.28
fonal és Kṛṣṇa 7.7
füst és hiba 18.48
füst és kéj 3.38
gép és test 18.61
gyöngyök és lét 7.7
illat és életfelfogás 15.8
kis kút és a Védák 2.46
lámpa és tudás 10.11
levegő és élőlény 15.8
lótuszlevél és *karma-yogī* 5.10
mécses és transzcendentalista 6.19
méh és a mohó vágyakozás 3.38
nap és tudás 5.16
nap és élőlény tudata 13.34
óceán és a Kṛṣṇa-tudatú ember 2.70
óceán és az Úr kozmikus formája 11.28
por és kéj 3.38
ruhák és testek 2.22
szél és élőlény 9.6
szél és érzékek 2.67
a teknős végtagjai és érzékek 2.58
tükör és élőlény 3.38
tűz és kéj 3.39
tűz és munka 18.48
tűz és tudás 4.37
tűzifa és a gyümölcsöző tett visszahatása 4.37
város és test 5.13–14
víz és bűnös visszahatások 5.10
víztároló és a Védák szándéka 2.46
Ananta 10.29
Anantavijaya kagylókürt 1.16–18
anyag, cselekvő érzékszervek és ~ 3.42
anyagi energia
az élőlények kihasználják 7.5
anyagi energia (*folyt.*)
nyolc összetevője 7.4
anyagi lét
alapja 9.18
háromféle szenvedés és ~ *lásd* szenvedés
Kṛṣṇa az ~ alapja 7.7, 7.10, 7.12, 9.18, 10.39
összetevői 13.27
lásd még anyagi természet
anyagi természet
az élőlény a hatása alatt *lásd* feltételekhez kötött lélek
az élőlény származása az ~ből 9.10
az élőlények változásai az ~ által 13.20
felszabadulás az ~ megértésével 13.24
kezdet nélküli 13.20
kötőerői *lásd egyes kötőerők;* kötőerők
Kṛṣṇa irányítja 9.10
Kṛṣṇa túl van az ~en 8.9
a lélekvándorlás oka 13.22
az okok és következmények oka 13.21
pusztítás és teremtés az ~en keresztül 9.10
a test oka 13.30
lásd még anyagi energia
anyagi test(ek)
átmeneti természete 2.13, 2.16
a *bhakták* tudása az ~ről 13.19
fegyelmezése 17.14
a Felsőlélek és az ~ *lásd* Felsőlélek
forrása az anyagi természet 13.30
gabona és ~ 3.14
géphez hasonlítják 18.61
ismerője 13.1–2
kilenc kapus városa 5.13
a lélek a különböző ~ben 5.18
megértése mint tudás 13.3
megnyilvánult és megnyilvánulatlan állapota 2.28
működése és a lélek 5.13–14
működése és a természet kötőerői 5.14
működésének helyes felfogása 13.30, 13.35
összetevői 13.6–7
ruhához hasonlítják 2.22
sanyargatása 17.5–6
a természet kötőerői és az ~ 5.14
a tettek mezeje 13.1–7, 13.27
anyagi tettek *lásd* gyümölcsöző tettek
anyagi világ
banjanfához hasonlítják 15.1–4
brahman, túl az ~ ok-okozati törvényén 13.13
démoni látásmódja 16.8
elhagyása
megfelelő időpontban 8.23–24

anyagi világ
elhagyása (*folyt.*)
nem megfelelő időpontban 8.25, 8.26
lásd még felszabadulás; visszatérés Istenhez
az élőlények természete az ~ban 15.16, 16.6
elpusztítása 16.9
Kṛṣṇa az ~ forrása 10.8
Kṛṣṇa az ~ irányító elve 7.30
megteremtése *lásd* teremtés
összetevői 13.6–7
szenvedés az ~ban *lásd* szenvedés
visszatérés az ~ba
a tökéletesség elérése és ~ 8.15
lásd még lélekvándorlás; születés és halál körforgása
Arjuna
Bharata leszármazottja 2.30
ellenfeleit szemléli Kurukṣetrán 1.25–28
az elméről 6.34
érvei a háború ellen 1.31–45
Gāṇḍīva íja 1.29, 1.46
a gazdagság meghódítója 7.7
Hanumān díszlik zászlaján 1.20
a hírnevét teszi kockára 2.33–38
íja 1.29, 1.46
illúziója szertefoszlik 18.73
imái 11.14–31, 11.36–46
isteni szemet kap 11.8
jelenlétének hatása 18.78
kagylókürtje 1.14, 1.15
kérdései *lásd* kérdések, Arjunáé
kiváló tulajdonságai 4.3, 9.1, 10.1, 18.64, 18.65
a kozmikus formát elsőként látja 11.47–48
a kozmikus formát szeretné látni 11.3–4
Kṛṣṇa a barátja 10.1, 18.64, 18.65
Kṛṣṇa bocsánatáért esedezik 11.41–42, 11.44
Kṛṣṇa megmutatja neki eredeti formáját 11.50–51
Kṛṣṇa megszidja gyöngeségéért 2.2–3
Kṛṣṇa mint ~ 10.37
Kṛṣṇa a szekérhajtója 1.21–24
Kṛṣṇa utasításait elfogadja 10.14, 18.73
Kṛṣṇa utasításait összefoglalja 11.1–3
Kṛṣṇát jellemzi 10.12–13
kṣatriya 2.31
Kurukṣetrán az ellenfeleit szemléli 1.25–28
megérti Kṛṣṇa helyzetét 11.1–4
meghódol Kṛṣṇának 2.7, 18.73
megszívleli Kṛṣṇa utasításait 10.14, 18.73
Arjuna (*folyt.*)
Savyasācī 11.33
a szertefoszlott illúzióról 11.1
szilárd eltökéltsége 18.73
természete 18.59, 18.60
tigris az emberek között 18.4
utasítást kap a harcra 2.31–38, 4.42, 11.33, 11.34
a *yogát* megvalósíthatatlannak véli 6.33–34
választási lehetősége 18.63
vonakodik a harctól 1.31–45
zavarodottsága 1.27–46, 2.4–9
Aryamā 10.29
asat meghatározása 17.28
Asita 10.12–13
aṣṭāṅga-yoga 5.27–28
asurák lásd démonok
Aśvatthāmā 1.8
Aśvīk 11.22
aszkéta, összehasonlítása a *yogīval* 6.46

B

bánkódás 2.11, 2.25–28
banjanfa 15.1–4
a béke elérése
az érzékkielégítésről való lemondással 2.71
a hamis egóról való lemondással 2.71
a Kṛṣṇa-tudat előfeltétele 2.66
az odaadó szolgálat révén 9.31
szilárd tudattal 2.70
a tettek gyümölcseiről való lemondással 12.12
transzcendentális értelem és ~ 2.66
a tudás révén 4.39, 5.29
az Úrnak meghódolva 18.62
béketűrés
eredménye 2.15
gyakorlása 2.14, 2.15
mint tudás 13.8–12
belső energia 7.25
beszéd, fegyelmezése 17.15
betűk, Kṛṣṇa képviselője a ~ között 10.33
Bhagavad-gītā
hallgatása
irigység nélkül 18.71
megszabadít a bűnös visszahatástól 18.71
Sañjaya véleménye róla 18.74, 18.76
tanulmányozása Kṛṣṇa imádata 18.70
bhakta, bhakták
állhatatossága 12.15
kiegyensúlyozottak 12.13–19

bhakta, bhakták (*folyt.*)
Kṛṣṇa a ~ barátja 9.29
Kṛṣṇa a ~ védelmezője 18.58
Kṛṣṇa kegyét elnyerik 18.56
Kṛṣṇa segíti őket 10.10–11
sosem vesznek el 9.31
a tiszta ~ jellemzői 10.9
transzcendentális értelme 10.10, 13.19
tulajdonságaik kedvesek az Úrnak 12.13–20
zavartalanul rendíthetetlenek 12.15
lásd még az egyes bhaktákat
Bharata 2.10, 2.30
Bhīma 1.15
Bhīṣma
a kozmikus forma és ~ 11.26–27
megvédi Droṇācārya hadseregét 1.8, 1.10–12
sorsa 11.34
Bhṛgu 10.25
Bhūriśravā 1.8
bizalmas tudás *lásd* odaadó szolgálat; tudás, bizalmas
boldogság
áldozat által 3.10, 4.31
Brahman és végső ~ 14.27
a démonok törekvése a ~ra 16.13–15
három fajtája 18.36
a jóság kötőerejében 18.37
karma-yoga által 5.13
a kételkedés lehetetlenné teszi 4.40
Kṛṣṇa a ~ forrása 10.4–5
a lemondás nem elegendő a ~hoz 5.6
a mennyei bolygókon 9.20–21
múlékony természete 2.14
okozója az élőlény 13.21
az önmegvalósított ember és ~ 5.21
a szentírások parancsait elhanyagolva lehetetlen 16.23
a szenvedély kötőerejében 18.38
a tettek mezejének tényezője 13.6–7
a tudásból fakadó ~ 4.38
a tudatlanság kötőerejében 18.39
boldogtalanság *lásd* szenvedés
bolygó(k)
alsóbb ~rendszerek 14.18
mennyei ~ *lásd* mennyei bolygók
pályája 15.13
lásd még Föld; Hold; Nap
bölcsek
bolygóin való születés 14.14
ébrenléte 2.69
éjszakája 2.69
eltérő véleménye 18.3
Kṛṣṇa a ~ eredete 10.2
Kṛṣṇa helyzetéről 10.12
bölcsek (*folyt.*)
Kṛṣṇa képviselője a ~ között 10.25, 10.37
mindenkire ugyanúgy tekintenek 5.18
a tökéletesség útja a ~ számára 13.1
lásd még az egyes bölcseket
Brahmā, Úr
Kṛṣṇa mint ~ 10.33
napjának hossza 8.17
a *brahmacārīk* áldozata 4.26
brahman (Brahman)
alacsonyabb rendű Kṛṣṇánál 13.13, 14.27
az anyagi világ ok-okozatain túl 13.13
elérőinek jellemzői 8.11
az élőlény mint ~ 8.3
az élőlények születése és ~ 14.3
hibátlan 5.19
imádata 12.2–7
jellemzése 13.13, 14.27
a kiegyensúlyozott elméjű lelkek és ~ 5.19
Kṛṣṇa a ~ alapja 13.13, 14.27
Kṛṣṇa termékenyíti meg 14.3
a legfelsőbb ~ *lásd* Kṛṣṇa
megismeréséből fakadó felfogás 13.31–33
az *oṁ tat sat* utal rá 17.23
szintjének elérése 14.26
a teljes anyagi állomány 14.3
a tökéletes állapot 18.50
yogīk és a ~ 4.25
brāhmaṇák
kötőerők és a ~ tulajdonságai 18.41
odaadó szolgálata 7.29, 9.33
tulajdonságai 18.42
Bṛhaspati 10.24
Bṛhat-sāma, himnusz 10.35
bűnös tettek
forrása 3.16
kéjvágy és ~ 3.37, 3.41
bűnös visszahatás
a kötelesség mentes a ~tól 18.47
megszabadulás a ~tól
áldozat bemutatásával 4.30
a *Bhagavad-gītāval* 18.71
felajánlott étellel 3.13
karma-yogával 5.10
meditációval 6.27
meghódolással 18.66
odaadó szolgálattal 5.10
tudással 10.3
tett ~ nélkül 4.21
büszkeségnélküliség 13.8–12

C

Cekitāna 1.5
Citraratha 10.26
cölibátus, a tökéletesség érdekében 8.11
lásd még sannyāsa életrend

Cs

a család pusztulása 1.37–43
családi élet *lásd gṛhasthák*
cselekvés *lásd* tett
cselekvő *lásd* tett, végzője

D

démoni természet 16.4, 16.5, 16.7–20
démonok
áldozatai 16.13–17
imádata 17.4, 17.5–6
Kṛṣṇa képviselője a ~ között 10.30
természete 16.4, 16.5, 16.7–20
tettei 16.9–10
a tudatlanság megtéveszti őket 16.13–15
Devadatta kagylókürt 1.15
Dhṛtarāṣṭra
Bharata leszármazottja 2.10
fiai *lásd* Duryodhana
kérdései fiairól 1.1
a kozmikus forma és ~ fiai 11.26–27
Sañjayát kérdezi a kurukṣetrai háborúról 1.1
Droṇācārya
Duryodhana megszólítja 1.3–11
a kozmikus forma és ~ 11.26–27
sorsa 11.34
Drupada 1.4
Duryodhana
Bhīṣma és ~ 1.12
Droṇācāryához szól 1.3–11
harcosok ~ oldalán 1.7–11
düh *lásd* harag

E

ég 13.33
egyenlő szemléletmód
a *bhakták* jellemzője 12.13–19
egyenlő szemléletmód (*folyt.*)
eredménye 5.19, 5.20–21
értelem és ~ 6.9
Kṛṣṇa a forrása 10.4–5
mint tudás 13.8–12
a transzcendentalisták jellemzője 14.22–25
tudásból fakad 5.18
egyszerűség mint tudás 13.8–12
éjszaka
a bölcs számára 2.69
a materialista számára 2.69
elefántok 10.27
az élet célja
démonikus szemlélet ~ról 16.11–12
lásd még Kṛṣṇa-tudat; tökéletesség; visszatérés Istenhez
az élet lemondott rendje *lásd sannyāsa* életrend
életlevegő
a halál pillanatában 8.10
Kṛṣṇa mint ~ 15.14
a *yoga* folyamata és ~ 8.10, 8.12
lásd még légzésszabályozás
elme
ellenség és barát 6.5–6
ereje 6.34, 6.35
az értelemhez hasonlítva 3.42
az érzékek fegyelmezése az ~vel 3.7
az érzékek hatása az ~re 2.60
az érzékekhez hasonlítva 3.42
fegyelmezése
áldozat és ~ 4.26
eltökéltség révén 18.33
gyakorlással 6.35
hiánya 6.6
jellemzője 17.16
jótékony hatása 6.6, 6.7
a kötöttség elkerülhető általa 5.7
Kṛṣṇa a forrása 10.4–5
lemondás a birtokvágyról és ~ 4.21
nehézsége 6.34, 6.35
az önvaló megpillantása és ~ 6.26
a transzcendentalisták módszere ~hez 6.10
a feltételekhez kötött lélek és ~ 6.5–6
felszabadulás és ~ 6.5–6
kéjvágy és ~ 3.40
kiegyensúlyozott ~ 6.9
mint anyagi energia 7.4
mint érzékszerv 15.7
mint a tettek mezejének összetevője 13.6–7
az önmegvalósításban 6.36

elme (*folyt.*)
a *samādhiba* merült ~ 6.20–23
a Védák virágos szavai és az ~ 2.53
elmebeli spekuláció 11.55
előírt kötelességek *lásd* kötelesség
élőlény(ek)
az anyagi energiát kihasználja 7.5
a Brahman teszi lehetővé az ~ születését 14.3
egyformán tekinteni rájuk 18.54 *lásd még* egyenlő szemléletmód
esendő és tévedhetetlen 15.16
felfogása
a szenvedély kötőerejében 18.21
a tudás révén 4.35
a Felsőlélek irányítja 18.61
a Felsőlélek tartja fenn őket 13.15, 13.17
felszabadulása a tudás segítségével 13.24
forrása 7.6, 9.10, 14.3
a kéjvágy és az ~ tévútja 3.40
két fajtája 15.16
kétféle ~ 16.6 *lásd még* démoni természet; isteni természet
kezdet nélküli 13.20
Kṛṣṇa a fenntartójuk 9.5
Kṛṣṇa a jóakarójuk 5.29
Kṛṣṇa képviselője az ~ között 10.22
létrejönnek az anyagi természeten keresztül 9.10
magzathoz hasonlítva 3.38
a megnyilvánulatlanba merülnek Brahmā éjszakáján 8.18, 8.19
megnyilvánulnak Brahmā napjának hajnalán 8.18
minden ~ iránti barátság 11.55
minden ~ Kṛṣṇa szerves része 4.35, 15.7
mindenhova kiterjednek 13.31
mint Brahman 8.3
mint lelki energia 7.5
a naphoz hasonlítva 13.34
a szélhez hasonlítva 9.6
a szenvedés és élvezet okozója 13.21
a természet kötőerői és ~ *lásd* kötőerők
a tökéletes ~ között Kṛṣṇa képviselője 10.26 *lásd még* önmegvalósított lelkek
a tudatlanság kötőereje megtéveszti az ~t 14.8
tükörhöz hasonlítva 3.38
tűzhöz hasonlítva 3.38
vándorlása és az anyagi természet 13.20
lásd még lélekvándorlás; születés és halál körforgása
lásd még lélek
élvezet
anyagi ~ *lásd* érzékkielégítés
a mennyei bolygókon 9.20–21
lásd még boldogság
ember
a kéjvágy az ellensége 3.37, 3.39
közönséges ~ 3.20, 3.21
természete tettei alapján 3.33
az emberi társadalom osztályai *lásd egyes varṇák; varṇāśrama*-rendszer
emlékezet
Kṛṣṇa az ~ forrása 15.15
a születés és halál körforgásában 4.5
zavart 2.63
energia
anyagi ~ *lásd* anyagi természet
isteni ~ *lásd* isteni természet
erény Kṛṣṇa és Arjuna jelenlétében 18.78
erő
Kṛṣṇa és Arjuna jelenlétében 18.78
Kṛṣṇa mint ~ 7.11
erőszakmentesség 10.4–5, 13.8–12
értelem
az anyagi energia összetevője 7.4
anyagi vágyak és ~ 7.20
csónakhoz hasonlítják 2.67
elvész a vágy következtében 2.63
elvesztése és félistenimádat 7.20, 7.23
elvesztése és Kṛṣṇa személytelen felfogása 7.24
az elméhez hasonlítva 3.42
emlékezetzavar és ~ 2.63
az érzékek hatása és ~ 2.67
az érzékek szabályozása és ~ 2.68
a határozatlanok és ~ 2.41
a jóság kötőerejében 18.30
a kéjvágy székhelye 3.40
Kṛṣṇa imádata által 18.70
a Kṛṣṇa-tudat megszilárdítja 2.65
a lélekhez hasonlítva 3.42
magasabb rendű az elménél 3.42
megszabadít az illúziótól 2.52
az odaadó szolgálatban 2.41
rendíthetetlen ~ 2.61
szabadsága 18.17
a szenvedély kötőerejében 18.31
tisztulás az ~ segítségével 18.51–53
transzcendentális ~ 2.66
a tudatlanság kötőerejében 18.32
lásd még tudás
érzékek
áldozat az ~ tüzébe 4.26
az anyaghoz hasonlítva 3.42
elme és az ~ 2.60, 3.42
az elméhez hasonlítva 3.42
élőlény és ~ 15.7

érzékek (*folyt.*)
ereje 2.60
értelem és ~ 2.67
fegyelmezése *lásd* az érzékek fegyelmezése
a Felsőlélek és ~ 13.15, 13.16
az isteni tudatban élő és az ~ 5.8–9
a kéjvágy székhelye 3.40
kielégítése *lásd* érzékkielégítés
kielégítésének élni 3.16
Kṛṣṇa az ~ mestere 17.1
Kṛṣṇa képviselője az ~ között 10.22
tárgya *lásd* az érzékek tárgya
a teknős végtagjaihoz hasonlítva 2.58
a tettek egyik tényezője 18.14
a tettek mezejének összetevője 13.6–7
a tetteket motiváló tényező 18.18
az érzékek fegyelmezése
értelem és ~ 2.61, 2.68
felszabadulás és ~ 5.27–28
hiánya 3.34
kéjvágy megzabolázható általa 3.41
a kötöttség elkerülhető általa 5.7
Kṛṣṇa a forrása 10.4–5
Kṛṣṇa kegye elérhető általa 2.64
magasabbrendű ízt tapasztalva 2.59
szabályozó elvek követésével 2.64
színlelése 3.6
tudás ~ által 2.58
visszatérés Istenhez ~ révén 2.72
a *yogī* jellemzője 5.23
az érzékek tárgya(i)
akadályozza az önmegvalósítást 3.34
a banjanfa ágaihoz hasonlítva 15.2
az elme meditációja ~n 3.6
feláldozni ~t 4.26
lemondás ~ról 2.59 *lásd még* az érzékek fegyelmezése
meditáció az ~n 2.62
megmarad ~ iránti íz 2.59
ragaszkodás ~hoz 2.62, 3.34
a tettek mezejének összetevője 13.6–7
undor ~ iránt 3.34
érzékkielégítés
akadályozza az odaadó szolgálatot 2.44
démonikus szemlélete 16.11–12
elkerülése 18.49
érdekében végzett tettek 18.24
a felszabadult lelkek és az ~ csábítása 5.21–22
korlátozása *lásd* az érzékek fegyelmezése; lemondás
lemondás és ~ 2.55, 2.59, 2.71, 3.28, 6.2, 18.49
megvilágosodott lélek és ~ 3.28
a mennyei bolygókon 9.20–21
érzékkielégítés (*folyt.*)
mint az élet célja 3.16
a szenvedés forrása 5.22
törekvés ~ nélkül 4.19
vágy az ~re
az elme kitalációi és ~ 2.55
szétszórt értelem és ~ 2.42–43, 2.44
lásd még vágyak
eső
az áldozat eredménye 3.14
a gabona az ~ből származik 3.14
Kṛṣṇa szabályozza 9.19
étel
felajánlása áldozat gyanánt 3.13
gabona 3.14
a természet különböző kötőerőiben 17.8
éter 7.4
evés
bűnös visszahatásai 3.13
fegyelmezése 6.16, 6.17, 18.51–53
prasāda 3.13
évszakok 10.35

F

fajok
démoni ~ 16.19, 16.20
Kṛṣṇa a ~ atyja 14.4
születése 14.4
lásd még az egyes fajokat
fák 10.26
fegyverek
Gāṇḍīva íj 1.29, 1.46
Kṛṣṇa képviselője a ~ között 10.28
felajánlások Kṛṣṇának 9.27
megszabadulás a *karmától* és ~ 9.28
szeretettel 9.26
lásd még odaadó szolgálat
félelem
Kṛṣṇa és a ~ 10.4–5
mentesség a ~től 2.40, 2.56, 4.10, 5.27–28, 10.4–5
félistenek
áldozat ~nek *lásd* áldozatok, a félisteneknek
ellátnak minden szükségessel 3.12
imádói 7.20–23 *lásd még* imádat, félisten~
a kozmikus forma és a ~ 11.21
Kṛṣṇa áll mögöttük 7.22, 7.30
Kṛṣṇa képviselője a ~ között 10.22
Kṛṣṇától származnak 10.2
születés a ~ között 9.20, 9.25
lásd még az egyes félisteneket

Felsőlélek
adhiyajña 8.4
elérése fegyelmezett elmével 6.7
az élőlényt irányítja 18.61
imádata 6.31
megpillantása 13.25, 13.28, 13.29
mindig az élőlénnyel van 13.23, 13.28
a tett egyik tényezője 18.14
a tudás tárgya 13.18
felszabadulás
az áldozatok ismeretével 4.32
a cselekvés ismerete által 4.16
démoni és ateista nézetek és ~ 9.12
a hiteles források hallgatásával 13.26
jellemzői 5.19–22, 5.24–28
Kṛṣṇát megismerve 4.9, 4.14, 4.15
régmúlt időkben 4.15
a természet és az élőlény megértése által 13.24
tökéletes tudás és ~ 5.17
tulajdonságok, melyek szükségesek a ~hoz 5.3, 5.17, 5.24–28
türelem révén 2.15
útjának megértése 13.35, 18.30
feltételekhez kötött élet
megszabadulás a ~től 18.58
lásd még gyümölcsöző tettek
feltételekhez kötött lélek (lelkek)
a bölcs példát mutat a ~nek 3.25–26
elméjét felzaklatni nem ajánlott 3.26, 3.29
a hamis ego megtéveszti 3.27
kapcsolata saját elméjével 6.5–6
kötelesség és ~ 3.25–26, 3.29
Kṛṣṇa példát mutat a ~nek 3.22–24
a természet kötőerőinek hatása a ~re 3.27
tettek végrehajtása és ~ 3.25–27
vándorlása *lásd* lélekvándorlás
zavarodottsága 5.15
a fény forrása 13.18
föld (Föld bolygó)
Kṛṣṇa mint a ~ illata 7.9
születés a ~i bolygókon és a szenvedély kötőereje 14.18
föld elem, az anyagi energia összetevője 7.4
földművesek *lásd vaiśyák*
fösvény definíciója 2.49
fügefa 15.1

G

gabona 3.14
gandharvák 10.26, 11.22
Gāṇḍīva íj 1.29, 1.46
Gangesz 10.31
Garuḍa 10.30
gāyatrī, versforma 10.35
gazdagság 10.23, 18.78
Govinda *lásd* Kṛṣṇa, Úr
a *gṛhasthák* áldozatai 4.26

Gy

gyalázkodás 16.18
győzelem Kṛṣṇa és Arjuna jelenlétében 18.78
gyűlölet
a kettősségek forrása 7.27
a tettek mezejének tényezője 13.6–7
gyümölcsöző tettek
elkerülése 4.20
eredménye *lásd* a gyümölcsöző tettek visszahatása
félistenimádat és ~ 4.12
kötöttséghez vezet 5.12
megszabadulás a ~től 3.31, 4.20, 6.3
az odaadó szolgálat megsemmisíti ~et 2.49
a szenvedély kötőerejében végzik 14.7
a tudás véget vet a ~nek 4.20
a Védákban 2.42–43
a *yogī* és a ~ 6.3
lásd még karma
gyümölcsöző tetteket végzők
a *yogīk* és ~ 6.46
lásd még materialisták
a gyümölcsöző tettek visszahatása(i)
lemondás a ~ról 18.11
lemondás nélkül 18.12
megszabadulás a ~tól
a hamis ego ösztönzésétől megválva 18.17
Kṛṣṇa megértésén keresztül 4.14
az odaadó szolgálat által 4.41
a tettektől való elállás nem elegendő hozzá 3.4
a tudás által 4.41

H

háború
érvek a ~ ellen 1.31–45
Kurukṣetrán *lásd* kurukṣetrai csata
hajlamaink elfojtása 3.33
halak 10.31
halál
bizonyossága 2.27

halál (*folyt.*)
az életlevegő rögzítése a ~ beálltakor 8.10
emlékezés a ~ pillanatában
Kṛṣṇára 7.30, 8.5, 8.10, 8.13
meghatározza a következő testet 8.6
a jóság kötőerejében 14.14
körforgása *lásd* lélekvándorlás; születés és halál körforgása
Kṛṣṇa mint ~ 10.34
Kṛṣṇa mint a ~ eredete 10.4–5
a lélek nincs kitéve a ~nak 2.16–25, 2.30
megfelelő időpontja 8.24, 8.26
megtestesülése 9.19
az odaadó szolgálat megment a ~tól 7.29
a szenvedély kötőerejében 14.15
a tudatlanság kötőerejében 14.15
Yama, a ~ ura 10.29
zavarodottság a ~ pillanatában 2.72
hamis ego
által megtévesztett lélek 3.27
mentesség a ~tól 2.71
harc és ~ 3.30
Kṛṣṇának tetsző tulajdonság 12.13–14
lehetővé teszi az önmegvalósítást 18.51–53
mint tudás 13.8–12
mint anyagi energia 7.4
mint a tettek mezejének tényezője 13.6–7
Hanumān 1.20
harag
illúzió ~ból ered 2.63
kéjvágy ~hoz vezet 2.62
mentesség a ~tól
elérésének módja 5.27–28
az önmegvalósítás révén 18.51–53
szilárd elmével 2.56
a tudás révén 4.10
a pokolba vezető út 16.21
harc
Arjuna megtagadja a ~ot 1.31–45
Arjuna utasítást kap a ~ra 2.31–38, 4.42, 11.33, 11.34
közömbösség és ~ 3.30
megfelelő hozzáállás a ~hoz 2.31–38, 3.30
lásd még kṣatriyák; kurukṣetrai háború
harcosok *lásd kṣatriyák*
háromféle szenvedés *lásd* szenvedés
határozottság *lásd* rendíthetetlenség
Himalája 10.25
a hírnév forrása 10.4–5
hit
a félistenimádatban 7.21, 7.22
hit (*folyt.*)
hiánya 17.28
a természet kötőerői szerint 17.2–3
hiteles források
hallgatása felszabaduláshoz vezet 13.26
lásd még bhakták; bölcsek; Kṛṣṇa; tiszta *bhakták*
Hold
Kṛṣṇa és a ~ ragyogása 15.12
Kṛṣṇa mint ~ 10.21, 15.13
Kṛṣṇa szeme 11.19
zöldségek és a ~ 15.13
hónapok 10.35

I

idő
Brahmā ~számítása 8.17
Kṛṣṇa mint ~ 10.30, 10.33, 11.32
igazmondás, Kṛṣṇától származik 10.4–5
igazság
abszolút ~ *lásd* Abszolút Igazság; Kṛṣṇa
Kṛṣṇa mint ~ 10.32
megismerése a lelki tanítómestertől 4.34
Ikṣvāku 4.1
illúzió
Arjuna mentes az ~tól 18.73
élőlények születése ~ba 7.27
megszabadulás az ~tól a tudással 4.35
a tudatlanság kötőereje ~hoz vezet 14.17
imádat
démoni motivációval 17.5–6
démonok ~a 17.4
félisten~
eredménye 7.22, 7.23, 9.25
értelem és ~ 7.20, 7.23
a jóság kötőerejében 17.4
Kṛṣṇa adja az áldását 7.22
Kṛṣṇa lehetővé teszi 7.21
motivációja 4.12
a *yogīk* által 4.25
a Felsőlélek ~a 6.31
a jóság kötőerejében 17.4
a kozmikus forma ~a 9.15
Kṛṣṇa ~a
eredménye 9.25, 18.65
az értelemmel 18.70
közvetett módja 9.20
visszavisz Hozzá 18.65
meghatározza a születést 9.25
az ősök ~a 9.25
szellem~ 9.25, 17.4
a szentírások elhanyagolása és ~ 17.5–6

imádat (*folyt.*)
a szenvedély kötőerejében 17.4
a tudás művelői által 9.15
a tudatlanság kötőerejében 17.4
imperszonalizmus 7.24 *lásd még* Brahman
Indra 9.20, 10.22
intelligencia *lásd* értelem
irigység
a *Bhagavad-gītā* hallgatása ~ nélkül 18.71
a kötelesség elhanyagolása ~ből 3.32
Kṛṣṇa és az ~ 9.29, 18.67
megszabadulás az ~től 4.22
isteni természet
felszabadulás az ~ révén 16.5
jellemzői 16.1–3
isteni tudat 2.53, 5.8–9 *lásd még* Kṛṣṇa-tudat
Isten-tudat *lásd* Kṛṣṇa-tudat

J

jámborság és odaadó szolgálat 7.28
Janaka király 3.20
Janārdana *lásd* Kṛṣṇa
japa, Kṛṣṇa mint ~ 10.25
Jayadratha 11.34
a jóság kötőereje
áldozat ~ben 17.11
boldogság ~ben 18.37
cselekvés ~ben 18.23
cselekvő ~ben 18.26
eltökéltség ~ben 18.33
eredménye 14.16, 14.18
értelem ~ben 18.30
ételek ~ben 17.8
félistenimádat ~ben 17.4
halál ~ben 14.14
jellemzői 14.6
kötelességek és lemondás ~ben 18.9
kötöttség ~ben 14.6, 14.9
lemondás ~ben 17.14–17
megtapasztalásához szükséges tulajdonságok 14.11
szenvedély, tudatlanság és ~ 14.5
születés a bölcsek bolygóin és ~ 14.14
túlsúlya más kötőerőkkel szemben 14.10
jövő, meglátni a kozmikus formában 11.7

K

kagylókürtök
felsorolása 1.15–18
megszólalnak a csatatéren 1.14–19
kaland, Kṛṣṇa mint ~ 10.36
Kandarpa 10.28
Kapila, Úr 10.26
karma
meghatározása 8.3
megszabadulás a ~tól 9.28
visszahatások és ~ 18.12 *lásd még* a gyümölcsöző tettek visszahatása
yoga és ~ *lásd karma-yoga*
lásd még gyümölcsöző tettek
karma-yoga
béke és ~ 5.12
boldogság és ~ 5.13
bűn és ~ 5.10
az érzékek fegyelmezésével 3.7
megkötöttség és ~ 5.7
ragaszkodás nélkül 5.10
a *sāṅkhyához* hasonlítva5.4
tisztulás a ~ által 5.11
a *karma-yogī* és a materialista 5.12
Karṇa
Duryodhana hadseregében 1.8
a kozmikus forma és ~ 11.26–27
sorsa 11.34
Kārttikeya 10.24
Kāśīrāja 1.5
kéjvágy
bűnös tettekre ösztönöz 3.37
démoni természet és ~ 16.8, 16.10–12
elfedi a tudást 3.40
az érzéktárgyakhoz való ragaszkodás okozza 2.62
forrása 2.62, 3.41
füsthöz hasonlítják 3.38
helye 3.40
különböző szintjei 3.38
legyőzésének módszere 3.41–43
megzavarja az élőlényt 3.40
méhhez hasonlítják 3.38
mint ellenség 3.37, 3.39
pokolba vezet 16.21
porhoz hasonlítják 3.38
kérdés(ek)
Arjunáé
az áldozat Uráról 8.2
az anyagi világról 8.1
a Brahmanról 8.1, 12.1
a bűnös tetteket ösztönző erőről 3.36
a félistenekről 8.1
a gyümölcsöző tettekről 8.1
a harcról 2.4, 2.32
a kitalált imádatról 17.1
a kozmikus formáról 11.31
Kṛṣṇa energiáiról 10.16–18
Kṛṣṇa koráról 4.4
Kṛṣṇa megismeréséről 8.2

kérdés(ek)
Arjunáé (*folyt.*)
Kṛṣṇa utasításairól 3.1–2
a Kṛṣṇán való meditációról 10.17
a kudarcról az önmegvalósítás útján 6.37–9
a lemondás céljáról 18.1
a lemondásról és az odaadó tettekről 5.1
a lemondott életrend céljáról 18.1
az önvalóról 8.1
a *prakṛtiról* 13.1–2
a *puruṣáról* 13.1–2
a testben lakó Úrról 8.2
a tett mezejéről és annak ismerőjéről 13.1–2
a transzcendentalista bukásáról 6.37–39
a transzcendentalista jellemzőiről 2.54, 14.21
a tudás végkövetkeztetéséről 13.1–2
Vivasvānról 4.4
Dhṛtarāṣṭráé a kurukṣetrai hadseregekről 1.1
Kṛṣṇáé Arjuna illúziójáról 18.72
kereskedés, a *vaiśyák* munkája 18.44
Keśī démon és Kṛṣṇa 1.30, 18.1
kétely(ek)
Arjuna ~e *lásd* kérdés, Arjunáé
a boldogság akadálya 4.40
megszabadulás a ~től 5.25
kétszínűség 3.6
kettősségek
megszabadulás a ~től 2.14, 2.45, 4.22
zavarodottságot okoznak 7.27
kígyó 10.28
királyok
szent ~ 4.2, 9.33
kozmikus forma
Arjuna látja először 11.47–48
Arjuna szeretné látni 11.3–4
Arjuna szeretne véget vetni a látványnak 11.45–46
imádata 9.15
jellemzése 11.12, 11.15–30
a jövő meglátható benne 11.7
Kṛṣṇa feltárja 11.9–50
a pusztítás látványa a ~ban 11.26–30
tengerhez hasonlítva 11.28
zavarodottság a ~ megértéséből fakadóan 11.23–25
kötelesség
cselekvés a ~gel összhangban 18.23
elhanyagolása 3.32
az ember természete szerinti ~ 18.47
kötelesség (*folyt.*)
a feltételekhez kötött lelkek és a ~ 3.25–26, 3.29
gyümölcsöző eredményei *lásd* a tettek gyümölcse
az irigység és a ~ elhanyagolása 3.32
a jóság kötőerejében végzett lemondás 18.9
Kṛṣṇa és a ~ 3.22–24
lemondás róla nem ajánlatos 18.7, 18.8
mások ~e 3.35
önmegvalósítás és ~ 3.17
a szentírásokból megérthető 16.24
a kötelesség végzése
az ember joga ~hez 2.47
magasabb rendű, mint a tétlenség 3.8
megingathatatlanul 2.48
megszabadít a gyümölcsöző tettektől 3.31
mint áldozat 3.14
nem követi bűnös visszahatás 18.47
odaadó szellemben ~ 3.26
önmegvalósított ember és ~ 3.18
példamutató 3.20, 3.22–25
saját 3.35
a tettek gyümölcse és ~ 2.47
tevékenységek ~ként 18.6
tökéletességhez vezet 3.20
yogája 2.47–50
kötőerő(k)
áldozatok a különböző ~ben 17.7, 17.13
az anyagi természet alkotórészei 14.5
élvezet a testben a ~ hatása alatt 15.10
értelem a különböző ~ szerint 18.29
ételek a ~ szerint 17.7
a Felsőlélek a ~ ura 13.15
felszabadulás a ~ megértésével 13.24
hatása
megtéveszt 3.29
mindenkire kiterjed 18.40
a tettekre 3.5
a hitet meghatározzák 17.2–3
az isteni energia részét alkotják 7.14
a jóságé *lásd* a jóság kötőereje
Kṛṣṇa és a ~ 7.12, 7.13
lemondások és a különböző ~ 17.13–19
megszabadulás a ~től *lásd* kötőerők, túllépni a ~ön
mindent áthatnak 18.40
nehéz felülkerekedni rajtuk 7.14
a szenvedélyé *lásd* a szenvedély kötőereje
a társadalom felosztása a ~ szerint 4.13
a test tevékenységei és a ~ 5.14

kötőerő(k) (*folyt.*)
a tudatlanságé *lásd* a tudatlanság kötőereje
a tulajdonságokat meghatározzák 3.5
túllépni a ~ön
felszabadulást jelent 14.20
javasolt 2.45
jellemzői 14.22–25
Kṛṣṇának meghódolva 7.14
nehéz 7.14
az odaadó szolgálat révén 14.26
varṇák a ~ alapján 4.13
a Védák beszélnek róla 2.45
versengés a ~ között 14.10
lásd még az egyes kötőerőket
közömbösség
az emberek általános tömege iránt 13.8–12
mint tudás 13.8–12
Kṛpa 1.8
Kṛṣṇa, Úr
az adományozás forrása 10.4–5
alászállása
célja 4.7–8
ideje 4.6–8
megértése felszabaduláshoz vezet 4.9
az áldozat 9.16
áldozat ~nak *lásd* áldozat, Kṛṣṇának
az áldozati tűz 9.16
az áldozatok élvezője 9.23–24
anyagi energiája *lásd* anyagi energia
az anyagi megnyilvánulás irányító elve 7.30
az anyagi természet irányítója 9.10
Arjuna bocsánatot kér ~tól 11.41–42, 11.44
Arjuna és ~ *lásd* Arjuna
Arjuna szekerének hajtója 1.21–24
az aszkéták vezeklése 7.9
belső energiája 7.25
bhaktái lásd bhakták
bhaktáinak jellemzői 12.13–20
a boldogság forrása 10.4–5
a bölcsek eredete 10.2
a *brahman* alárendelt ~nak 13.13
a Brahman alapja 14.27
a *brahmant* megtermékenyíti 14.3
bűnös és jámbor tettek hatása ~ra 5.15
a cél 7.18
a csalások közül a szerencsejáték 10.36
az éghez hasonlítják 9.6
egyenlően bánik mindenkivel 9.29
az elégedettség forrása 10.4–5
az elme szabályozásának forrása 10.4–5
Kṛṣṇa, Úr (*folyt.*)
elméje a bölcsek és a Manuk forrása 10.6
az előírt kötelesség és ~ 3.22–24
az élőlények fenntartója 9.5
az emésztés folyamata és ~ 15.14
az élőlények ~ szerves részei 4.35, 15.7
lásd még élőlények
az emésztés tüze 15.14
emlékezés ~ra
a halál pillanatában 8.5, 8.10, 8.13
módszere 8.9
szüntelenül 8.14
visszavisz Istenhez 8.4, 8.7–8
az emlékezés forrása 15.15
emlékezés ~ előző születéseire 4.5
az eredete és pusztulása mindennek 7.6
eredetéről szóló tudás 10.2
az erkölcsösség 10.38
az erősek ereje 7.11
az erőszakmentesség forrása 10.4–5
az értelem forrása 10.4–5
az értelmesek értelme 7.10
az érzékek fegyelmezésének forrása 10.4–5
az érzékek Ura 18.1
az esőt irányítja 9.19
felajánlás ~nak *lásd* felajánlások Kṛṣṇának
a felajánlás az áldozatban 9.16
a felajánlás az ősatyáknak 9.16
a felejtés forrása 15.15
a félelem forrása 10.4–5
a félelemnélküliség forrása 10.4–5
a félistenek erejének forrása 7.22
a félistenek forrása 10.2
a Felsőlélek *lásd* Felsőlélek
fenntartó 9.17, 9.18
fensége korlátlan 10.19, 10.40
fenségének megnyilvánulása szerint mint: a betű 10.33; Agni 10.23; Airāvata 10.27; Ananta 10.29; Arjuna 10.37; Aryamā 10.29; banjanfa 10.26; bölcsesség 10.38; Bhṛgu 10.25; Brahmā 10.33; Bṛhaspati 10.24; *Bṛhat-sāma* 10.35; büntetés 10.38; cápa 10.31; Citraratha 10.26; csend 10.38; elme 10.22; erkölcs 10.38; erősek ereje 10.36; Felsőlélek 10.20; Gangesz 10.31; győzelem 10.36; halál 10.34; Himalája 10.25; Hold 10.21; idő 10.30; Indra 10.22; *japa* 10.25; kaland 10.36; Kandarpa 10.28; Kapila 10.26; Kārtikeya 10.24; kettős szó 10.33

Kṛṣṇa, Úr
  fenségének megnyilvánulása
    szerint mint: (*folyt.*)
    kezdet, vég és közép 10.32; kimeríthetetlen idő 10.33; király 10.27; Kuvera 10.23; mag 10.39; *mārgaśīrṣa* 10.35; Marīci 10.21; Meru 10.23; minden lény kezdete, közepe és vége 10.20; Nap 10.21; Nārada 10.26; a nők tulajdonságai 10.34; óceán 10.24; az önvalóról szóló tudomány 10.32; Prahlāda 10.30; ragyogás 10.36; Rāma 10.31; *Sāma-veda* 10.22; Śiva 10.23; *surabhi* 10.28; szél 10.31; szerencsejáték 10.36; tavasz 10.35; teremtő elv 10.34; tudat 10.22; Uccaiḥśravā 10.27; Uśanā 10.37; Varuṇa 10.29; Vāsudeva 10.37; Vāsuki 10.28; végső igazság 10.32; villám 10.28; Viṣṇu 10.21; Vyāsa 10.37; Yama 10.29
  fonálhoz hasonlítják 7.7
  formája
    Arjuna látni szeretné 11.45–46
    emberi 9.11, 11.51
    emlékezni rá 8.7
    kétkarú, eredeti 11.51
    kozmikus *lásd* kozmikus forma
    megnyilvánulatlan 9.4
    négykarú 11.50
    nehéz meglátni 11.52–53
    sokszínű 11.5
    személyes 12.2
    tulajdonságai 4.6
    tulajdonságok megpillantásához 11.54–55
  forrás
    a bölcseké 10.2
    a félisteneké 10.2
    a lelki és anyagi világé 10.8
    a nap ragyogásáé 15.12
    a teremtésé 9.9
    az univerzumot benépesítő lényeké 10.6
  a föld illata 7.9
  független 7.12
  gyalázói 9.11–12 *lásd még* démonok
  a gyógyító fű 9.16
  a halál forrása 10.4–5
  a halál megszemélyesítője 9.19
  a halhatatlanság 9.19
  a hang az éterben 7.8
  harcra utasít 2.31–38, 4.42, 11.33–34
  a hatalmasok bátorsága 7.10
  helyzete 11.36–44

Kṛṣṇa, Úr
  helyzete (*folyt.*)
    a bölcsek szerint 10.12–13
    ünnepelt 15.18
  hírnevének okai 15.18
  a hírnév forrása 10.4–5
  a Hold 15.13
  a hold fénye 7.8
  a hold sugárzásának forrása 15.12
  a hő a tűzben 7.9
  a hőt szabályozza 9.19
  az idő 11.32
  az időjárást irányítja 9.19
  az igazmondás forrása 10.4–5
  ígéretei 18.65, 18.66
  iránti szeretet *lásd* szeretet, Kṛṣṇa iránti
  irigység ~ra 18.67
  jelenléte
    erényt jelent 18.78
    erőt ad 18.78
    gazdagságot hoz 18.78
    győzelmet hoz 18.78
  Janārdana 1.37–38
  kagylókürtje 1.14, 1.15
  kedvteléseinek megértése 4.9
  kegye
    elnyerése az érzékek szabályozásával 2.64
    elvisz Hozzá 18.56
  a képesség az emberben 7.8
  képviselői 10.21–39
  kérdések ~hoz *lásd* kérdés, Arjunáé
  Keśava 1.30, 18.1
  a kétkedéstől való mentesség forrása 10.4–5
  kezdet nélküli 10.3
  a kiegyensúlyozottság forrása 10.4–5
  kozmikus formája *lásd* kozmikus forma
  a kötelesség és ~ 3.22–24
  különbözik az univerzumtól 9.5
  lakhelye
    eljutni oda *lásd* visszatérés Istenhez
    megnyilvánulatlan és csalhatatlan 8.21
    ragyogása 15.6
    senkinek nem kell visszatérnie innen 8.21, 15.6
    lásd még lelki világ
  legfelsőbb hatalma 9.11
  a leghatalmasabb élő személyiség 15.17
  a legkedvesebb barát 9.18
  lehetőséget ad a félistenimádatra 7.21
  a lélek természete szerint azonos ~val 6.27
  a lemondás forrása 10.4–5
  a létezés ~tól függ 10.39
  a létformák magot adó atyja 14.4

Kṛṣṇa, Úr (*folyt.*)
Madhusūdana 2.4, 6.33, 8.2
Manu eredete 10.6
meditáció ~án *lásd* meditáció
meditáció ~ személyes formáján 12.2
megad mindent *bhaktáinak* 9.22
a megbocsátás forrása 10.4–5
meghódolás ~nak *lásd* meghódolás
megismerése
felszabaduláshoz vezet 4.9, 4.14
Kṛṣṇa adja hozzá az értelmet 10.10
az odaadó szolgálat révén 11.54–55, 18.55
a Védákon keresztül 15.15
megszületetlen 7.25, 10.3
a megtévesztett világ nem ismeri 7.13
megtisztít 9.17
a menedék 9.18
mentes az irigységtől 9.29
minden 7.12
minden élő élete 7.9
minden élőlény jóakarója 5.29
minden isten Istene 10.15
minden lét magja 10.39
minden létező magja 7.10
minden misztika mestere 18.75
minden ok oka 11.37
mindenki szívében jelen van 15.15
mindennek az alapja 9.18
mindent átható 6.29–30, 8.22, 10.42, 11.19–20
a Nap és a Hold mint ~ szeme 11.19
a nap fénye 7.8, 10.21
a nap forrása 15.12
a nyugvóhely 9.18
odaadó szolgálat és ~ *lásd* odaadó szolgálat
odaadó szolgálat Benne bízva 18.57
az *oṁ* szótag 7.8, 9.17, 10.25
az ostobák felfogása ~ról 9.11
az önmegvalósított lelkek felfogása ~ról 6.28
az örök mag 9.18
pályájukon tartja a bolygókat 15.13
példamutató irányelveket fektet le 3.22–24
a pusztítás és ~ 9.7–8, 9.18
a ragyogók között a legragyogóbb 10.36
semlegessége 9.9
sértést elkövetni ~val szemben 7.15, 9.11, 16.18–20
a szárazság irányítója 9.19
a szégyen forrása 10.4–5
személyiségének megértése 10.14
személytelennek vélni ~t 7.24
a szenvedés forrása 10.4–5
a szerencseistennő férje 1.36
a szertartás 9.16
a születés forrása 10.4–5
a tanítványi láncolat alapja 4.1
a tanú 9.18
társasága 8.8, 8.9
elnyerése a bensőjében boldog, belül cselekvő által 5.24–28
elnyerése Rá emlékezve 8.10, 8.13, 8.14
elnyerése az Úron meditálva 9.34
elnyerése után az anyagi világ elhagyása 8.15
elnyerését a gyakorlás megkönnyíti 8.7, 18.51–54
Kṛṣṇa menedéke biztosítja 9.32
odaadó szolgálattal elérhető 7.18, 8.22, 8.28, 9.3
a távollétében 3.19
lásd még Kṛṣṇa, megismerése; viszszatérés Istenhez
teremt 9.7–8, 10.39, 10.40
a teremtés 9.18
a teremtő elv 10.34
a természet kötőerői ~ban 7.12
a természet kötőerői fölött áll 7.13, 14.19
természete 7.5–15, 9.24, 14.2
a test ismerője 13.1–2
teste *lásd* Kṛṣṇa formája
a tett nincs Rá hatással 4.14, 9.9
tettei gyümölcsére nem vágyik 4.14
tiszta *bhaktái* 10.9
tévedhetetlen 7.25
a tévhittől való mentesség forrása 10.4–5
a transzcendentális mantra 9.16
a tudás forrása 10.4–5, 15.15
tudás ~ról *lásd* Kṛṣṇa-tudat, tudás, Kṛṣṇáról
a tudás tárgya 9.17
tudása 7.26, 10.15
túl van az anyagi természeten 8.9
tulajdonságok, melyek kedvesek ~nak 12.13–20
a tűz forrása 15.12
univerzum és ~ *lásd* univerzum
az univerzum anyja 9.17
az univerzum atyja 9.17
az univerzum fenntartója 9.17
az univerzum ősatyja 9.17
az univerzum Ura 10.15
utasításaitól eltérni 18.59
útjának követése 4.11
a vaj az áldozatban 9.16
a *varṇāśrama*-rendszer forrása 4.13

Kṛṣṇa, Úr (*folyt.*)
a Védák 9.17
a Védák ismerője 15.15
a Védák megnyilvánulnak ~ból 3.15
a *vedānta* szerkesztője 15.15
védelme 18.56, 18.57
viszonozza a szeretetet 4.11
Vivasvānt oktatja 4.1
a víz íze 7.8
Vṛṣṇi leszármazottja 3.36
a *yogī* felfogása ~ról 6.29
Kṛṣṇa-tudat
a béke előfeltétele 2.66
elmerülés a ~ban 4.24, 9.34
az értelem megszilárdulása a ~ban 2.65
a feltételekhez kötött életen felülemel 18.58
hiányának eredménye 18.58
a szenvedés legyőzése a ~tal 2.65
a tett megértése a ~ segítségével 5.8–9
a tettek eredménye ~ban abszolút 4.24
visszatérés Istenhez a ~on keresztül 4.24, 9.34, 18.55
lásd még odaadó szolgálat; szeretet, Kṛṣṇa iránti
kṣatriyák
boldogsága 2.32
tetteik megkülönböztetik őket másoktól 18.41
tulajdonságai 18.43
kudarc
közömbösség a ~ iránt 2.48, 4.22
a lelki életben 2.63 *lásd még* transzcendentalisták, sikertelen
Kuntibhoja 1.5
Kuntī fiai *lásd* Pāṇḍavák
kurukṣetrai csatamező
Arjuna szemével 1.23–28
harcosok a ~n 1.3–18
kurukṣetrai háború
Arjuna érve a ~ ellen 1.31–45
szükségessége 1.32–38
lásd még harc
kuśa-széna és a *yoga* gyakorlása 6.11–12
Kuvera 10.23

L

Legfelsőbb Úr *lásd* Kṛṣṇa, Úr
légzésszabályozás 4.29, 5.27–28 *lásd még* életlevegő
lélek
a Brahman-felfogásban 13.31–33
lélek (*folyt.*)
az elmével összehasonlítva 3.42, 3.43
az értelemmel összehasonlítva 3.42
az érzékekkel összehasonlítva 3.42,3.43
felfogása
helyes ~ 13.28
a különböző testekben 5.18
a Felsőlélek mindig a ~kel van 13.23, 13.28
feltételekhez kötött ~ *lásd* feltételekhez kötött lélek
a halál ismeretlen számára 2.16–25, 2.30
a hamis ego megzavarja 3.27
jellemzői 2.12–13, 2.16–30, 13.32
lealacsonyodása 16.21
a levegőhöz hasonlítják 13.33
magasabb rendű az értelemnél, az elménél és az érzékeknél 3.42, 3.43
megértésének hiánya 2.29
megvilágosodott ~ *lásd* önmegvalósított lélek
nagy ~ *lásd bhakták;* bölcsek; *mahātmāk*
semleges helyzete 13.32
természete, jellemzése 2.12–13, 2.16–30, 13.32
testet öltött ~ *lásd* feltételekhez kötött lélek
a test lakója 5.13–14
a test tevékenységei és a ~ 5.13–14
a test ura 5.14
a testhez hasonlítják 2.16
vándorlása *lásd* lélekvándorlás; születés és halál körforgása
lásd még élőlény
lélekvándorlás
az anyagi természet és ~ 13.22
démonoké 16.19, 16.20
az élőlény az életfelfogásait tovább viszi a ~ során 15.8
érzéki élvezeteket kínál 15.9
a jelen testben 2.13
a józan embert nem zavarja meg 2.13
megértéséhez tudás szükséges 15.10
az ostobák felfogása a ~ról 15.10, 15.11
ruhacseréhez hasonlítva 2.22
során kialakuló test 15.9
a természet kötőerői és ~ 14.14–15, 14.18
lásd még születés és halál körforgása
lelki élet *lásd* Kṛṣṇa-tudat; odaadó szolgálat; önmegvalósítás
lelki tanítómester
elfogadása tudást jelent 13.8–12

lelki tanítómester (*folyt.*)
  szükségessége 4.34
lelki természet
  a jóság kötőereje és a ~ 18.20
  örök 8.20
  lásd még isteni természet
lelki tudás *lásd* tudás
lelki világ
  Kṛṣṇa a forrása 10.8
  lakói nem térnek vissza az anyagi világba 15.6
  lakói tévedhetetlen élőlények 15.16
  lásd még visszatérés Istenhez
lemondás
  az adományozásról helytelen 18.5
  az áldozatról helytelen 18.5
  a beszéd fegyelmezése 17.15
  a birtokvágyról 4.21
  boldogság és ~ 5.6
  a *brāhmaṇa* tulajdonsága 18.42
  élet ~ ban *lásd sannyāsa* életrend
  az elme fegyelmezése 17.16
  az érzékkielégítésről 2.71, 3.28, 6.2, 18.49
  a gyümölcsöző tettek eredményeiről 12.12
  a hamis egóról 2.71
  három fajtája a szentírásokban 18.4–6
  hiánya 18.12
  hit nélkül 17.28
  a jóság kötőerejében 17.14–17
  a kötőerők szerint 17.7, 17.13–19
  Kṛṣṇa a forrása 10.4–5
  Kṛṣṇa minden ~ haszonélvezője 5.29
  meghatározása 5.3, 18.2, 18.3, 18.11
  mint áldozat 4.28
  mint kötelesség 18.6
  mint tudás 13.8–12
  mint *yoga* 6.2
  a munka eredményeiről 12.11
  önfegyelemmel 18.49
  összehasonlítva a meditációval 12.12
  összehasonlítva az odaadó szolgálattal 5.2, 5.6
  a szenvedély kötőerejében 17.18, 18.8
  a test fegyelmezése 17.14
  a tökéletes szabadság elérése ~sal 18.49
  tökéletesség és ~ 3.4
  a transzcendentalisták ~a 14.22–25
  a tudatlanság kötőerejében 17.19, 18.7
  a tulajdonról 2.71
  a vágyakról 2.71, 6.24
  a vallásról 18.66
  a vezeklésről helytelen 18.5
  lásd még közömbösség; önfegyelem; vezeklés
levegő, az anyagi energia összetevője 7.4
  a logika művelői 10.32
  lovak 10.27

M

madarak 10.30
Madhu démon 1.32–35, 2.4
magányos élet 13.8–12
mahātmāk
  jellemzői 9.13–14
  lásd még bhakták; bölcsek; tiszta *bhakták*
Maṇipuṣpaka kagylókürt 1.16–18
Manu(k)
  Kṛṣṇa ~ forrása 10.6
  a tanítványi láncolatban 4.1
Marīci 10.21
Marutok 11.22
materialisták
  bölcsek és ~ 2.69
  a munka gyümölcsére sóvárgó és ~ 5.12
  lásd még gyümölcsöző tetteket végzők
māyā lásd anyagi természet; illúzió
meditáció
  állandó ~ 6.19
  a Felsőlélek megpillantása ~ban 13.25
  Kṛṣṇán
    áldásai 9.22
    állandó 18.65
    folyamata 8.9
    Kṛṣṇa elérhető általa 8.8, 9.34
    megsemmisíti a tettek visszahatásait 6.27
    személyes formájában 12.2
    visszavisz Istenhez 18.65
    lásd még Kṛṣṇa-tudat
  összehasonlítva a lemondással 12.12
  összehasonlítva a tudással 12.12
  samādhiban 6.25
  a személytelen Brahmanon 12.3–4
  a *yogīk* ~ja 6.10–17
megbocsátás 10.4–5, 16.1–3
meggyőződések, a tettek mezejének összetevője 13.6–7
meghódolás, Kṛṣṇának
  béke a ~ révén 18.62
  elutasítása 7.15
  a jámborok és ~ 7.16–18
  megszabadulás a bűnös visszahatásoktól és ~ 18.66
  megszabadulás az anyagi világból és ~ 15.3–5
  motiváció a ~ra 7.16, 7.17, 7.18

négyféle ember elfogadja 7.16
négyféle ember elutasítja 7.15
ritka 7.19
a természet kötőerőit legyőzi 7.14
tudás révén 7.19
visszatérés Istenhez a ~ által 18.62
mennyei bolygók
élvezet a ~on 9.20–21
felemelkedés a ~ra
a *kṣatriyák* útja 2.32
születés révén 9.20, 14.18
a Védákon keresztül 2.42–43
Meru-hegy 10.23
misztika
Kṛṣṇa minden ~ mestere 18.75
a tudás minden ~ érett gyümölcse 4.38
lásd még yoga
misztikus definíciója 6.1
mohóság 16.21
munka *lásd* tett

N

nāgák 10.29
Nakula 1.16–18
nap (Nap bolygó)
beragyogja az univerzumot 13.34, 15.12
az élőlényhez hasonlítva 13.34
Kṛṣṇa a forrása a ~ fényének 15.12
Kṛṣṇa mint ~ 10.21
Kṛṣṇa szeme 11.19
Nārada, Kṛṣṇa helyzete ~ szerint 10.12–13
nemi élet
démonikus nézet a ~ről 16.8
a helyénvaló ~ 7.11
lemondás a ~ről meditációval 6.13–14
nemzedék, nem várt ~ 1.41
nők
Kṛṣṇa és a ~ tulajdonságai 10.34
rossz útra térése 1.40–41

Ny

nyomorúság *lásd* szenvedés

O

óceán 10.24
odaadás, Kṛṣṇa iránti
hiánya 18.67
Kṛṣṇa elérhető az ~ által 8.22
mint tudás 13.8–12
odaadás, Kṛṣṇa iránti (*folyt.*)
lásd még meghódolás Kṛṣṇának, odaadó szolgálat; szeretet, Kṛṣṇa iránti
odaadó szolgálat
békéhez vezet 5.12, 9.31
a *bhakták* felvilágosítása mint ~ 18.68
a Brahman szintjére emel 14.26
bűnös tettek és ~ 9.30
célja 17.26–27
elnyerése 9.33–34
eredménye
Kṛṣṇa elérése 5.6, 8.28
minden más eredményt is magában foglal 8.28
a *sāṅkhya* eredményével összehasonlítva 5.4
az érzékkielégítés akadályozza 2.44
felajánlások az ~ban *lásd* felajánlások Kṛṣṇának
gyakorlói *lásd bhakták*
hit nélkül végzett ~ 9.3
a jámbor cselekvés ~hoz vezet 7.28
kitartás az ~ban 2.41
a kötelesség végzése az ~ szellemében 3.26
Kṛṣṇa barátságához vezet 9.29
Kṛṣṇa eléréséhez vezet 5.6, 7.18, 9.3, 12.18–19, 18.55
Kṛṣṇa megértéséhez vezet 11.54–55, 18.55
Kṛṣṇában bízni az ~ban 18.57
a Kṛṣṇáról szóló tudás ösztönzi 10.7, 10.8, 15.19
Kṛṣṇát láthatóvá teszi 11.54–55
a lemondással összehasonlítva 5.2, 5.6
mahātmāk végzik 9.13–14
megértése tökéletességhez vezet 15.20
megértéséhez szükséges tulajdonságok 4.3
megment az öregkortól és a haláltól 7.29
megszabadít a bűnös visszahatásoktól 5.10
megszabadít a gyümölcsöző tettek visszahatásától 4.41
megszabadít a születés és halál körforgásától 2.51, 12.6–7
megvéd a félelemtől 2.40
önmegvalósítás az ~on keresztül 2.39, 2.72
a *sāṅkhyával* összehasonlítva 5.4
szabályozó elveinek alternatívája 12.10–14
szabályozó elveit követni kell 12.9
a tanítványi láncolat és az ~ 4.1–2
a természet kötőerői fölé emel 14.26

odaadó szolgálat (*folyt.*)
a tett az ~ban nem okoz lekötöttséget 5.7 *lásd még karma-yoga*
tiszta ~ 7.17, 18.51–54
tisztességessé tesz 9.31
az Úr személytelen aspektusának imádata és ~ 12.2–7
a vallás tökéletessége 9.2
a védikus szentírások titkos része 15.20
véget vet a gyümölcsöző tetteknek 2.49
végzőjének értelme 2.41
végzőjének jellemzői 7.28
végzőjének tudása 7.29
veszíteni vele nem lehet 2.40, 4.11, 8.28
visszavisz Istenhez 2.51, 18.55
a *yoga* eredménye 6.28
oṁ
éneklése 8.11, 8.13
Kṛṣṇa mint az ~ 7.8, 9.17, 10.25
a transzcendentalisták ejtik ki 17.24
oṁ tat sat 17.23
oroszlán, Kṛṣṇa mint ~ 10.30

Ö

ölés
a lélek nem lehet áldozata 2.16–25
megszabadulás a visszahatásaitól 18.17
lásd még halál; harc
önfegyelem, önfegyelmezés
a *brāhmaṇák* tulajdonsága 18.42
a kötőerők szerint 17.17–19
Kṛṣṇa az ~ forrása 10.4–5
lemondás és ~ 18.49
mint tudás 13.8–12
lásd még az érzékek fegyelmezése
önmegvalósítás
az elme szerepe az ~ban 6.36
empirikus és filozófiai tudás segítségével 2.11–30
az érzékek fegyelmezésének hiánya akadályozza 3.34
az érzékek tárgyai akadályozzák az ~t 3.34
fontosságának felismerése 13.8–12
a gyakorlás elősegíti 18.51–53
jellemzői 5.18–22, 6.8, 18.51–53
Kṛṣṇa mint ~ 10.32
a lélekvándorlás megértése az ~ révén 15.10, 15.11
odaadó szolgálat révén 2.39–72
okozta boldogság 5.21
siker az ~ban 6.36
szintjén minden kötelesség érvényét veszti 3.17
önmegvalósítás (*folyt.*)
lásd még Kṛṣṇa-tudat; odaadó szolgálat
önmegvalósított lelkek
felfogása Kṛṣṇáról 6.28–29
jellemzői 3.18, 6.8, 6.9
kötelesség és a ~ 3.17, 3.18
látásmódja 6.8
lemondanak az érzékkielégítésről 3.28
lásd még bhakták
önvaló *lásd* lélek
öregkor, megszabadulás az ~tól 7.29
öröm *lásd* boldogság
ősatyák 11.22
felajánlás az ~nak 9.16
Kṛṣṇa képviselői az ~ között 10.29
ősnemzők 10.28
őzbőr használata a *yoga* során 6.11–12

P

Pāñcajanya kagylókürt 1.15
Pāṇḍavák
Dhṛtarāṣṭra kérdez a ~ról 1.1
hadserege 1.3–6, 1.16–18
Pāṇḍu fiai *lásd* Pāṇḍavák
papok
Kṛṣṇa képviselője a ~ között 10.24
lásd még bölcsek
Paramātmā lásd Felsőlélek
Pauṇḍra kagylókürt 1.15
példamutató tettek 3.20–25
pokol, utak a ~ba 16.16–21, 16.22
pokoli világok, születés a ~ba 14.18
Prahlāda Mahārāja 10.30
prajāpatik 10.28
prasāda 3.13, 9.26, 17.13
Purujit 1.5

R

ragaszkodás
mentesség a ~tól
a bölcs jellemzője 2.56
jellemzői 2.57
megtisztít 4.10
a munka gyümölcse és ~ 5.3
önmegvalósításhoz vezet 18.51–53
a tettekben 3.19
az Úr kegyének elnyeréséhez vezet 2.64
rākṣasák 10.23

Rāma, Úr 10.31
reinkarnáció *lásd* lélekvándorlás; születés és halál körforgása
rendíthetetlenség
Arjuna és ~ 18.73
az elme szabályozása és ~ 6.35, 18.33
lásd még lemondás
a jóság minősége és ~ 18.33
Kṛṣṇa és ~ 9.9
a *kṣatriyák* tulajdonsága 18.43
a szenvedély kötőerejében 18.34
a tudatlanság kötőerejében 18.35
rudrák 10.23, 11.6

S

sādhyák 11.22
Sahadeva 1.16–18
Śaibya 1.5
samādhi
elérése 6.25
meghatározása 6.20–23
lásd még meditáció
Sañjaya
a *Bhagavad-gītā* meghallgatása után 18.74, 18.76
Dhṛtarāṣṭra a kurukṣetrai háborúról kérdezi 1.1
Vyāsadeva kegyéből hallja a *Bhagavad-gītāt* 18.75
sāṅkhya, filozófia
a *karma-yogával* összehasonlítva 5.4–5
az odaadó szolgálattal összehasonlítva 5.4–5
a tett öt tényezője ~ szerint 18.14
lásd még tudás
sannyāsa életrend
cselekvés a ~ben 6.1
definíciója 18.2
Sātyaki (Yuyudhāna) 1.4, 1.16–18
siker, közömbösség a ~ iránt 2.48, 4.22
Śikhaṇḍī 1.16–18
Śiva, Úr 10.23
Subhadrā fia 1.6
śūdrák
munkájuk jellemzői szerint 18.41
tulajdonságai 18.44
Sughoṣa kagylókürt 1.16–18

Sz

szabadság
szabályozó elvei 2.64
szabadság (*folyt.*)
a természet kötőerőin felülkerekedve 14.20
tökéletes szintje 18.49
szabályozó elvek
az érzékek fegyelmezése a ~kel 2.64
felemelkedés a ~ követése révén 16.24
szellemek 9.25, 17.4
szentírások
kételkedés a ~ban 4.40
lásd még Védák
a szentírások utasításai
elhanyagolása 16.23
lásd még szabályozó elvek
a szenvedély kötőereje
adományozás ~ben 17.21
áldozat ~ben 17.12
boldogság ~ben 18.38
cselekvés a ~ben 18.27
a démonok imádata ~ben 17.4
eltökéltség ~ben 18.34
ételek ~ben 17.9
forrása 14.7
gyümölcsöző tettek ~ben 14.7
halál ~ben 14.15
kéjvágy és ~ 3.37
kötöttség ~ben 14.7, 14.9
következményei 14.12, 14.15, 14.17, 14.18
lemondás ~ben 18.8
megértés ~ben 18.31
megszabadulás ~étől 6.27
tett ~ben 14.16, 18.24
tudás ~ben 18.21
túlsúlya más kötőerőkkel szemben 14.10
szenvedés
anyagi örömök és ~ 5.22
átmeneti természete 2.14
az élőlény a ~ oka 13.21
felismerése az anyagi létben 13.8–12
Kṛṣṇa és a ~ 10.4–5
megszabadulás a ~től
a *samādhi* révén 6.20–23
a tudás segítségével 4.36, 9.1
a szenvedély kötőerejének következménye 14.15, 14.17
a tettek mezejének tényezője 13.6–7
szeretet, Kṛṣṇa iránti
elérésének útja 4.10
az Úrnak szóló felajánlás és ~ 9.26
lásd még Kṛṣṇa-tudat; odaadó szolgálat
szertartás
Kṛṣṇa mint ~ 9.16
lásd még áldozat

szív
Kṛṣṇa a ~ben 15.15, 18.61 *lásd még* Felsőlélek
tisztulása 6.11–12
születés
alacsony sorban 9.32
bizonyossága 2.27
a félistenek bolygóin 9.20, 9.25
az imádat fajtájának függvénye 9.25
körforgása *lásd* lélekvándorlás; születés és halál körforgása
Kṛṣṇa mint a ~ forrása 10.4–5
létformák ~ révén 14.4
a *yogī* ~e 6.41–43
születés és halál körforgása
démonok a ~ folyamatában 16.19–20
emlékezés a ~ alatt 4.5
a hit nélkül végzett odaadó szolgálat következménye 9.3
kiszabadulás a ~ folyamatából
hiteles forrásokra hallgatva 13.26
kiegyensúlyozottsággal 5.19
születés és halál körforgása
Kṛṣṇa cselekedeteinek megértésével 4.9
odaadó szolgálattal 2.51, 12.6–7
a Védák parancsainak követése és a ~ 9.21
a *yogī* és a ~ 6.40–45

T

tanítvány
Arjuna Kṛṣṇa ~a lesz 2.7
tanítványi láncolat
Kṛṣṇa az alapja 4.1
megszakadása 4.2
tudományának megértéshez szükséges tulajdonságok 4.3
tehenek 10.28
teremtés, anyagi világé
az anyagi természet által 9.10
körforgása 9.7–8
Kṛṣṇa hajtja végre 9.5
Kṛṣṇa jelen van a ~ben 10.32
Kṛṣṇa mint ~ 9.18
lásd még anyagi világ; univerzum
teremtők
Kṛṣṇa képviselője a ~ között 10.33
lásd még Brahmā; Kṛṣṇa
természet, anyagi *lásd* anyagi természet
tétlenség 4.18
tett(ek) (cselekvés, munka, tevékenység)
a *bhakti-yoga* szabályainak alternatívája 12.10
tett(ek) (cselekvés, munka, tevékenység) (*folyt.*)
bűnös visszahatások és ~ 4.21
az ember természete szerint 3.33
eredményéről való lemondás 12.11
felhagyni vele nem szabad 18.48
a Felsőlélek megértése a ~en keresztül 13.25
felszabadulás a ~ megértésével 4.16
gyümölcse nem köti a cselekvőt 4.20
gyümölcsei *lásd* a tettek gyümölcse
három összetevője 18.18
helyszíne mint a tett tényezője 18.14
a hiba tolerálása a ~ben 18.48
a jóság kötőerejében 14.16
a jóság kötőerejében végzett ~ 18.19, 18.23
a kezdőknek javasolt 6.3
közömbösség a ~ gyümölcsei iránt 5.3
Kṛṣṇára nincs hatással 4.14, 9.9
magyarázata 4.1–18, 4.20–24
másokét végezni nem helyes 18.47
mint áldozat 4.32
odaadással végzett ~ *lásd karma-yoga;* odaadó szolgálat
öt tényezője 18.14
ragaszkodás a ~hez 18.22
saját ~ 18.47
során elkövetett hibák 18.48
a szenvedély kötőerejében 14.16, 18.24
szükségessége 3.8
tétlenség, ~ és visszahatások 3.4
tétlenség és ~ 4.18
tökéletesség a ~ segítségével 18.45
transzcendentális ~ 4.16–23 *lásd még* odaadó szolgálat
a tudatlanság kötőerejében 14.16
a tudatlanság kötőerejében végzett ~ 18.25
végzője (cselekvő)
a jóság kötőerejében 18.26
három csoportja 18.19
nem az érzékkielégítés motiválja 4.19
a szenvedély kötőerejében 18.27
természete 18.41–48
a tett egyik összetevője 18.14, 18.18
a tudatlanság kötőerejében 18.28
vágyai hajtják 18.24
lásd még kötelesség
a tettek gyümölcse
Kṛṣṇa nem vágyik ~re 4.14
munka a ~re nem vágyva 2.39–53, 2.55–61, 2.64–65, 2.68, 2.70–72
ragaszkodás ~hez 2.47, 2.49, 18.33

a tettek gyümölcse (*folyt.*)
lásd még a gyümölcsöző tettek visszahatásai
a tettek mezeje 13.1–7, 13.27 *lásd még* anyagi test
tevékenység *lásd* tett
tiszta *bhakták*
jellemzői 10.9
lásd még bhakták
tiszta odaadó szolgálat 7.17, 18.51–54
lásd még odaadó szolgálat
tisztaság mint tudás 13.8–12
tisztító dolgok 10.31
tisztulás
adományozás révén 18.5
áldozat révén 18.5
értelem révén 18.51–53
a jóság kötőerején keresztül 14.16
a *karma-yoga* célja 5.11
a szív ~a 6.11–12
az Úrról szóló tudás révén 4.10
vezekléssel 18.5
a *yogában* 6.11–12
titkos tudás *lásd* odaadó szolgálat; tudás, bizalmas
tolvaj definíciója 3.12
tökéletesség
a bölcsek módszere a ~ eléréséhez 14.1
a Brahman szintje 18.50
cölibátus gyakorlása a ~ érdekében 8.11
elérése
Janaka és a ~ 3.20
a kötelességek végzésével 3.20
az odaadó szolgálat révén 15.20
számban kifejezett esélyek a ~ 7.3
a testnek és a test ismerőjének megértésével 13.35
a tetteken keresztül 18.46–56
utána nem kell visszatérni az anyagi világba 8.15
a *yoga*-rendszer és ~ 6.45
a visszahatásoktól mentes ~ 18.49
a írások parancsait figyelmen kívül hagyva 16.23
Kṛṣṇa nézete a ~ről 12.2
a lemondás nem elegendő a ~hez 3.4
törvényvégrehajtók 10.29
transz *lásd samādhi*
transzcendens
állapotban élők jellemzője 5.19–21
lásd még Brahman; felszabadulás; Kṛṣṇa-tudat
transzcendentalisták
irányelvek a ~ számára 6.10–17
lélekvándorlás a ~ szerint 15.11
oṁ és ~ 17.24
transzcendentalisták (*folyt.*)
sikertelen ~
kérdések a ~ról 6.37–39
sorsa 6.40–45
szilárdak a meditációban 6.19
születés ~ családjában 6.42–43
természete *lásd* isteni természet
lásd még bhakták; bölcsek; önmegvalósított lelkek; *yogīk*
transzcendentális tudás *lásd* transzcendentalisták; tudás, bizalmas
transzcendentális tudat, jellemzői 2.55–59
lásd még Kṛṣṇa-tudat
tudás
bizalmas (titkos) ~
Arjuna tulajdonságai és a ~ elsajátítása 18.64
terjesztése mint odaadó szolgálat 18.68
tulajdonságok, melyek kizárják elsajátítását 18.67
lásd még odaadó szolgálat, transzcendentalisták
az élőlényeket a ~ birtokában látni 4.35, 5.18
elpusztítja a kételyeket 4.42
az érzékek fegyelmezése ~hoz vezet 2.57
felégeti a gyümölcsöző tetteket 4.19
Felsőlélek és ~ 13.18
fénylő lámpáshoz hasonlítják 10.11
a halál pillanatában 8.27
három fajtája 18.19
a jóság kötőerejében 14.17, 18.20
Kṛṣṇa ~a 7.26
Kṛṣṇa ~a saját magáról 10.15
Kṛṣṇa mint ~ 15.15
Kṛṣṇa mint a ~ forrása 10.4–5, 15.15
Kṛṣṇa mint a ~ tárgya 9.17
Kṛṣṇáról
békességhez vezet 5.29
a halál pillanatában 7.30
Kṛṣṇa nem adja bárkinek 7.25
megszabadít a bűnös visszahatásoktól 4.19
a megszerzéséhez szükséges tulajdonságok 7.30, 14.19
mindent magában foglal 7.2
odaadó szolgálatra ösztönöz 10.7, 10.8, 15.19
példái 7.4–15
ritka 7.3, 7.19
legyőzi a gyümölcsöző tettek visszahatásait 4.41
lélekvándorlás a ~ szemével 15.10
lelki ~ *lásd* tudás, bizalmas

tudás (*folyt.*)
a lelki tanítómester ~t ad 4.34
a meditációval hasonlítják össze 12.12
meghatározása 13.3, 13.8–12
meghódolni az Úrnak a ~ segítségével 7.19
megszabadít az illúziótól 4.35
megszabadít a szenvedéstől 4.36
megszerzésének feltételei 5.17
mint fegyver 4.42
művelése
a Felsőlélek megértéséhez vezet 13.25
Kṛṣṇa imádata általa 9.15
a tettekről való elállás alternatívája 12.12
öröm, amely a ~ból fakad 4.38
a szenvedély kötőerejében 18.21
szükséges a felszabaduláshoz 5.17
tökéletes ~ 2.57
a tökéletes ~ jellemzői 2.57
transzcendentális ~ *lásd még* tudás, bizalmas
az áldozatok eredménye 4.33
alkalmasság az elsajátítására 4.39
békességhez vezet 4.39
legyőzi a kéjt 3.43
magasztos
minden bölcsesség királya 9.2
minden misztika érett gyümölcse 4.38
tudatlanság és ~ 5.16
a tudatlanság kötőerejében 18.22
tűzhöz hasonlítják 4.37
tudat
démoni ~ 16.4, 16.5, 16.7–20 *lásd még* démonok
isteni ~ 2.53, 5.8–9 *lásd még* isteni természet; Kṛṣṇa-tudat
a kéjvágy eltompítja 3.39
tiszta ~ *lásd* Kṛṣṇa-tudat
a tudatlanság kötőereje
adományozás ~ben 17.22
áldozat ~ben 17.13
boldogság ~ben 18.39
cselekvő ~ben 18.28
démonok ~ben 16.13–15
dominanciája a többi kötőerővel szemben 14.10
eltökéltség ~ben 18.35
eredménye 14.8, 14.13, 14.15, 14.17, 14.18
étel ~ben 17.10
halál ~ben 14.15
illúzióhoz vezet 14.8
lemondás ~ben 18.7
megértés ~ben 18.32
a tudatlanság kötőereje (*folyt.*)
megkötöttség ~ben 14.8, 14.9
ostobaságot eredményez 14.16
önfegyelmezés ~ben 17.19
szellemek imádata ~ben 17.4
tettek ~ben 14.16 18.25
tudás ~ben 18.22
tudás és ~ 5.16
tudományok 10.32
tűz
Kṛṣṇa és a ~ 10.23, 15.12
mint anyagi elem 7.4
tyāga lásd lemondás

U

Uccaiḥśravā 10.27
univerzum(ok)
Kṛṣṇa áthatja az ~ot 9.4, 10.42
Kṛṣṇa az ~ forrása 9.5
Kṛṣṇa az ~ apja, anyja és ősatyja 9.17
Kṛṣṇa az ~ fenntartója 9.17
Kṛṣṇa az ~ ura 10.15
Kṛṣṇa különbözik az ~tól 9.5
Kṛṣṇa sugarai perzselik az ~ot 11.19
a nap adja az ~ fényét 13.34, 15.12
népessége 10.6
lásd még anyagi világ
az univerzum elpusztítása
az anyagi természet hajtja végre 9.10
körforgása 9.7, 9.8
Kṛṣṇa hajtja végre 9.7, 9.8, 9.18
az univerzum ősnemzői 10.28
az Úr neveinek éneklése 10.25
Uśanā 10.37
Uttamaujā 1.6

V

vágy(ak)
értelem és ~ 7.20
folyóhoz hasonlítják 2.70
a kettősség forrása 7.27
lemondás a ~ról 2.71, 6.24
megszabadulás a ~tól 5.27–28 *lásd még* lemondás
szüntelen áradása 2.70
a tettek mezejének egyik tényezője 13.6–7
lásd még kéjvágy

vaiśyák
munkájuk jellemzői különbözteti meg őket 18.41
tulajdonságai 18.44
vallás
megértésének hiánya 18.31
a vallástalanság mint ~ 18.32
lásd még Kṛṣṇa-tudat; odaadó szolgálat
vallástalanság
elpusztítja a családot 1.40
vallásként való elfogadása 18.32
varṇāśrama-rendszer
a *brāhmaṇák* munkája a ~ben 18.42
az emberek természete és a ~ 18.41–48
forrása 4.13
Kṛṣṇa a ~ teremtője 4.13
a *kṣatriyák* munkája a ~ben 18.43
a *śūdrák* munkája a ~ben 18.44
teremtése a különféle munkák szerint 4.13
a *vaiśyák* munkája a ~ben 18.44
Varuṇa 10.29
Vāsudeva, Úr
Kṛṣṇa mint ~ 10.37
lásd még Kṛṣṇa
vasuk 10.23, 11.22
Vāsuki 10.28
Védák
céljának elérése 2.46
előírják a tetteket 3.15
felsorolása 9.17
gyümölcsöző tettek a ~ban 2.42–43
a halál megfelelő időpontjai a ~ szerint 8.26
ismerőjének definíciója 15.1
kis kút és a ~ szándéka 2.46
Kṛṣṇa a ~ ismerője 15.15
Kṛṣṇa a ~ forrása 3.15
Kṛṣṇa képviselője a ~ között 10.22
Kṛṣṇa megismerhető a ~on keresztül 15.15
Kṛṣṇa nem különbözik a ~tól 9.17
ragaszkodás a ~hoz 2.42–43
tanulmányozása 4.28, 9.20
témája 2.42–43, 2.45
virágos nyelvezete 2.42–43, 2.53
vedānta 15.15
Vedānta-sūtra 13.5
védikus szentírások
háromféle lemondás a ~ban 18.4–5
a kötelesség a ~ szerint 16.24
legmeghittebb része 15.20
odaadó szolgálat ~ban 15.20
utasításai *lásd* a szentírások utasításai
vezeklés
tisztulás általa 18.5
lásd még lemondás
Vikarṇa 1.8
villám, fegyver 10.28
Virāṭa 1.4, 1.16–18
Viṣṇu, Úr
Garuḍa és ~ 10.30
Kṛṣṇa mint ~ 10.21
visszatérés Istenhez
a *bhakták* felvilágosításával 18.68
a bizalmas tudás feltárásával 18.68
az érzékeken uralkodva 2.72
az írások parancsainak elhanyagolása akadályozza 16.23
Kṛṣṇa kegyéből 18.56
Kṛṣṇának meghódolva 18.66
Kṛṣṇára emlékezve 8.5, 8.7–8, 8.13
a Kṛṣṇa-tudaton keresztül 4.24, 9.34, 18.55
az odaadó szolgálattal 8.28, 18.55, 18.65
a szükséges tulajdonságok ehhez 15.5
az Úr imádatával 9.25
a *yogī* és ~ 6.10–15
Vivasvān 4.1
víz
mint anyagi energia 7.4
mint felajánlás Kṛṣṇának 9.26
Vṛṣṇi leszármazottjai 3.36, 10.37
Vyāsadeva, Śrīla
Kṛṣṇa helyzetéről 10.12–13
Kṛṣṇa mint ~ 10.37
Sañjaya ~ kegyéből hallhatja a *Bhagavad-gītāt* 18.75

Y

yakṣák 10.23, 11.22
Yamarāja 10.29
yoga
az anyagi szennyeződés megszüntetése ~val 6.28
Arjuna a ~ nehézségéről 6.33–34
aṣṭāṅga-~ 5.27–28
bhakti-~ *lásd* Kṛṣṇa-tudat; odaadó szolgálat
az életlevegő rögzítése a ~ban 8.10, 8.11
az elme megzabolázása a ~ban 6.11–12
az eltökéltség fenntartása a ~val 18.33
fejlett szintje 6.3, 6.4, 6.18
felhagyni az érzékek tevékenységével 8.12
fokozatos fejlődés a ~ rendszerében 6.40–45

yoga (*folyt.*)
gyakorlása
áldozatok végzésével 4.28
helye 6.11–12
szabályai 6.24
irányelvek a ~ gyakorlásához 6.10–17
karma-~ lásd karma-yoga
a lemondás mint ~ 6.2
meghatározása 2.48, 6.2
a munka művészete 2.50
nyolcfokú rendszere 6.3
önfegyelem a ~ban 6.16–17
tökéletes foka 6.45
transzcendentális eredménye 6.28–29
tudásszerzés az Úrról a ~n keresztül 7.1
ülőhelyzetek a ~ban 6.11–14
végzői *lásd bhakták; yogīk*
yogīk
áldozatai 4.25
alvása 6.16
az aszkéta és ~ 6.46
célja a tisztulás 5.11
definíciója 6.4, 6.8
az empirikus filozófus és ~ 6.46
yogīk (*folyt.*)
fegyelmezik elméjüket 6.10, 6.11–12, 6.13–15
felfogása
az élőlények egyenlőségéről 6.32
jellemzői 6.8
Kṛṣṇáról 6.28, 6.31
félistenimádata 4.25
a gyümölcsöző munkát végzők és ~ 6.46
a gyümölcsöző tett és ~ 6.3
irányelvek ~ számára 6.10–17
a legjobb ~ a *bhakták* 6.47
meditáció ~ számára 6.10–17
sikertelen ~ 6.40–45
táplálkozási szokásai 6.16, 6.17, 18.51–53
tulajdonságai 5.23, 6.2
Yudhāmanyu 1.6
Yudhiṣṭhira 1.16–18
Yuyudhāna (Sātyaki) 1.4, 1.16–18

Z

zöldségek és a Hold 15.13